Im Knaur Taschenbuch Verlag sind bereits
folgende Bücher der Autoren erschienen:
Die Wanderhure
Die Kastellanin
Das Vermächtnis der Wanderhure
Die Tochter der Wanderhure
Die Kastratin
Die Goldhändlerin
Die Löwin
Die Tatarin
Die Pilgerin
Die Feuerbraut
Dezembersturm
Aprilgewitter

Über die Autoren:
Hinter dem Namen Iny Lorentz verbirgt sich ein Münchner Autoren-
paar, dessen erster historischer Roman »Die Kastratin« die Leser auf
Anhieb begeisterte. Mit »Die Wanderhure« gelang ihnen der Durch-
bruch; der Roman erreichte ein Millionenpublikum. Seither folgt Best-
seller auf Bestseller. Die Romane von Iny Lorentz wurden in zahlreiche
Länder verkauft.
Besuchen Sie auch die Homepage der Autoren: www.iny-lorentz.de

Iny Lorentz

Die Rose von Asturien

Roman

KNAUR TASCHENBUCH VERLAG

Bitte besuchen Sie uns im Internet:
www.knaur.de

Vollständige Taschenbuchausgabe März 2011
Knaur Taschenbuch.
Copyright © 2009 by Knaur Verlag.
Ein Unternehmen der Droemerschen Verlagsanstalt
Th. Knaur Nachf. GmbH & Co. KG, München
Alle Rechte vorbehalten. Das Werk darf – auch teilweise – nur mit
Genehmigung des Verlages wiedergegeben werden.
Redaktion: Regine Weisbrod
Umschlaggestaltung: ZERO Werbeagentur, München
Umschlagfoto: Bridgeman / Ausschnitt aus einem Gemälde von
Giulio Romano, 1492–1546 / Louvre, Paris
Satz: Adobe InDesign im Verlag
Druck und Bindung: CPI – Clausen & Bosse, Leck
Printed in Germany
ISBN 978-3-426-63522-3

2 4 5 3 1

Die Rose von Asturien

ERSTER TEIL

Eine alte Feindschaft

I.

*I*m Osten bedeckte der erste Hauch der Dämmerung die Berge, während der westliche Horizont in flammendem Rot leuchtete, als könne der Tag sich nicht entschließen, der Nacht zu weichen. Die Reiterschar, die zu dieser Stunde unterwegs war, achtete jedoch weder auf die beginnende Dunkelheit noch auf das prächtige Farbenspiel am Himmel. Das Gesicht ihres Anführers war düster, und in seinen Augen leuchtete blanke Wut.

Drei Tage lang hatte Roderich, der Grenzgraf der baskischen Mark, die Diebe verfolgt, die eine seiner Schafherden geraubt hatten, und war dabei ein ums andere Mal in die Irre geleitet worden. Obwohl er zu wissen glaubte, wer dahintersteckte, hatte er die Verfolgung abbrechen müssen, weil die Schar seiner Krieger, die ihn auf die Jagd begleitete, zu klein war. Auf einen ernsthaften Kampf mit dem kompletten Stamm der Schafdiebe durfte er sich nicht einlassen.

Daher war die Stimmung ausgesprochen schlecht, und seine Leute verschafften ihrer Wut mit Flüchen Luft.

»Beim heiligen Jakobus, diese Bergwilden lachen sich ins Fäustchen, weil wir uns wie Hunde mit eingezogenen Schwänzen davonmachen müssen«, schimpfte Ramiro, der Stellvertreter des Grafen.

Der ging nicht auf seine Worte ein, sondern winkte ihm, still zu sein. »Vorsicht, da vorne ist jemand. Haltet die Waffen bereit!« Er sprach so leise, dass es nur der Reiter direkt hinter ihm hörte. Dieser gab die Warnung weiter, und innerhalb kürzester Zeit hatten alle Männer die Schilde fester gefasst und ihre Speere gesenkt.

Das Geräusch, das den Grafen hatte aufmerksam werden lassen, stammte jedoch nur von einem einzigen Mann, der auf einem in blutrotes Licht getauchten Felsen saß. Obwohl Graf

Roderich wenig mehr als einen Schattenriss ausmachen konnte, war ihm klar, dass er einen Waskonen vor sich hatte, und zog sein Schwert.

Im gleichen Augenblick stand der Mann auf, sprang vom Felsen und hob die Hände, um seine friedlichen Absichten zu zeigen.

»Einen schönen guten Abend wünsche ich dir, Graf Roderich«, grüßte er.

»Er wird gleich noch schöner werden, wenn dein Blut an meinem Schwert glänzt!« Roderich schlug jedoch nicht zu, sondern musterte den Waskonen mit durchdringendem Blick. Den Kerl hatte er schon ein paarmal gesehen und glaubte sich an seinen Namen erinnern zu können. Dennoch tat er so, als sei der andere ihm fremd. »Was willst du? Sprich schnell, denn meine Klinge ist durstig.«

»Ich will mit dir reden, Graf Roderich, und dir einen Gefallen erweisen.« Der Waskone warf einen vielsagenden Blick auf die Begleiter des Grafen. »Es wäre mir lieb, wenn wir unter vier Augen sprechen könnten!«

Der Graf schüttelte den Kopf. »Ich vertraue den Männern meiner Leibschar mein Leben an. Also sprich, wenn du das deine behalten willst.«

»Sie sollen schwören, nichts von dem zu erzählen, was sie jetzt hören werden«, forderte der Waskone.

»Meine Krieger sind keine Schwatzmäuler. Und jetzt rede endlich!« Auf einen Wink des Grafen umringten die Reiter den Waskonen und richteten ihre Speere auf ihn. Der Mann strich sich mit der Zunge über die trockenen Lippen und lachte, um seine Nervosität zu verbergen.

»Du bist auf der Suche nach den Männern, die deine Schafe gestohlen haben. Was würdest du sagen, wenn ich dir helfen würde, ihren Anführer und dessen Spießgesellen in deine Gewalt zu bekommen?«

Die Miene des Grafen wurde noch grimmiger. »Wenn du mich veralbern willst, hast du dir einen verdammt schlechten Tag dafür ausgesucht.«

Für einen Augenblick sah es so aus, als würde er den Waskonen einfach niederschlagen, dann aber siegte doch seine Neugier. »Gesetzt den Fall, du meinst es wirklich ehrlich: Warum würdest du das tun wollen?«

»Dein Feind hat mich schwer beleidigt«, antwortete der Waskone nach einem kaum merklichen Zögern.

Um die Lippen des Grafen spielte nun ein spöttisches Lächeln. »Das soll ich dir glauben? Ich weiß genau, in welchem Verhältnis du zu diesem Schafdieb stehst. Also soll ich ihn dir aus dem Weg räumen, damit du an seiner Stelle meine Schafe stehlen kannst!«

Der Mann begriff, dass dies keine Lösung war, die dem Grafen gefallen konnte, und ging aufs Ganze. »Was würdest du sagen, wenn unser Stamm dir Schafe als Tribut zahlen würde, anstatt sie dir zu stehlen?«

Nun nickte der Graf unwillkürlich. »Damit könnte ich mich anfreunden. Aber dazu muss ich in euer Dorf kommen, um euren Treueschwur entgegenzunehmen, und zwar ohne Kampf.«

Diese Entwicklung sagte dem Waskonen nicht gerade zu, dennoch stimmte er schließlich zu. »Also gut! Aber dazu muss der Wächter abgelenkt werden, und das ist mir unmöglich. Doch du könntest es tun.« Der Mann trat näher an den Grafen heran und flüsterte ihm etwas ins Ohr. Roderich nickte dazu und grinste.

»Schön! Aber wehe dir, wenn du mich belogen haben solltest. Die Berge wären nicht hoch und nicht weit genug, um dich vor meiner Rache zu bewahren!«

Der Waskone lachte. »Ich liefere dir deinen schlimmsten Feind aus und übergebe unseren Stamm deiner Oberherrschaft.

Dafür habe ich wohl eher eine Belohnung als eine Drohung verdient.«

»Es ist schon Belohnung genug, dass du dein Leben behalten darfst«, warf Ramiro ein. Er traute dem Waskonen noch weniger als sein Herr und hätte ihn am liebsten mit dem Speer niedergestoßen.

Der Graf hob jedoch die Hand. »Halt! Wir vergeben uns nichts, wenn wir so tun, als würden wir ihm glauben. Ist er ehrlich, schalten wir damit einen hartnäckigen Feind aus und stärken unseren Einfluss in dieser Gegend. Versucht er uns zu betrügen, werden unsere Schwerter und Speere ihn eines Besseren belehren.« Dann wandte Roderich sich wieder dem Waskonen zu. »Morgen Abend, sagst du, will dein Häuptling eine weitere Schafherde stehlen? Er denkt wohl, er habe uns weit genug in die Berge gelockt, so dass wir ihm nicht in die Quere kommen können!«

»Genauso ist es, Graf Roderich«, erklärte der Waskone eilfertig.

»Gut! Wir werden ihn erwarten. Sollte er nicht kommen, wäre es besser für dich, mir so schnell nicht mehr unter die Augen zu kommen. Damit Gott befohlen!« Der Graf winkte seinen Männern zu, ihm zu folgen, und so blieb der Waskone allein zurück. Auf seinem Gesicht spiegelten sich Gier und leiser Triumph. Wenn der Graf keinen Fehler beging, würde er in wenigen Tagen der Herr seines Stammes sein und endlich die Stellung einnehmen, auf die er seit Jahren hinarbeitete.

2.

Graf Roderich winkte seinem Stellvertreter zu. »Ist alles bereit?«

»Das ist es, Don Rodrigo!« In seiner Erregung sprach der

14

Mann seinen Herrn mit der hispanischen Form des Namens an.

Der Graf schüttelte unwillig den Kopf, sagte aber nichts, sondern versuchte, aus dem dichten Wald heraus, in dem er und seine Reiter sich versteckt hielten, die Weide und die drei Hirten im Auge zu behalten, die dort etliche Dutzend Schafe hüteten. Vier große, schwarzweiß gefleckte Hunde umkreisten die Herde.

Für seinen Feind musste dieser Anblick einfach verlockend sein, fuhr es Graf Roderich durch den Kopf. Gleichzeitig packte ihn die Sorge, dass er und seine Männer durch einen dummen Zufall entdeckt würden.

»Passt auf eure Gäule auf. Nicht dass einer zur unrechten Zeit schnaubt oder gar wiehert!« Die Warnung war überflüssig, denn jeder wusste, worauf es ankam. Nur wenn es ihnen gelang, die Schafdiebe in die Falle zu locken, würden sie die Kerle erwischen.

»Einer der Hirten macht ein Zeichen. Es sieht aus, als hätte er oder einer der Hunde etwas bemerkt!« Obwohl Ramiro flüsterte, fing er sich einen tadelnden Blick seines Anführers ein.

Auch Graf Roderich war aufgefallen, dass die Hunde unruhig wurden. Drei Hirten und vier Hunde reichten im Allgemeinen aus, um ein halbes Dutzend Schafdiebe abzuschrecken. Sein persönlicher Feind jedoch kam wahrscheinlich mit einem Trupp Krieger, der nicht kleiner war als die Gruppe, die ihn begleitete. Dennoch war er nicht beunruhigt. Die Männer seiner Leibschar hatte er mit Bedacht ausgewählt, jeder von ihnen konnte es mit zwei bis drei Gegnern aufnehmen. Außerdem waren sie beritten und mit ihren längeren Speeren jedem Fußkämpfer gegenüber im Vorteil.

»Da oben sind sie!« Einer seiner Männer wies auf den felsigen Berghang, der die Weide auf der linken Seite begrenzte. Jetzt sah der Graf sie auch. Mindestens zwei Dutzend Männer schlichen sich dort im Schutz der Felsen an, weit mehr, als er erwartet hatte. Die Waskonen bewegten sich geschickt gegen den Wind, doch der erfahrene Hütehund hatte Witterung aufgenommen. Auf das Zeichen eines Hirten trieb der Rüde zusammen mit den anderen Hunden die Schafe in Richtung des Wäldchens, in dem sich die Reiter versteckt hielten.

Graf Roderich begriff, dass er an diesem Tag eine zweite Herde an diese verdammten Bergwilden verloren hätte, wäre er nicht von dem Verräter gewarnt worden. Grimmig nickte er seinen Männern zu.

»Diesmal zeigen wir es ihnen. Wir machen keine Gefangenen, bis auf ...«, er wies auf einen der anschleichenden Waskonen, »... bis auf diesen Blondschopf dort. Den lasst am Leben! Wir brauchen ihn noch.«

»Sollen wir den Kerl gefangen nehmen?«, fragte Ramiro.

»Ja, aber er muss verletzt sein. Unversehrt nützt er uns nichts. Und jetzt still! Die Kerle kommen.« Graf Roderich zog sein Schwert so leise, wie es möglich war, aus der Scheide und bleckte die Zähne. An diesem Abend würden die Schafdiebe für all den Ärger bezahlen, den sie ihm seit Jahren bereiteten. Seine Augen saugten sich an dem nicht übermäßig großen, aber sehnigen Anführer der Waskonen fest. Er konnte nicht mehr sagen, wie oft dieser Schurke ihn bereits an der Nase herumgeführt hatte. Wahrscheinlich hatte das Weib des Kerls schon seit Jahren kein eigenes Schaf mehr in den Kochkessel stecken müssen, so viele hatte der Mann seinen Nachbarn gestohlen und nach Hause gebracht.

Inzwischen waren die Angreifer nahe genug herangekommen und stürmten nun brüllend auf die drei Hirten zu. Diese hoben zuerst ihre mit Eisenspitzen bestückten Stöcke, die sich für den Kampf gegen Bären, Wölfe und Viehdiebe sehr gut eigneten. Dann aber wichen sie von der Zahl der Waskonen erschreckt zurück und trieben dadurch die Schafe ein Stück weiter nach unten.

»Gut gemacht«, murmelte der Graf und zügelte seinen unruhig werdenden Hengst. Auch die Männer an seiner Seite gierten danach, gegen die Waskonen anzureiten.

Gebieterisch hob Roderich die Hand. »Wartet! Erst müssen alle Kerle auf der Weide sein. Ich will nicht, dass einer zwischen die Felsen fliehen kann und entkommt. Dort hinauf müssten unsere Pferde fliegen.«

Einer der Männer lachte, brach aber sofort ab, als Ramiro ihm einen Stoß versetzte. Zum Glück waren die Waskonen selbst zu laut, als dass sie ihn hätten hören können. Ihres Erfolges sicher, sammelten sie sich jetzt auf dem oberen Teil der Weide, und ihr Anführer teilte sie auf, um die Herde abzufangen.

Auf diesen Augenblick hatte Graf Roderich gewartet. »Los, Männer!«, rief er und trieb seinen Hengst an. Solange sie noch zwischen Bäumen waren, musste er vorsichtig reiten, doch kaum hatte er die Weide erreicht, gab er dem Tier die Sporen. Hinter ihm tauchten seine Reiter aus dem Waldesdunkel auf und stürzten sich auf die überraschten Feinde.

Deren Anführer rief seinen Männern zu, zum Felshang zu rennen, und versuchte selbst, das rettende Gelände zu erreichen. Doch das hatten Roderichs Reiter vorausgesehen und schnitten den Fliehenden den Weg ab. Gleichzeitig zuckten die Spitzen ihrer Speere auf die Diebe zu. In den Bergen waren die Waskonen gefährliche Gegner, die aus dem Hinterhalt zuschlugen und ebenso gut klettern konnten wie ihre Ziegen. Hier auf der sanft abfallenden Wiese aber saßen sie in der Falle. Von den besser bewaffneten Reitern in die Zange genommen, versuchten die Schafdiebe vergeblich zu fliehen. Einige warfen sogar die hinderlichen Speere fort, um sich mit gewagten Sprüngen in Sicherheit zu bringen. Sie wurden als Erste getötet.

Der Anführer der Waskonen versuchte, mit den Überlebenden einen Verteidigungsring zu bilden, doch die Asturier nutz-
ten den Vorteil ihrer längeren Speere gnadenlos aus. Während
keiner von ihnen ernsthaft verwundet wurde, sank ein Waskone nach dem anderen zu Boden.

Zuletzt standen nur noch der Anführer und der blonde Bursche auf den Beinen. Sie tauschten einen Blick und rannten
dann brüllend auf die Asturier zu.

Graf Roderich nahm noch wahr, wie der Blonde, der am Oberschenkel und an der Schulter verwundet war, dennoch weiter-
zukämpfen versuchte. Dann sah er sich dem Anführer der
Schafdiebe gegenüber, der seinen Hengst fixierte. Roderich
ahnte, dass der Kerl sein Pferd töten wollte, um ihn zu Fall zu
bringen, und zwang das Tier dazu, ein paar Schritte rückwärtszugehen. Bevor der Waskone ihm folgen konnte, waren Ramiro und mehrere andere Reiter heran und rammten dem Mann
ihre Speere in den Leib.

Noch während der Waskone zu Boden stürzte, lachte Ramiro
wie befreit auf. »Der Kerl hat das letzte Schaf aus unseren
Herden geraubt, Don Rodrigo.«

»Wickelt seinen Kadaver in eine Decke und bindet ihn auf ein
Pferd. Was ist mit dem Blondschopf? Lebt der noch?«

Ramiro nickte eifrig. »Das tut er, Herr. Auch wenn ich nicht
recht begreife, warum wir ihm nicht ebenfalls das Lebenslicht
ausblasen sollen.«

»Ich sagte, wir brauchen ihn noch. Also sorgt dafür, dass er
lange genug am Leben bleibt. Unsere Verletzten bleiben hier
und helfen den Hirten, die toten Schafräuber in die nächste
Schlucht zu werfen. Die Übrigen kommen mit mir!« Graf Roderich war zufrieden. Ein wenig bedauerte er es, den feindlichen Anführer nicht selbst getötet zu haben, doch sein Hengst
war zu wertvoll, um ihn von einem Bergwilden aufspießen zu
lassen. Außerdem war sein Gegner wie ein Dieb gekommen

und hatte wie ein solcher geendet. »Auf geht's, Männer! Wir haben noch einen kleinen Ausflug in die Berge vor uns. Ramiro, du nimmst zwei Reiter und bringst den Verletzten ein Stück über die Grenze und legst ihn dort neben die Straße. Achtet darauf, dass die Leute euch dort sehen, aber lasst euch nicht erwischen.«

»Das werden wir gewiss nicht, Graf Roderich!« Ramiro hatte sich rechtzeitig daran erinnert, dass sein Herr die visigotische Form seines Namens der hispanischen Variante vorzog, und verabschiedete sich mit einem erwartungsfrohen Grinsen.

»Ihr stoßt kurz vor unserem Ziel wieder zu uns. Und nun beeilt euch!« Der Graf winkte Ramiro und dessen Begleitern kurz zu und ritt dann an. Seine Schar folgte ihm im Bewusstsein des eben errungenen Sieges und war bereit, ihm bis an die Pforten der Hölle zu folgen.

3.

Maite starrte fassungslos auf die Reiter, die mit hochmütigen Mienen in ihr Dorf einritten, als sei es ihr gutes Recht, und wünschte, ihr Vater wäre da, um den Kerlen die Zähne zu zeigen. Bei den ungebetenen Besuchern handelte es sich um zwei Dutzend Krieger, von denen jeder eine eiserne Rüstung trug und Schwert und Helm besaß. Die meisten hielten lange Speere in der Rechten und lenkten ihre Rosse mit der anderen Hand. Die Schilde hatten sie auf den Rücken geworfen, als hätten sie hier nicht das Geringste zu befürchten. Dabei handelte es sich um asturische Krieger, und das waren die schlimmsten Feinde, die Maite sich vorstellen konnte.

Ihr Anführer war ein echter Visigote, ein selbst im Sattel noch hochgewachsen wirkender Mann in einem Kettenhemd nach maurischer Art, mit schulterlangen blonden Haaren und blauen Augen, die so kühl blickten wie Eis. Mit verächtlicher Miene musterte er das Dorf mit den aus Bruchsteinen und Holz errichteten Häusern, deren Dächer mit Steinen beschwert waren. In seinen Augen war Askaiz ein Bergnest, in dem der reichste Bewohner kaum mehr besaß als der ärmste und die Ehefrau des Häuptlings ihre Wäsche ebenso selbst waschen musste wie die geringste Magd.

Graf Roderich war jedoch nicht gekommen, um sich das Dorf anzusehen. Auf seinen Wink hin führte einer seiner Begleiter ein Saumpferd heran, schnitt die Stricke durch, mit denen ein längliches, in Tuch eingeschlagenes Bündel am Tragsattel befestigt war, und ließ dieses zu Boden fallen. Dann packte er das Tuch mit beiden Händen und riss daran. Zum Vorschein kam ein blutverschmierter Leichnam.

Als die Dorfbewohner den Toten erkannten, brüllten und heulten sie so, dass es von den nahen Bergflanken widerhallte. Da die Erwachsenen Maite die Sicht verdeckten, sah sie zu Estinne, der Frau ihres Onkels, auf. »Was ist da los?«

»Nichts, Kind!«, rief diese mit gepresster Stimme und versuchte sie wegzuzerren.

Maite riss sich los und zwängte sich durch die Menge. Es dauerte einige Augenblicke, bis sie begriff, dass der blutverschmierte Tote ihr Vater war. Zuerst stand sie wie versteinert. Dann brach ein schier unmenschlicher Ton aus ihrer Kehle, so schrill und laut, dass die Pferde der Eindringlinge unruhig wurden.

Sie ballte die Fäuste und wollte auf die Asturier losgehen, doch eine Frau hielt sie fest. »Sei still, Kleines! Sonst tun dir die bösen Männer noch etwas an.«

Graf Roderich ließ den Dörflern, die ihren erschlagenen Häuptling fassungslos anstarrten, etwas Zeit zu begreifen, dass sich der Wind gedreht hatte. Dann begann er, mit weittragender Stimme zu sprechen: »Euer Anführer Iker und seine Spießgesellen haben sich zu nahe bei meinen Schafherden herumgetrieben. Dabei haben meine Hirten sie erwischt und bestraft. Ich bringe euch seine Überreste, damit ihr wisst, was euch blüht, wenn sich noch mal einer von euch bei meinen Herden blicken lässt.«

Maite wollte dem Mann entgegenbrüllen, dass ihr Vater ein großer Krieger gewesen war, der es mit einem Dutzend asturischer Schafhirten aufgenommen hätte. Die Frau, die sie festhielt, presste ihr jedoch die Hand auf den Mund, so dass sie kaum Luft bekam. Maite strampelte wütend, um freizukommen. Da trat Estinne hinzu und half, das tobende Mädchen zu bändigen.

Da sie nichts anderes tun konnte, funkelte Maite die eigenen Männer an, die wie Schafe herumstanden und vor Angst zu vergehen schienen, obwohl sie Roderichs Schar der Anzahl nach weit überlegen waren. Die Asturier waren in Askaiz aufgetaucht, ohne dass Asier, der Wache halten sollte, das Dorf gewarnt hätte. Nun starrten die Bewohner auf die blitzenden Schwerter und Speerspitzen der Eindringlinge und wagten sich nicht zu rühren.

Maite empfand in diesem Moment mehr Wut als Entsetzen oder Trauer. Ihr Vater wäre mit dem aufgeblasenen Grafen und seinen Reitern fertig geworden, das wusste sie. Daher gab es für sie nur einen Schluss: Die Asturier mussten ihn in eine Falle gelockt haben.

Graf Roderich bemerkte die Drohgebärden des Kindes nicht einmal, sondern ließ den Blick selbstzufrieden über die erstarrten und verängstigten Gesichter der Bewohner von Askaiz schweifen. Ohne einen kühnen Anführer wie Iker sind sie wie Schafe, die vor dem Wolf zittern, dachte er und deutete auf einen der Männer. »Wer ist nun euer Anführer? Er soll vortreten und hören, was ich ihm zu sagen habe!«

Einige der Umstehenden drängten zur Seite und öffneten eine

Gasse für den Schwager des toten Häuptlings. Okin, der die dreißig bereits vor Jahren überschritten hatte, war ein kräftig gebauter Mann mit rundlichem Gesicht, das seinen sonst verkniffen wirkenden Ausdruck mit einem Mal verloren zu haben schien. Er ging breitbeinig auf Roderich zu, blieb zwei Schritte vor dessen Pferd stehen und verschränkte die Arme vor der Brust.

»Was willst du?«

Über das Gesicht des Asturiers huschte ein kurzes Zucken, und dann trafen sich die Blicke der beiden Männer in heimlichem Einverständnis. Als Roderich zu sprechen begann, klang seine Stimme jedoch schroff. »Bist du der neue Häuptling?«

»Ich bin Ikers Schwager und von ihm beauftragt, den Stamm während seiner Abwesenheit zu führen.«

»Dann wirst du deinen Stamm wohl auf Dauer führen müssen, es sei denn, Iker kehrt aus der Hölle zurück!« Roderich lachte, während Okins Augen zufrieden aufleuchteten.

Da trat ein alter Mann vor und hob abwehrend die Hand. »Der Visigote kann sagen, was er will, Okin. Du wirst nur so lange unser Anführer sein, bis Ikers Tochter alt genug ist, sich einen Mann zu wählen. Dieser wird dann die Stelle ihres Vaters einnehmen!«

Obwohl Maite erst acht Jahre zählte, begriff sie, dass von ihr die Rede war. Nach dem Tod ihres Vaters floss das Blut der alten Häuptlinge nur noch in ihren Adern, und es war ihre Aufgabe, es an die nächste Generation weiterzugeben. Dafür war sie jedoch noch viel zu jung. Das machte sie noch wütender, denn nun gab es niemanden, der ihren Onkel hindern konnte, sich vor den anderen Stammesmitgliedern als Anführer aufzuspielen, wie er es bisher jedes Mal getan hatte, wenn ihr Vater unterwegs gewesen war. Auch jetzt plusterte er sich auf und redete mit dem asturischen Anführer – dem Mörder ihres Vaters –, als sei dieser ein geehrter Gast. An seiner Stelle hätte sie die Männer aufgerufen, ihren toten Häuptling zu rächen. Aber dafür ist er zu feige, dachte sie hasserfüllt.

Graf Roderich schien sich nicht für den Einwand des Alten zu interessieren, sondern lenkte sein Pferd näher an Okin und stieß ihn mit der Fußspitze an. »Du und deine Leute, ihr werdet König Aurelio die Treue schwören und mir in Zukunft Tribut entrichten. Sonst komme ich zurück, und dann bleibt von eurem Stamm nicht einmal mehr der Name übrig!«

Unter den Männern und Frauen, die sich bis jetzt ängstlich im Hintergrund gehalten hatten, schwoll wütendes Gemurmel auf. Doch niemand wagte, sich gegen die dreisten Forderungen des asturischen Grafen zu stellen. Maite schämte sich immer mehr für ihre Leute, die vor dem Asturier kuschten, anstatt ihn aus dem Sattel zu reißen und für Ikers Tod bezahlen zu lassen.

Inzwischen hatte Estinne ihren Griff gelockert, so dass Maite sich mit einem Ruck befreien konnte. Voller Zorn rannte sie auf Roderich zu. Ihr Onkel sah sie kommen und streckte unwillkürlich den Arm aus, um sie aufzuhalten. Doch ehe sie ihn erreicht hatte, trat er einen Schritt zurück und grub seine Daumen in den Gürtel, als ginge ihn das, was nun folgte, nichts an.

Als Maite das Pferd des Asturiers erreichte, begriff sie, dass sie nichts gegen den Mann ausrichten konnte. Sie besaß ja nicht einmal ein Messer. In ihrer Verzweiflung schlug sie mit ihren Fäusten gegen sein rechtes Bein und schrie ihm dabei sämtliche Flüche ins Gesicht, die sie kannte.

Verblüfft ließ Roderich sie ein paar Augenblicke lang gewähren, dann griff er nach unten, packte sie am Genick und hielt sie so von sich weg, dass ihre Fäuste ihn nicht mehr erreichen konnten.

»Wer ist dieses Mädchen?«, fragte er.

»Ikers Tochter Maite«, erklärte Okin, ohne zu zögern.

»Ein mutiges Ding! Nun, wir werden diese Wildkatze schon zähmen.« Roderich lachte und reichte Maite an einen seiner Krieger weiter. »Hier, Ramiro! Pass auf die Kleine auf. Du solltest sie fesseln, denn sie schielt mir zu sehr nach unseren Dolchen. Zu Hause wird Alma sich ihrer annehmen. Wenn einer so ein Ding zurechtstutzen kann, dann sie.«

Seine Reiter stimmten in sein Lachen ein, denn die Beschließerin der Burg wurde nicht umsonst Alma der Drache genannt. Bei der würde die Kleine kuschen müssen, wenn sie nicht den Hintern versohlt bekommen wollte. Den Hass, der aus Maites Augen sprühte, nahm keiner von ihnen ernst. Sie sahen in ihr nur ein Kind, das sich bald in die neuen Gegebenheiten einfinden würde.

Graf Roderich wandte sich noch einmal an Okin. »Du weißt jetzt, wer eure Herren sind! Halte dich daran, sonst kostet es euch beim nächsten Mal mehr als nur ein paar Tote.« Er warf dem Leichnam des Häuptlings einen Blick zu, der einem erlegten Hirsch hätte gelten können, und gab seinen Männern das Zeichen, ihm zu folgen.

Maite wehrte sich verzweifelt, doch Ramiro gab ihr eine Ohrfeige, die ihr die Sinne zu rauben drohte. Bevor sie sich wieder aufraffen konnte, hatte der Asturier einen rauhen Strick um ihre Handgelenke gewickelt und sie vor sich auf das Pferd gesetzt. Als sie in ihrer Wut mit ihren Füßen gegen den Hals des Pferdes trat, erhielt sie die nächste Ohrfeige und musste die Zähne zusammenbeißen, um nicht vor Schmerz zu schreien. Sie war Ikers Tochter und würde vor den Asturiern keine Schwäche zeigen. Das Pferd erneut zu treten, wagte sie jedoch nicht, und sie konnte auch die Tränen nicht aufhalten, die ihr nun, da das Heimatdorf immer weiter hinter ihr zurückblieb, aus den Augen rannen.

4.

$\mathcal{N}$achdem die Asturier verschwunden waren, herrschte Totenstille. Dann scharten sich die Dorfbewohner um Okin und sahen ihn erwartungsvoll an. Ein alter Mann sprach schließlich aus, was alle dachten.

»Wie konnte das passieren?«

»Weiß ich es?«, fuhr Okin auf. »Mein Schwager musste ja unbedingt losziehen, um Graf Roderichs Schafe zu stehlen. Jetzt liegt er so tot da, wie ein Mann nur sein kann!«

»Ich will wissen, warum Asier uns nicht gewarnt hat. Wir hätten diesen asturischen Hunden sonst einen heißen Empfang bereiten können!«

Okin fuhr ärgerlich herum. »Glaubst du denn, wir wären mit den gepanzerten Reitern fertig geworden? Schau dich doch um! Was siehst du? Junge Burschen, die noch nie einen Kriegszug mitgemacht haben, und alte Männer wie dich. Iker hat zu viele unserer Krieger in den Tod geführt. Möge er dafür in der Hölle schmoren!«

Das Gemurmel der Leute zeigte deutlich, dass nicht alle so dachten wie er. Einige Frauen, deren Ehemänner und Söhne mit Iker gezogen waren, brachen in Klagelaute aus und schlugen sich wie von Sinnen gegen die Brust.

»Wären wir gewarnt worden, hätten wir Männer aus den anderen Dörfern zu Hilfe holen können!« Der Alte haderte immer noch mit dem Wächter, der es versäumt hatte, sie rechtzeitig zu warnen.

»Dafür wäre nicht genug Zeit geblieben«, wandte Okin ein. Doch ihm war klar, dass er in dieser Situation nicht den Eindruck eines Hundes hinterlassen durfte, der den Schwanz zwischen die Beine klemmt, und ballte drohend die Faust. »Sie mögen Iker und unsere jungen Krieger getötet haben, doch auch damit können sie uns nicht das Rückgrat brechen. Wir werden aus anderen Dörfern junge Männer zu uns holen, damit sich so etwas wie heute nicht wiederholt.«

»Also werden wir diesem aufgeblasenen Asturier keinen Tribut entrichten«, setzte der alte Mann zufrieden hinzu.

Okin zuckte mit den Schultern. »Wahrscheinlich müssen wir ihm ein- oder zweimal ein paar Schafe überlassen, doch sobald aus unseren Knaben Krieger geworden sind, bekommt der Asturier kein räudiges Vlies mehr von uns.«

Einige Hitzköpfe knirschten mit den Zähnen, doch die meisten im Dorf hießen diesen Rat gut. Sie wussten, dass der Stamm Zeit brauchen würde, die verlorenen Krieger zu ersetzen.

Eine Frau jedoch wollte sich damit nicht zufriedengeben und spie vor Okin aus. »Es ist eine Schande für euch Männer, dass die Asturier Ikers Tochter so einfach mitnehmen konnten. Das arme Kind hat erst im letzten Jahr die Mutter verloren – und nun das!«

»Sie werden Maite schon nicht umbringen«, antwortete Okin verärgert.

Die Frau sah ihn an, als könne sie nicht begreifen, was er eben gesagt hatte. »Sie werden eine Asturierin aus ihr machen, und das ist noch viel schlimmer!«

»Was musste das dumme Ding auch auf Roderich losgehen!« Damit machte Okin die Frau jedoch nur noch wütender. »Warum auch musstest du ihm sagen, dass es sich um Ikers Tochter handelt?«

»Wenn Maite nicht den richtigen Mann heiratet, werden wir uns Häuptling Eneko in Nafarroa anschließen müssen, um der Herrschaft der Asturier zu entgehen«, prophezeite einer der alten Männer düster.

Okin winkte ärgerlich ab. »So weit sind wir noch lange nicht!« Dennoch war er froh, dass ein Junge, der ins Tal hinabgeblickt hatte, in diesem Augenblick einen schrillen Ruf ausstieß. »Ein

Mann kommt den Weg hoch. Er trägt einen anderen auf dem Rücken!«

Jetzt sahen die anderen es auch. Die Frau, die eben noch mit Okin gestritten hatte, kniff die Augen zusammen, um besser sehen zu können. »Das ist doch Asier! Wieso …« Sie brach ab und wischte sich über die Stirn.

»Ich werde den Burschen fragen, weshalb er seinen Posten verlassen hat, und gefällt mir seine Antwort nicht, wird er dafür bezahlen.« Okin zog seinen Dolch und rief damit erneut den Unmut der Frau hervor.

»Willst du auch ihn töten, wo wir doch schon so viele der Unseren verloren haben?«

Okin antwortete mit einem Fluch und ging auf den jungen Mann zu. Dieser taumelte unter seiner Last.

»Es ist Danel, mein Bruder! Leute aus Guizora haben ihn zwei Täler weiter gefunden und mich geholt. Er ist schwer verwundet, aber am Leben. Wie es aussieht, wurden Ikers Leute in eine Falle gelockt und niedergemacht. Die Asturier haben Danel an der Grenze unseres Stammes niedergelegt, wahrscheinlich, damit er gefunden werden soll. Ich weiß nicht, warum, aber …«

»Aber ich weiß es!«, schrie Okin ihn an. »Die Bewohner von Guizora sollten ihn finden und dich holen. Du Narr hast deinen Posten verlassen und es damit den Asturiern ermöglicht, ungehindert nach Askaiz zu kommen.«

Asier starrte ihn entsetzt an. »Was sagst du da?«

»Die Asturier sind hier gewesen! Sie haben Ikers Leichnam auf den Dorfplatz geworfen und seine Tochter mitgenommen.«

»Maite? Aber wieso …?« Asier schüttelte verständnislos den Kopf.

Einer der alten Männer runzelte die Stirn und deutete mit dem Finger auf Okin. »Du sprichst, als wäre dies alles mit

Absicht geschehen. Die Asturier konnten aber doch gar nicht wissen, dass Danels Bruder bei uns Wache halten würde.«

»Aber die Leute aus Guizora wussten es!«, brüllte Okin, als müsse er seiner Empörung Luft verschaffen. Seine Worte säten Misstrauen gegenüber dem Nachbardorf. Wenn er recht hatte, musste es dort einen Verräter geben, der es mit den Asturiern hielt.

Einer der Alten nickte bedrückt. »Amets von Guizora war schon immer neidisch auf Iker. Außerdem ist er sein Vetter dritten Grades und entstammt wie er der Blutlinie der alten Häuptlinge.«

Okin winkte verächtlich ab. »In seinen Adern fließt nicht mehr Häuptlingsblut als in meinen! Askaiz war immer das Zentrum unseres Stammes und wird es bleiben!«

Beifälliges Murmeln und Kopfnicken antworteten ihm. Okin verschränkte die Arme vor der Brust und unterdrückte ein zufriedenes Lächeln. Wie es aussah, hatte er an diesem Tag drei Ziele mit einem einzigen Pfeil getroffen. Sein Schwager war tot, dessen Tochter eine Gefangene der Asturier, und der Ruf seines Rivalen Amets aus Guizora so ruiniert, dass niemand in Askaiz ihn als Anführer akzeptieren würde.

5.

Obwohl ihre Wangen von Ramiros Schlägen brannten und ihr die Trauer um den Vater schier das Herz abdrückte, biss Maite die Zähne zusammen. Sie war die Tochter eines Anführers und durfte weder Iker noch den Stamm enttäuschen. Daher prägte sie sich die wichtigsten Wegmarken ein, an denen die Truppe vorbeiritt, und schwor sich zu fliehen, sobald sich die Gelegenheit dafür bot. Zwar kannte sie die Gefahren, die einem Mädchen wie ihr drohten, aber die beeindruckten sie nicht. Sie verschwendete auch keinen Gedanken an die Tatsache, wie viele Meilen die Asturier zwischen sich und ihr Heimatdorf legten. Nach Hause würde sie von überall her finden. Ihre Begleiter waren rauhe Krieger und kümmerten sich nicht mehr als nötig um sie. Gelegentlich reichte Ramiro ihr ein Stück Brot oder ließ sie an einem Bach trinken. Mit der Zeit wurde es ihm jedoch lästig, sie losbinden und hinterher erneut fesseln zu müssen. Daher wandte er sich an seinen Anführer.

»Glaubt Ihr nicht, dass sie jetzt gezähmt genug ist, Herr?«

Graf Roderich sah auf das kleine, dünne Mädchen herab, das verschreckt auf der Erde hockte, und schüttelte den Kopf. »Meinetwegen brauchst du das Ding nicht mehr zu binden. Es wird uns schon nicht davonlaufen.«

Das denkst auch nur du, dachte Maite. Da Ramiro sie jedoch scharf im Auge behielt, machte sie nicht den Fehler, bei dieser Rast zu fliehen. Mit ihren Pferden waren die Asturier viel schneller als sie und würden sie rasch eingeholt haben.

Obwohl er sich für Maite verwendet hatte, achtete Ramiro darauf, dass sie nicht an seinen Dolch herankam. Doch ihr erster Zorn war inzwischen verraucht, und sie begriff, dass sie ihren Vater nicht auf diese Weise rächen konnte. Sie war nicht kräftig genug, dem Mann, der sie bewachte, eine Klinge durch die Panzerung in den Leib zu stoßen. Außerdem würde Ramiros Tod nichts ändern. Da hätte sie schon Graf Roderich töten müssen, doch der ritt ein ganzes Stück vor ihnen, und sein Kettenhemd sah so fest aus, als sei es von Zauberschmieden gefertigt worden. Da sie im Augenblick weder fliehen noch Rache üben konnte, beschloss Maite, erst einmal so zu tun, als wäre ihr Wille gebrochen.

Graf Roderich war mit dem Erreichten äußerst zufrieden. Mit Iker von Askaiz hatte er den einzigen Häuptling aus dem Weg geräumt, der die waskonischen Stämme jenseits der Grenze hätte einen können. Jetzt gab es bis nach Nafarroa, wo Eneko

Aritza sich ein kleines Reich geschaffen hatte, keinen waskonischen Anführer mehr, der sich der asturischen Macht entgegenzustellen vermochte.

»Der Verräter hat ganze Arbeit geleistet!« Im Hochgefühl seines Erfolgs achtete Roderich nicht auf seine kleine Gefangene, die bei dem Wort Verräter den Kopf hob. Ihr Vater war Opfer eines Verrats geworden! Für Maite war dies eine schmerzhafte Erkenntnis, denn sie mochte ihre Heimat Askaiz und war auch schon oft in Guizora und den anderen Dörfern des Stammes gewesen. Sie war dort stets gut behandelt worden, viele hatten ihr Honigkuchen und leckere Nüsse zugesteckt. Jetzt denken zu müssen, dass einer dieser Menschen Schuld am Tod ihres Vaters trug, war unerträglich.

Roderich lachte selbstgefällig auf. »Mein Verwandter, der König, wird zufrieden sein!« Auch wenn seine Frau Urraxa nur eine illegitime Schwester von Graf Silo, einem Vetter König Aurelios, war, so hatte die Heirat mit ihr ihm Rang und Bedeutung verschafft.

Seine Männer lachten, denn selten hatten sie einen Erfolg leichter errungen als diesen. Sie spotteten über Iker von Askaiz, der ihnen wie ein mit Honig gelockter Bär in die Falle gelaufen war. Offensichtlich ahnten sie nicht, dass ihre Gefangene als Tochter des Häuptlings neben ihrer waskonischen Muttersprache auch das Asturische hatte lernen müssen. Maite hörte aufmerksam zu, doch zu ihrem Leidwesen fiel kein einziges Mal der Name des Mannes, der ihren Vater ans Messer geliefert hatte.

Dennoch schwor Maite diesem Verräter blutige Rache. Es würde Jahre dauern, bis sie etwas gegen ihn unternehmen konnte, das war ihr klar, und wahrscheinlich würde der Mann, den sie einmal heiratete, ihn töten müssen. Doch irgendwann würde sie ihre Hände in das Blut jenes Kerls tauchen, der sie ihres Vaters und den Stamm seines Anführers beraubt hatte.

Ganz in ihre Rachegedanken eingesponnen, merkte sie erst jetzt, dass der Trupp sich seinem Ziel näherte. Zunächst ritten sie durch ein Dorf, das um ein Vielfaches größer war als ihr Heimatdorf Askaiz. Die Bewohner sprachen zwar einen verwandten Dialekt, waren aber schon vor vielen Generationen von den Visigoten unterworfen worden und hatten längst verlernt, was es hieß, Waskonen zu sein. Sie begrüßten den Grafen unterwürfig und betrachteten seine kindliche Gefangene mit großen Augen.

»Wer ist denn das, Don Rodrigo?«, fragte eine junge Frau in einem langen, braunen Kittelkleid.

»Eine kleine Wildkatze, die ich meiner Tochter schenken will«, antwortete der Graf lachend.

Auch wenn er sich selbst Roderich nannte, so nahm er es doch hin, dass er von seiner Umgebung mit dem hispanisierten Namen angesprochen wurde. Über Jahrhunderte hatte sein Volk in Spanien über die früheren Einwohner geherrscht und sich dabei Sprache und Sitten bewahrt. Er wusste jedoch, dass die Kraft der letzten Visigoten nicht mehr ausreichte, das wenige Land zu bewahren, das sie vor den Mauren hatten retten können. Dafür benötigten sie die Hispanier, und wenn diese dafür im Gegenzug zu guten Asturiern wurden, so war es ihm recht.

Roderich winkte den Menschen zu und musterte die jungen Burschen, die die Feldarbeit beendet und mit ihren Waffenübungen begonnen hatten. Ein oder zwei Dutzend von ihnen würde er in seine Leibschar aufnehmen, um einige ältere Krieger zu ersetzen, die ans Heiraten dachten.

Zufrieden mit den Verhältnissen in seinem Machtbereich, ritt er weiter und bog hinter dem Dorf auf einen Weg ein, der steil bergan führte. Der Zugang zur Burg mochte mühsam sein, schreckte aber die berittenen Streifscharen der Mauren ab. Roderich war stolz darauf, dass es den Feinden während seiner

Zeit als Graf der Grenzmark nicht ein einziges Mal gelungen war, einen erfolgreichen Feldzug gegen ihn zu unternehmen.

Unterdessen war auch Maite auf die Burg aufmerksam geworden. Die Anlage erhob sich auf einer Felszunge über dem Tal und wurde von einer festen, mehr als zwei Mann hohen Mauer umschlossen. Ein einziges Tor führte in einen langgestreckten Hof, der zu beiden Seiten von Gebäuden gesäumt wurde. Zu Maites Verwunderung waren sowohl die Schutzmauer wie auch die meisten Häuser aus behauenen Quadersteinen errichtet worden und nicht wie in ihrem Heimatdorf aus Bruchsteinen. Nur ein paar Hütten am Rande bestanden aus unregelmäßigen Steinen, und das Blöken von Schafen verriet ihr, dass es sich um Ställe handelte.

Das Hauptgebäude war ein längliches Haus mit kleinen, schießschartenähnlichen Fenstern und einem bronzebeschlagenen Tor. Graf Roderich hielt sein Pferd vor dem Eingang an, schwang sich aus dem Sattel und warf die Zügel einem herbeieilenden Knecht zu.

»Gut abreiben und mit Hafer füttern!« Noch während er es sagte, dachte er, dass er sich diesen Befehl hätte sparen können. Seine Stallknechte wussten wahrscheinlich besser als er, wie sie sein Pferd und die übrigen Rosse zu behandeln hatten. Er klopfte dem Knecht auf die Schulter und wandte sich seinen Begleitern zu.

»Kümmert euch um eure Gäule und lasst euch danach ein paar Becher Wein einschenken. Auch wenn unser Ritt nur gegen ein paar Bergwilde ging, so haben wir doch einen Sieg zu begießen!«

Unterdessen war Roderichs Gemahlin Urraxa aus der Tür getreten und hatte seine letzten Worte gehört. »Ihr Männer denkt immer nur ans Feiern!«

Roderich trat lachend auf sie zu und umarmte sie. »Nun, meine Gute, wir haben auch allen Grund dazu. Immerhin konnten wir Ikers Überfällen endlich einen Riegel vorschieben und seinen Stamm unter unsere Herrschaft zwingen. Dein Bruder wird zufrieden sein.«

Urraxa kannte ihren Bruder weniger gut als ihr Mann. In einem abgelegenen Dorf aufgewachsen, war sie für Silo erst wichtig geworden, als dieser sich berechtigte Hoffnungen auf die Nachfolge König Aurelios machen konnte und dafür Verbündete suchte. Aus diesem Grund hatte er Roderich die Heirat mit seiner Halbschwester angetragen und sich damit die Unterstützung des Grenzgrafen gesichert. Obwohl die Ehe nur durch politische Winkelzüge zustande gekommen war, lebte Urraxa gut mit ihrem Rodrigo zusammen, auch wenn dieser sich nach einer längst vergangenen Zeit sehnte und nicht vergessen konnte, dass er einer der letzten echten Visigoten war. Ihre gemeinsamen Kinder würden sich Asturier nennen und stolz auf das Erbe zweier Völker sein. Lächelnd strich sie sich mit der rechten Hand über den Leib. Noch konnte Rodrigo es nicht sehen, doch sie hoffte, ihm nach einer Tochter in sechs Monaten endlich den erhofften Erben zu gebären. Heute Abend wollte sie ihm dieses kleine Geheimnis anvertrauen. Nun aber wandte sie sich der seltsamen Beute zu, die er mitgebracht hatte.

»Seit wann stiehlst du Kinder, mein Gemahl?«

»Du meinst die kleine Wildkatze da? Das ist Ikers Tochter. Alma soll sich ihrer annehmen. Wenn Ermengilda sie haben will, kann sie ihr als Magd dienen.«

Maite schürzte die Lippen. Niemals würde sie die Magd einer Asturierin werden! Noch während sie überlegte, wie sie aus der gut bewachten Burg entfliehen konnte, sprang Ramiro aus dem Sattel und streckte die Arme aus, um sie herunterzuheben. Er lachte, während er sie auf den Boden stellte, und zerzauste ihr das Haar. »Mach's gut, du Wildkatze!«

Maite kniff die Augenlider zusammen und fragte sich, ob dieser Asturier so dumm war zu glauben, sie könne vergessen, dass er und seine Freunde ihren Vater getötet und sie entführt hatten. Am liebsten hätte sie ihm in die Hand gebissen, doch er war bereits gegangen. Sie raffte allen Mut zusammen und blickte die mollige Frau an, die ebenso wie sie kastanienbraune Haare hatte und dazu große, wie polierte Steine schimmernde Augen. Kuhaugen sind das, dachte sie und war froh, dass die ihren in einem helleren Braun leuchteten und nicht so hervorquollen. Das Kleid der Frau war wertvoller als alles, was ihre Mutter je besessen hatte, und dazu trug die Asturierin eine goldene Kette um den Hals. Wirklich eine Kuh samt Kette, fand Maite und verzog verächtlich das Gesicht.

Doña Urraxa wollte gerade nach ihrer Beschließerin rufen, als die Tür aufsprang und ein Mädchen herausstürmte, dessen hellblonde Locken im Sonnenlicht aufleuchteten. Sie trug ein in der Taille gerafftes Gewand und sogar Schuhe, wie Maite verwundert feststellte. Es war früher Herbst und der Boden nach dem langen Sommer noch warm. Selbst ihre Mutter hatte um diese Jahreszeit noch keine Schuhe getragen.

Das blonde Mädchen umarmte den Grafen und zeigte dann auf Maite. »Schenkst du mir die Sklavin, Papa?«

»Ich bin keine Sklavin!«, fauchte Maite. Es waren die ersten Worte in der asturischen Sprache, die sie von sich gab.

Der Graf hob erstaunt den Kopf. »Du kannst verstehen, was wir sagen? Das ist gut. Umso rascher wirst du dich eingewöhnen.«

»Bitte, Vater! Ich will sie haben!« Ermengilda blickte mit leuchtenden Augen zu Roderich auf. Sie wusste, wie sehr er sie liebte, weil sie mehr einer Visigotin als ihrer Mutter glich. Sie hatte sogar blaue Augen, nur schimmerten die ihren warm in der Farbe des Sommerhimmels und nicht so hell wie die seinen.

»Natürlich schenke ich sie dir! Wenn sie dir nicht gehorchen will, wird Almas Stock sie schon dazu bringen.« Der Graf küsste seine Tochter, fand dann, dass er Wichtigeres zu tun hatte, als sich mit einer kleinen Waskonin zu befassen, und trat ins Haus.

Ermengilda ging um Maite herum und musterte sie. Viel macht dieses schmutzige, dürre Ding nicht her, dachte sie. Ob sie sich wirklich als Leibmagd eignete? Immerhin war sie bald eine junge Dame und brauchte eine Dienerin, die ihre Kleidung in Ordnung hielt und ihr Haar nach neuester Mode frisieren konnte.

Da sie Maite um ein ganzes Stück überragte, schätzte sie den Altersunterschied größer ein als die zwei Jahre, die tatsächlich zwischen ihnen lagen, und setzte eine hochmütige Miene auf. »Bevor du mir dienen kannst, werden wir dich erst in einen Bottich stecken und kräftig schrubben müssen. Außerdem brauchst du einen sauberen Kittel.«

Doña Urraxa nickte und rief zwei Mägde herbei. Diesen befahl sie, sich Maites anzunehmen. »Wascht sie und gebt ihr etwas zu essen. Sie soll meiner Tochter dienen.« Mit diesen Worten drehte sie sich um und ließ die beiden Mädchen mit den Mägden allein auf dem Hof zurück.

Maite stülpte die Unterlippe vor. Hier redeten alle von ihr, als wäre sie kein Mensch, sondern ein Gegenstand, über den sie nach Belieben verfügen konnten. Da sie keine Anstalten machte, den Mägden zum Waschhaus zu folgen, packten die Frauen sie unter den Armen und schleppten sie mit sich.

Ermengilda folgte ihnen und sah zu, wie die Mägde Maite das schmutzige Kleid auszogen und angeekelt in eine Ecke warfen. Dann wurde das Kind in einen hölzernen Bottich gesetzt, der mit kaltem Wasser gefüllt war, und die Frauen rückten der Kleinen mit Bürsten zu Leibe, als wollten sie jedes Fitzelchen ihrer Haut abschaben. Maite versuchte sich zu wehren, kam aber nicht gegen die beiden kräftigen Frauen an.

Schließlich stand sie mit Tränen in den Augen mitten im Raum und wollte ihre Kleidung zurückholen. Eine der Mägde hielt sie jedoch fest und schob das Kleid mit dem Fuß beiseite.

»Das Zeug hier brauchst du nicht mehr. Du bekommst etwas Besseres«, erklärte sie. Gemeinsam mit der anderen Magd stülpte sie Maite einen sackartigen Kittel aus brauner Wolle über und raffte diesen in der Taille mit einer dünnen Schnur.

»So, fertig«, sagte die Magd und wandte sich an Ermengilda. »Können wir dich mit diesem Wesen allein lassen? Uns wurde nämlich einiges an Arbeit aufgetragen.«

Ermengilda nickte huldvoll. »Ihr könnt gehen. In Zukunft wird die da mich bedienen! Wie heißt du eigentlich?« Der letzte Satz galt Maite.

Die kleine Waskonin presste die Lippen zusammen.

»Ich habe dich etwas gefragt!« Ermengilda wurde ungeduldig, zumal die beiden Mägde hinter ihrem Rücken zu kichern begannen. »Mein Vater hat dich mir als Sklavin geschenkt. Daher wirst du mir gehorchen, verstanden? Also, wie heißt du?«

Trotziges Schweigen war die Antwort. Ermengildas Freude schwand, und sie haderte mit ihrem Vater, weil er ihr ein so störrisches Ding mitgebracht hatte. »Wenn du mir nicht auf der Stelle gehorchst, wird Alma ihren Stock auf deinem Hintern tanzen lassen!«

Maite spürte, dass es dem anderen Mädchen ernst war, und gab nach. Wenn sie fliehen wollte, konnte sie sich keine wund geschlagene Kehrseite leisten.

»Ich heiße Maite.«

»Maite? Das ist ein Name für ein Schaf oder eine Kuh. Aber ihr Leute aus den Bergen seid ja ohnehin halbe Tiere.«

Maite biss sich auf die Lippen, um Ermengilda nicht zu sagen, was sie von ihr hielt. Mit Schlägen, das hatte sie bei Ramiro gesehen, waren die Asturier rasch bei der Hand.

»Komm mit!«, befahl Ermengilda und schritt voraus, ohne

sich nach ihr umzusehen. Maite jedoch blieb stehen und kämpfte mit den Tränen. Was fiel diesem Mädchen ein, sie zu behandeln wie einen dressierten Hund?

Als Ermengilda merkte, dass die neue Sklavin ihr nicht folgte, schlug sie den Ton an, mit dem die Wirtschafterin säumige Mägde antrieb. »Wo bleibst du? Gleich ziehe ich dir ein paar mit dem Stock über!«

Maite hörte das Wort Stock und gehorchte zähneknirschend. Doch ihre Nerven blieben bis zum Äußersten gespannt.

Da ihre Drohung Maite zum Nachgeben gebracht hatte, nahm sich Ermengilda vor, sie weiterhin auf diese Weise zum Gehorsam zu zwingen. »Kannst du nähen und sticken?«, fragte sie, auch wenn ihr dies bei einer Bergwilden unwahrscheinlich erschien.

Für einen Augenblick überlegte Maite, nein zu sagen. Aber ihre Mutter hatte sie bereits mit sechs Jahren gelehrt, die Muster zu sticken, mit denen sie ihre Gewänder schmückte, und lügen wollte sie nicht. »Natürlich kann ich sticken!«, sagte sie daher stolz.

Ermengilda ging mit einer verächtlichen Handbewegung darüber hinweg. »Pah, das möchte ich sehen! Komm jetzt mit in meine Kammer. Dort zeige ich dir, was du anfassen darfst und was nicht. Ein so ungeschicktes Ding wie du macht sonst noch alles kaputt.« Auch diesen Ausspruch hatte sie von Alma übernommen, die ihn anwandte, um neue Mägde zu äußerster Vorsicht anzumahnen.

Maite, die im letzten Jahr trotz ihrer Jugend bereits die Aufsicht über den Haushalt ihres Vaters geführt hatte, schüttelte den Kopf. Diese Ermengilda war ja noch kindischer als Berezis Tochter, und die war erst fünf. Außerdem benahm sie sich überheblicher als jene maurischen Abgesandten, die zu ihrem Vater gekommen waren, um ihn aufzufordern, sich dem Wali Jussuf Ibn al Qasi zu unterwerfen. Ihr Vater hatte die Mauren umgehend auf ihre Pferde setzen und aus dem Dorf weisen lassen.

Mit steifen Schritten ging sie hinter dem Asturiermädchen her und sah sich dabei sorgfältig um. Sie durfte sich keine Einzelheit entgehen lassen, die ihr bei ihrer Flucht nützlich sein konnte. Ermengilda führte sie durch einen schmalen Korridor und dann eine Treppe hinauf zu Roderichs Halle. Allein dieser Raum war größer als das ganze Haus ihres Vaters, wirkte mit seinen steinernen Wänden jedoch kahl und unwohnlich. Eine weitere Treppe führte in das obere Geschoss.

Ermengilda stieg hinauf und winkte Maite energisch, ihr zu folgen. »Dort hinten liegt meine Kammer, direkt neben der meiner Mutter«, erklärte sie, denn sie war stolz darauf, einen Raum für sich allein zu haben. In Zukunft würde sie diesen zwar mit Maite teilen müssen, aber da es sich nur um eine Sklavin handelte, fiel das nicht ins Gewicht.

6.

Roderichs Gemahlin Doña Urraxa lauschte gerade dem Lamento ihrer Beschließerin Alma, die sich über das Verhalten mehrerer Mägde beschwerte, da sah sie durch die offene Tür ihres Gemachs die beiden Mädchen auf Ermengildas Kammer zugehen.

»Das gefällt mir nicht«, entfloh es ihren Lippen.

Ihre Vertraute nickte sofort. »Ich sage ja schon die ganze Zeit, dass diese liederlichen Dinger bestraft gehören. Benita, dieser Trampel, hat das schöne Seidengewand, das Ihr immer tragt, wenn hohe Gäste erscheinen, beim Waschen verdorben und ...«

»Ich meinte nicht unsere Mägde, sondern die Kleine, die mein Mann mitgebracht hat. Er hätte diese Wilde aus den Bergen nicht Ermengilda schenken dürfen. Ein junges Mädchen aus einem unserer Dörfer wäre als Leibmagd meiner Tochter weitaus geeigneter gewesen.«

»Diesen Balg biege ich schon hin, keine Sorge!«, sagte Alma selbstbewusst, denn bislang hatte sie noch jede Magd ihrem Willen unterworfen. »Wenn sie nicht spurt, erhält sie Schläge, und das nicht zu knapp. Damit wird man selbst eine waskonische Wildkatze zähmen!« Alma nickte ihrer Herrin zu und bat, sich entfernen zu dürfen. Doch sie stieg nicht zu den Mägdestuben im Untergeschoss hinab, sondern ging hinüber zu Ermengildas Kammer. So ganz traute auch sie dem fremden Mädchen nicht und wollte bereitstehen, wenn das dürre Ding Schwierigkeiten machen sollte.

7.

Ermengildas Kammer war überraschend groß, wies aber nichts auf, das Maite hätte gefallen können. Mitten im Raum stand ein Bett aus dunklem Holz mit einem leinenüberzogenen Strohsack und einer Flickendecke aus kleinen Pelzstücken. Dazu gab es an der Wand zwei Truhen, von denen eine offen stand und sorgfältig zusammengelegte Kleidungsstücke offenbarte. Die Wand schmückten zwei Heiligenbilder – wenigstens nahm Maite an, dass es sich um Heilige handelte, denn um ihre Köpfe waren golden leuchtende Scheiben gemalt. Der Priester, der von Zeit zu Zeit aus Iruñea nach Askaiz kam und dort predigte, hatte erzählt, nur die Heiligen der Christenheit trügen solche Sonnenscheiben hinter dem Kopf. Bei einer der Figuren mochte es sich um Christus selbst handeln, denn er hielt in der Linken einen Palmzweig und hatte die Rechte zu einer segnenden Geste erhoben.

Während die kleine Waskonin noch staunend die Wandmalereien betrachtete, klärte Ermengilda sie mit lauter Stimme über ihre Pflichten auf. Sie versuchte, genauso zu reden wie Alma, bei der die Dienstboten sofort kuschten, während sie ihrer Mutter ständig mit Ausreden kamen, um ihre Faulheit zu vertuschen. Dies aber würde Ermengilda ihrer neuen Sklavin nicht durchgehen lassen.

»Also, wenn ich dir sage, du sollst mir mein blaues Gewand bringen, wirst du es aus der Truhe nehmen und sorgsam behandeln, damit keine Falten hineinkommen.« Erst jetzt merkte Ermengilda, dass Maite ihr gar nicht zuhörte, und stampfte mit dem Fuß auf den Boden.

»Mach, dass du hierherkommst! Und jetzt holst du das blaue Kleid aus der Truhe und legst es auf das Bett.« Als Maite nicht sofort reagierte, versetzte sie ihr einen Stoß.

Maite schniefte, trat aber zur Truhe und griff hinein. Anstatt jedoch die anderen Kleidungsstücke, die über dem verlangten Gewand lagen, vorsichtig beiseitezulegen, wühlte sie darin herum, bis sie das blaue Gewand fand, und feuerte es auf das Bett.

»Da ist es!«

Ermengilda wurde vor Ärger bleich. »Du Bergtrampel bist wohl zu überhaupt nichts zu gebrauchen. Mach, dass du das alles wieder sauber zusammenfaltest und so in die Truhe legst, wie es sich gehört.«

Maite packte das Gewand, zerknüllte es wütend und stopfte es in die Truhe.

Als Ermengilda ihr Lieblingskleid so misshandelt sah, schrie sie zornig auf. »Du Teufelin! Das hast du nicht umsonst getan.«

Mit einem Schritt war sie bei ihrer Sklavin und versetzte ihr eine heftige Ohrfeige. Bis jetzt hatte Maite sich im Zaum halten können, doch nun verlor sie die Beherrschung und schlug ebenso hart zurück.

Die junge Asturierin griff sich mit der Hand an ihre Wange und kreischte. Im nächsten Augenblick wurde die Tür aufgerissen, und Alma stürmte herein. Sie packte Maite und stieß sie gegen die Wand, dann sah sie Ermengilda mitleidsvoll an. »Was ist denn mit dir, mein Liebes? Warum weinst du?«

Ermengilda schluckte unter Tränen und wies auf Maite. »Sie hat mich ganz fest geschlagen!«

Almas breitflächiges Gesicht lief rot an. »Was? Eine lumpige Sklavin wagt es, die Hand gegen ihre Herrin zu erheben? Na warte, du kannst was erleben!« Sie packte Maite bei den Haaren und schleifte sie zur Tür hinaus. Ermengilda lief hinter den beiden her. Zuerst freute sie sich, dass die aufmüpfige Kleine bestraft werden sollte. Als Alma jedoch mit der rechten Hand einen kräftigen Stock packte, Maite mit der Linken bäuchlings über das Geländer drückte und sie zu schlagen begann, presste Roderichs Tochter erschrocken die Hände auf den Mund.

Zuerst wollte Maite der derben Frau nicht die Genugtuung gönnen, sie schreien zu hören, doch diesen Vorsatz hielt sie nicht lange durch. Zuletzt brüllte sie wie am Spieß, während Almas Stock einen wilden Tanz auf ihrem Rücken und ihrem Hinterteil vollführte.

Die Frau ließ erst von dem Mädchen ab, als ihr der Arm erlahmte. Dann krallte sie die Finger ihrer Linken in Maites Schopf und schüttelte sie so heftig, dass das Mädchen glaubte, ihr würden die Haare samt der Kopfhaut abgerissen.

»Wenn ich mit dir fertig bin, wirst du deiner Herrin die Füße lecken wie ein treuer Hund!«, schrie Alma.

Maites Körper schmerzte so sehr, dass sie keinen klaren Gedanken mehr fassen konnte. Sie wollte nur noch weg von diesem hochnäsigen Mädchen und der zornigen Frau, die aussah, als wolle sie gleich dort weitermachen, wo sie eben aufgehört hatte.

»Glaubst du nicht, dass es genug ist? Wenn du die Kleine zum Krüppel schlägst, ist sie zu nichts mehr nütze«, wandte Ermengilda ein.

»Keine Sorge! Dieses Berggesindel hält einiges aus.« Almas erste Wut war verraucht, und sie ärgerte sich jetzt über sich selbst, weil sie sich von ihrem Zorn hatte hinreißen lassen. Ihre junge Herrin hatte recht. Zuschanden geschlagen war die Sklavin wertlos.

»Ich hoffe, du hast jetzt begriffen, was dir droht, wenn du deiner Herrin noch einmal ungehorsam bist oder sie gar schlägst. Tust du es noch einmal, wirst du gebrandmarkt und an die heidnischen Mauren verkauft. Diese werden dich schon lehren, was Demut heißt.« Sie versetzte Maite noch einen Schlag auf den Kopf und zwinkerte dann Ermengilda zu.

»Ich sperre dieses störrische Ding in den leeren Ziegenstall. Dort kann es nachdenken, wie es dir am besten dienen kann. Außerdem bekommt es heute nichts zu essen.«

Ermengilda hätte die Kleine zwar lieber bei sich im Zimmer gehabt, um sich von ihr bedienen zu lassen, sagte sich dann aber, dass Alma besser wusste, wie man einer Sklavin Gehorsam beibrachte. »Tu das!«

»Morgen frisst diese Wilde dir aus der Hand, das verspreche ich dir!« Alma packte Maite am Arm und schleifte sie auf den Hof hinaus. Erst vor einer aus Bruchsteinen aufgeschichteten Hütte im hintersten Winkel der Burganlage blieb sie stehen, riss die Tür auf und stieß Maite ins Innere. Nachdem sie die Tür wieder geschlossen und mit einem Pflock gesichert hatte, drehte sie sich zu Ermengilda um, die ihnen gefolgt war.

»Eine Nacht im Ziegenstall wird dieses Biest lehren, dir zu willfahren, auch wenn sie zu Hause in ihren Bergen wohl kaum besser gehaust hat. Du aber solltest jetzt wieder ins Haus gehen, mein Liebes.«

»Bevor Maite morgen wieder in mein Zimmer darf, muss sie noch einmal gewaschen werden!« Ermengilda schnupperte und verzog das Gesicht. Da sich die Ziegen den Sommer über im Freien aufhielten, wurde der Stall zurzeit nicht genutzt. Im Innern lag der Dreck jedoch knöchelhoch, und es stank, dass es einem schier den Atem nahm. Für Maite würde es eine entsetzliche Nacht werden, sie aber auch lehren, das nächste Mal nicht mehr so dumm zu sein, sich ihr zu widersetzen. Ermengilda warf dem Stall noch einen letzten Blick zu, dann kehrte sie ihm den Rücken und ging zum Haus zurück.

8.

Ein Gutes hatte der Schmutz – Maite fiel weich. Der Geruch nach Ziegenmist störte sie nicht, denn sie hatte in den letzten Jahren auch die Ziegen ihres Vaters versorgen müssen. Allerdings wurden die Ställe daheim in Askaiz besser sauber gehalten als dieser hier.

Maite kämpfte sich auf die Beine und fletschte die Zähne. Ihr tat alles weh, doch selbst Almas Schläge hatten ihren Willen nicht brechen können. Mehr denn je wollte sie so rasch wie möglich von hier fliehen. Sie suchte sich ein Plätzchen in der Ecke, wo sie auf einem Fleck trockenen Strohs sitzen konnte, und überlegte. Der Stall hatte kein Fenster, sondern nur ein paar Luftlöcher, und das hereinfallende Licht reichte gerade aus, um schattenhafte Umrisse erkennen zu können. Das Dach bestand aus flachen Steinplatten und lag so hoch, dass sie es, wenn sie sich streckte, gerade noch mit den Fingerspitzen berühren konnte. Außerdem saßen die Platten zu fest, um einige lösen und durch das entstandene Loch hinaussteigen zu können.

Auch die Tür widerstand ihren Kräften. So blieb nur die Mauer. Als Maite diese untersuchte, löste sich unter ihren tastenden Fingern ein länglicher Stein. Zuerst versuchte sie, mit seiner Hilfe weitere Steine aus der Mauer herauszubrechen, doch der Mörtel war zu hart. Wütend wollte sie den Stein wegwerfen, als ihr etwas anderes einfiel. Der Boden war weich, und indem sie den Stein als Werkzeug benutzte, gelang es ihr in kurzer Zeit, ein Loch zu schaufeln, das so tief war, wie sie mit ihren Armen greifen konnte. Von zu Hause wusste sie, dass die Mauern so einfacher Hütten gewöhnlich nicht tief in der Erde gründeten.

Von dem Gedanken angetrieben, den Ort bald verlassen zu können, achtete sie nicht auf ihren schmerzenden Rücken und die dünnen Blutfäden, die ihre Beine hinabliefen, sondern arbeitete wie besessen weiter. Zu ihrer Erleichterung erreichte sie schon bald den Fuß der Mauer. Zwar war der Boden beim Bau festgestampft worden, doch sie kratzte und schaufelte sich mit Hilfe des Steines darunter hindurch und konnte schon bald auf der Außenseite weitergraben. Als sie endlich ins Freie gelangte, war es bereits tiefe Nacht. Die Sterne leuchteten hell und überzogen die Burg des Grafen und das umgebende Land mit einem feinen Schimmer. Maite hatte jedoch keinen Blick für die Pracht des Himmelszelts, sondern kroch aus dem Loch und sah sich angespannt um.

Aus dem Hauptgebäude drangen die nicht mehr ganz nüchternen Stimmen der Männer, die mit dem Grafen ihren Erfolg feierten. Diese Leute stellten die geringste Gefahr für Maite dar. Schwieriger erschien es ihr, durch das Tor der Umfassungsmauer ins Freie zu gelangen. Als sie im Schein einer Fackel dort zwei Wachen entdeckte, gab sie diesen Gedanken auf und wandte sich einem der Aufgänge zu, die auf die Wehrmauer führten. Sie schlich nach oben, stieg zwischen zwei Zinnen und starrte in die Tiefe. Ihr Magen zog sich zusammen. Doch sie war nicht bereit aufzugeben. Mit zusammengebissenen Zähnen ertrug sie die Schmerzen, die der wund geschlagene Rücken ihr bereitete, und kletterte die Mauer an der Außenseite so weit herunter, wie ihre Finger und Zehen Halt fanden. Dann atmete sie noch einmal tief ein, hielt die Luft an und ließ sich fallen.

Der Aufprall war hart. Maite rollte auf den Abhang zu, konnte sich aber gerade noch an einem Busch festhalten. Unten im Dorf schlug ein Hund an, und die Meute in der Burg antwortete ihm. Gleich darauf hörte Maite in der Ferne einen Wolf heulen.

Da sich oben Schritte näherten, drückte Maite sich mit pochendem Herzen in den Schatten der Mauer. Einer der Wachen blickte herab, entdeckte sie aber nicht und schimpfte über die Hunde, die keine Ruhe geben wollten. Maite wagte kaum zu atmen. Erst als sie hörte, wie der Wächter weiterging, verließ sie ihr Versteck und kletterte die steile Hügelflanke hinab, die Roderichs Männer für unüberwindbar hielten.

Unten blickte sie sich noch einmal um. Als sie sah, dass ihr niemand gefolgt war, rannte sie in Richtung Heimat, bis die Burg und das Dorf hinter ihr zurückblieben.

Sie hörte das Murmeln eines Baches neben der Straße und merkte plötzlich, wie durstig sie war. Da der Ziegenmist fingerdick an ihr klebte und sie sich davor ekelte, aus den schmutzigen Händen zu trinken, beugte sie den Kopf über die Wellen und schlabberte das Wasser wie ein wildes Tier. Danach stieg sie in den Bach und schrubbte Arme und Beine mit dem feinen Sand, den das Gewässer an seine Ufer geschwemmt hatte. Ihr Blick glitt dabei immer wieder nach Osten. Es war ein weiter Weg bis nach Askaiz, doch sie schwor, sich eher von Wölfen und Bären fressen, als sich noch einmal von den Asturiern einfangen und hierherschleppen zu lassen.

9.

*B*eim Erwachen galt Ermengildas erster Gedanke ihrer neuen Sklavin. Ohne sich zu waschen oder mehr überzustreifen als einen Kittel, schlüpfte sie aus ihrem Zimmer und rannte barfuß über den Hof zum Ziegenstall. Sie wollte das Mädchen aus seinem Gefängnis holen und es zum Waschen schicken, damit es sie hinterher bedienen konnte. Rasch entfernte sie den Pfosten vor der Tür des Stalles, öffnete sie und rief nach Maite. Nichts.

»Maite, komm jetzt!«, befahl Ermengilda verärgert. Diese Bergwilde war anscheinend noch genauso verstockt wie am Vortag. Ich kann unmöglich in den schmutzigen Stall gehen und dieses Biest herausziehen, fuhr es ihr durch den Kopf. Sie wollte sich schon umdrehen und Alma holen, als neben dem Stall ein wütender Ausruf erscholl.

»Wer hat denn dieses Loch hier gegraben? Beinahe wäre ich hineingefallen.« Eine Magd hatte im Hühnerstall die Eier abgetragen und war eben mit dem vollen Strohkorb um die Ecke gebogen.

Ermengilda schoss um die Hütte herum und starrte auf das Loch. Es führte tief in die Erde. Ein Stock, der etwa so lang war wie sie selbst, verschwand bis weit über die Hälfte darin. Im ersten Augenblick wollte sie es nicht glauben, doch als Alma erschien und mit einer Fackel das Innere des Ziegenstalls ausleuchtete, gab es keinen Zweifel mehr. Die kleine Sklavin hatte sich wie ein Dachs durch die Erde gegraben und war geflohen. Almas Kopf färbte sich so rot, als wolle er platzen, und sie brüllte das ganze Gesinde zusammen. »Wo ist dieser vermaledeite Waskonenbalg?«

Sie erntete jedoch nur erstaunte Blicke und Kopfschütteln.

»Also, wenn ich es nicht mit eigenen Augen gesehen hätte, würde ich sagen, so etwas gibt es nicht«, erklärte Ramiro. Graf

Roderich, der kurz nach seiner Gemahlin erschien, wirkte nicht weniger verwirrt als er.

»Wie kann das möglich sein?«, fragte Doña Urraxa. »Es ist doch nur ein kleines Mädchen!«

»Das war eine von den Bergwilden, und die sind zu allem fähig«, schimpfte Alma.

Graf Roderich winkte Ramiro heran. »Hol ein paar Leute zusammen und nimm die Hunde mit. Ich will, dass du diese Wildkatze wieder einfängst.«

Der Krieger nickte und verschwand.

Drei Tage später kehrte Ramiro mit seinen Männern zurück und musste bekennen, dass sie nicht die geringste Spur des entflohenen Mädchens entdeckt hatten. Sie waren bis an die Grenzen der Mark geritten, doch in die Gebiete der Waskonen hatten sie sich nicht vorgewagt. Auch wenn Okin von Askaiz den Treueid auf König Aurelio geleistet hatte, so verwettete keiner seiner Männer auch nur einen maurischen Dirhem darauf, dass der Waskone diesen Schwur halten würde.

Doch Graf Roderich schien dieser Bericht kaltzulassen. Ihn bewegten mittlerweile weitaus wichtigere Dinge. Boten hatten gemeldet, dass sich im Westen Asturiens maurische Sklaven erhoben hatten, die von Streifscharen von jenseits der Grenze unterstützt wurden. Augenscheinlich versuchte Abd ar-Rahman, der Emir von Córdoba, König Aurelios Herrschaft bereits im ersten Jahr seines Königtums zu erschüttern. Dagegen war die Flucht eines kleinen Mädchens eine Bagatelle.

Die meisten Burgbewohner hatten Maite schon bald vergessen. Nur gelegentlich schimpften Mütter mit ihren Kindern, dass sie ebenso wie das Waskonenmädchen von Wölfen und Bären gefressen würden, wenn sie weiterhin so frech blieben. Ermengilda erhielt als Ersatz für ihre entflohene Sklavin ein Mädchen aus dem Dorf als Leibmagd, welches die Ehrfurcht vor der Tochter des Herrn bereits mit der Muttermilch aufgesogen hatte und sich so geschickt anstellte, dass selbst Alma zufrieden war. Nur Ermengilda ärgerte sich gelegentlich über Eblas Ängstlichkeit und wünschte sich, sie hätte statt ihrer die kleine Waskonin anlernen können.

10.

Maite rannte, bis glühende Messer ihre Seiten zu zerfetzen schienen. Dann erst bog sie vom Weg ab und suchte sich ein Versteck zwischen den Felsen. Dieser Ort böte ihr jedoch kaum Schutz vor den Hunden der Asturier. Daher quälte sie sich, sobald sie ein wenig zu Atem gekommen war, erneut auf die Beine und rannte weiter. Da die meisten Hunde Fährten im Wasser verloren, stieg sie in das tief eingeschnittene Bett eines Baches hinab und stapfte durch das kalte Nass. Ihre Füße wurden mit der Zeit taub, außerdem stolperte sie immer wieder und stürzte. Der grobe Wollkittel, den ihr die asturischen Mägde übergestreift hatten, sog sich voll Wasser und hing schwer von ihren Schultern herab. Mehr als ein Mal war sie kurz davor, den Bach zu verlassen und sich irgendwo zu verkriechen, doch jedes Mal trieb die Angst, von den Asturiern aufgegriffen und erneut verschleppt zu werden, sie weiter.

Zu ihrem Leidwesen floss der Bach nicht ostwärts auf ihre Heimat zu, sondern Richtung Norden, zum Meer. Dort lebten andere Waskonenstämme, mit denen ihre Leute nicht immer gut ausgekommen waren. Wenn diese sie erwischten, lief sie Gefahr, an den asturischen Grafen ausliefert zu werden, oder sie würden von ihrem Stamm etliche Schafe als Lösegeld verlangen. Maite wollte nicht, dass ihre Leute noch mehr Tiere verloren. Es ging ihnen schlecht genug, seit vor zwei Jahren etliche Schafe an einer Seuche eingegangen waren. Dabei machten diese Tiere den Reichtum eines Stammes aus und waren deshalb begehrtes Diebesgut. Je mehr Schafe ein Anführer erbeuten konnte, umso mehr stieg sein Ansehen im Stamm selbst und bei den Nachbarn. Ihr Vater hatte alle anderen Waskonen und auch Asturier und Mauren darin übertroffen. Für Augenblicke glaubte Maite ihn vor sich zu sehen, wie er fröhlich pfeifend mit einer geraubten Herde in ihr Dorf einzog.

Erneut stolperte sie, stürzte diesmal in tieferes Wasser und ging unter. Sie schlug verzweifelt mit den Armen, um wieder an die Oberfläche zu gelangen, schluckte Wasser und geriet in Panik. Endlich gelang es ihr, einen Felsen zu ertasten und sich hochzuziehen. Hustend und keuchend blieb sie darauf liegen und würgte das Wasser wieder heraus. Als sie sich endlich wieder aufraffen konnte, war es bereits hell. Maite sehnte sich nach der Sonne, um ihre klammen Glieder zu wärmen und den Kittel trocknen zu lassen, der wie Blei an ihr hing und jeden Schritt zur Qual werden ließ.

Mit viel Mühe kletterte sie aus dem Bach hinaus und erreichte eine Stelle, die bereits von der Sonne beschienen wurde. Dort ließ sie sich zu Boden sinken und schloss die Augen. Sie war so erschöpft, dass sie sofort einschlief.

Als sie erwachte, stand die Sonne hoch am Himmel. Maite starrte verwirrt um sich, denn sie hatte von ihrem Vater und ihrer Mutter geträumt, die sie liebevoll an sich gezogen hatten. Mit Tränen in den Augen dachte sie daran, dass sie nun ganz alleine war. Die Trauer um ihre Eltern packte sie mit aller Macht, und sie konnte nicht mehr aufhören zu weinen.

Ihr Vater, der stolze Krieger, der sowohl den Mauren wie auch den Asturiern Schaf- und Ziegenherden geraubt hatte, lebte nicht mehr. Doch er war nicht im ehrlichen Kampf gefallen, sondern in eine Falle gelockt worden, die ihm ein Verräter gestellt hatte. Der Hass auf diesen Mann drohte Maite zu ersticken. Ebenso inbrünstig hasste sie Graf Roderich und dessen

Tochter, der sie die fürchterlichen Prügel zu verdanken hatte. Das kalte Wasser des Baches hatte ihr gutgetan, dennoch schmerzte jede Faser ihres Körpers. Auch der Durst war zurückgekehrt. Vorsichtig kletterte sie zurück in das Bachbett und suchte sich eine Stelle, an der sie trinken konnte. Während Maite trank, fiel auf einmal ein Schatten über sie. Sie blickte auf und starrte in die Augen eines Luchses, den ebenfalls der Durst hierhergelockt hatte. Das Tier wiegte sich leicht vor und zurück, als wisse es nicht so recht, ob es das Mädchen als Beute ansehen sollte oder ob der Bissen doch zu groß war.

Maite wagte nicht, sich zu rühren. Sie hatte nichts, womit sie sich gegen einen Angriff des Raubtiers hätte zur Wehr setzen können. Sie überlegte, ob sie sich bücken und wenigstens nach einem Stein greifen sollte, aber sie fürchtete, das Tier gerade dadurch zu reizen.

Schier endlos lange stand das Raubtier oben auf der Bachkante und äugte zu ihr herab. Endlich hob der Luchs den Kopf und lauschte. Einen Augenblick später machte er kehrt und verschwand mit geschmeidigen Bewegungen zwischen den Felsen. Maite atmete auf, vernahm dann aber die Geräusche, die den Luchs vertrieben hatten, und presste sich gegen die Felswand.

Mehrere Reiter kamen näher. Der Sprache nach waren es weder Waskonen noch Asturier, sondern Mauren. Maites Herz schlug so heftig, dass sie fürchtete, man könne es hören. Wenn sie diesen Menschen in die Hände fiel, würden die sie noch viel weiter wegbringen als die Asturier, nämlich bis nach Tudela oder gar nach Saragossa. Dort würde sie ebenfalls Sklavendienste leisten müssen und gewiss nicht so leicht entkommen können wie aus Graf Roderichs Burg. Da kam ihr der befriedigende Gedanke, dass diese Mauren möglicherweise auf dem Weg dorthin waren, um die Festung zu erobern und niederzubrennen. Möglicherweise würden die Männer Ermengilda gefangen nehmen und mit sich schleppen. Bei der Vorstellung lächelte Maite grimmig, denn sie gönnte es diesem hochnäsigen Geschöpf, eine Sklavin der Mauren zu werden.

Nun aber ging es um ihr eigenes Schicksal. Maite wagte nicht einmal mehr zu atmen, als einer der Männer sein Ross anhielt und auf den Bach zeigte. »Abdul, wir sollten die Pferde tränken und sich erholen lassen. Sie sind erschöpft.«

Maite war froh, genug von der maurischen Sprache zu verstehen, um das Gesagte begreifen zu können. Wenn die Männer ihre Gäule an dieser Stelle tränkten, würden sie sie unweigerlich entdecken. Voller Angst flehte das Mädchen in Gedanken sämtliche Heiligen an, ihr beizustehen.

Das Gebet zeigte Wirkung, denn der Maure, der Abdul genannt wurde, lehnte den Vorschlag ab. »Hier ist das Ufer viel zu steil, Fadl. Ein Stück weiter den Bach hinunter gibt es einen Platz, an dem wir Rast machen können.«

Maite segnete den Mann für seine Worte, die die Mauren veranlassten, sofort weiterzureiten, und sie lauschte den Hufschlägen, die sich bald in der Ferne verloren.

Mit zitternden Knien stieg sie aus dem Wasser, und diesmal suchte sie nach einem Versteck, in dem man sie nicht so leicht überraschen konnte. Nach einer Weile entdeckte sie einige große Felsbrocken, verkroch sich dazwischen und rollte sich auf einem Polster aus Moos und Laub zusammen. Dann versuchte sie, ihre wirbelnden Gedanken einzufangen. Die Begegnungen mit dem Luchs wie mit den Mauren hatten ihr gezeigt, wie gefährlich es für sie war, allein durch das Land zu ziehen. Dabei hatte sie noch Glück gehabt. Statt der Raubkatze hätte es auch ein Bär oder ein Wolf sein können, und statt der Mauren jene Männer, die Graf Roderich gewiss hinter ihr hergeschickt hatte.

Sie versuchte herauszufinden, wie weit sie noch von ihrer Heimat entfernt war. Roderich und seine Männer hatten die Strecke in zwei Tagen hinter sich gebracht, und die Asturier waren stramm geritten. Wie lange sie brauchen würde, wusste sie nicht zu sagen. Da sie kein Reittier hatte, war sie auf ihre Beine angewiesen, außerdem musste sie Straßen und Wege meiden, um nicht auf Menschen zu treffen, die ihr gefährlich werden könnten. Ein weiteres Problem war der Hunger, der immer stärker in ihren Eingeweiden wühlte und schon bald alle anderen Gefühle verdrängte.

In einem Waldstück fand sie ein paar Beeren und Pilze, die sie roh verzehrte. Die Ausbeute vermochte jedoch nicht einmal ihren Magen zu beruhigen. Doch wenn sie nach Nahrung suchte, würde sie Zeit verlieren, und dies bedeutete, noch länger Angst vor Wölfen, Bären, Luchsen, Mauren und Asturiern haben zu müssen. Daher beschloss Maite, möglichst schnell weiterzugehen und sich mit dem Essbaren zu begnügen, das sie längs des Weges fand. Ihre Angst betäubte sie mit dem Gedanken, dass sie als Ikers Tochter dem Blut der alten Häuptlinge entstammte und Gott es sicher nicht zulassen würde, dass sie hier in den Bergen umkam.

11.

*O*bwohl seit Graf Roderichs Erscheinen in Askaiz bereits etliche Tage vergangen waren, lag der Schatten des Asturiers wie ein erstickender Nebel über dem Dorf. Außer Iker waren ein gutes Dutzend Männer dem Feind zum Opfer gefallen. Daher hallten die Klagelaute ihrer Mütter, Frauen und Töchter noch immer von den Bergen wider. Außerdem belastete Maites Schicksal die Gemüter. Zwar hoffte Okin insgeheim, seine Nichte würde für immer bei den Asturiern bleiben, aber nach außen gab er sich tief betroffen. In Gesprächen mit den anderen Männern drohte er Graf Roderich blutige Rache an, sollte dem Mädchen etwas geschehen.

Auch an diesem Abend saß Okin wieder auf dem Dorfplatz und redete mit einigen Männern. Dabei beobachtete er eine Gruppe junger Burschen, die ihre Dolche schärften und Speerschäfte zurechtschnitten. Auch Asier, der damals seinen Posten verlassen hatte, um seinem Bruder zu helfen, wetzte die Klingen. Ihn bedrückte es am meisten, dass Graf Roderich unbehelligt in Askaiz hatte einreiten und Maite mitnehmen können.

Die Blicke, die er mit seinen Freunden wechselte, brachten Okin dazu, aufzustehen und zu ihm zu gehen. »Ich hoffe, ihr macht keinen Unsinn!«

Asier hatte nicht vergessen, dass der neue Häuptling ihn vor dem ganzen Dorf gescholten hatte, und gab aus Trotz keine Antwort. Dafür plusterte sich einer seiner Freunde auf. »Es ist kein Unsinn, Maite befreien zu wollen!«

Okins Miene gefror. »Schlagt euch das aus dem Kopf! Wir haben Graf Roderich den Treueid geleistet. Wenn wir unser Wort brechen, wird er uns streng bestrafen.«

»Du hast ihn geleistet, nicht wir! Dabei bist du nicht einmal unser richtiger Häuptling, sondern nur sein Vertreter, bis Maite sich einen Ehemann wählt.« Der junge Mann ließ keinen Zweifel daran, dass er Okins Autorität nur im beschränkten Maße anerkannte.

Es wird nicht leicht sein, diese Steinschädel zum Gehorsam zu zwingen, fuhr es Maites Onkel durch den Kopf. Doch wenn er zuließ, dass die Burschen zur Roderichsburg zogen und womöglich sogar mit der befreiten Maite zurückkehrten, würden sie sich überhaupt nichts mehr von ihm sagen lassen.

»Ihr bleibt hier! Es sind Mauren in der Gegend gesehen worden. Wollt ihr, dass unser Dorf schutzlos bleibt, nur weil ihr die Helden spielen müsst?«

Nun blickte Asier auf. »Wir gehen ja nicht alle, Okin, sondern nur zwei oder drei von uns. Aber wir dürfen Ikers Tochter nicht in den Händen der Feinde lassen.«

»Im Augenblick bleibt uns nichts anderes übrig. Unser Dorf hat durch Ikers Unbesonnenheit zu viele gute Krieger verloren. Fallen noch mehr von uns, wird Amets aus Guizora darauf drängen, das neue Stammesoberhaupt zu werden. Bis jetzt waren aber immer die Häuptlinge von Askaiz die Anführer des gesamten Stammes.«

Okins Worte stimmten einige der Burschen nachdenklich. Iker war der unbestrittene Anführer der fünf Dörfer gewesen, aus denen ihr Stamm bestand. Nun aber sah die Sache anders aus. Okin war nur Ikers Schwager und stammte nicht aus der Linie der alten Häuptlinge. Daher würde Amets, der Anführer des zweitgrößten Dorfes im Stammesverband, mit Sicherheit Anspruch darauf erheben, der neue Häuptling zu werden. Und wenn er diese Würde erst einmal innehatte, war es fast unmöglich, sie ihm wieder abzunehmen. Dann würde Maites zukünftiger Ehemann nur noch der Häuptling ihres eigenen Dorfes werden. Das aber lag nicht im Interesse der jungen Männer.

Asier reichte den Schleifstein an einen Kameraden weiter und stand auf. »Ich sehe nach unseren Tieren«, sagte er, ohne Okin noch einen Blick zu schenken. In Wahrheit aber wollte er in Ruhe nachdenken.

Er stieg den Hang hinab und sah in der Ferne die Ziegen seines Stammes grasen. Auf den ersten Blick schien sich nur ein halbwüchsiges Mädchen bei der Herde zu befinden, doch in der Nähe lauerten Wächter auf Fremde, die die Herde überfallen und wegtreiben wollten. Seit die Nachricht von Ikers Tod die Runde machte, war diese Gefahr größer denn je, und sie mussten auf alles vorbereitet sein.

Da Asier nicht danach war, ein paar Worte mit der Hirtin oder einem der Wächter zu wechseln, lenkte er seine Schritte in die andere Richtung. Der Ruf eines Vogels ließ ihn kurz aufsehen. Obwohl dieser täuschend echt geklungen hatte, hatte der, der ihn ausgestoßen hatte, keine Federn, sondern gehörte zu den Burschen, die eingeteilt worden waren, die Umgebung von Askaiz zu überwachen. Der Wächter hatte ihn erkannt und ihm mitteilen wollen, dass er aufmerksam war.

Asier antwortete mit einem kurzen, schrillen Pfiff und ging weiter. Schließlich setzte er sich auf einen Felsen und blickte ins Tal hinab. Roderichs Burg lag drei Tagesmärsche entfernt, wenn er rasch ging und die Straßen benützte. Vier bis fünf Tage würde er brauchen, wenn er sich auf verborgenen Pfaden durch das Land schlug. Für diesen Marsch benötigte er Vorräte, denn unterwegs durfte er weder jagen noch sich einer Ansiedlung nähern. Gerüchte eilten jedem Reisenden auf schnellen Flügeln voraus, und wenn Graf Roderich erfuhr, dass sich ein Krieger aus Askaiz in Richtung seiner Burg aufgemacht hatte, würde er die entsprechenden Schlüsse ziehen.

»Ich muss heimlich gehen und dabei so vorsichtig sein wie ein Luchs!« Asier bedauerte, dass sein Bruder ihn nicht begleiten konnte, doch Danel lag mit Wundfieber im Bett. Es ging ihm zwar besser, und er würde nach Auskunft von Okins Frau Estinne, der Heilerin des Dorfes, wieder auf die Beine kommen, doch so lange wollte Asier nicht warten. Er erwog, bereits in dieser Nacht aufzubrechen, und dachte über die beste Route nach. Da erregte eine Bewegung am Waldrand seine Aufmerksamkeit.

Er wollte zum Speer greifen, merkte jedoch, dass er diesen im Dorf zurückgelassen hatte und nur seinen Dolch bei sich trug. Wenn sich dort unten mehr als ein Feind befand, durfte er sich nicht auf einen Kampf einlassen.

Asier stand auf, um den Wachtposten zu warnen. Da sah er eine winzige Gestalt zwischen den Bäumen auftauchen. Im ersten Augenblick hielt er sie für einen Zwerg und schwankte, ob er diesen fangen oder sich zurückziehen sollte. Das Wesen taumelte, als sei es verwundet. Außerdem war es, wie er jetzt erkennen konnte, mit einem schmutzigen Kittel bekleidet, wie ihn asturische Mägde trugen, und wirkte alles andere als bedrohlich.

Hinter einem Busch versteckt beobachtete Asier, wie das Wesen näher kam. Da brach es in die Knie und kroch schließlich auf allen vieren wie ein Tier. Zuletzt sank es zusammen und blieb liegen.

Da Asier eine List fürchtete, rührte er sich zunächst nicht. Als das Wesen jedoch zu weinen begann, raffte er seinen Mut zusammen und schritt vorsichtig darauf zu. Es dauerte einen Augenblick, bis er in dem schmutzigen Bündel Maite erkannte. Er unterdrückte einen Aufschrei, stürzte auf sie zu, hob sie auf und starrte fassungslos in ihr ausgezehrtes Gesicht mit den aufgesprungenen, verharschten Lippen.

Ihr Blick war bemerkenswert klar. »Asier! Ich habe es also doch geschafft.« Ihre Stimme war kaum noch zu hören.

Dem jungen Mann stiegen die Tränen in die Augen. »Ja, du hast es geschafft. Du bist zu Hause!«

»Ich habe Durst! Und Hunger!« Allein der Gedanke, die Heimat erreicht zu haben, verlieh Maite neue Kraft. Sie war jedoch zu schwach, um sich noch auf den Beinen halten zu können.

Asier nahm sie so vorsichtig auf die Arme, als könne sie jeden Augenblick zerbrechen, und stieg wieder bergan. Die Hirtin sah ihn und ließ ihre Ziegen im Stich, um zu sehen, was er da gefunden hatte.

»Es ist Maite!«, rief Asier ihr zu. »Sie ist den Asturiern entwischt!«

»Maite? Aber …« Das Mädchen brach ab. Es ging über ihr Verständnis, dass ein Kind in der Lage sein sollte, dem Grafen der Grenzmark und dessen Reitern zu entkommen.

»Bist du sicher, dass es kein Geist ist und auch kein bösartiger Zwerg, der uns narren will?«, fragte die Hirtin und wagte nur zögernd, sich Maite zu nähern.

Als sie dem Kind in die Augen sah und Erleichterung und auch ein wenig Triumph in ihnen las, stieß sie jedoch einen Jubelruf aus, der von den umliegenden Felswänden widerhallte. Einige Wächter tauchten auf, umringten Asier und Maite und lachten und weinten gleichermaßen. An diesem Tag hätten Feinde die Herde leicht wegtreiben können, denn es hielt niemanden mehr bei den Tieren. Selbst die Wachen verließen ihre Posten und schlossen sich dem Zug an, der auf das Dorf zuhielt.

Okin streifte unterdessen wie ein wachsamer Hund durch Askaiz, teils, um die Stimmung im Dorf zu erfahren, vor allem aber, um zu verhindern, dass etwas gegen seinen Willen geschah. Als er die jungen Leute entdeckte, stürzte er ihnen wutschnaubend entgegen. »Was soll das, ihr Lumpen? Weshalb habt ihr eure Posten verlassen? Ich werde euch …«

Zu mehr kam er nicht, denn Asier trat mit Maite auf den Armen auf ihn zu.

Okin starrte das Mädchen an und schüttelte verwirrt den Kopf. »Aber wie ist das möglich? Das kann doch gar nicht sein!«

»Keine andere als Maite hätte dies geschafft. Sie ist die wahre Erbin der alten Häuptlinge«, erklärte Asier stolz.

Maite war viel zu müde und erschöpft, um sich darüber Gedanken zu machen. Das Glücksgefühl, wieder zu Hause zu sein, ließ sie Hunger, Schmerzen und die ausgestandene Angst vergessen. Selbst die Trauer um den Vater trat in diesem Augenblick in den Hintergrund. Sie genoss es, sich von Estinne, die sie Asier aus den Armen genommen hatte, in deren Haus tragen zu lassen.

Nachbarinnen halfen, sie auszuziehen und zu versorgen. Als die Frauen die braungrünen Male und die verkrusteten Wunden auf ihrem Rücken und ihrer Kehrseite entdeckten, heulten sie vor Wut und Entsetzen auf. Eine fasste in Worte, was die meisten dachten: »Maite kann nicht aus Fleisch und Blut sein! Welches Kind könnte mit diesen Verletzungen tagelang durch die Wildnis fliehen und den Weg zu uns zurückfinden?«

»Sie ist Ikers Tochter und ebenso hart wie er«, erklärte eine andere so stolz, als handele es sich um ihr eigenes Kind.

Estinne stimmte nicht in die Bewunderung mit ein, sondern füllte stumm einen Napf mit Brühe und begann Maite zu füttern.

ZWEITER TEIL

Das Wiedersehen

I.

Seit Maites Flucht aus der Burg des Grenzgrafen Roderich war fast ein Jahrzehnt ins Land gegangen. In den Bergen war wenig geschehen, doch außerhalb der kleinen, überschaubaren Heimat des Bergstamms hatte sich vieles verändert. In Nafarroa war es dem Stammesführer Eneko Aritza gelungen, den maurischen Wali von Iruñea zu vertreiben und die Stadt zum neuen Zentrum seines Herrschaftsgebiets zu machen, und aus dem Norden drangen Gerüchte, Karl, der König der Franken, plane einen Kriegszug, um die Heiden aus Spanien zu vertreiben.

In Askaiz redete man zwar darüber, aber niemand konnte sich vorstellen, dass Entschlüsse, die in so weiter Ferne gefasst wurden, Auswirkungen auf ihren Stamm haben könnten. Auch Maite hätte solche Überlegungen weit von sich gewiesen. Sie galt jetzt als erwachsen, und damit rückte der Tag näher, an dem sie einen Mann wählen und dieser die Führung des Stammes übernehmen würde. Doch nicht alle sahen ihrer Entscheidung mit Freude entgegen.

Und so kam es, dass an diesem Tag Maite mit zornblitzenden Augen vor ihrem Onkel und den Ältesten des Stammes stand und mit dem Fuß aufstampfte. »Diesem Beschluss werde ich mich niemals beugen!«

Amets, der Anführer von Guizora, hob begütigend die Hände. »Versteh uns doch richtig, Maite. Wir wollen dich zu nichts zwingen, sondern nur ein Mitspracherecht bezüglich deines Ehemanns haben. Er muss ja schließlich zum Stamm passen. Am besten wäre es, wenn du einen unserer jungen Männer wählen würdest.«

»Wohl einen deiner Söhne, was?« Okin passte es nicht, wie Amets sich in den Vordergrund drängte. Sein Rivale hatte mehrere heiratsfähige Söhne, während sein eigener fünf Jahre jünger war als Maite und noch als Knabe galt.

»Warum keinen meiner Söhne?«, wandte Amets selbstbewusst ein. »Guizora ist das größte Dorf des Stammes und hat ein Anrecht darauf, der neue Hauptort zu werden.«

»Bis jetzt ist Askaiz immer noch größer!« Maite empfand seine Worte als anmaßend, begriff aber auch die Absicht, die dahintersteckte. In ihrem Dorf würden alle auf sie schauen, ob sie das, was ihr Ehemann sagte, auch guthieße. In Guizora aber wäre sie eine Fremde, und weder Amets noch sein Sohn, den sie heiraten würde, müssten Rücksicht auf sie nehmen. Allein das war Grund genug, eine Heirat mit einem Sprössling Amets' abzulehnen. Zum anderen hatte sie nicht vergessen, dass ihr Vater durch einen Mann aus dem eigenen Stamm an Graf Roderich verraten worden war. All die Jahre war es ihr nicht gelungen herauszufinden, wer es gewesen war, doch einiges sprach dafür, in Amets den Schuldigen zu sehen.

Ihrem Onkel Okin missfielen Amets' Forderungen ebenso wie ihr. Daher erhob er sich und sah auf den Anführer von Guizora hinab, als wolle er ihn einschüchtern. »Maite hat recht! Askaiz ist noch immer das größte Dorf des Stammes mit den meisten Kriegern. Seit Generationen ist es die Heimat unserer Häuptlinge gewesen, und das wird auch so bleiben. Außerdem eilt es nicht mit Maites Hochzeit. Sie ist jung genug, um noch einige Jahre warten zu können.«

»Das sagst du doch nur, weil du deinen angemaßten Platz als Häuptling noch länger behalten willst!« Amets sprang ebenfalls auf, und für einige Augenblicke sah es so aus, als wolle er mit den Fäusten auf Okin losgehen.

»Bleibt friedlich!«, wies der Älteste der Anwesenden sie zurecht. »Es bringt nichts, wenn ihr euch streitet. In einem stimme ich Amets zu: Der Mann, den Maite einmal wählt, muss die Zustimmung des Stammesrats finden.«

Der Anführer von Guizora nickte zufrieden, Okin aber ballte die Fäuste.

Der Stammesälteste machte eine beruhigende Geste. »Ich gebe aber auch dir recht, Okin! Wir sollten nichts überstürzen. Niemand wird Maite einen Bräutigam aufzwingen, den sie nicht will! Es würde Unfrieden in den Stamm hineintragen, wenn die Bluterbin der Häuptlingslinie und ihr Mann wie Katz und Hund zusammenlebten.«

»Richtig!«, stimmte Okin dem Sprecher zu. »Ich bin der Ansicht, Maite soll sich Zeit nehmen, bevor sie sich entscheidet.«

»Wohl bis zu dem Tag, an dem dein Sohn alt genug ist!«, stieß Amets wütend aus.

»Lukan wäre für Maite keine schlechtere Wahl als einer deiner Söhne!« Damit gab Okin seine geheimsten Überlegungen preis, und es gelang ihm, die Abgesandten der drei restlichen Dörfer auf seine Seite zu ziehen. Denn diese wollten keine Änderungen im Stammesgefüge, wozu es unweigerlich käme, wenn Guizora der neue Hauptort würde.

Amets begriff, dass er auf verlorenem Posten stand, und setzte sich. Unterdessen pries Maites Onkel wortreich die Vorzüge einer Verbindung seines Sohnes mit seiner Nichte, verbarg dabei aber geschickt, dass diese hauptsächlich ihm zum Vorteil gereichte. Da Lukan zu jung war, um von den anderen anerkannt zu werden, würde er selbst noch viele Jahre den Stamm anführen können.

Maite stand kurz vor einem Wutausbruch. Für sie kam Lukan ebenso wenig in Frage wie einer von Amets' Söhnen. Doch bevor sie dies ihrem Onkel ins Gesicht schleudern konnte, griff der Stammesälteste erneut ein.

»Schweig, Okin! Du bist genauso schlimm wie Amets. Alles, was du sagst, läuft darauf hinaus, uns und Maite deinen Sohn als neuen Anführer aufzudrängen. Lukan ist noch ein Kind und Amets' Söhne sind ebenfalls kaum dem Knabenalter entwachsen. Sie alle sind wie ungegorener Teig. Bevor ich einen von ihnen als Häuptling anerkenne, will ich wissen, was von ihm zu halten ist. Außerdem bin ich der Meinung, dass Maites Suche sich nicht allein auf unseren Stamm beschränken soll. Eneko von Iruñea hat erwachsene Söhne, die viel eher in Frage kämen. Würde Maite einen von ihnen heiraten, gewänne unser Stamm einen mächtigen Verbündeten.«

»Niemals werde ich einen stammesfremden Anführer akzeptieren!«, brüllte Okin.

»Ich auch nicht!«, polterte Amets, der ausnahmsweise mit Okin einer Meinung war.

Maite gönnte den beiden die Abfuhr. Amets war möglicherweise der Verräter ihres Vaters, und sie würde ihn bestrafen, sobald sie den Beweis für seine Untat in Händen hielt. Und Okin lag ihr ebenso wie seine Frau Estinne schon ständig in den Ohren, das Wohl des Stammes mache es nötig, mit ihrer Heirat zu warten, bis Lukan als Bräutigam für sie in Frage käme. Doch sie dachte nicht daran, diesen verwöhnten Bengel zu nehmen. Lukan war schon jetzt viel zu aufgeblasen und hatte sich erdreistet, von ihr zu verlangen, sie müsse ihn ebenso bedienen, wie es seine in ihn vernarrte Mutter tat. Auch aus diesem Grund war sie aus dem Haus ihres Onkels ausgezogen und in das ihres Vaters zurückgekehrt.

Nun verfolgte Maite schadenfroh, dass sich Okin und Amets einer geschlossenen Front der Anführer der drei übrigen Dörfer gegenübersahen. Auch diese hatten Söhne, wussten aber, dass diese aus verschiedenen Gründen nicht als Bewerber in Frage kamen, und hatten daher nichts gegen den Sohn eines so mächtigen Stammeshäuptlings wie Eneko aus Nafarroa als Anführer einzuwenden.

Einer der Dorfältesten hob die Hand, um die Aufmerksamkeit auf sich zu lenken. Es dauerte eine Weile, bis er Okin und Amets, die einander erneut angifteten, zum Schweigen gebracht hatte. Dann berichtete er eine Neuigkeit, die ihm wichtiger erschien als das Gezänk um Maites künftigen Ehemann.

»Ich habe gestern mit Zigor aus Nafarroa gesprochen. Ihr kennt ihn alle und wisst, dass er ein enger Vertrauter von Häuptling Eneko ist. Dieser will eine große Versammlung aller Waskonen einberufen, zu der sogar Abgesandte aus der Gascogne kommen sollen. Zigor hat mich gebeten, diese Einladung an euch alle weiterzugeben. Es wäre eine gute Gelegenheit für uns, Freunde wiederzusehen, alte Bündnisse zu erneuern und neue zu schließen. Außerdem …«, er unterbrach sich, um seine Worte wirken zu lassen, »… außerdem könnte Maite sich bei dem Treffen Enekos gleichnamigen Ältesten und seinen jüngeren Sohn Ximun ansehen.«

»Es werden sicher auch die Söhne anderer Häuptlinge kommen, so dass Maite eine größere Auswahl hat«, erklärte das älteste Ratsmitglied mit einem zufriedenen Nicken.

Okin musterte die beiden Männer grimmig. »Was soll diese Eile? Eben waren wir uns doch noch einig, dass Maite mit ihrer Heirat noch einige Jahre warten soll!«

Am liebsten hätte er den Stammesmitgliedern verboten, Enekos Einladung zu folgen. Allerdings würde das nur Amets nützen. Denn der Häuptling von Guizora würde trotzdem hingehen und dort neue Bündnisse schließen, die seinen Einfluss stärkten. Daher lächelte Okin, obwohl ihm eher zum Zähnefletschen zumute war. »Wenn du Zigor wiedersiehst, kannst du ihm sagen, dass wir kommen werden.«

Amets grummelte ein wenig, stimmte aber zu, um nicht allein gegen alle zu stehen.

Auch Maite war mit dieser Entscheidung einverstanden. Sie hatte das Stammesgebiet nur selten verlassen können und freute sich auf das Wiedersehen mit anderen Waskonen und den Markt, der dabei abgehalten wurde. An einen möglichen Bräutigam verschwendete sie keinen Gedanken.

2.

Während die Menschen in Askaiz sich nicht für König Karl und dessen geplanten Kriegszug nach Spanien interessierten, über den nur am Rande der Stammesversammlung gesprochen worden war, spürten andere die Folgen des fränkischen Heerzugs lange, bevor der erste Schwertstreich getan wurde. Jahrelang war Arnulf, der Herr auf dem Birkenhof im Hassgau, für seinen König in den Krieg gezogen und hatte das Aufgebot seines Dorfes angeführt. Auch heuer war der Aufruf an ihn ergangen, mit seinen Männern am Sammelplatz zu erscheinen. War es ihm schon von Jahr zu Jahr schwerer gefallen, die geforderte Anzahl an Kriegern unter Waffen zu stellen, so schien diesmal der Leibhaftige selbst ihm Knüppel in den Weg legen zu wollen.

Als Arnulf seine beiden nächsten Nachbarn auf seinen Hof zukommen sah, verrieten ihre schuldbewussten Mienen ihm schon von weitem, was die Männer zu ihm trieb. Er blieb stehen, bis sie das Hoftor erreicht hatten, und trat ihnen dann einen Schritt entgegen. »Dem Heiland zum Gruß!« Seine Stimme klang alles andere als freundlich.

Die beiden Bauern zuckten zusammen und sahen für einen Augenblick so aus, als würden sie am liebsten im Erdboden versinken. Schließlich straffte Ecke, der Ältere der beiden, seinen Rücken und erwiderte den Gruß. »Der Segen des Himmels sei mit dir, Arnulf.«

Der Angesprochene verzog spöttisch die Lippen. »Seit wann bist du unter die Priester gegangen, dass du mich segnen willst?«

Ecke rang die Hände und schnaufte. »Lando und ich – wir wollten mit dir sprechen, Arnulf.«

»Ihr könnt jederzeit mit mir reden«, erklärte der Herr des Birkenhofs.

Da Ecke nicht die richtigen Worte zu finden schien, sprang sein Begleiter ihm bei. »Es ist wegen dem Feldzug, weißt du? Ecke und ich – wir waren im letzten Jahr bei den Sachsen mit dabei und davor im Langobardenreich. Jetzt fordert der König schon wieder Heerfolge, und wir wissen wirklich nicht mehr, wie wir das schaffen sollen. Mein Weib ist schwanger und mein Sohn noch zu klein, um wie ein Mann zufassen zu können. Dazu ist Ulmo, unser Knecht, im Winter gestorben. Wenn ich jetzt gehe, verdirbt mir der Hof.«

»Wenn du nicht mitkommst, bestraft dich der Gaugraf im Namen des Königs, und dann verlierst du deinen Hof ganz!« Arnulf versuchte, seinem Nachbarn ins Gewissen zu reden. Landos Knecht hatte bereits im letzten Jahr nicht mehr arbeiten können, und deswegen hatte er seine eigenen Leute zum Hof des Nachbarn geschickt, die Ernte einzubringen. Das würde er auch heuer wieder tun, und das wussten die Bauern genauso gut wie er.

Unter seinen vorwurfsvollen Blicken wanden sich die beiden Männer vor Verlegenheit. Ecke feuchtete sich die Zunge an, um sprechen zu können, wagte aber nicht, Arnulf ins Gesicht zu sehen. »Lando kann heuer wirklich nicht in den Krieg ziehen. Sein Weib braucht ihn. Sie würde sich zu Tode ängstigen, bliebe er lange fort. Der Weg ins Langobardenreich war schon schlimm genug, und nach Spanien soll es noch viel weiter sein! Da kämen wir nicht rechtzeitig zur Ernte nach Hause zurück.«

Arnulf fand, dass er genug Geduld mit den beiden aufgebracht hatte, und setzte Ecke die Spitze seines Stockes auf die Brust. »Sag frei heraus, was du willst! So wie du dich anhörst, möchtest du ebenfalls zu Hause bleiben.«

Der Bauer nickte. »Ich werde langsam zu alt für den Krieg.«
Arnulf kommentierte seine Worte mit einem weiteren Schnauben. Ecke war ein Jahr nach ihm geboren worden, und er selbst

wäre in jedem Fall mit dem Heer gezogen, hätte er sich nicht ein Jahr zuvor im Sachsenland eine schwere Verletzung zugezogen.

»Wir haben gehofft, dass du vielleicht zwei deiner Knechte an unserer Stelle mitschicken könntest, so wie du es im letzten Jahr für Medard gemacht hast ...«, fuhr Ecke fort.

»Für Medard habe ich es getan, weil er sich das Bein gebrochen hatte und sein Sohn heuer statt seiner mitziehen kann. Aber euch beiden fehlt nichts außer Mut! Warum soll ich meine Knechte in die Ferne schicken, damit ihr zu Hause bleiben könnt? Wenn ich das tue, werden meine Felder nicht bestellt.«

Ecke hob zögernd die Hand. »Wenn du uns helfen würdest, könnten Lando und ich doch einen Tag in der Woche bei dir mithelfen. Das würden wir sogar vor dem Priester auf das Kreuz schwören.«

»Medards Junge wird ebenfalls nicht mitkommen. Sein Vater hat ihn ins Kloster gegeben, damit er ein Mönch wird«, warf Lando ein, der sichtlich froh war, dass Ecke und er nicht die Einzigen waren, die die Heeresfolge verweigern wollten.

»Bei allen dreifach geschwänzten Teufeln! Seid ihr denn alle verrückt geworden?« Arnulf reckte seinen Stock gegen die beiden Bauern und schüttelte ihn drohend.

Erschrocken traten die Männer einen Schritt zurück. »Du tust es aber doch! Nicht wahr, Arnulf?«

Der Herr des Birkenhofs begriff, dass ihm nichts anderes übrigbleiben würde, als anstelle der beiden Männer seine eigenen Knechte zu schicken. Bestand er darauf, dass die beiden mit seiner Schar zogen, würden sie bei erster Gelegenheit desertieren und ihn vor dem Gaugrafen und auch vor dem König blamieren. Aber mit ihrer Weigerung, Karls Ruf zu folgen, brachten sie ihn in eine Situation, die ihm ganz und gar nicht gefiel.

»Ich werde es mir überlegen. Doch sollte ich einschlagen, werdet ihr so viel auf meinem Boden arbeiten, dass ihr mir die Knechte ersetzt, die an eurer Stelle gehen!«

Das war ein harter Spruch, und doch atmeten die beiden Bauern auf. Ecke würde seinen eigenen Knecht schicken und Landos Junge das Vieh des Herrn vom Birkenhof hüten.

»Hab Dank, Arnulf! Wir wussten, dass du uns nicht im Stich lässt«, sagte Lando schmeichlerisch.

»Dafür lasst ihr mich im Stich und meinen Jungen auch! Verschwindet jetzt, bevor ich zornig werde.« Arnulf schwang erneut seinen Stock und kehrte den beiden dann den Rücken zu. Während er über den Hof zu seinem Wohnhaus humpelte, verfluchte er erst Ecke und Lando und dann Gott und die ganze Welt.

Sein Weib empfing ihn an der Tür. Hemma war nur wenig kleiner als er und mit den Jahren mollig geworden. Ihr rundliches Gesicht wirkte besorgt, und sie strich sich die Haare aus der Stirn. Diese anmutige Geste hatte ihm an ihr schon gefallen, als sie noch ein junges Mädchen gewesen war.

Bevor sie ihn fragen konnte, was ihn so verärgert hatte, quoll es aus ihm heraus. »Ecke und Lando haben die Heerfolge aufgesagt. Ich soll zwei Knechte an ihrer Stelle schicken.«

»Sonst noch was? Wer soll denn auf unserem Hof die Arbeit machen?« Hemma klang so empört, dass Arnulf am liebsten seinen Nachbarn gefolgt wäre, um sein halbes Versprechen zurückzunehmen.

Er blieb jedoch stehen und klopfte mit dem Stock auf den Boden. »Die beiden wollen für uns arbeiten, und zwar einen ganzen Tag in der Woche. Das behaupten sie zumindest.«

»Das ersetzt uns aber nicht die Knechte, welche die ganze Woche arbeiten können.« Hemmas Gesicht färbte sich dunkel, und Arnulf bedauerte, nicht vorher mit ihr gesprochen zu haben. Immerhin hatte sie seinen Hof in all den Jahren, in denen

er für seinen König in den Krieg gezogen war, mit fester Hand
geführt.

»Es geht um unseren Jungen, nicht wahr? Sie trauen ihm nicht
zu, sie so zu führen, wie du es getan hast.« Hemmas erster
Zorn war verraucht und machte einer tiefen Enttäuschung
Platz.

Arnulf nickte. »Natürlich ist es wegen Konrad. Dabei wäre es
notwendig, dass er in seinem ersten Jahr als Anführer erfahrene Männer um sich hat, die ihm raten können.«

Während seine Frau bereits überlegte, welche Knechte sie mit
ihrem Ältesten nach Spanien schicken konnte, sprach ihr
Mann weiter. »Ecke und Lando sagten, Medard hätte seinen
Ältesten ins Kloster geschickt, damit er nicht in den Krieg ziehen muss.«

»Das ist wohl der Dank für die Hilfe, die wir ihm letztes Jahr
angedeihen ließen! Doch diesmal wird er bezahlen, das schwöre ich dir.« Hemma sah so wild entschlossen aus, dass Arnulf
seine Nachbarn beinahe bedauerte. Seine Frau würde von Medard, aber auch von Ecke und Lando den Preis einfordern, der
ihr richtig erschien.

3.

*W*ährend die Eltern überlegten, wie sie sich zu der neuen Situation stellen sollten, übten sich ihre beiden Söhne auf einer
Wiese im Kampf. Lothar starrte gerade auf seinen älteren Bruder und wartete auf dessen Ruf.

»Greif mich an!«

Im selben Augenblick schwang der Zwölfjährige sein hölzernes Schwert. Er war flink und wendig, aber nicht schnell genug. Konrad parierte den Schlag und versetzte ihm einen Hieb
auf die Schulter.

Mit einem Schmerzensschrei wich Lothar zurück und funkelte den Älteren empört an. »Musst du so wild zuhauen?«

»Ein Krieger muss das aushalten!«, antwortete Konrad mit der Überheblichkeit des sich bereits erwachsen fühlenden Bruders.

»Dann sollst du es auch spüren!« Lothar schwang wütend sein Holzschwert, und diesmal überraschte er Konrad. Der harte Schlag presste ihm die Luft aus den Lungen, und er knickte für einen Augenblick ein.

Lothar, der seinerseits etliche schmerzhafte Schläge hatte hinnehmen müssen, tanzte vor Freude um ihn herum. »Jetzt habe ich dich getroffen! Jetzt habe ich dich getroffen!«

»Das war gemein von dir! Ich hatte dir das Signal noch nicht gegeben.« Konrad presste den linken Arm gegen die geprellten Rippen und überlegte, ob er seinem Bruder nicht eine kräftige Tracht Prügel versetzen sollte.

Das Erscheinen des Vaters verhinderte weiteren Streit. »Lass es dir eine Lehre sein! Ein Feind wartet auch nicht, bis du ihm das Zeichen zum Angriff gibst«, erklärte Arnulf seinem Ältesten.

Konrad zog ein schiefes Gesicht. »Da hast du schon recht. Aber es war trotzdem hinterhältig von Lothar, mich so zu überraschen. Er ist schließlich mein Bruder!«

»Aber mich darfst du hauen, bis ich blau und grün bin!« Der Jüngere stemmte seine Arme in die Seiten und starrte Konrad zornig an.

Arnulf schlug mit seinem Stecken mahnend auf den Boden. »Lasst diese Kindereien! Konrad, du wirst in drei Tagen aufbrechen, und bis dahin gibt es noch viel zu tun. Sieh zu, dass du in die Schmiede kommst! Deine Rüstung müsste fertig sein. Hol sie dir und gewöhne dein Pferd an das zusätzliche Gewicht. Reiten kannst du ja, aber zu Pferd kämpfen ist etwas anderes, als gemütlich über unsere Wiesen zu traben. Es ist bedauerlich, dass ich nicht mitkommen kann, denn ich könnte dir noch vieles beibringen.«

»Ich habe vorhin Ecke und Lando auf den Hof kommen sehen und kann mir denken, was sie wollten. Sie glauben nicht, dass ich unsere Schar anführen kann, nicht wahr? Und Medard ist auch nicht besser. Deswegen lässt er seinen Ältesten Mönch werden.« Konrad klang so mutlos, dass Arnulf ihn am liebsten an sich gezogen und getröstet hätte. Doch das wäre der falsche Weg, ihn zum Mann reifen zu lassen. In ein paar Tagen würde der Junge auf sich allein gestellt sein, und dann gab es keine Schulter mehr, an der er sich ausweinen konnte.

Arnulf rang sich ein Lachen ab und machte eine wegwerfende Handbewegung. »Du bist mein Sohn, und ich habe dich alles gelehrt, was du wissen musst. Was dir noch fehlt, ist Erfahrung. Nein, die Kerle fürchten bloß den weiten Weg nach Spanien. Aber wenn der König dorthin ziehen will, müssen seine Krieger ihm folgen!«

Der Herr des Birkenhofs ging großzügig darüber hinweg, dass er eben noch erklärt hatte, er hätte seinen Sohn gerne wenigstens ein Mal im Krieg an seiner Seite gehabt, um ihn weiter ausbilden zu können. Nun wollte er Konrads Selbstbewusstsein stärken. Daher hielt er ihn eine Armlänge von sich weg und sah ihn durchdringend an.

Konrad war eine Handbreit kleiner als er und wirkte im Vergleich zu ihm wie ein schmales Tuch. Doch seine Schultern waren breit und die Arme voller Muskeln, die von der harten Arbeit auf den Feldern und den Kampfübungen mit dem mit Blei gefüllten Holzschwert stammten. Kraft und Ausdauer besaß der Junge genug. In der Beziehung würde er ihm keine Schande machen. An Mut mangelte es ihm ebenfalls nicht, das wusste Arnulf. Immerhin hatte Konrad es vor zwei Jahren als Einziger gewagt, in die Strudel der Baunach hineinzuschwimmen, um Eckes kleine Tochter herauszuholen, die ins Wasser gefallen war. Dies hatte sein Nachbar anscheinend vergessen. Diese Erinnerung ließ den Preis, den er von Ecke verlangen würde, weiter ansteigen.

Arnulf kniff die Augen zusammen und kämpfte gegen seine Verbitterung an. »Du wirst es schaffen, mein Sohn!«

Dabei schlug er Konrad aufmunternd gegen die Brust, ignorierte dessen schmerzverzerrte Miene und schob ihn in die Richtung, in der die Dorfschmiede lag. Heiner, der Schmied, beschlug zumeist die Pferde im Dorf und stellte Sensen und Pflugscharen her. Aber er vermochte auch Harnische und Helme zu fertigen sowie die Schwerter für die einfachen Krieger. Arnulf hatte sich jedoch vorgenommen, Konrad seine eigene Klinge mitzugeben. Damit würde der Junge Ehre einlegen, dessen war er sich sicher.

4.

Als Konrad drei Tage später mit seiner Schar aufbrach, lag auf den Höhen des langgestreckten Hügels, an dessen Flanke sich Arnulfs Dorf erstreckte, noch Schnee. König Karls Befehl zufolge sollten zwei mächtige Heersäulen nach Spanien ziehen, und die Krieger dieses Gaus zählten zum austrasischen Heerbann, der sich mit den Bayern und Alemannen vereinigen sollte. Sie hatten den längeren Weg zurückzulegen und mussten das Pyrenäengebirge im Osten überschreiten, während der Heerbann aus Neustrien die westlichen Pässe benutzen sollte. Von zwei Seiten angegriffen, würden die Mauren bald besiegt sein und die Krieger mit reicher Beute und Sklaven zurückkehren.

Dies erklärte Arnulf seinem Sohn, der kurz vor dem Aufbruch nicht eben den Eindruck erweckte, als freue er sich auf den Heerzug und die unbekannten Länder auf seinem Weg. Es überwog die Furcht vor dem, was vor ihm lag, und Konrad kämpfte mit den Tränen. Schnell wischte er sich die verräterischen Spuren mit dem Ärmel weg und wandte sich den Männern zu, die sein Aufgebot bildeten.

Es handelte sich nur um Fußkrieger. Von den kleineren Freibauern nannte kaum einer ein Ross sein Eigen, und wenn es eins auf dem Hof gab, so wurde es dringend für die Arbeit gebraucht. Daher war Konrad nicht nur der Anführer, sondern auch der einzige Berittene des Trupps.

Sein Vater hatte auch die beiden Ochsen gestellt, die den Trosswagen der Gruppe zogen, und den größten Teil der Ausrüstung und der Vorräte beschafft. Neben dem Dutzend Bewaffneter würden auch zwei Knechte Konrad begleiten, und mehr als die Hälfte der Gruppe stammte vom Birkenhof.

Arnulf war klar, dass er die mitgeschickten Leute nur mit Müh und Not würde ersetzen können. Doch er war nie mit weniger als der vom Gaugrafen geforderten Zahl an Männern aufgebrochen, und das sollte auch für seinen Sohn gelten. Während er die Krieger musterte, umarmte seine Frau Konrad und ließ dabei ihren Tränen freien Lauf. »Pass gut auf dich auf!«

»Ja, Mama! Das verspreche ich dir.« Konrad war die Szene peinlich, denn ein zukünftiger Held sollte nicht verabschiedet werden wie ein kleiner Junge. Daher schob er seine Mutter mit einem entschuldigenden Lächeln beiseite und trat zu seinem Vater.

Arnulf beäugte ihn kritisch. Auch wenn Konrads Rüstung vom heimischen Schmied gefertigt worden war, konnte sein Sohn sich darin sehen lassen. Der Meister der Esse hatte unzählige Schuppen aus Eisen auf eine lederne Tunika genietet und einen schüsselartigen, weit nach hinten reichenden Helm geschmiedet, wie ihn des Königs Panzerreiter trugen. Der Wehr fehlte jeglicher Schmuck, aber sie war fest und würde ihrem Träger im Kampf gute Dienste leisten. Das Gesicht unter dem Helm sah zwar noch jung und etwas unfertig aus, doch Arnulf stellte zu seiner Freude fest, dass sein Sohn an diesem Tag erwachsener wirkte als sonst.

»Du wirst es meistern, mein Junge. Und jetzt geh! Du wirst doch nicht wollen, dass König Karl Spanien ohne dich erobert. Und ihr, Männer, zieht mit Gott! Zwar kann ich heuer nicht mit euch kommen, aber mein Sohn wird ein ebenso guter Anführer werden wie ich.«

»Das wird er gewiss!« Rado, ein großer, breitschultriger Mann, der bereits mehr als zehn Kriegszüge unter Arnulf mitgemacht hatte, klopfte Konrad lachend auf die Schulter. Ich werde dem Jungen schon beibringen, was zu tun ist, sagte er sich und leckte sich die Lippen bei dem Gedanken an den schönen Schinken, den Hemma ihm geschenkt hatte, damit er auf ihren Sohn achtgebe.

Konrad wandte sich seinem kleinen Bruder zu, der ihn mit großen Augen anstarrte und nicht zu wissen schien, ob er traurig oder neidisch sein sollte. Bis Lothar in den Krieg ziehen konnte, würden noch etliche Jahre vergehen, und selbst dann war es nicht sicher, ob der Vater ihn fortlassen würde. Der Birkenhof hatte nur einen gepanzerten Reiter für das Heer des Königs zu stellen, und solange Konrad diesen Platz einnahm, würde Lothar zu Hause bleiben und als Bauer arbeiten müssen.

»Mach es gut, kleiner Bruder!«, rief Konrad dem Jüngeren zu. Lothar schluckte unter Tränen. Zwar vermisste er gewiss nicht die Hiebe und die blauen Flecken, die ihm das Kampftraining mit Konrad eingebracht hatte, aber es tat ihm leid, den Älteren scheiden zu sehen. »Komm wieder zurück, Konni!«

»Worauf du dich verlassen kannst!« Konrad schwang sich in den Sattel und hob den Arm. »Auf geht's, Männer! Der König erwartet uns!«

Er ritt an, hielt nach einigen Schritten noch einmal an und sah sich um. Die zwölf Krieger folgten ihm in Zweierreihen und hatten den Trosswagen in die Mitte genommen. Bis auf drei waren es alte Veteranen, für die der Aufbruch zu einem Feldzug kaum anders war als für die Zurückgebliebenen der morgendliche Gang aufs Feld.

Die Wege waren um diese Jahreszeit noch weich und schlammig, doch die Zugochsen legten sich so kräftig ins Geschirr, dass die Räder kein einziges Mal stecken blieben. Ein Knecht saß auf einem Brett, das vorne quer über den Wagen gelegt war, und hielt den Stachelstab in der Hand. Er benutzte ihn jedoch nur, um die Tiere zu lenken, und nicht, um sie anzutreiben. Die Ochsen passten sich dem Schritt der Männer an und fanden dabei noch Zeit, das erste Grün des Jahres am Wegrand zu rupfen.

Zu Beginn war Konrad noch sehr aufgeregt und behielt sorgfältig die Umgebung im Auge. Rado sah ihm eine Weile zu und schloss dann zu ihm auf. »So nah der Heimat musst du noch keine Feinde fürchten, Konrad.«

Die anderen lachten, während Konrad seine Unsicherheit stumm verfluchte. »Ich habe nicht nach Feinden ausgeschaut, sondern nach Freunden. Wir müssten doch bald auf die Aufgebote aus den Nachbardörfern treffen.«

»Das kann bis Mittag oder gar in den Abend hinein dauern. Beim letzten Kriegszug haben wir Ermo und seine Leute erst am Sammelplatz getroffen. Dabei ist ein flinker Bursche wie du schneller drüben in seinem Dorf, als eine alte Frau ihr Mittagessen kaut.« Rado lachte erneut und nahm seinen Platz in der kleinen Schar wieder ein.

Doch bereits kurz darauf sahen sie einen kleinen Trupp von der Seite auf sich zukommen und trafen am nächsten Kreuzweg mit ihm zusammen. Es handelte sich tatsächlich um Ermo und seine Leute. Er war der größte Bauer im Nachbardorf, nur wenig jünger als Konrads Vater und ebenfalls ein erfahrener Krieger.

Konrad sah mit einem Blick, dass Ermo nur sieben Krieger statt der vom Gaugrafen geforderten zehn bei sich hatte. Auch wurde der zweirädrige Karren, den er mit sich führte, von einem einzigen mageren Öchslein gezogen und schien auch nicht besonders schwer beladen zu sein.

Als Ermo auf die Schar aus Arnulfs Dorf traf, winkte er Konrad grinsend zu. »Gott zum Gruß, Junge! Dein Vater kann heuer wohl nicht selbst in den Krieg ziehen?«

Dabei musterte er den vollen Wagen, den Konrads Leute mit sich führten. »Ihr habt ja ganz schön aufgeladen! Da wird euch so schnell kein Hunger plagen.«

»Der Weg ist nun einmal weit«, antwortete Konrad.

»Wem sagst du das! Jedes Jahr führt der König aufs Neue Krieg, und jedes Mal müssen wir weiter ziehen als vorher. Ich weiß nicht, was Herr Karl sich denkt. Wir sollen für ein volles Vierteljahr Vorräte mitnehmen, und das ab dem Hauptsammelplatz. Dabei wird es allein Wochen dauern, bis wir den erreichen.«

Konrad ahnte, dass Ermo nicht so viel mitgenommen hatte, wie ihm befohlen worden war, weil er hoffte, unterwegs bei ihm schmarotzen zu können. Verzweifelt überlegte er, wie sein Vater darauf reagiert hätte. Verweigerte er den anderen die Nahrungsmittel, galt er als geizig und unkameradschaftlich. Gab er Ermo jedoch etwas ab, gingen seinen Leuten die Vorräte schneller aus, und er würde unterwegs Nachschub kaufen müssen. Zwar trug er etliche Silberdenare in einem festen Lederbeutel gut versteckt unter seinem Hemd, doch auch dieses Geld würde nicht lange reichen. War es ausgegeben, würde ihm nichts anderes übrigbleiben, als zu betteln, denn der König hatte strengstens untersagt, den Bauern unterwegs etwas gegen deren Willen und ohne Bezahlung wegzunehmen.

Konrad sah die erste Prüfung auf diesem langen Weg weitaus schneller auf sich zukommen, als er es befürchtet hatte. Daher beantwortete er den Gruß des Nachbarn, ohne auf dessen Worte einzugehen.

Ermo lenkte sein Pferd, das schon bessere Tage gesehen hatte, neben Konrads Hengst und starrte den Schuppenpanzer des jungen Mannes an. »Eine gute Wehr hast du da! Sie muss deinen Vater etliche Ochsen gekostet haben.«

»Die hat der Schmied unseres Dorfes gemacht«, antwortete Konrad, der nicht die geringste Ahnung hatte, wie viel Geld sein Vater für die Rüstung hatte ausgeben müssen.

»Sie ist gewiss ihre fünf – was sage ich! –, sechs Ochsen wert. Hat mich doch mein Schuppenhemd bereits drei Ochsen gekostet, und es ist bei weitem nicht so gut wie das deine.« Ermo war der Neid vom Gesicht abzulesen, als er über seine eigene Wehr strich, die mit weniger und größeren Schuppen besetzt war als Konrads Panzerhemd. Auch sah sein Helm aus, als hätte der Schmied einen Kochkessel umgearbeitet.

Schon nach diesen ersten Sätzen war klar, dass Ermo nicht der Reisegefährte war, den er sich gewünscht hätte. Und tatsächlich war der Mann geschwätzig wie eine Elster und nicht minder dreist. Bereits am ersten Abend spielte er sich in dem kleinen Dorf, in dem sie ihr Nachtlager aufschlugen, so auf, als sei er der Anführer des gesamten Trupps. Er forderte von den Bauern Essen, ohne es bezahlen zu wollen, und beschimpfte sie, weil sie ihm nur etwas Brot und Getreidebrei anboten.

»Jetzt wäre doch eine gute Gelegenheit, einen der Schinken anzuschneiden, die dir dein Vater mitgegeben hat«, sagte er zu Konrad, als die Dörfler stur blieben.

Dieser sah sich zu Rado um, der sich neben ihn gesetzt hatte. »Haben wir Schinken dabei? Davon weiß ich nichts.«

Rado grinste. Ganz so leicht ließ der Junge sich offensichtlich nicht ausnehmen. »Ja, einen Schinken haben wir. Deine Mutter hat ihn mir als Lohn dafür gegeben, dass ich auf dich Fohlen aufpasse. Aber den hebe ich auf, bis es etwas zum Feiern gibt.« Er zwinkerte Konrad zu und löffelte den lauwarmen Gerstenbrei, den die Dörfler an die Gruppe ausgegeben hatten. Auch die übrigen Männer aus Konrads Dorf aßen die einfache Mahlzeit, als hätten sie nichts anderes erwartet. In ihren Augen hatte ihr junger Anführer an Format gewonnen, weil er Ermo, den jeder von ihnen zur Genüge kannte, von Anfang an Paroli geboten hatte.

5.

Zu Konrads Erleichterung stießen sie bereits am nächsten Tag auf das Aufgebot des Gaugrafen Hasso, das aus mehr als drei Dutzend Kriegern und Knechten bestand. Herr Hasso musterte die beiden Gruppen und hob dann die Hand zum Gruß.

Zu Ermos Verdruss sprach er Konrad als Ersten an. »Du bist Arnulfs Ältester? Es ist bedauerlich, dass dein Vater nicht selbst mitkommen kann. Wie ich gehört habe, schlägt er sich noch immer mit der Verletzung aus dem letzten Jahr herum. Hoffentlich bessert sich sein Zustand bald.«

Konrad tat es leid, die Hoffnung des Grafen enttäuschen zu müssen. »Vater Windolf, den Mutter hat rufen lassen, sagt, Vaters Bein werde wohl nie mehr so werden wie früher. Eine Sachsenklinge hat nicht nur das Fleisch und die Sehnen, sondern auch den Knochen durchschlagen. Vater müsse unserem Herrn im Himmel danken, dass er noch lebt, hat der ehrwürdige Mann gesagt. Doch Krieg und Kampf seien für ihn vorbei.«

»Dabei hätte ich ihn gerade heuer gut brauchen können! Nun wirst du deinen Mann stehen müssen. Deine Leute sind offensichtlich gut in Schuss, was man«, der Blick des Gaugrafen streifte Ermo, »nicht von allen sagen kann.«

Ohne jedes Schuldgefühl grinste Ermo. »Was soll man machen, wenn der König uns jedes Jahr zur Heerfolge auffordert? Nicht jeder hat das Geld, sich stets eine neue Wehr fertigen zu lassen. Außerdem verarmen die Bauern, weil sie durch die ständigen Kriegszüge nicht mehr in der Lage sind, ihre Höfe zu bewirtschaften. Heuer haben vier weitere Männer in meinem Dorf ihren Stand als freie Krieger aufgegeben und sich dem Kloster als Hörige unterstellt. Deswegen musste ich zwei meiner eigenen Knechte mitnehmen, um die Forderungen des Königs zu erfüllen. Hoffentlich bringt der heurige Krieg endlich wieder Beute, sonst darf ich im nächsten Jahr zu Fuß aufbrechen.«

Graf Hasso bedachte ihn mit einem verächtlichen Blick. »Deine Beute aus dem Langobardenland hätte eigentlich ausreichen müssen, um mehr als ein Dutzend Pferde und Rüstungen zu kaufen.«

Schnell senkte Ermo den Kopf, damit niemand das zufriedene Lächeln wahrnahm, das sich auf seinem Gesicht ausbreitete. Von dem Geld hatte er den Bauern seines Dorfes Äcker, Weiden und Vieh abgekauft, so dass er nun nahezu ebenso viel Land sein Eigen nannte wie der Graf. Allerdings benötigte er seine Knechte in der Heimat, um seine Äcker zu bestellen, und nicht im fernen Spanien. Und da auch die übrigen Bauern immer weniger Lust verspürten, sich ihre gesunden Knochen für den König zerschlagen zu lassen oder gar für diesen zu sterben, war das Aufgebot seines Dorfes heuer noch kleiner ausgefallen als in den zurückliegenden Jahren.

Als er Hassos verkniffene Miene sah, nahm er erschrocken an, der Graf wolle ihn für die fehlenden Leute zur Rechenschaft ziehen. Daher ließ er sich zurückfallen, was ihn jedoch nicht davon abhielt, weiterhin neben seinen auch Konrads Leute kommandieren zu wollen.

Dem Grafen entging das nicht, und er sprach den jungen Mann darauf an: »Es ist wohl das Beste, wenn du dich mit deinen

Männern meiner Schar anschließt. Ermo soll mit seinen Leuten am Ende des Zuges marschieren.«

Konrad atmete auf. »Nichts wäre mir lieber, Herr.«

»Dann ist es beschlossen.« Der Graf forderte seine Männer auf, Konrads Leuten Platz zu machen, während dieser Rado und den anderen zurief, zu ihm aufzuschließen. Der Anweisung folgten die Männer aus Arnulfs Dorf mit zufriedenen Mienen, denn sie waren froh, Ermo zumindest fürs Erste losgeworden zu sein. Auch gefiel es ihnen, dass der Gaugraf Konrad unter seine Fittiche nahm, denn von diesem Mann konnte der Junge viel lernen.

Graf Hasso drehte sich im Sattel um und winkte Konrad an seine Seite. »Berichte mir noch genauer, wie es deinem Vater geht. Beim Weihnachtsfest auf dem Königshof habe ich ihn nicht begrüßen können.«

»Damals kam er kaum aus dem Bett heraus, und sein Bein sah so schlimm aus, dass wir befürchteten, er werde die Verletzung nicht überstehen. Mittlerweile geht es ihm aber besser, und beim nächsten Weihnachtsfest, das Ihr zu Hause feiert, werden er und Mutter gewiss dabei sein.« Konrad merkte, dass er zu schnell sprach, und ärgerte sich ebenso über seine Unsicherheit wie auch über die Tatsache, dass seine Stimme knabenhaft hell klang.

Hasso vom Königshof störte dies nicht. »Mich würde es freuen, wenn ich die beiden wiedersehen könnte – und auch dich. Du kommst doch hoffentlich mit!«

»Wenn Vater es erlaubt und ich diesen Kriegszug heil überstehe ...«, begann Konrad.

Der Graf unterbrach ihn. »Als Krieger, der mit dem Heer des Königs nach Spanien gezogen ist und dort gekämpft hat, brauchst du keine Erlaubnis, mich aufzusuchen. Und was Letzteres betrifft, so will ich solche Worte nicht hören! Oder willst du werden wie Ermo? Der jammert in jedem Jahr, als wolle er Steine erweichen, und ist doch nur auf Beute aus. Lass dich nicht von seinem Aufzug täuschen. Der Mann ist reich geworden wie kein Zweiter im Gau, und er würde liebend gern zu Hause bleiben und diesen Reichtum mehren, anstatt für den König zu streiten. Er reitet nur mit, weil er Angst hat, ich würde jemand anderes damit betrauen, das Aufgebot seines Dorfes zu führen. Dann wäre er nur noch ein Bauer unter Bauern, aber er will als Edelmann gelten.«

Konrad widerstrebte es, etwas gegen den Anführer des Nachbardorfs vorzubringen, und er sprach daher aus, was ihm durch den Sinn schoss. »Man sagt, Herr Karl sei ein gewaltiger Kriegsheld!«

»Herr Karl ist ein mächtiger König, und seine Feinde zittern zu Recht vor ihm«, erklärte Hasso stolz.

Allmählich fand Konrad Gefallen daran, sich mit dem Gaugrafen zu unterhalten, und verlor die Aufregung. »Mein Vater hat mitgeholfen, die Sachsen zu besiegen und auch die Langobarden.«

Hasso lächelte. »Arnulf ist ein tapferer Mann und beim König gut angesehen. Letztes Jahr ist Herr Karl sogar an sein Krankenlager gekommen und hat die Mönche des Klosters Fritzlar aufgefordert, sich zuallererst um seine Wunden zu kümmern. Doch die Zeit deines Vaters als Krieger ist vorbei. Deine Aufgabe ist es nun, ihn zu ersetzen.«

Konrad nickte beklommen, denn die Stiefel seines Vaters erschienen ihm reichlich zu groß.

»Darf ich Euch etwas fragen, Herr?«, fragte er nach einer Weile.

»Gerne! Was möchtest du denn wissen?«

»Wo liegt eigentlich dieses Spanien? Soviel ich gehört habe, muss es sehr weit weg sein. Die Männer befürchten, sie würden heuer nicht mehr in die Heimat zurückkehren können. Warum also führt der König sein Heer dorthin?«

»Das müsstest du den König schon selber fragen! Aber an deiner Stelle würde ich das nicht tun. Herr Karl wird gute Gründe für diesen Feldzug haben. Es gibt wohl Hader unter den maurischen Heiden, und einige von ihnen möchten lieber unseren König als ihren Oberherrn sehen als den Emir von Córdoba. Ein Maure mit Namen Suleiman der Araber ist bis nach Paderborn geritten, um Herrn Karl seine Unterwerfung anzubieten. Da viele Christen in Spanien auf ihre Erlösung vom maurischen Joch warten, hat der König sich zu diesem Kriegszug entschlossen.«

Konrad hatte noch viele Fragen, und da sich der Graf über die Wissbegierde des jungen Mannes freute, beantwortete er sie gerne. Doch wie weit der Weg nach Spanien war, wusste auch er nicht zu sagen.

6.

Die Entwicklung im fernen Franken warf einen Schatten über Europa, der sogar den Himmel über Asturien verdunkelte. Dort war es Graf Roderichs Schwager Silo mittlerweile leid geworden, länger auf die Krone warten zu müssen. Daher hatte er König Aurelio kurzerhand gestürzt und sich selbst die Krone aufs Haupt gesetzt. Nicht lange danach war es Silo gelungen, einen Aufstand des Prinzen Agila, den man auch Mauregato nannte, niederzuschlagen. Da er selbst der Sohn einer Maurin war, vermochte er überdies mit dem Wali von Saragossa einen Waffenstillstand zu schließen, und für eine Weile herrschte Friede im asturischen Reich.

Das war den Reitern, die sich an diesem frühen Nachmittag Graf Roderichs Burg näherten, wohlbekannt. Dennoch waren sie auf der Hut. Die Männer trugen ihre Schilde am Arm und hielten die Speere stoßbereit. Sogar ihr Anführer, ein Mann in einem maurischen Kettenhemd und mit einem goldglänzenden Helm mit Kronreif, führte die Zügel seines edlen Rappen mit der Linken und hielt die Rechte in der Nähe des Schwertknaufs. Er entspannte sich erst, als er Roderichs Festung erreicht hatte und sein Verwandter ihm mit Frau und Tochter bis zum Tor entgegenkam.

Roderich trat einen Schritt vor und beugte das Haupt. »Euer Majestät, seid mir willkommen!«

König Silo glitt aus dem Sattel, warf einem seiner Begleiter die Zügel zu und umarmte Roderich und Urraxa. Dann blieb er vor Ermengilda stehen. »Bei Gott, Mädchen, du bietest einen Anblick, der einem Mann das Herz aufgehen lässt. Sagt Ihr das nicht auch, Herr Gospert?« Mit dieser Frage wandte er sich an einen Mann mittleren Alters, der die Ehre genossen hatte, gleich hinter ihm zu reiten.

In seiner Stimme schwang ein Ton mit, der Ermengilda neugierig machte. Sie betrachtete den Fremden, der sich in seiner Kleidung deutlich von den asturischen Kriegern unterschied. Der Mann trug einen Schuppenpanzer und darunter eine kurze, blaue Tunika. Von seinen Schultern hing ein rund geschnittener Mantel in einer ungewöhnlichen Form herab, und seine plump wirkenden Stiefel hatten lange Schäfte, die unter dunklen Hosen aus festem Stoff verschwanden. Sein Schwert war länger als das der Asturier, und der Helm mit seinem weit nach hinten reichenden Nackenschutz war von ungewöhnlicher Form.

Schnell wandte sie den Blick ab, denn der Fremde, der Gospert genannt wurde, verschlang sie beinahe mit den Blicken. »Die Maid wird ihrem Beinamen Rose von Asturien wahrlich gerecht, Euer Majestät!«

Silo lächelte erfreut. »Glaubt Ihr, Graf Eward wird mit dieser Wahl zufrieden sein?«

Die Frage des Königs ließ nicht nur Ermengilda aufhorchen.

Das Mädchen war alt genug, verheiratet zu werden, und zu Roderichs Missbehagen hatte der König sich das Recht vorbehalten, einen Ehemann für Ermengilda auszusuchen. Das wäre halb so schlimm, wenn es sich bei dem Ehemann um einen Verbündeten handeln würde, von dem auch er sich Vorteile erhoffen konnte. Aber ein Franke wie Eward würde ihm und Urraxa nicht viel nützen.

Silo achtete nicht auf die verdrießliche Miene seines Gastgebers, sondern maß seine Nichte mit einem Blick, der ein gewisses Bedauern verriet. Das Mädchen war groß, gerade gewachsen und von unvergleichlicher Anmut. Goldblondes Haar umrahmte ihr Haupt wie eine Krone, und aus einem ebenmäßigen Gesicht leuchteten zwei Augen in den Farben des Himmels. Selbst die nahe Verwandtschaft hätte ihn normalerweise nicht davon abgehalten, sie zu seiner Geliebten zu machen. Doch Roderichs Treue und sein Schwertarm zählten in diesen Zeiten mehr als die Befriedigung seiner Lust. Außerdem war das Mädchen auch in anderer Hinsicht zu wertvoll.

»Dies ist Herr Gospert, ein Gesandter des Königs der Franken. Wir verhandeln über ein Bündnis zwischen unseren Reichen«, sagte er so laut, dass seine Stimme in weitem Umkreis zu vernehmen war und seine Worte so auch seinen Gegnern in Asturien zu Ohren kommen würden.

Die Franken waren hierzulande so beliebt wie eine Seuche, aber auch ebenso gefürchtet. Daher waren sie in seinen Augen ein gutes Gegengewicht zu den Mauren, auf deren Freundschaft und Vertragstreue er auf Dauer nicht zählen konnte. Silo wusste, dass er vor allem Abd ar-Rahman, den ehrgeizigen Emir von Córdoba, im Auge behalten musste, denn dieser strebte die Herrschaft über alle Mauren und auch über ganz Spanien an. Um gegen ihn gerüstet zu sein, benötigte er das Bündnis mit den Franken.

Graf Roderich wusste dies ebenfalls und begrüßte Gospert daher freundlicher, als der Fremde es seiner Meinung nach verdiente. Nur Doña Urraxa gelang es nicht, sich zu verstellen, und sie gab dem Franken nur widerwillig den Willkommenskuss. Auf einen Wink des Königs hin musste Ermengilda Gospert ebenfalls küssen, und sie fragte sich beunruhigt, wer dieser Graf Eward sein mochte, von dem der König gesprochen hatte.

Silo dachte jedoch nicht daran, zwischen Tür und Angel über Einzelheiten zu reden. Daher legte er Roderich den Arm um die Schulter und führte ihn durch das Tor in den Hof. Urraxa eilte ihnen voraus, um Alma von der Ankunft der Gäste zu unterrichten. Es waren mehr als einhundert Leute zu verköstigen, und das ohne Vorankündigung. Allein deswegen grollte sie ihrem Halbbruder. Doch Könige kamen und gingen, wie es ihnen passte, und die armen Frauen, die für das Essen zuständig waren, mussten sehen, wie sie zurechtkamen.

Alma hatte bereits die Knechte und Mägde an die Arbeit gescheucht, und als der König mit seinem Gastgeber die große Halle betrat, stand gekühlter Wein auf der mit grünem Laub geschmückten Tafel. Auf der Freifläche hinter der Küche drehten sich mehrere Spanferkel und ein Hammel an den Bratspießen. Der König musste jedoch nicht so lange warten, bis das Fleisch dieser Tiere gar war, denn Ermengildas Leibmagd Ebla kredenzte ihm nicht nur den Wein, sondern reichte ihm auch ein großes Stück getrockneten Schinkens und frisch gebackenes Brot.

Während der König seinen ersten Hunger stillte, fasste er das Mädchen am Kinn und nickte zufrieden. Er hatte seine Gemahlin Adosina nicht aus Neigung geheiratet, sondern weil sie die Tochter König Alfonsos und die Schwester König Fruelas war. Für die Reize hübscher Mädchen war er daher stets empfänglich.

»Du kannst mir heute Nacht den Schlaftrunk kredenzen«, sagte er und entließ Ebla mit einem Klaps auf den Hintern, der keinen Zweifel über seine Absichten zuließ. Da es sich nur um eine Magd handelte, nickte Graf Roderich zustimmend. Für einen Augenblick hatte er befürchtet, das Auge des Königs wäre auf Ermengilda gefallen. Seine Tochter schien Silo jedoch zu wertvoll zu sein, um als Gespielin für eine Nacht zu dienen.

Der König bemerkte das Mienenspiel seines Schwagers und lächelte zufrieden. Obwohl diese Provinz an die ewig aufrührerischen Stammesgebiete der Waskonen grenzte, war Roderich sein bester Verbündeter im Reich und konnte ihm im Falle eines Krieges mehr als fünfhundert Bewaffnete zuführen.

Silo hob den Becher, trank erst dem Franken und dann Roderich zu. »Du lebst gut, Mann meiner Schwester«, sagte er.

Gospert wollte hinter den Artigkeiten des Königs nicht zurückstehen. »Ihr besitzt wirklich ein schönes Land!« Er trank den Becher in einem Zug leer und sah zufrieden zu, wie das Gefäß auf Silos Wink sofort wieder gefüllt wurde.

»Unser Freund kommt mit einer Botschaft von König Karl«, erklärte dieser.

»So ist es!«, bestätigte der Franke. »Mein König wünscht ein Bündnis mit Asturien, um gegen die Mauren vorgehen zu können. Wie wir erfahren haben, steht die Herrschaft Abd ar-Rahmans auf tönernen Füßen. Es braucht nur einen harten Schlag, um Hispanien von den maurischen Horden zu befreien.«

»Genauso ist es!« Zu Roderichs Entsetzen stimmte der König Gospert zu und sorgte gleichzeitig dafür, dass der Becher des Franken keinen Augenblick leer blieb, während er selbst nur an dem Wein nippte.

Schon bald war Gospert so betrunken, dass er offen über die politische Situation aus fränkischer Sicht sprach und dabei so manches ausplauderte, das wohl geheim hätte bleiben sollen. Daher erfuhren Silo und Roderich, dass der Frankenkönig bereits in diesem Frühjahr mit einem gewaltigen Heer aufbrechen und die Pyrenäen überschreiten wollte. Karls Ziel war es, zunächst die großen Städte Barcelona, Saragossa, Tarazona und Pamplona dem Frankenreich einzugliedern, während Silo von Asturien über den Duero angreifen und sich Coimbra und Salamanca einverleiben sollte.

»Es wird ein großer Krieg!«, lallte Gospert, dem die schweren Weine Spaniens mehr und mehr zu schaffen machten.

Ein seltsames Lächeln spielte um Silos Lippen. »Gewiss!«

Roderich wusste, dass seinem Schwager viel an einem guten Einvernehmen mit den Mauren lag und er Tribute an den Wali von Saragossa und sogar den Emir von Córdoba sandte, die schamhaft als Geschenke bezeichnet wurden. Dazu gehörten Jahr für Jahr drei Dutzend wohlgewachsener Jungfrauen, die in maurischen Harems endeten. Vor diesem Hintergrund versuchte der Graf vergeblich, den König mit Zeichen davor zu warnen, sich zu sehr mit den Franken einzulassen. Doch Silo behandelte Karls Abgesandten weiterhin wie einen lieben Freund. Er umarmte ihn sogar im Überschwang der Gefühle, sah dann aber mit spöttischer Miene zu, wie Gospert langsam vom Stuhl rutschte und schnarchend unter dem Tisch liegen blieb.

»Ich glaube, unser fränkischer Gast ist müde. Lass ihm eine Kammer anweisen, in der er sich ausschlafen kann. Wir beiden sollten unterdessen spazieren gehen. Die kühle Nachtluft klärt die Gedanken.«

Als Roderich aufstand, spürte er, dass auch er dem Wein mehr zugesprochen hatte, als ihm guttat. Der Wunsch des Königs war jedoch Befehl. So hängte er sich bei Silo ein und verließ mit ihm die Halle. Draußen war es bereits tiefe Nacht, und einer der königlichen Leibwächter eilte mit einer Fackel herbei, um ihnen zu leuchten.

»Der Mann ist vertrauenswürdig«, erklärte Silo, als ihn der fragende Blick seines Schwagers traf.

Roderich hob hilflos die Hände. »Ich weiß nicht, Herr, was ich zu alldem sagen soll.«

»Am besten gar nichts, bis du weißt, was ich im Sinn habe.«

»Aber Ihr könnt doch kein Bündnis mit den Franken eingehen! Die Mauren würden sofort gegen uns rüsten, und dann würde alles noch schlimmer werden als unter Aurelio. Es gäbe Aufstände und feindliche Überfälle, und Eure eigenen Gefolgsleute würden sich gegen Euch erheben.«

»… und mich absetzen, so wie ich es mit Aurelio gemacht habe?« Silo lachte, doch es klang alles andere als fröhlich. »Ich kenne die Situation wahrscheinlich besser als du, Rodrigo. Ich muss weit mehr Gold an die Mauren zahlen, als ich mir leisten kann! Dennoch sitzt ihr Schwert drohend an meiner Kehle. Wenn ich nur das Geringste unternehme, das dem Emir von Córdoba missfällt, wird es mich mein Königreich kosten. Ohne Abd ar-Rahmans Einflussnahme hätte ich die Sache mit Agila längst in meinem Sinne gelöst. Der Emir hält jedoch seine Hand über den Halbbruder meines Weibes und zwingt mich zuzusehen, wie er sich in Galizien an der maurischen Grenze festsetzt und mir den Gehorsam verweigert!«

In seiner Erregung packte der König Roderich an der Brust. »Verstehst du, dass ich diese elende Situation beenden muss, koste es, was es wolle?«

»Auch zu dem Preis, diesen verdammten Karl und seine Leute in Spanien zu sehen?« Roderichs Zorn war so groß, dass er für den Moment den gebührenden Respekt vor dem König vergaß.

Silo klopfte ihm jedoch lachend auf die Schulter. »Karl wird so oder so kommen, ob mit Bündnis oder ohne. Er hat Germanien gefressen und Gallien samt dem größten Teil von Italien verspeist. Nun hat er Appetit auf Spanien. Wir können ihn weder daran hindern, hierherzukommen, noch sind wir in der Lage, ihn zurückzuweisen. Auf jeder unserer Krieger kommen zehn, die er über die Pyrenäen führen wird. Stellen wir uns gegen ihn, bedeute dies das Ende unseres Reiches. Das habe ich Jussuf Ibn al Qasi ebenso mitteilen lassen wie Abd ar-Rahman.«

Jetzt verstand Roderich gar nichts mehr. »Was habt Ihr getan?«

»Etwas anderes blieb mir nicht übrig. Gegen die Franken kämpfen können wir nicht, aber ebenso wenig dürfen wir sie unterstützen, da dies uns die Feindschaft der Mauren einbrächte. Also ist es das Beste, wenn wir uns aus der ganzen Sache heraushalten. Mit etwas Glück schwächen Franken und Mauren sich gegenseitig, so dass wir hinterher freier atmen können.«

Während Silo mit seinem Plan überaus zufrieden zu sein schien, wiegte Roderich unschlüssig den Kopf. »Sollte es schlecht ausgehen, machen wir uns beide zu Feinden. Was ist, wenn die Franken wirklich die Mauren besiegen und sich in Barcelona und Saragossa festsetzen? Sollen wir Visigoten erneut Land an sie verlieren, so wie damals in Südgallien unter Alarich II.? Wären damals, vor gut sechzig Jahren, Tolosa und die anderen Gebiete, die wir einst besaßen, beim Angriff der Mauren noch unser gewesen, hätten wir dort unsere Kräfte sammeln und zum Gegenschlag ausholen können.«

Silo winkte ärgerlich ab. »Befreie deinen Kopf endlich von diesen alten Dingen. Das Gestern bringt uns nichts, das Morgen zählt! Sollen die Franken und Mauren sich doch gegenseitig ausbluten. Uns kann das nur nützen.«

»Was soll dann aber die Rede von einer Heirat meiner Tochter mit einem Franken?«, fragte Roderich scharf.

Silo legte ihm erneut den Arm um die Schulter und zog ihn zu sich heran. »Für den Fall eines fränkischen Sieges dürfen wir es uns nicht mit ihnen verderben. Karl will das Bündnis mit uns durch die Heirat eines seiner edelsten Paladine mit einer meiner Verwandten besiegeln. Von Graf Eward heißt es, er sei ein illegitimer Sohn König Pippins, den dieser im Alter gezeugt habe. Also ist er Karls Halbbruder! Für deine Tochter ist es gewiss keine Schande, sein Weib zu werden.«

»Er ist ein Franke«, knurrte Roderich unversöhnlich.

»Die Ehe nützt mir, und deshalb wird sie geschlossen.« Silos Tonfall machte unmissverständlich deutlich, dass er keine Widerrede hören wollte. Dann gab er sich wieder versöhnlich. »Ein Punkt des Ehevertrags legt fest, dass Eward das von den Franken eroberte Maurenland an unseren Grenzen erhält. Die Aufgabe deiner Tochter wird sein, dafür zu sorgen, dass ihre Söhne zu guten Asturiern erzogen werden. Wir dürfen den Franken doch nicht all das schöne Land überlassen, welches sie den Mauren wegnehmen wollen.«

»Wenn es dem Reich nützt …« Roderich waren die Zweifel, die er hegte, anzumerken, doch Silo war froh, dass sein Schwager bereit schien, sich seinem Willen zu beugen. Seine persönlichen Pläne gingen weit über das Gesagte hinaus, doch das ging Roderich nichts an. Wichtig war nur, dass sein Schwager treu zu ihm stand.

7.

*W*ährend der König mit Roderich durch den Garten spazierte, saßen Doña Urraxa und ihre Tochter in einer kleinen, gemütlich eingerichteten Kammer, in die das Lärmen der Zecher aus der großen Halle nur gedämpft drang, und hörten interessiert zu, was die Wirtschafterin ihnen zu berichten hatte.

Alma plusterte sich in ihrer ganzen Wichtigkeit auf. »Zu diesem Gospert gehören noch vier der Leute, die mit dem König gekommen sind. Die Unsrigen haben sie mir gezeigt, so dass ich mit ihnen sprechen konnte.«

»Seit wann verstehst du die Sprache der Franken?«, fragte Ermengilda verblüfft.

»Einer der Kerle beherrscht die unsere, und er wurde sehr redselig, nachdem ich ihm ein paar Becher unseres guten Weines eingeschenkt hatte«, erklärte Alma kichernd.

»Und? Was hast du erfahren?« Ermengilda zappelte vor Ungeduld.

Schlagartig wurde Alma ernst. »Dieser Frankenkönig Karl – Gott möge ihn verdammen – sucht …, nein, er fordert ein Bündnis mit Asturien. Sichtbarer Ausdruck davon soll die Heirat eines Mädchens aus königlich-asturischem Blut mit einem seiner Verwandten sein.«

»Ich verstehe, was mein Bruder plant. Er will den Franken ein Mädchen aus einer Familie geben, die eng mit ihm verbunden ist. Seine Herrschaft ist nicht unumstritten, und da käme ihm ein Bündnis mit den Franken gerade recht. Aber muss es unbedingt ein Franke für meine Tochter sein? Mir gefällt das nicht.« Doña Urraxa blies die Backen auf und wandte sich an Ermengilda. »Und es tut mir leid um dich, aber du wirst dich fügen müssen.«

»Der Franke nannte Graf Eward einen illegitimen Halbruder König Karls. Also zählt der Mann zur königlichen Sippe, und für Ermengilda ist es gewiss keine Schande, sein Weib zu werden.« Mit aufmunternden Worten versuchte Alma, dem Mädchen diese Ehe schmackhaft zu machen. Wie sie erfahren hatte, war Eward trotz seiner Jugend vom König das Recht zugestanden worden, Markgraf in dem Teil Spaniens zu werden, den sein König den Mauren abzunehmen gedachte.

»Wie sieht dieser Graf denn aus?«, fragte Ermengilda, die selbst nicht wusste, ob sie sich über diese Heirat freuen oder sich davor fürchten sollte. Bliebe Eward in Spanien, würde sie ihre Heimat nicht ganz verlassen müssen und häufig ihre Verwandten besuchen können. Zudem reizte sie die Abkunft des jungen Mannes. Als Franke mochte er zwar ein Hinterwäldler sein, aber er war von königlichem Blut. Auf einen ebenbürtigen Mann konnte sie weder in Asturien noch in den angrenzenden Gebieten hoffen. Dann aber stellte sie sich vor, ihr Bräutigam würde nicht in Spanien bleiben, sondern sie in dieses düstere Frankenreich verschleppen, und bei dem Gedanken schüttelte sie sich.

Doña Urraxa beobachtete ihre Tochter und kam erleichtert zu dem Schluss, dass das Mädchen sich nicht gegen die Verbindung mit dem Franken sträuben würde. Nur ungern hätte sie Ermengilda mit Drohungen oder gar mit Schlägen zu dieser Heirat gezwungen.

Der Wirtschafterin entgingen die Blicke, mit denen ihre Herrin Ermengilda maß, denn sie konnte ihre Neuigkeiten nicht schnell genug loswerden. »Der fränkische Krieger, mit dem ich mich unterhalten habe, kennt Eward persönlich und konnte ihn mir beschreiben. Wie treffend seine Schilderung ist, weiß ich natürlich nicht, aber ich hoffe, dass der Franke nicht zu sehr übertrieben hat. Graf Eward soll hochgewachsen und wohlgestaltet sein. Sein Haar ist blond, aber nicht so hell wie das deines Vaters oder das deine, und sein Gesicht wird noch vom Schmelz der Jugend beherrscht. Aber man erkennt schon, dass er einmal ein stolzer Herr sein wird. Er lernt sogar unsere Sprache und wird dich daher in den Worten deiner Heimat begrüßen können.«

Ermengilda zog die Schultern hoch. »Muss ich dann auch Fränkisch lernen?«

»Es wäre gewiss kein Schaden«, antwortete ihre Mutter an Almas Stelle. »Nur musst du dich entscheiden, ob du dir die Sprache Neustriens aneignen willst oder das rauhe Idiom des Nordens, das jenem der Visigoten ähnelt.«

In Asturien gehörte Graf Roderich zu den wenigen, die die westgotische Sprache noch sprechen konnten. Ermengilda selbst hatte nur wenige Worte gelernt, die sie manchmal aus Spaß verwendete, um das Gesinde zu verwirren, aber sie klangen hart und ungeschliffen in ihren Ohren. Eine ähnliche Sprache erlernen zu müssen, passte ihr daher gar nicht.

»Ich glaube, ich wähle die Sprache Neustriens. Schließlich liegt uns dieses Land näher als das ferne Germanien.« Das Mädchen lachte auf und sah ihre Mutter mit übermütig blitzenden Augen an.

Doña Urraxa nickte zufrieden. »Das ist eine gute Entscheidung. Die Sprache Neustriens ist mit der asturischen ebenso verwandt wie das Okzitanische jenseits der Pyrenäen. Wie mir ein gelehrter Mönch einmal erklärt hat, stammen alle drei von der heiligen lateinischen Sprache ab, während das Germanische in den düsteren Wäldern des Nordens entstanden ist und, mit Verlaub gesagt, auch so klingt.«

Ermengildas Lachen war so ansteckend, dass auch ihre Mutter und die Wirtschafterin darin einfielen. Als Doña Urraxa sich wieder beruhigt hatte und ihrer Tochter die Vorzüge einer Ehe mit dem jungen Franken aufzeigen wollte, schwang die Tür auf.

Ermengildas Leibmagd Ebla huschte verängstigt in den Raum, kniete neben Ermengilda nieder und fasste nach deren Kleid. »Der König ist eben von einem Spaziergang mit Eurem Vater zurückgekehrt und will nun zu Bett. Ich soll mit ihm in die Kammer, aber ich will nicht! Ich habe bis jetzt noch nie etwas mit einem Mann zu tun gehabt.«

Ermengilda beugte sich mitleidig über sie, doch Alma schnaubte und versetzte Ebla einen Knuff. »Es ist eine große Ehre für dich, dass der König dich für diese Nacht ausgewählt hat. Also hab dich nicht so!«

»Alma hat recht.« Doña Urraxa fasste die Magd am Oberarm und zog sie hoch. »Mein Bruder muss zufriedengestellt werden. Davon hängt sehr viel für uns ab. Ermengilda, du kehrst jetzt in deine Kammer zurück und schließt von innen zu. Es sind mir zu viele Männer im Haus, und ich will nicht, dass sich einer zu dir verirrt. Alma wird dich begleiten und die Nacht über bei dir bleiben. Du, Ebla, kommst mit mir!«

Die Magd begriff, dass jedes weitere Widerstreben ihr Schläge einbringen würde. Daher folgte sie Roderichs Gemahlin mit hängendem Kopf in die Kammer, die für den Ehrengast bereitstand. Da der König mit leichtem Gepäck gereist war, hatten Knechte eine Truhe mit Kleidung des Hausherrn hereingebracht, aus der Silo sich ein frisches Gewand aussuchen konnte. Eine große Kerze aus Bienenwachs, die auf einem hohen Ständer aus gedrehtem Eisen brannte, sorgte für weiches Licht und einen angenehmen Duft.

Inmitten der Kammer stand ein großes, aus hellem Mandelholz gezimmertes Bett. Mägde hatten in Almas Auftrag kleine Säckchen mit Kräuterbündeln unter die Matten gesteckt, die als Matratze dienten. Auf einem kleinen Tisch in der Ecke stand ein Krug Wein mit zwei Bechern, und daneben auf einem Brett lagen Kuchen und Streifen von luftgetrocknetem Schinken.

Doña Urraxa ließ ihre Blicke durch das Zimmer gleiten, fand aber nichts auszusetzen. Auf Alma kann ich mich wirklich verlassen, dachte sie und schob Ebla in den Raum. »Hast du dich gewaschen?«

Das Mädchen kniff die Lippen zusammen und schüttelte den Kopf. Prompt versetzte die Herrin ihr eine Ohrfeige und rief nach ihrer Leibmagd. Diese erschien so schnell, als habe sie auf einen Befehl gewartet. Alma folgte ihr auf dem Fuße. Sie hatte Ermengilda in deren Kammer eingeschlossen und wollte nun nachsehen, ob Doña Urraxa sie noch benötigte.

»Dieses unnütze Ding ist schmutzig und stinkt nach Schweiß! Dabei wird der König gleich erscheinen«, rief diese empört.

Obwohl Alma und die Leibmagd sonst um die Gunst Doña

Urraxas wetteiferten, waren sie in diesem Fall einer Meinung und verständigten sich mit einem kurzen Blick. Während die Wirtschafterin die Kammer verließ, trat die andere auf Ebla zu, zog ihr kurzerhand den Kittel aus und zerrte ihr das Hemd über den Kopf.

»Kleidung brauchst du nicht bei dem, was der König mit dir vorhat«, spottete sie, prüfte Eblas Busen und kniff ihr in den Hintern, um zu sehen, ob er straff genug war.

»Wenn sie halbwegs stillhält, wird der König zufrieden sein. Ein bisschen Zappeln schadet jedoch nichts, denn das dürfte ihn richtig in Wallung bringen.«

Alma, die gerade zurückkehrte, lachte auf, während Doña Urraxa, der das lose Gerede nicht gefiel, den Raum verließ. Zwei Mägde, die die Wirtschafterin beauftragt hatte, brachten ein Schaff Wasser, ein Stück Seife und einen rauhen Lappen mit. Ehe Ebla sichs versah, wurde sie gepackt und von Kopf bis Fuß gesäubert.

Zuletzt spritzte Alma ihr noch ein paar Tropfen einer wohlriechenden Essenz aus Doña Urraxas Vorräten zwischen die Brüste und die Innenseiten ihrer Schenkel und wies dann mit dem Kopf auf das Bett. »Leg dich hin und warte auf den König. Du gehorchst ihm, ganz gleich, was er von dir fordert!«

Die Magd nickte verängstigt und sagte sich, dass die Augenblicke, die sie mit dem König zusammen sein würde, wohl weniger beschämend sein mochten als das, was eben geschehen war.

8.

Kurz nachdem die Frauen das Zimmer verlassen hatten, trat König Silo ein. Er hatte noch ein paar Becher des süffigen Weines getrunken, der in großen Fässern in den Kellern der Burg ruhte, und war gut gestimmt. Als er Ebla sah, die die Leinendecke bis zum Kinn hochgezogen hatte, grinste er. Das Mädchen war der passende Abschluss eines angenehmen Tages.

Er schenkte sich aus dem Krug ein, der auf der Anrichte stand, und streckte Ebla den Becher hin. »Trink! Das wird dir guttun.«

Das Mädchen setzte sich auf und hielt dabei mit einer Hand die Decke fest, in die es sich gehüllt hatte. Mit der anderen ergriff sie gehorsam den Becher und trank den schweren, süßen Wein. Das ungewohnte Getränk rann ihr wie flüssiges Feuer die Kehle hinab und schien sich sofort den Weg durch ihre Adern zu bahnen. Im ersten Augenblick erschrak sie, spürte aber, wie ein Teil ihrer Angst von ihr abfiel.

Silo schenkte ihr nach. »Trink auf mich!«

»Auf Euch, Majestät!« Ebla hob den Becher und setzte ihn an die Lippen. Während sie trank, zupfte der König grinsend an dem Leintuch. Es entglitt Ebla und gab prachtvolle Brüste preis. Das Mädchen wollte sich sofort wieder einhüllen, doch der König hielt ihre Hand fest und zog sie an sich.

»Der Adler hat seine Beute gefasst und gibt sie nicht mehr preis, meine Liebe. Trink! Dein Becher ist noch nicht leer.«

Bevor Ebla den Befehl befolgen konnte, füllte er das Gefäß erneut bis zum Rand, nahm die Decke vom Bett und betrachtete die Nackte zufrieden. Nun entledigte auch er sich seiner Kleidung und zog das Mädchen mit einem lüsternen Stöhnen an sich. Seine Hände krallten sich in ihre Pobacken, und noch während Ebla sich fragte, was jetzt geschehen würde, legte er sie zurück aufs Bett, legte sich auf sie und drückte ihr mit den Knien die Schenkel auseinander.

Ebla spürte, wie sich etwas gegen ihre empfindlichsten Teile presste und mit unwiderstehlicher Kraft den Weg in ihr Inneres bahnte. Dann entlockte ihr ein kurzer, aber heftiger Schmerz einen Schreckensruf.

»Du warst also noch Jungfrau! Das gefällt mir!«, rief Silo erfreut aus, ging aber deshalb nicht sachter mit ihr um. Als er mit Geräuschen, die Ebla an einen sich paarenden Ziegenbock erinnerten, zur Erfüllung gekommen war, schenkte er ihr und sich je einen Becher Wein ein und stieß mit ihr an.

»Du hast Glück, Mädchen. Nicht jedes Weib kann von sich sagen, ein König habe sie von diesem störenden Hindernis befreit, das dem wahren Vergnügen im Wege steht.«

Während er genussvoll trank, starrte Ebla auf den großen roten Fleck auf dem Bett und sagte sich, dass Alma sie dafür arg schelten würde.

9.

Drei Tage später waren Silo und sein Gefolge verschwunden wie ein Spuk, der die Bewohner von Roderichs Burg genarrt hatte. Die einfachen Leute schlugen ebenso wie der Burgherr und seine Gemahlin drei Kreuze. Auch wenn es ehrenvoll war, als treuer Gefolgsmann des Königs zu gelten, so hatte die Heimsuchung, wie Alma es nannte, große Lücken in ihre Vorräte gerissen, die jetzt im Frühjahr noch nicht aufgefüllt werden konnten.

Gospert und dessen Mannen hatte Silo zurückgelassen, damit die Franken Ermengilda in die Sitten ihrer Heimat einweisen und sie die fränkische Sprache lehren konnten. Tatsächlich hatte der König sie um nichts in der Welt zu seinem nächsten Ziel mitnehmen wollen. Bei diesem handelte es sich um ein kleines Städtchen an der Grenze zwischen seinem Reich und dem Gebiet des Walis von Saragossa. Zu den Zeiten seines Schwiegervaters Alfonso hatte es zu Asturien gehört, war aber wieder an die Mauren verlorengegangen. Bisher hatte Silo keine Anstalten gemacht, dies zu ändern, und auch diesmal suchte er keine Auseinandersetzung, sondern das Gespräch mit einigen maurischen Würdenträgern.

In Roderichs Burg musste Ermengilda sich derweil Gosperts Vorträge anhören, in denen er seinen König Karl und den Grafen Eward über alle Maßen pries. Sie interessierte sich jedoch mehr für das, was Ebla zu berichten wusste. Deswegen fing sie ihre Leibmagd auf dem Hof ab und zog sie hinter den alten Ziegenstall, aus dem vor Jahren die kleine Waskonin geflohen war.

»Nun erzähl mir: Wie war das mit dem König? Wie du weißt, werde ich bald heiraten, und da will ich genau wissen, was zwischen Mann und Frau vor sich geht.«

Ebla dachte daran, was ihr eine andere Magd berichtet hatte. Wenn sie dem König in neun Monaten einen Bastard gebar, würde er sie reich belohnen, und dann durfte ihre Herrin sie nicht mehr zu einem fremden, unangenehmen Mann ins Bett legen, nur weil Doña Urraxa sich einen Vorteil davon erhoffte. Die Erinnerung daran, wie man mit ihr umgesprungen war, ließ sie heftiger reagieren, als sie eigentlich wollte. »Er hat mir die Beine auseinandergebogen, sein Ding wie einen Stab aus glühendem Eisen in mich hineingebohrt und mir fürchterlich weh getan. Du wirst selbst erleben, wie unangenehm das ist!« Mit diesen Worten riss Ebla sich los und rannte davon.

Ermengilda blicke ihr nach und seufzte. Ihre Hoffnung, dass Ebla nicht nur ihre Magd, sondern auch eine Freundin sein würde, hatte sich nicht erfüllt. Das schmerzte sie doppelt, denn sie fürchtete sich davor, in wenigen Wochen in die Ferne zu reisen und einem fremden Mann als Eigentum übergeben zu werden. Wie gern hätte sie jemanden an ihrer Seite gehabt, dem sie ihre Gedanken anvertrauen konnte.

Enttäuscht und voller Angst vor der Zukunft kehrte sie in das Hauptgebäude zurück. Dort begegnete sie ihrem Vater.

Roderich winkte sie zu sich. »Ich habe eben mit Herrn Gospert gesprochen. Er ist genau wie ich der Ansicht, dass deine Heirat so rasch wie möglich erfolgen sollte. Daher wirst du übermorgen abreisen. Ich würde dich am liebsten persönlich zu den Franken bringen, aber meine Anwesenheit ist hier vonnöten. Ich denke, zwanzig wackere Kerle werden genügen, dich unversehrt über die Pyrenäen zu bringen.«

»So schnell soll ich von hier fortgehen, Vater?« Ermengilda erbleichte, denn nach Eblas Worten war ihre Vorfreude auf diese Ehe geschwunden.

Roderich schrieb das Erschrecken seiner Tochter dem baldigen Verlust von Heimat und Familie zu und zog sie an sich.

»Es muss sein, Kleines! Deine Mutter ist wieder schwanger, und so Gott will, wird es ein Sohn, der uns anders als dein erster Bruder hoffentlich erhalten bleibt. Er wird in harte Zeiten hineingeboren werden. Silos Macht ruht auf schwachen Füßen, und als sein Verwandter stehe ich nicht gerade hoch in der Gunst seiner Feinde. Sollte der König stürzen, besteht die Gefahr, dass er mich und damit auch deine Mutter und deine kleine Schwester mit in den Untergang reißt. Ein mächtiger Eidam im Frankenreich könnte dies verhindern. Deine Heirat mit diesem Edelmann ist auch für uns sehr wichtig. Sollte deine Mutter keinen Sohn zur Welt bringen, bleibst du meine erste Erbin, und einer deiner Söhne wird in dem Fall die Grenzmark übernehmen.«

Ermengilda atmete tief durch. Der Vater hatte recht. Es war ihre Pflicht, sich für die Familie zu opfern.

»Es wird alles gut, das wirst du sehen!« Roderich lächelte und strich sich über die Stirn, als wolle er den kurzen Moment der Schwäche vergessen machen. »Wenn du übermorgen aufbrichst, bleiben dir nur mehr zwei Tage, um deine Sachen zu packen. Also hurtig ans Werk, Tochter. Du willst doch Ehre für uns einlegen.«

»Das will ich gewiss, Vater!« Ermengilda verbeugte sich und

ging. Erst im Nachhinein wurde Roderich bewusst, dass sie das noch nie getan hatte, und er spürte mit einer gewissen Trauer das enge Band zwischen ihm und seiner Tochter schwinden.

10.

Um dieselbe Zeit, in der Ermengilda ihre Reise ins Frankenreich vorbereitete, versammelten sich etwa hundert Meilen ostwärts die Anführer und wichtigsten Krieger der waskonischen Stämme bei dem Örtchen Alsasua. Eneko Aritza hatte diesen Ort gewählt, obwohl er seit kurzem das von den Mauren eroberte Iruñea sein Eigen nannte. Doch eine Einladung dorthin hätten die anderen Stammeshäuptlinge als Aufforderung ansehen können, sich ihm zu unterwerfen. In den Augen der meisten besaß er jetzt schon zu viel Einfluss, aber dennoch waren fast alle erschienen.

Die Häuptlinge hatten ihre halbe Sippe, die besten Krieger und den festen Vorsatz mitgebracht, Eneko Aritza reden zu lassen, ohne ihm auch nur den kleinen Finger zu reichen. Auch Okin von Askaiz hatte den Weg auf sich genommen und saß nun neben Amets von Guizora und den anderen Anführern des Stammes. Ihr Gastgeber sprach viel von Asturien und dessen Machtanspruch, den die freien Stämme der Waskonen gemeinsam zurückweisen müssten, und kam dann auf die Franken zu sprechen.

Eneko hatte auch einige Anführer der stammesverwandten Gascogner aus dem Norden gebeten zu kommen. Diese standen zwar seit etlichen Generationen in lockerer Abhängigkeit zum Fränkischen Reich, hatten aber die Aufrufe der Frankenkönige zur Heerfolge bislang missachtet und die geforderten Tribute nur dann bezahlt, wenn es unumgänglich wurde. Seit einem Dutzend Jahren pfiff jedoch ein anderer Wind durch die Gascogne. König Pippin hatte den letzten Herzog von Aquitanien besiegt und das Land unterworfen, aber es gab immer noch Männer, die von Freiheit und Eigenständigkeit träumten. Gerüchten zufolge zählte sogar Lupus dazu, obwohl dieser seinen Verwandten Hunold an die Franken ausgeliefert hatte und dafür mit dem Titel eines aquitanischen Herzogs belohnt worden war. Eneko von Iruñea sah Lupus deswegen als Konkurrenten an, der ihm die Führung der waskonisch-gascognischen Stämme streitig machen wollte. Aus diesem Grund war er froh, dass der gascognische Wolf, wie die Franken Lupus nannten, seine Einladung ausgeschlagen hatte.

Die anwesenden Gascogner sprachen ganz in seinem Sinne. Ihren Berichten zufolge trat König Karl ihre altüberlieferten Rechte in den Staub, zumal er sich anmaßte, Land und Burgen in der Gascogne an Franken zu vergeben.

Okin lauschte eine Weile mit spöttischer Miene der Rede eines gascognischen Abgesandten und stieß dann Amets an, der gelangweilt neben ihm saß. »Meint der Kerl etwa, wir würden über die Pyrenäen ziehen und uns zu seinen Gunsten mit den Franken herumschlagen? Wir haben genug Ärger mit Asturiern und Mauren.«

»Das kannst du laut sagen!«, brummte der Häuptling von Guizora. »Erst vor ein paar Tagen haben diese verdammten Heiden eine unserer Herden geraubt und dabei drei unserer Männer erschlagen. Es wird Zeit, dass unser Stamm wieder einen richtigen Anführer bekommt.«

Bei diesen Worten knirschte Okin mit den Zähnen. In seinen Augen gab es im Stamm bereits einen Häuptling, und das war er. Im Grunde hatte er ebenso das Recht, sich Graf zu nennen, wie Eneko von Iruñea, der sich bei Verhandlungen mit den Nachbarvölkern mit diesem Titel spreizte.

Amets verfolgte Okins Mienenspiel und streute genüsslich

Salz in die Wunde. »Wann sucht Maite sich endlich einen Gatten? Dann würde sich die Lücke schließen, die Ikers Tod gerissen hat.«

Okin verfluchte seine Nichte stumm. Schon einmal hatte er gehofft, von dem Mädchen befreit zu sein, doch sie war zurückgekehrt wie eine ausgesetzte Katze. Zu allem Überfluss war sie durch den Mut, den sie bei der Flucht aus der asturischen Bergfestung bewiesen hatte, zum Liebling des gesamten Stammes geworden, und daran hatte sich bis zu diesem Tag nichts geändert. Da sie nun das heiratsfähige Alter erreicht hatte, richteten sich erst recht alle Augen auf sie. Er konnte nur froh sein, dass er beim Stammesrat einen Aufschub erhalten hatte, der es ihm ermöglichen konnte, Maite doch noch von den Vorzügen einer Heirat mit seinem Sohn zu überzeugen.

Okins Blick wanderte ein Stück talabwärts zu einer größeren Gruppe, die aus dem Gefolge der Anführer bestand. Dort saß seine Nichte zwischen etlichen jungen Männern, die sie wie Fliegen umschwärmten. Unter ihnen befand sich auch Enekos gleichnamiger Sohn, der sich ausgezeichnet mit Maite zu unterhalten schien. Das stieß Okin säuerlich auf, und er fragte sich, was er unternehmen konnte, um zu verhindern, dass dieses Weibsstück all seine Pläne ruinierte.

In Gedanken versunken, achtete er nicht mehr auf das, was gesprochen wurde, und schreckte hoch, als Eneko von Iruñea das Wort direkt an ihn richtete. »Es heißt, euer Stamm hätte Graf Rodrigo Treue geschworen?«

Bevor Okin antworten konnte, platzte Amets aus Guizora heraus. »Das betrifft nur das Dorf Askaiz! Wir anderen haben diesen Schwur nicht geleistet.«

»Aber Okin ist doch euer Oberhaupt!« Eneko wirkte verärgert, denn in gefährlichen Zeiten wie diesen war es unbedingt nötig, dass die Stämme von unumstrittenen Anführern geführt wurden.

»Okin hat das Recht, bei unseren Versammlungen als Erster zu reden, doch seine Stimme zählt nicht mehr als die der anderen Dorfhäuptlinge. Schließlich war er nur Ikers Schwager und nicht dessen Bruder. Der neue Häuptling unseres Stammes wird der Mann sein, den Ikers Tochter sich zum Mann erwählt.« Damit glaubte Amets, die Grenzen seines Rivalen aufgezeigt zu haben.

Okin schnaubte wütend, sah dann aber mit heimlicher Genugtuung, dass Eneko von Iruñea den Kopf schüttelte. »Das ist kein guter Zustand. Doch da alle Anführer eures Stammes anwesend sind, können wir über einen Bund unserer Stämme beraten.«

Er sagte Bund und nicht Bündnis, und dies gefiel weder Okin noch Amets. Auch die anderen Dorfhäuptlinge zogen bedenkliche Mienen. Das klang danach, als fordere der Herr von Iruñea mehr Macht für sich, als sie ihm zugestehen wollten.

Okin stand auf. »Um es klarzustellen: Anders als die Stämme in Gipuzkoa und Araba sind wir keine Untertanen des Königs von Asturien!« Seine Miene verriet, dass er sich auch keinem anderen Herrn unterstellen würde, selbst wenn dieser ein Waskone war.

Nun schlug Eneko von allen Seiten Widerstand entgegen, und er verfluchte insgeheim diese Hartschädel. Er hatte die Anführer zusammenrufen lassen, um die Kräfte der Waskonen zu bündeln, denn nur so konnten sie dem Franken Karl geschlossen gegenübertreten und mit einer Stimme sprechen. Doch weder das, was Waifar aus der Gascogne berichtete, noch sein beschwörender Appell brachte die Häuptlinge dazu, sich ernsthaft und ohne persönliches Kalkül mit ihrer Lage auseinanderzusetzen. Für sie war der Franke sehr weit weg, und ihre Gedanken drehten sich mehr darum, wie sie einander, ihren asturischen Nachbarn oder den Mauren jenseits der nahen Grenze ein paar Schafe stehlen konnten.

Noch einmal versuchte Eneko, die Männer zur Vernunft zu bringen. »Freunde! Wenn wir nicht von Stund an zusammenhalten, wird der Franke unser Land genauso unterwerfen wie die Gascogne. Schulter an Schulter aber können wir auf gleicher Höhe mit ihm verhandeln und ein Abkommen mit ihm schließen, das unsere Freiheit bewahrt. Damit wäre es uns auch möglich, die Asturier auf die alten Grenzen zurückzutreiben und den Westen unseres Landes wiederzugewinnen.«

Doch auch diese Worte verhallten ohne Echo. Eneko begriff, dass er einige seiner Hoffnungen aufgeben musste, und wandte sich mit einer resignierenden Geste an seinen gascognischen Gast. »Wie es aussieht, wird mir nichts anderes übrigbleiben, als mein Knie zu beugen, wenn König Karl mit seinen Franken erscheint, und ihn als Oberherrn anzuerkennen. Nur mit meinen eigenen Männern kann ich in keine Schlacht ziehen, denn der Franke würde mich zermalmen.«

»Dann bekämpfe ihn doch in den Bergen!«, schlug Waifar vor. Eneko schüttelte den Kopf. »Dann müsste ich Iruñea und das flache Land aufgeben.«

»Wenn du so denkst, musst du dich Karl unterwerfen!«

»Damit hat diese Versammlung mir gezeigt, welche Entscheidung ich treffen muss.« Enekos Stimme klang bitter, und im Stillen entwarf er bereits die Botschaft, die er über die Pyrenäen zu Karl senden wollte, um sich ihm als Vasall anzudienen. Es war besser, dem König zu huldigen, als im Kampf gegen ihn alles zu verlieren.

11.

Die jungen Leute, die sich auf dem Markt versammelt hatten, kümmerten sich nicht um die Spitzfindigkeiten der Politik, sondern lachten, sangen und tanzten. Dabei prahlten sie mit

Heldentaten und versuchten, einander mit immer wilderen Geschichten zu übertreffen. Vor allem Eneko, der gleichnamige Sohn des Herrn von Iruñea, tat sich darin hervor, fand aber in dem jungen Gascogner Tarter einen erbitterten Gegenpart. Dieser vermochte zwar nicht mit Geschichten über Überfälle auf maurische Hirten und asturische Bauern aufzuwarten, hatte aber im Gefolge seines Anführers mehrere Streifzüge gegen die Stämme am Fluss Aragon unternommen und einmal sogar gegen echte Franken gekämpft.

Andere Burschen wollten mithalten und spannen ein Lügengewebe, das zwar alle durchschauten, aber begeistert anhörten. Das Ziel der meisten jungen Männer war es, Maite zu imponieren, denn derjenige, den Ikers Tochter wählte, würde der Häuptling von Askaiz und des gesamten Stammes.

Eines der Mädchen, das wie viele andere unbeachtet am Rand der Gruppe hockte, ärgerte sich darüber und begann zu hetzen. »Was bildet diese Maite sich eigentlich ein? Die will wohl etwas Besseres sein als wir!«

Obwohl Maite nicht einmal den Versuch unternahm, ihren Verehrern schöne Augen zu machen, wetzten die Freundinnen der Sprecherin nun ebenfalls ihre Zungen und zogen über Ikers Tochter her. Der einen war sie zu klein, der anderen wieder zu groß. Manche bezeichneten ihre Figur als plump, während eine andere ihren angeblich zu flachen Busen und ihr zu breites Gesäß bemängelte. An Maites Gesicht hatten sie alles Mögliche auszusetzen, ebenso wie an ihren Haaren. Vor allem aber störten sie sich an der selbstbewussten Art ihrer Rivalin.

Die jungen Burschen sahen Maite jedoch mit anderen Augen an. Für diese war sie ein mittelgroßes Mädchen, gerade noch schlank genug, um nicht untersetzt zu wirken, und mit genau den richtigen Rundungen am Körper, die ihre Phantasie beflügeln konnten. Mit ihrem hübschen, leicht rundlichen Gesicht, ein paar Sommersprossen auf der Nase, haselnussbraunen Augen und den brünetten, weich fallenden Locken stellte sie die meisten anderen Mädchen in den Schatten.

Maite achtete nicht auf die neidischen Bemerkungen, die die Mädchen am Rand der Gruppe austauschten, sondern hörte den Burschen zu und lachte, wenn der jeweilige Redner durch eine Bemerkung eines Freundes als Großmaul entlarvt wurde. Dabei war ihr durchaus klar, dass sie irgendwann einmal einen dieser jungen Männer heiraten musste. Aber in ihren Augen hatte das noch Zeit.

»He, Maite, du hörst mir ja gar nicht zu!« Der junge Eneko war beleidigt, denn eben hatte er einen weiteren Bericht über einen Überfall im Maurenland begonnen und wollte, dass dem Mädchen nicht entging, wie tapfer und schlau er gewesen war.

»Wisst ihr was? Ich habe die Kriegszüge satt, die doch nur in eurer Phantasie stattgefunden haben, und ich werde mir jetzt etwas zu trinken holen.« Maite sprang auf und schlängelte sich geschickt durch die Herumsitzenden. Nun stellten auch die Burschen fest, dass sie Durst hatten, und eilten hinter ihr her. Bei den Weinfässern angekommen, die der Herr von Iruñea für seine Gäste hatte bereitstellen lassen, reichten ihnen Knechte volle Becher.

Der Gascogner Tarter blieb vor Maite stehen und stieß mit ihr an. »Auf dein Wohl! Möge bald der Tag kommen, an dem du meinen wahren Wert erkennen wirst.«

»Dann solltest du auch wahre Taten vollbringen und nicht nur davon reden!« Maite hob lachend ihren Becher und trank ihn in einem Zug leer.

»Es ist heiß heute«, sagte sie entschuldigend.

Der junge Eneko wollte seinem gascognischen Rivalen nicht das Feld überlassen und stimmte Maite zu, obwohl die laue Frühlingsluft sich bei weitem nicht mit der Gluthitze des Sommers messen konnte.

Unterdessen waren einige Nachzügler erschienen und drängten sich zu den Weinfässern durch. »He! Macht euch nicht so breit!«, rief Tarter.

»Hinter uns liegt ein weiter Weg, und wir haben Durst. Übrigens, ich bin Unai aus Iekora.« Der Anführer der Neuankömmlinge streckte Tarter die Hand hin.

Dieser ergriff sie nach kurzem Zögern und stellte sich dann selbst vor. »Ich bin Tarter aus Dacs.«

Unais Augen weiteten sich verblüfft. »Du stammst aus der Gascogne? Dann musst du die Franken kennengelernt haben.«

»Und ob!« Tarter knirschte mit den Zähnen, denn seit König Karl die Franken beherrschte, blies auch den Gascognern ein scharfer Wind um die Ohren.

»Wie es aussieht, wird der Franke bald über die Berge kommen«, fuhr Unai fort. »Wir haben gute Freunde bei den Asturiern, die für uns die Ohren offen halten. Der Franke Karl und Silo von Asturien wollen ein Bündnis miteinander schließen, und was das für uns Waskonen bedeutet, könnt ihr euch denken.«

Einer der Burschen, der aus den höheren Lagen der Pyrenäen stammte, winkte lachend ab. »Sollen die Franken doch kommen. Es gibt viele Schluchten in den Bergen, in die wir sie locken können. Dort machen wir mit ihnen kurzen Prozess.«

»Narr!«, rief Eneko, der sich nicht in den Hintergrund drängen lassen wollte. »Ihr Bergziegen könnt ihnen vielleicht aus dem Weg gehen, doch was ist mit den Gebieten, die offen vor den Franken liegen? Sie werden über die Pässe kommen und sich das flache Land unterwerfen, und dann seid auch ihr am Ende.«

Der Bergbewohner zuckte mit den Schultern und murmelte etwas Abschätziges. Doch niemand beachtete ihn, denn Unai setzte seinen Bericht fort. »Das Bündnis zwischen den Asturiern und Franken ist so gut wie geschlossen und soll durch die Heirat der Tochter von Silos Schwager Roderich mit einem Verwandten König Karls besiegelt werden. Auf unserem Weg haben wir die Dame und ihren Trupp entdeckt. Sie wird von fünfundzwanzig Kriegern nach Norden geleitet. Jetzt sind sie noch ein Stück hinter uns, weil wir über die Berge abkürzen konnten. Sie dürften über den Ibañetapass nach Donibane Garazi reiten und von dort weiter ins Frankenland. Wenn die Frau dort ankommt, werden Karl und Silo wie Brüder sein, die sich einen Laib Brot teilen – und dieses Brot sind wir!«

Maite hatte Unais Bericht stumm zugehört und spürte, wie eine heiße Welle ihren Körper durchlief. Roderichs Tochter! Dabei konnte es sich nur um Ermengilda handeln. Sie fletschte die Zähne, denn sie hatte nicht vergessen, wie das hochnäsige Ding sie behandelt hatte und dass sie ihretwegen halb totgeprügelt worden war.

Erregt sprang sie auf einen Holzklotz und stemmte die Hände in die Hüften. »Warum fangen wir dieses Weibsstück nicht ab? Dann kommt es nicht zu den Franken, und das Bündnis wird vielleicht nie geschlossen.«

»Sie wird von fünfundzwanzig gepanzerten Reitern begleitet. Mit denen wird ein kleines Mädchen wie du nicht fertig«, spottete Unai.

Maite maß ihn mit einem Blick, der ihn um etliche Zoll kleiner werden ließ, und zeigte dann auf die jungen Krieger, die sich um die Weinfässer versammelt hatten. »Hier sind mehr als hundert tapfere Kerle versammelt. Die werden wohl ausreichen, um mit ein paar lumpigen Asturiern fertig zu werden.«

Unai tippte sich an die Stirn, doch Eneko sah eine Möglichkeit, seinen Mut zu beweisen, den Maite vorhin angezweifelt hatte. »Verdammt noch mal! Warum nicht? Davon würden die Sänger noch in hundert Jahren singen.«

»Ach was, in tausend!«, rief Tarter begeistert aus.

Ximun, Enekos jüngerer Bruder, kratzte sich im Genick und blickte zu dem Platz hoch, auf dem die Abgesandten der Stämme immer noch stritten. »Wir sollten zuerst Vater fragen, bevor wir etwas unternehmen.«

Tarter lachte ihn aus. »Ich bin ein Gascogner und muss keinen Berghäuptling fragen, ob ich mein Schwert ziehen darf oder nicht.«

Eneko drohte ihm mit der Faust. »Dieser Berghäuptling, wie du ihn nennst, ist mein Vater und der Herr der meisten Stämme Nafarroas.«

»Ich bin aber kein Mann aus Nafarroa«, antwortete Tarter stolz.

»Ich auch nicht!« Unai aus Iekora stellte sich auf Tarters Seite, und etliche taten es ihm gleich.

Schließlich klopfte auch der junge Eneko auf den Griff seines Schwertes. »Mein Vater redet immer noch mit den alten Graubärten aus den anderen Stämmen, und das wird, wie es aussieht, wohl noch tagelang so gehen. Bis die zu einem Entschluss kommen, ist die Asturierin längst bei den Franken, und wir haben das Nachsehen. Nur wenn wir gleich aufbrechen, können wir sie noch abfangen.«

Maite sprang von ihrem erhöhten Platz herunter und blickte die jungen Männer an. »Ich bin dabei!«

Tarter stieß sie zurück. »Du bist ein Mädchen und hast bei einer solchen Sache nichts verloren!«

Maite maß ihn mit einem mitleidigen Blick, nahm das Band ab, mit dem sie ihren üppigen Haarschopf gebändigt hatte, formte eine Schlaufe und legte einen Kieselstein hinein. Dann schwang sie die primitive Schleuder ein paarmal durch die Luft und ließ den Stein davonschnellen. Im nächsten Augenblick zerplatzte der Zapfen einer gut dreißig Schritt entfernt stehenden Pinie.

»Reicht das, oder soll ich mir als nächstes Ziel deinen Kopf vornehmen?«, fragte Maite herausfordernd.

Asier trat grinsend näher. »An deiner Stelle wäre ich vorsichtig, mein Freund. Dein Kopf ist größer als ein Pinienzapfen, und den trifft Maite aus noch größerer Entfernung! Sie ist nämlich Ikers Tochter, die bereits als Achtjährige einen asturischen Grafen und seine Reiter an der Nase herumgeführt hat. Du wirst hier keinen Waskonen finden, der ihre Begleitung ablehnen wird.«

Tarter starrte Maite mit offenem Mund an. »Das war ein guter Schuss«, sagte er und reichte ihr die Hand. »Also gut! Holen wir uns das asturische Dämchen gemeinsam. Wir bekommen sicher Lösegeld für sie.«

»Am besten verkaufen wir sie an die Mauren!«, erklärte Maite voller Hass.

12.

Ermengilda war todunglücklich, dass sie die Heimat so schnell verlassen musste. Es hatte nur einen kurzen tränenreichen Abschied gegeben, der außerdem von einem unangenehmen Vorfall überschattet worden war. Ihre Leibmagd Ebla hatte sich aus Angst vor der Fremde im hintersten Winkel der Burg verkrochen. Alma war es jedoch rasch gelungen, sie aufzuspüren, und sie hatte die Magd mit kräftigen Ohrfeigen an ihre Pflichten erinnert. Jetzt hockte Ebla wie das leibhaftige Elend auf ihrem Maultier und jammerte ununterbrochen vor sich hin.

Der Schmerz, von ihren Eltern scheiden zu müssen, wühlte in Ermengilda wie ein scharfes Messer, und der Ärger über ihre Magd machte den Abschied doppelt schwer, erinnerte er sie doch an die Kränkung, die man ihr zugefügt hatte. Bei ihrem Rang hätte sie Anspruch auf die Begleitung einer Gesellschafterin von adeligem Blut gehabt, doch daran hatte König Silo keinen Gedanken verschwendet. Auch ihre Eltern hatten nichts unternommen, um ihr ein standesgemäßes Gefolge mitzugeben.

»Wir kommen gut voran, Jungfer Ermengilda.« Gospert hatte sein Pferd neben ihre Stute gelenkt und versuchte, ein Gespräch anzuknüpfen.

Wäre Ermengilda nicht so niedergeschlagen gewesen, hätte sie dem Franken ins Gesicht gelacht. Sie hatten den Herrschaftsbereich ihres Vaters erst am Tag zuvor verlassen und ritten durch jene Gegend, die von ihren Bewohnern Nafarroa und von den Asturiern Navarra genannt wurde. Die hiesigen Stämme zahlten entweder den Mauren Tribut oder hatten sich um Eneko, den Häuptling von Pamplona, geschart. Da derzeit kein Krieg zwischen Asturien und den Bergstämmen herrschte und die Beziehungen zu den Mauren sich in der letzten Zeit entspannt hatten, würde ihr Trupp aller Voraussicht nach unbehelligt über die Pyrenäen gelangen. Das war jedoch nur ein kleiner Teil des Weges, der vor ihnen lag. Zu ihrem Schrecken hatte Ermengilda erfahren, dass sie ihren Bräutigam erst in der fernen Stadt Metz treffen sollte.

»Wir kommen wirklich gut voran!«, wiederholte Gospert, weil er nicht wusste, was er anderes sagen könnte, um seinen Schützling aufzumuntern.

Das Mädchen blickte ihn hochmütig an. »Noch sind die Tiere frisch, und die Berge liegen erst vor uns.«

»Ihr sitzt ausgezeichnet zu Pferd, Jungfer. Keine Fränkin könnte sich mit Euch messen.«

Ermengilda schüttelte verwundert den Kopf. »Wie das? Reiten Eure Frauen und Mädchen nicht?«

»Doch! Aber ich kenne keine, die eine so temperamentvolle Stute beherrschen könnte wie die Eure. Das Tier stammt wohl aus maurischer Zucht?«

Einen Augenblick nahm Ermengilda den unverhüllten Neid in der Stimme des Franken wahr. Auch er ritt ein gutes Pferd, aber der schwer gebaute Hengst konnte sich weder mit ihrer Stute noch mit den Reittieren der zwanzig Krieger messen, die ihr Vater ihr als Geleitschutz mitgegeben hatte. Die Gäule, die Gosperts Begleiter ritten, waren noch schlechter und verrieten, dass es mit der Pferdezucht im Frankenreich im Argen lag.

»Es ist im Stall meines Vaters geboren worden. Wir benötigen schnelle Tiere. Eine Asturierin muss jeden Augenblick in der Lage sein, sich auf ihr Pferd zu schwingen, um maurischen Streifscharen zu entkommen«, erwiderte Ermengilda.

Dieses Argument verfing nicht so, wie sie es beabsichtigt hatte. Gospert grinste selbstgefällig und vollzog mit der Hand eine weit ausgreifende Geste. »Asturien ist eben ein kleines Land, das unter den Schlägen der Heiden zittert. Im Reich der Franken muss keine Frau befürchten, einen Feind vor sich zu sehen.«

Dies mochte wahr sein, doch Ermengilda ärgerte sich über seinen prahlerischen Ton und brach das Gespräch ab, indem sie ihre Stute leicht mit der Gerte kitzelte. Daraufhin fiel das Tier ansatzlos aus dem gemächlichen Schritt in Galopp. Ermengildas asturische Eskorte war an überraschende Tempowechsel gewöhnt und hielt leicht mit. Gospert schlug seinem armen Hengst die Sporen in die Weichen, blieb aber ebenso zurück wie seine Begleiter.

Ramiro, den Graf Roderich zum Anführer des Geleits ernannt hatte, schloss besorgt zu Ermengilda auf. »Herrin, Ihr solltet es gut sein lassen. Herr Gospert könnte sich sonst verhöhnt vorkommen.«

Zwar interessierte es Ermengilda nicht, was der Franke dachte, aber sie wollte die eigenen Pferde nicht über Gebühr beanspruchen und zügelte ihre Stute. Dennoch dauerte es eine ganze Weile, bis die fünf Franken sie eingeholt hatten. Gosperts

Gesicht glühte vor Zorn, und er öffnete schon den Mund zu einer geharnischten Rede.

Ermengilda winkte ihm fröhlich zu. »So ein kleiner Galopp zwischendurch hat doch etwas Erfrischendes, nicht wahr, Herr Franke?«

Gospert rang sich ein Nicken ab. »Das hat es wohl. Die Gäule müssen immer wieder daran gewöhnt werden, sonst denken sie noch, es ginge ewig im Schritt dahin.«

Ermengilda hob erstaunt die Augenbrauen. »Eure Pferde denken?«

»Na ja – so sagt man halt.« Der Franke hielt es für besser, das Gespräch mit dem kecken Ding zu beenden, denn sonst hätte er Worte von sich gegeben, die er hinterher bereuen würde.

Dafür hatte Ermengilda jedoch Ebla am Hals, deren Maultier von einem der Asturier am Zügel geführt wurde und den scharfen Galopp hatte mitmachen müssen. Aus Ärger über die ausgestandene Angst vergaß sie die Ehrerbietung, die sie Ermengilda schuldig war. »Was habt Ihr Euch eigentlich dabei gedacht, Herrin? Ich bin wie ein Sack herumgeschleudert worden und habe mir gewiss ein paar Knochen in dem Körperteil gebrochen, auf dem man im Allgemeinen sitzt.«

Ermengilda senkte den Kopf. In ihrem Bestreben, den Franken in seine Schranken zu weisen, hatte sie nicht an ihre Leibmagd gedacht. »Es tut mir leid, Ebla. Ich wollte nicht, dass du zu Schaden kommst. Sobald wir an unserem heutigen Ziel angelangt sind, lässt du dir eine Salbe geben und reibst die wunden Stellen ein.«

Ebla war jedoch nicht versöhnt. Anders als Ermengilda, der als Tochter eines Grafen von Kind an beigebracht worden war, dass sie einmal das Haus ihres Vaters verlassen und in eine andere Gegend würde ziehen müssen, um das Weib eines Edelmanns zu werden, hing die Leibmagd mit jeder Faser ihres Herzens an ihrem Heimatdorf. Daher haderte sie mit dem

Schicksal ebenso wie mit ihrer Herrin, die sie in die Fremde entführte.

Dabei war Ermengilda nicht minder unglücklich. Angesichts der Reise ins unbekannte, dem Vernehmen nach wenig einladende Frankenreich wäre es ihr sogar lieber gewesen, ihr Vater hätte sie mit einem der maurischen Walis in der Nachbarschaft vermählt. Dort wäre sie zwar nur eines von mehreren Weibern dieses Mannes gewesen, doch sie hätte ihren christlichen Glauben behalten und weiterhin den Duft des Landes atmen dürfen, in dem sie geboren worden war. Das Frankenreich aber war nach allem, was sie darüber gehört hatte, eine kalte und bedrohliche Welt, in die sie nicht gehörte.

13.

Gegen Mittag erreichte Ermengildas Reisezug eine schmale Schlucht mit steil aufragenden Wänden. Obwohl sie nach Gosperts Aussage nicht besonders lang war, ängstigte Ermengilda sich, als sie ihre Stute zwischen die steinernen Mauern lenkte und sich in einem kalten, sonnenlosen Einschnitt wiederfand. Sie erinnerte sich an Geschichten von Geistern und Dämonen, die Felsen auf Reisende herabstürzen ließen, und erschauerte. Ihren Begleitern schien die Schlucht ebenfalls unheimlich zu sein, denn sie formierten sich, als drohe Gefahr. Sechs Asturier übernahmen die Spitze, ihnen folgten Gospert und seine Franken, die Ermengilda und ihre Leibmagd in die Mitte nahmen, die restlichen Begleiter bildeten die Nachhut.

Während die Franken sich misstrauisch umsahen, scherzten die Asturier und waren guter Dinge. Niemand von ihnen fürchtete, dass die in dieser Gegend wohnenden Waskonen es wagen würden, eine Gruppe ihrer Größe anzugreifen. Schließlich antwortete auch Gospert wieder recht entspannt auf eine bissige Bemerkung eines seiner Begleiter. Dennoch trieb er den Hengst so stark an, wie es das Geröll am Boden und die glatten Felsstufen erlaubten. Selbst Ebla, die mit schmerzverzerrtem Gesicht auf ihrem Maultier hockte, beschwerte sich diesmal nicht über die Eile.

Mit einem Mal vernahm Ermengilda ein Geräusch, das wie ein leiser Ruf klang, und als sie nach oben blickte, sah sie Staub und ein paar kleine Steine herabrieseln. Dann entdeckte sie gut zehn Schritte hoch in der Wand ein dunkelhaariges Mädchen, das auf einem Felsvorsprung stand und auf sie herabstarrte. Im ersten Augenblick erschrak sie, dann aber lachte sie über sich selbst. Das Ding da war gewiss nur eine Ziegenhirtin, die neugierig näher gekommen war. Noch während Ermengilda sich fragte, ob es mit ihrer Würde vereinbar war, eine Hirtin zu grüßen, schwang diese einen Stoffstreifen wie eine Schleuder und ließ ein Ende los.

Ein Stein schoss durch die Luft, ein metallisches Krachen ertönte, und der vorderste Reiter kippte aus dem Sattel. Als wäre es ein Zeichen gewesen, spien die Felswände nun Dutzende von Kriegern aus. Bevor einer der Asturier oder Franken zur Waffe greifen konnte, ließen die Angreifer sich zu zweit und zu dritt auf Ermengildas Begleiter herabfallen und rissen die Männer aus den Sätteln. Zwei Männer entwanden Ermengilda die Zügel ihrer Stute, ein Dritter hielt Eblas Maultier fest.

Während Ermengilda noch zu begreifen versuchte, was hier geschah, war die junge Waskonin bereits behende wie eine Ziege die steile Felswand herabgeklettert und stand nun vor ihr.

»So sieht man sich wieder, Roderichs Tochter!« Dann wandte das Mädchen sich mit einer heftigen Bewegung zu ihren Gefährten um. »Sie gehört mir, verstanden! Auf diese Beute habe ich viele Jahre gewartet!«

Ohne sich um die verblüfften Mienen um sich herum zu kümmern, packte sie Ermengilda, riss sie mit einem heftigen Ruck aus dem Sattel und hielt sie so vor sich, dass sie ihr ins Gesicht sehen konnte. Nach einer kurzen Musterung stieß sie die junge Asturierin von sich, hielt sie aber mit der linken Hand fest und schlug ihr mit der Rechten mehrmals heftig ins Gesicht.

»Was soll das, Maite?«, rief Eneko und drängte das Mädchen zurück.

Der Name ließ die vor Schreck erstarrte Ermengilda aufhorchen. Hatte so nicht die kleine Waskonin geheißen, die aus dem Ziegenstall geflohen war und die man für tot gehalten hatte? Das Mädchen sah der Kleinen von damals tatsächlich ähnlich. »Maite?«, fragte sie eher verblüfft als verängstigt. »Maite von Askaiz? Aber das ist unmöglich!«

»Und ob es möglich ist!« Maites erste Wut war verraucht, doch ihr Gesichtsausdruck warnte ihre Begleiter davor, ihr in die Quere zu kommen. Sie ging einmal um Ermengilda herum und zupfte an deren kostbarem Kleid.

»In Zukunft wirst du so einen Lumpenkittel tragen wie den, in den ihr mich damals gesteckt habt, und mir Sklavendienste leisten. Ich werde dich lehren, was es heißt, von dem Mörder des eigenen Vaters verschleppt und dann halb totgeprügelt zu werden!«

Ermengilda spürte Maites Hass, entnahm aber den Gesichtern der zumeist noch jungen Angreifer, dass diese mit der Handlungsweise des Mädchens nicht einverstanden waren.

Die jungen Waskonen hatten den Überfall für einen großen Spaß gehalten und begriffen jetzt, dass Maite sie dazu aufgestachelt hatte, um ihren persönlichen Rachefeldzug zu führen. Diejenigen, die Maite gut kannten, trauten ihr durchaus zu, Ermengilda an die Mauren zu verkaufen. Die zahlten gut für christliche Mädchen, vor allem, wenn sie blond und noch Jungfrauen waren. Doch niemand von ihnen wagte es, selbst Anspruch auf die Asturierin zu erheben.

Nach einigen Augenblicken wandten sich die jungen Waskonen wieder der Beute zu, die ihnen allen zugutekam, und machten sich daran, alles einzusammeln. Pferde und Waffen würden sie behalten, die gefangenen Krieger gegen Lösegeld freigeben oder an die Mauren verkaufen. Was Ermengilda betraf, so war es Okins Aufgabe, seine Nichte zur Vernunft zu bringen.

Während die Krieger das Gepäck der Reisegruppe durchwühlten und die Beute aufteilten, fühlte Maite sich wieder als achtjähriges Kind und glaubte noch einmal die erbarmungslosen Hiebe der Wirtschafterin auf Roderichs Burg zu spüren. Für diese Schmerzen und das ganze Unglück, das mit dem Verrat und dem Mord an ihrem Vater auf sie hereingebrochen war, würde Ermengilda nun büßen.

DRITTER TEIL

Der Sturm beginnt

I.

$\mathcal{N}$ie hätte Konrad, Sohn des Arnulf vom Birkenhof, sich vorstellen können, dass die Welt so weit war. Tag für Tag zog er mit Graf Hassos Aufgebot über schier endlose Straßen und trotzte dem Regen ebenso wie der Hitze sonniger Tage. Inzwischen hatte das Heer den Rhein überquert und nach ihm viele andere Flüsse, deren Namen von Mal zu Mal fremdartiger klangen, und noch immer stießen Aufgebote anderer Gaue zu ihnen.

Hasso kannte die meisten Anführer und auch etliche Krieger und stellte Konrad seinen Freunden vor. Nicht wenige von ihnen zeigten sich bereit, einen Jüngling, den der Graf unter seine Fittiche genommen hatte, an ihren Erfahrungen teilhaben zu lassen. Konrad lernte aber auch etliche jüngere Männer kennen, die ebenso wie er das erste Mal ins Feld zogen und gleich ihm beinahe stündlich erwarteten, auf einen Feind zu stoßen.

Die erfahrenen Krieger amüsierten sich über die Grünschnäbel und trieben Scherze mit ihnen. Mehr als ein Mal griffen sie zu ihren Waffen und taten so, als müssten sie sich kampfbereit machen. Wenn die Jünglinge dann aufgeregt hin und her liefen und mit ihren Schwertern und Speeren fuchtelten, brüllten sie vor Lachen.

Als Konrad zornig werden wollte, da man sie wieder einmal angeführt hatte, legte Rado ihm die Hand auf die Schulter. »Sieh es als Übung an! Je rascher du dein Schwert in der Hand hast, umso eher kannst du den Schlag eines Feindes parieren. Das kann dir das Leben retten. Die Sachsen zum Beispiel greifen zumeist aus dem Hinterhalt von Dickichten oder dunklen Wäldern an.«

»Das sehe ich ja ein. Aber müssen diese Leute deshalb über mich lachen?«, fragte Konrad empört.

»Beim nächsten Feldzug gehörst du zu jenen, die über die Neuen lachen. So ist nun einmal die Welt. Wenn du jetzt zornig wirst, treiben die alten Hasen umso mehr Scherze mit dir.«

Rados Worte waren einleuchtend, so dass Konrad den Rat beherzigte und sich zurückhielt. Als einer der Veteranen das nächste Mal Alarm rief, spielte er so unbefangen mit, als glaube er ihm, und schmunzelte über einen jungen Bayern, der sich wortreich beschwerte, als sich das Ganze wieder als Spaß erwies.

Die erfahrenen Krieger waren ein rauher Menschenschlag, der wenig auf Äußerlichkeiten gab. Daher fielen Konrad eines Tages einige Reiter auf, die so aussahen, als zögen sie zu einem Fest. An der Spitze ritten zwei Männer auf großrahmigen, fahlen Hengsten. Ihre hellblauen Tuniken waren in gleicher Art geschnitten und in den gleichen Farben bestickt. Dazu trugen sie fast weiße, ebenfalls mit Stickereien übersäte Hosen. Hinter ihren Sätteln hatten sie Mäntel aus gewalktem Loden befestigt, und an den Griffen und Scheiden ihrer Schwerter schimmerten Edelsteine im Sonnenlicht. Vier Trabanten in ähnlich aufwendiger Kleidung begleiteten die beiden.

Konrad starrte die Gruppe verblüfft an und fragte sich, ob die sechs Männer so aufgeputzt in den Krieg ziehen wollten. Der Größere und kräftiger Wirkende der beiden Anführer bemerkte seinen Blick und stupste seinen Begleiter an. »Sieh dir diesen Bauern da an, Eward. Der ist wohl noch nie aus seinem Kuhdorf hinausgekommen.«

Der verächtliche Ton traf Konrad wie eine Ohrfeige, doch bevor er reagieren konnte, drängte Graf Hasso ihn zur Seite.

»Schluck deinen Ärger hinunter! Der Schmalere von den beiden ist Eward, ein enger Verwandter unseres Königs, und das Schandmaul neben ihm sein Schwertbruder Hildiger. Jetzt treten die beiden noch wie hohe Herren auf, doch wenn sie die

Klingen der Mauren vor sich blitzen sehen, werden sie froh sein, jemanden wie dich an ihrer Seite zu wissen.«

Einer der Trabanten der beiden Edelleute vernahm die Worte des Grafen und lachte höhnisch auf. »Bestimmt nicht so einen! Der da ist doch nicht trocken hinter den Ohren. Wenn es zum Kampf kommt, macht der sich in die Hose.«

Das war zu viel für Konrad. Seine Rechte schlug gegen den Schwertgriff, doch Graf Hasso hielt seine Hand fest, so dass er nicht blankziehen konnte. »Lass das! Es bringt dir nichts, wenn du dich mit diesem Burschen schlägst. Beweise deinen Mut im Kampf mit dem Feind.«

Widerstrebend ließ Konrad den Schwertgriff los, während der Trabant höhnisch grinste. »Das ist auch besser so. Ich hätte dir eine solche Lehre erteilt, Bürschchen, dass du am Stock humpelnd hättest heimwärts ziehen müssen.«

»Wenn du willst, können wir ja schauen, wer von uns beiden heimhumpeln wird!« Konrad hoffte, der andere werde seine Herausforderung annehmen, doch der Mann kehrte ihm mit einer verächtlichen Handbewegung den Rücken zu und trieb sein Pferd an, um seinen Freunden zu folgen, die weitergeritten waren.

»Wer ist der Kerl?«, fragte Konrad zornig.

»Philibert von Roisel, der Einzige aus Ewards Schar, der etwas taugt. Wenigstens hatte ich bisher diesen Eindruck. Aber in der Zwischenzeit scheint er genauso hochmütig geworden zu sein wie seine beiden Anführer. Schade! Ich hatte Besseres von ihm erhofft. Die drei waren im letzten Jahr mit auf dem Feldzug in Sachsen, mussten aber auf Befehl des Königs beim Tross bleiben. Damit haben sie zwar einen Kriegszug mehr auf dem Buckel als du, aber ihre Schwerter noch nie gegen einen Feind gezogen.«

Graf Hasso ärgerte sich sichtlich über das Auftreten der Neuankömmlinge, schien aber gleichzeitig erleichtert zu sein, dass

Konrad sich im Zaum hatte halten können. Daher redete er freimütiger, als er es sonst getan hätte. »Eward taugt zwar nicht viel, aber seines hohen Ranges wegen suchen viele seine Nähe.«

Er warf einen beredten Blick auf Ermo, der die jungen Reiter unterwürfig willkommen hieß. Konrad kniff die Lippen zusammen und ballte eine Hand zur Faust. Seit sie sich mit ihren Aufgeboten Graf Hasso angeschlossen hatten, tat Ermo alles, um ihn als dummen Jungen hinzustellen, der bei seinem Schwert nicht wusste, wo oben und unten war, und er gehörte auch zu jenen, die sich die derbsten Späße mit den Neulingen erlaubten. Daher juckte es Konrad in den Fingern, Ermo seine Gemeinheiten bei passender Gelegenheit heimzuzahlen. Graf Hasso hatte jedoch allen Männern, die sich prügelten oder die Waffe gegen einen Kameraden oder einen unbewaffneten Bauern zogen, drakonische Strafen angedroht.

»Junge, ich weiß, wie du dich fühlst. Aber du bekommst noch die Chance, deinen Wert zu beweisen. Arnulf vom Birkenhof wird allen Grund haben, stolz auf seinen Sohn zu sein, davon bin ich überzeugt.« Bei diesen Worten versetzte der Graf dem jungen Mann einen aufmunternden Stoß.

Konrad hatte sich beruhigt und stellte eine Frage, die ihm mehr am Herzen lag als ein paar großsprecherische Neuankömmlinge. »Wann werden wir auf König Karl treffen? Sieht er wirklich so majestätisch aus, wie mein Vater es uns erzählt hat?«

»Und ob! König Karl ist einer der größten Männer, die ich je gesehen habe, und er weiß sein Schwert kraftvoll zu schwingen. Außerdem hat er Verstand wie kein Zweiter. Nicht ohne Grund ist er der mächtigste Herrscher der Christenheit und wird nach den Langobarden und den Sachsen auch die Mauren unterwerfen. Ich nehme an, dass du ihn sehr bald zu sehen bekommst. Da Eward aufgetaucht ist, kann der König nicht mehr weit sein, denn die Schar des jungen Herrn zählt zu Karls Begleitung und wird mit dem König und den Männern aus Neustrien mit dem Westheer nach Spanien ziehen, während unser Aufgebot von Osten her in dieses Land eindringt.«

Konrad sah Hasso erstaunt an. »Sollen denn zwei Heere nach Spanien marschieren?«

»Freilich! Auf diese Weise können sich die Männer besser versorgen, als wenn alle denselben Weg nehmen würden. In Spanien werden sich die beiden Truppen zusammenschließen und den Mauren zeigen, was ein Franke vermag.«

»Wie lange werden wir bis dahin noch brauchen?«, fragte Konrad kleinlaut.

Graf Hasso zuckte mit den Achseln. »Ich war noch nicht dort und kann es dir daher nicht sagen.«

Während Konrad versuchte, sich vorzustellen, wie viele Monate er von zu Hause weg sein würde, spürte er ein Ziehen im Bauch. Schließlich wurde der Druck zu stark, und er sah Hasso bittend an.

»Ich muss kurz in den Wald. Rado soll derweil meinen Hengst führen.«

»Ohne Pferd wirst du aber rennen müssen, um wieder zu uns aufzuschließen.«

Das war Konrad klar, doch die Macht der Natur erwies sich als stärker als alle Bedenken. Er schwang sich aus dem Sattel und warf Rado die Zügel zu. »Hier, nimm! Es wird nicht lange dauern!«

Er sah schon nicht mehr, ob sein Begleiter die Riemen aufgefangen hatte, sondern drehte sich um und eilte davon. Um nicht vor den anderen die Hosen herunterzulassen und sich dabei etliche dumme Bemerkungen anhören zu müssen, lief er durch den an dieser Stelle arg lichten Wald, um eine geeignete Stelle zu finden. Die Geräusche des Heerzugs blieben hinter ihm zurück. Um ihn herum reckten mächtige Eichen und Buchen ihre Äste in den Himmel, weiches Moos dämpfte seine Schritte, und ein Stück weiter entdeckte er das frische Grün von Heidelbeersträuchern. Ein wenig bedauerte er es, dass es für Früchte noch viel zu früh im Jahr war, doch das Grummeln im Bauch brachte ihm rasch wieder den Zweck seines Abstechers in Erinnerung. Noch im Laufen löste er den Riemen der Hose und war froh, dass er seine Rüstung nicht angelegt hatte.

Während er sich hinhockte, um sich zu entleeren, vernahm er vor sich Geräusche, als bahne sich etwas Großes in wilder Flucht den Weg durch das Unterholz. Dann klangen Männerstimmen und das schrille Wiehern eines Pferdes auf.

Konrad hatte sich erleichtert und stand schnell auf, um die Hose hochzuziehen. Dazu aber kam er nicht mehr. Nur wenige Schritte vor ihm brach ein kapitaler Keiler aus den Büschen und stürmte mit Schaum vor dem Maul genau auf ihn zu.

In Windeseile riss Konrad sein Schwert heraus und legte alle Kraft in den Hieb. Die Klinge zuckte herab und traf den Eber genau zwischen den Augen. Dennoch rammte das Tier ihn wie ein lästiges Hindernis beiseite. Er flog durch die Luft und landete in einem Gebüsch. Zweige fingen seinen Sturz auf, hielten ihn aber gleichzeitig fest. Er geriet in Panik. Doch das Tier griff ihn nicht an, sondern quiekte nur ohrenbetäubend, torkelte noch ein paar Schritte und fiel um.

Konrad befreite sich mühsam aus dem Geäst, kam etwas zittrig auf die Beine und starrte den toten Keiler fassungslos an. Dann erinnerte er sich an die Hose, die sich um seine Beine gewickelt hatte, und griff nach ihr. In dem Augenblick tauchte ein Reiter neben ihm auf, musterte das erlegte Tier und dann ihn mit einem ungläubigen Blick und begann schallend zu lachen.

»Du hast dich diesem Untier entgegengestellt und es erlegt – nur mit dem Schwert in der Hand und mit herabgelassenen Hosen? Beim heiligen Eustachius, so etwas habe ich noch nie erlebt! Bursche, in deinen Adern muss Eiswasser fließen statt Blut, denn sonst wärst du die Beute des Keilers geworden!«

Der Mann sprang ab, klopfte Konrad anerkennend auf die Schulter und blieb dann neben dem toten Wildschwein stehen. »Ein prachtvolles Tier! Schade, dass du den Kopf zerschlagen hast. So taugt er nicht mehr als Trophäe. Auf jeden Fall bist du heute Abend Gast an meiner Tafel. Wie heißt du eigentlich?«

»Konrad, Sohn des Arnulf vom Birkenhof.«

»Aus welcher Gegend und welchem Gau? Birkenhöfe gibt es etliche«, fragte der Fremde und deutete dann auf Konrads Hose, die dieser vor Überraschung wieder hatte fallen lassen. »An deiner Stelle würde ich die jetzt wieder anziehen. Meine Begleiter werden bald erscheinen, und du willst doch sicher nicht, dass sie dich so sehen.«

Konrad bekam einen hochroten Kopf und befolgte eilig den Rat. Während er die Hose richtete und mit der Schnur festband, versuchte er, den fremden Jäger unauffällig zu mustern. Der Mann war gut einen Kopf größer als er, breitschultrig und kräftig gebaut, ohne fett zu wirken. Bekleidet war er mit einer braunen Tunika, die Spuren des Rittes durch den Wald trug, ledernen Hosen und festen Stiefel. Seine Oberlippe zierte ein mächtiger Schnauzbart, und in den blonden Haaren, die ihm unordentlich ins Gesicht hingen, hatten sich Blätter und kleine Zweige verfangen. Auf Konrad wirkte er wie ein wohlhabender Freibauer, der seiner Jagdlust nachgegangen war, und so fiel es ihm leicht, von Gleich zu Gleich mit ihm zu sprechen.

»Ist das hier dein Wald?«

Der Jäger nickte. »So ist es.«

»Aber warum bist du dann noch nicht beim Heer, wo doch der König alle Krieger zusammengerufen hat? Das wird Herrn Karl nicht gefallen.«

Der Großgewachsene lachte erneut. »Keine Sorge, mein junger Freund. Wenn es zum Kampf kommt, wird der König nicht auf mich verzichten müssen. Du aber solltest zusehen, dass du deine Leute einholst, sonst musst du dir die Seele aus dem Leib rennen. Aber denk daran: Du wirst heute Abend an meiner Tafel speisen! Das beste Stück dieses Keilers kommt auf deinen Teller.«

Das zähe Fleisch eines alten Ebers war nicht gerade ein Genuss, doch die Ehre, das Tier allein und ohne Unterstützung durch andere Jäger erlegt zu haben, machte dieses Gefühl wieder wett.

»Soll ich dir helfen, das Tier auf dein Pferd zu laden?«, bot er dem Fremden an.

Der Jäger schüttelte den Kopf. »Meine Knechte sind gleich bei mir. Du kannst also unbesorgt gehen.«

»Also dann, Gottes Segen mit dir!« Konrad wandte ihm den Rücken zu und lief los. So ganz traute er der Einladung zum Wildschweinbraten nicht und wollte das Heer nicht erst eingeholt haben, wenn es lagerte und die Männer bereits gegessen hatten.

2.

Die große Lichtung war mit Kriegern übersät. Hatte Konrad bis zu diesem Anblick geglaubt, viel mehr Männer als die, die mit Graf Hasso gezogen waren, könne der König kaum mehr zusammenrufen, so sah er sich eines Besseren belehrt. Es dauerte eine Weile, bis er in dem Gewimmel seine Leute entdeckt hatte und sich zu ihnen setzen konnte. Zum Glück war noch Brei im Topf. Zufrieden ließ er sich seinen Napf füllen, nahm ein Stück Brot, das an einem Stecken gebacken worden war, und setzte sich zu seinen Männern. Während des Essens sah er sich neugierig um.

Im Lager befanden sich nicht nur Krieger und die Trossknechte, sondern auch Bauern, die geräuchertes Fleisch und Würste anboten, sowie etliche Frauen unterschiedlichen Alters, die wie Katzen umherschlichen und jeden ansprachen, der ihnen auch nur einen Blick zuwarf.

Eine der Frauen kam mit den Hüften schwingend auf die Gruppe zu. Nach Konrads Schätzung war sie ein paar Jahre älter als er, aber weitaus hübscher als alle Mädchen, die er in seinem bisherigen Leben gesehen hatte. Sie trug nur ein dünnes Leinenhemd, das ihren Leib wie eine zweite Haut umschloss und sowohl einen kräftigen Busen wie auch gut gestaltete Hinterbacken erkennen ließ. Eben strich sie einem Krieger über die Wange und lachte, als dieser sie mit einer ärgerlichen Handbewegung verscheuchte. Dann wandte sie sich Ermo zu. Dieser winkte zunächst ebenfalls ab, doch als sie sich vorbeugte und ihn auf die prachtvollen Brüste starren ließ, malte sich auf seinem Gesicht ein Ausdruck ab, der Konrad abstieß. Ermo verschlang die Frau mit seinen Blicken und redete leise auf sie ein. Aber sie schien ihn abzuwehren und tat so, als wolle sie weitergehen. Fluchend holte Ermo einen kleinen Beutel unter seinem Hemd hervor und zählte ihr mehrere Münzen auf die Hand. Mit einem Mal lächelte sie, nahm ihn bei der Hand und führte ihn zu einem kleinen Zelt am Rand des Lagers, in dem sie mit ihm verschwand.

Rado bemerkte Konrads verwunderten Blick und zupfte ihn am Ärmel. »Sieh nicht so hin, sonst glauben die Weiber, du willst etwas von ihnen.«

»Was sind das für Frauen?«

»Huren, mein Junge. Sie heften sich wie Schmeißfliegen an das Heer und ziehen mit, um den Männern das Silber aus den Taschen zu ziehen.«

»Diebinnen?« Konrad konnte kaum glauben, dass der König solche Zustände in seinem Heer duldete.

Rado musste lachen. »Junge, in manchen Dingen bist du wirklich noch ein Kind. Ich weiß ja nicht, ob du schon einmal einem Mädchen die Röcke hochgehoben und geschaut hast, was darunter ist? Die Weiber da lassen sich von den Männern dafür bezahlen.«

»Nur um zu schauen?«, fragte Konrad spöttisch. So weltfremd, dass er nicht wusste, was Männer und Frauen miteinander trieben, war er nicht. Seine ersten Erfahrungen hatte er mit der Tochter eines Nachbarn gesammelt, die ihn ins Heu eingeladen hatte. Bei dem Gedanken verspürte er plötzlich den Wunsch, das Erlebnis zu wiederholen.

Als er aufstehen wollte, hielt Rado ihn fest. »Mach keinen Unsinn, Junge! Warte lieber, bis wir im Feindesland stehen und uns dort über die Weiber hermachen können. Die Huren, die hier herumlaufen, sind schmutzige Dinger! Du willst dein bestes Stück doch nicht etwa dort hineinstecken, wo vor dir schon Dutzende andere ungewaschene Kerle waren?«

»Aus dir spricht nur der Neid, weil du dir keine Hure leisten kannst«, spottete ein Krieger aus Hassos Schar.

Rado winkte verächtlich ab. »Pah! Ich könnte mir jederzeit eines dieser Weibsstücke leisten. Auf meinem ersten Kriegszug habe ich mich auch nicht von denen fernhalten können. Prompt hat mir eine Hure zu einer Krankheit verholfen, bei der ich drei Wochen lang beim Wasserlassen hätte schreien mögen. Zum Glück konnten mir ein paar Nonnen aus einem Kloster helfen.«

»Ha! Die haben dein Dinglein wohl in die Hand genommen und darauf geblasen?«

»Idiot!«, fuhr Rado den Sprecher an. »Die frommen Frauen haben mir eine Salbe gegeben, mit der ich meinen Kleinen einreiben musste. Ich war ihnen weiß Gott dankbar, denn mit dieser Krankheit hätte ich meinem Weib nicht mehr unter die Augen kommen dürfen.«

»Kann man davon krank werden?«, fragte Konrad, dessen Wunsch, sich mit einer der Huren einzulassen, geschwunden war.

»Und ob! Deshalb halte ich mich von den Trossweibern fern und warte, bis mir im Feindesland ein saftiges Vögelchen ins Auge sticht. Im letzten Jahr war es eine Sächsin – die hatte einen Mordsbusen, sage ich dir, und einen Hintern wie ein dickes Polster. Wenn ich an das Weib denke, schwillt mir heute noch mein Rohr. Die hätte ich gerne als Beute mit nach Hause genommen. Aber das ging nicht, denn meine Alte wäre arg harsch geworden!«

Während Rado seufzend seinen Erinnerungen nachhing, leerte Konrad seinen Napf und sah dann Ermo mit der vollbusigen Hure aus ihrem Zelt kommen. Die junge Frau schien sich zu erinnern, dass er sie vorhin angestarrt hatte, denn sie kam auf ihn zu.

»Da haben wir ja noch einen großen Krieger, der sein Schwert erproben will.« Sie zog Konrad so an sich, dass er auf ihre Brüste schauen musste.

Doch er konnte nur daran denken, dass sie eben noch unter Ermo gelegen hatte, und schob sie angewidert zurück. »Lass mich in Ruhe!«

Die Hure hatte Ermo nach ihm gefragt und auf dessen Antwort hin Konrad als leicht zu betörendes Opfer angesehen. Daher lachte sie nun aufreizend. »Bei dir ist das Wollen wohl auch größer als das Können! Wenn du nicht willst, Kleiner, dass deine Freunde dich als Schlappschwanz ansehen, solltest du mit mir kommen!«

Die in der Nähe sitzenden Männer hatten ihren Annäherungsversuch grinsend verfolgt und schlugen sich nun lachend auf die Schenkel. Während Konrad verzweifelt überlegte, wie er sich aus dieser Klemme herauswinden konnte, wurde die Aufmerksamkeit der Umstehenden abgelenkt. Einige Krieger machten achtungsvoll einem jungen Mann Platz, der suchend zwischen sie getreten war. Seine Kleidung wirkte wie neu. Er trug enganliegende, helle Hosen, deren Beine vorne mit unterschiedlichen Borten besetzt waren, und eine weiße, bestickte Tunika. An einem schmalen Schultergurt aus Leder hing ein Schwert mit einer reichverzierten Scheide.

Der junge Mann sprach den Gaugrafen an, und Hasso deutete mit fassungsloser Miene auf Konrad. Der Fremde bedankte sich, trat auf den Genannten zu und blieb vor ihm stehen. »Du bist Konrad, Sohn des Arnulf vom Birkenhof?« Er schien sich zu wundern, einen kaum mittelgroßen Jüngling vor sich zu sehen.

Konrad nickte verlegen. »Ja, der bin ich.«

»Seine Majestät, der König, wünscht dich zu sehen!«

»Der König? Mich?« Konrad überlegte fieberhaft, ob er unwissentlich etwas verbrochen oder schlecht über Herrn Karl geredet hatte, konnte sich jedoch an nichts erinnern. Welchen Grund mochte es für den König geben, ausgerechnet ihn rufen zu lassen? Er hatte sich bisher weder ausgezeichnet, noch gehörte er einer bedeutenden Sippe an.

Mit gemischten Gefühlen folgte er dem jungen Edelmann zu einem abseits gelegenen Gehöft, das einem wohlhabenden Freibauern gehören musste. Die Krieger, die im Freien vor den Häusern lagerten, waren noch besser bewaffnet als Gaugraf Hasso, der ihm und dem Fremden beunruhigt folgte und sich ebenfalls zu fragen schien, was hier vor sich ging.

Die Männer starrten Konrad so unverhohlen an, dass er seinem Führer beinahe fluchtartig ins Haus folgte. Der Bote durchquerte den vorderen Teil, öffnete eine Tür und winkte ihm einzutreten. Konrad sah einen großen Raum mit einer Tafel vor sich, an der mehr als zwei Dutzend Männer und mehrere Frauen saßen. Den Ehrenplatz nahm ein Mann in einer hellroten Tunika mit bestickten Säumen ein, in dessen blondem Haar ein schmaler Kronreif funkelte.

Erst beim zweiten Hinsehen erkannte Konrad in ihm den Jäger, den er im Wald getroffen hatte, und erstarrte. Das also ist König Karl, fuhr es ihm durch den Kopf. Warum hatte er das nicht schon im Wald begriffen? Stattdessen war er mit heruntergelassenen Hosen vor dem König gestanden und hatte diesen auch noch geduzt wie seinesgleichen. Mit dem Gefühl, sich unsterblich blamiert zu haben, blieb er neben dem Eingang stehen und senkte den Kopf.

Karl begrüßte ihn mit einem fröhlichen Lachen. »Sei mir willkommen, Konrad vom Birkenhof. Ich habe dir das Ehrenstück des Ebers versprochen, und das sollst du jetzt bekommen. Komm und nimm hier Platz!« Der König klopfte auf den Stuhl zu seiner Rechten, der leer geblieben war, und Konrad ging wie von einem fremden Willen gelenkt darauf zu.

»Darf man wissen, durch welche Heldentat sich dieses Kind eine solche Ehre erworben hat?«, fragte einer der Anwesenden, als Konrad sich gesetzt hatte.

Der Sprecher trug als einziger Mann an der Tafel ein Panzerhemd, das aus winzigen Stahlringen bestand, und an seiner Seite hing ein ungewöhnlich langes und breites Schwert, das nur ein Mann seiner Größe schwingen konnte. Zwar überragte Karl auch ihn, aber die Schultern des Mannes waren noch breiter als die des Königs. Das kantige Gesicht unter den nachlässig geschnittenen Haaren wirkte hart, und seine eisfarbenen Augen musterten die Umgebung mit einem Ausdruck, der zwischen Hochmut und Langeweile lag.

Neben dem Gepanzerten saßen Graf Eward und dessen Schwertbruder Hildiger und ein Stück weiter unten Philibert von Roisel, der Konrad untertags beleidigt hatte. Der Graf und sein Freund missachteten ihn völlig, während Philibert unsicher grinste und nicht so recht zu wissen schien, wie er sich zu ihm stellen sollte.

»Unser junger Freund hat heute Nachmittag den Keiler, den ich verfolgte, mit einem einzigen Schwerthieb getötet!«, erklärte unterdessen der König.

Der Mann in der Rüstung stieß ein verächtliches Schnauben aus. »Ich habe schon mehr als einen wilden Eber mit einem einzigen Schwerthieb erlegt!«

»Aber noch nicht mit heruntergelassenen Hosen«, antwortete der König amüsiert.

Für einen Augenblick herrschte Schweigen, dann lachten die versammelten Männer und Frauen, dass schier die Wände bebten. Am liebsten wäre Konrad in einem Mauseloch verschwunden, doch ein älterer Mann in der Tracht eines Mönchs nickte ihm anerkennend zu. »Das hätte mir nicht passieren können, denn ich trage unter meiner Kutte keine Hosen!«

»Auch kein Lendentuch, Turpinius?«, fragte der König anzüglich.

Der Mönch winkte ab. »Auf das hätte ich notfalls verzichtet. Aber ein Krieger kann schlecht seine Hose zurücklassen, selbst wenn ein wilder Eber auf ihn zustürmt.«

»Ich kenne genug Männer, die in diesem Augenblick ohne Hosen geflohen wären. Unser junger Freund hat jedoch keinen Augenblick an Flucht gedacht, sondern das Tier mit einem genau gezielten Schwerthieb niedergestreckt. Du, mein lieber Roland …«, Karl warf dem Gewappneten einen halb spöttischen, halb anerkennenden Blick zu, »… hättest wahrscheinlich den Kopf des Keilers säuberlich vom Rumpf getrennt. Dennoch solltest du dem guten Konrad weder Mut noch Kraft absprechen. Ich habe größere und breiter gebaute Männer gesehen, deren Schwertarm weitaus weniger hart zuschlägt als der seine.«

Bei diesem Lob wurde Konrad rot. Er war noch lange kein so

großer Krieger, wie der König ihn darstellte. Benommen sah er zu, wie ein Diener ihm als Ersten ein gewaltiges Stück Wildschweinbraten vorlegte. Turpinius, der neben ihm saß, raunte ihm zu, er solle mit dem Essen warten, bis Karl damit angefangen habe.

Konrad nickte. So war es zu Hause ebenfalls Sitte gewesen. Die Mutter hatte scharf darauf geachtet, dass weder er noch Lothar vor dem Vater zugegriffen hatten.

»Nimm mir den Scherz mit der Kutte nicht übel. Deine Tat war wirklich bemerkenswert«, fuhr der Mönch fort, um dem jungen Gast aus seiner Verlegenheit zu helfen.

Endlich gelang es Konrad, wieder Herr seiner Zunge zu werden. »So etwas Besonderes war es nun wirklich nicht. Hätte ich den Keiler nicht tödlich getroffen, hätte er mich angegriffen und zumindest schwer verletzt.« Konrad bemerkte, dass seine Stimme wieder so hell klang wie die eines Knaben, und ärgerte sich über sich selbst. Doch niemand schien Anstoß daran zu nehmen. Der König klopfte ihm auf die Schulter, schnitt sich dann ein Stück Fleisch ab und steckte es in den Mund. Noch mit vollen Backen kauend, wies er auf die Dame an seiner Seite, die in ein kostbares grünes Gewand gehüllt war und einen schmalen Goldreif auf der über Kopf und Schulter drapierten Stola trug. »Meine Gemahlin Hildegard!«

Konrad sprang auf und neigte linkisch den Kopf. Das amüsierte Lächeln auf den Lippen der Dame verunsicherte ihn noch mehr, zumal Hildiger eine offensichtlich boshafte Bemerkung in einer Sprache machte, die er nicht verstand.

Der König achtete nicht auf den Schwertbruder seines Verwandten, sondern stellte Konrad der Reihe nach seine Gäste vor, beginnend mit Roland, den er den Schwertarm seines Reiches nannte. »Er ist nicht nur der Markgraf von Cenomanien, sondern auch mein Verwandter, ebenso wie Graf Eward, den du hier siehst.«

Roland hatte seinen Ärger, diesmal nicht an der Seite des Königs sitzen zu dürfen, inzwischen überwunden und hob den Becher, um mit Karl anzustoßen. Eward neigte nur kurz den Kopf, kniff dabei aber die Lippen so zusammen, dass sie wie ein Strich wirkten.

»Das dort ist Philibert von Roisel, ein ähnlich mutiger Bursche wie du«, fuhr der König fort. Dabei überging er Hildiger, der direkt neben Eward saß. Der Mönch Turpinius, der seinen Worten zufolge Rolands Beichtvater war, begrüßte den jungen Mann ebenso freundlich, wie es Markgraf Anselm von Worringen und der königliche Truchsess Eginhard von Metz taten.

»Das hier«, Karl wies auf einen auffällig gewandeten Mann, »ist ein ganz besonderer Gast. Man nennt ihn Suleiman den Araber, und er ist einer der hohen Herren im Maurenland. Er hat uns als Gesandter der Grafen und Markgrafen von dort aufgesucht, die der Tyrannei des Emirs Abd ar-Rahmans überdrüssig sind.«

Konrad sah einen Mann vor sich, der in ein langes, weißes Hemd und einen weiten, fremdartig geschnittenen Überrock von blauer Farbe gekleidet war. Am meisten wunderte er sich über das Tuch, das der Fremde mit mehreren golddurchwirkten Schnüren auf seinem Kopf befestigt hatte.

Der Maure stand auf und berührte mit der Rechten kurz seine Stirn. »Der erhabene König hat mich dir als Suleiman der Araber vorgestellt. Mein wahrer Name lautet jedoch Suleiman Ibn Jakthan al Arabi el Kelbi. Ich bin der Wali oder – wie man hier sagt – der Statthalter der großen und reichen Stadt Barcelona.« Er sprach das Fränkische mit einem ungewohnten Akzent, aber durchaus verständlich.

Unsicher, wie er sich zu diesem Mann stellen sollte, deutete Konrad eine Verbeugung an, während Karl ein wenig über den namensstolzen Mauren lächelte und weitere Gäste vorstellte, bis zuletzt nur noch ein schlanker Kleriker übrigblieb.

»Hier nun siehst du Herrn Alkuin vor dir, Konrad, einen der klügsten Männer unserer Zeit. Ich habe ihn schon mehrmals gebeten, an meinen Hof zu kommen, doch zögert er noch. Derzeit befindet er sich auf einer Reise nach Rom, hat aber einen Umweg gemacht, um mich hier aufzusuchen. Jetzt will ich sehen, ob ich ihn vielleicht doch bewegen kann, in meine Dienste zu treten.«

»Ich werde mit Seiner Heiligkeit, Papst Hadrian, beraten, welche Aufgaben ich in Zukunft übernehmen soll«, wich Alkuin einer direkten Antwort aus.

Karls Lachen klang zuversichtlich, und er wandte sich wieder Konrad zu. Dieser überwand endlich seine Schüchternheit und bekannte schließlich, er hoffe, in den Diensten des Königs tapfer zu kämpfen.

»Da bin ich mir ganz sicher! Du hast bereits heute Nachmittag viel Mut und kaltes Blut bewiesen. Aus diesem Grund überstelle ich dich der Schar meines Verwandten Eward. Er wird in Zukunft dein Anführer sein. Übergib das Aufgebot deines Dorfes deinem Gaugrafen und komm dann mit deinem Ross und deiner persönlichen Habe hierher.«

Dieses Angebot verblüffte Konrad so sehr, dass er keinen Ton herausbrachte. Auch Eward hatte es die Sprache verschlagen. Sein Freund Hildiger hingegen zog ein Gesicht, als wolle er zwar nicht gerade dem König, aber zumindest Konrad den Hals umdrehen.

»Kannst du lesen und schreiben?«, fragte Karl und verwirrte Konrad damit noch mehr.

»Nun, ich … Ein ehrwürdiger Priester, der mehrere Winter bei uns zu Gast war, lehrte mich, Buchstaben zu lesen und zu malen. Doch besonders gut kann ich es nicht.«

»Ich auch nicht, obwohl ich mir wirklich alle Mühe gebe.« Karl lachte wie über einen guten Scherz und prostete Konrad ein weiteres Mal zu. »Ich habe Eward und seine Schar unter den

Befehl des Markgrafen Roland gestellt. Dieser wird meine Vorhut nach Spanien führen. Daher wirst du, Konrad vom Birkenhof, einer der Ersten im Heer sein, die dieses Land mit eigenen Augen sehen!«

Der König schien anzunehmen, er habe seinem jungen Gast mit der Überstellung zu Ewards Schar einen Gefallen getan. Doch Konrad hatte nicht vergessen, wie sein neuer Anführer und dessen Vertraute ihn beleidigt hatten. Doch natürlich wagte er es nicht, Karl zu widersprechen.

Inzwischen hatte Eward die Sprache wiedergefunden. »Sagt, was soll ich mit diesem Bauerntölpel anfangen, mein König? Wenn ich den da in mein Gefolge aufnehme, lachen die Krieger meiner Schar über ihn – und auch über mich!«

Für einen Augenblick wirkte der König verärgert, wurde dann aber ernst. »Wenn deine eigenen Leute über dich lachen, hast du sie schlecht im Griff. Da ist es ganz gut, wenn jemand hinzukommt, dessen Fäuste ihnen etwas mehr Achtung vor dir einbleuen können.«

Karl schien noch etwas sagen wollen, wandte sich dann aber wortlos wieder seinem Braten zu. Nur sein Blick wanderte kurz zu Eward und warnte ihn, ihm noch einmal zu widersprechen.

Der junge Edelmann blies zornig die Backen auf und sah sich hilfesuchend zu Hildiger und Philibert um, die aussahen, als würden sie an dem Fleisch ersticken, auf dem sie gerade herumkauten. Gegen einen direkten Befehl des Königs waren sie machtlos, doch die Blicke, mit denen Hildiger Konrad maß, machten keinen Hehl daraus, was er unter Ewards Männern zu erwarten hatte.

Der König achtete nicht auf die abweisenden Mienen, mit denen Konrad bedacht wurde, sondern schnitt sich ein neues Stück Fleisch ab, steckte es in den Mund und zeigte mit dem Messer auf Roland. »Du wirst mit deiner Schar so schnell wie möglich vorrücken und die Pyrenäenpässe sichern. Gleichzeitig wird Eward mit den Bergstämmen verhandeln.«

»Das, mein König, halte ich für keine gute Idee«, wandte Markgraf Roland ein. »Ebendiese Bergstämme haben Ewards asturische Braut entführt, und ich fürchte, er weiß ihnen ... äh, wenig Dank dafür!«

Einige der Anwesenden kicherten oder hielten sich den Mund zu, als müssten sie sich beherrschen, hell aufzulachen, und Konrad fragte sich, was das nun wieder zu bedeuten habe. Karls Gesicht wurde noch ernster, beinahe grimmig, und als er Eward ansprach, schwang ein warnender Unterton in seiner Stimme.

»Du wirst dafür sorgen, dass Prinzessin Ermengilda so rasch wie möglich freikommt, sie dann unverzüglich heiraten und zu deinem Weib machen. Außerdem wirst du bei den Waskonen Geiseln nehmen. Ich habe sichere Kunde, dass Eneko Aritza, ihr bedeutendster Anführer, sich mir unterwerfen will. Er fordert als Preis seine Anerkennung als Markgraf von Pamplona und dem umgebenden Land. Du wirst ihm jedoch keine Zugeständnisse machen, sondern nur deine Braut und die Geiseln abholen. Die Verhandlungen mit Eneko werde ich selbst führen!«

Hildiger sprang so heftig auf, dass er seinen Weinbecher umstieß. »Mein König, Ihr könnt diesen Eneko nicht zum Markgrafen in Spanien machen! Ihr habt meinem Herrn, Graf Eward, versprochen, dass er die eroberten spanischen Gebiete erhält.«

»Spanien ist größer als die paar Bergtäler, die ich Eneko überlassen werde. Also bleibt genug Land übrig, mit dem ich mein Versprechen erfüllen kann. Aber du scheinst vergessen zu haben, dass diese Zusage an eine Bedingung geknüpft ist. Eward muss mir beweisen, dass er Manns genug ist für diese Aufgabe. Er kann schon mal damit anfangen, indem er seine Braut befreit und die geforderten Geiseln mitbringt.«

Karls Stimme klang so hart, dass alle Anwesenden die Köpfe einzogen. Selbst Hildegard schüttelte unangenehm berührt den Kopf, und Konrad fragte sich, womit Graf Eward sich das Missfallen seines königlichen Verwandten zugezogen haben mochte.

3.

Auch in den waskonischen Bergen begann man die Auswirkungen der fränkischen Flut zu spüren, die sich in zwei Strömen nach Süden ergoss, und Maite war eine der Ersten, die davon betroffen war. Ihre Finger schlossen sich um den Griff ihres Dolches, und sie wusste nicht, wen sie zuerst niederstechen sollte, ihren Onkel oder den aufgeblasenen Boten, den Eneko von Iruñea nach Askaiz geschickt hatte. Wenn der Mann wenigstens wie ein Waskone gekleidet gewesen wäre, hätte sie ihn vielleicht ernst nehmen können. Doch in seinen Leinenhosen, den gewickelten Waden, der knielangen blauen Tunika mit bestickten Säumen und dem lächerlich kurzen Umhang sah Zigor aus wie ein Asturier. Noch anstößiger als sein Äußeres fand sie jedoch die Forderung, die er überbracht hatte.

»Wie käme ich dazu, dir meine Sklavin zu übergeben? Ich habe sie ehrlich im Kampf erbeutet, und niemand – auch nicht mein Onkel oder Eneko – hat das Recht, sie mir abzufordern!«

Okin hatte mit Maites Widerstand gerechnet, doch der Mann aus Iruñea lief dunkelrot an. »Es ist Graf Enekos Wille, dass Jungfer Ermengilda zu ihm gebracht wird, damit er sie ihrem erwählten Bräutigam übergeben kann.«

Er nennt Eneko wirklich Graf, als wäre dieser ein Vasall der Asturier oder Franken und kein freier Waskone, schoss es Maite durch den Kopf. Sie verschränkte die Arme vor der

Brust und bedachte den Boten mit einem hochmütigen Blick. »Wer ist Eneko, dass er mir etwas befehlen könnte?«

»Bei Gott, Mädchen, willst du denn nicht begreifen? König Karl von Franken führt ein gewaltiges Heer Richtung Süden. Unsere gascognischen Verwandten vermögen die Anzahl seiner Krieger nicht einmal mehr zu schätzen. Karl den Kampf anzusagen wäre gleichbedeutend mit dem Ende unseres Volkes – und dazu wird es kommen, wenn der Schimpf, den du seinem Verwandten Eward angetan hast, nicht getilgt wird. Du wirst mir Ermengilda übergeben, damit ich sie nach Iruñea geleiten kann!« Drohend trat Zigor auf sie zu.

Maite jedoch zückte ihren Dolch, so dass der Mann stehen blieb und sogar einen Schritt zurückwich. »Ermengilda ist mein Eigentum, und wer sie mir wegnehmen will, bekommt meine Klinge zu spüren.«

Okin zischte einen Fluch. »Habe ich dir nicht prophezeit, dass dieses starrsinnige Ding nicht auf uns hören wird? Ich kann dir gar nicht sagen, wie oft ich Maite schon beschworen habe, Ermengilda zu ihrem Vater zurückzuschicken. Wäre Graf Roderich derzeit nicht damit beschäftigt, seinen König in Galizien gegen Mauregatos Rebellen zu unterstützen, würde er mit Sicherheit die Berge hier umgraben, um seine Tochter zurückzugewinnen.«

»Ammenmärchen!«, rief Maite mit einer verächtlichen Handbewegung. »Zum einen weiß Graf Roderich nicht, dass seine Tochter sich hier bei uns aufhält ...«

»Weil du und deine Freunde den Anschein erweckt habt, sie sei bei Eneko in Iruñea!«, fiel Okin ihr ins Wort.

Maite lachte wie über einen gelungenen Streich. »Genau das war meine Absicht. Roderich wird niemals das Leben seiner Tochter gefährden und Eneko angreifen, sondern vorher verhandeln.«

»Hier geht es aber nicht um einen asturischen Grafen, sondern

um den König der Franken. Der verhandelt nicht, der fordert!«
Okin war mit seiner Geduld am Ende und überlegte, ob er
nicht die Krieger, auf die er sich verlassen konnte, rufen und
ihnen befehlen sollte, Maite festzusetzen. Da er sich mit dieser
Handlung jedoch die jüngeren Männer und auch jene Stammesmitglieder zum Feind machen würde, die immer noch Iker
nachtrauerten, gab er den Gedanken wieder auf und warf Zigor einen hilfesuchenden Blick zu.

Der Mann aus Iruñea musterte Maite finster. »Dein Oheim
hat recht! Das hier ist eine zu bedeutende Sache, um sie den
Launen eines Mädchens zu überlassen. Wenn Graf Eneko die
Rose von Asturien den Franken übergibt, kommt das Ansehen, das er dadurch gewinnt, auch eurem Stamm zugute.«

»Pah!« Maite hob die Nase hoch, verriet ihr Okins Miene
doch, wem dieses Ansehen zugutekommen sollte, nämlich in
erster Linie ihm selbst. Ihr Onkel führte sich von Tag zu Tag
selbstherrlicher auf und tat ganz so, als sei er der anerkannte
Häuptling des Stammes und kein Anführer auf Abruf.

Zigor von Iruñea begriff, wie stark es in Maite brodelte, und
fürchtete das Schlimmste für ihre Gefangene. »Es soll ja nicht
umsonst sein, Mädchen. Graf Eneko bietet dir im Austausch
drei maurische Sklavinnen an, die mit Sicherheit besser arbeiten können als eine Dame von königlich-asturischem Blut.«

»Ermengilda gehört mir, und dabei bleibt es, mag dein Anführer sich auch hundertfach mit einem asturischen Titel schmü-
cken.«

»Der Rang eines Grafen ist nicht auf Asturien beschränkt.
Auch König Karls engste Vasallen werden so bezeichnet. Eneko verwendet ihn nur, um mit den Abgesandten der Franken
von Gleich zu Gleich verhandeln zu können. Oder sollen sie
ihn etwa für einen Bauern halten und über ihn lachen?«

Maite wusste jedoch, dass er log. Der Titel bedeutete Eneko
weit mehr als eine leere Hülse bei Verhandlungen. Seit be-

kannt war, dass die Franken über die Pyrenäen kommen würden, hatte sich der Wind in den Bergen gedreht. Dafür war Okin das beste Beispiel. Er verbreitete, der Stamm brauche einen erfahrenen Häuptling wie ihn, um den drohenden Sturm überstehen zu können. Doch trotz aller Bemühungen war es ihm nicht gelungen, die Menschen von Askaiz davon zu überzeugen, ihm als anerkanntem Häuptling zu folgen.

Das wusste Okin ebenso gut wie seine Nichte. Er trat auf das Mädchen zu, ohne den Fehler zu begehen, die Hand nach ihr auszustrecken, und rang sich ein Lächeln ab. »Denke in Ruhe über alles nach, und dann wirst du sehen, dass unser Gast und ich recht haben. Du hast Ermengilda jetzt mehrere Monde als Sklavin besessen, doch damit sollte nun Schluss sein. Wenn du die drei jungen Maurinnen nimmst, die Graf Eneko dir anbietet, hättest du sechs Hände, die willig für dich arbeiten, gegen zwei eingetauscht, die sich sträuben.«

So unrecht hatte ihr Onkel nicht, das war Maite klar. Selbst die langen Wochen ihrer Gefangenschaft hatten Ermengilda bisher nicht dazu bewegen können, ihr so zu dienen, wie es sich für eine Sklavin gehörte. Nie vergaß sie ihren Stolz und wirkte selbst in Lumpen wie eine Edeldame. Maite hätte ihr Anerkennung zollen können. Doch ihr stand immer noch das Bild vor Augen, wie Graf Roderich ihren toten Vater wie einen erlegten Hirsch ins Dorf gebracht und ihn gedemütigt hatte, und sie erinnerte sich nur allzu gut an die Schläge, die sie in der asturischen Burg erhalten hatte. Daher biss sie die Zähne zusammen und schüttelte den Kopf. Ermengilda war keine beliebige Sklavin für sie, sondern das Symbol ihrer Rache.

Da sie es Okin durchaus zutraute, ihr die Gefangene mit Gewalt wegzunehmen, tat sie so, als sei sie unsicher geworden, und wandte sich dann zur Tür. »Ich werde mir alles durch den Kopf gehen lassen und euch meine Entscheidung morgen mitteilen.«

Sie sah, wie die beiden Männer aufatmeten. Anscheinend glaubten sie, sich durchgesetzt zu haben. Maite gedachte, ihnen einen dicken Strich durch die Rechnung zu machen.

4.

So lange wie an diesem Tag hatte Maite ihre Gefangene noch nie allein gelassen. Und Ermengilda hoffte, dass die Waskonin noch länger ausblieb, denn sie war kurz davor, den geflochtenen Strick aus zähem Rindsleder, mit dem sie angebunden war, ganz durchzukauen. Die Wolle, die sie zu Garn hätte spinnen sollen, würdigte sie keines Blickes.

»Oh Himmel, schenke mir nur noch ein wenig Zeit!« Der Klang ihrer eigenen Stimme erschreckte Ermengilda, und sie ärgerte sich über sich selbst, denn solange sie redete, konnte sie nicht in das Leder beißen. Mit einem Messer oder einem anderen scharfen Gegenstand hätte sie es schneller geschafft, doch Maite hatte den Strick, mit dem sie wie eine Ziege festgebunden war, so bemessen, dass sie nur ein paar Schritte gehen konnte und sich nichts in Reichweite fand, das ihr zur Flucht hätte verhelfen können.

Seit sie Maite in die Hände gefallen war, dachte Ermengilda unentwegt an Flucht. Was die Waskonin als achtjähriges Mädchen geschafft hatte, müsste doch auch ihr gelingen. Mit diesem Gedanken biss sie erneut in den Strick und jubelte auf, als der zweite der drei verflochtenen Riemen nachgab. Mit neuem Eifer kaute sie auf dem restlichen Leder herum, doch gerade, als sie hoffte, den letzten Riemen bald durchtrennt zu haben, öffnete sich die Tür und wurde dann so wütend zugeschlagen, dass es durch das ganze Haus hallte.

Rasch versteckte Ermengilda den angebissenen Teil des Stricks hinter ihrem Rücken und tat so, als starre sie stumpfsinnig vor sich. Maite stürmte mit dem Ausdruck heftigsten Zornes herein, sah auf die unberührte Wolle und blieb mit geballten Fäusten vor Ermengilda stehen. »Du hast schon wieder nichts von dem getan, was ich dir aufgetragen habe, du faules Stück!«

Ermengilda senkte den Kopf. Sie hatte während der letzten Wochen Dinge tun müssen, die einer Dame aus Asturien nicht angemessen waren, war aber nicht gerade fleißig gewesen. Eine andere Sklavin wäre wohl jeden Tag von Maite gezüchtigt worden. Doch nach den heftigen Schlägen am ersten Tag hatte Maite sie nicht mehr angerührt. Stattdessen hatte sie jedes Mal, wenn sie zu wenig getan hatte, den Brotkorb höher gehängt. Daher nahm Ermengilda an, sie würde auch an diesem Tag nur ein Stück trockene Kruste bekommen. Der Gedanke schreckte sie nicht, denn sie würde bald frei sein und in die Heimat fliehen können.

Maite bemerkte, dass ihre Gefangene angespannter wirkte als sonst, und betrachtete sie aufmerksam. Dabei stieg Neid in ihr auf. Obwohl Ermengilda nur mit einem knielangen, braunen Kittel bekleidet war, starrten die Burschen im Dorf die Asturierin jedes Mal, wenn sie mit ihr Wasser holen ging, begehrlich an. Die Kerle sangen geradezu Loblieder auf Ermengildas wie Gold glänzendes Haar und den Schimmer ihrer blauen Augen. Das ärgerte Maite gleich doppelt, denn zum einen kam sie sich in der Nähe der Asturierin wie ein unscheinbares, graues Mäuschen vor, und zum anderen machten ihr sogar ihre engsten Anhänger Vorwürfe, Ermengilda schlecht zu behandeln. Da auch die Stammesältesten der Ansicht waren, sie solle ihre Gefangene so rasch wie möglich freigeben, hatte sie seit dem Überfall auf den Brautzug viel Einfluss im Stamm verloren. Doch auch dieser Gedanke brachte sie nicht dazu nachzugeben. Daher stieß sie Ermengilda mit dem nackten Fuß an. »Eneko von Iruñea hat einen Boten geschickt. Ich soll dich ihm überlassen, damit er dich deinem Bräutigam zuführen kann.«

Während ihrer Gefangenschaft hatte Ermengilda keinen Gedanken an den fränkischen Grafen verschwendet, der bisher vergebens darauf gewartet hatte, mit ihr ins Brautbett zu steigen. Nun aber spürte sie, dass sie sich auf die Begegnung mit König Karls jungem Verwandten zu freuen begann. Zumindest würde er sie vor Maite schützen können.

»Der Häuptling von Iruñea fürchtet wahrscheinlich die Franken, die schon bald über die Pyrenäen kommen werden«, sagte Ermengilda hoffnungsvoll.

Maite lachte auf. »Eneko mag die Franken fürchten, doch ich tue es nicht.«

»Dein Oheim wird dich zwingen, mich freizugeben«, antwortete Ermengilda, die die Rettung greifbar nahe sah.

Doch Maites Miene verriet ihr, dass die Waskonin sie eher umbringen als freigeben würde. »Mein Oheim ist ein zahnloser Hund, besonders euch Asturiern gegenüber. Das wird sich ändern, sobald ich im Stamm das Sagen habe. Was dich betrifft, so wirst du die Freiheit niemals mehr wiedersehen. Steh auf!« Ein zweiter Fußtritt begleitete ihre Worte.

Ermengilda erhob sich, wobei sie die beschädigte Stelle des Seiles hinter ihrem Rücken versteckt hielt.

Ohne weiter auf ihre Gefangene zu achten, lief Maite durch das Haus, in dem sie und Ermengilda hausten. Es war groß genug, um einem Dutzend Menschen ein Heim zu bieten, und es gab etliche Verwandte, die gerne hier eingezogen wären. Dabei handelte es sich jedoch um Okins Freunde und Anhänger, und die wollte Maite nicht in ihrem Haus sehen.

Sie holte zwei große Tragkörbe aus einer Kammer und begann sie mit Kleidungsstücken, Vorräten und all jenen Dingen zu füllen, die sie für einen längeren Aufenthalt fern des Dorfes benötigte. Schließlich nahm sie das Kurzschwert an sich, welches ihrem Vater gehört hatte und ihr als einzige von seinen Waffen geblieben war, und richtete es auf Ermengilda.

»Höre mir gut zu, du Rose von Asturien«, sagte sie, als sie näher trat und den kunstvollen Knoten löste, mit dem sie Ermengildas Strick an einem Eisenring befestigt hatte. »Wir beide werden jetzt das Dorf verlassen. Versuche nicht zu schreien oder gar, dich zu sträuben. Ehe ich zulasse, dass du freikommst, stoße ich dir die Klinge in die Kehle!«

Ermengilda war klar, dass Maite ihre Drohung wahrmachen würde, und gab vorerst jeden Gedanken an Widerstand auf. Es war schlimm genug, die Gefangene dieser rabiaten Waskonin zu sein, doch solange sie noch Hoffnung auf ein gutes Ende hegte, wollte sie nichts riskieren. Sie war sich sicher, dass Maites Onkel Okin sie verfolgen und dafür sorgen würde, dass seine Nichte Vernunft annahm. Immerhin war sie nicht nur Graf Roderichs Tochter, sondern auch die Braut eines hochrangigen Franken, und dieses Volk durfte sich niemand zum Feind machen.

»Du trägst diesen Korb!« Maite scheuchte ihre Gefangene in die Ecke, in die sie die Körbe gestellt hatte, und sah zu, wie Ermengilda sich den größeren davon auf den Rücken wuchtete. Dabei hielt sie das Ende des Lederseils in der Hand. Mit einem Mal stutzte sie, denn Ermengildas Bewegungen hatten den Blick auf die angenagte Stelle des ledernen Stricks freigegeben.

»Sieh an! Das Täubchen wollte wegfliegen, während ich unterwegs war. Aber daraus wird nichts!« Sie hielt Ermengilda mit dem Kurzschwert in Schach und band ihr einen anderen Strick um die Taille.

Ermengilda stiegen die Tränen in die Augen, und sie fragte sich, warum das Waskonenmädchen sie so hasste. Mehrmals schon hatte sie Maite gebeten, sie zu ihrer Familie zurückkehren zu lassen, und ihr versichert, dass ihr Vater ihr Schafe und

Geld dafür geben würde. Ihrer Ansicht nach hätte Maite das Lösegeld gut gebrauchen können. Obwohl die Waskonin eine Häuptlingstochter war und als Erbin ihres Vaters galt, war sie in Wirklichkeit bitterarm. Ihr Onkel Okin hatte Ikers Herden, den Inhalt seiner Truhen und fast alles bewegliche Gut an sich genommen und dachte nicht daran, Maite auch nur einen kleinen Teil davon zurückzugeben.

»Los jetzt!« Maites Stimme klang scharf, und als die Asturierin nicht gleich gehorchte, schlug sie ihr mit einer dünnen Gerte auf die nackten Beine.

Ermengilda öffnete die Tür und trat ins Freie. Dabei hoffte sie, irgendjemand würde sie aufhalten. Doch der Platz vor dem Haus war leer.

Maite führte ihre Gefangene an den Ställen vorbei zu der primitiven Umwallung, die Askaiz umgab. Hier hatten die Bewohner zusätzlich zum Hauptausgang einen Übergang gebaut, durch den man das Dorf unbemerkt verlassen konnte. Außerhalb der Umzäunung wählte Maite einen Pfad, den der Wächter des Dorfes, der ein Stück weiter auf einer Anhöhe saß und angespannt in die Ferne spähte, nicht einsehen konnte.

Schon bald waren die Häuser des Dorfes hinter ihnen zurückgeblieben, und die beiden Mädchen tauchten in das dunkel schimmernde Grün des Bergwalds ein. Es ging stetig bergauf, und Ermengilda fragte sich mit wachsender Sorge, wohin Maite sie bringen würde.

5.

Okin traute seiner Nichte zu, mit dem Kopf durch Steinwände zu gehen, aber dass sie so verrückt sein würde, allein mit ihrer Gefangenen in die Berge zu fliehen, hätte auch er nicht geglaubt. Als Asier ihm die Nachricht überbrachte, blieb ihm zuerst die Sprache weg. Dann fluchte er unflätig und fragte dann voller Wut: »Warum habt ihr Narren sie nicht aufgehalten?«

Asier hob hilflos die Hände. »Keiner hat gesehen, wie sie mit der Asturierin das Dorf verlassen hat. Doch als meine Mutter vorhin nach Maite schauen wollte, fand sie das Haus leer, und es fehlten Sachen. Alles deutet darauf hin, dass Ikers Tochter einige Zeit wegbleiben will.«

»Verdammtes Weibsstück! Hat nur Haare auf dem Kopf, aber keinen Verstand darin«, tobte Okin, packte Asier dann und schüttelte ihn. »Wer hatte Wache?«

»Danel! Aber auch er hat nichts bemerkt.«

»Oder er wollte nichts bemerken!« Okin schnaubte wie ein gereizter Ochse. Danel und Asier gehörten zu den jungen Männern im Dorf, die eher zu seiner Nichte als zu ihm hielten. Vielleicht hatten sie ihr sogar geholfen, Ermengilda wegzubringen. Nun stand er vor dem ganzen Stamm als Dummkopf da und, was noch schwerer wog, würde bei Eneko sein Gesicht verlieren.

Asier entwand sich dem viel älteren Mann mit einer mühelosen Drehung. »Mein Bruder hat gut gewacht, doch Maite kennt hier jeden Weg und Steg. Sie weiß, wie man den Wachtposten umgehen kann!«

Okin brauchte niemand zu sagen, wie geschickt seine Nichte war. Doch diesmal, so schwor er sich, war sie zu weit gegangen. Doch schließlich flaute sein Zorn ab, als er begriff, wie er diese Situation zu seinen Gunsten nutzen und Maites Einfluss im Stamm endgültig untergraben konnte. Daher zwang er sich zu einem Lächeln.

»Ich mache weder dir noch Danel einen Vorwurf, denn das kleine Biest ist wirklich durchtrieben. Wir dürfen Maite jedoch nicht alles durchgehen lassen. Ermengilda ist eine zu wertvolle Geisel, als dass ihr etwas zustoßen dürfte. Sobald ihr

Vater, Graf Roderich, aus Galizien zurückkommt, wird er eher gegen uns Krieg führen als zuzulassen, dass seine Tochter unsere Gefangene bleibt. Außerdem ist sie die Braut eines hohen fränkischen Edelmanns. Du kannst dir vorstellen, was mit uns geschieht, wenn König Karl mit seinem Riesenheer erscheint und das Mädchen ihm nicht rechtzeitig übergeben wird. Die Franken werden Askaiz niederbrennen, mich, dich und die anderen Männer erschlagen und unsere Weiber und Kinder in die Sklaverei verschleppen. Verstehst du jetzt, weshalb ich vor Sorge außer mir bin?«

Asier nickte bedrückt. »Ich hätte nicht gedacht, dass es so schlimm steht.«

»Nun, jetzt weißt du es. Die Mädchen müssen so schnell wie möglich gefunden werden, damit Ermengilda Eneko übergeben werden kann. Hast du eine Ahnung, wohin Maite sich gewandt haben könnte?«

Asier hob ratlos die Hände. »Wer vermag schon hinter Maites Stirn zu schauen? Sie kann überall sein.«

»Dann suche sie und bring sie samt Ermengilda zurück. Oder willst du zusehen, wie die Franken und Asturier hier in Askaiz mit blutigen Schwertern wüten? Bei Gott, ich werde Maite gewiss nicht bestrafen. Graf Eneko will sie sogar großzügig für die Gefangene entschädigen.«

Asier nickte erleichtert, denn er wollte nicht, dass Maite das Nachsehen hatte. Graf Eneko würde sein Wort halten, dessen war er sicher. Schließlich war er der mächtigste Anführer unter den Waskonen und hatte es vor einigen Jahren sogar fertiggebracht, seine Stadt Iruñea dem dortigen maurischen Statthalter abzunehmen. Einige Missgünstige behaupteten zwar, er hätte dies im Auftrag und als Vasall eines anderen maurischen Würdenträgers getan. Aber allen war bewusst, dass es sich bei Pamplona, wie die Asturier den Ort nannten, um die größte und bevölkerungsreichste Stadt in Nafarroa handelte. Asier gefiel es daher, dass Eneko die letzten Bindungen an die Mauren abschütteln und sich mit einem christlichen Herrscher wie Karl verständigen wollte. Doch als Preis für den Frieden benötigte er Ermengilda.

»Also gut, ich werde ein paar Männer mitnehmen und Maite zurückholen!« Damit hatte Asier sich entschieden, in Zukunft auf Okin zu hören anstatt auf das junge Mädchen, das mit seinem Eigensinn die Existenz des ganzen Stammes aufs Spiel setzte.

Okin klopfte ihm anerkennend auf die Schulter, während er sich insgeheim über den leicht zu beeinflussenden Burschen amüsierte. Mit Asier und seinen Freunden hatte Maite ihre wichtigsten Anhänger im Stamm verloren und würde ihm daher nicht mehr gefährlich werden können.

»Nimm genügend Krieger mit!«, mahnte er ihn. »In den Bergen hausen Wölfe und Bären, denen zwei junge Mädchen gut schmecken würden. Auch dürften sich Männer aus anderen Stämmen in der Gegend herumtreiben, und wenn diese die beiden fangen, bekommen sie die Belohnung, die Eneko von Iruñea uns für Ermengilda zahlen will. Wir müssten dann zu allem Überfluss noch etliche Schafe als Lösegeld für Maite hergeben.«

Asier klopfte gegen den Griff seines Schwerts und mühte sich um einen grimmigen Blick. »Es soll nur jemand wagen, sich uns in den Weg zu stellen. Wir bringen Maite und ihre Sklavin zurück, Okin! Darauf kannst du dich verlassen.«

Draußen rief er Danel und einige weitere Freunde zu sich und verließ mit ihnen das Dorf. Kaum waren sie außer Hörweite, versammelte Okin seine engsten Getreuen um sich. Graf Enekos Bote trat ebenfalls hinzu. Seinem Gesichtsausdruck zufolge hatte er bereits von Maites und Ermengildas Verschwinden gehört, doch als er etwas sagen wollte, bedeutete Okin ihm, zuerst ihn sprechen zu lassen.

»Ich brauche zuverlässige und schnelle Boten, die meine Nachricht zu den anderen Dörfern unseres Stammes bringen. Wenn der morgige Tag sich neigt, will ich deren Anführer hier in Askaiz versammelt sehen. Es gibt höchst wichtige Dinge zu besprechen.«

»Sollten wir nicht lieber Maite verfolgen und zurückholen?«, fragte einer.

Okin schüttelte den Kopf. »Asier und Danel sind bereits hinter ihr her und haben ein gutes Dutzend Krieger bei sich. Die werden wohl mit diesem närrischen Mädchen fertig werden! Für euch gibt es anderes zu tun.«

Einer seiner Unteranführer schob trotzig die Unterlippe vor. »Nach Guizora gehe ich nicht. Die Leute haben mich letztens übel beschimpft! Sollten sie es wieder tun, müsste ich einige Löcher in ihre Wänste schneiden.«

»Dann wird eben ein anderer nach Guizora gehen, und du suchst Zagorri auf. Berichtet den Bewohnern von Maites unbesonnener Tat und fordert sie auf, uns zu melden, wenn jemand das Mädchen sieht.«

»Die werden ihr eher noch helfen oder sogar eine Belohnung dafür verlangen«, stieß der Unteranführer aus.

Okin biss die Zähne zusammen, um seine angestaute Wut nicht laut hinauszubrüllen. Wen glaubte dieser Kerl vor sich zu haben? Immerhin war er das – wenn auch von den anderen Dorfhäuptlingen nur zähneknirschend anerkannte – Oberhaupt des Stammes.

»Es wird Zeit, dass sich hier einiges ändert«, brummte er in seinen Bart. Zu seinem Glück verstand ihn nur Enekos Bote, und der nickte zustimmend. Die anderen Krieger handelten untereinander aus, wer nun zu welchem Dorf gehen sollte, und verließen das Haus.

Zigor aus Iruñea wartete, bis der Letzte gegangen war, und sah Okin dann auffordernd an. »Ich begreife nicht, was du vorhast!

Anstatt diese Stammesversammlung einzuberufen, solltest du alles tun, um das flüchtige Mädchen einzufangen. Graf Eneko hat den Franken sein Wort verpfändet, ihnen Ermengilda unbeschadet zu übergeben.«

»Asier und seine Freunde werden die beiden schon finden, und was Ermengildas Jungfernschaft betrifft, so wird Maite ihr diese wohl kaum rauben können.«

»Es gibt genug Gesindel in den Bergen, das sich nicht scheut, ein Mädchen gegen seinen Willen auf den Rücken zu legen! Wenn Ermengilda etwas geschieht, wird Eneko dich abhäuten lassen wie ein Schaf!« In seiner Wut baute Zigor sich vor Okin auf, als wolle er ihn niederschlagen.

Maites Onkel trat einen Schritt zurück und versuchte, ihn zu beschwichtigen. »Ich vertraue Asier. Er ist ein umsichtiger Krieger, und er kennt Maite am besten. Wenn einer sie finden kann, dann ist er es. Sollte er die beiden Mädchen jedoch bis morgen Abend nicht zurückgebracht haben, schicke ich alle Krieger aus, die ich entbehren kann, das verspreche ich dir. Doch nun müssen wir uns über die Stammesversammlung unterhalten und darüber, was von unseren Plänen ich den anderen Anführern mitteilen darf und was nicht.«

6.

Nachdem Maites erster Zorn verraucht war, begriff sie, dass es nichts brachte, wenn sie mit ihrer Gefangenen auf die Hochweiden ihres Stammes floh. Dort oben würde ihr Onkel sie als Erstes suchen lassen.

»Ich hätte Schuhe mitnehmen sollen, wenigstens für mich«, schimpfte sie leise, als sie auf dem geröllbedeckten Pfad stolperte und sich den nackten Fuß aufriss. Ihrer Gefangenen hätte sie ein paar kaputte Zehen vergönnt. Aber diesen Gedanken wischte sie sogleich weg. Zwar war Ermengilda die Tochter des Mannes, der ihren Vater hatte umbringen lassen, und verdiente Strafe, wenn sie nicht gehorchte, doch das Mädchen sinnlos zu quälen, war ihrer als der Erbin vieler Häuptlinge unwürdig. Außerdem war Ermengilda als Geisel von hohem Wert. Solange sie lebte und sich halbwegs wohl befand, würde Graf Roderich es nicht wagen, Askaiz anzugreifen.

Kurzentschlossen zog Maite an dem Seil, welches sie mit ihrer Gefangenen verband, so dass diese stehen blieb. »Du kannst dich hinsetzen und ausruhen!«

Da der Weg am Rande einer Schlucht entlangführte, ließ Ermengilda sich vorsichtig zu Boden sinken und schlüpfte mit den Armen aus den Tragegurten des Korbs. Diese hatten so stark in ihre Schultern eingeschnitten, dass sie kaum noch in der Lage gewesen war, einen Schritt vor den anderen zu setzen. Doch es war ihr klar, dass Maite nicht ihrer Erschöpfung wegen eine Pause einlegte, sondern um über ihre weiteren Pläne nachzudenken. Das machte ihr Angst. Wenn ihre Feindin nicht mehr weiterwusste, konnte sie auf den Gedanken kommen, sich ihrer zu entledigen. Dazu reichte ein schneller Hieb mit dem Kurzschwert. Maite würde sie nicht einmal begraben müssen. Es genügte, wenn die Waskonin ihren toten Körper über die Kante der steilen Felswand rollte. Dort unten würden wilde Tiere sie fressen und der Rest ihrer Knochen für alle Zeiten vor sich hin modern.

Schaudernd warf Ermengilda einen Blick in die Tiefe. Nein, so wollte sie nicht enden. Wenn sie nicht sterben wollte, musste sie schnell handeln! Da Maite vor sich hinbrütete und sich ihrer Anwesenheit kaum mehr bewusst zu sein schien, sah sie ihre Chance gekommen. Vielleicht reichte ein Stoß, um die Waskonin in die Kluft stürzen zu lassen. Dann würde sie selbst frei sein. Zwar kannte sie die Gegend hier nicht, war aber überzeugt, dass sie nur stramm nach Westen laufen musste, um innerhalb eines Tages die Grenze zur Mark ihres Vaters zu erreichen. Dort würde sie auf Menschen treffen, die ihr weiterhalfen. Vorsichtig glitt sie auf die Waskonin zu und warf sich auf sie.

Maite sah Ermengilda aufspringen, glitt blitzschnell zur Seite und versetzte ihr einen heftigen Schlag, der die Asturierin auf den Abgrund zutrieb.

Ermengilda taumelte und versuchte verzweifelt, das Gleichgewicht zu halten. Doch gab die Felskante unter ihrem Fuß nach. Sie rutschte aus und stürzte über die Kante.

Als Maite die Asturierin fallen sah, griff sie unwillkürlich zu und bekam Ermengildas Knöchel zu fassen. Im nächsten Augenblick riss deren Gewicht sie mit sich auf den Abgrund zu.

Maite sah sich schon zerschmettert neben Ermengilda liegen, bekam aber mit der freien Hand die Zweige eines Buschs zu fassen und kroch mit seiner Hilfe von der Kante weg. Es schien eine Ewigkeit zu vergehen, bis sie wieder auf sicherem Boden lag, und bei jedem Atemzug war sie sich bewusst, dass Ermengilda wie ein Mühlstein an ihrem Arm hing. Sie hörte die Asturierin in Todesangst schreien.

»Verdammt! Halt den Mund, du dummes Schaf. Sonst lasse ich dich fallen!«

Augenblicklich verstummte Ermengilda, die nicht begreifen konnte, dass sie noch am Leben war. Es schien, als sei sie in einem Alptraum gefangen, in dem sie hoch über Felsen hing, die scharfen Zähne glichen und sie im nächsten Augenblick zerfleischen mussten. Doch Maite ließ nicht los, sondern begann sogar, sie wieder nach oben zu ziehen.

»Du musst mich unterstützen! Kannst du den Abhang erreichen? Versuch, mit den Händen irgendwo Halt zu finden und dadurch Gewicht wegzunehmen. Ich kann dich nicht mit einem Arm herausziehen.«

Ermengilda wand sich in Todesangst, gehorchte aber und fand tatsächlich ein Felsband, das nicht gleich aus der Felswand brach. Vorsichtig krallte sie sich fest und stemmte ihren Körper so gut wie möglich nach oben. Dort zog Maite mit aller Kraft an ihr und zerquetschte ihr fast den Knöchel. Ermengildas Waden rissen an der scharfen Kante auf, und der Schmerz trieb ihr Tränen in die Augen. Halbblind tastete sie nach einem anderen Halt, um die Waskonin zu unterstützen. Maite zerrte sie über den Fels, bis ihr Bauch auf festem Boden lag. Dann bohrte sie ihr beide Hände in die Rippen, hob sie an und rollte sie von der drohenden Tiefe weg.

Während Ermengilda zusammensank und vor Erleichterung aufschluchzte, übermannte Maite der Zorn. »Versuche es nie wieder, mich anzugreifen! Das nächste Mal werde ich dich töten!«, schrie sie, zog ihren Dolch und brachte der Asturierin einen kleinen Schnitt auf der Wange bei. Es war keine tiefe Wunde, und es würde auch kaum eine Narbe zurückbleiben. Aber sie blutete so heftig, dass dem Mädchen ein roter Faden über Kinn und Hals rann und im Stoff des Kittels versickerte.

»Das war eine Warnung«, zischte Maite. »Und jetzt heb deinen Korb auf! Wir ziehen weiter.«

Ermengilda wollte etwas sagen, brachte aber nur ein unverständliches Krächzen über die Lippen. Als sie den Korb aufheben wollte, brach sie in die Knie und krümmte sich weinend am Boden.

Maite nahm jedoch keine Rücksicht auf sie, sondern jagte sie mit einem Fußtritt auf die Beine und zwang sie, den Korb auf den Rücken zu nehmen.

»Weiter in diese Richtung!« Sie deutete auf einen Pfad, der eine Wiese durchquerte und im nahe gelegenen Wald eintauchte.

Nun ging es wieder abwärts, und um diesen Weg zu erreichen, hätten sie nicht so hoch hinaufsteigen müssen. Ermengilda war verwirrt, wagte aber nicht, sich zu widersetzen. Ihr Hals schmerzte, und als sie schluckte, hatte sie das Gefühl, ihr Kehlkopf würde zerspringen.

Maite trieb Ermengilda unbarmherzig an und benutzte dabei die Gerte. Nun kannte sie ihr Ziel und wollte es so schnell wie möglich erreichen. Es war ihr klargeworden, dass sie nicht ihre Gefangene bewachen und gleichzeitig auf der Hut vor den Leuten ihres eigenen Stammes sein konnte. Außerdem würde Eneko von Iruñea ihr mit Sicherheit auch die Nachbarstämme auf den Hals hetzen. Früher oder später würde man sie ausfindig machen und ihr Ermengilda gewaltsam abnehmen. Dann würden Eneko und ihr verhasster Onkel den Preis für die Asturierin kassieren, während sie als Verliererin dastand und Okins Macht im Stamm wachsen sah. In dem Augenblick begriff sie, dass sie sich bald einen Ehemann würde suchen müssen, um Okin zu entmachten. Allerdings fühlte sie sich noch ganz und gar nicht bereit für eine lebenslange Bindung.

7.

Selbst zu Ikers Zeiten waren nicht so viele Männer aus den anderen Dörfern zu den Versammlungen erschienen wie an diesem Tag. Für Okin war es ein Triumph, all diese Menschen, darunter sämtliche Anführer, begrüßen zu können. Nicht einmal sein Rivale Amets hatte sich seinem Ruf verweigert.

Es waren genug Krieger versammelt, um einen ernsthaften Raubzug über die Grenze in Graf Roderichs Land oder in die Maurenlande zu führen. Okin dachte kurz daran, dass Maites Vater einer solchen Verlockung nicht hätte widerstehen können. Iker hatte stets ein begehrliches Auge auf die Schafe und Ziegen seiner Nachbarn gerichtet und keine Gelegenheit ausgelassen, seine Herden zu vergrößern. Es geschah ihm recht, dass er bei einem simplen Viehraub wie ein tollwütiger Hund erschlagen worden war.

Bei der Erinnerung spielte ein spöttisches Lächeln um Okins Lippen, und er richtete seine Gedanken wieder auf das, was er tun musste, damit ihm der Lohn jener Tat nicht unter den Händen zerfloss. Er nahm den Becher Wein entgegen, den Estinne ihm reichte, und während er trank, ließ er sich von ihr die Kleidung richten.

Um seine herausgehobene Position zu unterstreichen, hatte Okin eine Tracht gewählt, die dem Häuptling eines großen Stammes angemessen war. Seine Hosen bestanden aus bester Wolle, die Riemen der Sandalen waren bis zu den Waden geschnürt, und über dem rot bestickten Leinenhemd saß eine weit ausgeschnittene Tunika in hellgrüner Farbe mit aufgenähten Säumen. Dazu trug er eine mit Eichhörnchenfell verzierte Mütze und einen weiten Umhang, den er nur über die linke Schulter geworfen hatte, damit sein Schwertgehänge und die in einer verzierten Lederscheide steckende Waffe gut zu sehen waren. Dieses Schwert war ein Geschenk des Grafen Eneko. Seine eigene Waffe war Okin nicht mehr gut genug für einen Anführer seines Ranges erschienen, und die gute Klinge seines Schwagers war damals zur Beute der Asturier geworden.

Das Stimmengemurmel auf dem Dorfplatz erstarb, als Okin auf die Männer zutrat. Einige starrten ihn mit unverhülltem Zorn an, während andere ihn hochleben ließen. Dabei stellte Okin zufrieden fest, dass die Mehrheit der Anwesenden auf seiner Seite stand. Er hob die Hand, um Schweigen zu gebieten, und wies dann auf seinen Gast.

»Die meisten von euch kennen Zigor aus Iruñea. Den andern sei gesagt, dass er einer der engsten Gefolgsleute Graf Enekos ist.«

»Was will der denn hier? Dies ist eine Stammesversammlung, und da hat ein Mann aus Iruñea nichts verloren!« Amets von

Guizora hatte den Kampf um die Würde des Stammesanführers noch nicht aufgegeben und wollte Okin von Anfang an in seine Schranken weisen. Doch zu seinem nicht geringen Ärger erntete er etliche unfreundliche Zurufe. Auch wenn die Männer an den althergebrachten Sitten hingen, spürten sie, dass die Zeiten sich wandelten, und wollten wissen, was auf sie zukommen würde.

Insgeheim triumphierte Okin. Endlich hatte er den Rückhalt im Stamm, den er seit Ikers Beseitigung angestrebt hatte. Er straffte den Rücken, um größer zu wirken, und wies auf seinen Gast. »Unser Freund Zigor kommt mit einer Bitte seines Herrn zu uns. Es geht um das asturische Mädchen, das Maite vor einigen Monaten als Gefangene in unser Dorf gebracht hat. Wie ihr alle wisst, handelt es sich dabei um die Tochter Graf Roderichs, unseres nächsten Nachbarn jenseits der Grenzen. War der Raub des Mädchens bereits Irrsinn, da er nur den Zorn und die Rachsucht des Grafen hervorrufen konnte, so hat Maite sich nun meinem Rat und allem guten Zureden widersetzt und ist mit Ermengilda in die Berge geflohen.«

»Welchen Rat meinst du?«, wollte Amets von Guizora wissen.

»Das soll dir unser Gast erklären.« Okin trat einen halben Schritt zurück, um Enekos Boten das Wort zu überlassen. Ganz wohl war ihm dabei nicht, denn wenn die Männer den Fremden nicht auf der Stammesversammlung reden lassen wollten, würde er den kaum errungenen Vorteil gleich wieder verlieren. Doch zu seiner Erleichterung stimmten alle Anführer bis auf Amets seinem Vorschlag zu.

Zigor rieb sich über die Nase und stellte sich breitbeinig in Positur. Noch vor einem Jahr hatte Eneko von Iruñea ihn hierherschicken wollen, um den Stammesältesten eine Heirat zwischen Maite und einem seiner Söhne schmackhaft zu machen. Jetzt konnte sein Anführer froh sein, dass er diesen Plan nicht weiter verfolgt hatte. Denn wenn König Karl die versprochenen Titel und Würden bestätigte, würden der junge Eneko und sein Bruder Ximun weitaus hochrangigere Mädchen freien können als die Tochter eines kleinen Berghäuptlings.

Nun aber galt es, die Männer dieses Stammes von den Vorteilen eines Bündnisses mit seinem Herrn zu überzeugen. War eine solche Vereinbarung erst einmal beschworen, konnte Eneko sie in einem zweiten Schritt vollends seiner Herrschaft unterwerfen. Vorerst aber musste er behutsam vorgehen, damit die Bergler den Köder schluckten. Daher richtete er den Versammelten die Grüße seines Herrn auf eine Weise aus, die ihnen schmeicheln musste, und pries das gute Verhältnis zwischen ihrem Stamm und seinem.

Einige der jüngeren Krieger grinsten, denn längst war das eine oder andere Schaf aus Enekos Besitz in ihre Kochtöpfe gewandert. Viehraub galt nun einmal als ein kühner Streich, und ein Bursche, der sich dabei geschickt anstellte, vermochte den Mädchen zu imponieren.

Zigor wusste dies ebenso wie die anderen, ging aber nicht darauf ein. Stattdessen lobte er seinen Herrn und dessen Geschick im Kampf und bei Verhandlungen. »Wer hat Iruñea von den Mauren befreit und damit auch euch geholfen? Ein Mann muss jetzt mehrere Tage gehen, um das Maurenland zu erreichen, und ein Maure mehr als einen Tag reiten, um hierherzugelangen. Stimmt dies, oder lüge ich?«

»Du lügst nicht«, gab Amets von Guizora widerwillig zu.

»Die Mauren überfallen jetzt lieber die Asturier, als sich in unsere Berge zu wagen«, rief ein junger Krieger dazwischen.

»Das alles ist Graf Enekos Werk!«, rief Zigor mit hallender Stimme. An den Gesichtern um ihn herum konnte er ablesen, dass es ihm gelang, die Männer zu überzeugen.

Er lachte, machte einen unanständigen Witz über die Asturier und wurde dann schlagartig ernst. »Asturien sieht sich von allen Seiten bedroht, denn die Macht der Mauren und auch die unsere nehmen mehr und mehr zu. Aus diesem Grund sucht König Silo von Asturien das Bündnis mit den Franken, damit diese ihm gegen die Mauren helfen und uns für ihn unterwerfen. Daher ist es notwendig, dass alle Stämme Nafarroas zusammenstehen und Eneko als ihren Anführer im Krieg und im Frieden anerkennen.«

Schon einmal hatte Eneko Aritza versucht, sich zum Häuptling aller Waskonenstämme aufzuschwingen. Damals war er gescheitert, und das einzige Ergebnis jenes Treffens war der Überfall der jungen Krieger auf Ermengildas Reisegruppe gewesen. Inzwischen aber hatte die Nachricht vom Aufbruch der Franken auch diese Gegend erreicht. Daher erschien den meisten die Gefangennahme Ermengildas in einem anderen Licht, und sie fürchteten die Rache der Franken.

Amets von Guizora stand mit einer heftigen Bewegung auf. »Was kümmert uns Nafarroa? Wir zählen zu den Stämmen Gipuzkoas!«

Doch nur seine engsten Anhänger stimmten ihm zu. Die anderen forderten Zigor auf, weiterzusprechen, was dieser gerne tat: »Wir haben die Wahl, entweder wie ein totes Schaf zwischen Asturien und den Franken zerteilt zu werden oder uns zusammenzuschließen und uns auf die stärkere der beiden Seiten zu schlagen. Das aber sind nun einmal die Franken.«

Zigors Worte ließen die versammelten Männer unruhig werden. Unzählige Generationen lang hatten sie ihre Freiheit und Unabhängigkeit bewahrt, und nun forderte Eneko von Iruñea sie auf, sich den Franken zu unterwerfen. Die jüngeren Männer machten ihrem Unmut durch Gesten und wütendes Gemurmel Luft. Aber Okin und Zigor stellten beruhigt fest, dass die Älteren, auf deren Meinung es ankam, nachdenklich wirkten. Sogar Amets, der sonst gegen Okin hetzte, wo er nur konnte, blieb stumm.

Zigor ließ den Männern Zeit, ihren Ärger kundzutun, bevor er fortfuhr. »Ich verstehe euch und teile eure Gefühle! Doch in dieser Stunde müssen die Stämme Nafarroas zusammenstehen. Nur dann, wenn Eneko der von allen anerkannte Anführer ist, kann er mit dem König der Franken auf Augenhöhe verhandeln und uns vor Fremdherrschaft bewahren. Ich frage euch: Wollt ihr einen Waskonen aus altem Blut, der unsere Gebräuche und unsere Sprache ehrt, an eurer Spitze sehen oder einen von den Franken eingesetzten Markgrafen, der euch nach fränkischem Gesetz richtet und von euch und euren Söhnen fordert, ihm zu dienen?«

Einer von Okins Männern sprang auf. »Wir gehorchen keinem Franken!«

Andere fielen ein, und diesmal schrien auch die jungen Krieger lauthals mit. »Die Franken sollen bleiben, wo sie sind. Eneko ist unser Mann!«

»Dann wollen wir unseren Bund beschließen!« Okin glaubte schon, gewonnen zu haben.

Da erhob sich sein alter Feind Amets erneut und stellte sich vor die Versammelten. »Meine Leute und ich sind ebenfalls für ein Bündnis mit Eneko. Aber wir werden uns ihm nicht unterwerfen!«

Sofort schloss sich ein großer Teil der Männer seiner Meinung an, und einer der Ältesten reckte die geballte Faust. »Wir sind ein freier Stamm. Uns kann keiner zwingen, das Haupt vor dem Häuptling von Iruñea zu neigen!«

Amets' Eingreifen ließ das Pendel wieder in die andere Richtung schwingen, und es kostete Okin und Zigor viele gute Worte, um die Anführer des Stammes zu überzeugen, ein zeitlich begrenztes Bündnis mit dem Grafen von Iruñea einzugehen. Der Titel eines Grafen, den Eneko sich selbst verliehen hatte, aber durfte, so verlangten es die Männer, in dieser Vereinbarung nicht erwähnt werden. Für die Krieger war Eneko

Aritza nichts weiter als der Häuptling eines befreundeten Stammes, und sie drohten offen, sich jedem Versuch von ihm zu widersetzen, mehr Macht über sie zu erlangen.

Dennoch war Zigor zufrieden. Den Franken gegenüber konnte sein Herr von nun an so auftreten, als sei er der Anführer aller Stämme in diesem Land. Dies sagte er später zu Okin, als sie sich in dessen Haus zurückgezogen hatten. Estinne schenkte ihnen Wein ein und setzte sich mit mürrischer Miene zu ihnen.

»Du hättest darauf dringen sollen, dass der Stamm dich endlich als Ikers Nachfolger anerkennt«, tadelte sie Okin. »Es fordern immer noch viele, Maites zukünftiger Mann solle der neue Häuptling werden. Du hast es ja nicht einmal geschafft, die Leute gegen das störrische Ding aufzubringen. Wenn sie zur nächsten Stammesversammlung erscheint, werden die jungen Krieger ihr zujubeln, und ehe du dichs versiehst, heiratet sie einen von ihnen, und du hast das Nachsehen. Solange Maite unter uns lebt, wirst du niemals der unangefochtene Anführer des Stammes werden.«

»Was soll ich denn noch tun? Soll ich sie vielleicht umbringen? Dann würden sich meine eigenen Leute erst recht gegen mich wenden«, fuhr Okin auf.

Zigor legte ihm lächelnd die Hand auf die Schulter. »Ich weiß eine Möglichkeit, wie du das Mädchen loswerden kannst. Der Frankenkönig fordert von Graf Eneko Geiseln für dessen Wohlverhalten. Es sollten Kinder der hohen Anführer sein. Eneko wird mit gutem Beispiel vorangehen und seinen ältesten Sohn den Franken ausliefern. Wärst du jetzt schon der unangefochtene Häuptling deines Stammes, müsste Graf Eneko deinen Sohn Lukan von dir fordern. Doch Maite gilt zum jetzigen Zeitpunkt noch als die Höhergeborene, und daher solltest du dafür sorgen, dass sie den Franken als Geisel übergeben wird.«

»Das ist ein guter Vorschlag!« Estinne hätte jede Möglichkeit gutgeheißen, die es ihrem Sohn ersparte, als Geisel zu den Franken zu müssen.

Ihr Mann wiegte den Kopf. »Was bringt es mir, wenn Maite ein oder zwei Jahre lang im Frankenland bleibt und dann wieder auftaucht? Ich muss sicher sein, dass sie niemals mehr zurückkehrt! Schon einmal habe ich geglaubt, sie unauffällig aus dem Weg geschafft zu haben, aber das Biest ist zurückgekommen.«

»Du spielst auf Maites Flucht aus Roderichs Burg an?«, fragte Zigor. »Diesmal wird sie nicht so rasch zurückkehren, das verspreche ich dir. Und wer weiß, vielleicht verheiratet König Karl sie auch mit einem seiner Franken. Einen solchen werden deine Männer gewiss nicht als ihren neuen Anführer sehen wollen.«

Er lachte dröhnend und hielt Estinne den leeren Becher hin, um sich nachschenken zu lassen. »Heute ist ein bedeutender Tag, Okin. Da es dir gelungen ist, deinen Stamm zu einem Bündnis mit Graf Eneko zu bewegen, kannst du dir seiner Unterstützung sicher sein, und zwar in allem. Vergiss daher die Tochter deiner Schwester und stoße mit mir an!«

8.

Maite und Ermengilda hatten den Boden der Grenzmark betreten und befanden sich in Graf Roderichs Herrschaftsbereich. Allerdings neigten die Stämme an der Grenze dazu, die Anweisungen des Asturiers nach Möglichkeit zu missachten, und beugten den Nacken nur dann vor ihm, wenn er mit einer größeren Zahl an Kriegern bei ihnen erschien. Viele Waskonen blickten sehnsüchtig über die Grenze nach Nafarroa, und etliche Männer verließen sogar die Heimat, um sich Eneko von

Iruñea oder anderen Häuptlingen anzuschließen. Maite wusste, dass sie hier eher auf Freunde und Verbündete treffen würde als ihre Gefangene. Außerdem würde Okin sie niemals in dieser Gegend vermuten. Damit hatte sie Zeit gewonnen, um mit sich selbst und ihren Plänen ins Reine zu kommen.

Maite bog in ein Seitental ein und trieb ihre Gefangene wie ein Stück Vieh vor sich her. Ermengildas Aufbegehren lag jetzt drei Tage zurück, und die Asturierin hatte nicht gewagt, ihren Angriff zu wiederholen. Der Korb, den sie schleppen musste, wog mindestens das Doppelte dessen, was auf Maites Schultern lastete, aber die Erschöpfung hatte ihren Willen nicht gebrochen. Ihre Augen leuchteten sogar hoffnungsvoll auf, als sie die Landmarken ihrer Heimat erkannte.

Maite bemerkte es und lächelte, doch ehe sie etwas sagen konnte, ertönte der Warnruf eines Wächters. Er klang jedoch eher gelangweilt, denn zwei Frauen stellten selbst für ein kleines Bergdorf keine Gefahr dar, und es mochte sogar sein, dass die unbesonnenen Geschöpfe versklavt wurden, falls sie keinem befreundeten Stamm angehörten.

Das war Maite bewusst, aber sie hatte genügend Freunde bei den benachbarten Stämmen und fühlte sich daher sicher. Ihrer Erfahrung nach konnten ihr eher die Burschen aus Askaiz gefährlich werden. Mehr als einer hatte bereits versucht, sie mit handgreiflicher Überredung in die Büsche zu zerren, um sie auf diese Weise an sich zu binden. Doch ihre Gewandtheit mit dem Dolch hatte bislang genügt, selbst den heißblütigsten Verehrer abzukühlen. Der eine oder andere wäre dem Stamm sogar als neuer Häuptling willkommen gewesen. Doch Maite wollte nur den Mann akzeptieren, der ihr gefiel, auch wenn das bedeutete, dass ihr Onkel noch ein paar Jahre länger als Anführer gelten würde.

Mittlerweile hatte sie begriffen, dass sie Angst vor der Entscheidung hatte. Wählte sie den falschen Mann, setzte sie ihren Stamm einer Zerreißprobe aus, der er nicht gewachsen sein würde. Und selbst wenn sie einen für die große Mehrheit akzeptablen Ehemann wählte, würde sie mit Okin hart um das ringen müssen, was ihr nach Recht und Sitte zustand. Dabei ging es ja nicht nur um die Macht im Stamm, sondern auch um das Erbe ihres Vaters, das in die Hände ihres Onkels gewandert war, als er sie nach Ikers Tod bei sich aufgenommen hatte. Freiwillig würde er nichts davon herausrücken. Ihr Ehemann musste also nicht nur dem Stamm gefallen, sondern auch in der Lage sein, sich gegen Okin durchzusetzen.

Während sie wieder einmal die Liste ihrer Bewerber durchging und keinen fand, der ihr geeignet erschien, näherten sie sich dem Dorf, das sich auf einem kleinen Plateau an einen steilen Berghang schmiegte. Der Weg zu dieser natürlichen Festung führte steil nach oben und war so angelegt, dass jeder Angreifer mit Steinen und Pfeilen bekämpft werden konnte. Eine aus Bruchsteinen aufgerichtete Mauer an der Plateaukante verstärkte den Schutzwall. Askaiz war weitaus schlechter zu verteidigen als dieses Dorf, und doch hatte ihr Stamm sich seine Freiheit bewahren können, während die Bewohner dieser Ansiedlung schon vor Jahren unter die Herrschaft des Grafen der asturischen Grenzmark geraten waren.

Als Maite mit ihrer Gefangenen das aus Stangenholz zusammengefügte Tor erreichte, schwang dieses auf, und eine Horde halbwüchsiger Burschen stürmte mit Gebrüll auf sie zu. Sie hielten dünne Gerten in der Hand und schlugen damit auf die beiden Mädchen ein.

Während Ermengilda die Hände vors Gesicht hob, um es zu schützen, riss Maite einem der Jungen die Rute aus der Hand und zog sie ihm zweimal kräftig über. »Verschwindet, oder ich mache ernst!«

Die Burschen starrten sie verwundert an, sahen aber nicht so aus, als wollten sie sich von einem einzelnen weiblichen Wesen vertreiben lassen. Als sich Maites Hand jedoch um den Griff des Kurzschwerts legte, wichen sie zurück.

Mehrere junge Männer, die den Kindern gefolgt waren, lachten über deren verblüffte Gesichter, und einer von ihnen machte eine Geste, als wolle er die Jungen wie Hühner verscheuchen. »Treibt eure Scherze mit anderen, nicht mit diesem Mädchen! Das hier ist Ikers Tochter Maite, die schon als Achtjährige mehr Mumm in den Knochen hatte, als ihr je haben werdet.«

»Grüß dich, Unai! Ich freue mich, dich zu sehen.« Maite nickte dem Burschen fröhlich lachend zu und bedachte die Knaben, die jetzt deutlich Respekt zeigten, mit einem spöttischen Blick. »Na, ihr Helden? Gegen wehrlose Mädchen zeigt ihr ja Mut, doch wie sieht das später einmal aus, wenn ihr den Asturiern die Zähne zeigen sollt?«

Unai grinste breit. »Das mit dem wehrlosen Mädchen soll wohl ein Witz sein! Ich glaube, du wärst imstande, mit jedem von ihnen fertig zu werden.«

»So wie sie jetzt aussehen, wohl eher mit allen zusammen.« Maite erwiderte das Grinsen und stieß Ermengilda vorwärts. Unais Augenbrauen hoben sich, als er ihre Gefangene erkannte. »Roderichs Tochter! Bei Gott, welch eine Kühnheit, mit ihr durch die Grenzmark zu ziehen.«

»Was sollte mir hier drohen? Die Asturier fürchte ich nicht, und ihr seid meine Freunde.« Maites Stimme klang unbeschwert, doch sie blieb auf der Hut. Auch hier mochte es Männer geben, die der Ansicht waren, man solle Ermengilda besser ihrem Vater zurückgeben.

Unai musterte sie misstrauisch. »Warum bringst du das Mädchen zu uns?«

»Um sie zu behalten. Eneko, der Häuptling von Iruñea, fordert sie nämlich für sich, weil er sie den Franken übergeben will, um gut Wetter zu machen. Er erhofft sich König Karls Huld und will dessen Vasall werden, damit er uns freie Waskonen wie Knechte behandeln kann – so wie die Asturier es bei euch versuchen.«

»Versuchen können sie es, doch das wird ihnen niemals gelingen!« Unai ballte die Fäuste, denn er mochte weder den stammesfremden Grafen, dessen Männer von ihnen Tribut eintrieben, noch die asturischen Priester, die zu ihnen kamen und in ihrer fremden Sprache predigten.

Maite warf den Kopf in den Nacken. »Ebenso wenig, wie ihr Graf Roderich liebt, will ich meinen Stamm unter der Herrschaft des Häuptlings von Iruñea sehen. Mein Onkel Okin will mich zwingen, Ermengilda an Eneko auszuliefern. Aus diesem Grund habe ich Askaiz verlassen, um meine Gefangene an einen sicheren Ort zu bringen. Ist euer Dorf ein sicherer Ort?«

Unai lachte fröhlich auf. »Es ist der sicherste Ort der Welt, aber du darfst das Mädchen trotzdem nicht hierlassen. Einige der Stammesältesten könnten der Meinung sein, wir sollten sie Eneko übergeben. Er lässt doch gewiss etwas für sie springen, oder nicht?«

Maite begriff, dass auch Unai nichts dagegen hätte, Ermengilda an die Franken zu übergeben, und schon jetzt an das Lösegeld dachte, das diese zahlen würden. Noch vor einem Tag hätte sie sich umgedreht, um anderswo Hilfe zu finden. Doch inzwischen hatte auch sie sich überlegt, welchen Preis sie für ihre Gefangene verlangen konnte. Er musste hoch genug sein, damit sie in Zukunft von Okin unabhängig sein würde. Gleichzeitig aber musste sie auch Unai und einige andere Helfershelfer zufriedenstellen können.

»Wo soll ich sie deiner Meinung nach hinbringen?«, fragte sie deshalb den jungen Mann.

»Mein Vater will, dass ich zu den Hochalmen unseres Stammes aufsteige und nach dem Rechten sehe. Dort oben ist deine Gefangene sicher. Immerhin passe ich selbst auf sie auf!«

»Du wirst erlauben, dass ich dich begleite.«

»Ich würde mich freuen!« Unai musterte Maite mit neu erwachendem Interesse. Gegen die auch in ihrem einfachen Kittel außerordentlich hübsch aussehende Asturierin wirkte sie eher unscheinbar, aber auf ihre Art war sie dennoch reizvoll. Zudem hatte derjenige, der sie einmal heiratete, zugleich das Anrecht darauf, Anführer ihres Stammes zu werden, und er fragte sich, warum nicht er dieser Mann sein sollte.

Maite ahnte nichts von seinen Überlegungen, sondern war erst einmal froh, dass er ihr helfen wollte. Da ihr Erscheinen keine Gefahr darstellte, drängten sich jetzt auch Frauen und Kinder um sie, so dass der Häuptling des Dorfes sich durch die versammelte Menge schieben musste. Der Mann begriff schnell, was sich hier abspielte, und kniff die Lippen zusammen. Ihm war klar, dass er es nicht wagen durfte, über Maite und ihre Gefangene zu verfügen. Hob er die Hand gegen Ikers Tochter, würde er die jungen Krieger gegen sich aufbringen.

Daher wandte er sich seinem ungebetenen Gast freundlich zu. »Sei mir willkommen, Mädchen! Ich kannte deinen Vater gut und deine Mutter ebenfalls. Du siehst ihr sehr ähnlich. Die Augen aber hast du von Iker. Nur er konnte so kühn blicken wie du.«

Der Häuptling umarmte Maite und lud sie ein, in seinem Dorf zu übernachten. Die Höflichkeit gebot ihr, die Einladung anzunehmen. Sie bestand jedoch darauf, im selben Raum zu schlafen wie Ermengilda, denn sie traute dem Frieden nicht. Dennoch war sie froh, Okins und Enekos Machtbereich fürs Erste entkommen zu sein.

9.

Die Hochalm des Stammes war nicht leicht zu erreichen. Dennoch wurde die Herde dort von einem halben Dutzend Männern bewacht, großen, sehnigen Hirten, die selbst den Kampf mit einem Bären nicht scheuten. Rasch stellte Maite fest, dass diese Unai nicht ernst nahmen. Es waren Männer, die ihren eigenen Stolz besaßen und selbst auf das Wort ihres Häuptlings spuckten, wenn es ihnen nicht passte. Zunächst weigerten sie sich, Maite und Ermengilda bei sich aufzunehmen, doch als Unai ihnen einen Teil des Lösegelds versprach, das Maite von Eneko bekommen würde, wurden sie anderen Sinnes.

Maite ärgerte sich, dass ihre Gefangene so viele Begehrlichkeiten weckte. Wenn sie nicht achtgab, würde sie bald nicht mehr Herrin ihres freien Willens sein, sondern tun müssen, was andere bestimmten. Schon jetzt konnte sie sich Unais Treue nur noch durch die ihm versprochene Belohnung sichern. Damit aber war sie gezwungen, mit den Franken zu verhandeln und so viel wie möglich für Ermengildas Freilassung herauszuschlagen. Aus diesem Grund verließ sie die Alm bereits nach einem Tag und versprach Unai, der Ermengilda während ihrer Abwesenheit bewachen würde, so bald wie möglich zurückzukehren.

Sie hätte nun auf direktem Weg nach Iruñea gehen und Eneko aufsuchen können. Die Neugier trieb sie jedoch dazu, zuerst in ihr Heimatdorf zurückzukehren. Sie wollte Okin ins Gesicht sehen und einige Freunde bitten, sie zu begleiten. Plötzlich ließen Geräusche von marschierenden Männern sie innehalten. Flink wie ein Wiesel huschte sie hinter einen Strauch und versteckte sich. Als sie vorsichtig hervorspähte, sah sie Asier, Danel und weitere Freunde aus Askaiz den Weg heraufkommen. Sofort verließ sie ihre Deckung wieder und winkte den jungen Männern fröhlich zu.

Asier legte das letzte Stück Weg zu ihr zurück und blieb vor ihr stehen. Er wirkte erschöpft und starrte sie zu ihrer Verwunderung unfreundlich an. »Du hast uns ja ganz schön durch die Berge gehetzt!«

Maite schüttelte erstaunt den Kopf. »Ich? Wieso?«

»Wegen deiner Gefangenen! Sag, wo ist sie? Wir wollen sie zu Okin bringen.«

»Was wollt ihr?«

»Wir sind zu der Ansicht gelangt, dass es das Beste für den Stamm ist, wenn wir Ermengilda an Graf Eneko übergeben. Sogar Amets von Guizora hat Okin zugestimmt«, erklärte Asier großspurig.

Zwar hatte Maite sich inzwischen ebenfalls entschieden, ihre Gefangene an Eneko zu übergeben, wollte aber den Preis dafür selbst aushandeln. Die Tatsache, dass die Ratsversammlung über Ermengilda bestimmt hatte, ohne sie zu fragen, ließ den Zorn wie eine Feuerlohe in ihr hochsteigen. »Ich werde Ermengilda nicht Okin überlassen, verstanden!«

Asier baute sich vor ihr auf. »Doch, das wirst du! Wir brauchen das Bündnis mit Eneko, wenn wir die nächste Zeit überstehen wollen. Was meinst du, was diese verdammten Franken mit Leuten machen werden, die die Braut eines ihrer höchsten Anführer geraubt haben?«

»Eneko will sich doch nur mit Hilfe der Franken zum Herrn über alle Waskonen aufschwingen«, sagte Maite und stemmte die Arme in die Seiten.

Asier schlug mit der Faust in die offene Hand. »Die Stämme müssen mit einer Stimme sprechen. Tun wir es nicht, unterwerfen uns die Franken und setzen ihre eigenen Grafen ein.«

»So schlimm wird es schon nicht werden!« Maite wollte einfach an ihm vorbeigehen, doch er packte sie am Arm. »Wenn du nicht gehorchen willst, muss ich dich binden!«

Maite wollte nicht glauben, was ihre Ohren vernahmen, und

starrte Asier verdattert an. Bis zu diesem Tag war er einer ihrer engsten Anhänger gewesen, und nun machte er Anstalten, sie zu fesseln. Sie wand sich los und legte die Rechte auf den Griff ihres Kurzschwerts.

»Versuche es! Doch beschwere dich hinterher nicht über das, was dann folgen wird!«

Asier wich unwillkürlich zurück, und sie schritt mit erhobenem Kopf an ihm vorbei. Dabei beobachtete sie ihn aus dem Augenwinkel.

»Komm mir nicht zu nahe!«, warnte sie ihn, als er eine Bewegung in ihre Richtung machte, und zog das Schwert ein Stück aus der Scheide.

»War das nötig, Maite mit Fesseln zu drohen?«, wies Danel seinen Bruder zurecht.

»Aber Okin hat gesagt …«, begann dieser.

Danel achtete nicht mehr auf ihn, sondern folgte Maite in sicherem Abstand, so dass sie sich nicht von ihm bedroht fühlte. Die anderen schlossen sich ihm an, und zuletzt folgte auch Asier. Einige aus der Gruppe witzelten, weil sie der Meinung waren, nun würde alles in Ordnung kommen, andere aber schauten grimmig drein, als würden sie alles und jeden für ihre Schwierigkeiten verantwortlich machen.

Offensichtlich hatte die Angst vor den Franken die Leute von Askaiz in Okins Arme getrieben. Maite wurde schmerzhaft klar, dass sie sich mit ihrer Flucht einen Bärendienst erwiesen hatte. Wenn schon Asier bereit war, sie gebunden ins Dorf zu bringen, musste etwas geschehen sein, das sie nicht vorhergesehen hatte. An allem ist nur Ermengilda schuld, dachte sie und verfluchte sich gleichzeitig selbst, weil sie nichts auf die Gerüchte gegeben hatte, die von einem fränkischen Eroberungszug berichteten. Sie hatte geglaubt, dass Dinge, die sich weit jenseits von Askaiz abspielten, sie nicht berührten, und nicht über die Folgen nachgedacht.

Als die Gruppe einige Zeit später ihr Heimatdorf erreichte, schüttelte Maite verwundert den Kopf, denn dort wimmelte es von Menschen. Eine Frau entdeckte sie, winkte andere laut rufend herbei, und innerhalb weniger Augenblicke drehten sich alle nach ihr um.

Mit einer Mischung aus Wut und Trotz trat Maite auf das Haus ihres Onkels zu. Noch bevor sie es erreichte, schwang die Tür auf, und Okin trat mit angespannter, aber auch selbstzufriedener Miene heraus. Seine Frau und Zigor folgten ihm auf dem Fuß. Während Estinne kaum ihre Genugtuung verbergen konnte, wirkte Enekos Gefolgsmann eher besorgt.

Okin baute sich vor Maite auf. »Da bist du ja! Wo hast du die Asturierin gelassen?«

»Vielleicht habe ich ihr die Kehle durchgeschnitten und sie in eine Schlucht geworfen!«

Ihr Onkel starrte sie an, als wolle er die Gedanken hinter ihrer Stirn lesen. Ganz offensichtlich hatte er Angst, dass sie die Gefangene tatsächlich getötet hatte.

Mit hochrotem Gesicht brüllte er los: »Sag jetzt, was mit Ermengilda ist, oder ich lasse dich bis aufs Blut schlagen!«

Maites Hand klatschte gegen den Griff ihres Kurzschwerts. »Versuche es, und ich werde dich aufspießen wie einen fetten Wurm!«

Okin stampfte wütend auf. Wie er seine Nichte kannte, würde sie selbst dann nicht reden, wenn man sie halb totschlug. Zudem würde es sein Ansehen im Stamm gefährden, wenn er sie verprügeln ließ. Allzu viele Stammesmitglieder erinnerten sich noch daran, wie geschunden und zerschlagen das Mädchen nach seiner Flucht aus Roderichs Burg hier angekommen war, und sie hatten nicht vergessen, dass diese Misshandlung ebenso wenig gerächt worden war wie Ikers Tod.

Mit einem unwirschen Schnauben wandte er sich an Zigor: »Wenn Maite Ermengilda umgebracht hat, so werden die

Wölfe und Bären das Fleisch der Asturierin fressen und niemand mehr in der Lage sein, eine Spur von ihr zu finden. Lebt sie jedoch noch, werden meine Männer sie aufspüren.«

Maite stellte empört fest, dass ausgerechnet Asier und einige ihrer alten Freunde bei diesen Worten am eifrigsten nickten. Das aber würde sich ändern, sobald sie selbst mit Eneko den Preis für Ermengildas Freilassung aushandeln konnte. Aus diesem Grund versuchte sie Zigor klarzumachen, dass sie allein mit ihm sprechen wolle.

Zunächst hatte Zigor Maites Bemerkung über den Tod der Asturierin ernst genommen, aber ihre Reaktion verriet ihm, dass Ermengilda noch lebte und Okins Nichte ihm den Preis für deren Freilassung diktieren wollte. Er hatte sich jedoch schon zu stark mit Okin eingelassen, um auf die Forderungen eines jungen Mädchens eingehen zu können. Daher sah er über sie hinweg und sprach stattdessen Okin an.

»Es wird Zeit, dass ich nach Iruñea zurückkehre. Graf Eneko muss erfahren, dass er deinen Stamm auf seiner Seite weiß. Wenn ich wiederkomme, sollte die Rose von Asturien hier sein, und zwar lebend und unversehrt! Anders vermag Eneko euch nicht vor der Rache der Franken zu schützen.«

»Aber was ist …«, Okin zögerte, denn er fürchtete, zu weit zu gehen und alles Errungene zu gefährden, »… mit der Geisel, die wir stellen sollen?«

»Was sagst du da? Wir sollen Geiseln stellen?« Einer seiner Gefolgsleute spie vor ihm aus.

Bevor Okin die passende Antwort fand, ergriff Zigor das Wort: »Freunde, es geht leider nicht anders. Der Franke Karl fordert nun einmal Geiseln für unser Wohlverhalten. Selbst Graf Eneko ist davon nicht ausgenommen. Er wird dem König seinen ältesten Sohn übergeben. Euer Häuptling«, er betonte das Wort in einer Weise, die Maite insgeheim kochen ließ, »hat mir angeboten, mir seinen Sohn als Geisel mitzugeben. Aber

Lukan ist noch ein Knabe und außerdem nur Ikers Neffe, während Maite seine Tochter und Erbin ist. Der Franke fordert Geiseln von höchstem Rang. Daher schlage ich vor, dass Ikers Tochter als Geisel mitgeht.«

In ihrer Erregung hätte Maite den Mann am liebsten für wahnsinnig erklärt. Dann aber begriff sie, dass er ihr damit die Möglichkeit bot, ungefährdet nach Iruñea zu kommen, um mit Eneko persönlich zu sprechen. Sollte dieser selbsternannte Graf sie wirklich zwingen, zu den Franken zu gehen, würden diese sie nicht lange halten können, das schwor sie sich. Dennoch schmerzte es sie, dass die Leute aus Askaiz diesem Vorschlag offensichtlich erleichtert zustimmten. Asier, den sie bis zu diesem Tag für einen Freund gehalten hatte, schien beinahe versessen darauf, sie wegzuschicken, während sein Bruder schamvoll das Gesicht abwandte, als sie ihn anblickte.

Einige der Mädchen, die in ihrem Schatten gestanden hatten, waren froh, sie loszuwerden, wie ihr einzelne Wortfetzen verrieten. Nun wurde Maite klar, was sie schon lange ahnte, aber nicht hatte wahrhaben wollen: Seit ihrer Rückkehr aus Roderichs Burg war sie zwar der erklärte Liebling des Stammes gewesen, aber gerade dadurch zu einer Außenseiterin geworden.

10.

Etwa zu der Zeit, da Maite erfuhr, dass sie den Franken als Geisel übergeben werden sollte, empfing Graf Eneko von Iruñea einen Gast. Es handelte sich um einen hochgewachsenen Mann mit hellblonden Haaren und einem sorgfältig gestutzten Vollbart. Vom Schnitt seines Gesichts her hätte er ein Verwandter Graf Roderichs sein können, wären nicht die fast schwarzen Augen gewesen, die seinen Gastgeber überheblich musterten.

Die beiden Männer wanderten Seite an Seite durch den verwilderten Garten des Palastes von Iruñea, der bis vor wenigen Jahren die Residenz eines maurischen Walis gewesen war, und schwiegen sich eine Weile an. Schließlich pflückte der Gast eine Blume, die in einem kräftigen Blau schimmerte, und roch daran.

»Welch ein Duft!«, rief er mit verzückter Stimme.

Graf Eneko biss die Zähne zusammen, um die Worte zurückzuhalten, die ihm über die Lippen kommen wollten, denn schon ein einziger falscher Ausruf konnte ihn ins Verderben reißen. Daher stimmte er seinem Gast zu. »Dies ist wirklich eine wunderschöne Blume.«

Der Mann hielt ihm die Blüte hin. »Rieche daran, und du erlebst einen Vorgeschmack auf das Paradies.«

»Nur dass mein Paradies ein anderes ist als das deine, Freund Jussuf.«

»Du nennst mich Freund? Bin ich es wirklich noch, oder willst du mich nur täuschen?«

Unter dem lauernden Blick, mit dem Jussuf Ibn al Qasi ihn musterte, brach Eneko der Schweiß aus. »Natürlich bist du mein Freund! Wie kannst du daran zweifeln?«

»Wie ich in letzter Zeit vernommen habe, sollst du mittlerweile einen anderen Freund mit dem Namen Karl besitzen. Es heißt, er wolle dich besuchen und dann weiter in das Land des Islam ziehen.«

»König Karl ist nicht mein Freund, und es wäre mir tausendmal lieber, er würde in seinen germanischen Wäldern bleiben, als seine Eroberungsgelüste auf Spanien auszudehnen. Aber ich kann ihn nicht daran hindern, über die Berge zu steigen«, brach es aus Eneko heraus.

»Das kannst du natürlich nicht. Allerdings solltest du ihn auch nicht unterstützen, Sohn meiner Tante. Karl kommt und glaubt in seinem Hochmut, Verbündete unter jenen Söhnen des Islam zu finden, die sich gegen den erhabenen Emir Abd ar-Rahman erhoben haben. Doch der Emir hat rasch gehandelt und Abdul den Berber und dessen Bruder Fadl Ibn al Nafzi zu jenen geschickt, die mit Karl liebäugeln. Beider Schwerter sind scharf, und nur wenige wagen es, sich ihnen in den Weg zu stellen.« Es klang ein wenig bedauernd, so als wäre Jussuf Ibn al Qasi ebenfalls kein Freund der beiden berüchtigten Krieger.

Auch Eneko schüttelte es bei dem Gedanken an Abdul und Fadl, die die Henker des Emirs genannt wurden. Anscheinend hatten sie einige der aufrührerischen Statthalter umgebracht und den Rest, darunter auch seinen Gast, so eingeschüchtert, dass diese sich wieder Abd ar-Rahman unterworfen hatten. Nun hatte Jussuf ihn aufgesucht, um ihn zu warnen, dass der Wind sich gedreht hatte. Dafür war er seinem Verwandten und heimlichen Verbündeten dankbar, auch wenn sich dadurch noch mehr Probleme vor ihm auftürmten. Er sah Jussuf Ibn al Qasi, der einer der mächtigsten Sippen des spanischen Nordens entstammte und dennoch über christliche Wurzeln verfügte, auffordernd an, um weitere Einzelheiten zu erfahren.

Sein Gast aber schien jedes Wort dreimal zu prüfen, ehe es ihm über die Lippen kam: »Das Reich des Islam ist auf das Erscheinen der Franken vorbereitet. Der Emir hat uns befohlen, die Dörfer und kleineren Städte preiszugeben und unser Volk hinter den Mauern der großen Städte in Sicherheit zu bringen. Unsere Vorratshäuser und Speicher sind gut gefüllt, und unsere Brunnen spenden süßes Wasser. Von Karls Krieg gegen die Langobarden in Italien wissen wir, dass der Franke nicht in der Lage ist, gut verteidigte Städte zu erstürmen. Pavia hat er damals nur aushungern können. Doch solch eine Taktik geht bei uns nicht auf, insbesondere, weil der erhabene Emir bereits weitere Maßnahmen ergriffen hat, die Karls Aufenthalt in Spanien verkürzen werden.«

»Welche denn?«, fragte Eneko höchst interessiert.

Jussuf Ibn al Qasi lächelte sanft. »Der erhabene Emir hat es mir nicht mitgeteilt, mein Freund, und selbst wenn er es getan hätte, bliebe mein Mund verschlossen. Es kommen mir zu viele Franken in diese Stadt, in der du inzwischen so herrschst, als hättest du vergessen, wer sie dir in die Hände gegeben hat.«

Eneko zuckte zusammen, denn Jussufs Worte klangen wie eine Drohung. Natürlich war ihm klar, dass er den rebellischen Wali von Pamplona, wie die Mauren und Asturier Iruñea nannten, nur mit Erlaubnis und Unterstützung seines Verwandten hatte vertreiben können. Nicht zuletzt deshalb galt er bei den Mauren als dessen Vasall. Wenn Jussuf oder gar Abd ar-Rahman zu der Überzeugung kamen, ihnen wäre mit einem anderen Herrn von Pamplona besser gedient, würde seine Herrschaft über die Stadt ebenso rasch enden, wie sie begonnen hatte. Nicht zuletzt aus diesem Grund strebte er ein Bündnis mit den Franken an. Nun aber fragte er sich, ob es so wünschenswert war, die lockere Abhängigkeit von den Mauren mit der Herrschaft des Frankenkönigs zu vertauschen.

Jussuf Ibn al Qasi verfolgte jede Regung im Gesicht seines Gastgebers und lächelte, als er merkte, dass dessen Gedanken in die gewünschte Richtung flossen. Nun musste er nur noch dafür sorgen, dass der Samen, den er gesät hatte, auch zur Reife kam.

»Der erhabene Emir Abd ar-Rahman entbietet dir, Sohn meiner Tante, die besten Grüße. Er wünscht dir und deiner Stadt Glück und Gedeihen und zeigt sich gnädig bereit, dich als Grafen von Pamplona anzuerkennen. Auch will er Silo von Asturien dazu bringen, dasselbe zu tun.«

Eneko konnte seine Überraschung nicht verbergen. Bislang hatten ihn sowohl der Maure wie auch der Asturier wie einen kleinen Stammesführer behandelt, und er fragte sich, wie hoch der Preis für diese Anerkennung sein würde. Er fasste sich aber rasch wieder. »Wenn der Emir und Silo mich anerkennen wollen, dann sollen sie es als Graf von Nafarroa tun.«

»Ein übereilter Schritt lässt manchen straucheln und bringt ihn zu Fall«, antwortete der Maure immer noch lächelnd.

»Dann zumindest als Grafen von Iruñea, wie meine Stadt in der Sprache meines Volkes heißt.« Doch auch dieser Appell verfing nicht.

»Der Emir nennt diese Stadt bei dem Namen, den wir kennen. So hieß sie schon früher, bevor euer Volk sie übernahm. Sei zufrieden mit dem, was er dir gibt. Von Karl würdest du weniger erhalten, denn der Frankenkönig will all das Land, welches er in Spanien erwirbt, seinem Bastardbruder Eward übergeben, dem Mann, der Graf Roderichs Tochter Ermengilda hätte heiraten sollen. Frage dich, ob eine Heirat der beiden deinen Zwecken dienlich ist oder ob die Rose von Asturien nicht besser eine Gabe wäre, mit der du das Herz des erhabenen Abd ar-Rahman erfreuen könntest.«

In diesem Augenblick war Eneko Aritza froh, dass man ihm Ermengilda noch nicht übergeben hatte, denn sonst hätte er sich dieser Forderung nicht entziehen können. Ihm war, als zerrten zwei Riesen an ihm. Das Mädchen den Franken zu verweigern hieße, sich deren Zorn zuzuziehen, es ihnen aber zu übergeben würde ihm die Mauren zum Feind machen.

Er hob in einer verzweifelten Geste die Arme, ohne dass er das spielen musste: »Ich habe bisher nicht in Erfahrung bringen können, wo Roderichs Tochter sich aufhält. Es ist nicht einmal bekannt, ob sie noch lebt.«

»Dann solltest du es schleunigst herausfinden, mein Freund! Und denke darüber nach, was ich dir gesagt habe. Fließt nicht in unseren Adern das gleiche Blut, auch wenn ich zu Allah bete und du zu deinem Christus?«

Eneko nickte verbissen. Sein Verwandter hatte recht. Die Mauren waren vor fast acht Jahrzehnten über die Meerenge gekommen und hatten in einem beispiellosen Siegeszug fast ganz Spanien überrannt. Nur in den Bergen Asturiens und Kantabriens sowie in den Pyrenäen hatten Hispanier, Visigoten und sein eigenes Volk sich gegen die fremden Eroberer halten können. Doch trotz aller Auseinandersetzungen hatten christliche Häuptlinge ebenso wie später die Könige von Asturien ihre Töchter maurischen Statthaltern zur Frau gegeben und dafür Maurinnen aus hoher Familie geheiratet und andere als Kebsweiber gehalten. Er selbst war der Sohn einer Maurin, ebenso König Silo von Asturien und dessen schärfster Rivale Agila, der den Beinamen Mauregato trug. Jussuf aber stammte aus einer Visigotensippe, die von Beginn an zu den Mauren gehalten und sich gegen den eigenen König gewendet hatte. Obwohl sie schon bald zum Islam übergetreten waren, pflegten die Banu Qasim noch immer enge verwandtschaftliche Beziehungen zu den christlichen Anführern in Nordspanien. Karl und seine Franken hingegen waren Eindringlinge, mit denen niemand etwas verband. Auch das war ein Punkt, den er nicht aus den Augen verlieren durfte. Für welche Seite er sich schlussendlich entscheiden würde, hätte Eneko in diesem Augenblick jedoch noch nicht zu sagen vermocht.

VIERTER TEIL

Der Auftrag

I.

$\mathcal{K}$onrad musterte die Krieger, die mit ihm aus seinem Heimatdorf ausgezogen waren, und fühlte, wie sein Herz schwer wurde. Es waren gute Männer, und er wäre stolz gewesen, weiter ihr Anführer sein zu können. Nun aber trennten sich ihre Wege. Während sie bei Hasso blieben, musste er sich auf Befehl des Königs Graf Ewards Schar anschließen und mit dem Markgrafen Roland nach Spanien ziehen. Rolands Truppe stellte die Vorhut des fränkischen Heerbanns und würde dem König den Weg bahnen.

»Es tut mir leid, dass ich nicht länger bei euch bleiben kann. Gaugraf Hasso hat mir versprochen, sich um euch zu kümmern.«

Die Worte wollten nicht so recht heraus. Bitter für ihn war, dass einige Männer sichtlich aufatmeten. Auch wenn er der Sohn ihres Dorfoberhaupts war, so vertrauten sie dem erfahrenen Gaugrafen doch mehr als ihm.

»Ich lasse euch die gesamten Vorräte da und auch etwas Geld, damit ihr euch unterwegs Nahrungsmittel kaufen könnt, wenn es nötig sein sollte.« Er griff unter sein Hemd und zog den Beutel hervor, der an einer langen Schnur um seinen Hals hing.

Da hob Rado abwehrend die Hand. »Das Geld solltest du behalten, Konrad. Uns reichen die Vorräte, die wir haben. Außerdem wurde uns versprochen, dass wir Lebensmittel bekommen, wenn es nötig sein sollte. Mit Münzen wissen wir nur wenig anzufangen, und daher würden uns die Händler schnell das Fell über die Ohren ziehen.«

»Rado hat recht«, stimmte einer dem Freibauern zu. »Übrigens zählt mein Schwager zu Graf Hassos Aufgebot. Er wird schon dafür sorgen, dass wir nicht zu kurz kommen. Du wirst es schwerer haben als wir. Ewards Reiter sind ein hochnäsiges Pack und werden dich nicht gerade mit offenen Armen empfangen. Dieser verdammte Ermo hat auch bei ihnen gegen dich gehetzt, weil er dir die Gunst des Königs neidet.«

Konrad warf einen kurzen Blick auf den Mann aus dem Nachbardorf, der inmitten seiner Leute stand und ein langes Gesicht zog. Ermo war tatsächlich enttäuscht und neidisch, denn er hatte sich alle Mühe gegeben, von Graf Eward als Gefolgsmann aufgenommen zu werden. Nun musste er zusehen, wie ein in seinen Augen unreifer Junge den Platz einnahm, den er für sich erhofft hatte.

Graf Hasso trat zu ihnen. »Ich wollte dich nicht ohne Abschied ziehen lassen, Konrad. Ab jetzt reitest du mit einer auserlesenen Schar, und man dürfte es dir nicht leichtmachen, dich dort einzugliedern. Aber ein Kerl, der einen angreifenden Keiler mit einem einzigen Schwerthieb erlegt – und das mit herabgelassenen Hosen –, wird sich auch von solchen Bürschchen wie Eward und Hildiger nicht die Butter vom Brot nehmen lassen. Bleibe stets besonnen und denke daran, dass der König selbst dich für würdig befunden hat, einer seiner Panzerreiter zu werden.« Hasso umarmte Konrad und legte ihm dann die Hand auf die Schulter. »Hast du dir übrigens schon den Knecht ausgesucht?«

»Welchen Knecht?«, fragte Konrad verwundert.

»Als Panzerreiter steht dir ein Knecht zu. Einige wie Eward oder Hildiger werden sogar von mehreren Knechten begleitet. Doch von denen wird keiner einen Finger für dich rühren.«

Graf Hasso wusste ebenso gut wie Konrad, dass dieser bei Ewards Reitern so willkommen war wie eine Seuche. Bei den meisten handelte es sich um Angehörige edler Geschlechter, deren Ahnen bereits unter den Königen aus Merowechs Geschlecht Titel und Ländereien besessen hatten. Der Sohn eines Freibauern war in ihren Augen kaum mehr wert als ein Knecht.

Konrad war es gewohnt, selbst sein Pferd zu versorgen und

seine Kleidung in Ordnung zu halten. Daher brauchte er seiner Meinung nach niemanden, der ihn bediente. Die Männer aus seinem Dorf sahen es jedoch anders, und Rado sprach aus, was alle dachten. »Es geht um das Ansehen deines Vaters, Konrad. Er besitzt nach dem Gaugrafen und Ermo das größte Gut im Gau und auch die meisten Knechte. Da kannst du nicht wie ein einfacher Freibauer auftreten. Einer von uns muss dich begleiten.«

»Aber …«

Der Gaugraf unterbrach Konrad. »Kein Aber! Der Mann hat recht. Es geht um das Ansehen deines Vaters und um das meine. Der dort«, Hasso machte eine Kopfbewegung in Ermos Richtung, »würde sich das zunutze machen und schlecht über deinen Vater sprechen, und solches Gerede fiele auch auf mich zurück. Das willst du doch sicher nicht.«

»Nein, natürlich nicht!«, stammelte Konrad.

»Dann ist es ausgemacht. Entweder du nimmst einen deiner Leute mit, oder ich überlasse dir einen von mir.«

»Das ist nicht nötig«, warf Rado ein. »Ich gehe mit Konrad, denn er braucht jemanden, auf den er sich verlassen kann.«

»Aber du bist kein Knecht, sondern ein freier Bauer«, wandte Konrad ein.

»Das wird mich nicht daran hindern, mit dir zu ziehen und deinen Gaul zu striegeln«, sagte Rado lächelnd und blickte den Gaugrafen fragend an.

Dieser überlegte kurz. »Ich bin überzeugt, Konrad, dass es am besten ist, wenn du einen erfahrenen Krieger mitnimmst, der auf deinen Rücken aufpasst. Komm mit, Rado! Du bekommst ein Pferd für dich und ein weiteres als Saumtier für euer Gepäck. Und ihr …«, sein Blick streifte die übrigen Männer aus Konrads Dorf, »… seht zu, dass ihr euch in meine Schar eingliedert. Die faule Zeit ist vorüber. Wir werden heute noch weiterziehen.«

»Faule Zeit«, stöhnte einer. »Wir hatten gerade mal einen Tag Pause. Wenn wir auf diese Art weiterziehen, bin ich bei der Heimkehr einen halben Fuß kleiner, so viel werde ich mir von meinen Beinen abgelaufen haben.«

Die anderen lachten jedoch nur, und Rado gab ihm einen Knuff. »Dann bin ich endlich größer als du. Also, Männer, passt gut auf euch auf! Wir sehen uns spätestens in Spanien wieder.«

»Eher frühestens«, antwortete Graf Hasso mit leichtem Spott. »Karls Gefolge zieht auf einem anderen Weg als wir nach Spanien. Bis dorthin viel Glück, Konrad.«

Er reichte dem jungen Mann die Hand und hielt sie einen Augenblick lang fest. »Mach deinem Vater und mir keine Schande, Junge!«

Dann wandte er sich rasch ab und stiefelte davon. Rado folgte ihm, um die Pferde zu holen. Dabei grinste er über das ganze Gesicht, denn es war doch etwas anderes, hoch zu Ross in den Krieg zu ziehen, als sich auf dem langen Weg Plattfüße zu laufen.

Einige Männer starrten hinter Rado her und seufzten neidisch. Dieses Gefühl hielt sie jedoch nicht davon ab, sich von Arnulfs Sohn zu verabschieden und ihm viel Glück zu wünschen.

»Das wünsche ich euch auch«, antwortete Konrad mit belegter Stimme.

Es war schon schwer genug gewesen, die Heimat verlassen zu müssen, dabei hatten ihn wenigstens Männer aus seiner Umgebung begleitet. Nun würde mit Rado zumindest ein bekanntes Gesicht in seiner Nähe sein, ein Mann, mit dem er über seine Zweifel reden konnte. Das tröstete ihn ein wenig. Dennoch fragte er sich bang, wie er seinen Wert unter einem Anführer beweisen sollte, der ihn seine Verachtung bereits unmissverständlich hatte spüren lassen.

2.

Am nächsten Morgen brach Roland von Cenomanien mit seinen Begleitern auf, um den Weg nach Spanien anzutreten. Für Konrad hieß das, sich zum ersten Mal unter Graf Ewards Männer einzureihen. Da der größte Teil der Vorhut, die Roland anführen sollte, sich bereits auf dem Weg befand, zählte die Gruppe kaum mehr als zwanzig Köpfe. Neben Roland selbst und Eward mit seinen Trabanten gehörten noch ein Dutzend hochgewachsener, breitschultriger Recken zum Trupp. Jeder von ihnen war einen Kopf größer als Konrad, und sie unterhielten sich in einer Sprache, die er nicht verstand. Als er einen von Ewards Reitern danach fragte, murmelte dieser nur das Wort »Bauer« und blickte an ihm vorbei.

Konrad juckte es in den Fäusten, dem Mann eine Abreibung zu geben, obwohl der ebenfalls ein ganzes Stück größer war als er. Da fiel ein Schatten auf ihn, und als er sich zur anderen Seite wandte, sah er Roland neben sich reiten.

»Meine Männer sprechen Britannisch. Es sind Bretonenkrieger, die ich persönlich für meine Leibwache ausgewählt habe, weil sie zuverlässiger sind als Franken. Sie erkennen nur mich als Herrn an.«

Konrad wusste nicht, ob er das jetzt als Beleidigung ansehen musste, schließlich war er selbst Franke. Doch Roland war schon bei einem anderen Thema und forderte ihn auf, ihm bei der nächsten Rast sein Schwert und sein Panzerhemd zu zeigen. Danach setzte er sich wieder an die Spitze des Reitertrupps und missachtete dabei die giftigen Blicke, mit denen Eward, Hildiger und deren Freunde ihn bedachten.

Kaum hatten sie an diesem Abend ihr Lager in der Nähe eines kleinen Dorfes aufgeschlagen, trat Roland auf Konrad zu und prüfte dessen Ausrüstung. Er untersuchte das Panzerhemd und zog auch das Schwert aus der Scheide. Nach ein paar Probehieben durch die Luft reichte er die Waffe wieder zurück.

»Eine gute Klinge, die sich ihrem Aussehen nach schon im Kampf bewährt hat.«

»Es ist das Schwert meines Vaters. Da er es nicht mehr führen kann, hat er es mir gegeben«, erklärte Konrad.

»Ein scharfes, festes Schwert ist der halbe Sieg. Ich glaube nicht, dass Eward oder sein Busenfreund Hildiger bessere Klingen besitzen. Auch deine Rüstung kann sich sehen lassen. Der Schmied, der sie angefertigt hat, versteht sein Handwerk.«

Konrad wunderte sich über das Lob, das aus Rolands Worten sprach, denn gegen den Panzer des Markgrafen wirkte seine eigene Rüstung denkbar schlicht. Gleichzeitig dankte er im Stillen seinem Vater, der ihn so gut ausgestattet hatte, dass er vor den Augen eines solchen Mannes hatte bestehen können.

Unterdessen war Roland zu den Pferden getreten und musterte Konrads Hengst. »Hast du das Pferd auch von deinem Vater übernommen?«, fragte er.

»Er hat es mir geschenkt. Aber es ist nicht sein eigenes Ross, sondern wurde schon als Fohlen für mich bestimmt.«

Der Markgraf öffnete das Maul des Hengstes und besah sich die Zähne. »Das Tier ist etwa fünf Jahre alt. Das ist ein gutes Alter, um damit in die Schlacht zu reiten. Wenn du auf ihn achtgibst, wird er dir noch viele Jahre treue Dienste leisten. Dein Vater versteht von Pferden ebenso viel wie von Schwertern.«

»Das Fohlen hat meine Mutter ausgesucht«, bekannte Konrad kleinlaut.

»Dann versteht dein Vater etwas von Schwertern und deine Mutter von Pferden. Beides ist gut!« Roland lachte und verwirrte Konrad noch mehr, denn meist lief der Markgraf von Cenomanien mit einem Gesicht herum, als wolle er dem Ersten, auf den er traf, den Kopf abschlagen. Nun legte er Konrad die Hand auf die Schulter. »Lass dich von den Adelsbürschchen, mit denen du reitest, nicht einschüchtern. Ein Mann ist so viel wert wie sein Schwertarm, ganz gleich, wer sein Vater und seine Mutter sind. Eward und Hildiger haben bisher keinem einzigen Feind mehr gegenübergestanden als du. Merk dir das!«

»Ja, Herr.« Konrads Verwunderung wuchs, denn Markgraf Roland war ebenso wie Eward mit König Karl verwandt. Allerdings war er nur ein entfernter Vetter und nicht dessen Halbbruder. Mochte es sein, dass er den Jüngeren um seine höhere Abstammung beneidete? Konrad verwarf diese Frage sofort. Ein Mann wie Roland beneidete niemanden, es sei denn, der Schwertruhm des anderen würde den seinen übertreffen. Aus irgendeinem Grund schien der Markgraf sich jedoch über Eward zu ärgern und ihn gleichzeitig zu verachten. Konrad fragte sich, welches Geheimnis sich um Eward ranken mochte, und bedauerte, dass König Karl ihn nicht Roland unterstellt hatte. Diesem Mann hätte er mit Freuden gedient. Für Eward war er nicht mehr als ein ihm aufgezwungener Bauer, den dieser am liebsten mit einem Fußtritt von sich gestoßen hätte. Dabei hatte er Karls Halbbruder überhaupt nichts getan.

Unterdessen verabschiedete Roland sich mit einem Klaps auf Konrads Rücken und ging weiter. Dafür trat Rado an seine Seite. Obwohl er zufrieden grinste, lag ein nachdenklicher Zug um seine Augen. »Der Markgraf ist ein gefährlicher Mann. An deiner Stelle würde ich es mir zwei Mal überlegen, ihn dir zum Feind zu machen. Allerdings darfst du Graf Eward nicht durch zu enge Bande an Roland gegen dich aufbringen. Auch wenn er jetzt noch ein ungebackenes Bürschchen ist, dem erst der Wind des Lebens um die Ohren pfeifen muss, wird er irgendwann einmal ein mächtiger Mann sein.«

»Ich will mir keinen von beiden zum Feind machen«, gab Konrad unfreundlich zurück.

»Dann solltest du hoffen, dass du dich nicht eines Tages zwischen ihnen entscheiden musst. Aber wenn es doch nötig ist, dann triff eine kluge Wahl.« Rado nickte bekräftigend und griff nach dem Ledereimer, um Hafer für den Hengst und die beiden neuen Pferde zu holen.

Konrad sah ihm nach, warf dann einen Blick auf das Lager, das die kleine Schar aufgeschlagen hatte, und blickte schließlich über das Land, das sich so sehr von seiner Heimat unterschied. Hohe, langgezogene Hügelketten erstreckten sich von Nord nach Süd, bedeckt von einem Wald, in dem andere Bäume wuchsen als die, die er kannte. An den Hängen lagen kleine Dörfer, deren Häuser nicht mit Holz oder Stroh, sondern mit dünnen, gewölbten Ziegeln gedeckt waren. Die Mauern bestanden aus aufeinandergeschichteten Bruchsteinen, und nur gelegentlich sah er Wände aus Fachwerk, wie er sie aus der Heimat kannte.

Auch die Sprache der Menschen war ihm fremd. Sie nannten sich zwar Franken, sprachen aber ganz anders als bei ihm zu Hause. Konrad verstand nur einzelne Worte, der Rest floss wie Wasser an seinen Ohren vorbei.

Auch Rado tat sich schwer. Allerdings hatte er bereits den Feldzug gegen die Langobarden mitgemacht und war es daher gewohnt, sich unter Leuten zu bewegen, deren Sprache er nicht verstand.

Am nächsten Morgen erreichten sie kurz nach dem Aufbruch eine größere Ansiedlung am Ufer eines breiten Flusses. Der Ort wurde von einem Mauerring geschützt und bestand aus einer Vielzahl von hohen, geräumigen Häusern. Das größte Gebäude befand sich fast genau in der Mitte und hatte einen hohen, quadratischen Turm, der in einem Satteldach aus flachen Ziegeln endete.

»Das hier ist die Basilika der Stadt! Hast du jemals so etwas Gewaltiges gesehen, Bauer?« Philibert von Roisel, den Hildiger aus Bosheit eingeteilt hatte, neben Konrad zu reiten, machte das erste Mal den Mund auf.

Konrad wusste von dem Mann nur, dass er aus den westlichen Teilen des Reiches stammte. Obwohl er sich noch immer über dessen Worte bei ihrer ersten Begegnung ärgerte, ignorierte er den überheblichen Tonfall und bedankte sich artig für die Auskunft. »Diese Kirche ist wirklich gewaltig. Glaubst du, es bleibt uns Zeit, darin zu beten?«

Doch Philibert hatte seinen Blick wieder nach vorne gerichtet und trabte ohne Antwort weiter.

Obwohl Konrad sich die Basilika gerne von innen angesehen hätte, wagte er es nicht, den Reiterzug zu verlassen. Roland schlug ein scharfes Tempo an, und er hätte seinen Hengst über Gebühr strapazieren müssen, um den Trupp wieder einzuholen. Mit dem festen Vorsatz, in der nächsten großen Kirche, auf die sie trafen, ein Gebet zu verrichten, kehrte er dem Gotteshaus den Rücken. Unterwegs fragte er sich zum wiederholten Mal, was Eward, Hildiger und deren Freunde gegen ihn hatten. Die Abneigung, die ihm entgegenschlug, konnte nicht von ein paar abfälligen Worten ausgelöst worden sein, mit denen Ermo über ihn hergezogen hatte. Der Grund musste woanders liegen. Vermutlich ärgerten Eward und seine Männer sich, weil er, der von ihnen als Bauer verspottet worden war, vor König Karl seinen Mut hatte beweisen können. Dadurch hatte er auch Rolands Anerkennung gewonnen, denn für den Markgrafen von Cenomanien war die Beherrschung des Schwertes das Wichtigste für einen Krieger.

Mit dem festen Vorsatz, Roland nicht zu enttäuschen und wenigstens zu versuchen, Ewards Achtung zu erwerben, verließ Konrad die Stadt, deren Namen er nicht einmal kannte, und richtete seine Gedanken auf das, was ihn am Ende dieser Reise erwarten würde. Er versuchte, sich Spanien vorzustellen, und da er weder das Land noch dessen Bewohner kannte, verirrte er sich rasch ins Reich seiner Phantasie. Schließlich lachte er über sich selbst, schob alle Überlegungen beiseite und konzentrierte sich auf das, was um ihn herum geschah.

Die Knechte waren zwar angehalten worden, den Kriegern zu folgen und den Anschluss nicht zu verlieren, doch die Männer fanden unterwegs immer wieder Gelegenheit, kurz zu verweilen, um Einkäufe zu erledigen oder auch nur rasch einen Schlauch Wein für ihre Herren zu besorgen. Da Ewards Knechte und die seiner Leute sich nicht um Rado kümmerten, schloss dieser sich den Bediensteten an, die zu Rolands Reitern gehörten. Diese waren zwar auch Bretonen, doch ein paar konnten sich auch in jenem Fränkisch verständigen, das im Osten des Reiches gesprochen wurde. Zudem hatten sie den Landstrich, durch den sie ritten, schon öfter bereist und halfen Konrads Begleiter, sich zurechtzufinden.

Doch just in der Stadt, in der Konrad gern die Kathedrale besucht hätte, stand Rado allein vor einem Karren, auf dem etliches an Gemüse und Obst lag. Er hätte gerne einen knackigen Apfel gekauft, doch das konnte er der alten Standfrau nicht begreiflich machen. Sie nahm ihm den Apfel weg, den er haben wollte, und bot ihm alles Mögliche an.

»Verdammt, ich will nur den Apfel! Was willst du dafür haben?«, schimpfte Rado und überlegte schon, ob er diesen nicht einfach nehmen und weiterreiten sollte.

Da er jedoch nicht zum Dieb werden wollte und auch nicht die Zeit hatte, der Alten mit Händen und Füßen zu erklären, dass er wirklich nur diesen einen Apfel wollte, gab er schließlich auf.

»Der Teufel soll dich holen!«, rief er der Obstverkäuferin noch zu und trieb sein Pferd an. Dabei beobachtete er einen Jungen, der sich dem Gemüsekarren näherte, blitzschnell zugriff und sofort wieder verschwand.

Die Alte hatte den Diebstahl ebenfalls gesehen und stieß so schrille Töne aus, dass Rado die Ohren schmerzten. Er zügelte sein Reittier, so dass das Saumpferd gegen seinen Wallach stieß, drehte sich um und sah, wie die Alte einen Mann in einer blauen Tunika und einem schlichten Lederpanzer herbeiwinkte. Dabei redete sie wie ein Wasserfall und zeigte auf einen Spalt zwischen zwei Häusern, in den der Junge geschlüpft war. Der Mann befahl einigen mit Stöcken bewaffneten Kerlen gestenreich, ihm zu folgen, und rannte hinter dem kleinen Dieb her.

Da Rado sich über die Frau geärgert hatte, wünschte er dem Kerlchen, entkommen zu können, und trabte die Gasse entlang auf das Stadttor zu.

Auf einmal tauchte der Junge neben ihm auf, fasste nach seinem Steigbügel und sah grinsend zu ihm hoch. Dann reichte er ihm einen großen, rotwangigen Apfel. »Den wolltest du doch, nicht wahr?«

Rado lief das Wasser im Mund zusammen, aber dennoch maß er den Jungen mit einem finsteren Blick. »Den hast du doch gerade gestohlen!«

»Gestohlen?« Der Junge sah ihn mit großen Augen an, als kenne er nicht einmal die Bedeutung dieses Wortes.

»Zugeflogen ist er dir doch sicher nicht!«

»Ich bin beim Laufen gegen den Wagen geprallt, und da ist er mir in die Hand gerollt. Ich konnte ihn doch nicht auf den Boden fallen lassen!«

Auf den Mund ist das Kerlchen nicht gefallen, dachte Rado, dem es gefiel, dass der Junge seine Sprache beherrschte. »Willst du den Apfel denn nicht selbst essen?«

Das Bürschchen schüttelte den Kopf. »Nein danke! Ich hatte heute schon einen, nein – sogar zwei! Der ist für dich.«

Rado starrte den Jungen an, dann den Apfel, und ehe er sichs versah, hielt er die Frucht in der Hand und biss hinein. Sie schmeckte ausgezeichnet.

»Vergelt's Gott«, sagte er und wollte sein Pferd wieder antreiben.

Der Junge aber klammerte sich weiter an seinen Steigbügel. »Bitte, nimm mich mit!«

»Mitnehmen! Dich, Kerlchen? Wie kommst du denn auf diesen Gedanken?«

»Die Leute hier mögen mich nicht, weil ich fremd bin, und ich bekomme ständig Schläge.« Zwei dicke Tränen tropften aus den großen, blauen Augen.

Rado hielt sich nicht für weichherzig, doch er empfand Mitleid mit dem Kleinen. Dennoch wollte er ihm nicht alles durchgehen lassen. »Wenn du ihnen Sachen stiehlst, ist es klar, dass sie dich verprügeln wollen.«

»Keiner gibt mir etwas, und wenn ich nicht stehle, muss ich verhungern! Sie haben gesagt, wenn sie mich das nächste Mal erwischen, schneiden sie mir die Nase ab.« Weitere Tränen liefen über die Wangen des Jungen.

Rado fluchte und blickte nach vorne. Die anderen Knechte hatten die Stadt längst verlassen. Wenn er sich nicht beeilte, würde er den Anschluss an die Truppe verlieren und bei der nächsten Wegkreuzung möglicherweise die falsche Richtung einschlagen. Damit aber würde er Konrad im Stich lassen und sowohl ihn wie auch dessen Eltern enttäuschen. Dabei hatte Hemma ihm einen besonders schönen Schinken mitgegeben, damit er auf ihren Sohn achtgab.

Als er sich wieder zu dem Jungen umdrehte, sah er den blau gewandeten Büttel die Gasse heraufkommen. »Ich will nicht, dass sie dir die Nase abschneiden. Los! Steig auf mein Tragtier – und dann nichts wie raus aus der Stadt!«

Das ließ der Bursche sich nicht zwei Mal sagen. Flink wie eine Katze sprang er auf den Rücken des braven Braunen und streckte dem herbeieilenden Büttel die Zunge heraus.

Rado begriff, dass es besser war, schnellstens zu verschwinden, und hieb seinem Reittier die Fersen in die Weichen. Der groß-rahmige Wallach trabte an und zog das leichtere Lasttier ein-fach mit sich.

Der Kerl in der blauen Tunika blieb stehen und rief den Wäch-tern am Tor etwas zu. Einer der Männer wollte sich mit vorge-haltenem Speer in den Weg stellen, sprang aber angesichts der heranpreschenden Pferde beiseite.

Rado sah noch, wie der Kerl mit dem Speer nach ihm stach, doch im gleichen Augenblick musste er sich tief über den Hals des Pferdes beugen, um nicht mit dem Kopf an der oberen Einfassung des Tores anzuschlagen. Daher glitt die Speer-spitze über ihn hinweg, ohne Schaden anzurichten. Augenbli-cke später befanden er und der Junge sich im Freien und folg-ten den übrigen Knechten, die sich als kleine Gestalten am Horizont abzeichneten.

Als die Stadt nach kurzer Zeit hinter den Bäumen verschwand und die Geräusche ringsum nicht auf Verfolger schließen lie-ßen, zügelte Rado die beiden Pferde. »Das war knapp, Bürsch-chen. So etwas werde ich kein zweites Mal auf mich nehmen. Was für ein Aufruhr wegen eines einzigen Apfels!«

Er schüttelte sich und wartete darauf, dass der Junge absteigen würde.

Der hockte jedoch wie ein Äffchen auf dem Pferd und grinste ihn fröhlich an. »Du brauchst doch sicher einen Gehilfen, der dir eine Menge Arbeit abnimmt. Ich bin zwar klein, aber sehr kräftig. Hier, fühl mal meine Muskeln!« Er beugte den Arm und spannte den Bizeps.

Rado wurde klar, dass er sich etwas aufgehalst hatte, das er so schnell nicht wieder loswerden würde. »Was wird Konrad dazu sagen?«, fragte er sich selbst.

»Wer ist Konrad? Dein Herr?«, fragte der Kleine.

»Ja – und auch wieder nein. Ich bin ein Freibauer, und Konrad ist der Sohn unseres Dorfältesten. Daher passe ich auf ihn auf, damit er keinen Unsinn macht, und spiele derzeit seinen Knecht.«

»Aber dann brauchst du ja ganz dringend jemanden, der dir die schmutzige Arbeit abnimmt!« Die Stimme des Jungen klang beschwörend. Es war nicht zu übersehen, dass er verzweifelt war. Er konnte sich nicht auf Dauer mit Diebstählen durchschlagen, ohne schwer bestraft und wahrscheinlich sogar verstümmelt zu werden.

»Ich werde dir treu und fleißig dienen«, setzte der Junge hinzu.

»… und mich und meinen Herrn bei erster Gelegenheit bestehlen!«, antwortete Rado abweisend.

Der Junge schüttelte so heftig den Kopf, dass seine verstrubbelten Haare aufstoben. »Ganz gewiss nicht! Ich habe doch nur aus Hunger einige Sachen mitgehen lassen, weil mir keiner Arbeit gegeben hat.«

Rado zog die Schultern hoch und schimpfte insgeheim über seine Gutmütigkeit. Daher fragte er unwirsch: »Wie heißt du eigentlich?«

»Just, mein Herr.«

Rado sah ihn streng an. »Also, Just, ich will dir glauben. Aber eines sage ich dir: Erwische ich dich bei Diebereien, wirst du dir wünschen, in der Stadt da hinter uns geblieben zu sein!«

Seine Drohung ging jedoch ins Leere, denn Just sah ihn selig an, als könne er kein Wässerchen trüben.

3.

Unai hockte auf einem von der Sonne durchwärmten Felsen und starrte düster auf die Schafe. Das Gras der Hangwiese war bis auf die Wurzeln abgefressen, und die Hirten hatten bereits erklärt, dass sie zu einer anderen Weide weiterziehen würden.

Ein Hirte kam auf Unai zu, blieb neben ihm stehen und stützte sich auf seinen langen Stab, der mit der scharfen Spitze am oberen Ende auch als Spieß verwendet werden konnte. »Wir haben uns entschieden. Morgen treiben wir die Herde nach Norden.«

»Es ist ein weiter Weg bis zu den dortigen Weiden. Könnt ihr nicht Almen aufsuchen, die näher liegen?«

Der Hirte schüttelte den Kopf. »Nein! Es ist so vereinbart. Treiben wir die Tiere auf eine andere Weide, geraten wir mit anderen Hirten aneinander, und es gibt Zwist zwischen den Stämmen.«

Das wusste Unai ebenso gut wie der Hirte, und dieser Umstand stürzte ihn in einen heftigen Zwiespalt. Es war schon schwer genug, Ermengilda hier auf der Alm als Gefangene zu halten. Zogen sie jedoch durch das Land, würden sie von anderen Hirten gesehen werden, und dann würde die Nachricht von Ermengildas Auftauchen schnell die Runde machen. Außerdem hatte Maite diesen Platz hier als Treffpunkt genannt und würde nach ihnen suchen müssen, wenn sie zurückkam. Nun ärgerte er sich, dass er sich von Maite hatte überreden lassen, die Asturierin zu bewachen.

»Du musst das Weibsstück entweder gehen lassen oder mitnehmen, es sei denn, du willst ihm die Kehle durchschneiden!«, sagte der Hirte.

Unai fuhr wütend auf. »Bist du närrisch? Wenn wir Graf Roderichs Tochter umbringen, jagen uns die Asturier und die Franken wie Hasen.«

»Dann lass sie frei!«

»Das wird Maite nicht wollen.« Unai erinnerte sich an ihre Treffsicherheit mit der Schleuder und schüttelte sich bei dem Gedanken an die tödlichen Geschosse. Und nicht nur ihretwegen musste er vorsichtig sein. Schließlich war er dabei gewesen, als sie Ermengilda und deren Eskorte überfallen hatten, und bevor er die Asturierin freiließ, musste er sich den Eid ihres Vaters und ihres Bräutigams sichern, dass er und sein Stamm straffrei ausgingen.

»Dann geh zu ihrem Vater und verlange Geld für sie.«

In der Stimme des Hirten schwang ein Unterton, der Unai aufhorchen ließ. War es die Gier nach Geld oder einer anderen Belohnung, die den Mann dazu trieb, ihm diesen Vorschlag zu machen? Hirten waren ein eigenes Volk. Sie lebten einen großen Teil des Jahres fern von ihren Stämmen und zogen mit den Herden von Weideplatz zu Weideplatz. Auch wenn sie gelegentlich ein Tier aus einer anderen Herde stahlen, so waren ihre Bindungen untereinander doch enger als die zu ihrem Stamm. Bei diesem Gedanken fragte er sich, wie viele Hirten bereits wussten, wo die Asturierin sich befand. Möglicherweise war schon einer unterwegs, um die Information an Graf Roderich oder die Franken zu verkaufen.

»Wenn du sie nicht freilassen willst, dann schaff sie zu den Franken!«, fügte der Hirte hinzu.

»Was glaubst du, was Maite dazu sagen würde?«

Der Mann zuckte mit den Achseln. »Sie hat dir das Mädchen übergeben und damit jeden Anspruch auf die Asturierin verwirkt. Du würdest genug Gold für die Gefangene bekommen, um eine ganze Herde kaufen zu können.«

Für den Hirten waren die Schafe nicht nur seiner Obhut anvertraute Tiere, sondern machten den Reichtum des jeweiligen Stammes aus. Daher beherrschte auch ihn der Wunsch, die Herde zu mehren. Unai war ebenfalls gewohnt, das Ansehen eines Mannes oder eines Dorfes an der Anzahl seiner Tiere zu messen. »Ich hätte nichts dagegen, mehr Schafe zu besitzen!«, antwortete er.

Der Hirte verzog verächtlich den Mund, denn er wusste genau, dass der Junge bislang keinen einzigen Lämmerschwanz sein Eigen nannte. Noch herrschte Unais Vater über das Vermögen der Sippe, und nach dessen Tod würde er mit etlichen Brüdern und Schwägern teilen müssen. Er wollte den jungen Mann jedoch nicht beleidigen. »Dann ist es abgemacht! Du gehst zu den Franken. Sie werden besser zahlen als Graf Roderich, denn sie sind reicher.«

Ein Griff zum abgenutzten Knauf des Dolches begleitete seine Worte. In diesem Moment begriff Unai, dass die Hirten sich abgesprochen hatten. Für sie war Ermengilda nicht länger Maites oder seine Gefangene, sondern die ihre, und er würde nur ein Bote sein, der ihnen zu einem ordentlichen Lösegeld verhelfen sollte.

»Da bleibt mir wohl keine andere Wahl!« Unai stand auf, um nicht mehr zu dem anderen hochschauen zu müssen. Sein Stolz war zwar angekratzt, dennoch fühlte er sich erleichtert, weil er nicht selbst diese Entscheidung hatte treffen müssen. Nun konnte er Maite jederzeit versichern, dass die Hirten ihn zu diesem Schritt gezwungen hatten.

»Du wirst über die Pyrenäen gehen müssen, um auf die Franken zu treffen. Mache deine Sache gut, dann bist du hinterher ein reicher Mann.«

»… und ihr werdet auch nicht zu kurz kommen!« Trotz der fröhlich klingenden Worte lag eine unsichtbare Klammer um Unais Hals. Ihm gefiel der Blick nicht, mit dem der Hirte ihn musterte. Männer seiner Art waren rasch mit dem Dolch bei der Hand. Sollte der Kerl zu der Überzeugung kommen, übervorteilt zu werden, würde er nicht zögern, ihn umzubringen.

Unais Befürchtungen verflogen jedoch wieder. Wenn er Ermengilda holen kam, würden ihm die Franken genügend Krieger mitgeben müssen, um die Hirten in Schach zu halten. Mit dem Gefühl, sich am Ende doch behaupten zu können, kehrte er dem Hirten den Rücken und ging zu der Almhütte hinüber. Diese bestand aus aufeinandergeschichteten Steinen und einem Dach, das fest genug war, um auch die Schneelast des

Winters zu tragen. Die Fenster waren so klein, dass nicht einmal ein Kind hindurchkriechen konnte, und an der Tür war ein Riegel angebracht.

Unai schob diesen zurück und trat ein. Das Innere der Hütte bestand nun aus zwei Räumen, denn auf sein Verlangen war ein Raum abgeteilt worden, damit die Gefangene nicht ständig den Blicken der Hirten ausgesetzt war. Das Mädchen hätte sonst eine zu große Verlockung für die Männer dargestellt. Nun aber würde ihr keine Gefahr von deren Seite mehr drohen. Da die Männer Lösegeld für Ermengilda kassieren wollten, mussten sie dafür Sorge tragen, dass diese unbeschädigt an ihre Familie oder ihren Bräutigam übergeben werden konnte.

Die Tür zu Ermengildas Gefängnis hatte Unai selbst gefertigt und dazu einen Riegel eingebaut, der sich nur mit einem hölzernen Schlüssel bewegen ließ, den er immer bei sich trug. Nun öffnete er und wartete, bis sich seine Augen an das Zwielicht gewöhnt hatten.

Ermengilda wirkte weniger verzweifelt als hoffnungsvoll. Anscheinend rechnete sie fest damit, freigelassen zu werden, und haderte nur noch mit der Zeit, die bis dahin vergehen würde. Ihr Kittel hatte während der langen Gefangenschaft gelitten, dennoch sah sie auch jetzt noch so schön aus wie ein Frühsommertag.

Es reizte Unai, sie zu besitzen, und er überlegte, ob er ihr nicht die Freiheit versprechen sollte, wenn sie ihm zu Willen wäre. Doch sobald sie keine Jungfrau mehr war, würde er die Hirten nicht davon abhalten können, über sie herzufallen. Und dafür würde die Asturierin gewiss blutige Rache fordern – sei es von ihren Leuten oder von den Franken.

Daher bezwang er sein Verlangen und lehnte sich mit vor der Brust gekreuzten Armen gegen die Wand. »Wir werden diese Weide morgen verlassen und nach Norden ziehen.«

Es bereitete Unai einige Befriedigung zu sehen, wie das Gesicht des Mädchens erstarrte. Die Freiheit, nach der sie sich sehnte, schien in weite Ferne zu rücken.

Er ließ den Schrecken einige Augenblicke wirken. »Da Maite nicht zurückgekommen ist, bist du jetzt nicht mehr ihre, sondern meine Gefangene. Ich werde zu den Franken gehen und ihnen deine Freilassung anbieten, natürlich zu einem gewissen Preis.«

Ermengilda sah erwartungsvoll zu ihm auf. Während der langen Wochen ihrer Gefangenschaft hatte sie manchmal daran gezweifelt, dass es für sie je wieder ein Leben in Freiheit geben würde. Maites Abwesenheit hatte sie sich damit erklärt, dass diese Verhandlungen mit ihrem Vater oder den Franken führte und noch nicht handelseinig geworden war. Unai hingegen, so schätzte sie, würde sich mit einer Handvoll Silbermünzen zufriedengeben, und diese Summe musste sie ihrem Vater oder ihrem Bräutigam doch wert sein.

»Nimm mich mit! Ich werde dafür Sorge tragen, dass du deine Belohnung erhältst.« Ermengilda fürchtete sich vor den Hirten und hoffte, Unai würde auf ihre Bitte eingehen.

Diesen Wunsch konnte der Waskone ihr nicht erfüllen. Die Hirten würden sie auf keinen Fall gehen lassen, aus Angst, um den erhofften Anteil der Belohnung gebracht zu werden. Und auch er hatte nichts davon, wenn er Ermengilda in die Gascogne brachte, denn dort war die Gefahr groß, dass einer der Lehensträger Karls sie ihm abnahm, um sich selbst Vorteile zu verschaffen.

»Das geht nicht«, antwortete er daher. »Es ist ein weiter Weg, und ich muss erst einen Franken finden, mit dem ich reden kann.«

Forschend blickte Ermengilda den jungen Mann an und begriff, dass er ihr auswich. Auch wirkte er wie ein Getriebener, der nicht mehr Herr des eigenen Schicksals war. Dennoch würde sie ihm vertrauen müssen. Im Stillen fragte sie sich, weshalb Maite sie diesem Waskonen übergeben hatte und dann weggeblieben war. Trotz des Hasses, mit dem Ikers Tochter sie verfolgte, wäre es ihr lieber gewesen, in deren Hand zu sein. Maite verstand besser, was sie bewegte, als Unai oder gar die einfachen Hirten.

»Geh lieber zu meinem Vater! Dann bist du viel schneller zurück«, beschwor sie ihn.

Unai schüttelte den Kopf. Auf der Roderichsburg kannte man ihn als Bewohner der Grenzmark, und der Graf würde ihn spätestens dann, wenn Ermengilda befreit war, wie einen aufsässigen Knecht behandeln und hinrichten lassen. Der Franke, mit dem er zu verhandeln gedachte, kannte ihn jedoch nicht und besaß auch keine Macht über ihn.

»Nein, ich gehe zu den Franken!« Ohne auf ihre enttäuschte Miene zu achten, trat er auf sie zu und kontrollierte den geflochtenen Lederriemen, der sie mit einem in die Erde geschlagenen Pfosten verband. Sie konnte damit zwar einige Schritte tun, kam aber nicht bis zur Tür. Zu Beginn hatte sie versucht, die Schnur durchzukauen, doch dieses Leder war weitaus zäher als das, mit dem Maite sie angebunden hatte, und hatte ihren Versuchen widerstanden.

Unai fand keine Spuren, die darauf hindeuteten, dass die Gefangene versucht hatte, sich zu befreien, und nickte erleichtert. Wie es aussah, hatte das Mädchen sich mit der Situation abgefunden und würde gehorsam mit den Hirten zur Sommerweide seines Stammes ziehen und dort auf seine Rückkehr warten.

»Ich werde mich beeilen«, versprach er und verließ das Gefängnis, um Brot und Käse zu holen. Dabei zählte er in Gedanken die silbernen Denare, die er von König Karls Verwandtem erhalten würde.

Ermengilda dachte ebenfalls an Graf Eward. Während der

Wochen ihrer Gefangenschaft hatte sie sich oft gewünscht, ihr Reisezug wäre unbehelligt bis nach Metz gelangt. Doch nun, da es so aussah, als würde sie in absehbarer Zeit dem Verwandten des Frankenkönigs anvermählt, wusste sie nicht mehr, ob sie sich freuen oder ob ihr davor grauen sollte. Während sie die einfache Kost aus steinhartem Brot und ebenso festem Käse aß und Milch dazu trank, straffte sie die Schultern. Sogar die Ehe mit einem Franken war besser, als in diesem lichtlosen Raum zu hocken und nie einen Sonnenstrahl auf der Haut zu spüren.

4.

Maites Zorn wuchs mit jedem Tag, den sie in Iruñea weilte und tatenlos herumsitzen musste. Aus einem für sie unerklärlichen Grund hatte Eneko keinerlei Interesse gezeigt, Ermengilda in die Hände zu bekommen. Obwohl sie ihm über Zigor hatte mitteilen lassen, dass sie ihn zu sprechen wünsche, hatte er sie nicht zu sich rufen lassen, und am nächsten Tag war er abgereist, um sich mit Lupus, dem von König Karl eingesetzten Herzog von Aquitanien zu treffen.

Sie saß in einem alten Gebäude fest, das erst vor wenigen Jahren umgebaut und mit eigenartig geschwungenen Torbögen und fremdartigen Ornamenten versehen worden war. Der Trakt, in dem man sie und die Töchter einiger anderer Häuptlinge einquartiert hatte, wurde der Harem genannt.

Maite wurde bald klar, dass die Weiber des maurischen Walis in diesen Zimmern gelebt haben mussten, bevor es Eneko gelungen war, diesen zu vertreiben. Es gab noch immer Mauren in der Stadt, und Maite vernahm mehrmals am Tag den Ruf des Muezzins, der die Gläubigen zum Gebet rief. Auch der Mann, der sie und die anderen Mädchen beaufsichtigte, war mit Sicherheit ein Maure. Er war dicklich, hatte ein bartloses Gesicht und eine Fistelstimme. Zu ihrem Ärger hielt er die Türen versperrt, so dass sie ihr Quartier nicht verlassen konnten, um in den Garten zu gehen oder die männlichen Geiseln zu besuchen. Unter diesen gab es einige, die Maite immer noch als Freunde ansah und die ihr bestimmt geholfen hätten.

Auch an diesem Nachmittag stand sie am Fenster, das mit einem rankenartigen Holzgitter versehen war, so dass sie zwar hinausblicken, aber von draußen nicht gesehen werden konnte, und fühlte, wie Wut und Hass in ihr hochschäumten.

»Es ist zum Haareraufen. Wir sind hier eingesperrt wie Ziegen in ihrem Winterstall, und niemand kümmert sich um uns!«

Eine ihrer Mitgefangenen wandte sich achselzuckend zu ihr um. »Was willst du denn? Der Eunuch tut doch alles, damit wir es bequem haben. So gut wie jetzt habe ich selten gespeist.«

»Ich auch nicht«, stimmte ein anderes Mädchen zu.

Maite hatte schon an dem Tag, an dem sie hierhergebracht worden war, geahnt, dass sie in dieser Schar noch stärker als Außenseiterin angesehen wurde als bei den Mädchen ihres Dorfes. Ihr Ruf, Maite von Askaiz zu sein, die schon als kleines Mädchen den Grenzgrafen von Asturien überlistet hatte, war ihr vorausgeeilt, ebenso wie die Nachricht, dass sie zusammen mit den jungen Burschen aus mehreren Dörfern Graf Roderichs Reiter überfallen und dessen Tochter entführt hatte. Einige der Stämme, die nun Geiseln hatten stellen müssen, waren daraufhin von den Asturiern bedroht oder gar angegriffen worden, und das machten die Mädchen ihr zum Vorwurf. Dabei interessierte es sie nicht, dass die jungen Krieger ihrer Stämme an diesem Überfall begeistert teilgenommen hatten, sondern sahen allein sie als Wurzel allen Übels an.

Maite hatte ihre Schicksalsgefährtinnen ebenso über wie den Umstand, eingesperrt zu sein wie eine Ziege, obwohl sie an einem anderen Ort dringender benötigt wurde. Besorgt fragte sie sich, was Unai wohl unternehmen würde, und bedauerte, ihm die Aufsicht über Ermengilda übertragen zu haben. Sie kannte ihn zu wenig, um seiner Treue sicher zu sein. Während sie hier festsaß, konnte er bereits Graf Roderich aufgesucht und ihm ihre Gefangene übergeben haben. Dabei hatte sie gehofft, sich mit dem Lösegeld für Ermengilda endlich von Okin lösen und ihrer eigenen Wege gehen zu können. Das schien nun in weite Ferne gerückt, und schuld daran war Eneko von Iruñea, der sie so schnell aus Askaiz weggeholt hatte, dass es ihr nicht möglich gewesen war, sich um ihre Gefangene zu kümmern.

»Wenn du immer so ein langes Gesicht ziehst, werden alle jungen Männer vor dir davonlaufen«, spottete eine ihrer Mitgefangenen.

Maite nannte sie im Stillen ein dummes Schaf, sagte jedoch nichts, sondern beschloss, ihre Angelegenheiten wieder in die eigene Hand zu nehmen. Dafür aber musste sie aus diesem Haus und auch aus der Stadt entkommen. Immer wieder ging sie in Erinnerungen ihre Flucht aus Roderichs Burg durch. Damals war sie halb so alt gewesen wie jetzt und dazu blutig geschlagen. Was sie als kleines Kind fertiggebracht hatte, musste ihr hier doch ebenfalls gelingen.

Ungewohnter Lärm drang herein und schreckte Maite aus ihrem Grübeln. Sie sah hinaus und stellte fest, dass die männlichen Geiseln auf den Hof gelassen worden waren und sich nun paarweise im Ringen übten. Dabei tranken sie Wein aus großen Bechern und benahmen sich bald so ausgelassen, dass sie sämtliche Regeln missachteten. Schließlich beschimpften sie einander wüst, und innerhalb kürzester Zeit entspann sich eine wilde Rauferei.

»He! Kommt her! Hier könnt ihr was sehen!«, rief Maite den anderen zu.

»Was ist denn los?« Eines der Mädchen trat eher gelangweilt an ihre Seite und stieß nach einem kurzen Blick auf die sich blutig prügelnden jungen Männer einen empörten Ruf aus. »Dieser elende Eneko schlägt meinen Bruder. Der Bär soll ihn fressen!«

Jetzt drängten sich auch die anderen ans Fenster und schoben Maite kurzerhand beiseite. Mit schrillen Rufen feuerten sie ihre jeweiligen Verwandten an, doch schon bald beschimpften sie einander und wurden ebenfalls handgreiflich.

Maite verbarg ihr Lächeln, trat an die Tür und schlug heftig dagegen. Eine Magd warf einen Blick herein, prallte angesichts der keifenden und prügelnden Mädchen im nächsten Moment zurück und rief nach dem Eunuchen. Maite wartete neben der Tür, bis der Mann erschien und sich dem verzweifelten Ruf, doch bitte aufzuhören, unter die Mädchen mischte. Da er allein nicht mit ihnen zu Rande kam, befahl er der Magd, ihm zu helfen. Diese kam hinzu, packte eines der Mädchen am Arm und versuchte, es von seiner Gegnerin wegzuzerren.

Als die Magd und der Eunuch im Gewühl verstrickt waren und auf nichts anderes achteten, nahm Maite die Einladung der offenen Tür dankbar an. Auf ihrem weiteren Weg kam ihr die strikte Trennung zwischen den Frauengemächern und den übrigen Räumen zugute, denn sie traf auf kein einziges männliches Wesen. Nur einmal musste sie einer Gruppe Mägde ausweichen, die die Treppe hinaufstürzten, um dem Eunuchen beizustehen. Dessen Schreie klangen nun so, als hätten die weiblichen Geiseln ihn als Opfer auserkoren.

Maite rannte zu den Räumen, in denen die Mägde schliefen, und nahm sich neben anderer Kleidung auch einen langen Umhang aus festem Stoff. Als sie mit einem Korb am Arm, der ihre eigene Kleidung enthielt, den Harem verließ, musste jeder,

der ihr begegnete, sie für eine Bedienstete des Palastes halten, die einen Auftrag zu erfüllen hatte.

Zufrieden mit dem Streich, den sie ihren Bewachern gespielt hatte, spazierte Maite aus der Stadt, ohne von den Torwachen aufgehalten zu werden. In einem Waldstück zog sie sich wieder um, rollte den Umhang zusammen, um ihn als Decke zu verwenden, und machte sich in ihrer gewohnten Kleidung auf den Weg zu dem Versteck, in dem sie Ermengilda zurückgelassen hatte.

5.

Der Reiterzug gleicht einem gepanzerten Wurm, fuhr es Konrad durch den Kopf, einem Lindwurm, der sich unaufhaltsam durch das Land wälzt. Obwohl es sich nur um die von Roland befehligte Vorhut des Heerbanns von Neustrien handelte, konnte er sich nicht vorstellen, dass jemand dieser Armee Widerstand zu leisten vermochte. Die Menschen, durch deren Land sie ritten, waren gewiss nicht dazu in der Lage. Es waren Gascogner, die sich immer wieder gegen die fränkischen Könige aufgelehnt hatten, was die Herzöge Waifar und Hunold mit dem Leben hatten bezahlen müssen. Zwar hatte Karl nun Hunolds Neffe Lupus als Herzog von Aquitanien eingesetzt, aber dessen Macht deutlich beschnitten, indem er fränkische Grafen die einzelnen Gaue des Landes verwalten ließ.

Trotz der demütigenden Behandlung, die ihm durch Eward und sein Gefolge zuteilwurde, war Konrad stolz, zu König Karls Panzerreitern zu zählen. Nicht einmal seinem Vater war es gelungen, in die fränkische Kernschar aufgenommen zu werden. Arnulf vom Birkenhof hatte die Feldzüge des Königs nur als Anführer seines Aufgebots und in späteren Jahren als

Stellvertreter des Gaugrafen mitgemacht. Er aber, Konrad, durfte mit dem Markgrafen von Cenomanien reiten.

Sein Blick wanderte nach vorne zu Roland, der auf einem mächtigen Fuchshengst saß. Rot schien die Farbe des Markgrafen zu sein. Von seinen Schultern flatterte ein roter Umhang. Seine Tunika, die unter dem Panzerhemd hervorlugte, zeigte ein etwas dunkleres Rot, und neben ihm trug ein Reiter Rolands Banner, das aus einem einzigen Stück scharlachfarbenen Tuches bestand und in drei Zipfeln auslief. Die meisten vornehmen Herren schätzten das Rot, und Konrad vermutete, dass Roland mit seiner Kleidung Graf Eward unzweifelhaft vor Augen führen wollte, wer der Anführer war, denn Karls Halbbruder pochte bei jeder Gelegenheit auf seine höhere Abkunft. Auch jetzt ritt Eward an Rolands Seite und war bemüht, diesem nicht einen halben Schritt Vorsprung zu lassen.

Konrad hatte bisher kein Wort mit seinem direkten Anführer gewechselt, und da auch Hildiger und der Rest von Ewards Trabanten sich zu erhaben fühlten, um sich mit ihm zu unterhalten, fand er auf dem Ritt keine Gesprächspartner. Wenn die Leute abends um ihre Feuer saßen, konnte er meist nur mit Rado und einem Jungen namens Just reden, der seinem Begleiter zugelaufen war wie eine streunende Katze.

Als der Reiterzug zum Stehen kam, schreckte Konrad aus seinem Sinnieren auf. »Was ist los?«, fragte er Philibert von Roisel, der neben ihm ritt.

»Da sind Leute gekommen, die etwas von uns wollen, keine Gascogner, wie es aussieht, sondern Waskonen von jenseits der Grenze.« Der junge Krieger zählte zwar nicht zu Ewards engeren Freunden, hatte Konrad bislang jedoch ebenso ignoriert wie die anderen Trabanten. Nun aber, da sie sich der Grenze des fränkischen Einflussgebiets näherten, schien er etwas zugänglicher zu werden, als erinnere er sich daran, dass sie schon bald Schulter an Schulter gegen einen gemeinsamen Feind anreiten würden.

Konrad stellte sich in den Steigbügeln auf, um etwas erkennen zu können, doch erst, als zwischen den unruhig gewordenen Pferden eine Lücke entstand, entdeckte er einen jungen Mann in einer grünen Tunika, der heftig gestikulierend auf den Markgrafen einredete. Für eine Weile sah Roland so aus, als wolle er das Schwert ziehen, um den Kerl auf der Stelle niederzuschlagen. Dann aber ließ er den Knauf der Waffe los und sagte etwas zu dem Fremden. Dieser nickte eifrig.

Nun wandte Roland sich an Eward. Dieser winkte zunächst heftig ab, sprach dann mit Hildiger und einem anderen Reiter, der missmutig nickte und dann auf Konrad zukam. »Du sollst nach vorne kommen!«, schnauzte er ihn an, als sei er ein Knecht.

Konrad versuchte, die Beleidigung ungerührt wegzustecken, und richtete seine Gedanken auf das, was ihn erwarten mochte.

Philibert von Roisels Neugier schien stärker zu sein als seine Vorurteile, denn er folgte Konrad trotz einiger boshafter Bemerkungen seiner Kameraden bis zur Spitze des Zuges. »Ich bin gespannt, was Graf Eward von dir will!«, sagte er, als er aufgeschlossen hatte.

Konrad antwortete ihm nicht, sondern trieb sein Pferd an, bis er die Gruppe um seinen Anführer erreicht hatte. Dort fiel ihm als Erstes das spöttische Lächeln auf, welches um Rolands Lippen spielte. Es schien jedoch nicht ihm, sondern Eward zu gelten.

Karls Halbbruder zog ein Gesicht, als sei er eben barfuß in Hundekot getreten. »Der da«, Ewards Finger stach auf den Waskonen zu, »sagt, die Nichte König Silos von Asturien, die ich auf Befehl König Karls heiraten soll, sei auf dem Weg von ihrer Heimat ins Frankenreich entführt worden! Das …«

»Das ist leider wahr«, unterbrach Roland ihn. »Ich habe die Nachricht genauso erhalten wie du.«

»Das mag ja stimmen, aber der Kerl behauptet zu wissen, wo die Asturierin sich befindet. Wahrscheinlich redet dieser Lümmel nur Unsinn! Er dürfte irgendein Kräuterweib gesehen haben, das von seinen Schafhirten in den Bergen aufgegriffen worden ist. Jetzt hat er die Frechheit, eine Belohnung zu verlangen, damit er uns zu dieser angeblichen Ermengilda führt.«

Konrad begriff nicht, was das Ganze mit ihm zu tun hatte, und blickte Roland fragend an. Der aber beachtete ihn nicht, sondern deutete auf den Grafen. »Da es sich bei der Rose von Asturien um Herrn Ewards Braut handelt, überlasse ich ihm die Entscheidung.«

»Wir sollten diesem Kerl da eine Tracht Prügel geben oder ihn gleich aufhängen lassen«, schimpfte dieser.

Sofort sprang der Waskone einige Schritte zurück und legte die Hand auf den Griff des einschneidigen Haumessers, das er am Gürtel trug. Dann blickte er mit beleidigter Miene zu Roland auf. »Ich lüge nicht. Das Mädchen ist Ermengilda. Maite selbst hat sie in mein Dorf gebracht!«

Konrad verstand die im südgallischen Dialekt gesprochenen Worte nicht, doch Philibert übersetzte sie ihm leise.

Damit brachte er Hildiger gegen sich auf, der ihm einen drohenden Blick zuwarf und sich dann an Eward wandte. »Ich finde, wir haben schon zu viel Zeit mit dieser lächerlichen Angelegenheit vergeudet. Wenn wir noch länger warten, erreichen wir die Stadt nicht mehr, in der wir unser Nachtlager aufschlagen wollten. Es reicht, wenn sich ein oder zwei Männer um den Kerl und dieses Weib kümmern. Sie sollen dem Bergwilden und der Kräuterhexe die verdiente Belohnung in Form einiger kräftiger Stockschläge verabreichen! Oder glaubt hier jemand, dass ein einfacher Hirte weiß, wo sich eine hochgeborene Jungfer wie Ermengilda befindet? Wahrscheinlich ist

König Silos Nichte längst an die Mauren verkauft worden und liegt jetzt unter einem der Heiden!«

Hildigers Worte klangen so, als gönne er Ermengilda dieses Schicksal, und Eward lachte darüber wie über einen guten Witz. Bis auf Philibert fielen auch seine Trabanten in das Gelächter ein.

Konrad fand das Benehmen der Männer empörend und blickte Roland fragend an. Aber der Markgraf zog sein Pferd herum und ritt weiter, ohne sich darum zu kümmern, was mit dem Waskonen und seinem Anliegen geschah. Seine Leute setzten sich ebenfalls in Bewegung und drängten dabei Konrads Braunen sowie Graf Ewards und Hildigers Reittiere von der Straße.

Während Konrad die Missachtung gleichmütig hinnahm, kochte sein Anführer vor Zorn. »Diese Hunde! Das werden sie mir bezahlen.«

Dann fiel sein Blick auf Konrad, und er sprach diesen zum ersten Mal direkt an. »Du wirst den Waskonen begleiten und nach der Frau schauen. Wage es aber nicht, sie ins Lager zu bringen, wenn du dir nicht ganz sicher bist, dass es sich um Ermengilda von Asturien handelt.«

»Wegen mir könnte er die auch in den Bergen lassen«, sagte Hildiger halblaut. Dann sah er Philibert von Roisel an und verzog die Lippen zu einem gehässigen Grinsen. »Da der Bauerntölpel die Sprachen in dieser Gegend nicht kennt, solltest du ihm einen Mann mitgeben, der für ihn übersetzen soll. Nimm am besten Philibert, denn der hat seine Kenntnisse gerade bewiesen.«

Philibert von Roisel war nicht gewohnt, von Hildiger so verächtlich behandelt zu werden. Zudem fand er es empörend, dem Kommando eines Bauernlümmels unterstellt zu werden. Bevor er jedoch widersprechen konnte, nickte Eward gleichgültig. »So soll es geschehen!«

Mit den Worten gab der Graf seinem Pferd die Sporen und sprengte an den Reitern vorbei, um zu Roland aufzuschließen. Hildiger und seine Trabanten folgten ihm, ohne Konrad und Philibert einen weiteren Blick zu schenken. Rado und Just scherten aus der Reiterschar aus, um sich zu ihrem Herrn zu gesellen, während Philiberts Knechte mit dem Heer weiterzogen, ohne sich um sein Winken und seine Rufe zu scheren.

»Elende Schurken! Ihr werdet was erleben«, brüllte Philibert ihnen nach.

Unterdessen sah Rado Konrad fragend an. »Habe ich das richtig verstanden? Wir sollen eine Dame in den Bergen suchen und zu Graf Eward bringen?«

Konrad nickte mit verdrossener Miene und fragte den Waskonen, wo die Maid zu finden sei. Dieser starrte ihn verwirrt an, weil er die Sprache nicht verstand, während Philibert mit seinem Stolz kämpfte und nicht wusste, ob er Konrad helfen oder diesen mit seinen Schwierigkeiten alleinlassen sollte.

Noch bevor Ewards Gefolgsmann zu einer Entscheidung gelangt war, mischte Just sich ein. Der Junge verstand neben den Sprachen Ost- und Westfrankens auch ein paar Brocken des hiesigen Dialekts. Stockend übersetzte er Konrads Frage und lauschte dann angespannt der Antwort des Waskonen.

»Der Mann heißt Unai und stammt aus einem Dorf südlich der Pyrenäen. Eine Dame namens Maite hat die gefangene Prinzessin bei seinen Leuten gelassen. Nun hat die Prinzessin ihn händeringend gebeten, ihr zur Freiheit zu verhelfen, und ihm reichen Lohn dafür versprochen. Aus diesem Grund ist er zu uns gekommen. Jetzt ist er jedoch beleidigt, weil unsere Anführer ihn so verächtlich behandelt haben. Dabei, so sagt er, sei es ganz sicher die Dame, die Graf Roderich aus Asturien und die Franken so verzweifelt suchen.«

»Verzweifelt wirkte Graf Eward nun nicht gerade«, warf Rado ein.

»Der Graf glaubt, der Mann habe ihn belogen. Da er selbst stets in Seide und beste Stoffe gewandet ist, vermag er sich nicht vorzustellen, dass ein Mann, der schlichte Wolle trägt, der Bote einer Prinzessin sein kann.« Konrad musterte Unai, der auch auf ihn eher den Eindruck eines Knechts als den eines freien Kriegers machte, doch dann fiel ihm ein, dass sein Vater ebenfalls Knechte als Boten schickte. Daher zögerte er nun nicht mehr, sondern forderte den Waskonen auf, ihn zu Ermengilda zu bringen.

Philibert hatte unterdessen seinen Stolz bezwungen und übersetzte seine Worte. Darüber war Just froh, denn so gut wie dieser verstand er die Sprache des gallischen Südens nicht und hatte Angst, für eine falsche Antwort bestraft zu werden. Er nahm sich jedoch vor, seine Ohren offen zu halten, um mehr von dieser Sprache zu lernen.

»Nach Unais Worten befindet Prinzessin Ermengilda sich bei einigen Hirten, die ihm und ihr Obdach gegeben haben. Wir müssen drei Tage in die Berge reiten, um zu ihnen zu gelangen!« Nun begann das Abenteuer Philibert Spaß zu machen. Es war sicher vergnüglicher, mit ein paar Begleitern eine Dame abzuholen, als den ganzen Tag den Staub zu schlucken, den Rolands Reitertrupp aufwirbelte.

Anders als Philibert nahm Konrad die Sache nicht auf die leichte Schulter. Warum musste der erste Auftrag, den er erhalten hatte, von solch großer Bedeutung sein? Er ertappte sich dabei, dass er hoffte, die angebliche Prinzessin würde sich als einfaches Hirtenmädchen entpuppen. Dann aber schoss ihm durch den Kopf, es könne sich um eine Falle handeln, die König Karls Feinde dessen Halbbruder stellen wollten. Auf Graf Eward würden diese Männer jetzt umsonst warten, aber für ihn mochte es der erste und gleichzeitig der letzte Ritt im Dienste des Grafen sein. Bei dem Gedanken glitt Konrads Rechte wie von selbst zum Schwertknauf.

Unai schnaubte. Diese Franken sind nicht ganz richtig im Kopf, dachte er. Kein Waskone hätte seine Worte angezweifelt, dass es sich bei der jungen Frau um Ermengilda aus Asturien handelte. Doch der Anführer dieses Heeres hatte sich nicht für seine Botschaft interessiert, und der Bräutigam der Rose von Asturien hatte ihn sogar als Lügner hingestellt.

»Es handelt sich um Ermengilda«, wiederholte er und schwang sich auf sein Pferd, um in die Richtung zurückzureiten, aus der er gekommen war. Dabei schüttelte er ein über das andere Mal den Kopf, denn er sah weitaus mehr Schwierigkeiten auf sich zukommen, als er sich vorgestellt hatte. In dem Glauben, eine größere Schar Franken würde ihn auf dem Rückweg eskortieren, hatte er sich unterwegs ein Pferd ausgeliehen, ohne den Besitzer zu fragen. Drei Männer und ein Kind waren jedoch nicht genug, um ihn vor dem Zorn des bestohlenen Stammes zu schützen. Aus diesem Grund musste er einen Umweg machen, der sie mindestens einen weiteren Tag kosten würde.

6.

Das Land wurde rauh. Steile Felsen ragten zu allen Seiten auf, und an Bergflanken zogen sich die Wälder, so weit das Auge reichte. Konrad hatte eine solche Landschaft noch nie gesehen und zuckte bei jedem ungewohnten Geräusch zusammen. In der Linken trug er seinen Schild und führte gleichzeitig den Zügel, während er in der rechten Hand kampfbereit den Speer hielt.

Auch Philibert und Rado wirkten so angespannt, als erwarteten sie jederzeit, einen Feind auf sie eindringen zu sehen. Just hingegen beobachtete ihren Führer. Solange Unai keine Unruhe zeigte, waren sie seiner Meinung nach nicht in Gefahr.

Konrad teilte diese Ansicht nicht. »Ich misstraue diesem Kerl«, flüsterte er Rado und Philibert zu. »Er sagte, wir bräuchten drei Tage bis zu der angeblichen Ermengilda. Jetzt sind wir schon den vierten Tag unterwegs und haben bisher nichts gesehen als Felsen, Bäume und gelegentlich einen Bach.«

»Unai macht einen Umweg«, mischte Just sich ein. »Ich sehe es an dem Berg dort mit dem eigenartig geformten Gipfel. Am Anfang hatten wir ihn links vor uns, dann sind wir auf einmal direkt auf ihn zugeritten und jetzt ragt er wieder schräg links vor uns auf.«

»Du hast gut aufgepasst!« Konrad lächelte Just zu und nahm sich vor, in Zukunft genauer auf seine Umgebung zu achten. Während er sich blindlings dem Führer anvertraut hatte, hatte Just offensichtlich gut auf den Weg geachtet und war vielleicht sogar in der Lage, allein zurückzufinden.

»Der Kleine ist ein kluges Kerlchen«, sagte er zu Rado.

Sein Begleiter war froh gewesen, ohne Tadel davongekommen zu sein, weil er den Jungen mitgebracht hatte. Nun lächelte er erleichtert und war nicht wenig stolz auf das Bürschchen.

Der Junge blickte zufrieden zu ihm auf. Da er in der Stadt, in der er zuletzt gelebt hatte, nicht länger geduldet worden war, hatte er sich einfach einen Fremden ausgesucht, der gutmütig und hilfsbereit gewirkt hatte, und dabei den Besten von allen erwischt. Rado schlug ihn nicht, schimpfte nur selten mit ihm und trug ihm vor allem keine Arbeiten auf, die zu schwer für ihn waren. Hatte er es schon aufregend gefunden, mit dem Heer durch Gallien zu reiten, so war dieser Ritt ein Abenteuer, wie er es sich gewünscht hatte, und er genoss es, mit Rado und dessen Herrn durch die Berge zu schweifen.

Just entdeckte immer wieder Wegmarken, an denen er sich orientieren konnte. Sollte Unai versuchen, sie in die Irre zu führen, so würde er der Führer der kleinen Gruppe werden und bekäme die Chance, sich Rados und Konrads Dankbarkeit zu erwerben. Zufrieden stieß Just dem Lasttier die Fersen in die Weichen und lenkte es an Unais Seite.

»Wovon leben die Leute hier eigentlich? Wir haben unterwegs kaum einen Acker gesehen.«

Unai gab bereitwillig Auskunft. »In den Tälern gibt es Felder, die von den Dörfern aus bestellt werden. Dazu jagen wir, sammeln, was die Wälder uns geben, und züchten Schweine, Schafe und Ziegen.«

»Bist du ein Hirte?«, wollte Just wissen.

Der Waskone schüttelte den Kopf. »Ich bin Krieger. Weißt du, meine Leute und ich, wir müssen uns mit den Asturiern herumschlagen, haben die Mauren am Hals und …«, er schwieg einen Augenblick und fuhr mit einem unecht klingenden Lachen fort, »… und sind daher sehr froh, dass die Franken uns ihren Schutz angeboten haben.«

Just sah dem Mann an, dass dieser log. Unai mochte die Franken ebenso wenig wie die Asturier oder Mauren. Auf jeden Fall war der Waskone kein Freund, und er nahm sich vor, auf der Hut zu sein.

Kurz darauf weitete sich die Schlucht, durch die sie ritten, zu einem kleinen Tal. Der Bach, der darin floss, war gesäumt von kleinen, mit unbehauenen Steinen eingefassten Feldern. Ein Stück den Hang hoch befand sich ein Dorf, das von einer Mauer aus aufgeschichteten Bruchsteinen umschlossen wurde.

Konrad atmete auf. »Von den Leuten können wir Nahrung und Wasser bekommen, um die Pferde zu tränken.«

Unai hätte das Dorf gerne gemieden, da die Leute mit jenem Stamm verbündet waren, dem er das Pferd gestohlen hatte. Doch wenn er einen noch größeren Umweg machte, verlor er weitere Tage, und das würde seine fränkischen Begleiter so misstrauisch machen, dass sie ihn im schlimmsten Fall sogar erschlugen. Ein Stück unterhalb des Dorfes zügelte er sein

Pferd und wies Konrad und dessen Leute an, ebenfalls stehen zu bleiben. »So zeigen wir den Dörflern, dass wir in friedlicher Absicht kommen«, erklärte er.

»Sie sehen doch, dass wir Franken sind. Ihre Anführer haben König Karl Treue geschworen!« Konrad wollte an dem Waskonen vorbeireiten, doch Unai griff nach dem Zügel des Hengstes und hielt ihn auf.

»Wir sind hier nicht in der Gascogne, die von den fränkischen Königen unterworfen worden ist, sondern in den Bergen. Von eurem König Karl haben die wenigsten hier gehört, und selbst Eneko von Iruñea ist für sie kaum mehr als ein Name!«

»In Franken hat man es mir anders berichtet«, antwortete Konrad, als Philibert ihm die Worte übersetzt hatte.

Unai zuckte mit den Schultern. Ihn interessierte nicht, was man sich bei den Franken erzählte, sondern wie sie hier empfangen wurden. Bislang gab es keine Anzeichen, dass sie willkommen wären. Nervös trieb er sein Pferd ein Stück auf das Dorf zu und zügelte es erneut. Doch er hörte keinen Ruf, der ihnen erlaubte, weiterzureiten.

»Das ist nicht gut«, flüsterte er.

»Was?«, wollte Just wissen.

»Bleibt hier! Ich reite nach oben. Die Leute kennen mich«, antwortete Unai, ohne auf die Frage des Jungen einzugehen. Er klemmte sich den Spieß unter den linken Oberschenkel und ritt langsam auf den Eingang des Dorfes zu. Auf die Weise wollte er den Dörflern zeigen, dass er nicht in feindlicher Absicht kam. Dabei hoffte er, dass niemand unter diesen Leuten war, der sein Pferd kannte.

Während Unai sein Reittier vor dem aus gekreuzten Stangen bestehenden Tor zügelte und auf die Männer einsprach, die dort Wache hielten, zeigte Konrad auf den Bach.

»Kommt, lasst uns inzwischen die Pferde tränken. Wir müssten sonst vom Dorf wieder zurück ins Tal steigen.«

»Ein guter Gedanke!« Rado lenkte seinen Gaul den schmalen Saum zwischen zwei Feldern entlang auf den Bach zu. Just und Philibert folgten ihm sofort, während Konrad noch einen kurzen Blick auf das Dorf warf.

Dort war unterdessen das Tor geöffnet worden. Aber die Leute ließen Unai nicht ein, sondern scheuchten ihn zurück. Mehr als ein Dutzend Männer quollen mit allen möglichen Waffen fuchtelnd aus der Umzäunung und rannten ins Tal herab. Was sie einander zuriefen, verstand Konrad nicht, doch ihre Gesten waren deutlich genug. Rasch schloss er zu seinen Freunden auf und erreichte sie, als Rado eben seinem Pferd die Trense herausnehmen wollte, damit es besser saufen konnte.

Konrad zeigte auf die Meute, die auf sie zukam. »Die Kerle sehen nicht gerade freundlich aus!«

»Sie wollen, dass wir verschwinden, sonst töten sie uns.«

Philibert griff zum Schwert und funkelte Konrad auffordernd an. »Wollen wir es den Kerlen zeigen?«

Konrad schüttelte den Kopf. »Selbst wenn wir Just mitrechnen, kommen auf jeden von uns vier von denen. Da erscheint es mir besser, wenn wir Fersengeld geben. Los, kommt!«

»Vor so einem Gesindel zurückweichen? Das wäre feige!«, fuhr Philibert ihn an.

»Ich würde es nicht feige nennen, sondern klug«, wandte Just ein und zeigte den Bachlauf entlang. »Nach Unais Worten müssen wir an diesem Dorf vorbei. Wenn wir das Tal entlangreiten und weiter vorne wieder bergan steigen, dürften wir auf den Weg kommen, den er nehmen wollte.«

Konrad schenkte Just einen anerkennenden Blick und gab seinem Hengst die Sporen. Die Dörfler waren inzwischen fast bis auf Speerwurfweite heran, und ihr Gebrüll verriet, dass sie keinen der Eindringlinge am Leben lassen wollten.

Einige Zeit später erreichte die Gruppe einen Pfad, der bergan führte, und folgte ihm. Auf halber Höhe wartete Unai auf sie, der von den anderen Waskonen unbehelligt am Dorf hatte vorbeireiten können. Um seine Lippen lag ein spöttischer Zug. »Ich hatte euch gewarnt, euch von der Stelle zu rühren, aber ihr musstet ja wieder einmal so tun, als würden Wasser und Weide euch gehören und nicht meinen Verwandten!«

Zwar wusste er genau, dass die Stammeskrieger die Franken so oder so verjagt hätten, nahm aber den Zwischenfall zum Anlass, Konrad und den anderen klarzumachen, dass sie hier in den Bergen auf ihn angewiesen waren, wenn sie überleben wollten.

7.

Ermengilda gefielen die Blicke nicht, mit denen die Hirten sie maßen. In ihnen lag eine Gier, die sie erschreckte. Wieder überkam sie Bedauern, dass Unai die Gruppe verlassen hatte, um einen Franken zu suchen, mit dem er ihre Freilassung aushandeln konnte. Wäre er zu ihrem Vater gegangen, hätte er längst wieder zurück sein können, und dann wäre sie wahrscheinlich schon frei und in Sicherheit.

Auf dem Weg durch die Berge, den sie nun gehen musste, führte jeder Schritt sie weiter weg von ihrem Zuhause. Ihr blieb nur die Hoffnung, dass sie den Franken entgegengingen.

Wenn es ihr möglich gewesen wäre, hätte sie versucht, zu fliehen und sich irgendwo zu verstecken. Doch mehr als die Hirten fürchtete Ermengilda deren Hunde. Wenn sie nur einen Schritt zur Seite machte, begannen die großen, gefleckten Tiere sofort zu bellen, und wenn sie sich zwischen Büschen verbarg, um ihre Notdurft zu verrichten, war mindestens eines in ihrer Nähe und schnappte nach ihr, um sie wieder auf den richtigen Weg zurückzutreiben.

Diese beschämenden Augenblicke noch vor Augen, rutschte sie auf einer glatten Felsplatte aus und stürzte. Sie vernahm das Gelächter der Hirten und spürte, wie einer der Hunde sie in ihre Kehrseite biss. Es war nur ein festes Kneifen, aber sie würde sich am Abend nicht richtig setzen können. Während sie mühsam auf die Beine kam, verfluchte sie Maite, Unai, die Hirten und die ganze Welt.

Als die Sonne hinter den Bergen im Westen verschwand, trieben die Hirten ihre Schafe auf einer kleinen Hangwiese zusammen und errichteten dort ihr Lager. Sie schnitten drei Stangen zurecht, banden sie zu einem Dreifuß zusammen und hängten ihren Kochkessel daran auf.

Einer der Männer gab Ermengilda einen Stoß. »Kümmere dich um das Essen!« Dabei drückte er ihr den Beutel mit den Vorräten in die Arme, den man unterwegs einem eigens dafür abgerichteten Hammel aufgeladen hatte.

Normalerweise kochten die Hirten abwechselnd. Aber sie hielten es für unter ihrer Würde, diese Arbeit zu verrichten, wenn ein weibliches Wesen bei ihnen war. Nun folgten ihre Blicke jeder Bewegung der Asturierin, und sie grinsten einander an. Eine Frau war schließlich nicht nur zum Kochen gut, sondern auch für etwas anderes.

Vor einigen Jahren hatten sie den Sommer über eine Landstreicherin bei sich aufgenommen. Deren Kochkünste waren zwar nicht besser gewesen als ihre eigenen, doch die Nächte zwischen ihren Schenkeln hatten das wettgemacht. Jetzt reizte es die Männer immer mehr, ihre Gefangene auf den Rücken zu legen. Ob sie überhaupt Lösegeld für sie bekommen würden, war schließlich eine unsichere Sache, während sie ihre Lust auf der Stelle befriedigen konnten. Dabei verdrängten sie den Gedanken, dass es sich bei ihr um die Tochter eines hohen Herrn handeln sollte, der die Möglichkeit hatte, sie zur Rechenschaft zu ziehen.

Einer der Hirten versetzte Ermengilda einen Schlag. »Mach schneller. Wir haben Hunger!«

»Heilige Muttergottes, die du unseren Heiland geboren hast, hilf mir!«, betete sie leise, während sie Gerstenkörner zwischen zwei flachen Steinen zerquetschte und in den Kessel schüttete.

Der Mann griff in den Vorratsbeutel, holte ein Stück getrockneten Fleisches heraus und warf es ihr zu. »Schneid das hier in Stücke und koche es mit.«

Ermengilda fing den Brocken auf. Er war hart wie ein Stein. »Dafür brauche ich ein Messer!«

Der Hirte zögerte kurz, zog dann sein Messer aus dem Gürtel und reichte es ihr. »Mach keine Dummheit, Mädchen! Es würde dir nicht bekommen.«

Ohne ihn anzusehen, zerteilte Ermengilda das Fleisch, gab es in den Kessel und machte sich auf die Suche nach Kräutern, um das einfache Mahl zu würzen. Einer der Hunde begleitete sie wie ein Schatten, und sein Knurren warnte sie davor, sich zu weit vom Lager zu entfernen.

Kurze Zeit später legte sich die Dämmerung wie ein dunkler Schleier über das Land. Die Hirten ließen das Feuer niederbrennen, um Fremde nicht durch den hellen Schein auf sich aufmerksam zu machen. Bis auf einen Mann, der Wache hielt, versammelten sie sich um Ermengilda und hielten ihr grinsend die Näpfe hin. Offensichtlich machte es ihnen Spaß, sich von einer hochgeborenen Dame bedienen zu lassen.

Einer von ihnen lobte das Essen. »Das schmeckt gut. Ich glaube, wir sollten dich behalten.«

Ermengilda schlug erschrocken das Kreuz. Die anderen Männer lachten, und einer von ihnen versetzte ihr einen Klaps auf den Hintern. »Wir Hirten sind starke Kerle! Du würdest es nicht bedauern.«

»Lasst mich in Frieden!« Ermengilda zog sich ein paar Schritte zurück und setzte sich mit ihrem Napf in der Hand auf einen Stein, um selbst etwas zu essen.

Die Hirten sahen ihr zu und stießen sich lachend an. Dann stand einer von ihnen auf, trat neben sie und nestelte an seiner Hose. Als er mit einem wohligen Seufzer einen Urinstrahl rinnen ließ, drehte er sich so, dass das Feuer ihn beleuchtete.

»Na, was meinst du? Soll ich ihn in dich reinstecken? Bei den vielen Männern, die auf der Burg deines Vaters leben, bist du gewiss keine Jungfrau mehr.«

»Wenn ihr mir etwas antut, wird mein Vater euch jagen und am nächsten Baum aufhängen lassen!«, schrie Ermengilda entsetzt auf.

Die Hirten lachten höhnisch auf, denn der Grenzgraf war weit weg und hatte so tief in den Bergen keine Macht.

Der Mann, der sich eben erleichtert hatte, baute sich vor Ermengilda auf. »Was sollte uns daran hindern, dich auf den Rücken zu legen und dir hinterher die Kehle durchzuschneiden? Die Schluchten hier sind tief. Dort wird niemand deinen Kadaver finden. Wenn man uns nach dir fragen sollte, haben wir dich nie gesehen.«

Ermengilda begriff, dass die Hirten sie noch in dieser Nacht vergewaltigen würden, und überlegte verzweifelt, wie sie diesem Schicksal entgehen konnte.

Da ertönte seitlich hinter ihr eine Stimme. »Du wirst weder das eine noch das andere tun!«

8.

Auf ihrem Weg in die Berge hatte Maite sich von den Dörfern ferngehalten. Nur eines suchte sie auf, weil sie dort gute Freunde hatte, und als sie am nächsten Morgen aufbrach, hingen an ihrem Gürtel eine lederne Schleuder und ein Beutel, den sie an einem Bachbett mit rund geschliffenen Kieselsteinen füllte. Außerdem besaß sie nun einen langen Stecken mit einer eisernen Spitze, den sie als Spieß verwenden konnte, und in einem zusammengeknoteten Tuch steckten ein Stück steinharter Wurst, ein Brot und getrocknete Oliven als Wegzehrung.

Der Abschied war jedoch weniger herzlich gewesen, als sie es erwartet hatte. Selbst ihre Freunde hatten keinen Hehl aus ihrer Überzeugung gemacht, dass es ein Fehler gewesen war, Ermengildas Reisezug zu überfallen. Einer der Burschen im Dorf, der dabei gewesen war und Ermengildas Leibmagd Ebla als Beute bekommen hatte, hatte das Mädchen bereits Graf Enekos Leuten übergeben, damit diese es zu Graf Roderich zurückschickten.

Verärgert über die Vorwürfe, war Maite froh, als sie das Dorf verlassen hatte und wieder allein durch die Bergwildnis wandern konnte. Den Weg zu der Almweide, auf der sie Ermengilda und Unai zurückgelassen hatte, bewältigte sie in zwei Tagen. Dort aber fand sie nur noch eine abgegraste Wiesenfläche und eine leere Hütte vor.

Im ersten Augenblick glaubte sie, Unai und die Hirten wären fortgezogen, um Ermengilda zu Eneko zu bringen. Dann aber schüttelte sie den Kopf. Dafür hätten nicht alle Hirten gehen und auch noch die Schafe mitnehmen müssen. Der Anblick der bis auf die Wurzeln abgenagten Halme brachte sie auf den richtigen Gedanken.

»Sie haben die Weide gewechselt.« Maite versuchte, sich zu erinnern, in welchem Rhythmus die Hirten aus Unais Stamm ihre Almen aufsuchten, und machte sich auf den Weg. Nun erwies es sich als Vorteil, dass sie die letzten Jahre stets mit den jungen Burschen unterwegs gewesen war, anstatt bei den Mädchen zu sitzen, Wolle zu spinnen und dummes Zeug zu schwätzen. Sie hatte viel über die Weiden der einzelnen Stämme erfahren und glaubte zu wissen, in welche Richtung sie sich wenden musste. Als sie kurz darauf auf einem Pfad, der sich nach Norden schlängelte, noch recht frischen Schafsdung entdeckte, war sie sicher, den Hirten und damit auch Unai und Ermengilda auf der Spur zu sein.

Zufrieden schritt sie aus, und während sie der Herde folgte, dachte sie daran, dass sie, wenn sie Ermengilda an Eneko übergab, zwar auf ihre Rache verzichten, dafür aber die Leute ihres Stammes zufriedenstellen und den Einfluss zurückgewinnen würde, den sie durch den Überfall und Ermengildas Versklavung verspielt hatte.

Die Nächte verbrachte Maite in den Wäldern. In dichtem Gebüsch, den Speer eng an sich gedrückt, ruhte sie in einem Spannungsfeld zwischen Wachen und Schlafen, bereit, jederzeit ihre Waffe auf Wölfe oder einen Bären zu richten.

Als an diesem Tag die Abenddämmerung aufzog, wollte sie sich erneut ein Versteck suchen. Da hörte sie vor sich das Blöken von Schafen und begriff, dass sie Unais Herde eingeholt hatte. Da es ihr lieber war, im Schutz eines Feuers unter den aufmerksamen Augen eines Wächters zu schlafen, als erneut bei jedem Geräusch hochzuschrecken, eilte sie weiter und sah schon bald die Herde vor sich. Die Tiere lagen, von den Hunden bewacht, auf einer Hangwiese und käuten wieder. Von den Hirten war nichts zu sehen. Sie wollte schon rufen, doch dann packte sie der Übermut, und sie beschloss, sich unbemerkt zum Lagerplatz vorzuarbeiten und Unai zu überraschen.

Während sie in der Deckung der Bäume weiterschlich, erspähte sie den Wächter. Der behielt jedoch weniger die Umgebung im Auge, sondern starrte immer wieder zum Feuer hin. Anscheinend geschah dort etwas, das ihn mehr interessierte als mögliche Viehdiebe oder Raubtiere, vor denen ihn die Hunde warnen sollten.

Der wird sich wundern!, dachte Maite schadenfroh. Da der Wind in ihre Richtung wehte, waren die Hunde noch nicht auf sie aufmerksam geworden. Sie schlich weiter und stellte sich die Gesichter der Hirten vor, wenn sie plötzlich mitten unter ihnen erschien. Da hörte sie, was am Feuer gesagt wurde, und vergaß darüber alles andere. Mit einem wütenden Aufschrei trat sie in den Bereich, der vom Lagerfeuer erhellt wurde, und blieb neben Ermengilda stehen.

Der Hirte, den sie angebrüllt hatte, starrte sie verblüfft an und lachte dann spöttisch auf. »Wer sollte uns daran hindern? Du vielleicht?«

Einer seiner Kameraden stellte seinen Essnapf beiseite und stand auf. »Jetzt haben wir gleich zwei Weiber! So gut ist es uns noch nie gegangen.«

»Treibe es mit deinen Schafen, wenn dir danach ist, und lass uns in Ruhe – oder du wirst es bereuen!« Maites aufgeflammte Wut wich eisigem Zorn. Breitbeinig stand sie vor dem Mann und richtete die Eisenspitze ihres Stabes auf ihn. Für ihre Schleuder war die Entfernung zu kurz. Der andere würde bei ihr sein, ehe sie einen Stein in die Schlinge gelegt hatte.

Keiner der Hirten nahm Maite ernst. Zu anderen Zeiten hätten sie ihr gastfreundlich einen Platz am Feuer angeboten und sie in Ruhe gelassen. Jetzt aber war ihre Gier erwacht. Sie wollten eine Frau haben, und wenn es zwei sein würden, war es noch besser.

Einer der Männer rief seinen Lieblingshund heran. »Wirf sie um, Raxo!«

Das Tier war groß genug, es mit einem Wolf aufnehmen zu können. So schnell, als gelte es, Wild zu hetzen, kam es auf Maite zu und setzte zum Sprung an.

Im gleichen Augenblick zuckte ihr Stock nach vorne, und trotz des flackernden Lichtes traf sie die Schnauze des Hundes. Noch im Schwung des Schlags trat sie einen Schritt beiseite und sah zu, wie die Läufe des Tieres einknickten und es winselnd liegen blieb.

So viel kaltes Blut hatten die Hirten nicht von einem Mädchen erwartet. Ihre Hände griffen zu ihren Messern, doch Maites drohende Miene verriet ihnen, dass sie sich nicht kampflos in ihr Schicksal fügen würde.

Maite spürte, dass die Männer unsicher wurden, und zeigte mit der Spitze ihres Stocks auf den Nächststehenden. »Wo ist Unai?«

»Er ist zu den Franken, um mit ihnen über die Übergabe Ermengildas zu verhandeln.«

»Und da wolltet ihr sie vorher noch schänden? Seid froh, dass ich früh genug gekommen bin, um euch daran zu hindern. Die Franken hätten euch dafür in Streifen geschnitten und an eure Hunde verfüttert!« Maite schüttelte den Kopf, weil die Männer so wenig über die Folgen ihrer Tat nachgedacht hatten.

Aber die Hirten sahen auch jetzt nicht so aus, als hätten sie ein Einsehen. Daher packte Maite Ermengilda und schob sie hinter sich. »Wir beide verschwinden jetzt, denn ich traue diesen Burschen nicht. Oder hast du Lust, unter ihnen zu liegen?«

Ermengilda spürte, wie die Hoffnung neue Kräfte in ihr weckte, und wandte sich zur Flucht. Maite folgte ihr langsam, hielt ihren Stock aber stoßbereit und achtete darauf, ob einer der Männer ihnen folgte. Dabei fragte sie sich, ob es nicht eine gute Rache an Ermengilda und deren Vater gewesen wäre, sie den Hirten zu überlassen. Doch es war ihr klar, dass die Kerle sich dann auch an ihr vergriffen hätten.

Ermengilda war erleichtert, dass Maite sie vor den Hirten gerettet hatte, und wäre ihr am liebsten um den Hals gefallen. Vor allem aber wollte sie fort von diesen schrecklichen Kerlen. Vorsichtig, um nicht zu straucheln, zog sie sich aus dem Schein des Feuers zurück und tauchte im nächtlichen Wald unter.

Dort blieb sie stehen und wartete auf Maite. Obwohl sie lauschte, bemerkte sie die Waskonin erst, als diese direkt vor ihr stand.

Maite griff nach Ermengildas Hand. »Halte dich an mir fest, sonst gehst du mir noch verloren.«

»Werden die Männer uns nicht verfolgen?«, fragte Ermengilda ängstlich.

»Möglich ist es. Doch wir werden ihnen keine Chance geben, uns zu finden.«

»Und ihre Hunde?«

»Die Hirten wissen jetzt, dass ich mit diesem Viehzeug fertig werde, und werden nichts riskieren. Gute Hirtenhunde sind wertvoll, und jeder, den ich töte, würde ihnen abgehen, wenn Wölfe oder Bären sich der Herde nähern.« Ganz so überzeugt, wie sie klang, war Maite nicht, doch sie wollte Ermengilda beruhigen. Wenn das Mädchen vor Angst hysterisch wurde, waren sie beide in Gefahr.

Die Asturierin schloss ihre frühere Peinigerin in die Arme und drückte sie erleichtert an sich. »Ich danke dir, dass du mich zum zweiten Mal gerettet hast!«

Maite zuckte mit den Schultern, auch wenn Ermengilda die Geste in der Dunkelheit nur spüren konnte. »Bilde dir nur nichts darauf ein! Würdest du unversehrt nicht viel mehr wert sein, hätten diese Kerle mit dir machen können, wonach ihnen der Sinn stand.«

Sie ist so harsch wie eh und je, dachte Ermengilda enttäuscht und wischte sich mit dem Handrücken eine Träne aus den Augen. Sie erinnerte sich daran, wie sie als Kind gehofft hatte, Maite könnte ihre Freundin werden. Damals hatte sie nicht verstanden, wie verstört die Kleine gewesen sein musste, nachdem man ihren Vater erschlagen und sie in die Fremde verschleppt hatte.

»Es tut mir so leid«, sagte sie leise.

Maite ging nicht darauf ein, sondern zog sie eine Weile mit sich, obwohl sie bei dem schwachen Mondlicht kaum etwas erkennen konnte. Schließlich schob sie sie auf ein Gebüsch zu, das ihr dicht genug erschien, um ihnen Sicherheit zu bieten. »Wir müssen weiterhin auf der Hut sein und abwechselnd Wache halten. Leg dich hin und schlafe. Ich wecke dich nach einer gewissen Zeit. Dasselbe tust du, sobald du Angst hast, dir würden die Augen zufallen. Auf diese Weise werden wir zwar nicht viel Schlaf bekommen, aber das ist immer noch besser, als diesen Narren da hinten als Hure zu dienen.«

Da sie verhindern wollte, dass Ermengilda ihre neue Freiheit zur Flucht nutzte, fasste Maite sie hart bei den Schultern und zog sie herum, bis ihre Nasen sich berührten.

»Versuche ja nicht zu verschwinden, während ich schlafe. Die Hunde der Hirten würden dich bald eingeholt haben, und dann trete ich nicht mehr dazwischen.«

»Du hast mir diesmal geholfen, und das werde ich dir nie vergessen.«

»Schlaf jetzt!«, antwortete Maite schroff, und kehrte ihr den Rücken zu.

9.

Der Anblick der Berge, die sich rings um die Almwiesen in den Himmel reckten, war atemberaubend. Doch nur Just nahm sich die Zeit, dieses Bild in sich aufzunehmen. Unai sah sich nach den Hirten um, entdeckte aber nichts als unberührte Weiden, auf denen sich Gras und Blumen wiegten, während Konrad, Rado und Philibert sich mehr für frisches Wasser interessierten. Schließlich entdeckten die beiden einen Bach, der einem steil aufragenden Felsen entsprang und eine steinerne Rinne entlangfloss.

Während sie sich erfrischten und die Pferde tränkten, betrat Unai die Hütte und öffnete die Fensterläden. Da das Gebäude die Winterstürme gut überstanden hatte, würden die Hirten nur wenig ausbessern müssen. In einem kleinen, in den Fels geschlagenen Keller, der von einer gut angepassten Steinplatte verschlossen wurde, standen sogar noch Krüge mit Vorräten aus dem letzten Jahr.

Unai sammelte Holz und trockenes Gras und entzündete auf dem Herd ein Feuer. Da Just ihm gefolgt war, wies er ihn an, etwas zum Essen zu kochen, und trat wieder ins Freie. Inzwischen waren die Franken mit den Pferden zurückgekehrt, wirkten aber angespannt und sahen sich immer wieder um.

Rado wies mit dem Daumen auf den steilen bewaldeten Hang hinter sich. »Da drüben haben wir die Reste eines Hirsches gefunden. Den muss ein ziemlich großer Bär geschlagen haben, wie wir an Tatzenabdrücken erkennen konnten.«

»Ein Bär?« Unai verstand nur dieses Wort, verzog aber das Gesicht. Bären und Wölfe waren neben Luchsen eine ständige Gefahr für die Herden. Der schlimmste Alptraum für die Hirten aber war ein ausgewachsener Bär, der sich nahe bei der Alm herumtrieb und weder Menschen noch Hunde fürchtete.

»Der Kerl muss getötet oder weit weggejagt werden, sonst vergreift er sich an den Schafen.« Unai sah die Franken auffordernd an. Da diese sich für große Krieger hielten, sollten sie ihren Mut bei einer Bärenjagd beweisen.

Philibert übersetzte fröhlich und sah so aus, als könne er es kaum erwarten, auf die Jagd zu gehen. Konrad wechselte einen kurzen Blick mit Rado. Da sie mit einem festen Auftrag hierhergeschickt worden waren, wusste er nicht so recht, wie er sich entscheiden sollte. Er beschloss, den Bären erst einmal zu ignorieren, und blickte Unai drohend an. »Wo ist Ermengilda?«

Der Waskone machte eine unbestimmte Geste. »Sie befindet sich bei meinen Hirten, und die sind auf dem Weg hierher. Aber keine Sorge! Die werden morgen oder spätestens übermorgen ankommen. Oder nein!« Unai horchte auf, denn er hatte gerade ein Schaf blöken hören. »Sie müssen bereits ganz in der Nähe sein.«

Philibert grinste erleichtert. »Da die Hirten noch nicht hier sind, haben wir Zeit, um Meister Petz einen Besuch abzustatten. Graf Eward und Hildiger werden Augen machen, wenn wir ihnen neben der Prinzessin auch noch einen Bärenpelz vor die Füße legen.«

»Erst muss sich entscheiden, ob es sich bei diesem Mädchen, von dem unser Freund hier faselt, überhaupt um Ermengilda von Asturien handelt.« Konrad nahm selbst wahr, dass seine Worte sich so anhörten, als würde er vor einer Bärenjagd zurückscheuen, und sah daraufhin Philibert direkt an. »Sobald wir etwas gegessen haben, folgen wir der Spur des Tieres. Es ist nur schade, dass wir keine Hunde bei uns haben. Sie könnten uns gute Dienste leisten.«

Philibert blickte sehnsüchtig zum Waldrand hin. »Bis das Essen fertig ist, dauert es noch eine ganze Weile. Wir sollten vorher wenigstens feststellen, in welche Richtung der Bär sich gewandt hat.«

Angesichts dieses Jagdeifers gab Konrad nach. »Also gut! Just und Unai sollen sich um das Essen kümmern. Wir drei folgen der Spur des Raubtiers.«

»Zu Pferd oder zu Fuß?«, fragte Rado.

»Zu Pferd. Sonst dauert es zu lange.«

»Die Hänge sind verdammt steil«, wandte Philibert ein.

Konrad ließ sich jedoch nicht umstimmen. Ihm war nicht danach, stundenlang zu Fuß durch den Wald zu streifen und einen Bären zu suchen, der sich bereits in eines der Nachbartäler verzogen haben mochte. Mit einem Zungenschnalzen trieb er

seinen Hengst an und ritt zu der Stelle, an der Rado die Überreste des gerissenen Hirsches entdeckt hatte. Als er den Kadaver betrachtete, kam es ihm so vor, als würde dieser jetzt anders
liegen als vorher. Er hob die Hand und stieß einen leisen Warnruf aus.

»Vorsicht! Die Bestie muss sich ganz in der Nähe befinden.«
Noch während er seinen Speer fester packte, ertönte nicht weit
von ihm entfernt der gellende Schrei einer Frau.

10.

Der Bär stand auf einmal vor ihnen. Ermengilda prallte vor
ihm zurück, als wäre sie gegen eine Mauer gerannt, und schrie
auf.

Maite, die ein paar Schritte hinter ihr gegangen war, starrte
das Tier, das sich jetzt zu seiner ganzen Größe aufrichtete,
ebenso fasziniert wie erschrocken an. Ihr Kopf passte mit
Leichtigkeit in das weit aufgerissene Maul und würde von den
mächtigen Kiefern wie eine Nuss geknackt werden. Im ersten
Augenblick wollte sie sich umdrehen und wegrennen. Doch
da sah sie Ermengilda, die vor Schreck wie erstarrt dicht vor
dem Bären stand. Gleich würde das Untier zuschlagen und sie
töten.

Maite handelte, ohne zu überlegen. Mit einem Schritt war sie
bei Ermengilda, packte sie und stieß sie zurück. Gleichzeitig
richtete sie ihren primitiven Spieß auf den Bären.

»Verschwinde!«, herrschte sie das Tier an, doch ihre Stimme
klang allzu dünn und zittrig. Der Bär überragte sie ein ganzes
Stück und konnte ihr mit einem einzigen Prankenhieb das
Rückgrat brechen. Aber sie wusste, dass jeder Fluchtversuch
sinnlos war. Einmal in Zorn versetzt, würde der Bär ihnen folgen und sie beide töten. Eine winzige Idee glomm in ihr auf.

Wenn sie schneller rannte als Ermengilda, würde das Tier sich vielleicht mit der Asturierin begnügen.

Doch entschlossen schob Maite den Gedanken beiseite. Ermengilda war ihre Gefangene und damit ihrem Schutz anvertraut. Entweder gelang es ihr, den Bären zu verscheuchen, oder sie würden beide sterben.

Sie packte den Stab fester und starrte auf die Brust des Bären, der offensichtlich nicht wusste, ob er sie angreifen oder sich abwenden sollte. Da vernahm sie Hufschlag. Ein Pferd schnaubte angestrengt, und dann sah sie aus dem Augenwinkel einen Reiter auf sich zukommen. Es handelte sich weder um einen Waskonen noch um einen Asturier oder Mauren. Der Mann trug ein Panzerhemd aus genieteten Schuppen und einen seltsam geformten Helm. In der Hand hielt er einen langen Speer. Zwischen den Bäumen war das eine ungeeignete Waffe, und der Reiter hatte Mühe, die Spitze auf den Bären zu richten.

Das Tier drehte sich trotz seiner Größe leichtfüßig herum und beäugte den neuen Feind, als sei es nicht sicher, wer von den Menschen gefährlicher war.

Als Maite sah, dass der Bär ihr den Rücken zuwandte, sprang sie nach vorne und rammte ihm ihren Spieß in den Leib. Brüllend warf das Tier sich herum und schlug mit beiden Pranken zu. Doch Maite war schneller, und die Krallen trafen nur leere Luft.

Konrad sah, wie der Bär auf die Frau losging, und trieb seinem Hengst die Sporen in die Weichen. Das Pferd flog fast über die Büsche, die es von dem Bären trennten, wollte aber, als es das Raubtier sah, zur Seite ausbrechen. Konrad zwang den Hengst näher an den Bären heran und stieß der Bestie den Speer tief in die Flanke.

Doch noch war das Raubtier nicht besiegt. Schneller als das Auge folgen mochte, griff es Konrads Hengst an. Dieser stieg wiehernd auf, um sich mit den Vorderhufen zur Wehr zu setzen, und warf seinen Reiter aus dem Sattel. Trotz der hinderlichen Rüstung kam Konrad sofort auf die Beine, riss sein Schwert heraus und hieb auf den Bären ein.

Maite griff nach ihrem Spieß, den das Raubtier abgeschüttelt hatte, und stach von der anderen Seite auf das Tier ein. In dem Augenblick war Philibert heran. Sein wuchtiger Speerstoß traf das aufgerissene Maul des Bären und brachte die Entscheidung. Mit einem letzten, klagenden Laut sackte der König der Pyrenäenwälder zusammen und blieb reglos liegen.

Konrad wischte sich den Schweiß ab, der sich in seinen Augenbrauen angesammelt hatte, und atmete auf. »Den hätten wir erwischt!«

»Zum Essen ist er zu alt, und mit dem Fell können wir auch keine Ehre mehr einlegen, denn das hat mehr Löcher als ein von Motten zerfressenes Hemd.« Philibert klang bedauernd, denn es handelte sich um den größten Bären, den er je gesehen hatte.

»Mir blieb nichts anderes übrig, als wacker zuzuschlagen, um die beiden Frauen zu retten«, gab Konrad zurück.

»Dir mache ich auch keinen Vorwurf. Deine Tat war genauso heldenhaft wie dein Kampf mit dem Keiler, auch wenn du diesmal die Hosen anbehalten hast.« Das Lachen, mit dem Philibert diese Worte begleitete, löste die Spannung zwischen ihm und Konrad, und er wandte sich den beiden geretteten Frauen zu. Das leicht untersetzte, braunhaarige Mädchen, das noch immer den blutigen Spieß in den Händen hielt, beachtete Philibert kaum, denn sein Blick wurde von dem blonden Engel angezogen, der den Bären mit einer Mischung aus Erleichterung und Grausen betrachtete.

Dieses Mädchen war größer als die meisten Frauen, die er bisher gesehen hatte, und so schön, dass er sich wünschte, es auf sein Pferd zu setzen und mit in seine Heimat nehmen zu können. Rasch sprang er aus dem Sattel und verbeugte sich geziert. »Erlaube, dass ich dir mein Herz vor die Füße lege, mein schönes Kind.«

Auch Konrad starrte Ermengilda mit einem Ausdruck an, als könne er nicht glauben, dass es so etwas Wundervolles auf Erden geben konnte. Als er Philibert vor ihr dienern sah, fühlte er Eifersucht wie eine heiße Lohe in sich aufsteigen, und er wollte seinen Begleiter schon beiseiteschieben, um selbst mit diesem himmlischen Wesen reden zu können. Doch Maite kam ihm zuvor.

Verärgert, weil sie missachtet wurde, zumal sie am Erlegen des Bären nicht unbeteiligt gewesen war, fauchte sie Philibert an. »Wenn du willst, schneide ich dir dein Herz heraus, damit du es meiner Sklavin vor die Füße legen kannst.«

»Sie ist deine Sklavin?« Philibert wollte es zunächst nicht glauben, dann aber leuchteten seine Augen erfreut auf. Wenn das so war, konnte er die Schöne ihrer Herrin abkaufen und zu seiner Konkubine machen. Er wollte schon in der Sprache des gallischen Südens fragen, was die Sklavin kosten solle, doch da trat Konrad dazwischen.

»Bist du die Frau, die Unai Maite genannt hat?«, fragte er die junge Waskonin.

Maite verstand nur Unais und ihren Namen, nickte aber.

Nun verbeugte Konrad sich tief vor der angeblichen Sklavin. »Dann seid Ihr Prinzessin Ermengilda.«

Die Asturierin musterte ihn verwundert. Der höfliche Krieger schien noch sehr jung zu sein und war zudem mindestens drei Finger breit kleiner als sie. Zu seinem Begleiter, der einige Jahre älter war, musste sie jedoch aufsehen. Da die Kleidung und die Ausrüstung der beiden Ähnlichkeit mit der des fränkischen Abgesandten Gospert hatten, kam Ermengilda zum richtigen Schluss. »Ihr seid Franken?«

Sie verwendete den Dialekt, der in Aquitanien und der Provence gesprochen wurde. Dadurch war Philibert Konrad gegenüber im Vorteil, denn er vermochte ihr in gleicher Weise zu antworten. »Ihr habt recht, Prinzessin. Wir sind Franken. Mein Begleiter stammt aus dem Osten jenseits des Rheins, während meine Heimat nördlich der Somme zu finden ist. Darf ich mich vorstellen: Ich bin Philibert von Roisel und Euer ergebener Diener.«

»Der Diener einer Sklavin«, höhnte Maite.

»Der Sklave einer Prinzessin«, antwortete Philibert gelassen.

»Ich bin Graf Roderichs Tochter und habe daher keinen Anspruch auf diesen Titel. Mein Onkel, König Silo, hat bestimmt, dass ich so bezeichnet werden soll, damit meine Verwandtschaft zu ihm zum Ausdruck kommt und mein Bräutigam, Graf Eward, sich meiner nicht zu schämen braucht.«

»Das braucht er wahrlich nicht!« Nun quoll auch in Philibert Eifersucht empor. Dieses bezaubernde Wesen vor ihm sollte das Eigentum eines Mannes werden, der es nicht zu schätzen wusste?

Konrad, der kein Wort der Unterhaltung verstand, stieg unruhig von einem Fuß auf den anderen und wies schließlich in die Richtung, in der die Hütte stand.

»Kommt endlich mit! Das Essen wird fertig sein. Außerdem müssen wir feststellen, ob es sich bei der Dame tatsächlich um die Rose von Asturien handelt.«

Seine Worte wirkten auf Philibert wie ein kalter Guss, und er fuhr wütend herum. »Hast du keine Augen im Kopf, die dir sagen, dass diese Dame nur Ermengilda sein kann?«

»Was sagt dein Gefährte?«, fragte Ermengilda, die den im ostfränkischen Dialekt gesprochenen Worten nicht folgen konnte. Philibert winkte ab. »Konrad schwätzt nur dummes Zeug. Wenn Ihr mir bitte folgen wollt! In der Nähe liegt eine Hütte, und in der wartet ein – wenn auch sehr bescheidenes – Mahl auf uns.« Er bot Ermengilda den Arm und vergaß dabei ganz, dass Eward nicht ihn, sondern Konrad zum Anführer für diesen Ritt ernannt hatte.

Konrads Ärger wuchs. Während der letzten Tage hatte er Anlass zur Hoffnung gehabt, Philibert und er könnten doch noch Freunde werden. Aber nun empfand er eine Abneigung gegen seinen Gefährten, dass er ihm selbst Ermos Gesellschaft vorgezogen hätte. Für einen Augenblick dachte er daran, wie es dem Nachbarn, vor allem aber dem Gaugrafen Hasso und den Männern aus seinem Dorf ergehen mochte. Sie mussten bereits kurz vor Spaniens Grenzen stehen und in die Pyrenäenpässe eindringen. Er betete zum Heiland, dass dieser den Freunden seine Gunst nicht versagte, und stiefelte dann ebenso mürrisch wie Maite hinter Philibert und Ermengilda her, die sich benahmen, als befänden sie sich auf einem Spaziergang in einem vollkommen friedlichen Land.

Unterwegs stießen sie auf Rado, der zurückbleiben hatte müssen, weil sein Pferd gestolpert war und nun lahmte. Diesem fielen beinahe die Augen aus dem Kopf, als er die beiden Mädchen bei seinen Begleitern entdeckte.

»Da denkt man, ihr wärt auf Bärenjagd! Stattdessen schäkert ihr mit zwei hübschen Hirtinnen.«

»Das hier ist keine Hirtin, sondern Prinzessin Ermengilda«, wies Philibert ihn zurecht.

Rado blickte Konrad fragend an, nahm die Miene wahr, die dieser zog, und stöhnte auf. Zwei junge Böcke, die sich um ein Mädchen stritten, hatten ihm gerade noch gefehlt.

»Dann wird Graf Eward sehr erleichtert sein, dass ihr seine Braut gefunden habt.« Rado betonte den Namen ihres Anführers, um Philibert und Konrad daran zu erinnern, dass die Maid für einen anderen bestimmt war. Allerdings bedauerte er insgeheim das Mädchen, denn ihre Schönheit wäre bei Eward wahrlich vergeudet. Er hatte den Grafen und Hildiger während ihrer Reise beobachtet und sich seinen Teil dabei gedacht.

Ermengilda musste froh sein, wenn sie nach der Heirat auf eine abgelegene Besitzung ihres Ehemanns geschickt und von diesem von Zeit zu Zeit aufgesucht werden würde, weil er seine Pflicht ihr und dem König gegenüber erfüllen musste.

Das Mitleid mit dem Mädchen verleitete ihn jedoch nicht dazu, das Verhalten seiner Begleiter gutzuheißen. Auch wenn Eward der Schönheit eines Frauenleibs weniger abgewinnen konnte als dem Körper seines Freundes, so würde er niemals dulden, dass ihm einer seiner Reiter Hörner aufsetzte.

Konrad ging nur mit einem wütenden Schnauben auf Rados Bemerkung ein, während sich in Philibert Tollkühnheit mit Gefolgschaftstreue stritten. Der Wunsch, Ermengilda wenigstens einmal in seinen Armen halten zu können, trug im Augenblick den Sieg davon.

Konrad erinnerte sich unterdessen an den toten Bären und wies nach hinten. »Wir haben das Viehzeug erwischt! Sieh nach, ob das Fell noch zu gebrauchen ist, und begrabe den Kadaver unter ein paar Steinen. Der Bursche war zu alt, um ihn noch essen zu können.«

»Gut! Schick mir den Waskonen hoch, damit er mir helfen kann, und nimm mein Pferd mit, bevor es ganz zuschanden kommt.« Rado warf Konrad den Zügel zu, kehrte seinen Gefährten den Rücken und stieg weiter bergan. Die anderen strebten eilig dem Tal zu, weniger wegen des Essens, sondern um in Ruhe den eigenen Gedanken nachhängen zu können.

Ermengilda war erleichtert, dass der Alptraum ihrer Gefangenschaft endlich vorüber war, und hatte gleichzeitig Angst vor dem, was sie bei den Franken erwarten mochte. Konrad und Philibert überlegten, wie sie einander ausstechen konnten, um die Gunst der Schönen zu erringen, und Maite haderte mit Gott und der Welt. Ihre Gefangene war für sie verloren, und ob sie von den Franken, Eneko oder jemand anderem Geld für sie erhalten würde, war ungewisser denn je. Da niemand sie beachtete, überlegte sie bereits, ob sie sich nicht in die Büsche schlagen und verschwinden sollte. Doch wohin sollte sie gehen? Wenn sie zu ihrem Stamm zurückkehrte, würde ihr Onkel sie sofort wieder an Eneko ausliefern und dieser sie als Geisel den Franken übergeben. Nach Ermengildas Entführung hatten sich ihre alten Freunde von ihr abgewandt, so dass sie keinerlei Unterstützung mehr erwarten konnte, wie sie vor einigen Tagen leidvoll erfahren hatte. Alle würden sagen, dass sie selbst an ihrer Lage schuld sei, weil sie den Überfall auf Ermengildas Reisegesellschaft angezettelt hatte.

Aus diesem Grund konnte sie auch nicht in eines der anderen Dörfer umziehen. Bei Amets von Guizora musste sie damit rechnen, dass er sie mit einem seiner Söhne zu verheiraten suchte, und die anderen Dorfältesten würden alles daransetzen, Enekos Freundschaft zu gewinnen, indem sie sie an ihn auslieferten. Damit würde sie ebenso eine Geisel der Franken werden, wie wenn sie Okin in die Hände fiel.

»Es wäre besser gewesen, der Bär hätte mich getötet«, murmelte sie und erinnerte sich gleichzeitig daran, dass die beiden Franken ihr Leben eingesetzt hatten, um das ihre zu retten. Diese Überlegung gab den Ausschlag. Wenn es ihr Schicksal war, den Franken überstellt zu werden, konnte sie auch gleich mit diesen jungen Männern ziehen. Daher kehrte sie dem Wald den Rücken zu und eilte hinter den beiden und Ermengilda her.

II.

Als Konrad mit seinen Begleitern zu der Almhütte zurückkehrte, wimmelte es dort von Schafen. Die Hirten hatten ihr Ziel erreicht, aber sie kümmerten sich nicht um ihre Tiere und auch nicht um die Traglasten, mit denen sie einige Hammel beladen hatten, sondern standen vor der Hütte und redeten auf Unai ein.

Das Prusten eines Pferdes ließ sie herumfahren. Beim Anblick Ermengildas nahmen ihre Gesichter einen verbissenen Ausdruck an, der sich verstärkte, als Maite hinter der Gruppe auftauchte.

Unai eilte der Waskonin entgegen. »Du hast mich ja ganz schön im Stich gelassen!«

Dann wandte er sich an Konrad und wies auf Ermengilda. »Das hier ist Graf Roderichs Tochter. Du kannst ihn selbst fragen, wenn du willst.«

»Graf Eward wird es tun«, antwortete Konrad unfreundlich, denn es ärgerte ihn, dass Philibert sich im Gegensatz zu ihm mit Ermengilda unterhalten konnte. Um nicht ganz hinter seinem Begleiter zurückstehen zu müssen, winkte er Just heran. »Sage der Dame, dass ich Konrad vom Birkenhof bin und mein Herr Eward mich ausgesandt hat, um sie abzuholen.«

Als Just dies Ermengilda erklärte, sah sie Philibert verwirrt an, denn sie hatte ihn für den Anführer der Gruppe gehalten.

Philibert überlegte, ob er Konrad als Lügner hinstellen und sich selbst als Anführer des Trupps bezeichnen sollte. Da Rado und dieser geschwätzige Just ihm sofort widersprechen würden, ließ er es sein. »Ihr müsst Eurem Bräutigam verzeihen, doch Graf Eward hat dem Waskonen da, der sich Unai nennt, misstraut. Deshalb wollte er zunächst nur Konrad losschicken, um nachzusehen, ob der Mann ihn mit einer einfachen Hirtin betrügen wollte oder tatsächlich wusste, wo Ihr zu finden seid. Da Konrad die Sprache dieser Gegend nicht spricht, habe ich ihm meine Begleitung angeboten.«

Ermengilda schenkte Philibert, der großen Eindruck auf sie machte, ein schmelzendes Lächeln. »Der Mann mit dem Namen Konrad ist … nun ja – sehr fränkisch. Ihr hingegen habt Lebensart und könntet ein Mann aus Asturien sein.«

»In meinen Adern fließt auch Visigotenblut, denn einige meiner Ahnen haben Frauen aus diesem Volk gefreit«, erklärte Philibert stolz.

»Was schwatzt ihr denn die ganze Zeit?« Obwohl Just alles so gut übersetzte, wie er es vermochte, reagierte Konrad gereizt.

»Ermengilda hat eben erklärt, du sähest sehr fränkisch aus.« Obwohl Philibert es spöttisch gemeint hatte, sah Konrad diese Bemerkung als Kompliment an und verneigte sich vor Ermengilda. »Meinen Dank, edle Dame! Ich bin stolz darauf, ein Franke zu sein. Wir sind ein kühnes Volk, schwertgewaltig und vorausschauend. Nicht umsonst ist unser Reich das größte der Welt.«

Philibert übersetzte Konrads Worte für Ermengilda, und Maite, die mithörte, lachte auf. »Der Knabe da ist ja sehr von sich und seinen Leuten eingenommen. Doch hier in Spanien werden die Franken Bescheidenheit lernen.«

Jetzt erinnerte Philibert sich daran, dass auch er ein Franke war, und blies die Backen auf. »Sieh dich vor, Mädchen, und beleidige nicht unser Volk. Sonst bekommst du Schläge.«

»Von dir nicht und auch nicht von diesem Angeber!«, höhnte Maite. Sie sah ihr bisheriges Leben in Scherben vor sich, und schuld daran waren allein die Männer, die aus dem Norden kamen, um auf dieser Seite der Pyrenäen Unfrieden zu stiften. Ohne die Angst vor der Rache der Franken hätte Ermengildas Gefangennahme bei allen Waskonen als kühner Streich gegolten und ihr Ansehen und Ruhm eingebracht. Jetzt aber galt sie als jemand, der eine Dummheit begangen und dem eigenen Volk geschadet hatte.

»Verflucht seien alle Franken«, murmelte sie, aber in ihrer Sprache, die außer Unai und den Hirten keiner verstand.

Einer der Hirten stieß Unai an. »Sag schon! Was zahlen die Franken, damit wir die Asturierin freigeben?«

Unai wusste nicht, was er darauf antworten sollte. Weder

Eward noch Roland hatten die Höhe des Lösegelds genannt, sondern nur erklärt, sie wollten zuerst Gewissheit, dass es sich bei der Gefangenen um Ermengilda handelte. Doch damit würden sich die Hirten nicht zufriedengeben.

Als Unai nicht sofort Auskunft gab, baute sich ein zweiter Hirte drohend vor ihm auf. »Heraus mit der Sprache! Welche Belohnung bekommen wir dafür, dass wir das Mädchen so treulich bewahrt haben?«

Maite fuhr herum. »Euch räudigen Hunden sollte man das Fell über die Ohren ziehen! Ihr wolltet Ermengilda Gewalt antun, und jetzt fordert ihr auch noch eine Belohnung dafür?«

Die Hirten grinsten jedoch nur. »Wir hätten es der Asturierin schon recht besorgt – und dir auch«, sagte einer und machte eine obszöne Bewegung.

Konrad begriff, dass sich etwas Entscheidendes abspielte, und zupfte Philibert am Ärmel. »Was reden die da?«

Sein Begleiter zuckte mit den Schultern. »Die Sprache dieser Leute verstehe ich auch nicht. Wie ist es mit Euch, Prinzessin?« Den letzten Satz sagte er in der Sprache des Südens zu Ermengilda, doch diese schüttelte den Kopf.

»Ich kann auch kein Waskonisch.«

Konrad packte Unai und zog ihn zu sich, so dass der Mann ihm in die Augen sehen musste. »Sprich, was geht hier vor?«

Der Waskone wand sich wie ein Wurm. »Ich weiß es nicht. Ich …«

Da fiel ihm einer der Hirten ins Wort. »Sag dem Franken, dass er uns für die beiden Weiber bezahlen soll. Jede von ihnen ist mindestens drei Dutzend Schafe wert.« Da er jetzt die Sprache verwendete, die im Süden des Frankenreichs gebräuchlich war, verstand Philibert ihn.

»Die Kerle wollen eine Belohnung haben«, raunte er Konrad zu.

Der glaubte, nicht richtig zu hören. »Was? Die Kerle entführen die Prinzessin und deren Begleiter, darunter auch ehrliche Franken, und wollen dafür auch noch belohnt werden? Man sollte diese Buschräuber …« Er sprach den Satz nicht aus. Aber da er die Rechte auf den Schwertgriff fallen ließ, besagte diese Geste genug.

Die Hirten sahen sich fragend an. Sie waren zu fünft und rechneten Unai als Stammesbruder als Sechsten, und ihnen gegenüber standen nur zwei fränkische Krieger und ein Kind. Einer der Kerle stemmte sich auf seinen Spieß und grinste Konrad herausfordernd an. »Entweder ihr zahlt, oder das Weibsstück bleibt hier!«

Unai versuchte zu vermitteln. »Leute, seid friedlich! Der Anführer der Franken, dessen Weib die Asturierin werden soll, hat mir Gold versprochen, wenn ich seine Männer zu ihr führe. Sobald ich es habe, werde ich mit euch teilen.«

Hätte Unai jedem von ihnen ein paar Münzen in die Hand gedrückt, wären sie vielleicht zufrieden gewesen. So aber fühlten sie sich betrogen. »Der Franke wird das Geld hierherbringen müssen. Umsonst geben wir das Weib nicht her!«, rief der, der vor Konrad stand.

Einer seiner Kumpane schüttelte den Kopf. »Warum sollen wir sie hergeben? Mir ist es lieber, ihr hier und jetzt zwischen die Beine zu steigen, als mich von diesem Frankenknecht mit ein paar lauen Worten abspeisen zu lassen!«

Auf seinen Wink hin versuchten die Hirten, unauffällig in den Rücken der fremden Krieger zu kommen.

»Verdammt, Leute, macht keinen Unsinn!«, beschwor Unai sie.

Die Hirten aber hörten nicht auf ihn, sondern packten ihre Spieße und spannten ihre Muskeln für den entscheidenden Angriff.

Maite hätte keinen räudigen Wolfsbalg auf die beiden Franken gewettet. Doch wenn sie tot waren, würden die Hirten über kurz oder lang auch sie und Ermengilda umbringen. »Seid wachsam, Frankenkrieger, sonst findet ihr hier ein frühes Grab!«

Sie sagte es auf Asturisch, weil sie keine der weiter nördlich gebräuchlichen Sprachen beherrschte. Ermengilda wurde bei ihren Worten bleich, übersetzte sie aber sofort.

»Vorsicht, die Kerle planen Übles!«, warnte Philibert seinen Anführer und riss sein Schwert aus der Scheide. Auch Konrad zog blank und stellte sich so, dass er Philiberts Rücken deckte.

Die unerwartet schnelle Kampfbereitschaft der Franken überraschte die Hirten. Dennoch nahmen sie sie nicht ernst, sondern umringten sie und vertrauten auf die größere Reichweite ihrer Spieße. Als der Erste angriff, schlug Konrad zu und durchtrennte den Schaft seiner Waffe.

Nun begann es den Hirten zu dämmern, dass ihnen zwei zu allem entschlossene Feinde gegenüberstanden, die sich auch von ihrer zahlenmäßigen Überlegenheit nicht einschüchtern ließen.

Ihr Anführer fuhr Unai an. »Für wen bist du, für die oder für uns?«

Unai wollte schon sagen: für niemanden! Aber er begriff, dass seine Stammesfreunde ihn dann ebenfalls umbringen würden. Daher nahm er seinen Speer und gesellte sich zu ihnen. »Gebt auf!«, rief er den beiden Franken zu. »Ich verspreche, dass euch nichts geschehen wird.«

Der rachedurstige Ausdruck, der daraufhin die Gesichter der Hirten überzog, sprach seinen Worten jedoch Hohn.

»Macht schon! Wir erschlagen die beiden Franken, damit wir endlich die Weiber rannehmen können!« Der Anführer versuchte, seine Männer anzutreiben, doch keiner von ihnen verspürte Lust, als Erster in den Bereich der fränkischen Schwerter zu gelangen.

Als der Anführer das sah, pfiff er die Hunde heran. »Fasst«, rief er.

Der erste Hund, der nach vorne sprang, war jener, den Maite am Tag vorher auf die Schnauze geschlagen hatte. Das Tier hatte bereits knurrend zu der jungen Waskonin hinüber-geblickt, es aber nicht gewagt, sie ohne Befehl anzugreifen. Zu-sammen mit diesem Hund schossen drei weitere auf Konrad und Philibert zu. Gleichzeitig drangen die Hirten von allen Seiten auf sie ein.

Auch Unai wollte eingreifen, doch da schob Maite ihm ihren Spieß zwischen die Beine und brachte ihn zu Fall. Bevor er wieder aufstehen konnte, hatte sie ihm die Spitze ihrer Waffe an die Kehle gesetzt und hielt ihn nieder.

Konrad führte die Klinge mit einer Ruhe, die ihn selbst über-raschte. Bereits der erste Hieb spaltete den Schädel eines Hun-des und schlug dem zweiten den Vorderfuß ab. Noch in der gleichen Bewegung zog er das Schwert herum und versetzte dem vordersten Hirten einen Hieb gegen die ungeschützte Brust.

Der Spieß eines anderen Hirten prallte an den eisernen Schup-pen seines Panzerhemds ab. Zu einem zweiten Stoß kam der Mann nicht mehr. Konrads Klinge vollführte einen Kreis, durchtrennte Knochen und Sehnen und zuckte dann auf den nächsten Hirten zu.

Der Kampf war vorbei, bevor er überhaupt richtig begonnen hatte. Die drei Hirten, die auf Konrad losgegangen waren, lagen am Boden. Einer rührte sich nicht mehr, während die beiden anderen vor Schmerzen wimmerten. Als Konrad sah, dass es keinen Feind mehr für ihn gab, drehte er sich zu Phi-libert um.

Dieser stand noch auf den Beinen, lächelte aber ein wenig ge-quält, denn zwischen den Fingern seiner Linken, die er gegen den Leib gepresst hielt, quoll Blut hervor. Die beiden Hirten, die ihn angegriffen hatten, brauchten jedoch keinen Wundarzt mehr.

»Wie geht es dir?«, wollte Konrad wissen.

»Ein Stich in die Seite, aber nicht zu tief, will ich hoffen.«

Konrad sah Ermengilda an. »Kannst du dich um ihn kümmern?«

Sie verstand zwar seine Worte nicht, begriff aber, was er meinte, und eilte zu Philibert. »Bist du schwer verletzt?«, fragte sie, während sie ihren Arm stützend unter seine Achsel schob.

»Ihr müsst mir helfen, das Panzerhemd auszuziehen.« Philibert stöhnte vor Schmerz, biss dann aber die Zähne zusammen. Ermengilda führte ihn zu einem Felsen und begann dann mit zittrigen Händen an seiner Wehr zu nesteln. Die Waffenröcke der Franken waren anders geformt als die, die sie gewohnt war, und so brauchte sie einige Zeit, bis sie alle Schnallen gefunden und geöffnet hatte. Dann zog sie Philibert das Panzerhemd über den Kopf und starrte auf seine blutige Tunika.

»Mein Gott, wie entsetzlich!«

»Es ist gut, wenn es viel blutet. Das wäscht den Schmutz aus«, versuchte Philibert, sie zu beruhigen.

Ermengilda nickte mit bleicher Miene und half ihm, die lederverstärkte Tunika und das Hemd auszuziehen. Dann rannte sie zu den Packen mit Lebensmitteln, die die Hirten achtlos auf den Boden geworfen hatten. Darin steckten auch einige Utensilien, um Verletzungen bei Tier und Mensch zu versorgen. Sie nahm Bastschnüre, einen Fladen aus Baumschwämmen und ein paar getrocknete Blätter an sich, kehrte zu Philibert zurück und begann, die Wunde zu verbinden.

Konrad warf seinem Gefährten einen kurzen Blick zu. Wie es aussah, war Philibert nicht allzu schwer verletzt. Allerdings würde es nicht leicht für ihn werden, mit dieser Wunde durch das Gebirge zu reiten.

Das Stöhnen der verletzten Hirten brachte Konrad darauf, dass er nicht nur an die Zukunft denken durfte, sondern auch daran, was im Augenblick zu geschehen hatte. Drei der fünf Hirten waren tot und die beiden anderen um einiges schwerer verletzt als Philibert. Außerdem war da noch der Bursche, der sie hierhergeführt hatte. Unai lag wie eine umgedrehte Schildkröte auf dem Rücken und wagte nicht, sich zu rühren, da Maites Speer auf seine Kehle zeigte.

»Ich habe den Kerl daran gehindert, seinen Leuten zu helfen«, erklärte Maite.

Konrad blickte sie hilflos an, denn er verstand weder die asturische noch die waskonische Sprache, und als Maite versuchte, ihm die Situation auf Maurisch begreiflich zu machen, sah er noch ratloser drein. Er schämte sich vor dem jungen Mädchen, das ähnlich wie Just mehrere Sprachen sprechen konnte, während er nur den Dialekt seiner Heimat beherrschte.

Da kam Just, der sich während des Kampfes in der Hütte versteckt hatte, heraus und übersetzte für ihn. Konrad lächelte ihm dankbar zu und sah gleichzeitig, wie Maite spöttisch die Lippen verzog. Das brachte ihn dazu, ihr zu danken. »Ein Gegner mehr hätte ein Gegner zu viel sein können. Du hast uns sehr geholfen.«

Sie zog abwehrend die Schultern hoch, hielt Unai jedoch weiterhin nieder.

Just sah Konrad und danach Philibert mit leuchtenden Augen an. »Ich hätte euch auch geholfen, aber ich habe nichts in der Hütte gefunden, das sich als Waffe geeignet hätte. Doch ihr seid mit den Kerlen fertig geworden, als wären es ein paar räudige Hunde, die sich zwei gewaltigen Bären gegenübersahen!«

Justs Ausruf erinnerte Konrad an Rado, der noch immer im Wald unterwegs war. Wäre sein Freund bei ihnen gewesen, hätten die Waskonen es vielleicht nicht gewagt, sie anzugreifen. Nun fragte er sich, ob er bei seiner ersten Bewährungspro-be versagt hatte. Immerhin war er nicht hierhergeschickt wor-den, um Hirten zu erschlagen. Er starrte auf den Waskonen, den seine Klinge getötet hatte, und hätte als Krieger eigentlich stolz darauf sein müssen. Stattdessen fühlte er einen Eisklum-pen im Magen. Es war der erste Tote auf seinem Weg, und mit dieser Tat hatte er nicht viel Ehre eingelegt.

Das Stöhnen und Schreien der verwundeten Waskonen zerrte an seinen Nerven. Der Gedanke, sie zu töten, damit endlich Stille herrschte, schoss ihm durch den Kopf. Aber er schrak davor zurück und wandte sich Unai zu. »Du Hund wolltest uns in eine Falle locken!«

»Nein, das wollte ich nicht! Die Hirten sind schuld. Ich …« Unai wagte es nicht, laut zu sprechen, da Maites Spieß die Haut auf seinem Adamsapfel ritzte, wenn er diesen bewegte.

»Du gehörst aber mit zu denen, die Ermengilda und ihre Leu-te überfallen haben«, setzte Konrad das Verhör fort.

Unai verneinte erneut. »Das war ich nicht, bei meiner Seele!«

»Die jetzt schnellstens zur Hölle fährt«, höhnte Maite.

»Maite war die Anführerin«, schrie er auf.

Konrad hatte zwar nicht verstanden, was die Waskonin gesagt hatte, doch als Unai sie als die Hauptschuldige für den Über-fall nannte, blickte er sie zum ersten Mal richtig an. Sie war ein wenig kleiner als er, kräftiger gebaut als Ermengilda und so muskulös, wie ein Mädchen sein konnte, das gewohnt war, hart zu arbeiten. Ihr Gesicht erschien ihm ein wenig zu rund-lich und wirkte verbissen. Aber dennoch war sie recht hübsch, auch wenn sie neben der Schönheit der asturischen Prinzessin verblasste. Zudem verriet die Art, wie sie mit dem Spieß um-ging, dass sie Übung in kriegerischen Auseinandersetzungen besaß. Daher traute er ihr durchaus zu, eine Horde von Berg-wilden anzuführen.

»Wer ist das Mädchen?«, fragte er Unai.

Dieser merkte, dass der Franke ihm nicht direkt ans Leben wollte, und hob die Hand, um anzuzeigen, dass Maite den Spieß wegnehmen sollte.

»Sie ist die Tochter des Häuptlings Iker von Askaiz, der sowohl in Araba wie auch in Nafarroa Anhänger hatte. Er war ein großer Anführer, musst du wissen. Wäre er nicht von Graf Roderich im Kampf erschlagen worden, hätte Eneko in ihm einen harten Widersacher im Kampf um die Macht in diesem Land gefunden.«

»Die Tochter eines großen Anführers?« Konrads Achtung vor Maite stieg, obwohl Ermengildas Entführung nicht gerade für sie sprach.

Maite begriff, dass man über sie sprach, und versetzte Unai einen Fußtritt. »Was redet ihr da?«

»Der Franke wollte wissen, wer du bist. Ich habe es ihm gesagt.«

Maite war es unangenehm, auf den Mund eines anderen angewiesen zu sein, wenn es um so wichtige Dinge wie Ermengilda und deren Freilassung ging. Ihr Spieß ritzte die Haut über Unais Kehle, so dass ein dünner Blutfaden an seinem Hals hinablief.

»Versuche nicht, mich noch einmal zu betrügen, sonst bist du ein toter Mann.«

Unai las an ihren Augen, wie ernst es ihr mit dieser Warnung war. Trotzdem war er bereit zu lügen. Immerhin ging es um seinen Hals. Die Franken hatten die Hirten seines Stammes niedergemacht, und er musste befürchten, dass sie auch ihn noch erschlagen würden. Überdies war ihm klar, dass er nach diesem Tag nicht mehr zu seinen Leuten zurückkehren konnte. Zwar war Maite an diesem Schlamassel schuld, aber die Stammesältesten würden ihn für den Tod der Hirten verantwortlich machen und bestrafen. Da war es besser, sich auf die Seite der Franken zu schlagen.

»Höre, Franke, ich bin nicht euer Feind. Diese elenden Hunde haben auch mich verraten. Es ist gut, dass ihr sie erschlagen habt.«

Konrad nahm an, dass von Unai keine Gefahr mehr ausging, und winkte Maite, sie solle den Mann aufstehen lassen. Die Waskonin gehorchte zögernd, hielt aber ihren Spieß stoßbereit.

Während Unai sich erhob, wanderten seine Blicke von Konrad zu Maite und zurück. Er vermochte nicht zu sagen, wer von beiden ihm gefährlicher werden konnte. Maites Verachtung für ihn war mit Händen zu greifen. Der Franke hingegen wirkte kalt wie Eis, doch unter der Oberfläche des Mannes brodelte es, das konnte er spüren.

Mit einer herrischen Bewegung zeigte Konrad auf die verletzten Hirten. »Kümmere dich um die Kerle. Dann nimmst du eine Schaufel und gräbst die Toten ein. Lass dir aber nicht einfallen zu fliehen.«

Die Gesten, mit denen Konrad seine Worte begleitete, waren selbst für Maite deutlich genug. Sie zog ihre Schleuder, legte einen Stein hinein und schwang sie durch die Luft. Das Geschoss traf mehr als hundert Schritte entfernt den Stamm eines Baumes genau in der Höhe von Unais Kopf.

»Die Steine aus meiner Schleuder sind schneller, als ein Mann laufen kann.«

Konrad sah sie verblüfft an und nickte dann anerkennend. Er hatte in seiner Heimat den einen oder anderen Hasen mit einem Steinwurf erlegt. Doch die Wucht und die Reichweite von Maites Schleuder lagen weit jenseits seines Könnens. Er deutete eine Verbeugung in ihre Richtung an. »Ihr seid wahrhaftig die Tochter eines großen Anführers!«

Unai übersetzte ihr die Worte, obwohl er sich über die Bewunderung ärgerte, die Maite zuteilwurde. Diese hasste zwar die Franken, weil ihre Welt durch deren Schuld aus den Fugen geraten war, errötete aber bei Konrads Lob. Wenigstens schien dieser Franke zu wissen, was Stolz und Ehre bedeuteten. Sie setzte sich auf einen Baumstamm, der neben der Hütte lag, und behielt Unai im Auge.

Diesem hatte Konrad den Befehl gegeben, sich um seine überlebenden Stammesbrüder zu kümmern. Nun sah er kurz auf die Hirten hinab, holte eine Schaufel aus der Hütte – und tötete die Verletzten, indem er ihnen das schwere Ding auf den Schädel schlug.

Angewidert wandte Konrad sich ab und trat zu Philibert. Die Wunde seines Kameraden war zum Glück nicht allzu tief, und wie es aussah, genoss Philibert es, von Ermengildas sanften Händen versorgt zu werden.

Obwohl Konrad wusste, dass es Narrheit war, fühlte er brennende Eifersucht in sich aufsteigen. Wie gerne hätte er Ermengildas Hände auf seiner Haut gespürt. Fast bedauerte er, dass er unverletzt geblieben war. Um nicht noch länger hinter Philibert zurückstehen zu müssen, beschloss er, so rasch wie möglich eine Sprache zu erlernen, die es ihm ermöglichte, sich mit der Prinzessin zu unterhalten.

12.

Rado trat aus dem Wald heraus und blickte überrascht auf die vielen Schafe, die auf den Wiesen bei der Hütte weideten, und die beiden Hunde, die die Tiere zusammenhielten und dabei immer wieder winselnd in Richtung des Hauses witterten.

In der Nähe des Gebäudes entdeckte Rado Unai, der dabei war, ein großes Loch zu schaufeln. Als er neugierig näher kam, erblickte er fünf Tote mit Schwertwunden. Zwei davon hatte man den Schädel mit einem stumpfen Gegenstand eingeschlagen.

»Was war denn hier los?«, fragte Rado verwundert. Unai antwortete zuerst in seiner Sprache und dann in der des gallischen Südens.

Da Rado keine von beiden verstand, zuckte er mit den Achseln und warf das Bärenfell zu Boden.

Als er sich umdrehte, stand die braunhaarige Frau vor ihm, die er bei Konrad gesehen hatte. Sie hielt einen Spieß in der Hand und ließ den Waskonen nicht aus den Augen.

»Holla, da muss was Größeres passiert sein«, sagte er in der Hoffnung, die Fremde würde es ihm erklären.

Maite trat jedoch wortlos zur Seite, so dass er auf die Hütte zutreten konnte. Er drückte die an Fellstreifen hängende Tür auf und kniff die Augen zusammen, um in dem dämmerigen Licht etwas sehen zu können. Als Erstes fiel sein Blick auf Ermengilda. Dieses Mädchen war ohne Zweifel die schönste Jungfrau, die auf Erden wandelte. Erst dann sah er, dass sich neben Konrad auch Philibert im Raum aufhielt. Dieser schien verletzt zu sein, denn die blonde Schönheit wand ihm gerade einen Leinenstreifen um den Leib.

Rado trat ans Lager des Verletzten. »Steht es schlimm um Euch, Herr Philibert?«

»Nur ein Kratzer«, tat Philibert die Wunde ab.

»Du wirst aber ein paar Tage lang nicht reiten können«, wandte Konrad ein.

»Wieso nicht? Das Loch ist doch nicht dort, wo ich sitze. Und selbst dann würde ich auf mein Pferd steigen. Bald werden alle Waskonen in dieser Gegend wissen, was hier geschehen ist, und dann könnte es haarig für uns werden. Wir sind es schon Prinzessin Ermengilda schuldig, so rasch wie möglich von hier zu verschwinden.«

»Ihr seid also wirklich Ermengilda!« Rado verbeugte sich etwas unbeholfen vor der Rose von Asturien und sagte sich, dass Herr Philibert sicher recht hatte. Das Mädchen war einfach zu schön, um etwas anderes sein zu können als die Verwandte von Königen.

»Dann ist die Frau draußen Eure Leibmagd?«, fragte er.

Als Philibert seine Worte Ermengilda übersetzte, schüttelte diese heftig den Kopf. »Maite ist meine Todfeindin! Es steht eine Blutrache zwischen uns. Mein Vater hat den ihren getötet, und deswegen hat sie meinen Reisezug überfallen.«

Dann verspürte sie den Wunsch, gerecht zu sein. »Aber dennoch hat sie mir meine Ehre und wahrscheinlich auch mein Leben gerettet. Die Hirten wollten mir gestern Abend Gewalt antun, doch Maite hat sie daran gehindert.«

»Sie ganz allein?«, fragte Philibert ungläubig, der die Kerle selbst erlebt hatte.

Ermengilda berichtete ihm nun von den Geschehnissen des Vortags, und da Just ihre Worte an Konrad weitergab, schwanden dessen Gewissensbisse. »Die Kerle da draußen hatten den Tod verdient!«

»Das hatten sie wirklich«, stimmte Philibert ihm zu. »Bei unserem Heiland! Wären wir einen Tag später gekommen, hätte Graf Eward uns zu Recht gescholten.«

Konrad fühlte sich, als sei eine schwere Last von seinen Schultern genommen worden. »Also hätten wir die Schurken auf jeden Fall töten müssen!«

Rado sah zuerst ihn und dann Philibert an. »Na, wie hat unser kleiner Kampfhahn sich geschlagen?«

Philibert presste die Hand auf die Wunde und unterdrückte ein Lachen. »Bestens! Er ist mit dreien fertig geworden, ohne dass sie ihm auch nur die Haut ritzen konnten, während ich einen tiefen Kratzer davongetragen habe, obwohl mir nur zwei Gegner gegenüberstanden.« Da die Verletzung es ihm ermöglicht hatte, Ermengilda nahe zu sein und ihre sanften Hände auf seiner Haut zu spüren, war Philibert in gewisser Weise sogar dankbar dafür.

Konrad interessierte sich wenig für das Loblied, das Philibert auf ihn sang, sondern machte sich Gedanken, wie es weitergehen sollte. »Diese Nacht können wir noch hier bleiben, aber morgen früh müssen wir aufbrechen und versuchen, uns bis Pamplona durchzuschlagen. Ich hoffe, wir werden unterwegs nicht unsere Schwerter ziehen müssen.«

»Wenn wir dazu gezwungen sind, werden unsere Feinde es bereuen!« Philibert war nun, da es galt, Ermengilda zu schützen, bereit, sich mit einem ganzen Heer anzulegen. Aber er sah ein, dass es für sie alle besser war, wenn sie ihr Ziel auf abgelegenen Pfaden zu erreichen suchten und dabei so wenig Menschen wie möglich begegneten.

Fünfter Teil

In Spanien

I.

Als die Stadt Pamplona vor ihnen auftauchte, fielen Konrad ganze Steinlasten vom Herzen. Sie hatten das Gebirge auf abgelegenen Wegen durchquert und es nach ihren ersten Erfahrungen nicht gewagt, sich einem der Dörfer zu nähern. Da sie dank der Vorräte der Hirten gut mit Lebensmitteln versorgt gewesen waren, hatten sie so mögliche Auseinandersetzungen meiden können. Wasser hatten sie an einsam gelegenen Quellen und Bächen geschöpft, und so wäre es ein eher gemütlicher Ritt geworden, wenn nicht Philiberts Wunde zu eitern begonnen und ihn das Wundfieber gepackt hätte.

Obwohl es nicht zu Auseinandersetzungen mit den Bergbewohnern gekommen war, hatte Konrad die Verantwortung für die Gruppe und insbesondere für Ermengilda manchmal kaum noch zu tragen vermocht. Im Angesicht ihres Zieles empfand er nun Stolz, den Auftrag halbwegs gut zu Ende gebracht zu haben. Dennoch war er ehrlich genug, einen Teil des Erfolgs der jungen Waskonin zuzuschreiben, die sie begleitete. Maite hatte sie besser geführt, als Unai es vermocht hätte. Den Waskonen hatten sie als Gefangenen mitgenommen, um ihn daran zu hindern, seine Landsleute zusammenzurufen und sie zu verfolgen. Jetzt ritt er mit auf dem Rücken gefesselten Händen neben Rado, der sein Pferd am Zügel führte, und zog eine beleidigte Miene.

Maite schloss zu Konrad auf und wies auf die Stadt. »Das ist Iruñea!« Während des Rittes hatten sie sich bemüht, jeweils ein paar Worte der Sprache des anderen zu lernen, und konnten sich inzwischen notdürftig verständigen. Dennoch irritierte es Konrad, dass sie Pamplona mit einem anderen Namen nannte.

Er richtete seine Aufmerksamkeit auf das Stadttor und wunderte sich, dass die Wachen es in fieberhafter Eile verschlossen und sogar Krieger mit Bögen oder Speeren in den Händen auf den Zinnen erschienen. Ein Mann, der seiner Kleidung nach der Anführer zu sein schien, rief zu ihnen herunter: »He, ihr da! Euer Lager liegt auf der anderen Seite. In der Stadt habt ihr nichts verloren.«

Konrad warf Maite einen fragenden Blick zu. Seines Wissens hatte der Graf von Pamplona sich König Karls Herrschaft unterstellt und ihm alle Hilfe für den bevorstehenden Feldzug zugesagt. Jetzt vor verschlossenen Toren zu stehen, war für ihn ein Schock.

»Wenn die da unsere Verbündeten sein sollen, will ich nicht wissen, wie unsere Feinde aussehen.« Rado spie aus und lenkte sein Pferd neben Konrads Hengst. »Was machen wir jetzt?«

»Das Lager suchen, von dem der Kerl gesprochen hat. Wenn es sich um Rolands Männer handelt, werden sie uns sagen können, was sich hier abspielt.«

»Der kürzeste Weg führt durch die Stadt!« Maite verstand nicht, was hier vorging, und hätte sich gerne mit Einheimischen unterhalten, um mehr zu erfahren. Da Enekos Leute jedoch nicht daran dachten, den Trupp einzulassen, wendete auch sie ihr Pferd und ritt hinter Konrad die Straße zurück, die sie gekommen waren.

Ein Stück außerhalb Pamplonas bog Konrad in einen schmalen Pfad ein und ritt in seinem Ärger zuletzt sogar über bestellte Felder, um zur anderen Seite der Stadt zu gelangen.

Schon bald trafen sie auf einen von Rolands Bretonen, der die Umgebung im Auge behielt. Konrad erschrak. Wenn der Markgraf seine zuverlässigsten Männer damit beauftragte, über die Sicherheit des Lagers zu wachen, musste die Lage ernst sein.

Der Bretone hielt seine Waffen kampfbereit, bis er sicher sein konnte, Freunde vor sich zu sehen. Erst als er Konrad erkannt hatte, entspannte er sich und hieß ihn und Philibert willkommen. »Da seid ihr ja endlich! Wir haben euch schon vor drei Tagen erwartet.«

»Es hat in den Bergen ein paar Schwierigkeiten gegeben«, antwortete Konrad ausweichend. Der Wachtposten fragte nicht nach, sondern wies ihm den Weg. Ein Kamerad, der jetzt erst aus einem Gebüsch heraustrat, kündigte sie mit einem Hornstoß an.

Die Zelte der Franken standen ein Stück außerhalb von Pamplona an der nach Osten führenden Straße und waren mit einem Ring aus Gebüsch und einzelnen Pfosten umgeben worden. Alle fünfzig Schritte hatte man kleine Erdhügel aufgeschüttet, auf denen einfache Wachtürme standen. Den Zugang zum Lager verwehrte ein Gatter, das von einem Dutzend handfester Kerle bewacht wurde. Nachdem sie Konrad und dessen Begleiter kurz gemustert hatten, gaben sie den Weg frei.

Einige Männer riefen Konrad Fragen zu, nahmen dann aber Ermengilda wahr und starrten verblüfft hinter der Gruppe her. Niemand stieß einen lauten Ruf aus, bis Roland in voller Rüstung und wehendem Umhang aus seinem Zelt stürmte und vor Konrad stehen blieb. »Dem Heiland sei Dank! Wir fürchteten schon, euch unbekannten Gefahren ausgesetzt oder gar dem Tod ausgeliefert zu haben.« Dann bemerkte Roland Philibert, der verkrümmt im Sattel saß und nicht mehr in der Lage war, die Zügel zu führen, und runzelte die Stirn. »Wie es aussieht, haben wir euch tatsächlich auf eine gefährliche Mission geschickt.«

»Ganz so schlimm war es zum Glück nicht, auch wenn Philibert dringend einen Wundarzt braucht.«

»Mit wem seid ihr aneinandergeraten?«, fragte Roland.

»Mit einigen waskonischen Hirten. Sie hatten Prinzessin Ermengilda bereits vorher bedroht und wollten sie uns nicht überlassen.«

»Ein knapper Bericht, der aber alles enthält.« Roland wartete, bis Konrad abgestiegen war, und klopfte ihm anerkennend auf die Schulter.

Aus den Augenwinkeln sah Konrad Graf Eward und Hildiger auftauchen. Anders als die restlichen Krieger würdigten die beiden Ermengilda keines Blickes, sondern starrten ihn mit einer Mischung aus Ärger, Verachtung und Neid an. Es dauerte einen Augenblick, bis er begriff, was sie bewegte. Im Gegensatz zu ihnen hatte er sein Schwert bereits im Ernstfall geschwungen und sich bewährt. Sie aber mussten noch warten, bis sie ihren Wert im Kampf beweisen konnten.

Nun entdeckte auch Roland den Verwandten des Königs und dessen Busenfreund. Ein verächtlicher Zug bog seine Lippen, als er sich an Eward wandte. »Wie Ihr seht, sind Eure Mannen mit einer Jungfrau zurückgekehrt, die der Beschreibung der Rose von Asturien entspricht. Wollt Ihr sie nicht begrüßen?«

Eward trat zögernd vor, während Hildiger den Arm ausstreckte, als wolle er ihn zurückhalten. Konrad wunderte sich darüber, Rolands Gesicht hingegen gefror zu einer höhnischen Maske. »Ihr kennt den Befehl unseres Herrn, des Königs, Graf Eward!«

Eward blieb vor ihm stehen, ohne Ermengilda anzusehen. »Noch ist nicht bewiesen, dass es sich bei diesem Weib um die Nichte König Silos handelt. Dies muss mir erst ihr Vater, Graf Roderich, bestätigen.«

»Es gibt hier jemanden, der feststellen kann, ob die Dame Eure Braut ist.« Roland wies auf einen Mann in fremder Kriegertracht, der bei Ermengildas Anblick erleichtert die Arme ausbreitete, als wolle er sie umarmen.

Ermengilda wirkte bei seinem Auftauchen wie von einem Alptraum erlöst. »Das ist Ramiro, ein treuer Gefolgsmann meines Vaters. Er kennt mich gut!«, versicherte sie in gebrochenem Gallofränkisch.

Der Asturier eilte herbei und sank vor ihr auf die Knie. In seinen Augen standen Tränen der Freude. »Endlich seid Ihr frei, Doña Ermengilda! Euer Vater und Eure Mutter werden außer sich sein vor Glück.«

Maite, die unbeachtet ein Stück hinter Ermengilda stand, knirschte mit den Zähnen, denn in dem Asturier erkannte sie den Krieger, der ihren Vater wie ein Stück erlegtes Wild auf den Boden geworfen und sie anschließend zu Roderichs Burg gebracht hatte. Der Schmerz um den Tod ihres Vaters brach bei seinem Anblick wieder auf wie eine Wunde, die nie richtig verheilt war. Um ihren aufbrandenden Zorn zu besänftigen, hätte sie am liebsten dem Asturier und auch Ermengilda ihren Spieß in den Leib gestoßen.

»Was immer du auch vorhast, tu es nicht!« Just legte seine Hand auf ihren Arm und drückte die Spitze ihrer Waffe nach unten. Dann sah er sie mit einem verlegenen Lächeln an. »Sie würden dich erschlagen wie einen tollwütigen Hund, wenn du der Rose von Asturien auch nur ein Haar krümmst.«

Ebenso wie Konrad hatte Just versucht, möglichst viel von der Sprache zu lernen, die in Asturien und im Norden Spaniens gesprochen wurde, und sich sogar einige Brocken Waskonisch angeeignet. Daher verstand Maite seine Warnung und sagte sich, dass sie zwar noch immer danach strebte, Ikers Tod und ihr persönliches Unglück an den Schuldigen zu rächen, aber nicht um jeden Preis. Ihr Tod würde nur ihrem Onkel zugutekommen, der sich danach die unumschränkte Führerschaft im Stamm sichern konnte. Obwohl ihr Einfluss in den letzten Monaten geschwunden war, war sie nicht bereit, Okin das Feld zu überlassen. Daher lächelte sie Just dankbar zu und bedachte Ermengildas Bräutigam mit einem kritischen Blick.

Die Asturierin hingegen musterte Eward unvoreingenommen. Nach Gosperts Worten sollte der junge Mann einer der ganz hohen Herren im Frankenreich sein und eine unverzichtbare

Stütze König Karls, und er schien diesem Bild auch zu entsprechen. Zumindest war er der schönste und am besten gekleidete Jüngling, den Ermengilda je gesehen hatte, und sie freute sich, seine Frau werden zu dürfen.

Maites Blick drang jedoch tiefer. Auf sie wirkte Eward wie ein schwacher, unreifer, aber stark von sich eingenommener Bursche, dessen Mienenspiel sie an ihren Vetter Lukan erinnerte. Zudem schien er von seinem ähnlich gekleideten Begleiter abhängig zu sein, denn er warf diesem Mann immer wieder fragende Blicke zu.

Währenddessen wurden Konrad und Philibert immer mehr zum Opfer brennender Eifersucht. Ihrer Meinung nach hatte Eward eine Braut wie Ermengilda nicht verdient. Sie war viel zu schön, um an einen Ehemann mit solch hochfahrendem und unangenehmem Charakter gefesselt zu werden. Philibert, der sich noch immer in den Klauen des Fiebers wand, tastete voller Zorn zum Knauf seines Schwertes.

Bevor er es jedoch ziehen konnte, stieß Konrad ihn an. »Lass das! Du kannst es doch nicht ändern. Oder willst du, dass Rolands Wachen dich niederstoßen, wenn du auf Eward losgehst?«

Philibert schüttelte den Kopf, wurde im nächsten Augenblick kreidebleich und fühlte, wie seine Beine unter ihm nachgaben. Konrad bemerkte es und hielt ihn fest.

»Danke! Aber du hättest mich nicht hindern sollen. Ich hätte den Kerl erwischt.«

»… und wärst dafür zu Tode geschunden worden! Nein, Philibert, das lasse ich nicht zu. Wir sind Waffenbrüder.«

Philibert blickte Konrad sinnend an und war gerührt, als er dessen treuherzigen Gesichtsausdruck sah. Er fragte sich, ob er selbst eingegriffen und Konrad vor einer Dummheit bewahrt hätte, wenn die Positionen vertauscht gewesen wären. Zudem begriff er, dass Graf Ewards Tod von dritter Hand ihm ebenfalls nichts genützt hätte, denn der König würde die junge Dame unverzüglich einem anderen hohen Herrn im Frankenreich anvermählen. So oder so gab es keine Hoffnung für ihn, dieses wunderbare Wesen sein Eigen nennen zu dürfen.

Als Philibert sich in seiner Schwäche an Konrad festhielt, erinnerte Roland sich, dass der Mann verwundet war, und rief mit lauter Stimme einen Wundarzt. Ein älterer Mann in einem wallenden blauen Gewand und mit einer randlosen Kappe aus Filz auf dem Kopf kam so gemessenen Schrittes herbei, dass kein Härchen seines langen, ins Graue übergehenden Bartes aufstob.

»Meister Simon, kümmert Euch um Herrn Philibert.«

Simon verneigte sich und gab einigen Knechten die Anweisung, Philibert in sein Zelt zu bringen.

Dieser stieß ein ärgerliches Knurren aus. »Ich kann auf meinen eigenen Beinen stehen!«

Um seine Worte zu beweisen, löste er sich aus Konrads Griff, stolperte aber schon beim zweiten Schritt und war froh, dass Konrad und der Wundarzt ihn packten, bevor er im Staub lag.

2.

$\mathcal{N}$achdem Meister Simon und dessen Gehilfe Philibert fortgeführt hatten, wandte Konrad sich an Roland. »Weshalb lagert Ihr ein ganzes Stück von Pamplona entfernt? Ich dachte, Graf Eneko habe sich König Karl unterworfen.«

»Mit dem Maul hat er es getan, doch seine Taten verraten seine Doppelzüngigkeit. Der verdammte Waskone hält die Tore seiner Stadt vor uns geschlossen und versorgt uns weder mit Nahrungsmitteln, wie er es versprochen hat, noch unterstellt er seine Krieger meinem Kommando.« Rolands Stimme zitterte vor Wut, und Konrad ahnte, dass sich einige hässliche Szenen abgespielt haben mussten.

Der Markgraf konnte mit noch mehr schlechten Nachrichten aufwarten. »Auch warten wir bislang vergebens auf den Heerbann aus Asturien, der sich uns hier anschließen wollte. König Silo hat sich durch Boten entschuldigen lassen, weil er einen Aufstand in Galizien niederwerfen müsse.«

Ein düsterer Blick streifte Ramiro, der als einziger Asturier von Bedeutung im Lager weilte. Dieser achtete jedoch nicht auf Roland, denn er war überglücklich, die Tochter seines Herrn gesund und unversehrt vor sich zu sehen. Am liebsten hätte er sie umarmt und wie ein kleines Kind an sich gedrückt. Um Herr seiner Gefühle zu werden, fasste er nach ihrer Hand und stammelte immer wieder, wie froh er sei, sie in Sicherheit zu wissen.

Für Ermengilda war er ein Teil ihrer Heimat, die sie verloren geglaubt hatte, und sie stellte Fragen über Fragen, um zu erfahren, wie es ihrer Familie erging. Ramiro senkte betrübt den Kopf. »Eure Mutter hat das Kind verloren, das sie trug. Gott sei es geklagt! Es wäre ein Knabe geworden, und sie ist untröstlich darüber. Natürlich ist sie auch krank vor Sorge um Euch! Euer Vater hätte Euch sicher gesucht, doch er weilt auf König Silos Befehl in Galizien, um einen weiteren Aufstand von Mauregato niederzukämpfen. Eure Magd und die meisten Männer aus Eurer Begleitung sind wieder frei. Nur der Franke Gospert ist nicht mehr am Leben. Zwar ist er den Waskonen glücklich entkommen, doch er muss einer maurischen Streifschar in die Arme gelaufen sein. Man hat ihn von Pfeilen gespickt jenseits der Grenze gefunden.«

Obwohl Ermengilda Gospert nur flüchtig gekannt hatte, bedauerte sie dessen Tod und sprach ein kurzes Gebet für ihn. Danach wandte sie sich Eward zu, der zu ihrer Verwunderung keinerlei Anstalten machte, sich ihr zu nähern, und fröstelte plötzlich. Er richtete seine Blicke überallhin, nur nicht auf sie, seine Braut, und wenn er sie doch einmal ansah, so glaubte sie, in seiner Miene Widerwillen und Abscheu zu lesen. Galt das wirklich ihr oder nur dem zerrissenen, schmutzigen Kittel, in dem sie steckte, und ihrem verfilzten Haar? Er schien sie abzulehnen. Das verunsicherte sie, denn Ramiro hatte ihr erklärt, dass diese Ehe so rasch wie möglich geschlossen werden sollte, um die Franken zu Verbündeten zu machen.

Nachdem König Karl die Bayern und Langobarden unterworfen und Aquitanien samt der Gascogne wieder dem Frankenreich einverleibt hatte, bestand die Gefahr, dass er seinen ersten Feldzug in Spanien nicht gegen die heidnischen Mauren führen, sondern das christliche Reich von Asturien erobern würde.

Ramiro bemerkte Ermengildas Zweifel. Da er befürchtete, dass der Franke sich Silos Krone aufs Haupt setzen und das Land als Ausgangspunkt für weitere Kriegszüge in Spanien benützen wollte, machte er ihr flüsternd erneut klar, dass ihre Ehe mit Eward der einzige Garant für einen Frieden zwischen den beiden Reichen sei, und führte sie zu Roland.

Dieser schien neben Graf Eward und Hildiger der einzige Mann im Lager zu sein, der nicht von der Schönheit der jungen Asturierin geblendet wurde. Er musterte sie mit einem Blick, als wäre sie ein Fohlen, das er einschätzen musste, und rief dann Graf Eward und einen älteren Mann in der schlichten Kutte eines Mönches herbei.

Konrad erkannte Bruder Turpinius, der bei König Karls Festessen neben ihm gesessen hatte, und trat näher. Als sich auch Hildiger zu der Gruppe gesellen wollte, drehte Roland sich so, dass er dem Mann den Weg versperrte. Ewards Gefährte versuchte, sich an ihm vorbeizudrängen, doch da wies der Markgraf ihn in ätzendem Tonfall zurück. »Ich glaube nicht, dass dich diese Sache etwas angeht!«

Konrad fiel auf, dass Roland mit dem jüdischen Wundarzt höflicher gesprochen hatte als mit Ewards Schwertbruder.

Graf Eward blickte Hildiger so ängstlich an wie ein junger Hund, der Strafe erwartet, wagte aber nicht, sich für ihn zu verwenden.

Ermengilda sah ebenfalls so aus, als wolle sie jeden Augenblick in einen Weinkrampf ausbrechen. Sie trug immer noch den Kittel, den Maite ihr nach ihrer Gefangennahme aufgezwungen hatte, und dieser hatte nach all den Tagen in den Bergen stark gelitten. Wer sie nicht kannte, musste sie für eine niedere Magd oder Sklavin halten, und sie kam sich in Ewards Nähe hässlich und klein vor. Ihr Zukünftiger prunkte mit Samt, Seide und wertvollem Geschmeide, so dass Markgraf Roland trotz seines roten Waffenrocks geradezu unauffällig und bescheiden im Vergleich zu ihm wirkte.

Im Gegensatz zu Ermengildas Bräutigam, der sich ans andere Ende der Welt zu wünschen schien, trug Roland eine zufriedene Miene zur Schau, als er Bruder Turpinius einen auffordernden Stoß versetzte. »Laut dem Willen König Karls soll diese Heirat stattfinden, sobald es möglich ist. Sprecht Euren Segen, ehrwürdiger Bruder, und erklärt die beiden im Namen Gottes und des Königs zu Mann und Frau, damit Herr Eward seine Braut in sein Zelt führen kann.«

Ermengilda schrie empört auf. »Erlaubt mir wenigstens, vorher zu baden, und lasst mir ein anständiges Gewand geben. In diesem Lumpen hier kann ich doch nicht heiraten!«

Ihr Einwand kam bei Roland nicht gut an. »Die Zeremonie zu verschieben hieße, den Befehl Seiner Majestät zu missachten. Daher macht rasch, Turpinius. Ich habe mich um andere Dinge zu kümmern.«

Sein Tonfall ließ keinen Widerspruch zu. Der Mönch befeuchtete seine Zunge und sprach den Trausegen. Konrad, der die lateinischen Worte nicht verstand, wandte sich verwundert an

Roland: »Weshalb muss ein Mönch diese Hochzeit vornehmen? Reicht es denn nicht, wenn Herr Eward und die Dame Ermengilda vor den Leuten hier erklären, dass sie Mann und Frau sind, wie es allgemein üblich ist?«

»So will es der Befehl des Königs. Er hat befohlen, dass diese Heirat von einem Mann des Glaubens durchgeführt wird, weil er sich dadurch den Segen des Himmels für das Brautpaar erhofft.«

Den trüben Gesichtern nach zu urteilen, die die Brautleute zogen, hatten sie diesen Segen bitter nötig. Konrad bedauerte die junge Asturierin von ganzem Herzen und verachtete Eward, der seiner schönen Braut keinen Blick gönnte, sondern mit einer Miene neben ihr stand, als wäre ihm eben das Liebste auf der Welt gestorben. Gleichzeitig wunderte er sich über Hildiger. Dessen rechte Hand streichelte den Schwertgriff, und er bedachte Ermengildas Nacken mit einem Blick, als wolle er ihn im nächsten Augenblick durchhauen.

Konrad nahm sich vor, auf Ermengilda achtzugeben. Wenn Graf Eward ihr nicht die nötige Achtung erwies oder Hildiger ihr zu nahe trat, würden die beiden ihn kennenlernen.

Im Gegensatz zu Konrad neidete Roland Eward die Braut nicht, und er lächelte über dessen Hoffnung, einmal Markgraf in Spanien zu werden. Noch war das Land nicht erobert. Zwar kannte Roland die Pläne des Königs nicht in ganzem Umfang, doch er sah selbst, dass dieser Kriegszug nicht nach Karls Wünschen verlief. Sowohl Eneko von Pamplona wie auch Silo von Asturien hatten ihm die versprochene Unterstützung verweigert, und aus der Gascogne waren weitaus weniger Krieger erschienen, als der König erwartet hatte. Dazu kam, dass die maurischen Fürsten, die laut Suleiman Ibn al Arabi angeblich nur darauf warteten, sich König Karls Herrschaft zu unterwerfen, noch nicht einmal einen Boten gesandt hatten.

»Bis jetzt ist alles schiefgelaufen«, murmelte Roland.

Damit irritierte er nicht nur Bruder Turpinius, der den Faden verlor und mit dem Trausegen noch einmal von vorne begann, sondern auch Konrad. »Wie meint Ihr das, Herr?«

Roland durchbohrte ihn mit seinem Blick. »Vergiss, was ich gesagt habe! Sag mir lieber, wer die andere Dame ist, die du mitgebracht hast.«

»Sie heißt Maite und soll die Tochter eines waskonischen Anführers sein. Ich fand sie bei Ermengilda.« Konrad wusste selbst nicht, weshalb er verschwieg, dass Maite die junge Asturierin gefangen gehalten hatte.

Rolands Augenbrauen wanderten ein Stück nach oben. »Maite von Askaiz? Von der habe ich schon reden hören. Sie gehört zu den Geiseln, die Eneko stellen sollte. Ich werde ihn daran erinnern müssen. Du aber sorgst jetzt dafür, dass Maite ihrem Rang gemäß behandelt und untergebracht wird.«

Wäre Konrad befohlen worden, sich um Ermengildas Wohlergehen zu kümmern, hätte er es mit Freuden getan. Maite aber war im Vergleich zu der lieblichen Rose von Asturien nur eine Distel und rechthaberisch dazu, und er wäre ihr am liebsten aus dem Weg gegangen. Doch er wagte es nicht, sich dem Willen seines Feldherrn zu widersetzen, und trat auf die Waskonin zu.

»Komm mit!«

»Wohin?«

»Ich lasse dir ein Quartier anweisen. Wer führt die Aufsicht hier im Lager?« Der letzte Satz galt einem Knecht, der gerade an ihnen vorbeiging.

Statt seiner antwortete Roland. »Das macht Herr Anselm, der dort hinten kommt.« Er winkte den Mann zu sich, und kurz darauf standen Konrad und Maite in einem größeren Zelt, das seiner Ausstattung nach für weibliche Bewohner vorgesehen war.

Maite begriff, dass hier die Mädchen hätten schlafen sollen, die

Eneko von Iruñea – oder Pamplona, wie die Asturier und Franken sagten – als Geiseln hätte stellen müssen. Das Wiedersehen mit den Gänsen, die sie vor ihrer Flucht aus Enekos Palast hatte ertragen müssen, war ihr so lieb wie die Krätze, und sie nahm sich vor, sich so bald wie möglich eine andere Unterkunft zu verschaffen, um nicht mit diesen hirnlosen Geschöpfen in einen Topf geworfen und wie eine Gefangene behandelt zu werden. Als sie jedoch den Kopf zum Zelteingang hinausstreckte, sah sie, dass Wachen davor aufgezogen waren, und sie begriff, dass sie den Franken nicht so leicht würde entkommen können wie Enekos Leuten.

Missmutig wandte sie sich an Konrad. »Ich brauche Wasser zum Waschen und saubere Kleider.«

»Ich werde mich darum kümmern.« Konrad war froh, das Zelt verlassen zu können, und machte sich auf die Suche nach Anselm von Worringen, um diesem Maites Wünsche zu überbringen und ihn zu fragen, wo er und seine beiden Begleiter unterkommen konnten. Es wäre zwar Hildigers Aufgabe gewesen, ihm einen Platz zuzuweisen, doch er würde sich eher die Zunge abbeißen, als Ewards Stellvertreter um irgendetwas zu bitten.

3.

Sie war keine Gefangene mehr. Aber dies war das einzig Gute, das Ermengilda ihrer neuen Situation abzugewinnen vermochte. Ansonsten missfiel ihr alles um sie herum, angefangen von den fränkischen Weibern, die man ihr als Dienerinnen zur Verfügung gestellt hatte und die nur den rauhen, ihr unverständlichen Dialekt des fränkischen Nordens sprachen, bis hin zu dem Badewasser, das sie als viel zu heiß empfand. Auch die Seifen, Salben und Duftwässer, die die Mägde herbeischleppten, wirkten auf sie sehr fränkisch. Kein asturisches Mädchen, das etwas auf sich hielt, hätte so ein Zeug verwendet.

Ermengildas unverständliches Nörgeln und ihre abwertenden Gesten rief bei den Dienerinnen verständnisloses Kopfschütteln hervor. Schließlich tippte eine von ihnen sich hinter ihrem Rücken an die Stirn. »Erst hat man die Dame in einem alten, stinkenden Kittel ins Lager gebracht, und nun stellt sie sich an, als wäre sie die Braut unseres Königs«, raunte sie ihrer Freundin zu.

Diese schüttelte den Kopf. »Im letzten Jahr durfte ich Frau Hildegard bei dem Feldzug gegen die Sachsen und später auch auf dem Hoftag in Paderborn aufwarten. Das ist eine wahre Dame, sage ich dir! Nie gab es Schläge, dafür aber viel Lob, gutes Essen und guten Wein. Aber die da führt sich auf, als wäre alles, was wir Franken besitzen, unter ihrer Würde.«

Die dritte Magd hob mahnend die Hand. »Ihr solltet nicht schlecht über die Fremde reden. Schließlich ist heute ihr Hochzeitstag, und da hätte Herr Roland ruhig eine Feier und ein festliches Mahl vorbereiten können. Stattdessen lässt er den Mönch ein paar Worte auf Latein brabbeln und erklärt Graf Eward und sie kurzerhand zu Mann und Frau. Die Dame wird nicht viel Freude mit ihrem Bräutigam haben, sondern froh sein dürfen, wenn er zu ihr kommt wie ein Hengst, der zur Stute geführt wird. Bestimmt verschwindet er jedes Mal wieder ganz schnell zu seinem ... äh, na ja, ihr wisst schon!«

»Dabei ist Herr Eward ein so schmucker Mann!« Die Magd, die bereits König Karls Ehefrau bedient hatte, seufzte traurig.

»Einen Mann würde ich ihn nicht gerade nennen«, spottete die Erste. »Aber das geht uns nichts an. Außerdem ist Frau Ermengilda so schön wie ein Engel im Himmel. Wenn Herr Eward bei ihr nicht auf andere Gedanken kommt, ist ihm nicht mehr zu helfen.«

Ermengilda hörte ihre Mägde tuscheln und bedauerte, dass sie deren Sprache nicht verstand, denn sie hätte sie liebend gerne ausgefragt, um mehr über ihren Gatten zu erfahren. Doch wenn sie etwas in dem Gallofränkisch zu den Frauen sagte, das Gospert ihr beigebracht hatte, sahen diese sie nur verständnislos an und zuckten die Schultern. Auch beherrschte keine von ihnen ein Wort Asturisch, so dass eine Verständigung unmöglich war. Jetzt ärgerte Ermengilda sich, dass sie sich entschieden hatte, das im Süden Galliens gebräuchliche Idiom zu lernen und nicht das Fränkisch, das in Ewards Umkreis gesprochen wurde. Obwohl sie zum ersten Mal seit Wochen wieder sauber war und eine der Mägde ein hübsches Kleid für sie bereitlegte, fühlte sie sich elender als in Maites Gefangenschaft. Das Gewand war eines ihrer älteren, die sie beim Aufbruch aus der Burg ihres Vaters zurückgelassen hatte. Ramiro hatte es ihr gebracht, und Ermengilda dankte ihm im Stillen, denn der Stoff stellte einen kleinen Zipfel Heimat dar. Dann aber musste sie an ihren Vater und ihre Mutter denken, die bei ihrer Hochzeit nicht hatten anwesend sein können, und sie spürte, wie ihr eine Träne über die Wange rann.

»Lehn dich zurück, damit wir deine Haare bürsten können!« Da Ermengilda die Anweisung nicht verstand, packte eine der Mägde ihren Kopf und drehte ihn so, wie es ihr für die Arbeit passte. Es tat weh, doch die Mägde kümmerten sich nicht um Ermengildas empörten Aufschrei, sondern fuhrwerkten mit ihren Kämmen durch die Haare, als wollten sie sie ihr samt den Wurzeln ausreißen.

Mit einem Mal sehnte Ermengilda sich nach Ebla, die weitaus sanftere Hände hatte als diese groben Weiber und mit der sie hätte reden können. Im nächsten Moment wurde ihr bewusst, dass es ihr noch lieber gewesen wäre, Maite bei sich zu sehen, so seltsam der Gedanke auch anmutete. Irgendwie fühlte sie sich stärker mit der Waskonin verbunden als mit ihrer Leibmagd, die wahrscheinlich tagelang nur über die misslichen Umstände dieser jämmerlichen Heirat geklagt hätte.

Natürlich hätte Ermengilda sich eine Hochzeit gewünscht, die diesen Namen auch verdiente, mit Feiern, einem festlichen Mahl und fröhlichen Gesichtern. Doch dem Befehl eines Königs durfte man sich nicht widersetzen. Allerdings schien ihr Gatte beleidigend wenig Interesse an ihr zu haben, denn er war sofort weggegangen, nachdem Bruder Turpinius den Trausegen gesprochen hatte, und seitdem nicht wieder aufgetaucht. Sie blickte in den hinteren Teil des Zeltes, in dem das Brautbett auf sie wartete. Im Augenblick verbarg eine Decke aus zusammengenähten Fellen das makellose Linnen, auf dem sie ihren Gatten empfangen sollte. Sie versuchte sich vorzustellen, wie es sein würde, wenn Eward zu ihr kam, und spürte, wie sie sich verkrampfte. Natürlich wusste sie, was sich zwischen Mann und Frau abspielte. Da hätte sie schon blind und taub sein müssen, um auf der heimischen Burg gewisse Dinge nicht mitzubekommen.

Einmal war sie erwischt worden, wie sie ein sich liebendes Paar beobachtet hatte. Alma hatte ihr streng erklärt, wie ungehörig ihr Tun sei, es aber nicht an ihre Mutter weitergemeldet, denn die hätte ihr mit Sicherheit das Hinterteil versohlt. Die Erinnerung an einige Prügel, die sie von ihrer Mutter bezogen hatte, lenkte ihre Gedanken wieder auf Maite. Seit ihrer Ankunft im Lager hatte sie die Waskonin nicht mehr gesehen, und so konnte sie nur hoffen, dass man sie gut behandelte.

Während Ermengilda sich in sich selbst zurückgezogen hatte, versuchten die Mägde immer noch, ihre verfilzten Haare zu entwirren, und gingen dabei wenig einfühlsam zu Werke. Es passte nicht zu ihrem Bild von einer Dame nobler Abkunft, dass diese mit kleinen Rindenstücken, Heu und sogar Ziegendung auf dem Kopf herumlief. Als eine von ihnen auch noch eine Zecke entdeckte, die sich hinter Ermengildas Ohr festgesetzt hatte, schüttelten alle den Kopf. Graf Eward mochte vielleicht nicht in allen Belangen ein richtiges Mannsbild sein, doch ihrer Ansicht nach hatte er es nicht verdient, mit einem Mädchen verheiratet zu werden, das sichtlich aus bäuerischen Verhältnissen stammte.

Ohne Ermengilda vorzuwarnen, drehte die Magd die Zecke ab. Das hatte sie schon öfter bei anderen Bediensteten und Soldaten tun müssen, und sie besaß genug Erfahrung darin, den Kopf des Insekts nicht in der Haut zurückzulassen.

Ermengilda stieß einen weiteren Protestschrei aus. »Aua, was soll das?«

Mit einem zufriedenen Grinsen hielt die Magd ihr die Zecke vor das Gesicht. »Das Ding hattest du am Kopf. Ich glaube, wir sollten nachsehen, ob noch woanders ein solches Tier sitzt. Wenn Graf Eward es sähe, würde er es für eine hässliche Warze halten.«

Die Magd lachte, und ihre beiden Freundinnen begannen zu kichern. In den Augen der Frauen war Ermengilda eine Fremde aus einem kleinen, hinterwäldlerischen Königreich, und die Begleitumstände ihres Erscheinens waren nicht dazu angetan, ihnen Respekt einzuflößen.

Ermengilda war jedoch nicht willens, sich so behandeln zu lassen. Sie stieg aus dem Bottich, sah die Weiber an und unterstrich ihre Worte mit unverkennbaren Gesten. »Nehmt ein Tuch und trocknet mich ab! Tut es aber sachte, sonst werde ich zornig!«

Daheim hatte sie dazu keine Dienerin benötigt, doch nun wollte sie den Frauen zeigen, wer hier die Befehle gab. Gleichzeitig ärgerte sie sich, weil der Zorn über die unverschämten Mägde sie dazu gebracht hatte, ihr Bad schneller zu beenden, als es nötig gewesen wäre. Sobald sie abgetrocknet war, würden die groben Weiber sie mit den Extrakten betupfen, die sie Wohlgerüche nannten, und sie zum Bett führen. Dann würde es nicht mehr lange dauern, bis ihr fränkischer Ehemann erschien und sein Recht einforderte.

Daran konnte sie nun nichts mehr ändern. Eine Magd rieb sie mit einem so rauhen Tuch trocken, dass sie sich wie eine Stute behandelt fühlte. Die beiden anderen schmierten eine stark riechende Salbe auf ihren Busen und zwischen ihre Schenkel und gossen ihr reichlich Rosenwasser ins Haar. Dann zeigte eine von ihnen auf das Bett.

»Ihr müsst jetzt warten, bis Herr Eward erscheint!«, sagte sie und zog sich dann mit ihren Gefährtinnen zurück.

Ermengilda hatte zwar nur den Namen ihres Mannes verstanden, begriff jedoch, was gemeint war, legte sich hin und zog die Felldecke über sich.

Es war schlimm genug, auf etwas Angenehmes zu warten. Aber das Warten auf etwas, das erschreckend oder zumindest unangenehm war, fiel noch viel schwerer. Die Zeit floss so zäh, als sei sie festgefroren, und schon bald wusste die junge Frau nicht mehr, ob sie erst kurze Zeit oder bereits einige Stunden auf ihren Ehemann gewartet hatte. Eward erschien jedoch nicht.

Ermengilda mochte nicht einschlafen, um nicht überrascht zu werden, und als ihr die Augen zufallen wollten, richtete sie sich auf und lauschte angestrengt. Doch sie vernahm nur die Geräusche des nächtlichen Lagers und gelegentlich den Ruf eines nervösen Wachtpostens, der bei dem geringsten Geräusch nach der Parole fragte, auch wenn es sich dabei nur um ein Kaninchen handelte, das im Gebüsch raschelte. Eward blieb ihr fern, als hätte Bruder Turpinius sie niemals als Mann und Weib zusammengegeben.

Voller Zorn über die Missachtung überlegte sie, ob sie sich nicht doch schlafen legen sollte. Wenn ihr Ehemann kam, musste er sie eben wecken, um das mit ihr tun zu können, wonach Männern im Allgemeinen der Sinn stand. Aber dann wäre sie ihm völlig hilflos ausgeliefert, und das wollte sie nicht. Daher starrte sie weiter in die Finsternis, die im Zelt herrschte.

Trotz ihrer Anspannung dämmerte sie irgendwann weg und fuhr erschrocken hoch, als sie glaubte, die Stimme ihres Ehemanns zu vernehmen. Rasch richtete sie sich auf und spitzte die Ohren. Es war tatsächlich Eward, und er musste sich ganz in der Nähe befinden. Wahrscheinlich hatte er mit seinen Freunden noch ein paar Becher Wein auf seine Hochzeit geleert und kam nun zu ihr. Doch zu ihrer Verwunderung blieb die Plane am Zelteingang zu. Inzwischen war die Angst vor der Entjungferung, die Ebla ihr eingeflößt hatte, einem Gefühl tiefer Gekränktheit gewichen. Mit der Heirat hatte Eward sich schließlich verpflichtet, ihr jene Aufmerksamkeit zu schenken, die ihr als Ehefrau zustand.

Sie stand auf, wickelte sich die Felldecke um den nackten Leib und tastete sich zum Zelteingang. Dort hob sie die Plane und blickte nach draußen. Die Sterne standen in voller Pracht über dem Land, und ein zur Hälfte voller Mond spendete genug Licht, so dass sie die Umrisse der Zelte und Bäume im Hintergrund erkennen konnte.

Ewards Stimme klang erneut auf, und sie kam aus einem Zelt nicht weit von dem ihren. Er sprach mit gedämpfter Stimme, doch in der Stille der Nacht trug der Wind Wortfetzen zu ihr. Ermengilda machte ein paar Schritte auf das andere Zelt zu.

»Wie konnte mein Bruder mir dies nur antun? Diese Spanierin ist so groß wie eine Kuh und sieht auch aus wie eine!«, vernahm sie und blieb stocksteif stehen.

Ihr Gatte sprach jenen Dialekt, den ihr Gospert beigebracht hatte. Zwar bekam sie nur bruchstückhaft mit, was Eward sagte, doch der verächtliche Tonfall in seiner Stimme tat ein Übriges. Sie fühlte sich wie mit Eiswasser übergossen und sah alle Hoffnungen, die ihr Vater und König Silo in sie setzten, schwinden. Wie sollte sie Einfluss auf einen Mann nehmen, der sich nicht das Geringste aus ihr machte, sie sogar verabscheute? Sie presste die Lippen zusammen, um nicht ihren Zorn und ihre Enttäuschung herauszuschreien. Immerhin stand sie nur in eine Felldecke gehüllt im Freien und wollte nicht, dass man sie so zu Gesicht bekam.

Jemand antwortete Eward, und die Stimme dieses Mannes jagte Ermengilda einen Schauer über den Rücken. Eward klang nun bettelnd, und dann vernahm die Lauscherin das Geräusch eines Kusses. Zwar war es nichts Ungewöhnliches, wenn gute Freunde sich küssten, doch ihr stellten sich die Haare auf. Sie trat so nahe an das andere Zelt heran, dass sie die Leinwand mit ihren Fingern berühren konnte, und bedauerte, dass sie die Sprache ihres Mannes nur bruchstückhaft verstand. Dennoch blieb sie wie gebannt stehen.

Im Zelt drehte Eward sich zu Hildiger um, betrachtete dessen nackten Oberkörper im Schein der kleinen Lampe und schüttelte verzweifelt den Kopf. »Ich werde diesen Koloss niemals als mein Weib anerkennen!«

»Der König wird nicht dulden, dass du der spanischen Kuh auf ewig fernbleibst, mein Geliebter. Irgendwann wirst du dich überwinden und zu ihr gehen müssen.«

»Niemals!«, rief Eward so laut, dass die Wächter ihre Köpfe reckten.

»Du musst! Denke daran, es geschieht auch für unser Wohl und Wehe. Möglicherweise kannst du es einige Zeit hinausschieben. Erkläre offen, du würdest die Ehe erst vollziehen, wenn der Preis, den Karl dir dafür versprochen hat, auch bezahlt worden ist. Damit gewinnen wir Zeit, bis Karl in Spanien erschienen ist, und vielleicht sogar noch einige Wochen mehr. Oder glaubst du, der König würde all die Länder, die vor uns liegen, in ein paar Tagen erobern und dich als Markgrafen einsetzen können?«

»Ich wünschte, er würde verlieren!«, brach es aus Eward heraus.

Hildiger hob mahnend die Hand. »So darfst du nicht reden. Es ist für uns von Vorteil, wenn du zum Markgrafen von Spanien erhoben wirst. Dann könnten wir endlich Karls Hof verlassen und so leben, wie wir es uns wünschen. Das willst du doch genauso wie ich!«

»Aber was ist, wenn der König dich an das entgegengesetzte Ende des Reiches schickt, vielleicht gar zu diesen grässlichen Sachsen?«

»Das darfst du nicht zulassen. Du musst bei Karl darauf bestehen, dass ich dein Marschall und Heermeister werde. Alles andere wird sich schon finden.«

Eward nickte und versicherte Hildiger, sich bei König Karl für ihn einzusetzen. Dann streckte er die rechte Hand nach ihm aus und streichelte seine Brust. »Komm, mein Geliebter, schenke mir noch ein wenig Trost in dieser schweren Stunde.«

Draußen vor dem Zelt hatte Ermengilda das Gespräch zwar mit angehört, aber vieles nicht verstanden. Als plötzlich andere Geräusche herausdrangen und die beiden Männer zu keuchen begannen, lüftete sie den Zelteingang einen Spalt.

Die kleine Lampe im Innern spendete gerade so viel Licht, um sie die Situation erkennen zu lassen. Die beiden Männer bemerkten nicht, dass sie beobachtet wurden, sondern umarmten sich ungeniert und küssten einander an allen möglichen Körperstellen. Mit einem Mal beugte Eward sich über Hildigers Schoß. Was er dort tat, konnte Ermengilda nicht genau sehen, doch ihre Phantasie gaukelte ihr Bilder vor, bei denen es ihr übel wurde.

Etwas später schob Hildiger Eward herum, bis dieser ihm das Hinterteil zureckte. Sie sah noch schattenhaft, wie er seinen Unterleib gegen Eward presste und anschließend Bewegungen machte, als wäre der andere eine Frau.

Da fasste jemand nach Ermengildas Arm und legte ihr die Hand auf den Mund.

»Es ist besser, Ihr geht in Euer Zelt, Herrin«, hörte sie den Mann flüstern. Dann zog er die Hand zurück, so dass sie ihn anblicken konnte.

Ermengilda erkannte Philibert und klammerte sich an seinen Arm, als fände sie bei ihm den letzten Halt in einer Welt, die um sie herum in Trümmer sank. In ihren Augen standen Tränen. »Weshalb ist das Schicksal so grausam zu mir? Da wäre es besser gewesen, Maite hätte mich in ihrem Zorn erdolcht!«

»Seid leise, sonst hört man Euch! Es wäre nicht gut, uns zu dieser Stunde zusammen zu sehen«, raunte Philibert ihr zu.

Ermengilda zuckte zusammen. Der junge Mann hatte recht. Wenn man sie nur mit einer Felldecke bekleidet in seiner Begleitung entdeckte, würde es sofort heißen, sie hätten trotz seiner Verwundung etwas Unzüchtiges getan. Damit würde sie Eward die Gelegenheit bieten, sie in Schimpf und Schande zu ihren Eltern zurückzuschicken.

Philibert wollte sie von dem Zelt wegführen, da hörte er Eward zuerst aufstöhnen und dann in Tränen ausbrechen.

»Was soll ich nur mit dieser Kuh machen? Solange sie sich in meinem Zelt aufhält, kann ich es nicht mehr betreten!«

Hildiger fühlte sich in seinem Tun gestört und antwortete ärgerlich. »Schicke sie in das Zelt, das für die weiblichen Geiseln vorgesehen ist. Dort kann sie bleiben, bis uns etwas anderes einfällt. Und nun schweig und halt still!«

Ermengilda wusste hinterher nicht, wie sie zu ihrer Unterkunft gelangt war. Doch als Philibert sich leise verabschieden wollte, fasste sie nach seinem Arm und krallte ihre Finger hinein.

»Wer ist der Mann, mit dem Eward zusammen ist?«

»Sein Schwertbruder Hildiger. Hütet Euch vor ihm! Er ist kein guter Mensch.«

»Ich habe keine Angst vor ihm und auch nicht vor Eward.«
Ermengilda streckte sich und sah Philibert an, der wie ein
dunkler Schatten vor ihr stand.

»Noch nie ist ein Weib schlimmer beleidigt worden als ich.
Wollt Ihr mir helfen, Eward Gleiches mit Gleichem zu vergel-
ten?« Ihr Zorn war so groß, dass alles in ihr schrie, sich aus
Rache für das Vernommene diesem sympathischen jungen
Franken hinzugeben.

Philibert war nun froh um das Fieber, das ihn so mit Alpträu-
men gequält hatte, dass er sein Zelt verlassen hatte und auf
Ermengilda gestoßen war, bevor ein anderer sie entdeckt hatte.
Auch wenn das, was sie ihm anbot, der Erfüllung eines Trau-
mes nahekam, so sorgte seine Schwäche dafür, dass die Vernunft die Oberhand behielt. Er war sicher, dass die junge Frau
sich am nächsten Morgen für einen solchen Schritt schämen
und sich selbst verachten würde.

»Verzeiht, Herrin, doch das wäre zu gefährlich.«
Er spürte, wie sie sich versteifte, und begriff, dass sie sich jetzt
zum zweiten Mal in dieser Nacht zurückgestoßen fühlte.
Rasch streckte er die Hand aus und strich ihr über die Wange.
»Ginge es nur um mich, würde ich nicht zögern, Euch meine
Liebe zu beweisen. Doch gerade in Eurer Situation dürft Ihr
Euch keinem Verdacht aussetzen. Außerdem dürft Ihr meine
Wunde nicht vergessen. Ich weiß nicht, ob ich Euch so lieben
könnte, wie Ihr es verdient.«

»Verzeiht mir! In meiner Erregung habe ich ganz vergessen,
dass Ihr bei meiner Befreiung verwundet worden seid.«
Ermengildas Stimme klang so sanft wie ein Frühlingshauch,
und Philibert hätte sie am liebsten an sich gezogen und geküsst. Aber ihm war klar, dass er ihr in diesem Fall ins Zelt
gefolgt wäre. Der Gedanke, die schöne Frau auf ihrem Brautbett zu nehmen, reizte ihn zutiefst, doch damit würde er Ermengilda dem Verderben preisgeben. Daher bezwang er das

aufsteigende Verlangen, deutete eine Verbeugung an und schloss den Zeltvorhang.

Als er sich umdrehte, entdeckte er einen Schatten auf der Lagergasse. Bereit, den Lauscher niederzustoßen, um Ermengildas Ehre zu retten, griff er zur Hüfte und merkte dann erst, dass er nur mit einem Hemd bekleidet und waffenlos war.

Da trat Konrad in das Mondlicht. Er lächelte anerkennend, ohne seine Eifersucht ganz verbergen zu können. »Es war klug von dir, nicht mit hineinzugehen!«

»Wärst du ihr gefolgt, wenn du an meiner Stelle gewesen wärst?«, antwortete Philibert mit einer Gegenfrage.

»Ich weiß es nicht. Sie ist wunderschön und hätte einen besseren Mann verdient als Eward!« Konrad seufzte und trat neben Philibert. »Was macht deine Wunde?«

»Der Arzt meint, es würde wieder alles gut. Ich muss diese Nacht noch in seinem Zelt verbringen, aber morgen hast du mich wieder am Hals. Alleine schlafen nur die hohen Herren, und wie man an Eward und Hildiger sieht, tun auch sie es nicht immer.«

»Was die beiden treiben, ist widerlich«, brach es aus Konrad heraus.

Philibert war ein paar Jahre älter und lebenserfahrener als er. Daher zuckte er nur mit den Schultern. »Wäre Eward ansonsten ein Mann, dem man Achtung entgegenbringen könnte, würde es mich nicht stören. Das heißt natürlich nur, wenn er Prinzessin Ermengilda so behandelte, wie sie es verdient. Doch er ist nur ein Schwächling, der Hildiger nach dem Mund redet. Des Königs Absicht, ihn durch eine Heirat von dieser Leidenschaft abzubringen, wird, so fürchte ich, scheitern.«

»Ich werde zu Markgraf Roland gehen und ihn bitten, mich einem anderen Trupp zuzuteilen. Ich will nicht weiter unter Ewards Kommando stehen!« Konrad sah so aus, als wolle er noch mitten in der Nacht Rolands Zelt aufsuchen.

Doch Philibert hielt ihn fest. »Halt! Der König hat dich ebenso wie mich in Ewards Schar gesteckt. Daher kann nur Herr Karl uns aus diesem Dienst entlassen. Herr Roland wird dir keinen anderen Bescheid geben können.«

»Der Teufel soll Eward holen!«, antwortete Konrad, nahm dann Philibert, der vor Schwäche zu zittern begann, beim Arm und führte ihn zu dem Zelt des Arztes. Dort verabschiedete er sich von ihm und kehrte in sein Bett zurück. Bis zum Einschlafen drehten sich seine Gedanken um Ermengilda. Obwohl er Eward geradezu hasste, so war es doch in einer Hinsicht gut, dass sie dessen Weib geworden war. So konnten Philibert und er Freunde bleiben und ihre Liebe zu der Unerreichbaren teilen, anstatt Rivalen oder gar erbitterte Gegner zu werden.

4.

Jussuf Ibn al Qasi wog den Granatapfel, den sein Gastgeber ihm gereicht hatte, in der Hand und wusste nicht so recht, was er damit anfangen sollte. Verlegen ließ er seinen Blick durch den Garten wandern, der ihm wie ein Abbild des Paradieses erschien. Bäume, Büsche und Blumen waren von kundiger Hand gepflanzt worden und vermittelten ein Gefühl von Ruhe und Frieden.

»Iss! Er ist nicht vergiftet.« Die Stimme seines Gastgebers Abd ar-Rahman klang amüsiert.

Gehorsam schnitt Jussuf die zähe Haut des Granatapfels auf, klaubte einen der roten Kerne heraus und steckte ihn in den Mund. Sein Gastgeber nahm ebenfalls einige Kerne und verspeiste sie voller Genuss. Sofort eilte ein schwarzer Sklave mit einem goldenen Wasserbecken und einem weißen Handtuch herbei, damit der Emir sich die Hände reinigen konnte.

»Die Granatäpfel sind in diesem Jahr besonders süß«, stellte Abd ar-Rahman, der Herr von Córdoba, fest und bot seinem Gast damit die Gelegenheit, auf das Thema überzuleiten, das diesem am Herzen lag.

»Nur Allah weiß, ob wir sie in diesem Herbst am Ebro werden ernten können«, antwortete Jussuf Ibn al Qasi.

»Fallen so große Vogelscharen über deine Gärten her, Freund Jussuf?«

»Wenn du die Franken Vögel nennst, dann ist es so, mein Gebieter.« Jussuf Ibn al Qasi verbeugte sich vor dem Emir und vermochte dabei seine Angst nicht ganz zu verbergen. Im Norden Spaniens war in den letzten Jahren vieles anders gelaufen, als es Abd ar-Rahman gefiel. Zudem lähmte die Furcht vor den Franken die maurischen Bewohner der Grenzgebiete ebenso wie die christlichen Könige und Grafen, die sich in den Bergen an der Küste Kantabriens, Galiciens und Asturiens festgekrallt hatten und Tribute zahlten, damit die Heere des Islam sie nicht ins Meer trieben.

»Die Angst vor den Franken ist unsere schärfste Waffe!« Abd ar-Rahmans Ausruf riss Jussuf aus seinen Gedanken.

»Wie meinst du das, mein Gebieter?«

»Silo von Asturien fürchtet um seine Krone, auch wenn diese nur ein Ring aus Blech ist. Er kann nicht dulden, dass die Franken zu mächtig werden oder gar Land auf dieser Seite der Pyrenäen gewinnen. Obwohl er der Sohn einer Maurin ist, denkt er wie ein Visigote und hat nicht vergessen, dass die Franken sein Volk einst aus Gallien vertrieben haben.« Abd ar-Rahman lächelte selbstzufrieden und aß weitere Kerne.

Sein Gast wusste darauf nichts zu antworten. Silo von Asturien war ebenso wie sein Vorgänger Aurelio kein Herrscher, der hier in Córdoba Ängste ausgelöst hatte. Als sich vor kurzem einige Statthalter auf die Seite des Kalifen al Mahdi gestellt hatten, der als Abbaside der Todfeind des Omaijaden

Abd ar-Rahman war, hatte Silo sich mit Aufständen im eigenen Land herumschlagen müssen und keinen Gewinn aus der neuen Situation ziehen können. Da der Abbaside jedoch nicht in der Lage war, seine Anhänger im fernen Spanien zu unterstützen, hatten diese sich an die Franken gewandt, deren Hunger nach Land unter König Pippin und seinem Sohn Karl neu erwacht war.

»Nun, Jussuf, du siehst zweifelnd drein. Glaubst du nicht auch, dass Silo von Asturien lieber Tribute an uns zahlt, als sich den Franken zu unterwerfen? Mit weniger wird Karl sich nämlich nicht zufriedengeben.«

Jussuf Ibn al Qasi reichte die leere Granatapfelhülle dem schwarzen Sklaven und wusch sich die Hände. Dabei wusste er selbst nicht, ob er es tat, um Zeit zu gewinnen, bis ihm eine passende Antwort einfiel, oder ob die Angst seine Gedanken lähmte.

»Wenn der Franke Silo die Spitze seines Schwertes an die Kehle hält, wird dieser sich Karl als Vasall unterwerfen«, sagte er schließlich.

»Er wäre ein Narr, täte er es nicht«, spottete der Emir. »Gleichzeitig aber wird er hoffen, dass mein Heer ihn von den Franken erlöst.«

»Das wird nicht leicht werden, mein Emir. Die Franken gleichen einer Flut, die über das Gebirge stürzen wird.«

Abd ar-Rahman schüttelte den Kopf. »Stemmst du dich gegen eine anrollende Flut, Freund Jussuf, oder schwimmst du mit ihr mit und lässt dich von ihr tragen? Der Franke soll ruhig kommen, damit die Walis im Norden, die nach Bagdad schielen, erkennen, was ihnen blüht, wenn ich meine schützende Hand von ihnen abziehe.«

»Aber was machst du mit jenen, die sich dir wieder unterworfen haben oder stets treu zu dir gestanden sind, mein Gebieter?«, fragte Jussuf erschrocken.

Der Emir nahm dem Sklaven die Schüssel aus der Hand und schüttete das Wasser auf den Weg. Es bildete sich eine Pfütze, aus der mehrere größere Steine herausragten. Abd ar-Rahman zeigte auf diese.

»Genauso wird es den Franken gehen. Sie werden den Norden überfluten, aber an den Mauern der großen Städte scheitern. Sie sind nicht in der Lage, Befestigungen zu stürmen, sondern müssen die Menschen dahinter aushungern, wie sie es mit Pavia, der Hauptstadt der Langobarden, getan haben. Also werden wir genügend Vorräte und Soldaten nach Saragossa und in die anderen Städte schaffen, damit diese gut versorgt sind und sich viele Monde halten können. An dich geht der Befehl, jedes Getreidekorn und jede Olive, die den Franken als Nahrung dienen könnte, hinter schützende Mauern zu bringen. Der Hunger, mein Freund, ist in diesem Krieg eine schärfere Waffe als das Schwert. Zudem werde ich dafür sorgen, dass König Karl sich nicht lange in Spanien aufhält.«

Jussuf sah den Emir verwirrt an. »Wie willst du das vollbringen, mein Herr und Gebieter?«

Abd ar-Rahman lächelte zufrieden. »Die Franken haben Feinde, die für blankes Gold ihre Schwerter ziehen werden. Es kostet weniger, uns dieser Leute zu bedienen, als uns selbst einer Feldschlacht zu stellen. In einem offenen Krieg würden zu viele gute Männer fallen, die ich nach Karls Abzug benötige, um Verräter wie Suleiman Abd al Arabi zu bestrafen.« Bei den letzten Worten nahm die Stimme des Emirs einen harten Klang an. Jussuf begriff, dass Abd ar-Rahman niemandem verzeihen würde, der ihn verraten hatte, und atmete erleichtert auf, weil er dem Emir seine – wenn auch manchmal schwankende – Treue bewiesen hatte. Der Auftrag, alles Korn im Norden in die Städte bringen zu lassen, bewies ihm, dass er noch immer das Vertrauen des Herrschers und dessen Gunst genoss.

Der Emir beobachtete seinen Gefolgsmann und las ihm die Gedanken von der Stirn ab. Die Banu Qasim waren die bedeutendste Sippe des Nordens und hatten lange geschwankt, ob sie sich Suleiman Ibn Jakthan al Arabi el Kelbi anschließen und sich mit den Franken verbünden oder Córdoba die Treue halten sollten. Da Jussuf Ibn al Qasi zu ihm gekommen war, glaubte der Emir, ihm vertrauen zu können. Bei den Statthaltern, derer er sich nicht sicher sein konnte, war es jedoch notwendig, rasch zu handeln.

»Ich habe einen neuen Wali von Barcelona bestimmt«, bemerkte er beiläufig.

Jussuf Ibn al Qasi hob erstaunt den Kopf. »Aber wird er dort auch anerkannt?«

»Er hat bereits die Stadt besetzt und wird die Tore vor den Franken verschlossen halten. Weißt du, Freund Jussuf, ich habe in jeder Stadt treue Diener, die mich unterstützen. Zudem sind die Brüder Abdul und Fadl an der Seite dieses Mannes in die Stadt eingeritten, und diese tapferen Krieger will sich niemand zum Feind machen.«

Das war eine Warnung, daran zweifelte Jussuf Ibn al Qasi nicht. Nun galt es für ihn, auf die rebellischen Mitglieder seiner Familie einzuwirken, damit sie sich wieder dem Emir unterwarfen. Das war auch in seinem Sinn. Obwohl er Muslim war und von Mutterseite arabisches Blut in seinen Adern floss, war er Visigote genug, um die Franken zu hassen, die sich als Feinde seines Volkes erwiesen hatten.

Abd ar-Rahman stellte mit Genugtuung fest, dass er die Gedanken seines Gefolgsmanns in die richtigen Bahnen gelenkt hatte, und verabschiedete ihn mit einem freundlichen Gruß. Während Jussuf Ibn al Qasi von einem Diener geführt den Garten verließ, schritt der Emir weiter und betrat den Palast, dessen Säulenbögen alle Schwere aus dem Gebäude nahmen und ihn an die Zelte in der Wüste erinnerten, aus der seine

Familie einst gekommen war. Noch vermochte Córdoba sich nicht mit Damaskus, dem Diamanten in der Krone der Omaijaden, zu messen, doch Abd ar-Rahman war fest entschlossen, dies zu ändern. Er hatte bereits Architekten und Bauleuten befohlen, neue Gebäude und Moscheen zu errichten, die ihn das Heimweh nach Syrien und Arabien vergessen lassen sollten.

Für einige Augenblicke überließ der Emir sich seinen Träumen, und er sah Córdoba als strahlendes Juwel. Dann schüttelte er diesen Gedanken ab. Bevor er in die Zukunft griff, musste er dafür sorgen, dass weder seine Macht noch sein Einfluss schwanden. Die Franken waren eine weitaus größere Gefahr, als seine Getreuen es sich vorstellen konnten, und er tat alles, diese Tatsache vor ihnen zu verbergen. Karls Heer bestand aus eisernen Männern, die niemals weichen würden, und an den gepanzerten Reitern würde jeder Angriff seiner eigenen Kavallerie zerschellen. Einen Sieg auf dem Schlachtfeld konnte er nicht erringen, das wusste der Emir. Also musste er auf andere Weise verhindern, dass die Franken sich auf Dauer in Spanien festsetzen konnten.

Mit der Erneuerung dieses Vorsatzes wandte er sich dem vorderen Teil seines Palastes zu, der für Gäste frei zugänglich war, und betrat ein Gemach, in dem zwei Männer unruhig an einem Fenster standen und einen kleinen Springbrunnen anstarrten. Beide überragten ihn um mehr als eine Handspanne. Fahles Haar bedeckte ihre Köpfe, und um ihre Münder wuchsen struppige Bärte. Ihre aus Wolle und Leinen gewebte Kleidung bestand aus langen Hosen, Hemden und knielangen Tuniken in so matten Farben, dass sie gegen den in blauen Samt und Seide gewandeten Emir wie verwischte Schatten wirkten.

Auf einer Truhe lagen lange, gerade Schwerter, die so schwer waren, dass nur solch ungeschlachte Gestalten sie zu schwingen vermochten. Abd ar-Rahman zog das elegante Krummschwert vor, und er war überzeugt, dass er damit jeden der beiden besiegen konnte. Sein Ziel war es jedoch nicht, sich mit diesen Männern zu messen, sondern sie und vor allem deren Herren für sich zu gewinnen.

»Friede sei mit euch!«, grüßte er und führte eine Hand kurz zu Mund und Stirn.

»Odin möge deinen Arm stark und fest werden lassen«, antwortete der Mann, dessen Kleidung ein wenig dunkler gefärbt war als die seines Begleiters, in einem von einer kehligen Aussprache gefärbten Arabisch.

»Allah hat es getan«, wies Abd ar-Rahman ihn sanft zurecht. Mit einer eleganten Bewegung setzte er sich auf das Sofa, dessen weiche Kissen ihn so sanft umschmeichelten wie die Hände seiner Konkubinen. Seine Gäste, die harte Bänke und als Unterlage höchstens ein Schaffell gewohnt waren, ließen sich so vorsichtig nieder, als hätten sie Angst, bis zur Erde zu sinken.

»Ihr bringt Botschaft von euren Herren?«, begann der Emir das Gespräch.

Der dunkler Gekleidete nickte. »König Sigurd lässt dich ebenso grüßen wie sein Verwandter, Herzog Widukind.«

»Beider Gruß sei mir willkommen.« Abd ar-Rahman lächelte freundlich, während seine Sinne so angespannt waren wie einst während seiner Flucht vor den Schergen der Abbasiden.

»Sigurd lässt dir sagen, dass er selbst keinen Angriff gegen die Franken führen kann.«

Über Abd ar-Rahmans Gesicht huschte ein Ausdruck der Enttäuschung, aber er ließ den Mann weiterreden.

»Wir Dänen können uns keiner Schlacht gegen die Franken stellen. Aber unsere sächsischen Brüder hassen dieses Volk, das sich andauernd in ihre Angelegenheiten einmischt, Tribute von ihnen fordert und verlangt, dass sie Odin abschwören und diesen Kerl anbeten sollen, der so schwach gewesen war, dass die Römlinge, die nicht einmal in der Lage sind, ein Schwert gerade zu halten, ihn ans Kreuz schlagen konnten. Wir Dänen werden die Sachsen, so gut es geht, mit Waffen und anderen Gütern versorgen. Nur verlangen die Kaufleute und Schmiede Geld für diese Dinge!«

Der Däne sah den Emir lauernd an. Abd ar-Rahman bemerkte die Gier in seinen Augen, lächelte aber nur. Geld war das geringste Problem. Seine Schatzkammern waren voll davon, und er hielt es für besser, sein Gold kämpfen zu lassen, als seine Krieger in sinnlosen Schlachten zu opfern.

»Ich habe eurem König Sigurd und dem Herzog der Sachsen angeboten, sie mit Gold zu unterstützen, wenn sie ihre Schwerter gegen die Franken ziehen.«

Der heller gekleidete Fremde, der bis jetzt kein Wort gesagt hatte, stieß seinen Begleiter an. »Der Wicht dort hat wohl Angst vor Karl, da er unsere Schwerter kaufen will, damit wir ihm die Franken vom Hals schaffen sollen?« Er benutzte seine eigene Sprache, die sich in Abd ar-Rahmans Ohren wie das Grunzen der vom Propheten verfluchten Schweine anhörte.

Der Däne verfärbte sich und trat dem anderen auf den Fuß. »Du Narr! Hier haben selbst die Wände Ohren, und die verstehen unsere Sprache. Wenn du den Emir erzürnst, lässt er uns die Haut bei lebendigem Leibe abschälen.«

Danach wandte er sich mit einem gezwungenen Lächeln an Abd ar-Rahman. »Mein sächsischer Freund kann es kaum erwarten, sein Schwert mit den Franken zu kreuzen. Er ist ein Vetter Widukinds, des großen Anführers seines Volkes. Dieser wird den Franken Karl lehren, wo seine Grenzen liegen.«

»Ich wünsche ihm Allahs Segen dafür!« Obwohl die Dänen sich weigerten, auf ein Angebot einzugehen, war Abd ar-Rahman zufrieden. Ein Aufstand der Sachsen, die Karl bereits unterworfen glaubte, würde ihm die Luft verschaffen, die er brauchte, um trotz der fränkischen Gefahr sein Reich festigen zu können.

»Was brabbelt der Mann?«, fragte der Sachse, der kein Arabisch verstand.

»Er wünscht deinem Herzog und dir, dass Thor euch die Kraft verleiht, diese elenden Franken aus euren Landen hinauszuprügeln. Jetzt müssen wir hören, wie viel er zu zahlen bereit ist.« Der Däne grinste erwartungsvoll. Auch wenn die Sachsen das Risiko dieses Krieges tragen würden, sollte der größte Teil des maurischen Goldes in dänische Hände wandern.

Allerdings würden auch die fränkischen Schmiede und Waffenhändler daran verdienen. Fränkische Schwerter waren nun einmal schärfer und härter als die, welche aus dem Eisen des Nordens gefertigt werden konnten, und daher sehr begehrt. Sigurds Abgesandter amüsierte sich darüber, dass Franken durch Schwerter fallen würden, die in ihrer Heimat hergestellt worden waren. Das war allerdings nichts, was er mit dem Emir von Córdoba erörtern wollte.

»Es wird ein harter Krieg werden, in dem viele Waffen verschlissen werden«, sagte er, um so viel wie möglich herauszuschlagen.

Abd ar-Rahman hätte ihm den halben Inhalt seiner Schatzkammer überlassen, nur um die Franken loszuwerden. Aber er wusste, dass er weitaus billiger davonkommen würde. Auf sein Händeklatschen hin brachten vier Diener einen mit schwarzem Leder überzogenen Kasten herein, stellten ihn ab und verließen die Kammer nach einer tiefen Verbeugung.

Der Emir wies auf den Schlüssel, der im Schloss steckte. »Öffne«, befahl er dem Dänen. Der tat es und starrte dann mit großen Augen auf die funkelnden Goldstücke.

»Bringt dieses Gold nach Dänemark und Sachsen und schürt mit ihm das Feuer des Krieges. Sollte Karl sich euretwegen aus

Spanien zurückziehen müssen, werden Sigurd und Widukind noch einmal die gleiche Summe erhalten.«

Abd ar-Rahman hätte am liebsten laut gelacht, als sich die Gesichtszüge der beiden Nordmänner bei seinen Worten veränderten. Ihre Mienen verrieten ihm, dass sie überlegten, wie viel sie von dem Gold in die eigene Tasche stecken konnten. Der Emir gedachte jedoch, ihrer Gier einen Riegel vorzuschieben, denn der Inhalt dieser Kiste sollte die Sachsen im Krieg unterstützen und nicht irgendwelchen Gesandten zu Reichtum verhelfen.

Daher schloss er den Deckel wieder, drehte den Schlüssel herum und klatschte in die Hände. Dem Sklaven, der sofort erschien, reichte er den Schlüssel des Kastens und wies ihn an, diesen in Seide zu schlagen und zu versiegeln. »Übergebt dieses Päckchen so, wie es ist, dem König der Dänen. Ich werde ihm eine Botschaft senden, die ihm erklärt, wie das Gold verwendet werden soll.«

Die enttäuschten Gesichter der beiden Abgesandten beantwortete Abd ar-Rahman mit einem gütigen Lächeln. Auf seinen Ruf eilte ein weiterer Sklave herbei, der zwei schwere Beutel aus Samt trug und diese auf einen Wink des Emirs den Gästen überreichte.

»Nehmt dieses Gold als Anerkennung für die treuen Dienste, die ihr euren Herren leistet!«

Die beiden Nordmänner lösten die Schnüre, mit denen die Beutel verschlossen waren, blickten hinein und stellten fest, dass jeder Beutel mehr Gold barg, als sie aus der Kiste hätten nehmen dürfen. Ihre Mienen drückten kindliches Staunen aus, und ihre Dankesäußerungen verrieten Abd ar-Rahman, dass sie alles tun würden, um zu seinen Gunsten auf ihre Herren einzuwirken.

5.

Nachdem Abd ar-Rahman die beiden Gesandten verlassen hatte, überlegte er, ob er sich in die Stille seines Harems zurückziehen und von seiner Lieblingsodaliske den verspannten Nacken massieren lassen sollte. Schon halb auf dem Weg dorthin ermahnte er sich, nicht seinen Befindlichkeiten nachzugeben, sondern sich weiter um die Belange seines Reiches zu kümmern. Daher wandte er sich in eine andere Richtung, um den nächsten Gesandten aufzusuchen, dem er ein spezielles Gemach hatte anweisen lassen. Als Emir von Córdoba und Herr über den größten Teil Spaniens hätte er diesen Mann genauso wie den Dänen und den Sachsen in seinen Präsentationsräumen zur Audienz empfangen können. Doch dort gab es zu viele Lauscher. Der Inhalt des nächsten Gesprächs sollte auf keinen Fall als Gerücht durch die Gassen laufen und auf diese Weise die Ohren seiner Feinde erreichen.

Der Mann, den der Emir nun aufsuchte, war ein hochgewachsener, schon älterer Krieger mit hellblonden Haaren und einem leuchtend grünen Waffenrock. Er schien keine Freundschaft für seinen Gastgeber zu empfinden, denn seine Miene blieb starr.

Dennoch grüßte der Emir ihn freundlich, während er auf dem Diwan Platz nahm. Anders als die beiden Nordmänner, die es gewohnt waren, auch in Gegenwart ihrer höchsten Anführer zu sitzen, blieb dieser Gesandte stehen.

»Ich hoffe, deinem Herrn Silo ist Allah noch immer gewogen, Don Rodrigo?«, sagte Abd ar-Rahman und behielt seinen Gast dabei scharf im Auge.

Roderich aus der Grenzmark, den sein Schwager als Boten nach Córdoba gesandt hatte, senkte den Kopf, damit der Emir nicht in seinem Gesicht lesen konnte. »Mein Herr befindet sich wohl, Erhabener.«

Die höfliche Anrede befriedigte Abd ar-Rahman. Er hatte genug über Graf Roderich erfahren, um zu wissen, dass dieser Mann nicht sein Freund war. Ebenso wie der Asturier die Franken hasste, die den Westgoten ihr Land in Gallien weggenommen hatten, sah er die Mauren als Feinde an, die sich zu den Herren Spaniens aufgeschwungen und sein Volk in die kantabrischen Berge gejagt hatten.

Der Emir überlegte, ob er es sich auf Dauer leisten konnte, dass der Hass auf ihn und sein Reich in den christlichen Reichen von Generation zu Generation weitergetragen wurde. Dann sagte er sich, dass die kleinen Fürstentümer sogar gemeinsam zu schwach waren, um eine Gefahr darzustellen. Zudem würde ein Krieg im Gebirge seine Krieger kaum reizen, denn er brachte ihnen außer einigen Weibern und mageren Schafen keine Beute ein. Da war es besser, darüber zu wachen, dass die Zaunkönige des Nordens schwach blieben und Tribut entrichteten.

»Dein Herr soll die Franken gerufen haben, um mit ihnen gegen die Streiter des Islam zu kämpfen.« Abd ar-Rahman sprach die Worte so gleichmütig aus, als rede er über das Wetter.

Roderichs Gesicht verdüsterte sich. »Die Franken muss man nicht rufen. Die kommen von selbst und stellen unverschämte Forderungen.«

Abd ar-Rahman nickte zufrieden. Mit einem einzigen Satz hatte er Roderich dorthin gebracht, wo er ihn haben wollte. Jetzt galt es, dem Stolz dieses Mannes zu schmeicheln und die Gefahr, die von den Franken ausging, in richtige Worte zu kleiden. »Karl ist unersättlich in seiner Gier, andere Völker zu unterwerfen und sich deren Kronen aufs Haupt zu setzen. Daher wird er auch vor Asturien nicht haltmachen.«

Roderich nickte unwillkürlich. Immerhin hatten die Franken in Aquitanien und der Gascogne viele Häuptlinge und Fürsten abgesetzt und die Verwaltung der Länder eigenen Grafen übertragen. Nun dachte Roderich daran, dass sein erkorener Schwiegersohn zum Markgrafen von Spanien ernannt werden sollte, und fragte sich, ob er vor diesem das Haupt würde beugen müssen wie vor einem König.

»Niemals!« Sein Stolz presste dieses Wort über seine Lippen.

»Das wird der Franke nicht gelten lassen«, stichelte der Emir.

»Wenn Mauren und Asturier zusammenhalten und gemeinsam in die Schlacht ziehen, werden wir diese aufgeblasenen Franken wieder über die Pyrenäen zurückjagen!« Roderich sah den Emir hoffnungsvoll an. Den Auftrag seines Königs, bei den Verhandlungen nicht über eine wohlwollende Neutralität hinauszugehen, hatte er längst vergessen.

Abd ar-Rahman erwog kurz, seinen Gast beim Wort zu nehmen, schüttelte dann aber den Kopf. Die asturischen Krieger würden seine eigenen Leute nicht eifriger unterstützen als die Franken. Außerdem hatte er nicht seine Fäden bis zu den Dänen und Sachsen gezogen, um nun selbst eine Entscheidungsschlacht zu suchen. Die Walis im Norden sollten spüren, wie Angst schmeckte, dann würden sie, sobald die Franken Spanien wieder verlassen hatten, sich ihm umso williger unterwerfen.

»Nein, Freund Rodrigo, ich erwarte nicht, dass Asturien das Schwert gegen die Franken erhebt. Allerdings erwarte ich, dass es sie nicht unterstützt. Mein Zorn würde es treffen.«

Roderich sah in Gedanken maurische Reiter, die das Land um seine Burg verwüsteten, Dörfer niederbrannten und Frauen und Kinder fortschleppten. Seine Männer reichten zwar aus, um mit einem Stoßtrupp fertig zu werden, aber niemals mit einem Heer, das mit dem Auftrag ausgeschickt wurde, ihn zu bestrafen. Von seinem König hatte er keine Hilfe zu erwarten. In einer ernsthaften Auseinandersetzung mit den Mauren würde Silo rasch sein Reich und sein Leben verlieren.

»Die Franken erhalten kein Getreidekorn von uns und auch sonst nichts, Herr von Córdoba.« Roderich senkte den Kopf.

Mit diesem Zugeständnis hinterging er Silos Plan, den eigenen Machtbereich mit Hilfe der Franken zu vergrößern. Doch er zog es vor, Abd ar-Rahman zum Nachbarn zu haben, anstatt König Karl als seinen Herrn anerkennen zu müssen.

Mit dieser Entscheidung aber hatte er seine Tochter einem ungewissen Schicksal preisgegeben, denn deren fränkische Heirat hatte nun jeden Sinn verloren. Voll Zorn auf seinen König, der ständig unausgegorene Pläne gesponnen und bald wieder verworfen hatte, ersuchte er den Emir, Córdoba verlassen und in seine Heimat zurückkehren zu dürfen.

Abd ar-Rahman bat ihn jedoch, ihm noch ein wenig Gesellschaft zu leisten, fasste ihn unter und führte ihn zur Tür hinaus. Dabei schlug er einen freundlichen Plauderton an, als wäre Roderich sein bester Freund. »Ich habe von der Schönheit deiner Tochter gehört, die man die Rose von Asturien nennt.«

»Einige Leute sprechen so von ihr.« Roderich fragte sich, worauf sein Gastgeber hinauswollte.

Der Emir trat mit ihm zusammen in den Garten hinaus und wies auf die herrlichen Blüten, die wie farbige Sterne in dem satten Grün prangten. »Ich liebe Blumen, und ich liebe Frauen. Findest du nicht auch, dass die schönste Frau von Asturien die lieblichste Blume meines Harems sein sollte?«

Diesmal schwang ein fordernder Ton mit, der Roderich einen Schauer über den Rücken trieb. »Verzeiht, Herr, aber es liegt nicht in meiner Macht, Euch Ermengilda zu übergeben. Sie ist entführt …«

»… und einem Verwandten König Karls als Weib versprochen worden«, fiel Abd ar-Rahman ihm ins Wort.

»Es war eine Forderung der Franken, der König Silo sich nicht hatte entziehen können«, verteidigte Roderich seinen Schwager.

»Nun, dann soll Silo dafür sorgen, dass die Rose von Asturien nicht ins kalte Frankenreich verschleppt wird, sondern in diesem Garten erblühen kann.«

»Aber wenn sie bereits verheiratet ist? Die Franken wollten sie den Waskonen abfordern und mit Graf Eward vermählen.«

»Ich glaube nicht, dass der Franke Eward sich wegen eines Weibes grämen wird, das er verliert.« Um Abd ar-Rahmans Lippen erschien ein verächtlicher Zug. Auch er hatte Ohren und Augen an Karls Tisch und wusste daher, dass dessen Halbbruder ein Weib war, das sich ganz und gar dem Willen eines Unwürdigen unterwarf. Ein König wie Karl hätte seinen Verwandten längst bestrafen und dessen Verderber hinrichten lassen müssen. Doch bei aller Härte, die der Frankenherrscher sonst zeigte, war er in diesem Fall selbst schwach wie ein Weib.

Unterdessen starb Roderich tausend Tode. Seine Frau hatte ihm bislang noch keinen Sohn geboren, der länger als ein Jahr gelebt hatte. Neben Ermengilda hatte er nur noch eine weitere Tochter, und die beiden würden, wenn kein Sohn mehr folgen würde, nach Recht und Sitte seinen Besitz erben. Bei dem Gedanken fiel ihm ein, dass der Franke Eward in dem Fall nach Ermengildas Erbteil greifen würde. Abd ar-Rahman aber wollte, wie es aussah, nur das Mädchen. Damit würde er seinen Besitz dereinst seiner jüngeren Tochter und deren Ehemann hinterlassen können.

Während Roderich noch überlegte, wie er das Beste aus der verfahrenen Situation machen konnte, fasste der Emir ihn um die Schulter und erklärte ihm, dass Ermengilda auch als sein Weib ihren christlichen Glauben behalten könne. Außerdem bot er Roderich eine junge Sklavin als Beischläferin an, deren Familie dafür bekannt war, dass ihr viele Söhne geboren wurden.

Ein beiläufiger Wink veranlasste Diener, die Sklavin herbeizubringen. Diese trug weder Schleier noch ein alles verhüllendes

Kleid, sondern nur ein Jäckchen, das sich um ihren Busen spannte, und beinahe durchsichtige Pluderhosen. Man konnte sehen, dass es sich um eine fast reinrassige Araberin handelte. Ihre Haare waren so schwarz wie der Flügel eines Raben. Große, dunkle Augen beherrschten ihr ebenmäßiges Gesicht, und sie hatte einen Teint, der nicht ganz so milchig weiß war wie der einer Visigotin, aber auch nicht so dunkel wie der einer Frau, deren Haut der Sonne ausgesetzt war.

»Nun, Freund Rodrigo, willst du mit dieser Schönen Söhne zeugen?«, fragte der Emir lächelnd.

Roderich dachte an seine Ehefrau, die mit den Jahren arg in die Breite gegangen war und ihn schon lange nicht mehr reizte, und spürte, wie sein Verlangen erwachte.

Abd ar-Rahman beobachtete das Mienenspiel seines Gastes und verbarg ein zufriedenes Lächeln. »Sie wird für dich bereit sein. Doch bevor der Diener dich in ihre Kammer führt, will ich dir einen anderen Gast vorstellen.«

Er brachte Roderich zu einem Pavillon am Ende des Gartens, in dem ein einzelner Mann saß. Dieser war groß und schlank, hatte dunkles Haar und eine gebräunte Haut, doch seine Augen strahlten beinahe im gleichen hellen Blau wie die von Roderich.

Beim Anblick des Emirs sprang er auf und verbeugte sich. Dann bemerkte er dessen Begleiter, und für einen Augenblick schien er in Panik zu geraten. »Roderich, du?«

»Mauregato!« Roderich starrte den jungen Mann an, den König Alfonso mit einer maurischen Sklavin gezeugt hatte.

Dieser hatte sich gefasst und maß ihn mit einem zornigen Blick. »Früher warst du höflicher und hast mich Agila genannt.«

»Agila ist der Name eines Visigoten und keines Maurenkätzchens«, antwortete Roderich grob und fragte sich, was der Emir bezweckte. Bislang hatte er angenommen, Agila, den man in Asturien nur mit dem Spottnamen Mauregato bezeichnete, hielte sich in Galizien auf, um dort die Rebellion gegen König Silo anzuführen. Ihn hier zu sehen erschien ihm als schlechtes Zeichen. Wohl hatte Mauregato bei den Mauren Freunde, die ihn gegen Silo unterstützten, doch bisher hatte der Emir sich nicht offen auf seine Seite gestellt.

Da begriff Roderich, welche Absicht Abd ar-Rahman verfolgte. Der Emir führte ihm Mauregato vor, damit er Silo davon berichten konnte. Es war eine Warnung an den König, sich nicht gegen Córdoba zu stellen, da Abd ar-Rahman sonst Agila Mauregato helfen würde, Silo zu stürzen, um selbst König zu werden.

Während der Emir die Szene aus dem Hintergrund betrachtete, standen sich die beiden Asturier kampfbereit gegenüber. Mauregato entspannte sich als Erster. »Du solltest dir überlegen, ob du diesen Usurpator noch länger unterstützen willst, Roderich. Silo hat sich die Krone angemaßt. Sie ist mein Erbe, und ich werde sie mir holen!«

»Mit Hilfe der Mauren, was?« Trotz seiner harschen Worte klang Roderich nicht feindselig. Mit der schlichten Tatsache, dass Mauregato ihn Roderich und nicht Rodrigo nannte, war es diesem gelungen, seinem Stolz zu schmeicheln. Zudem war Silo nicht der König, dem er gerne diente. Sein Verwandter hatte ihn nicht, wie erhofft, zum Grafen von Alava ernannt, sondern ihn, wie Aurelio vor ihm, als Hüter in der Grenzmark belassen.

Mauregato bemerkte, dass sein Gegenüber nachdenklich wurde, und setzte nach. »Gegen die Macht der Mauren kann niemand König in Asturien bleiben«, erklärte er eindringlich. »Das wird auch Silo merken, besonders jetzt, da sein Doppelspiel aufgedeckt ist. Sollte es den Franken gelingen, sich auf Dauer in Spanien festzusetzen, werden sie ihm die Krone vom Haupt schlagen und ihn zum schlichten Anführer einer Grenzmark herabwürdigen – falls sie ihn überhaupt am Leben lassen. Du aber müsstest sehr weit nach Norden reiten, um deinem neuen Herrn deine Ergebenheit zu beweisen, und Kriege gegen Völker führen, deren Namen du nicht einmal kennst. Hier in Spanien werden derweil die Mauren deine Besitztümer rauben und deine Untergebenen und Töchter als Sklaven fortführen.«

Mauregatos Appell blieb nicht ohne Wirkung, auch wenn Roderich noch nicht bereit war, König Silo, der Vertrauen in ihn gesetzt und hierhergeschickt hatte, an dieser Stelle die Treue aufzusagen.

Abd ar-Rahman schien das Gespräch weit genug gediehen zu sein, denn er trat zwischen die beiden Männer und hob die Hand. »Komm, Rodrigo! Die Tochter der Wüste erwartet dich.«

»Du bekommst eine echte Maurin als Stute, ohne dass du sie rauben musst? Du stehst wirklich hoch in der Gunst des Emirs!« In Mauregatos Stimme schwang Neid, aber auch die Erkenntnis, dass Roderich ein geachteter Gast des Herrn von Córdoba war und kein geduldeter Flüchtling wie er selbst.

Abd ar-Rahman hätte ihm sagen können, dass die Sklavin, die er Roderich versprochen hatte, zwar von hoher arabischer Herkunft war, aber auch die Tochter eines Walis, der sich gegen ihn erhoben und auf die Seite der Abbasiden geschlagen hatte. Dafür hatte er den Mann und dessen Söhne in die Dschehenna geschickt und die Weiber der Familie versklavt.

Roderich selbst verspürte nach dem Gespräch mit Mauregato nicht mehr jene brennende Lust, das Mädchen zu besitzen. Wenn sie ihm wirklich einen Sohn gebar, würde dieser kein Visigote sein, sondern ein Maurenmischling. Dann aber zuckte er mit den Achseln. Sohn blieb Sohn, gleichgültig, wer seine Mutter war, und die Maurin konnte er Urraxa als Geschenk des Emirs vorstellen, das er nicht hatte abweisen können, ohne den Herrn von Córdoba zu verärgern.

6.

Maite hatte erst eine Nacht in dem für die weiblichen Geiseln vorgesehenen Zelt verbracht und war gerade dabei, sich zu waschen, als der Eingang aufgerissen wurde. Zwei Knechte trampelten herein und stellten eine Truhe ab.

Gerade noch rechtzeitig raffte Maite ein Laken an sich und hüllte sich darin ein. Bevor sie jedoch ihren Unmut laut äußern konnte, sah sie Ermengilda auf sich zukommen. Das Gesicht der Asturierin war weiß wie der Schnee auf den Bergen, und auf ihren Wangen glitzerten nasse Spuren. Ohne Maite oder die Knechte anzusehen, setzte sie sich auf die Truhe und barg ihr Gesicht in den Händen.

Die Franken verschwanden ohne Gruß und ließen die beiden Mädchen allein zurück. Maite ging einmal um Ermengilda herum und betrachtete sie von allen Seiten. »Wie eine glückliche Braut siehst du nicht gerade aus. Ist dein Mann unzufrieden mit dir und hat dich zurückgeschickt, oder fand er sich auf den Spuren eines anderen wieder und wollte dich deshalb nicht?«

Ermengilda hob mühsam den Kopf und sah Maite an, als sähe sie die Waskonin zum ersten Mal. »Mein Gemahl will die Ehe erst vollziehen, wenn er Markgraf in Spanien ist. Es wäre der Preis für die Heirat, sagt er.«

»Das ist nicht weniger als eine offene Zurückweisung. Also bist du dem Franken nicht gut genug. Vielleicht hat es ihm nicht gepasst, dass du meine Hütte kehren und mir Magddienste leisten musstest.« Maite machte es zunächst Spaß, ihre einstige Gefangene zu verspotten, doch dann begriff sie, dass es einen anderen Grund für Graf Ewards Verhalten geben musste, und zu ihrer Überraschung empfand sie Mitleid mit Ermengilda.

»Männer sind schon ein Übel, nicht wahr? Was mag Gott sich gedacht haben, solch großsprecherische und unangenehme Wesen zu erschaffen. Komm jetzt! Hier ist Wasser, mit dem du dein Gesicht waschen kannst. Auch soll es gleich Frühstück geben. Vielleicht bringt man uns sogar Ziegenkäse, wie ihn die Frauen meines Stammes machen. Du hast ihn doch gemocht, erinnerst du dich?«

Ermengilda konnte sich Maites aufmunternden Worten nicht entziehen. Einen Augenblick stand sie noch ratlos da, dann atmete sie tief durch und sagte: »Danke!«

Durch dieses Wort gewann sie Maites Zuneigung. Die Waskonin hatte Ermengilda nie wirklich gehasst und deswegen auch selten so hart angefasst, wie sie es sich vor dem Überfall ausgemalt hatte. Nun wurde ihr klar, dass sie beide in der nächsten Zeit Schicksalsgefährtinnen sein würden, und beschloss, ihr zu helfen, sich in diesem Zelt wohnlich einzurichten. Um die Hände frei zu haben, warf sie das Laken aufs Bett und machte sich splitternackt auf die Suche nach ihrer Kleidung.

Ermengilda hatte Maite bereits ohne Kleider gesehen, nahm aber jetzt erst wahr, dass die Waskonin sehr harmonische Formen hatte. Auch ihr Gesicht hatte seinen eigenen Reiz, auch wenn es so braun war wie das einer Bäuerin. Erschrocken über ihr plötzliches Interesse an Maites Aussehen fragte sie sich, ob sie durch Ewards Zurückweisung so verletzt worden war, dass sie in Zukunft Männer verabscheuen und sich nach der sanften Liebe einer Frau sehnen würde.

Zu ihrer Erleichterung schlüpfte Maite in ihr Hemd und zog dann das Kleid darüber. Es war ihr einziges, das bereits arg mitgenommen war und nicht allzu sauber aussah.

Das, sagte Ermengilda zu sich selbst, musste sie ändern. »Wir müssen etwas für deine Garderobe tun. Es kommen sicher Händler aus der Stadt ins Lager, von denen wir uns Stoffe besorgen können. Ramiro hat zwar eine Truhe mit Kleidern für mich mitgebracht, aber die lassen sich anders als die maurischen Gewänder nur mühsam umarbeiten.«

Die Asturierin lächelte bereits wieder und vermochte der Verlockung nicht zu widerstehen, sich ebenfalls auszuziehen und sich der Waskonin nackt zu präsentieren. Dabei wurde ihr schnell klar, dass ihr an einem freundlichen Wort mehr gelegen war als an irgendwelchen Zärtlichkeiten, und sie lachte über sich selbst. Dennoch genoss sie die Blicke, mit denen Maite sie musterte. Auch wenn ihr Mann sich nicht das Geringste aus ihr machte, war sie doch schön genug, um den Neid der Waskonin zu wecken. Dann erinnerte sie sich daran, wie Philibert und auch Konrad sie angestarrt hatten, und spürte, dass ihr Selbstbewusstsein sich erholte. Es lag nicht an ihr, dass diese Ehe nur eine Farce war, sondern an ihrem Ehemann und dessen männlicher Hure.

Entschlossen, auch in dieser Situation ihre Würde zu bewahren, wusch sie sich, schlüpfte in ihre Kleidung und trat vor das Zelt, um den erstbesten Knecht anzusprechen und ihm ihre Wünsche mitzuteilen.

Es handelte sich um Rado, der von Konrad und Philibert geschickt worden war, nachzusehen, weshalb Ermengilda aus Ewards Zelt fortgebracht worden war. Als er die Asturierin vor sich sah und diese ihn ansprach, atmete er erleichtert auf. Es würde die jungen Männer beruhigen zu hören, dass es ihr gutzugehen schien, und die beiden hoffentlich vor Dummheiten bewahren.

»Rado, melde dem Feldherrn, dass uns Kleider fehlen und andere Dinge, die Frauen dringend benötigen. Herr Roland wird doch nicht wollen, dass man meine Freundin und mich für Trossdirnen hält!«

Rado verstand sie nicht. Daher winkte er Just zu sich, bat ihn, ihre Worte zu übersetzen, und verneigte sich dann fröhlich grinsend vor Ermengilda. »Es wird wohl keinem einfallen, dich für eines dieser unsäglichen Weiber zu halten, dafür bist du zu schön und zu stolz.«

»Trotzdem benötige ich neue Kleider. Geh und kümmere dich darum!« Ermengilda wartete gerade so lange, bis Just auch diese Worte erklärt hatte, und kehrte dann ins Zelt zurück.

»Das wäre erledigt. Jetzt müssen wir nur zusehen, dass man uns das Frühstück bringt. Ich habe mit einem Mal Hunger«, sagte sie weitaus munterer als vorher und zwinkerte Maite zu.

7.

Rolands Zelt stand ein Stück von Ewards und Hildigers Unterkünften entfernt, als wolle er nichts mit den beiden zu tun haben. Das Tuch seiner Wände war so stark gewachst, dass es selbst schwerem Regen widerstehen konnte, und sein Inneres bot gerade genug Platz für ein schlichtes Feldbett, einen Stuhl und einen Klapptisch, auf dem neben dem Frühstück des Markgrafen eine Karte der Umgebung lag. Während Roland das steinharte Brot mit den Zähnen zerteilte und kleine Schlucke Wein dazu trank, fuhr sein Finger über das kunstvoll bemalte Pergament und blieb auf dem Symbol ruhen, das für Pamplona stand.

Laut Absprache hätte Graf Eneko ihm die Stadt längst übergeben müssen, damit er sie als Vorratslager und Ausgangspunkt für den geplanten Kriegszug nutzen konnte. Inzwischen würde König Karl bereits die Pyrenäen vor sich sehen oder gar schon erreicht haben, doch hier im Lager gab es kaum genug Lebensmittel für seine Vorhut, geschweige denn für das Hauptheer.

Roland überlegte, wie er diesen Umstand ändern konnte. Es reizte ihn, Pamplona anzugreifen und den verräterischen Stadtherrn am höchsten Turm seiner Festung aufzuhängen. Dazu aber verfügte er weder über genug Truppen noch über das notwendige Kriegsmaterial. Also würde er sich anders behelfen müssen. Sein Blick wanderte weiter nach Westen. Dort lag das Königreich Asturien, dessen Herrscher ebenfalls viel versprochen, aber bisher noch nichts gehalten hatte. Es wurde Zeit, König Silo daran zu erinnern, dass er bei den Franken nicht mit zwei Zungen sprechen durfte. Für einen Augenblick erwog Roland, selbst in die asturische Grenzmark zu reiten, um dort Korn, Wein und andere Lebensmittel einzufordern. Zu seinem Leidwesen war er hier jedoch unabkömmlich. Daher hatte er eigentlich nur die Wahl, Eward, König Silos angeheirateten Verwandten, zu schicken. Aber er traute Karls Halbbruder weder das nötige diplomatische Geschick noch die Fähigkeiten als Anführer zu. Hildiger würde das große Wort schwingen und seine Gastgeber noch mehr verprellen, als es Eward tun würde.

Roland dachte verärgert daran, dass die Asturier nicht erfahren durften, wie Ermengilda von ihrem Gatten behandelt worden war. Dieser hatte sie wie eine Kebse, derer er überdrüssig geworden war, ins Zelt der Geiseln geschickt. Auch haderte er mit Karl, der seinem Halbbruder zu viel nachgesehen hatte. Da der König selbst ein Freund und Bewunderer des weiblichen Geschlechts war, konnte er sich wahrscheinlich nicht vorstellen, dass Eward keinen Gefallen an einem so schönen Mädchen wie Ermengilda finden würde. Um seinen Halbbruder zur Heirat zu bewegen, hatte er ihn sogar mit der Aussicht gelockt, Markgraf in Spanien und damit einer der mächtigsten Fürsten des Reiches zu werden.

In Rolands Augen besaß Eward jedoch keine der Fähigkeiten, die notwendig waren, dieses Amt auszufüllen. Eine solche

Aufgabe erforderte einen Mann von Format, keinen weichlichen Jüngling. In diesem Augenblick wurde ihm klar, wen er als Boten nach Asturien schicken würde, und seine Miene hellte sich auf.

Er trat zum Zelteingang und winkte einen seiner Leibwächter zu sich. »Hole mir den Burschen, den der König wegen des erschlagenen Ebers geehrt hat.«

Wenn er Konrad mit dieser Aufgabe betraute, würde er Eward und Hildiger in ihre Schranken weisen. Die beiden verabscheuten den jungen Krieger, weil er ihnen vom König aufgezwungen und als Vorbild an Mut und Tapferkeit hingestellt worden war. Auch hatte Konrad seine Aufgabe, Ermengilda aus den Bergen zu holen, gut erfüllt und es verdient, sich weiter auszeichnen zu können.

8.

Konrad und Philibert hockten vor ihrem Zelt, redeten über Ermengilda und wünschten sich die Macht, Eward bestrafen zu können, weil er dieses wundervolle Wesen so verächtlich behandelte. Mitten in die unausgegorenen Pläne, die sie für die Rose von Asturien schmiedeten, um deren Los zu erleichtern, erschien ein Bretone und forderte Konrad auf, mit ihm zu kommen.

Der junge Mann blickte zuerst den Bretonen an und dann Philibert. »Was mag der Markgraf von mir wollen?«

»Da musst du ihn schon selbst fragen. Ich weiß es nämlich nicht.« Trotz seines abweisenden Tonfalls wirkte Philibert neugierig.

Da Konrad zögerte, versetzte er ihm einen Stoß. »Jetzt mach schon! Je schneller du bei Roland bist, umso eher kannst du mir sagen, weshalb er dich hat rufen lassen.«

Konrad sprang auf und lief hinter dem Bretonen her, der nicht auf ihn gewartet hatte. Mit seiner Eile zog er etliche Blicke auf sich. Ein Reiter aus Ewards Schar sah ihm nach, um sich zu vergewissern, wohin der Bauer ging, und trat dann mit einem unterdrückten Grinsen in Hildigers Zelt. Er genoss es, diesem die Neuigkeit mitzuteilen, denn es würde Ewards Schwertbruder höllisch ärgern, dass Roland nicht mit ihm, sondern mit einem untergeordneten Krieger sprechen wollte.

Vor dem Zelt des Markgrafen angekommen, fiel Konrad trotz seiner Anspannung auf, wie schlicht dessen Unterkunft wirkte. Roland schien ein Mann zu sein, der sich wenig aus Prunk und weithin sichtbaren Standeszeichen machte.

Der Bretone öffnete den Zeltvorhang und ließ Konrad ein. Roland saß auf einem einfachen Klappstuhl neben einem kleinen Tisch und starrte ins Leere. Erst als Konrad sich räusperte, blickte er auf.

»Ich habe eine Aufgabe für dich! Du wirst dich mit dreißig Reitern nach Asturien begeben und dort darauf drängen, dass uns das versprochene Korn gebracht wird und auch die Schlachtochsen, die man uns zugesagt hat. Es dürfte reichen, wenn du in der Grenzmark haltmachst und mit Graf Roderich sprichst. Er ist der Schwager des Königs und Ermengildas Vater. Richte ihm Grüße von seiner Tochter aus und sorge dafür, dass er ihre Mitgift sendet. Außerdem benötigt Ermengilda ihre Leibmagd. Wie ich hörte, wurde diese bei dem Überfall gefangen genommen, später aber wieder freigelassen.«

Konrad schluckte. Eigentlich war das ein Auftrag für einen edlen Herrn und nicht für den Sohn eines Freibauern. Roland schien es jedoch ernst zu meinen, denn er erteilte ihm noch einige Verhaltensmaßregeln und entließ ihn mit dem Befehl, sich die dreißig Leute auszusuchen, mit denen er reiten sollte. Am liebsten hätte Konrad gefragt, wie er die Schar zusammenstellen sollte. Von Ewards Reitern würde ihn niemand begleiten, und die anderen kannte er nicht gut genug, um zu wissen, wer von ihnen bereit war, ihm zu folgen. Doch da hatte Roland sich bereits wieder über die Karte Nordspaniens gebeugt und starrte die Städte an, die darauf verzeichnet waren, als wolle er sie kraft seines Willens zwingen, ihm die Tore zu öffnen.

Konrad wartete einen Augenblick, ob der Markgraf ihn noch einmal ansprechen würde. Da dies nicht der Fall war, verließ er das Zelt mit einem Knoten im Magen. Diesem Auftrag fühlte er sich nicht gewachsen und sah sich schon gescheitert, bevor er überhaupt begonnen hatte.

Rado wartete in der Lagergasse auf ihn. »Was wollte der Markgraf von dir?«

»Ich soll dreißig Reiter auswählen und mit ihnen zu Ermengildas Vater reiten. Aber ich weiß nicht, wer bereit ist, mit mir zu kommen. Ewards Leute …«

»Unsere Vorhut besteht nicht nur aus den Männern dieses … ich sag's lieber nicht. Es gibt genug handfeste Kerle, denen es stinkt, hier vor Pamplona liegen zu müssen wie faule Kühe. Warte, ich rede mit ein paar Freunden, und du wirst sehen, es kommen mehr Reiter, als du brauchen kannst.«

Da Rado sich nur mit den Knechten anderer Panzerreiter angefreundet hatte, konnte Konrad sich nicht vorstellen, dass sein Begleiter etwas bei deren Herren ausrichten würde. Daher sah er kopfschüttelnd hinter dem Mann her, der ihm aus Freundschaft als Knecht diente, und stellte fest, dass er sich ohne Rado verloren fühlen würde. Nach einem tiefen Durchatmen, das den Ring um seine Brust sprengen sollte, kehrte er zu seinem Zelt zurück.

Philibert wartete bereits gespannt auf ihn. »Na? Was wollte der Markgraf?«

»Ich soll zu Ermengildas Vater reiten und eine Botschaft überbringen.« Konrad bedauerte in diesem Augenblick, dass sein

Freund nicht in der Lage war, ihn auf diesem Ritt zu begleiten. Philibert hätte mit Sicherheit dreißig Reiter auf die Beine gebracht. Aber vielleicht konnte er ihm auch so helfen. »Dazu benötige ich dreißig Männer. Weißt du, wer bereit sein könnte, mitzukommen?«

»Ich komme auf jeden Fall mit!« Philibert stand auf und machte ein paar Schritte, um zu zeigen, dass er dazu in der Lage war. Seine zusammengebissenen Zähne und die feinen Schweißperlen, die sich auf seiner Stirn bildeten, verrieten jedoch, wie es um ihn stand.

Konrad legte ihm die Hand auf die Schulter und schob ihn wieder zu dem Klappstuhl, der seinem Freund von Roland zur Verfügung gestellt worden war. »Du bleibst brav hier und kurierst dich aus. Wenn der König erscheint und wir gegen die Mauren ziehen, musst du im Vollbesitz deiner Kräfte sein. Jetzt hört man deine Knochen vor Schwäche klappern.«

»Ich kann reiten!«, beharrte Philibert.

Konrad schüttelte den Kopf über so viel Unvernunft. »Aber was ist, wenn deine Wunde unterwegs wieder aufbricht? Der König braucht gesunde Männer, keine Invaliden.«

»Ich zeige dir gleich, wer hier ein Invalide ist!« Philibert versuchte, Konrad zu packen, doch der entwand sich mit Leichtigkeit seinem Griff. Zu einem weiteren Versuch kam Philibert nicht mehr, denn die Wunde schmerzte auf einmal, als wühle jemand mit einem glühenden Schürhaken darin herum. Er stöhnte auf, vermochte aber den Schmerzensruf zu unterdrücken, der ihm über die Lippen wollte.

»Es sieht tatsächlich so aus, als wäre ich nicht in der Lage, eine längere Strecke zu reiten. Hol es der Teufel, aber der Jude hat mich nicht richtig behandelt. Meine Mutter hätte mir eine Salbe auf die Wunde geschmiert, und mit der wäre sie längst verheilt.«

Konrad legte seinem Freund die Hand auf die Schulter. »Aber

auch nur, wenn die Heiligen Kosmas und Damian ein Wunder getan hätten. Deine Wunde ist noch zu frisch, Philibert. Heile sie richtig aus, dann können wir wieder Seite an Seite reiten.«

»... wenn du unbeschadet aus Asturien zurückkommst. Pass auf dich auf!«

»Mach ich!« Obwohl ihm eher zum Weinen zumute war, versuchte Konrad zu lächeln. Er konnte sich immer noch nicht vorstellen, wie er dreißig erfahrene Krieger dazu bringen sollte, sich seinem Kommando zu unterstellen. Da er aber Philibert nicht weiter mit seinen Sorgen belasten wollte, wandte er sich dem Teil des Zeltes zu, in dem seine Ausrüstung lag, und hob sein Panzerhemd auf, um hineinzuschlüpfen. Da er jemanden brauchte, der ihm dabei half, rief er nach Just.

Der Junge schoss so schnell herein, als hätte er draußen gewartet. »Ich habe schon deinen Hengst gesattelt und meinen Gaul ebenfalls. Sobald Rado seine Mähre aufgezäumt hat, können wir aufbrechen.«

»Ich brauche dreißig Männer, und nicht nur zwei, von denen einer gerade mal ein halber ist«, wies Konrad ihn zurecht.

Auf Justs nicht ganz sauberem Gesicht erschien ein breites Grinsen. »Draußen losen sie bereits aus, wer mit dir reiten darf.«

»Was sagst du da?« Konrad starrte ihn verwirrt an.

Der Junge trat zum Zelteingang und hob die Plane. »Sieh selbst!«

Tatsächlich ballten sich etliche Krieger auf der Lagergasse, ließen sich in aller Eile von ihren Knechten die Panzer anlegen und die Schwerter gürten. Konrad sah in erwartungsfrohe Gesichter und konnte kaum begreifen, wie ihm geschah.

Just zurrte ihm das Panzerhemd fest, wand ihm den Schwertgurt zweimal um die Hüfte und zog die Schnalle fest.

»Die Klinge ist wieder scharf. Ich habe sie selbst geschliffen. Rado hat mir gezeigt, wie das geht!«

»Brav!«, lobte Konrad ihn, zog seine Handschuhe über und nahm seinen Schild entgegen. Dieser hatte beim Kampf mit den waskonischen Hirten Schaden genommen, war aber inzwischen wieder repariert worden. Statt des einfachen Symbols, das eine Birke darstellen sollte und das er selbst daraufgemalt hatte, war nun das Bild eines großen Keilers zu sehen, der angriffslustig dahinstürmte. Das Tier wirkte so echt, als sei es von einem begabten Künstler festgehalten worden.

»Wer hat das gemacht?«, fragte Konrad verblüfft.

Just grinste. »Ich! Rado hat mir von dem Keiler erzählt, den du erlegt hast, und da du damit dem König aufgefallen bist, habe ich mir gedacht, den müsste man auf deinen Schild setzen.«

»Zeig mal!«, forderte Philibert Konrad auf und stieß beim Anblick des Symbols einen anerkennenden Pfiff aus.

»Weißt du was, Kerlchen? Wenn du zurückkommst, wirst du auch meinen Schild bemalen. Wo hast du das überhaupt gelernt?«

»Eigentlich nirgends. Ich habe immer gerne gezeichnet und gemalt, aber meistens nur mit einem abgebrochenen Zweig im Sand oder einem angekohlten Stock an einer Hausmauer. An Farbe bin ich nur selten gekommen. Hier hat Rolands Waffenschmied mir welche gegeben.«

Konrad betrachtete den Schild und klopfte dem Jungen auf die Schulter. »Das hast du ausgezeichnet gemacht. Ich hoffe, ich kann dich bald dafür belohnen.«

»Da fällt uns sicher was ein«, sagte der Junge fröhlich und schlüpfte nach draußen.

Konrad folgte ihm und wurde sofort von einer begeisterten Schar eingekeilt. Die Männer begrüßten ihn jubelnd, und es fehlte nicht viel, dann hätten sie ihn auf die Schultern gehoben und durch das Lager zu den Pferden getragen. Nun erst begriff Konrad, dass ihm der Auftrag, Ermengilda zu holen, viel Ansehen unter den Reitern verschafft hatte. Aus fast allen

Aufgeboten, die Roland unter sich vereinigte, hatten sich Krieger für diesen Ritt gemeldet, nur von Ewards Schar war niemand dabei.

Konrad saß auf, blickte über den Trupp, der eher aus vierzig denn aus dreißig Panzerreitern bestand und dem noch einmal dieselbe Zahl an bewaffneten Knechten folgte, und fühlte sich wie auf den Schwingen eines Adlers.

Auch Hildiger, der zu ihm herüberstarrte und eine verächtliche Geste machte, konnte seine Laune nicht trüben.

9.

Nachdem Konrads Schar das Lager verlassen hatte, kehrte jene Ruhe zurück, die sich wie ein lähmender Bann über dem fränkischen Lager breitmachte. Trotz Rolands wiederholten Forderungen blieb ihm die Stadt verschlossen, und Eneko verweigerte ihm weiterhin die Übergabe der Geiseln. Auch rollten immer noch keine Vorratswagen die Straße herauf, und da die Einwohner Iruñeas den Franken aus dem Weg gingen, fühlten diese sich wie im Feindesland.

Außer den Boten des Hauptheers, die König Karl in regelmäßigen Abständen schickte, trauten sich nur Kaufleute ins Lager, die in einem zugewiesenen Winkel am Haupttor alle möglichen Waren feilhielten und dafür unverschämte Preise forderten.

Da Maite trotz ihrer Bitten kein Kleid und auch keinen Stoff dafür erhalten hatte, bot der kleine Markt ihr und Ermengilda die Gelegenheit, sich nach Tuch für neue Gewänder umzusehen. Dabei gerieten sie mit einem Tuchhändler aneinander, der ihnen einfaches Leinen so teuer verkaufen wollte wie edlen Samt. Beide Mädchen besaßen kein Geld, versuchten dem Mann aber klarzumachen, dass Markgraf Roland oder zumindest der Asturier Ramiro ihre Auslagen begleichen würde.

Auf ein solches Versprechen aber wollte sich der Händler nicht einlassen. »Entweder ihr Weibsbilder zahlt auf der Stelle das, was ich für dieses Tuch fordere, oder ihr verschwindet«, erklärte er und drehte ihnen den Rücken zu.

Maite juckte es in den Fingern, ihm für diese Unverschämtheit eine Ohrfeige zu versetzen. Sie benötigte den Stoff dringend, denn ihr Kleid war inzwischen so schäbig, dass selbst eine Magd sich geweigert hätte, es anzuziehen.

»Wir sollten den Profos rufen, damit er diesen Kerl aus dem Lager werfen lässt«, sagte sie zu Ermengilda.

Diese maß den Händler mit einem zornigen Blick. »Entweder gibst du uns das Tuch zu einem guten Preis, oder ich werde dafür sorgen, dass mein Vater, der Markgraf der Grenzmark, dir jeden Handel in seinem Machtbereich untersagt.«

In dem Augenblick riss es den Händler herum, und seine Augen weiteten sich. »Dann seid Ihr die Rose von Asturien, das Edelfräulein, das von den Waskonen entführt worden ist!«

»Natürlich bin ich das«, antwortete Ermengilda und fasste wieder nach dem Tuch, das ihr und Maite in die Augen gestochen war.

»Ich will sechs Ellen davon, aber gut abgemessen! Außerdem zehn Ellen von dem Band dort drüben und noch einmal so viel von diesem Band.« Sie zeigte nacheinander auf die gewünschten Gegenstände, doch der Händler dachte nicht daran, zur Schere zu greifen. Er musterte Ermengilda wie eine Stute, die er am liebsten kaufen würde, und überlegte, wie viel die blonde Schönheit wohl einem der maurischen Würdenträger wert sein mochte. Auch wenn er derzeit mit Stoffen handelte, war er einem Nebengeschäft nicht abgeneigt. Der Mann beschloss daher, bestimmten Leuten von Ermengildas Anwesenheit in diesem Lager zu berichten, bevor er ihnen weitere Informationen über die Franken verkaufte. Der Gedanke an die Belohnung, die er für die erste Nachricht erhalten würde, hinderte ihn jedoch nicht daran, an den fränkischen Eindringlingen gut verdienen zu wollen.

Er riss Ermengilda den Stoff aus den Händen, den sie eben angefasst hatte, und machte die Geste des Geldzählens. »Zeigt mir Euer Geld oder macht, dass Ihr wegkommt!«

Maite stieß eine Verwünschung in ihrer Muttersprache aus, die er offensichtlich verstand, denn er hob die Hand, um sie zu schlagen. Da packte ihn jemand am Arm und stieß ihn zurück. Als er aufsah, stand ein junger Franke in einer waidgefärbten Tunika vor ihm. »Behandele die Damen so, wie es sich gehört, sonst wird meine Faust dich Höflichkeit lehren!«

»Philibert!« Ermengilda atmete auf.

»Was will der Kerl?«, fragte er.

»Wir wollten ein Stück Tuch bei ihm kaufen, doch er verlangt einen unverschämten Preis und will das Geld sofort sehen. Wir müssen jedoch Herrn Roland oder Ramiro darum bitten.«

Philibert entging nicht, dass sie Eward, der für ihre Bedürfnisse hätte aufkommen müssen, nicht erwähnte. Da er annahm, der Stoff wäre für sie, griff er mit einem Lächeln an seinen Gürtel. Er war zwar nicht reich, doch in diesem Augenblick hätte er sein ganzes Hab und Gut für Ermengilda geopfert.

»Miss der Dame das Tuch ab und betrüge uns nicht, sonst lasse ich dich von den Wachen aus dem Lager prügeln«, sagte er und zog einige Münzen hervor.

Beim Anblick des Geldes wurde der Händler geradezu devot, versuchte aber, auf seinem Preis zu beharren. Doch Maite hatte begriffen, dass der Mann trotz der Tracht eines christlichen Händlers ein Maure war, und feilschte um jeden Dirhem.

Zuletzt warf ihr der Mann den Stoff mit einer Geste des Abscheus hin. »Wovon soll ich leben und meine Weiber und Kinder ernähren, wenn du mein Tuch billiger haben willst, als ich es beim Weber erstehe?« Seine Wortwahl hätte Philibert misstrauisch machen können, doch der Händler hatte Glück, dass der junge Mann mehr auf Ermengilda als auf ihn achtete und Maite ihren Verdacht nicht weitergab. Sonst hätte Philibert ihn als maurischen Spion festgehalten und ihn den Wachen übergeben.

So aber zählte der Franke ihm die Summe in die Hand, auf die sie sich geeinigt hatten, und sah aufmerksam zu, wie der Mann das Tuch abmaß und mit einer scharfen Schere zerteilte.

Ermengilda nahm das Bündel, das ihr der Händler reichte, aufatmend entgegen und lächelte Maite zu. »Damit können wir dir gleich zwei hübsche Kleider nähen. Die Bänder hier werden dir ausgezeichnet stehen.«

Philibert zog ein langes Gesicht. Maite hätte er freiwillig nichts gekauft. Dann dachte er daran, dass er auch in diesem Fall vor Ermengilda gut dastand, und bot ihr an, den Einkauf zu ihrem Zelt zu tragen.

Am Eingang nahm die Asturierin ihm das Bündel ab und verabschiedete ihn mit einem Lächeln, das ihn die Münzen, die er ausgegeben hatte, vergessen ließ.

»Wenn Ihr Hilfe braucht, Herrin, bin ich jederzeit für Euch da!« Philibert verbeugte sich so tief, als stände er vor einer Königin, und ging mit langen Schritten davon, ohne Maite eines Blickes zu würdigen.

Ermengilda sah ihm sinnend nach. »Herr Philibert ist ein sehr höflicher Mann, meinst du nicht auch?«

Maite zuckte mit den Achseln. »So, wie er dich mit seinen Blicken verschlingt, steht ihm der Sinn nach gewissen Dingen.«

Ermengilda brauchte einen Augenblick, um ihre Worte zu verstehen, lachte dann aber auf. »Keine Sorge! Herr Philibert weiß, dass ich eine verheiratete Frau bin und kein Schatten auf meine Ehre fallen darf.«

»Glaubst du wirklich, er kann weiter denken, als seine Nase reicht? Im Allgemeinen ist dies eine Kunst, die Männer nur selten beherrschen.«

»Herr Philibert ist gewiss nicht so«, antwortete Ermengilda hitzig und hielt ihr einen längeren Vortrag über die Vorzüge des jungen Mannes.

Maite hörte nur mit halbem Ohr zu und wühlte in Ermengildas Truhe, um das Nähzeug zu finden. Während sie die Stoffmenge abmaß, die sie für ihr neues Kleid benötigte, fragte sie sich, ob sie auch einmal so wortreich für einen jungen Mann schwärmen würde wie ihre Zeltgefährtin.

10.

Der maurische Tuchhändler sah der Gruppe nach und tat so, als warte er auf weitere Kunden. Tatsächlich aber hörte er aufmerksam zu, was am Tor und rund um den kleinen Markt gesprochen wurde. Da niemand ahnte, dass er neben seiner eigenen und der asturischen Sprache auch die meisten der in den verschiedenen Teilen des Frankenreichs gebräuchlichen Idiome verstand, erfuhr er so manches, das nicht für fremde Ohren bestimmt war. Selbst Rolands engste Vertraute legten ihrer Zunge in der Gegenwart der Händler keine Zügel an, da niemand mit einem sprachbegabten Spion rechnete.

Nach einer Weile begann der Maure, seine Ballen zusammenzuräumen, denn er hatte ein Ziel, das er vor der Nacht noch erreichen wollte. Da erschienen zwei Kunden, deren Beutel wohlgefüllt am Gürtel hingen. Es handelte sich um noch recht junge Männer, die beide hochgewachsen und schlank waren. Während der Brünette ein scharf geschnittenes Gesicht hatte, das recht kühn wirkte, sah der etwas kleinere Blonde so lieblich aus wie ein Engel, der aus dem Paradies zur Erde gestiegen war.

Der Händler starrte ihn bewundernd an, entdeckte dann aber in den Zügen des Schönlings und auch in seinen Bewegungen einen weibischen Ausdruck und verzog spöttisch den Mund. Seine Stimme triefte jedoch vor Ergebenheit. »Dieser Stoff hier würde Euch vorzüglich kleiden, Herr Eward!«

Er breitete einen mit Goldsternen verzierten, blauen Damast vor dem jungen Mann aus und musste ein verächtliches Grinsen unterdrücken. Dieser Weichling sollte Markgraf in Spanien werden? Er musterte den Verwandten des Königs unter hängenden Lidern und war sicher, dass dieser Bursche kein Mann und kein Krieger war, den man fürchten musste. Ewards Begleiter flößte ihm ebenso wenig Respekt ein. Hildiger war anzusehen, dass er nach Macht und Einfluss gierte. Doch der Händler bezweifelte, dass der Mann genug Verstand hatte, im Sinne seines Herrn oder seines Volkes zu handeln.

»Was kostet das Tuch?« Eward sah sich bereits in dem blauen Damast gekleidet und zuckte daher mit keiner Wimper, als der Händler ihm einen Preis nannte, für den er auf dem Markt von Saragossa als Betrüger und Halsabschneider beschimpft worden wäre, sondern zahlte anstandslos die verlangte Summe.

Während der Händler das Tuch abmaß, wandte Eward sich an Hildiger. »Was meinst du, soll ich meinem Weib auch ein Stück Stoff kaufen, damit sie sich ein Kleid nähen kann? Karl würde es von mir erwarten.«

»Dann soll er ihr Stoff schenken. Du wolltest das Weib nicht und darfst jetzt nicht schwach werden. Sonst bildet sie sich noch Wunder was ein und verlangt, dass du den Hengst für sie spielen sollst.«

Hildigers Worte verrieten Ärger und heimliche Angst. Er kannte seinen Bettgespielen gut genug, um zu wissen, dass dieser sich in absehbarer Zeit Karls Befehl beugen würde. Daher blieb ihm nur die Hoffnung, dass Eward keine Freude an dem Weib fand. Ihm war klar, dass seine und Ewards enge Verbindung das Missfallen des Königs erregte. Zwar hatte sein

Freund ihm versprochen, ihn zu seinem Marschall zu machen, sobald er die versprochene Markgrafschaft bekommen hatte, doch ein Wort war ebenso schnell gesagt wie vergessen. Deswegen musste er weiterhin dafür sorgen, dass Eward ihm verfallen blieb. Da er keine nennenswerten Besitztümer oder einflussreiche Verwandte sein Eigen nannte, würde er sich als einfacher Reiter wiederfinden und die Befehle eines Bauernlümmels wie Konrad befolgen müssen.

Eward bemerkte die Verstimmung seines Freundes und gab den Gedanken auf, etwas für Ermengilda zu kaufen. Stattdessen wies er auf einen Zipfel leuchtend grünen Tuches, das unter anderen Ballen hervorlugte.

»Wäre das nichts für dich?«

Hildiger nickte, und so zog Eward seinen Beutel ein zweites Mal hervor.

Der Maure gab sich untertänig und lobte den feinen Geschmack der jungen Herren, während er insgeheim über sie lachte. Selbst wenn Karl von Franken es gelingen sollte, einen Teil Spaniens zu erobern, würden Männer wie Eward und Hildiger das Errungene nicht halten können.

Kaum waren die Schwertbrüder gegangen, schlug der Händler seinen Verkaufstisch ab und lud seine Ware auf einen Esel. Humpelnd wie ein alter Mann schritt der Maure auf das Lagertor zu und zerrte das Tier hinter sich her. Da die Wachen ihn kannten, machten sie ihm Platz.

»Schöne Stoffe hast du«, sagte einer. »Sobald wir die ersten maurischen Städte eingenommen haben und Beutesilber in meinem Beutel klimpert, werde ich dir einen Ballen davon für meine Alte abkaufen. Sie wird sich darüber freuen.«

»Ich auch, mein Herr, ich auch!« Der Maure verbeugte sich mehrmals und verließ das Lager wie ein Mann mit lahmen Gliedern. Doch kaum hatte er drei Bogenschussweiten zurückgelegt, bog er von der Straße nach Pamplona in südlicher

Richtung ab und begann leichtfüßig dahinzutraben. Nach weniger als einer Stunde betrat er einen kleinen Steineichenwald und band seinen Esel an einen der mächtigen Stämme. Dabei pfiff und trillerte er wie eine Lerche.

Eine Zeitlang tat sich nichts, und der Maure wollte den Wald schon enttäuscht verlassen, da tauchte ein Reiter neben ihm auf. »Salem aleikum, Said. Du kommst spät!«

Said der Händler verbeugte sich devot. »Verzeih, oh Abdul, du scharfes Schwert des Emirs und Verderber der Ungläubigen, du mächtiger und starker Krieger, du …«

Der Krieger, dessen schlanke, sehnige Gestalt mit dem Pferd verwachsen schien, unterbrach den Händler harsch. »Spar dir dein Winseln für die Franken auf. Ich will wissen, was du erfahren hast, und zwar schnell!«

»König Karl soll in wenigen Tagen erscheinen. Er hat seinen Marsch beschleunigt, weil die Waskonen und Asturier seine Vorhut nicht so unterstützen, wie er es erwartet hat.«

»Das weiß ich längst. Oder glaubst du, du wärst mein einziger Zuträger?«

Said kniff die Lippen zusammen, denn manchmal war Abduls Unhöflichkeit kaum zu ertragen. Der Gedanke an das reizbare Gemüt des Berbers und dessen Fertigkeit mit dem Krummschwert brachte ihn jedoch dazu, seine untertänige Haltung beizubehalten.

»Wer bin ich, dass ich mir anmaßen könnte, das einzige Auge und Ohr eines so großen und vornehmen Kriegers wie du sein zu wollen? Doch wissen deine anderen Späher auch, dass Karls Heer große Mengen an Vorräten mit sich führt, um einen langen Krieg durchstehen zu können?«

»So groß sind diese Vorräte auch wieder nicht. Sie reichen für ein, zwei Wochen, dann muss Karl sein Heer aus dem Land ernähren, und das gibt so viel her wie eine alte Vettel Milch.« Abdul spie die Worte aus, als hadere er mit seiner Zunge, weil sie sich nicht schneller bewegte. »Was hast du noch erfahren?«

»Der Franke Roland, dem Karl seine Vorhut anvertraut hat, hat einen Reitertrupp nach Asturien ausgesandt, um dort die versprochene Hilfe einzufordern.«

»Ich habe vorhin Spuren von Reitern gesehen. Sie wollen also nach Asturien ...« Abdul sann einen Augenblick nach und schnellte seine nächste Frage ab wie einen Pfeil. »Weißt du, um wie viele Männer es sich handelt?«

»Leider nicht. Zumindest nicht genau. Im Lager sprach man von dreißig Reitern, die der Feldherr der Ungläubigen auf diesen Ritt geschickt hat.«

Über das Gesicht des Kriegers huschte ein grimmiger Schatten. »Nicht mehr? Die werden ihr Lager nicht mehr wiedersehen! Hab Dank, Said. Für diese Nachricht hast du eine Belohnung verdient. Du wirst jetzt nicht mehr zu den Franken zurückkehren, sondern nach Saragossa reisen und Jussuf Ibn al Qasi im Auge behalten. Dessen Treue zum Emir ist nicht so fest, wie er vorgibt, und ich will nicht, dass er sich für die falsche Seite entscheidet.«

»Aber was kann ein armer Tuchhändler wie ich schon machen, wenn der ruhmreiche Jussuf Dinge tun will, die dem Willen des mächtigen Emirs Abd ar-Rahman widersprechen?« Der Blick, mit dem Said diese Worte begleitete, sagte jedoch etwas anderes. Mit einer beiläufigen Bewegung holte er einen unter seiner Tunika versteckten Dolch heraus und steckte ihn in den Gürtel.

Abdul der Berber nickte bestätigend. »Wenn Jussuf Ibn al Qasi vom rechten Pfad abweicht, muss er sterben. Saragossa darf seine Tore niemals den Franken öffnen, denn in der Stadt liegen genug Vorräte, um Karls Heer ein Jahr lang zu versorgen. Außerdem sind ihre Mauern zu stark, als dass wir die Stadt zurückgewinnen könnten.«

Für einen Mann wie Abdul sind das erstaunlich viele Worte, fuhr es Said durch den Kopf, und er begriff, wie besorgt der Emir und all jene Männer sein mussten, die mit der Abwehr der Feinde beauftragt waren. Sie fürchteten weniger die Schwerter der Franken, denn ihre eigenen Klingen waren nicht weniger scharf. Was sie schreckte, war der Ruf des Eroberer-königs, der bis jetzt noch jeden seiner Feinde niedergeworfen hatte.

»Habe keine Sorge, oh Schwert des Emirs. Die Tore Saragossas werden den Franken verschlossen bleiben, selbst wenn Jussuf Ibn al Qasi den Befehl erteilen sollte, sie zu öffnen. Dann nämlich, das schwöre ich, wird er seinen Weg in die Tiefen der Dschehenna antreten.« Said verneigte sich noch einmal vor Abdul dem Berber, verließ den Wald und schlug einen Weg ein, der ihn nach Saragossa bringen würde, ohne dass er Gefahr lief, auf fränkische Patrouillen zu treffen.

Abdul sah ihm nach, bis er außer Sichtweite war, und streichelte dabei den Knauf seines Schwertes. Dann stieß er einen kurzen Pfiff aus.

Innerhalb weniger Augenblicke schälten sich weitere Reiter aus dem Halbdunkel des Waldes. Sie trugen einfache Leinenhosen und weiße Hemden über ihren Kettenpanzern. Weiß leuchteten auch die Tücher, die sie um ihre Helme gewunden hatten, und ihre Lederschilde. Es waren Berber aus Abduls Stamm und die treusten Anhänger Abd ar-Rahmans, der durch das Blut seiner Mutter verwandtschaftlich mit ihnen verbunden war.

Abdul warf einen Blick in die Runde und zeigte nach Westen. »Bisher haben wir die Franken nur beobachtet, doch nun ist die Zeit gekommen, die Schwerter zu ziehen. Ein Trupp dieser Ungläubigen ist nach Asturien unterwegs. Dort soll er sein Grab finden!«

II.

Am nächsten Tag ritten Herolde des Königs in Rolands Lager bei Pamplona ein, um Karls Ankunft anzukündigen, und am Abend tauchte der Vortrab des Hauptheers auf. Roland wusste, dass sein Herr mit dem bisherigen Verlauf des Feldzugs nicht zufrieden sein konnte, und sah dem Zusammentreffen mit einer stärkeren Anspannung als sonst entgegen.

Eward und Hildiger waren froh um die Schwierigkeiten, mit denen der Markgraf sich herumschlagen musste. In dieser Situation würde Karl keine Zeit finden, sich mit ihnen zu befassen oder mit dem Weib, das er Eward aufgezwungen hatte. Am folgenden Morgen zogen die beiden ihre besten Kleider an, um einen möglichst guten Eindruck auf den König zu machen. Roland hingegen trug seinen schon recht abgeschabten roten Waffenrock über der Rüstung und scheuchte seine Männer umher, die den Lagerplatz für das Hauptheer vorbereiten sollten.

Am späten Vormittag erreichte die Spitze des Heerwurms das Lager, und die Knechte machten sich sofort daran, Karls Zelt aufzuschlagen. Es bestand aus zwei Teilen, einem, in dem er schlief, und einem größeren, in dem er sich mit seinen Vertrauten beraten konnte.

Dann hieß es wieder warten. Die Sonne war inzwischen zum Zenit gestiegen und begann ihre Reise zum westlichen Horizont. Die Luft stand, und es war heiß. Roland bedauerte die Männer, die durch diese Gluthitze marschieren mussten, und ärgerte sich, weil er weder ausreichend Wein für alle hatte noch genügend von dem getrockneten Schweineschinken dieser Gegend, der so gut mundete. Wenigstens reichte es für die Tafel des Königs, sagte er sich, als ein Hornstoß Karls Erscheinen ankündigte.

Roland schritt dem König entgegen und beugte das Knie, ohne

zu Karl aufzusehen. »Verzeiht mir, mein Herr, doch ich habe Euch schwer enttäuscht.«

Hinter ihm stießen Eward und Hildiger sich grinsend an. Obwohl Karl auf Roland herabsah, entging ihm das nicht, und er presste die Lippen zusammen. Mit einer energischen Bewegung schwang er sich aus dem Sattel und warf die Zügel einem herbeieilenden Knecht zu.

»Gut abreiben, ausreichend tränken und mit Hafer füttern. Und du stehst auf und schaust mir ins Gesicht!« Der letzte Satz galt Roland. Dieser erhob sich schwerfällig und zog dabei eine Miene, als wolle er die ganze Welt fressen.

»Mein Herr, ich …«

»Später«, unterbrach ihn der König. »Jetzt will ich mich erst einmal umsehen.« Er schenkte dabei dem Lager selbst keinen Blick, sondern schritt in die Richtung, in der Pamplona lag. Roland und der Truchsess Eginhard gesellten sich sofort zu ihm, Eward und Hildiger aber folgten nur zögerlich. Dabei sahen sie so aus, als würden sie sich am liebsten wieder hinter den Schutzwall des Lagers zurückziehen.

Nach einem kurzen Blick auf die beiden schüttelte Karl wütend den Kopf. »Ich habe seiner Mutter versprochen, einen Mann aus ihm zu machen. Bei Sankt Dionysius, das werde ich auch tun!«

»Dann solltet Ihr Hildiger fortschicken«, wandte Roland ein.

»Wenn es nötig wird, tue ich es«, erklärte der König. »Zu Beginn hoffte ich, ein guter Freund könne Eward ein Vorbild sein, doch diese Freundschaft dringt mir ein wenig zu tief!« Karl schüttelte mit einem bitteren Lachen den Kopf. Mehr als ein Mal hatte er mit eiserner Faust dreinschlagen wollen, aber seine Erinnerung an die Zuneigung, die sein Vater Eward entgegengebracht hatte, hinderte ihn auch jetzt daran, seinen Halbbruder härter anzufassen. Außerdem gab es im Augenblick Wichtigeres zu tun.

Er legte Roland den Arm um die Schulter und sah ihn an. »Wie ich deinen Botschaften entnehmen konnte, hat Eneko sich geweigert, dir die Tore der Stadt zu öffnen.«

Roland nickte. »Er ließ mich wissen, er hätte geschworen, Euch, mein König, die Stadt zu übergeben, sobald Ihr ihn zu deren Grafen ernennt. Diese Ernennung sei jedoch noch nicht erfolgt, und so sähe er keinen Grund, mich und meine Männer in die Stadt zu lassen.«

»Nun, dann will ich zusehen, ob ich ihn nicht dazu bringen kann, uns etwas eifriger zu unterstützen. Ich will die Stadt, die ich als unseren ersten festen Stützpunkt in Spanien vorgesehen habe, nicht erobern müssen. Außerdem brauchen wir die Vorräte, die Eneko uns versprochen hat. Komm mit! Ich will mit ihm sprechen.«

»Aber was ist, wenn er Euch seine Hilfe versagt?«

Karl musterte Roland erstaunt. »Was bringt dich auf diese Idee?«

»Bei unseren Gesprächen, die er von der Mauerkrone und ich vom Sattel meines Hengstes aus führten, schien er mir nicht gerade ein Freund der Franken zu sein.«

»Er wird es werden müssen, wenn er hier leben und herrschen will. Tut er es nicht, wird er es bereuen. Aber was ist mit den Asturiern? Du hast mir ausrichten lassen, dass Silos Unterstützung ebenfalls auf sich warten lässt.«

»Er hat kein einziges Getreidekorn und auch keinen einzigen Mann geschickt, außer einem Boten des Grenzgrafen Roderich, der aber auch nur eine Kiste mit Gewändern für dessen Tochter gebracht hat.«

»Ist Ermengilda inzwischen gefunden worden?«

»Ja, aber sie wurde nicht von den Waskonen ins Lager gebracht, sondern von Konrad vom Birkenhof. Er musste einige Kerle dieses Berggesindels erschlagen, weil die ihm das Mädchen verweigern und ihn und seinen Begleiter umbringen wollten.«

»Darüber werde ich ebenfalls mit Eneko reden. Was ist mit Konrad? Macht er sich gut?«

»Das tut er, nur glaube ich nicht, dass er bei Ewards Reitern glücklich wird.« Roland wollte noch mehr sagen, doch der König winkte ab.

»Schade! Ich hatte gehofft, Eward würde sich ihn anstelle von Hildiger zum Vorbild nehmen. Immerhin sind sie beide im gleichen Alter.«

»Hildiger hat Eward eingeredet, ein Bauer wäre weit unter der Würde eines Fürstensohns«, erklärte Roland.

Karl schnaubte verächtlich. »Hildiger war auch nicht mehr, als ich ihn Eward zum Gefährten gegeben habe. Alles, was er erreicht hat, ist er allein durch dessen Gunst geworden.«

»Dessen ist Hildiger sich bewusst, und daher tut er alles, um sich Ewards Freundschaft zu erhalten, mein König. Dazu gehört auch zu verhindern, dass andere in dessen Gunst aufsteigen können.«

»Vorerst will ich nichts ändern. Schicke ich Hildiger weg, wird Eward ihm heimlich folgen. Damit würde er sich der Verweigerung der Heeresfolge schuldig machen, und darauf steht der Tod oder strenge Haft. Verzeihe ich ihm aber, würden andere glauben, ebenso handeln zu können. Lieber lasse ich zu, dass Hildiger bei Eward bleibt, anstatt den Jungen auf diese Weise zu vernichten. Unser Herrgott im Himmel wird ein Einsehen haben und Eward die Augen öffnen. Vielleicht bewirkt er dies bereits mit Hilfe der jungen Spanierin. Wie sieht sie denn aus?« Karls Miene verriet Neugier. Auch wenn er seiner jetzigen Gemahlin Hildegard im Großen und Ganzen treu blieb, so sah er doch gern schöne Mädchen um sich.

Roland zuckte mit den Achseln. »Sie ist recht ansehnlich. Aber Ihr hättet Eward auch eine alte Vettel schicken können. Die wäre auch nicht schlechter behandelt worden als die Rose von Asturien.«

»Das wird sich ändern«, erklärte Karl bestimmt. Da er die Mauern von Pamplona nun vor sich aufragen sah, verdrängte er sowohl Eward wie auch Ermengilda aus seinen Gedanken und richtete seine Aufmerksamkeit auf das, was ihn hier erwarten mochte.

Die Wächter auf den Wehrgängen waren nicht gewohnt, hohe Herren zu Fuß herankommen zu sehen, und starrten die beiden Männer, die von einer halben Armee gepanzerter Krieger begleitet wurden, mit großen Augen an. Die Frage, wer der Mann in Rolands Begleitung sei, erstarb dem herbeieilenden Kommandanten auf der Zunge angesichts der imponierenden Gestalt des Königs und des goldenen Kronreifs, der Karls blonde Locken niederdrückte. Auch gab es nur einen Herrn in der Christenheit, dem ein Banner mit goldenen Flammen auf rotem Grund vorangetragen wurde.

»Ich will mit Graf Eneko sprechen, dem Herrn dieser Stadt«, rief Karl mit fester Stimme.

Nun rannten die Wachen wie aufgescheuchte Hühner umher. Die meisten begriffen nicht einmal, dass es nur eines Pfeils bedurft hätte, um den König der Franken endgültig loszuwerden, und wen es doch in den Fingerspitzen juckte, der stellte sich vor, welche Folgen diese Tat für Iruñea und ganz Nafarroa haben würde, und schob diesen Gedanken weit von sich.

Eneko begriff, dass er in einer Zwickmühle steckte, die keinen Ausweg bot. Mit Roland, dem Befehlshaber der Vorhut, hatte er von der Höhe der Mauer herab sprechen können. Aber wenn er Karl, den mächtigsten König der Christenheit, genauso behandelte, würde er ihn auf eine Weise beleidigen, die nur mit Blut zu sühnen wäre. Auch durfte er den König nicht wie einen Bittsteller vor dem Tor warten lassen, wollte er nicht dessen Zorn erregen.

Kurz erwog er, Tisch und Stühle vor die Stadt bringen zu lassen, um auf diese Weise mit Karl zu verhandeln. Ein Blick auf den unwillkommenen Gast ließ ihn jedoch davon absehen. Dieser König gab sich nicht mit weniger zufrieden als der Übergabe der Stadt. Die zu verweigern hieße, sich als Karls Feind zu bekennen.

Ein Krieg mit den Franken, die am Anfang ihres Feldzugs noch im vollen Saft standen, war allen Drohungen Jussuf Ibn al Qasis zum Trotz das Letzte, was Eneko sich leisten konnte. Da hätte er sich gleich selbst einen Strick um den Hals hängen und als Sklaven an die Mauren verkaufen können. Also musste er in den sauren Apfel beißen und sich den Franken unterwerfen.

Eneko befahl, das Tor zu öffnen, und sah mit einer höllischen Wut im Bauch zu, wie die fränkischen Krieger noch vor dem König hereinströmten und seine Männer zur Seite drängten. Als der König eintrat, waren bereits genug Franken in der Stadt, um diese notfalls mit Gewalt nehmen zu können. Entschlossen, auch diese Heimsuchung zu überstehen, ging Eneko Karl entgegen und beugte sein Knie.

»Ich heiße Euch in Iruñea willkommen, Euer Majestät.«

12.

Die Landschaft unterschied sich noch stärker von den bewaldeten Hügeln, die Konrad aus seiner Heimat gewohnt war, als die Gegend vor den Pyrenäen. Zwar gab es auch hier Wälder, doch die weiten Kronen der Steineichen und Pinien verliehen dieser Landschaft zusammen mit den hohen, schroffen Bergen ein ganz eigenes Gepräge.

»Hier dürfte es viel Wild geben«, sagte er zu Just, der zu ihm aufgeschlossen hatte, um mit ihm die richtige Aussprache des Asturischen zu üben.

Der Junge sah sich um, kniff kurz die Augenlider zusammen und bemühte sich dann, ein ausdrucksloses Gesicht zu zeigen.

»Hier gibt es verdammt viel Wild, Herr! Vor allem welches mit eisernen Federn. Vorsicht! Verratet Euch nicht! Wir werden beobachtet«, setzte er rasch hinzu, als Konrad sich umschauen wollte.

Konrad senkte den Kopf, betrachtete jedoch die Umgebung aus den Augenwinkeln heraus. »Was hast du gesehen?«

»Das Aufblitzen einer blanken Speerspitze sowie einen Kopf, auf dem ein mit einem Tuch umwickelter Helm saß«, berichtete der Junge.

»Ein Maure also! Da heißt es, auf der Hut zu sein. Es ist zwar möglich, dass er uns nur im Auge behalten will. Genauso gut kann er Freunde bei sich haben.« Konrad brach der Schweiß aus. Er versuchte, sich daran zu erinnern, was sein Vater ihm über Hinterhalte erzählt hatte. Sein Kopf fühlte sich jedoch mit einem Mal so leer an wie ein auf dem Kopf stehender Weinkrug. Dabei hatte Roland ihm vertraut und diese Schar Reiter mitgegeben.

»Eine erkannte Gefahr ist eine halbe Gefahr«, murmelte er und begriff erst, dass er dies nicht nur gedacht hatte, als die hinter ihm reitenden Männer fragten, was los sei.

»Vorsicht, Leute! Wir werden beobachtet«, raunte er ihnen zu. »Gebt es weiter. Die Männer dürfen sich nicht umschauen. Sonst merkt der Kerl, dass wir ihn gesehen haben. Und richtet euch auf einen Kampf ein. Wenn ich das Kommando gebe, preschen wir los.«

»Wenn es Mauren sind, halten sie uns mit ihren Pfeilen auf Abstand«, wandte einer der Männer ein.

In dem Augenblick hob Konrads Hengst den Kopf, witterte mit gespreizten Nüstern und stieß ein trillerndes Wiehern aus.

»Vor uns muss eine rossige Stute sein. Haltet eure Gäule im Zaum. Und folgt mir, wenn ich anreite!« Obwohl Konrad sich forsch gab, zitterte er vor Aufregung. Jeder der Reiter, die ihn begleiteten, besaß weitaus mehr Kampferfahrung als er. Einige hatten bereits im Süden Galliens an Scharmützeln mit Mauren teilgenommen und wussten sicher besser, wie man sich im Kampf mit ihnen stellen musste. Er war jedoch der Anführer, und es blieb keine Zeit, sich mit den anderen zu beraten.

Konrad trieb seinen Hengst an und ließ seine Männer für kurze Zeit um etliche Pferdelängen hinter sich zurück. Nun entdeckte auch er ein Aufblitzen auf der Anhöhe, die vor ihnen den Weg begrenzte. Der Widerschein musste von mindestens einem Dutzend Speere kommen. Da sie nicht ausweichen konnten, hieß das Kampf. Er packte seinen Schild fester und nahm gleichzeitig den Zügel in die linke Hand, damit er die Rechte für den Speer frei hatte.

Die Mauren hatten die Stelle für den Hinterhalt gut gewählt, und ohne Vorwarnung wären die Franken wohl böse überrascht worden. Konrad schätzte den Weg ab, der weiter vorne einen Bogen machte, sah dann verstohlen den Hang hoch, auf dem die Mauren lauerten, und grinste. Dort hinauf hatten die Feinde ihre Pferde nicht mitnehmen können. Also mussten sich die Tiere ein Stück vor ihnen befinden. Wenn er und seine Begleiter schnell genug handelten, konnten sie den Mauren den Weg dorthin abschneiden und aus Jägern Gejagte machen.

Er drehte sich kurz um und winkte mit seiner Lanze. »Aufschließen, zum Teufel noch mal! Ich will heute Abend an Graf Roderichs Tafel speisen.«

Ein Stück über ihm verzog Abdul der Berber geringschätzig das Gesicht. »Allah hat diesen Franken den Verstand geraubt. Sie reiten, als befänden sie sich auf einem Ausflug in ihren heimischen Wäldern. Wir werden sie abschießen wie balzende Fasane!«

Er nahm seinen Bogen zur Hand, wählte einen Pfeil aus und legte ihn auf die Sehne. Auch seine Männer machten sich schussbereit. Einer von ihnen maß die Entfernung, welche die Franken in den letzten Augenblicken zurückgelegt hatten, und schüttelte verwundert den Kopf.

»Die Giauren werden schneller. Und sie tragen jetzt ihre Schilde so hoch, dass wir ihre Leiber nicht mehr treffen können.« Abdul lachte kurz. »Dann zielen wir eben auf ihre Köpfe!«

»Wir sollten besser auf die Pferde schießen«, schlug sein Untergebener vor, erntete aber nur einen verächtlichen Blick.

»Ich töte den Anführer!«, sagte Abdul, zog den Bogen aus und ließ den Pfeil von der Sehne schnellen.

Konrad fühlte das Aufblitzen der Pfeilspitze in der Sonne mehr, als dass er es sah, und riss in einer Reflexbewegung den Schild hoch. Ein harter Stoß traf das mit Eisenbändern verstärkte Lindenholz, und als er hinschaute, sah er einen gefiederten Schaft herausragen, der noch unter der Wucht des Einschlags zitterte. Noch im selben Augenblick stieß er seinem Hengst die Sporen in die Weichen. So rauh hatte er das Tier noch nie behandelt, und es stürmte empört wiehernd voran. Die anderen Panzerreiter folgten ihm wie eine Wand aus Eisen. Auch die Knechte, die kaum oder nur schwach gerüstet waren, trieben ihre Gäule an.

Obwohl jeder Maure mehrere Pfeile abschoss, stürzten nur wenige Männer aus den Sätteln, und die gefährliche Stelle war bald passiert. Kurz darauf sahen Konrad und seine Männer etliche nach maurischer Art gesattelte Pferde vor sich.

Abdul hatte sechs seiner Leute als Wachen bei den Tieren gelassen. Diese kamen jedoch nicht dazu, ihre Bögen zu heben oder die Schwerter zu ziehen, so rasch waren die Franken über ihnen.

Konrad stieß dem Vordersten die Lanze in den Leib, ließ die Waffe fahren und griff zum Schwert. Er benötigte es jedoch nicht mehr, denn seine Leute hatten bereits den fünf anderen Pferdewächtern den Garaus gemacht.

»Los, nehmt die Tiere mit! Und dann nichts wie fort, bevor die anderen Mauren vom Berg herabkommen und auf uns schießen können«, rief Konrad seinen Leuten zu.

Rado und Just schnappten sich zwei Zügel und banden sie an ihren Sätteln fest. Beide grinsten, denn als Anführer standen Konrad die Tiere als Beute zu. Auch die anderen Panzerreiter griffen nach den Zügeln der Maurenpferde, die so dastanden, als hätten sie nur darauf gewartet, von ihnen abgeholt zu werden. Bei gut fünfzig Stuten mussten auch einige Knechte zugreifen. Die anderen sprangen aus den Sätteln und plünderten die toten Mauren aus. Beinahe ebenso schnell waren die Männer wieder auf ihren Gäulen und folgten ihren Freunden, die ein strammes Tempo anschlugen und den Platz des Überfalls rasch hinter sich ließen.

13.

Abdul der Berber rannte so schnell wie noch nie in seinem Leben, doch er und seine Leute kamen zu spät. Auf dem Platz, an dem sie ihre Pferde zurückgelassen hatten, stand kein einziges Tier mehr. Dafür lagen dort sechs Erschlagene, die man ihrer Rüstungen und teilweise sogar ihrer Kleider beraubt hatte.

Abduls Unteranführer schleuderte seinen Bogen auf die Erde, als er die Bescherung sah. »Jetzt sag mir, wem Allah den Verstand genommen hat, du Narr?«, brüllte er Abdul an.

Dieser fand sich im Zentrum anklagender Blicke wieder. Seine Männer fluchten auf die Franken, weinten um ihre toten Freunde und scharten sich mehr und mehr um den Unteranführer, der Abdul kritisiert hatte.

Dieser begriff, dass die Männer nur auf einen kleinen Anlass warteten, um ihn für diesen Fehlschlag zur Verantwortung zu ziehen. Allerdings war er nicht bereit, sich von den eigenen Leuten in Stücke hacken zu lassen. Bevor jemand reagieren konnte, zog er das Schwert und trennte seinem aufmüpfigen Stellvertreter mit einem Schlag das Haupt von den Schultern.

Er warf noch einen Blick auf den Kopf, der ein Stück den Weg entlangkollerte, dann wandte er sich mit herausfordernden Blicken an seine Männer. »Der Emir hat mich damit beauftragt, die Franken im Auge zu behalten! Wer das vergisst, wird den Zorn Abd ar-Rahmans zu spüren bekommen. Außerdem hat mich der Spitzel Said belogen. Er sprach von dreißig Franken, die ausgeritten sein sollten, doch wir hatten mehr als die doppelte Zahl gegen uns, und sie waren zudem gewarnt. Ich werde Said fragen, wie viel fränkisches Gold er dafür erhalten hat, und ihn danach bestrafen!«

Abdul wählte seine Worte mehr aus Not denn aus Überzeugung, aber sie verfehlten ihre Wirkung nicht. Die Männer sahen sich an, lösten ihre Hände von den Waffen und blieben vor ihm stehen. »Was sollen wir jetzt tun?«

»Die Franken verfluchen und dann nach Süden marschieren, um uns neue Pferde zu besorgen. Wir müssen schnell sein und heimliche Pfade benützen, denn wenn die ungläubigen Waskonen oder Asturier uns bemerken, bleibt uns nur der Kampf, und den können wir zu Fuß nicht bestehen. Die Bewohner dieser Berge wurden von Ziegen und nicht von menschlichen Frauen geboren, denn sie überwinden Schluchten und Felshänge, die wir nicht ersteigen können.«

»Lieber würde ich den Franken folgen und unsere Pferde zurückholen«, wandte einer der Männer ein.

Abdul wies in die Richtung, in der die Franken verschwunden waren. »Dann geh! Ich halte dich nicht auf. Roderichs Leute werden dich jedoch schneller in die Dschehenna schicken, als du Allah anrufen kannst!«

Nach diesen Worten gab es keinen Widerspruch mehr, und die Mauren folgten Abdul nach Süden. Im Herzen des Berbers aber glühte der Hass auf den Anführer der Franken, der ihn auf eine so schmähliche Weise überlistet hatte, und er schwor sich, den Kerl in die Hand zu bekommen und tausend Tode sterben zu lassen.

SECHSTER TEIL

Saragossa

*D*ie Dame war ebenso dick wie unverschämt. Zwar vermochte Konrad noch die Reste einstiger Schönheit an ihr zu erkennen, aber im Augenblick wirkte sie wie ein keifendes Marktweib. Ihre Augen sprühten Funken, und aus ihrem Mund quollen die Worte in einer solchen Geschwindigkeit heraus, dass selbst jemand, der mit ihrer Sprache besser vertraut war als er, nur die Hälfte verstanden hätte. Konrad begriff nur einzelne Wortfetzen.

»...keine...Mittel...Dürre...König...Abgaben...nichts...« Graf Roderichs Ehefrau Urraxa musste beim Sprechen nicht einmal atmen, stellte Konrad verblüfft fest, während er versuchte, ihren Redefluss zu enträtseln. Das Wichtigste verrieten ihm Urraxas Tonfall und ihre Miene: Sie würden hier weder Lebensmittel noch andere Hilfe erhalten.

Er hatte mit seinen Reitern am Tag zuvor die Roderichsburg erreicht, war aber vor den Toren abgewiesen worden. Erst am nächsten Vormittag hatte man ihm gestattet, mit zwei seiner Krieger die Burg zu betreten und mit der Herrin zu sprechen. Seine Schar musste jedoch weiterhin auf freiem Feld lagern. Die Asturier hatten nicht einmal die Höflichkeit besessen, ihnen etwas zu essen zu schicken. Zum Glück hatten sie einige Nahrungsmittel in den Satteltaschen der erbeuteten Pferde gefunden. Das maurische Zeug war zwar gewöhnungsbedürftig, füllte aber den Magen.

Auch das Trinkwasser hatte man ihnen verweigert, so dass sie es sich mit vorgehaltenen Schwertern hatten einfordern müssen. Nun beschwerte Doña Urraxa sich wortreich über das Auftreten der Franken, obwohl keiner ihrer Leute zu Schaden gekommen war. Konrad fragte sich daher bitter, was das Bündnis wert sein mochte, das König Karl mit dem König von Asturien geschlossen hatte.

»Ihr werdet unser Land so rasch wie möglich wieder verlassen und uns nicht mehr behelligen!«

Ausnahmsweise sprach Urraxa so langsam, dass Konrad sie verstehen konnte, und nun war er froh, dass er begonnen hatte, sich die Sprache des christlichen Spaniens anzueignen. Keiner von seinen Reitern verstand die Menschen hier. Deswegen hatte er Just bei ihnen gelassen und war nun auf seine spärlichen Kenntnisse angewiesen.

Als Urraxa schwer atmend zurücksank, richtete er seine Aufmerksamkeit wieder auf die Dame und bemühte sich, so verständlich wie möglich zu sprechen. »Die Befehle meines Herrn Roland weisen mich an, nicht ohne Vorräte nach Pamplona zurückzukehren. Wenn Ihr mir nichts geben wollt, muss ich zu Eurem König weiterreiten.«

»Mein Bruder befindet sich in Galizien, um dort einen Aufstand des Rebellen Mauregato niederzuwerfen. Er hat keine Zeit, sich mit einem Knaben zu beschäftigen.«

Die Beleidigung trieb Konrad die Röte ins Gesicht. Nur der Gedanke, vor Ermengildas Mutter zu stehen, hielt ihn zurück, ihren Ausspruch mit gleicher Münze zu vergelten. Zu seiner Erleichterung entdeckte er keine Ähnlichkeit zwischen Urraxa und ihrer ältesten Tochter. Das kleine Mädchen aber, das neugierig durch die Tür spähte und wie eine Dame gekleidet war, hatte die gleiche Haarfarbe wie Urraxa und auch deren dunkelbraune Augen.

Er war jedoch nicht gekommen, um Weiber und Kinder zu betrachten, sondern hatte einen Auftrag zu erfüllen. Da Doña Urraxa nicht bereit war, ihm freiwillig etwas zu geben, würde er mit leeren Händen abziehen müssen. Die Vorräte aus dem Dorf waren in die Burg gebracht worden, und um diese zu erstürmen, hätte er ein größeres Heer benötigt.

Einer der beiden Männer, die ihn begleiteten, tippte ihn an. »Was sagt sie eigentlich? Kriegen wir Vorräte?«

»Sie redet von einer Dürre, davon, dass sie selbst nicht genug Nahrung hätten und der König sich am anderen Ende des Reiches befände, um gegen Rebellen vorzugehen.«

»Das mit den Vorräten ist eine Lüge«, rief der Mann empört. »Ich habe, als wir vorhin über den Burghof gekommen sind, selbst in volle Scheuern gesehen und die vielen Schinken entdeckt, die zum Trocknen aufgehängt sind. Ich finde, wir sollten weniger Federlesens machen und das Zeug mitnehmen.«

»Zu dritt?«, antwortete Konrad mit bitterem Spott. »Du vergisst, dass unsere Männer draußen vor der Burg lagern und uns nicht gegen die Leute der Gräfin helfen können.«

»Verdammt! Und was machen wir jetzt?«, fragte der andere.

»Wir verabschieden uns erst einmal von diesem Drachen und reiten zu Roland zurück.« Konrad ärgerte sich, weil er, von Urraxas Redeschwall gehindert, nicht dazu gekommen war, von Ermengilda zu sprechen. Daher deutete er eine Verbeugung an und wies dann auf die Tür. »Ihr werdet uns jetzt entschuldigen müssen. Wir haben noch einen weiten Weg vor uns.« Damit drehte er sich um und verließ die Halle mit festen Schritten. Seine beiden Begleiter folgten ihm mit den Händen am Schwertgriff.

Urraxa sah ihnen nach und fragte sich, ob sie richtig gehandelt hatte. Wohl hatte ihr Gemahl ihr vor seiner Abreise im Namen des Königs befohlen, die Franken abzuweisen. Doch sowohl Roderich wie auch ihr Halbbruder befanden sich in der Ferne. Wenn es nun den Franken einfiel, vor dem Feldzug gegen die Mauren erst einmal Teile des christlichen Spaniens zu unterwerfen, so würden ihr Land und ihre Burg das erste Opfer sein.

Konrad verließ Roderichs Feste und schritt zu der Wiese, auf der seine Männer ihr Lager aufgeschlagen hatten. Sein Gesicht wirkte ungewohnt hart, und um seine Lippen lag ein entschlossener Zug. Er winkte den Kriegern zu und befahl ihnen, die Pferde zu satteln.

»Wir kehren zu Roland zurück.«

»Ohne Vorräte?«, rief einer. »Das wird ihm gar nicht gefallen.«
Konrad packte den Mann und drehte ihn so, dass er die Krieger auf den Mauern der Burg sehen konnte. »Wenn du einen Plan hast, wie wir die Burg erstürmen können, dann spuck ihn aus!«

»Aber wir dürfen die Asturier nicht angreifen. Der König hat es verboten, und Roland auch«, antwortete der andere verdattert.

»Gut, dass du es so siehst. Und jetzt sattle deinen Gaul.« Konrad ließ den Mann stehen und half Rado, die eigenen Pferde samt den beiden maurischen Beutestuten zu satteln. Obwohl er vor Zorn glühte, überlegte er sich seine Schritte genau. Er war ein Franke und würde sich nicht wie ein Hund von der Schwelle verjagen lassen. Zwar konnte er in der Festung nichts erreichen, aber inzwischen wusste er, wie weit Roderichs Machtbereich reichte. Also würde er sich in einem der Dörfer auf seinem Weg bedienen.

Als die Franken abrückten, stand Doña Urraxa auf der Mauer und blickte ihnen nach. Die Krieger um sie herum spotteten über die Schar und sparten dabei auch deren jungenhaften Anführer nicht aus. Urraxa selbst rief sich Konrads Gesicht in Erinnerung und wusste nicht so recht, was sie von ihm halten sollte. Der Dummkopf, als den ihre Leute den Mann bezeichneten, war er gewiss nicht. Nun erst erinnerte sie sich daran, dass der Franke ihrem Torwächter erklärt hatte, er bringe Nachricht von ihrer Tochter, und sie bedauerte, dass sie ihn nicht wenigstens zum Mahl eingeladen und nach Ermengilda gefragt hatte.

»Seid still!«, befahl sie den Männern, die den Franken verächtliche Worte nachriefen.

Diese sahen sich verwirrt zu ihr um, denn mehr als einer von ihnen hatte gehört, mit welch verletzenden Worten sie den Anführer der Franken abgewiesen hatte. Urraxas Miene wirkte nun aber so besorgt, als stünde ein Angriff von überlegenen Feinden bevor, und Roderichs Krieger begriffen mit einem Mal, dass das große Heer, das König Karl nach Spanien führte, sich genauso gegen sie wenden konnte wie gegen die Mauren.

2.

Eines hatte Konrad der Zwischenfall mit den Mauren gelehrt: So schnell würde er sich nicht mehr überraschen lassen. Daher schickte er drei Reiter voraus und folgte mit dem Rest seiner Männer im Abstand von etwa zwei Bogenschussweiten. Doch sie trafen weder auf Mauren noch auf Asturier. Auch die Waskonen, die in Roderichs Grafschaft lebten, gingen ihnen aus dem Weg. Kurz vor der Grenze schlug Konrad jedoch nicht den Weg nach Pamplona ein, sondern ritt bergwärts auf ein Dorf zu.

Als sie dort ankamen, hatten die Waskonen das Tor ihrer Umfriedung geschlossen und scharten sich um ihren Anführer. Der wusste jedoch nicht, wie er sich verhalten sollte. Vor kurzem hatten Franken mehrere Hirten seines Stammes erschlagen, und die von diesen gehüteten Tiere waren zum großen Teil in den Herden anderer Stämme verschwunden. Da sich jedoch Unai und einige andere junge Männer vor Monaten an dem Überfall auf den Franken Gospert beteiligt hatten und Graf Roderichs Tochter zuletzt noch zu ihren Schafweiden verschleppt worden war, nahm er an, dass die Franken nun kamen, um Rache zu üben.

Unsicher wandte er sich seinen Männern zu. »Die Franken

sind mehr als wir und gut gepanzert. Sollen wir trotzdem kämpfen?«

Die Haltung der Krieger war zwiespältig. Einige Jüngere drängten zum Kampf. Die älteren, erfahrenen Männer zählten die Franken, musterten deren Waffen und dachten an die vielen Weiber, die hinterher um ihre Männer, Brüder und Söhne weinen würden.

»Rede mit ihnen!«, forderte einer den Häuptling auf.

Der Mann trat bis zu dem aus gekreuzten Stangen bestehenden Tor und musterte den Anführer der Franken. Dieser war noch recht jung, und das stimmte ihn bedenklich. Bei solchen Jünglingen war die Kampfeslust zumeist stärker als der Verstand.

»Wer seid ihr und was wollt ihr?«, fragte der Waskone mit kratzender Stimme.

»Wir verlangen Korn, Fleisch und was ihr sonst noch an Lebensmitteln habt. Entweder ihr gebt es freiwillig heraus, oder …« Konrad brach mitten im Satz ab, doch sein Griff zum Schwert sagte mehr als alle Worte.

Der Dorfhäuptling biss sich leicht auf die Zunge, um den Speichelfluss anzuregen, denn sein Mund war so trocken wie die Erde nach monatelanger Dürre.

»Sie wollen plündern!«, raunte er seinem Stellvertreter zu, der ihm bis zum Tor gefolgt war.

»Dann müssen wir kämpfen«, antwortete dieser.

Doch da mischte sich der alte Krieger wieder ein. »Das ist alles nur Unais Schuld! Er und die anderen jungen Krieger hätten sich niemals Maite anschließen und den Brautzug überfallen dürfen. Noch schlimmer war es, dass Unai sich hat überreden lassen, Roderichs Tochter für Maite zu bewachen. Dafür wollen die Franken uns bestrafen. Seht sie euch doch an! Sie lauern nur darauf, dass wir die Schwerter ziehen. Wenn es zum Kampf kommt, werden sie uns Männer erschlagen, unseren

Weibern und Töchtern Gewalt antun und sie dann samt den Kindern als Sklaven verkaufen.«

Dieses Schreckensgemälde gab den Ausschlag. Der Anführer schüttelte sich und wandte sich dann an Konrad. »Lasst ihr die Weiber in Frieden, wenn wir das Tor öffnen?«

Zu Konrads Erleichterung verwendete er die asturische Sprache, auch wenn sie aus seinem Mund etwas fremdartig klang, und so benötigte er Just nicht als Übersetzer. Die anderen Reiter wollten allerdings auch wissen, was der Waskone gesagt hatte, und lachten auf, als Just es ihnen erklärte.

»He, Konrad!«, rief einer. »Sag dem Kerl, seine Weiber kann er behalten. Die stinken ja noch schlimmer als ihre Ziegen.«

Rado stöhnte theatralisch auf und sah Just augenzwinkernd an. »Ich hätte nichts dagegen, wieder einmal ein Weib auf den Rücken zu legen. Aber in diesem Land scheint es nicht einmal Huren zu geben. Da werde ich wohl einiges nachholen müssen, wenn wir in Saragossa sind.«

»Was nachholen?«, fragte der Junge verwundert.

»Nichts, was dich jetzt schon zu interessieren hat. Dafür bist du noch zu jung.« Rado zerzauste Justs Haar und sah dann Konrad zu, der dicht vor das Tor ritt und von der Höhe des Pferdes auf den Waskonen hinabschaute. »Sei unbesorgt! Dir und deinen Leuten wird nichts geschehen, wenn ihr uns eure Vorräte und das Schlachtvieh übergebt.«

»Und wovon sollen wir dann leben?«, fragte der Häuptling verbittert.

»Graf Roderich hat genügend Vorräte in seinen Scheuern und Kammern gehortet. Er wird euch gewiss nicht verhungern lassen.«

Konrad hatte es nicht spöttisch gemeint, doch der Waskone fasste die Worte als Verhöhnung auf und erwog für einige Augenblicke, doch zu kämpfen. Dann aber begriff er, was geschehen war. Die Franken waren zu Roderichs Burg geritten und dort harsch abgewiesen worden. Das hatte sie zornig gemacht und bereit, sich an dem Nächsten, der sich ihnen in den Weg stellte, schadlos zu halten. Er aber wollte nicht die Männer seines Stammes sterben und die Frauen versklavt sehen, nur weil Graf Roderichs Gattin ein paar Franken beleidigt hatte.

»Öffnet das Tor und lasst die Waffen unten!« Die Entscheidung tat ihm in der Seele weh, doch ihre Vorräte konnten sie wenigstens teilweise ersetzen. Aber wenn man sie umbrachte, vermochte niemand ihnen das Leben zurückzugeben.

Konrad ließ seine Reiter in das Dorf einrücken und sich kampfbereit aufstellen. Danach befahl er Rado, zusammen mit den anderen Knechten die Häuser zu durchsuchen und alles an Lebensmitteln herauszuholen, was es dort zu finden gab.

»Sollte einer euch daran hindern wollen, so tötet ihn!« Er hoffte, die Waskonen würden sich diese Drohung zu Herzen nehmen. Diese sahen zwar aus, als wollten sie jeden Augenblick vor Wut platzen, und die Weiber kreischten und schrien verzweifelt, als die fränkischen Knechte in ihre Häuser eindrangen und alles herausschleppten, was ihnen brauchbar erschien.

»Habt Mitleid! Wovon sollen wir in den nächsten Tagen leben?«, flehte die Frau des Häuptlings, als die Stapel auf dem Dorfplatz immer größer wurden.

Konrad dachte an das Heer des Königs, das jeden Tag kommen konnte und dringend Lebensmittel brauchte, und rang sein Mitgefühl nieder. Die Anführer der Asturier und Waskonen hatten viel versprochen, aber bisher nichts gehalten. Daher war es nur gerecht, dass er sich das, was sie brauchten, von deren Untertanen holte. Dennoch wollte er nicht grausam sein.

»Wenn alles hier liegt, was ihr an Lebensmitteln habt, können eure Weiber den zehnten Teil wieder in die Häuser tragen«, erklärte er mit barscher Stimme.

Der Häuptling bedankte sich sogar, obwohl er wusste, dass er und seine Leute Roderich würden anflehen müssen, ihnen beizustehen, damit der Stamm über den Winter kam.

Während Konrad zusah, wie Rado und die anderen Schinken, Würste und andere essbare Dinge zusammentrugen, wandte sich einer seiner Männer an ihn. »Der König wird es nicht gerne sehen, wenn wir hier plündern.«

Konrad wandte sich ihm lächelnd zu. »Das siehst du falsch. Wir plündern nicht, sondern holen nur die Lebensmittel ab, die uns der König von Asturien versprochen hat.«

»Oder hältst du es nicht für eine Schweinerei, was die mit uns gemacht haben?«, sprang einer der Männer Konrad bei.

»Beim Heiland, die Asturier könnten sich nicht beschweren, wenn wir dieses Dorf hier anzünden und die Leute als Sklaven fortführen!«, rief ein Dritter dazwischen.

Konrad begriff, dass einige seiner Leute nur darauf lauerten, die Schwerter zu ziehen und über die Dörfler herzufallen. Doch das wollte er verhindern. Er räusperte sich und wies Rado an, schneller zu machen. Gleichzeitig befahl er einem Teil der Reiter, abzusteigen und die erbeuteten Lebensmittel auf die Stuten zu laden. Dabei dachte er, dass er Gräfin Urraxas Beleidigungen mit barer Münze heimgezahlt hatte, und freute sich gleichzeitig darüber, die Maurenpferde erbeutet zu haben, die er nun als Tragtiere nutzen konnte.

3.

König Karl hatte darauf verzichtet, in der Stadt Quartier zu nehmen, sondern sein Lager direkt vor den Mauern aufschlagen lassen, damit die Bewohner Pamplonas und deren Herren sehen konnten, mit welcher Heeresmacht er erschienen war. In dieser Stunde trafen Dutzende von Anführern und Würdenträgern ein, darunter auch Bischöfe, die sich von Karl Schutz für ihre Kirchen und Besitztümer erhofften, welche sich in der Gewalt der Mauren befanden oder von diesen immer wieder überfallen wurden. Auch die waskonischen Anführer, die sich Eneko von Iruñea angeschlossen hatten, machten dem König ihre Aufwartung.

Maite und Ermengilda standen in der Nähe des Lagereingangs und sahen den Ankömmlingen entgegen. Ermengilda betete stumm, ihr Vater möge kommen und sie mit nach Hause nehmen. Sie wollte fort von dem Mann, der keine eheliche Gemeinschaft mit ihr suchte und sie damit vor aller Welt lächerlich machte. Maite hingegen wartete auf Freunde, die ihr helfen konnten, ihre Position in ihrem eigenen Stamm und dem Bündnis, das sich um Eneko gebildet hatte, zu verbessern.

Als sie ihren Onkel auf das Lager zureiten sah, versteckte sie sich hinter ihrer Begleiterin. Okin war der Letzte, den sie treffen wollte. Gleichzeitig krauste sie verächtlich die Nase, denn er war nach der Art der Asturier in enge Hosen und eine bestickte grüne Tunika gekleidet. Dazu trug er ein Schwert an der Seite, das besser war als jenes, welches sie kannte, und an seiner rechten Hand blitzten zwei Goldringe. Seinem selbstzufriedenen Gesichtsausdruck nach zu urteilen, schien er sich am Ziel seiner Wünsche zu fühlen.

Die Anführer der anderen Dörfer des Stammes begleiteten ihn. Voller Ingrimm sah Maite, wie Amets von Guizora, der ihn früher stets bekämpft hatte, Okin den Vortritt ließ, als habe er sich mit dessen Herrschaft über den Stamm abgefunden. Während sie die Männer beobachtete, schoss ihr erneut die Frage durch den Kopf, wer von ihnen der Verräter sein mochte, der ihren Vater den Asturiern ausgeliefert hatte, und sie wiederholte im Stillen ihren Racheschwur. Manchmal, wenn sie sich besonders über ihren Onkel geärgert hatte, war sie bereit, diesem die Schuld zuzusprechen. Immerhin hatte er vom Tod ihres Vaters am meisten profitiert. Doch wäre Okin es gewesen, hätte er auch sie längst aus dem Weg räumen müssen, denn in ihr floss das Blut der alten Häuptlinge, und ihr Mann würde einmal der neue Anführer des Stammes werden. Konnte es Amets gewesen sein? Er hatte zwar immer als treuer Gefolgsmann ihres Vaters gegolten, hatte aber zwei heiratsfähige Söhne. War es damals schon sein Plan gewesen, später einmal einen dieser beiden durch eine Heirat mit ihr zum neuen Oberhaupt zu machen? Wie schon so oft liefen auch diesmal ihre Gedanken im Kreis. Sie konnte sich keinen ihrer Freunde und Bekannten im Stamm als Verräter vorstellen. Einer musste es jedoch sein, und wenn sie es herausgefunden hatte, würde dieser Mann sterben.

»Von den Herren aus Asturien ist keiner gekommen!« Ermengilda seufzte enttäuscht und riss Maite aus ihren Überlegungen.

»Was sagst du?«

»Ich hatte gehofft, mein Vater käme, denn ich will nicht länger bei den Franken bleiben. Die Leute verspotten mich bereits, weil mein Mann mich missachtet. Erst gestern Abend fragte einer der Krieger, ob er nicht in der Nacht zu mir kommen und Eward ersetzen solle, und ein anderer riet mir … Nein, das war zu gemein.«

»Jetzt rede schon! Was hat er gesagt?«, drängte Maite.

Ermengilda senkte ihren Blick. »Er riet mir, meinem Gemahl nicht die Öffnung anzubieten, die uns Frauen zu eigen ist, sondern die andere.«

»Das war derb!«

Ermengilda kamen die Tränen. »Ich schäme mich so. Es ist, als wäre ich nichts wert. Weshalb nur hat mein Vater in diese Heirat eingewilligt? Gewiss hat dieser elende Gospert ihn beschwatzt und Lügen über Eward erzählt. Mein Bräutigam wäre ein wichtiger Mann im Fränkischen Reich, hat er behauptet.

Wie wichtig Eward ist, siehst du daran, dass der König ihn nicht einmal zu sich rufen lässt, wenn er sich mit seinen Edlen berät!«

»Eward ist ein naher Verwandter Karls, und ich habe sagen hören, der König sei ihm sehr zugetan«, versuchte Maite ihre Begleiterin zu beruhigen.

»Selbst wenn er König Karls rechte Hand wäre, wollte ich ihn nicht«, brach es aus Ermengilda heraus.

Plötzlich schob sich eine Gestalt vor sie. Sie blickte auf und sah Philibert vor sich. »Verzeiht«, flüsterte er. »Doch Ihr solltet Eure Verzweiflung nicht so stark nach außen tragen, denn Ihr bereitet gewissen Leuten damit eine Freude.«

Er wies verstohlen hinter sich.

Als Ermengilda seinem Wink folgte, entdeckte sie Ewards Schwertbruder Hildiger, der so hämisch grinste, als weide er sich an ihren Gefühlen. Seine Augen verrieten einen Hass, der sie erschreckte.

»Weshalb ist er mir so feindlich gesinnt?«, fragte sie Philibert leise.

»Er sieht in Euch eine Gefahr für seine Stellung. Sollte Eward Gefallen an Euch finden, würde er ihn verstoßen, und dann wäre Hildiger nur noch ein Panzerreiter unter vielen. Kein Heerführer würde ihm das Kommando über andere Reiter anvertrauen. Also steht und fällt er mit Ewards Gunst, und die will er sich mit allen Mitteln erhalten.«

Da Ermengilda und Philibert nur füreinander Augen hatten, hing Maite weiter ihren eigenen Gedanken nach. Graf Roderich zählte ebenfalls zu jenen, an denen sie Rache üben musste. Die Nähe, die sie in den letzten Tagen zu Ermengilda empfunden hatte, hatte sie diese Tatsache beinahe vergessen lassen. Nun bedauerte sie, dass sie Ermengilda nett zu finden begann. Deren Tod würde Graf Roderich allerdings ohnehin kaum noch treffen, denn seine Gemahlin hatte eine zweite

Tochter geboren, und damit war Ermengilda im Grunde entbehrlich.

Maite sagte sich, dass sie sich dennoch hüten musste, Ermengilda als Schicksalsgefährtin oder gar Freundin anzusehen. Sie war die Tochter ihres Todfeinds. Gleichzeitig begriff sie, dass sie ihre Chance, die Asturierin als Feindin zu betrachten, vertan hatte. Durch die Zeit, die sie mit Ermengilda verbracht hatte, war diese ihr so vertraut geworden wie eine Schwester.

Sie seufzte und beobachtete die anderen waskonischen Krieger, die eben das Lager betraten. Als sie Asier, dessen Bruder Danel und den Gascogner Tarter erkannte, winkte sie ihnen, um sie auf sich aufmerksam zu machen. Danel und Tarter hoben nur kurz die Hand zum Gruß und gingen an ihr vorbei, Asier jedoch kam auf sie zu.

»Hallo Maite! Du bist jetzt anscheinend doch zu Verstand gekommen und hast die Rose von Asturien den Franken übergeben. Dein Onkel wird zufrieden sein.«

»Ob Okin zufrieden ist oder nicht, interessiert mich nicht. Was ist eigentlich mit euch los? Mein Onkel ist nur Ikers Schwager, aber er tritt hier auf, als sei er ein ganz hoher Herr, und ihr lauft wie eine Herde geschorener Hammel hinter ihm her. Schämt ihr euch denn nicht?«

Für einen Augenblick senkte Asier den Kopf, blickte ihr dann aber herausfordernd in die Augen. »Okin ist jetzt ein hoher Herr. Graf Eneko hat ihn zum Baron der Grenzregionen ernannt, und nun gehören zwei Dutzend Dörfer zu uns. Wir können ein Aufgebot auf die Beine stellen, das dem von Graf Roderich kaum nachsteht. In den Bergen sind wir ihm sogar überlegen!«

Er klang sehr stolz, und Maite begriff, dass ihr früherer Freund nicht als einfacher Krieger ins Lager gekommen war, sondern als Anführer einer Schar. Damit hatte Asier sich endgültig entschieden, Okins Gefolgsmann zu sein.

Asier achtete nicht auf ihre abweisende Miene. »Hast du nicht Lust, mich zu heiraten, Maite? Unser Stamm würde sich freuen, und Okin hätte auch nichts dagegen. Ich stehe hoch in seiner Gunst.«

»Das war aber früher nicht so.« Dann begriff sie erst den Sinn seiner Frage und griff sich an die Stirn. »Ich soll dich heiraten? Bist du übergeschnappt?«

»Ich nicht, aber du! Du hast in der letzten Zeit so viel Unfug angestellt, dass es Zeit wird, dir Zügel anzulegen. Wer wäre dazu besser geeignet als ein Ehemann?«

Maite spürte, wie die Wut immer heißer in ihr aufstieg. Wie es aussah, hatte Okin den Ehrgeiz des jungen Mannes angestachelt und ihn mit Versprechungen gekauft. Doch sie war weniger denn je bereit, für die Worte ihres Onkels geradezustehen. Ihr Schweigen dauerte Asier zu lange, und so stellte er seine Frage noch einmal. »Wirst du mich heiraten oder nicht?«

Maite schüttelte den Kopf, dass ihre Haare aufstoben. »Jetzt nicht und auch nicht in einem anderen Leben.«

Der junge Mann nahm ihre Antwort nicht ernst. »Du wirst es dir schon überlegen und mich anbetteln, dass ich dich nehme und dir ein Heim gebe! Doch jetzt muss ich weiter. Okin braucht mich.«

Damit stolzierte er mit selbstgefälliger Miene davon und ließ Maite so verärgert zurück, dass sie am liebsten den nächstbesten Stein gepackt und ihm hinterhergeworfen hätte.

4.

Konrad verhielt sein Pferd und starrte auf das Lager, das von Menschen wimmelte. »Der König ist gekommen!«, rief er den anderen erleichtert zu. Nun würde es endlich weitergehen, dachte er, fühlte sich aber gleichzeitig ein wenig unbehaglich, denn er war von Markgraf Roland mit einem festen Auftrag losgeschickt worden und hatte diesen nicht erfüllen können.

Das Tor wurde nicht mehr von Rolands Bretonen, sondern von den Gardisten des Königs bewacht. Die Männer starrten verblüfft auf die über sechzig Reiter und deren Lasttiere, und ihr Anführer machte ein paar Schritte auf Konrad zu.

»Dich kenne ich doch! Du bist doch der, der den Keiler mit herabgelassenen Hosen erschlagen hat!«

»Konrad vom Birkenhof, wenn du meinen Namen wissen willst. Meine Leute und ich kommen gerade von der asturischen Grenze zurück und haben ein paar Lebensmittel mitgebracht. Außerdem muss ich Markgraf Roland Bericht erstatten.«

»Das kannst du direkt beim König tun.« Der Gardist wollte zur Seite treten und den Weg frei machen, wies dann auf eine der Stuten und schüttelte verwundert den Kopf. »Das sind aber keine Pferde von uns!«

Konrad grinste. »Die sind ein Geschenk der Mauren. Die Kerle wollten uns auflauern, aber unser Just hat die Falle bemerkt, und so konnten wir entkommen. Dabei kamen wir an den Stuten vorbei, die von den Mauren zurückgelassen worden waren, und haben die Tiere mitgenommen.«

»Das muss ein Spaß gewesen sein. Da wäre ich gerne dabei gewesen. Hattet ihr Verluste?«

»Zwei Männer sind von Pfeilen getroffen aus den Sätteln gestürzt. Wir konnten nicht erkennen, ob sie tot waren oder nur verletzt wurden.« Konrad seufzte. Obwohl es Selbstmord gewesen wäre, zu versuchen, die beiden Männer zu bergen, schämte er sich, sie im Stich gelassen zu haben.

Der Gardist winkte großzügig ab. »Nur zwei Mann verloren, dafür aber fünfzig gute Pferde gewonnen? Das war wirklich ein Streich. Wie viele Mauren habt ihr erschlagen?«

»Sechs – die Wachen bei den Pferden«, erklärte Konrad.

»Drei von denen auf einen von uns. Das ist ein gutes Verhältnis. Komm, ich melde dich dem König. Den wird dein Bericht brennend interessieren und den Markgrafen ebenso.«

Konrad blieb nichts anderes übrig, als vom Pferd zu steigen und die Zügel einem Knecht zu übergeben. Noch steif von dem langen Ritt folgte er dem Gardisten, der mit raschen Schritten dem Zelt des Königs zustrebte.

»Eine gute Nachricht ist in dieser Zeit Gold wert. Der König wird es dir lohnen«, raunte er Konrad zu, als sie eintraten.

Nachdem er aus dem gleißenden Sonnenlicht in das Halbdunkel des Zeltes getreten war, brauchte Konrad einige Augenblicke, um etwas erkennen zu können. Nur mit einer leichten Tunika bekleidet saß der König auf einem Klappstuhl und hatte einen kleinen Tisch vor sich stehen. In der Hand hielt er eine Feder, mit der er gerade einige Buchstaben auf ein Stück Pergament geschrieben hatte. Neben ihm stand Roland wie ein drohender Schatten in Rot, die Hand am Schwertgriff und mit einer Miene wie eine Sturmwolke, und ihnen gegenüber trat Ramiro, der Abgesandte des asturischen Grenzgrafen Roderich, unruhig von einem Fuß auf den anderen.

Im Hintergrund konnte Konrad mehrere Edelleute und Kirchenmänner ausmachen, darunter den Pfalzgrafen Anselm, Eginhard, den Truchsess des Königs, Suleiman den Araber und den Mönch Turpinius. Auch sie sahen so aus, als hätte es eben ein schweres Gewitter im Zelt gegeben.

Karl wirkte direkt erleichtert, Konrad zu sehen. Sein angespanntes Gesicht glättete sich, und er winkte dem jungen Mann, näher zu treten. Konrad senkte den Kopf und kniete vor dem König nieder.

Karl packte ihn jedoch bei den Schultern und zog ihn hoch, so dass er ihm in die Augen sehen musste. »Na, Konrad, was machen die spanischen Keiler? Sind sie wenigstens so höflich und lassen dir Zeit, dir die Hosen anzuziehen, bevor sie angreifen?« Karl brach in schallendes Gelächter aus, in das die übrigen Anwesenden einfielen, um den König nicht zu verärgern.

Konrad gefiel es gar nicht, im Zentrum des Spottes zu stehen, doch als er in Karls Augen blickte und von den Sorgen las, die diesen bedrückten, vergaß er seinen Ärger. »Diesmal konnte ich die Hosen anbehalten, mein König. Allerdings hatte der Keiler sich in einen Bären verwandelt.«

Eine rasche und kecke Antwort war gerade das, was Karl gefiel. Er lachte noch lauter und klopfte Konrad so kräftig auf die Schultern, dass dieser wieder in die Knie sank.

»Ich habe schon davon gehört. Du hast dieses Biest getötet, um Doña Ermengilda zu retten. Das war eine beherzte Tat, wie man sie von dir erwarten konnte.«

Konrad errötete bei dem Lob, war aber ehrlich genug, nicht allen Ruhm für sich einzufordern. »Mein König, ich habe dem Bären nicht alleine gegenübergestanden. Philibert von Roisel hat tapfer an meiner Seite gekämpft!«

Täuschte er sich, oder zog ein zufriedener Ausdruck über Karls Gesicht? Konrad konnte es nicht genau sagen, denn der König befahl einem der anwesenden Männer, einen Becher Wein zu füllen. Kaum hielt Karl das Gefäß in der Hand, reichte er es an Konrad weiter. »Hier, trink, mein junger Freund, und dann berichte, was du unterwegs erlebt hast. Ich habe da etwas von maurischen Stuten gehört, die dir zugelaufen sein sollen.«

Der König schien sich wirklich für die Einzelheiten zu interessieren, doch Konrad fühlte sich unsicher. Was hatte er zu berichten, das Karl nicht missfiel? Er beschloss, bei der Wahrheit zu bleiben, und schilderte in knappen Worten den Ritt, den Hinterhalt der Mauren, die hinterher selbst die Geprellten waren, und seine Unterredung mit Graf Roderichs Gemahlin.

Karl hörte ihm schweigend zu, warf aber immer wieder beredte Blicke auf Ramiro, der sich ans andere Ende der Welt zu wünschen schien.

Ohne sich selbst zu schonen, berichtete Konrad, wie sie auf dem Rückweg das Waskonendorf um seine Lebensmittelvorräte erleichtert hatten. »Ich weiß, dass Ihr uns verboten habt zu plündern, doch ich war zornig auf die Frau des Grenzgrafen und wollte ihr zeigen, dass man mit uns Franken so nicht umspringen darf«, schloss er und senkte den Kopf.

Er sah daher nicht, wie Karls Augen aufblitzten und er mit der Faust in Richtung Westen drohte. Sein Vetter Roland nahm diese Geste zum Vorwand, um den Vorschlag, den er dem König vor Konrads Ankunft unterbreitet hatte, zu wiederholen.

»Bevor wir uns gegen die Mauren wenden, sollten wir erst Asturien und die Waskonen unterwerfen und feste Plätze errichten, von denen aus wir gegen den Rest Spaniens vorgehen können. Wir können es uns nicht leisten, Silo und Eneko in unserem Rücken zu lassen. Die beiden haben uns mehr belogen als tausend andere Männer vor ihnen.«

Dies wollte Ramiro so nicht hinnehmen. »Mein Herr ist bereit, gute Freundschaft mit euch Franken zu halten. Doch derzeit herrscht Aufruhr im Land, und wir brauchen jedes Schwert, um in Galizien die Ruhe wiederherzustellen. Durch diesen Aufstand war es auch nicht möglich, die Ernte vollständig einzubringen. Der König muss erst sehen, dass die Vorratsscheuern gefüllt werden, bevor er euch etwas schicken kann.«

»Ich sage, wir erobern Asturien und machen daraus eine Grenzmark«, antwortete Roland mit eisiger Stimme.

Ramiro fuhr auf. »Wenn ihr das versucht, werden wir eher das Bündnis mit den Mauren suchen als uns euch zu unterwerfen.«

Bevor der Streit erneut hochflammen konnte, schlug der König so hart mit der Faust auf den Tisch, dass das zierliche Möbel zusammenbrach. In einem Reflex griff Konrad zu und fing das Tintenfass und das Pergament auf.

Unterdessen trat Karl auf die beiden Streithähne zu und fasste sie um die Schultern. »Haltet Frieden! Auch du, Roland. Wir sind nicht nach Spanien gekommen, um Asturien unserem Reich einzuverleiben, sondern um unseren Verbündeten, Suleiman den Araber, gegen den Emir von Córdoba zu unterstützen. Wir werden die Städte, die er uns nennt, einnehmen und mit starken Besatzungen versehen. Dann wird auch Abd ar-Rahman nicht mehr in der Lage sein, sie uns wieder zu entreißen.«

Konrad fragte sich, weshalb Karl mit einem so großen Heer nach Spanien gekommen war, wenn er selbst kein Land erobern wollte, doch als er das Lächeln um dessen Mundwinkel spielen sah, begriff er, dass der König sich zum Oberhaupt der Mauren und Christen in Spanien machen wollte. Karl würde Suleiman und dessen Verbündeten helfen, sich vom Emir von Córdoba zu lösen, sie dann aber wie Markgrafen und Herzöge unter seiner Herrschaft behandeln, ihre Huldigung einfordern und ihren Städten und Ländereien Steuern auferlegen. Um seine Herrschaft auf Dauer zu sichern, würde der König jedoch starke Truppen im Land zurücklassen müssen.

Unterdessen hatte Karl einen Entschluss gefasst. »Wir brechen übermorgen auf und ziehen nach Saragossa. Dort vereinigen wir uns mit dem Heerbann von Austrasien. Danach sind wir stark genug, um den Norden Spaniens für uns fordern zu können.«

Karl klang so zuversichtlich, als sei bis jetzt alles nach seinen Plänen gelaufen. Aber Konrad dachte an Eward, der Karls Plänen zufolge Markgraf in den eroberten Teilen Spaniens werden sollte, und fragte sich, wie Suleiman und dessen maurische Verbündete sich zu Karls Vorgehen stellen würden.

5.

Als Konrad zu seinen Gefährten zurückkehrte, wählten diese gerade die Stuten aus, die dem König als Beuteanteil zustanden. Von den hochrangigeren Panzerreitern konnte sich ebenfalls jeder eine Stute aussuchen, während Konrad zwei Tiere zugestanden wurden. Der Rest der Männer, darunter Rado und die übrigen Knechte, erhielten einen Teil des bei den Mauren erbeuteten Silbers oder maurische Waffen. Da Just die Männer gewarnt hatte, wurde auch er bedacht. Neben ein paar Silbermünzen erhielt er einen hübschen maurischen Dolch mit einer Schneide, die scharf genug war, um ein Haar zu spalten.

Rado betrachtete fasziniert seine Münzen und die seltsamen Zeichen, die darauf geprägt waren. »Ich glaube, die werde ich nicht ausgeben, sondern als Andenken bewahren«, rief er Konrad zu und wollte die beiden Pferde, die dieser sich ausgesucht hatte, wegbringen.

Da trat ihm Hildiger in den Weg. »Halt, diese beiden Stuten fordere ich als Beuteanteil für Graf Eward und mich!«

Bei dieser Forderung verschlug es Konrad zunächst die Sprache. Doch als Hildiger Rado die Zügel abnehmen wollte, war er bei ihm und stieß ihn zurück. »Lass die Tiere in Ruhe. Sie gehören mir!«

»Herr Eward ist, wie du dich vielleicht noch erinnern kannst, dein Anführer, Bauer! Und ich bin sein Stellvertreter.« Mit diesen Worten griff Hildiger erneut nach den Zügeln.

Da zog Konrad blank. »Lass meine Pferde in Ruhe, sonst schlage ich dir den Schädel ein!«

Hildiger sah Konrad verblüfft an und begriff, dass dessen Drohung ernst gemeint war.

Etliche der Reiter, die Konrad begleitet hatten, bildeten einen weiten Kreis um die beiden jungen Männer.

»Los, Konrad, zeig diesem Kotwühler, was ein richtiger Mann ist. Der König wird dir Dank wissen!«, rief einer, und die anderen stimmten ihm johlend zu.

Das Fatale war, dass der Mann recht hatte, durchfuhr es Hildiger. Sein Tod würde König Karl keine Träne entlocken, und Eward, dieser Schwächling, würde sich dessen Diktat klaglos beugen und nicht einmal daran denken, ihn an diesem Bauernlümmel zu rächen. Er starrte Konrad an, der mit zornweißem Gesicht vor ihm stand, und erinnerte sich, dass der Kerl seit jener Sache mit dem Keiler auch einen Bären, etliche Waskonen und vor kurzem auch noch Mauren getötet hatte. Nun bekam er es mit der Angst zu tun.

Sein Stolz verbot es ihm jedoch zurückzustecken. »Du hast deine Waffe gegen deinen Anführer gezogen. Dafür hast du dein Leben verwirkt. Los Männer, nehmt ihn gefangen!«

Hildigers Befehl galt Reitern aus Ewards Gefolge, die neugierig näher gekommen waren. Diese zogen die Waffen und wollten auf Konrad losgehen.

Da aber stellten sich ihnen die Krieger in den Weg, die mit Konrad geritten waren, und ließen die Schwerter aus den Scheiden fahren. »Kommt her, Bürschchen! Wir wollen doch sehen, ob ihr im Kampf etwas taugt. Bis jetzt haben weder eure Anführer noch ihr einem Feind ins Auge gesehen.«

Die Männer aus Rolands Aufgebot hatten sich während der letzten Wochen oft genug über die Hochnäsigkeit und Anmaßung von Eward und seinem Gefolge geärgert und brannten darauf, es ihnen heimzuzahlen.

Konrad spürte, dass die Situation außer Kontrolle geriet. Ein blutiger Kampf innerhalb des Heeres würde den Zorn des Königs erregen und in höchstem Maße den Zusammenhalt gefährden. Daher schob er seine Klinge wieder in die Scheide und hob die Hand. »Halt! Lasst die Waffen stecken! Oder wollt ihr dem König ein so beschämendes Schauspiel liefern?«

»Du gibst also die beiden Gäule her?«, fragte Hildiger spöttisch.

Konrad schüttelte den Kopf. »Beide nicht, denn ein Tier steht mir als Anführer der Schar als Beute zu. Die andere Stute soll Eward gehören, weil der König ihn zu meinem Anführer bestimmt hat. Da du für Eward den Stallburschen spielst, kannst du ihm das Tier bringen!«

Mit diesen Worten warf Konrad Hildiger die Zügel zu. Dieser fing sie im Reflex auf und sah sich dem Gelächter der Leute ausgeliefert.

»Du bist also doch zu etwas zu gebrauchen, Hildiger«, rief einer, und ein Zweiter schlug in dieselbe Kerbe. »Als Pferdeknecht machst du dich ausgezeichnet.«

In Hildiger kochte es, aber die Mienen seiner Männer verrieten ihm, dass diese die Schwerter nicht mehr für ihn ziehen würden. Wenn er Konrad auf das ihm gebührende Maß zurechtstutzen wollte, musste er es eigenhändig tun. Doch allein bei dem Gedanken, sich mit diesem Schlagetot einzulassen, zitterten ihm die Knie. Außer sich vor Wut, wandte er Konrad den Rücken zu und wollte die Stute wegbringen.

Da nahm ihm jemand die Zügel aus der Hand. »Das Pferd bleibt bei Konrad.«

»Halt du dich da raus, du …«, begann Hildiger voller Zorn. Dann blieb ihm die Stimme weg, denn vor ihm stand der König.

Karl zog ein angewidertes Gesicht und drückte Konrad die Zügel in die Hand. »Das Recht eines Kriegers auf die ihm zugesprochene Beute darf ihm niemand streitig machen. Wer es tut, ist ein Hundsfott!«

Damit klopfte er der Stute leicht auf die Hinterbacken und ging hinüber zu Ewards Zelt.

Hildiger wollte ihm folgen, wurde aber von den Leibwachen des Königs abgedrängt.

»Herr Karl will allein mit seinem Verwandten sprechen. Du bist hier überflüssig«, höhnte einer der Männer.

Die Krieger, die sich um Konrad geschart hatten, lachten, denn sie gönnten Hildiger die doppelte Niederlage. Gleichzeitig aber waren sie erleichtert, weil Karl auch in einer Sache, die einen seiner engsten Verwandten betroffen hatte, gerecht geblieben war.

6.

Karls Schritte zeugten von seinem Ärger, und die Bewegung, mit der er die Plane vor dem Zelteingang wegschob, verhieß nichts Gutes.

Eward lag auf dem Feldbett, und auf einem Klapptisch in seiner Reichweite standen ein silberner Becher und ein halbvoller Weinkrug. Der König goss sich ein, ohne den Diener zu beachten, der ihm ins Zelt gefolgt war und ihm aufwarten wollte.

»Hast du nichts anderes zu tun?«, fragte er, als der Mann nach dem Weinkrug griff, und setzte leiser hinzu: »Verschwinde!«

Der Diener zuckte zusammen und verließ hastig das Zelt, denn er war sicher, dass dort gleich ein Sturm losbrechen würde.

Karl ließ sich jedoch Zeit. Mit einem tadelnden Blick sah er auf seinen Halbbruder hinab, der nun erst begriff, wie ungebührlich er sich benahm, und sich aufsetzte.

»Du hättest dem Diener auftragen sollen, einen zweiten Becher zu bringen«, beschwerte er sich, als der König trank und er zusehen musste.

»Ein guter Wein! Wie ich hörte, hast du ihn auch mit gutem Geld bezahlt«, begann der König mit sanfter Stimme. Das Aufblitzen in seinen Augen sprach seinen Worten jedoch Hohn.

Seine Linke schoss vor, packte Eward am Hemd und riss ihn hoch. »Höre mir gut zu, Bürschchen! Du hast auf diesem Feldzug bereits mehr Geld ausgegeben als ein Herzog mit einem Aufgebot von tausend Kriegern, aber bisher noch nichts geleistet. Die Männer lachen bereits, wenn sie dich sehen.«

»Daran ist allein Roland schuld! Er neidet mir meine enge Verwandtschaft zu dir.« Eward sah aus, als wolle er in Tränen ausbrechen.

Karl musterte ihn kopfschüttelnd. »Manchmal zweifle ich daran, dass du tatsächlich den Lenden meines Vaters entstammst. Pippin war ein großer Krieger und König, du aber bist eine Schande für unsere ganze Sippe. Hätte mein Vater nicht so sehr an dir gehangen, hätte ich dich längst scheren lassen und in ein Kloster gesteckt. Bei Gott, vielleicht tue ich es noch.«

Für einige Augenblicke befürchtete Eward tatsächlich, der König würde seine Wachen rufen und befehlen, ihm eine Tonsur zu rasieren, und ihn dann hinter Klostermauern verschwinden lassen. Das würde ihn von seiner großen Liebe trennen, und ein Leben ohne Hildiger erschien ihm trostlos.

Doch der heiße Zorn des Königs war inzwischen verraucht, und so ließ er Eward los, trat einen Schritt zurück und verschränkte die Arme vor der Brust. »So legst du keine Ehre für mich ein. Aber ich werde dafür sorgen, dass aus dir ein Mann wird, dem seine Gefolgsmänner zujubeln und bedenkenlos folgen, wohin er sie auch führt!«

Eward atmete auf. Die Gefahr, in Schande zurückgeschickt und in ein Kloster gesperrt zu werden, schien gebannt. Dennoch durfte er seinen Halbbruder nicht noch einmal erzürnen. Die Mönche in Karls Begleitung hetzten gegen ihn und Hildiger und belegten ihre enge Freundschaft mit schlimmen Ausdrücken. Dabei wussten diese Kuttenträger nichts vom Leben und noch weniger von der Liebe. Karl hätte es eigentlich besser wissen müssen, aber für ihn zählten nur Weiber. Das verrieten auch seine nächsten Worte.

»Du hast das Mädchen, das ich dir zur Braut gewählt habe, schlecht behandelt! Ab jetzt wirst du sie ehren, wie es sich für eine Frau aus königlichem Blut gehört, mit ihr zusammenleben und so mit ihr verkehren, wie es sich für Mann und Frau geziemt!«

Da Eward ihn nur verwirrt anstarrte, machte Karl die Handbewegung, die bei den Kriegern im Heer als Zeichen für den Geschlechtsverkehr gang und gäbe war.

Eward schluckte und wollte protestieren. Seine Liebe gehörte allein Hildiger. Doch die Angst vor dem, was der König mit ihm machen würde, wenn er sich weigerte, die spanische Kuh zu bespringen, verschloss ihm den Mund. Er traute es Karl zu, Hildiger in einen Teil des Reiches zu verbannen, in dem er sich mit Sachsen und ähnlich wilden Bestien würde herumschlagen müssen, oder ihn gar hinrichten zu lassen.

»Ich, mein König, ich …« Er brach ab, weil ihm die Worte, die seine Kapitulation bedeuteten, nicht über die Lippen wollten.

Karl sah ihm an, dass er nachgeben würde, doch nicht aus Überzeugung, sondern um Hildiger zu schützen. Nur deshalb war er zumindest im Augenblick bereit, Ermengilda als seine Frau anzusehen. Da der König die Gesellschaft von Frauen genoss und sich gern mit ihnen im Bett tummelte, kam ihm die Abscheu seines Verwandten gegen das weibliche Geschlecht widernatürlich vor. Und er glaubte daran, dass Eward, wenn er erst einmal das Lager mit der jungen Asturierin geteilt hatte, Gefallen an der Liebe zwischen Mann und Frau finden würde. Nicht zuletzt deshalb fielen seine nächsten Worte freundlich aus.

»Du wirst sehen, es kommt alles ins Lot, Eward. Wenn du mir so gehorchst, wie ich es mir wünsche, bin ich bereit, Hildiger schon in Bälde Land und Titel zu geben.«

Eward fühlte sich in diesem Augenblick überglücklich. Karl erschien ihm wie ein Fels. Daher kniete er vor ihm nieder und küsste seine Hände. »Du bist so gut zu mir!«

Der König entzog sie ihm mit einem unwilligen Brummen. Da er kein Mann war, der die intime Nähe eines anderen Mannes suchte, hatte er die schwärmerische Verehrung, die sein Halbbruder ihm bereits als Knabe entgegengebracht hatte, nie verstanden. Für ihn zählte allein, dass Eward sich so benahm, wie er es von ihm erwartete.

»Du wirst noch heute mit Ermengilda die Ehe vollziehen! Das ist wichtig für unser Verhältnis zu Asturien. König Silo ist ein stolzer Mann und wird die Zurückweisung seiner Nichte nicht hinnehmen!«

Eward war bereits klargeworden, dass er den Kelch dieser aufgezwungenen Ehe bis zur bitteren Neige leeren musste. Ein weiteres Hinausschieben würde den König so sehr erzürnen, dass er seine schlimmsten Drohungen wahrmachte.

Karl war noch nicht am Ende. »Außerdem wirst du dich in nächster Zeit von Hildiger fernhalten, damit Bruder Turpinius und die anderen Vertreter unserer heiligen Kirche keinen Grund mehr sehen, dich zu tadeln!«

Eward nickte, obwohl dieser Befehl ihm den Hals zuschnürte.

»Du darfst Hildiger nicht deinen anderen Gefolgsmännern vorziehen. Ich habe dir kühne junge Männer wie Philibert von Roisel und Konrad vom Birkenhof mitgegeben, damit du dir an ihnen ein Vorbild nehmen kannst. Wenn du zulässt, dass sie beleidigt oder gar gedemütigt werden, schlägst du damit dir selbst und auch mir ins Gesicht!«

Bei diesen Worten wurde Eward rot wie ein Mädchen. Er hatte mit Hildiger und auch anderen Männern seiner Schar wahrlich oft genug über Konrad und Philibert gespottet. Doch es war nicht das Gefühl der eigenen Überlegenheit, welches ihn dazu getrieben hatte, sondern der Neid auf die beiden Krieger, die höher in der Achtung des Königs standen als er.

»Ich werde deine Worte beherzigen, Bruder.« Bei diesem Zugeständnis zitterte Eward insgeheim, denn er sah einen schlimmen Streit mit Hildiger auf sich zukommen. Sein Geliebter war auf jeden jungen Mann eifersüchtig, dem er ein gutes Wort schenkte, und würde sich auch weiterhin gegen Konrad und Philibert stellen.

Der König blickte ihn mahnend an und wandte sich zum Gehen. Am Zelteingang drehte er sich noch einmal um. »Ich will heute Abend beim Essen von deinem Weib hören, dass du deine Pflicht erfüllt hast. Was Hildiger betrifft, werde ich ihn mit einem Auftrag zu König Silo schicken. Wenn du ihn weiterhin in deiner Umgebung behalten willst, muss er lernen, Aufgaben zu übernehmen, die einem Gefolgsmann des Markgrafen von Spanien angemessen sind!«

Sein Gesichtsausdruck ließ keinen Widerspruch zu. Eward hätte auch keinen gewagt, und er war zum ersten Mal froh, dass sein Freund für einige Tage in der Ferne weilte. Auf diese Weise entkam er Hildigers Vorwürfen, sich zu bereitwillig dem Wort des Königs gebeugt zu haben. Dabei hatte er doch nur aus Liebe zu ihm nachgegeben. Wenn er in Ungnade fiel, konnte er Hildiger nicht mehr beschützen.

Karl ahnte nicht, was hinter der Stirn seines jungen Verwandten vorging, doch hätte er dessen Gedanken lesen können, wären sie ihm kindisch erschienen. Für ihn war Eward wie ein Stück weichen Eisens, das durch den Schmied zu Stahl geformt werden musste. Dieser Schmied war er selbst, und als Hammer sah er Ermengilda an. Er konnte sich nicht vorstellen, dass es einen Mann geben könnte, der sich nicht darauf freuen würde, mit ihr unter die Decke kriechen zu dürfen.

7.

Während der König bei Eward weilte, kehrte Konrad in das Zelt zurück, das er mit Philibert teilte. Er ärgerte sich immer noch über Hildiger, aber auch über sich selbst, weil er im Überschwang des Erfolgs vergessen hatte, dass er unter Ewards Kommando stand und diesem ein Teil der Beute gehörte. Stattdessen hatte er eine hübsche Stute für Roland ausgesucht.

Er hätte gerne mit Philibert darüber gesprochen, doch der war nicht da. Nun erinnerte Konrad sich daran, dass es noch jemanden gab, der sich für seine Reise interessieren würde. Immerhin hatte er Ermengildas Mutter aufgesucht und mit ihr gesprochen. Deren Worte konnte er allerdings nicht vor den Ohren ihrer Tochter wiederholen, und er musste auch sein eigenes Verhalten höflicher darstellen, als es gewesen war.

Entschlossen, die schöne Asturierin wiederzusehen, verließ er sein Zelt und wanderte in den Teil des Lagers, in dem Ermengilda und Maite untergebracht waren. Als er losgeritten war, hatten nur Maite und Ermengilda das Zelt bewohnt, das für die weiblichen Geiseln gedacht war, und so wunderte er sich über das breite Grinsen der Wachen. Die Männer ließen ihn ungehindert passieren, doch als er die Zeltplane hob und den Kopf hineinsteckte, kreischten mehrere Mädchen erschrocken auf.

»Kannst du dich nicht anmelden, wie es sich gehört, bevor du das Zelt von Damen betrittst? Stell dir vor, wir wären beim Baden!«, schimpfte eine hübsche rundliche Frau.

Eine ihrer Freundinnen lachte. »Dann müsste er blind auf dem Boden herumtasten, weil ihm die Augen vor Staunen aus dem Kopf gefallen wären.«

Konrad wich zurück. »Verzeiht, ich wollte nicht ...«

Er brach ab, weil die jungen Frauen erneut zu lachen begannen. Nach den langen Tagen, die sie im ehemaligen Haremsgebäude in Pamplona eingesperrt gewesen waren, hatte der Übermut sie gepackt, und sie sahen Konrad als ideales Opfer ihrer Witzeleien an.

Maite beteiligte sich nicht an dem Wortgefecht, mit dem die anderen Mädchen den jungen Mann mehr und mehr in Verlegenheit brachten. Sie hatte sich in den hintersten Winkel des Zeltes zurückgezogen und blockte jeden Versuch der anderen ab, sie in ein Gespräch zu verwickeln.

Jetzt war sie doch wieder eine Geisel unter vielen und fragte sich, welcher Teufel sie geritten hatte, sich den Franken anzuschließen. Zwar hatten Konrad und Philibert ihr das Leben gerettet, aber ihnen war es nur um Ermengilda gegangen. Dabei hatte sie sich zwischen die Asturierin und das Raubtier gestellt, anstatt wegzulaufen und Ermengilda dem Bären zu überlassen. Zum Dank war sie seit der Ankunft der anderen Geiseln eine Gefangene, die gerade einmal um das Zelt herumgehen durfte. Tat sie einen Schritt darüber hinaus, hielten die Wachen sie auf.

Sie hasste die Franken, die ihr die Freiheit genommen hatten, genauso wie Okin und die Leute ihres Stammes, die sich bis auf Asier von ihr fernhielten. Da Okin von Eneko inzwischen die Herrschaft über mehrere Stämme erhalten hatte, schien Asier zu hoffen, sie doch noch zu einer Heirat bewegen zu können und dadurch zumindest Anführer des eigenen Stammes zu werden.

Bei dem Gedanken hätte Maite am liebsten ausgespuckt. Immerhin gehörten zu einer Heirat Dinge, wie sie auch zwischen Bock und Ziege geschahen, und der Gedanke daran, dies mit Asier tun zu müssen, erfüllte sie mit Abscheu. Im Grunde wollte sie sich vor keinem Mann demütigen, nur um bei ihren Leuten wieder in Gnade aufgenommen zu werden. Da war Ermengilda, deren Mann sie nicht aufforderte, für ihn die Stute zu spielen, direkt zu beneiden.

Sich nähernde Schritte störten Maite in ihrem Sinnieren, doch sie sah erst auf, als Konrad direkt vor ihr stand. »Hast du Prinzessin Ermengilda gesehen?«, fragte er.

Sein Tonfall klang in Maites Ohren beleidigend. So sprach man eine Sklavin an, aber nicht die Tochter eines großen Häuptlings.

»Hier gibt es keine Prinzessin!«, schnaubte sie und fragte sich, was dieser elende Franke sich einbildete. Vielleicht wollte er ihr noch einmal klarmachen, dass sie hier im Lager der Franken auf den Stand einer Sklavin gesunken war. Auch aus diesem Grund hatte sie schon mehrfach darüber nachgedacht, von hier zu fliehen, doch diesmal würde ein Entkommen schwieriger werden. Die fränkischen Wachen nahmen ihre Pflicht sehr genau, und selbst wenn es ihr gelänge, unbemerkt aus dem Lager zu fliehen, liefe sie Gefahr, den maurischen und asturischen Patrouillen, die das Frankenheer beschatteten, in die Hände zu laufen.

Konrad wartete ungeduldig auf Antwort, und als er merkte, dass die Waskonin ins Leere starrte, klopfte er verärgert mit dem Fuß auf den Boden. »Kannst du mir wenigstens sagen, wo die Dame Ermengilda sich jetzt aufhält?«

»Wie du selbst sehen kannst, ist sie nicht hier im Zelt«, antwortete Maite gelassen.

»Ich will nicht wissen, wo sie sich nicht aufhält, sondern wo sie ist!« Konrad fragte sich, was dieses Mädchen sich dabei dachte, ihn so abzufertigen. Immerhin schuldete sie ihm ihr Leben.

Auch Maite erinnerte sich wieder an diese Tatsache, stellte aber gerade deshalb ihre Stacheln auf. Obwohl sie keinen Grund dafür sah, fühlte sie sich gekränkt, weil der Frankenkrieger sie nur angesprochen hatte, um zu erfahren, wo Ermengilda sich befand. »Die Dame Ermengilda, wie du sie nennst, hat das Zelt vor einiger Zeit verlassen. Soviel ich weiß, wollte sie zu dem kleinen Platanenhain gehen, der sich im hinteren Teil des Lagers erstreckt.«

Konrad nahm sich nicht einmal mehr die Zeit, ihr zu danken, so eilig hatte er es, diesen Hain zu erreichen.

8.

Im Platanenhain gab es kein Unterholz mehr, und die noch nicht gefällten Bäume wirkten zerrupft, weil die Köche des Heeres hier ihr Feuerholz holten. Daher entdeckte Konrad Ermengilda auf Anhieb. Sie lehnte an einem Stamm und unterhielt sich mit Philibert.

Als dieser Konrad kommen hörte, drehte er sich zu ihm um. »Ich habe schon erfahren, dass du wieder zurück bist.«

Es klang, als ärgere er sich, weil Konrads Erscheinen sein Gespräch mit Ermengilda unterbrochen hatte. Dessen Miene wurde womöglich noch düsterer als die seines Kameraden. »Ich habe Ermengilda Grüße von ihrer Mutter auszurichten.«

Das war zwar eine Lüge, doch Konrad ging davon aus, dass Doña Urraxa ihrer Tochter Grüße ausgerichtet hätte, wenn sie über sie gesprochen hätten.

»Du hast meine Mutter gesehen? Was sagt sie?« Ermengilda kam auf Konrad zu und fasste nach dessen rechter Hand.

Damit entfachte sie Philiberts Eifersucht zu neuer Glut. »Viel wird er nicht verstanden haben, da er ja Eure Sprache nicht beherrscht!«

Konrad maß ihn mit einem giftigen Blick. »Ich habe mich während der letzten Wochen viel mit der hier gebräuchlichen Sprache beschäftigt und weiß inzwischen eine Unterhaltung zu führen.«

Ermengilda spürte, wie sich zwischen den beiden jungen Männern Feindschaft aufbaute, und griff ein. »Jetzt streitet euch nicht! Ich will wissen, wie es meiner Mutter geht und meinem Vater.«

»Graf Roderich war leider nicht anwesend, und ich habe auch nicht erfahren, wo er sich zurzeit aufhält. Aber deine Mutter hat mich empfangen. Es scheint ihr gutzugehen. Sie wirkt zwar etwas kräftig, aber man sieht ihr immer noch an, dass sie einmal eine schöne Frau gewesen sein muss. Du kannst deine Verwandtschaft zu ihr nicht verbergen.«

Was als Kompliment gedacht war, entlockte Ermengilda nur ein Lächeln. Sie wusste, wie unähnlich sie ihrer Mutter war.

»Hast du auch meine Schwester gesehen?«, fragte sie.

Konrad nickte eifrig. »Die ist noch arg klein und wird auch sicher nicht so schön werden wie Ihr.«

Vor lauter Aufregung wechselte er zwischen der persönlichen und der höflichen Anrede. Ermengilda schien es nicht zu bemerken, denn sie hing an seinen Lippen und wollte alles wissen, was sich auf der Burg ihres Vaters zugetragen hatte.

Damit brachte sie den jungen Franken in Bedrängnis. Außer den Beschimpfungen, die ihre Mutter ihm an den Kopf geworfen hatte, gab es nichts zu berichten, und so sprach er mehr über die Landschaft und über die Bauweise der Burg, die ihm fremdartig erschienen war, und schloss mit dem Wunsch, bald an der Seite ihres Vaters gegen die Mauren ziehen zu können. Da Ermengilda während der letzten Wochen völlig von den politischen Entwicklungen abgeschnitten gewesen war, stimmte sie ihm lebhaft zu. Sie hoffte auf ein gedeihliches Nebeneinander von Asturien und dem Frankenreich, das es ihr ermöglichen würde, in ihre Heimat zurückzukehren. Ihr Verlangen, dieses Lager verlassen zu können, war mindestens ebenso groß wie Maites, nur dachte sie anders als die Waskonin nicht an Flucht.

Philibert hätte das Gespräch zu gerne wieder an sich gerissen, doch da erschien Bruder Turpinius und blieb vor Ermengilda stehen. Um seine Lippen lag ein wohlwollender, aber auch eigenartig zufriedener Ausdruck, der sich noch verstärkte, als er zu sprechen begann. »Verzeih die Störung, meine Tochter. Doch Graf Eward, dein Gemahl, wünscht deine Nähe!«

»Aber er hat mich doch aus seinem Zelt weisen lassen und ...«, begann Ermengilda und brach dann ab. Auch wenn sie sich wegen Ewards Zurückweisung schämte, so war dies doch nicht für die Ohren der beiden jungen Männer bestimmt. Verwirrt verabschiedete sie sich von Konrad und Philibert und schritt wie eine Verurteilte hinter Turpinius her durch die Lagergassen.

Konrad und Philibert folgten den beiden, um zu verhindern, dass betrunkene Soldaten der jungen Frau zu nahe traten. Schon bald entdeckten sie mehrere Männer, die der königlichen Garde angehörten und scheinbar zufällig herumstanden, in Wahrheit aber Ermengilda und ihrem Begleiter geschickt den Weg frei machten.

»Was wird Eward von ihr wollen?«, fragte Konrad seinen Freund.

Philibert zog die Schultern nach vorne und biss sich auf die Lippen. »Wahrscheinlich hat der König ihm die Leviten gelesen, so dass er Ermengilda wieder in sein Zelt aufnehmen und das tun muss, was Ehemänner im Allgemeinen mit ihren Weibern machen.«

»Du meinst, er wird sie ...« Konrad verstummte mitten im Satz. Die Erinnerung an die Szene, in der Eward sich Hildiger wie ein Weib angeboten hatte, hatte sich in seinem Gedächtnis festgebrannt, und er schüttelte sich bei dem Gedanken, dass dieser verderbte Mann Ermengildas reines Fleisch berühren und sie besteigen durfte, während er vor Sehnsucht nach ihr verging.

Als er Philiberts verbissene Miene sah, wurde ihm klar, dass es seinem Freund nicht anders erging. Sie verzehrten sich beide nach der Unerreichbaren und würden nun mehr denn je darauf achten müssen, nichts zu tun, das der jungen Frau oder ihnen selbst schadete.

Philibert stieß Konrad an und wies auf eine Stelle, an der kleine Zelte und einfache Hütten aus Zweigen und Blättern standen. »Was meinst du, sollen wir zu den Huren hinübergehen und schauen, ob uns eine gefällt? Ich brauche eine Frau, sonst werde ich noch verrückt!«

Er wollte nichts anderes mehr, als das erste Weib, auf das sie trafen, auffordern, mit ihm zu kommen, und sich hinterher sinnlos besaufen. Anders, so glaubte er, konnte er dieses Leben nicht mehr ertragen.

9.

Turpinius schob Ermengilda in das Zelt ihres Gatten. Ihr graute vor Hildigers Anwesenheit, aber zu ihrer Erleichterung befand sich nur Eward darin.

Er stand neben seinem Bett, das ihr für einen Feldzug viel zu luxuriös erschien, und stierte ins Leere. Die Decke, unter der er normalerweise schlief, lag zusammengeknüllt in einer Ecke. Stattdessen hatte jemand ein weißes Leintuch über das Bett gezogen. Ermengildas Magen krampfte sich zusammen, als sie begriff, was dies bedeuten sollte. Offensichtlich hatte König Karl seinen Verwandten gezwungen, die Ehe mit ihr zu vollziehen. Dabei wünschte sie sich alles andere als eine enge Gemeinsamkeit mit diesem Mann.

Verzweifelt sah sie sich nach einem Ausweg um, aber es war, als säße sie in einer Falle. Ihr fiel der Weinkrug auf, dessen Inhalt Eward bereits kräftig zugesprochen haben musste, denn er schwankte und hatte Mühe, auf den Beinen zu bleiben.

Mit einer heftigen Handbewegung wies er auf das Bett. »Zieh dich aus und leg dich da hin!«

Obwohl Ermengilda am liebsten schreiend davongelaufen wäre, löste sie gehorsam die Schlaufen ihres Gewands, bis es langsam an ihr hinabrutschte und sie im Hemd vor Eward stand. Auf seinen Wink zog sie auch dieses Kleidungsstück über den Kopf und bedeckte Scham und Brüste mit den Händen.

Er sah sie nicht einmal an, sondern schnupperte nur. »Du riechst recht streng zwischen den Beinen. Dort ist Wasser. Wasch dich gefälligst vorher!«

Am liebsten hätte sie ihm ins Gesicht geschrien, dass ihre weibliche Öffnung gewiss weniger stank als die, die er Hildiger angeboten hatte. Ihre Erziehung aber gebot ihr, ihrem Ehemann eine gehorsame Frau zu sein und sich seinen Launen klaglos zu beugen. Mit müden Schritten ging sie zu der Wasserschüssel, die auf einem klappbaren Gestell ruhte, und begann sich zu säubern. Dabei kehrte sie Eward den Rücken zu, doch als sie über die Schulter schaute, bemerkte sie, dass er ihre Kehrseite interessiert musterte. Für Augenblicke überkam sie die Angst, er würde sie packen und das mit ihr tun, was Hildiger mit ihm getan hatte. Rasch drehte sie sich um und präsentierte ihm ihre Brüste und das blondgelockte Dreieck zwischen ihren Schenkeln.

Es war beinahe lächerlich zu sehen, wie er nun angewidert sein Gesicht verzog. Seine Lust – falls er je welche empfunden hatte – schwand, und er griff zum Weinbecher, um sich zu stärken. Ermengilda dachte sich, dass auch ihr ein wenig Wein helfen mochte, die nächsten Augenblicke besser zu überstehen, und suchte nach einem Becher. Doch das einzige andere Gefäß enthielt noch einen Rest, und sie nahm an, dass Hildiger daraus getrunken hatte. Diese Vorstellung ließ sie die Hand wieder zurückziehen.

Da sie Eward nicht um seinen Becher bitten wollte, hob sie mit beiden Händen die Weinkanne hoch und führte den Schnabel zum Mund. Zum Glück war die Kanne kaum zur Hälfte gefüllt, und daher konnte sie sie halten. Während sie mit kräftigen Schlucken trank, bat sie die Heilige Jungfrau stumm um Schutz und Hilfe bei dem, was sie erwartete.

Ein wenig Wein war ihr über Kinn und Hals auf ihre rechte Brust geflossen. Ein anderer Mann hätte sie vielleicht neckisch an dieser Stelle geküsst, doch Eward reichte ihr ein Tuch. »Wisch das ab, und dann leg dich hin, damit wir es endlich hinter uns bringen.«

Was für eine Brautnacht!, dachte Ermengilda. Sie passte zu der schrecklichen Hochzeitszeremonie, die nun schon etliche Tage zurücklag. Warum spielte ihr das Schicksal so übel mit? Sie musste sich einem Mann hingeben, der ihr widerwärtig war. Aber es gab keinen Ausweg, denn diese Ehe diente dem Wohlergehen ihrer Familie und ganz Asturiens.

Seufzend legte sie sich aufs Bett, rollte sich jedoch zusammen wie ein kleines Kind.

»So geht es nicht! Du musst dich auf den Rücken legen und die Beine spreizen.« Eward trank noch einen Becher, zog sich dann umständlich aus und trat auf das Bett zu.

Ermengilda nahm wahr, dass er ein hübscher Mann war, gut gewachsen, mit dichten, blonden Locken und angenehmen Gesichtszügen, die nun aber beinahe die gleiche Verzweiflung zeigten, von der auch sie erfüllt war. Für einen Augenblick tat er ihr sogar leid. Dann aber dachte sie daran, dass sie diejenige war, mit der man Mitleid haben musste, und ihr stiegen die Tränen in die Augen. Mit einem Mal tauchte Philibert vor ihrem inneren Auge auf. Er sah in ihr ein begehrenswertes Weib und würde sie gewiss nicht nur aus Pflicht besteigen. Auch Konrad würde das nicht tun, sondern sie lieben und achten, wie es einer Frau ihrer Herkunft zukam. Um nicht in ihrem

Elend zu versinken, schloss sie die Augen, um die Bilder der beiden jungen Männer festzuhalten, die sie jeweils auf ihre Art liebten.

Daher bemerkte sie nicht, dass Eward wie ein Häuflein Elend neben dem Bett stand. Er wusste, dass der König die Tat heute ausgeführt sehen wollte, und zupfte verzweifelt an dem schlaffen Dingelchen herum, das ihm zwischen den Beinen hing. In seiner Verzweiflung stellte er sich seinen Geliebten vor, so nackt, wie Gott ihn geschaffen hatte. Doch da er stets der passive Teil ihrer Partnerschaft gewesen war, fiel es ihm schwer, selbst die Initiative zu ergreifen.

Mit viel Mühe gelang es ihm, eine gewisse Härte seines Gliedes zu erreichen. Aus Angst, sein Ding könne ihm sofort wieder den Dienst aufsagen, stieg er auf das Bett und legte sich auf die junge Frau, so dass sie tief in die dicke Matratze gedrückt wurde, suchte mit der Hand die Stelle, in die es einzudringen galt, und schob sich mit einem heftigen Ruck nach vorne.

Ermengilda stöhnte auf, als sie auf eine so rauhe Art entjungfert wurde, und flehte die Gottesmutter an, es bald vorübergehen zu lassen.

Unterdessen spürte Eward, wie sein Glied während seiner Stöße immer härter wurde und ihn ein Hauch jener Leidenschaft erfüllte, die er bei Hildiger empfand. Dennoch atmete er erleichtert auf, als er sich nach einem kaum merklichen Ziehen in den Lenden in Ermengilda ergoss.

Er blieb keinen Augenblick länger auf ihr liegen als notwendig und blickte dann voller Abscheu an sich hinab. Sein Penis und seine Schamhaare klebten von dem Blut, das als dünnes Rinnsal aus Ermengildas Scheide floss.

»Deck dich zu!«, würgte er und kehrte ihr den Rücken zu. Mit zitternden Händen packte er den Weinkrug, füllte seinen Becher und trank wie ein Verdurstender.

Unterdessen ergriff Ermengilda eines der bereitliegenden Tücher und presste es gegen ihren Schoß. Ihr Leib brannte wie Feuer, und die Tränen liefen ihr über das Gesicht. Nun begriff sie, wie Ebla sich gefühlt haben musste, als sie wie eine Stute zu König Silo geführt worden war, und sie schämte sich, ihre Magd nach den Einzelheiten gefragt zu haben. Sie würde ebenfalls niemandem sagen können, was Eward mit ihr getan und mit welchen Gefühlen sie es erduldet hatte.

Zu ihrer Erleichterung merkte Ermengilda, dass ihre Blutung allmählich versiegte. Rasch ergriff sie ihr Hemd, schlüpfte hinein und zog ihr Kleid an. Ohne darauf zu achten, dass die Schlaufen noch offen waren, wollte sie das Zelt verlassen.

In dem Augenblick drehte Eward sich zu ihr um. »Was machst du da?«

»Ich möchte in das Zelt zurückkehren, in das ich gesteckt worden bin.«

Eward lachte bitter auf. »Oh nein! Du wirst hier in meinem Zelt bleiben. Der König will es so. Du bekommst ein eigenes Bett, und ich lasse dir einen Teil mit einem Vorhang abtrennen. Außerdem kannst du eine Magd bestimmen, die dich bedienen soll.«

»Dann nehme ich Maite!« Kaum hatte sie es gesagt, zuckte Ermengilda zusammen. Was würde die Waskonin sagen, wenn sie ihr auf einmal Magddienste leisten sollte? Musste sie nicht glauben, dies geschähe aus Rache? Dabei war ihr Maites Name nur deshalb über die Lippen gerutscht, weil es sich bei ihr um das einzige weibliche Wesen im Lager handelte, dem sie glaubte vertrauen zu können.

»Ich werde das Mädchen holen lassen. Aber es soll mir nicht im Weg umgehen.« ... und du am besten auch nicht, setzte Eward stumm hinzu. Dann blickte er auf das Bett und entdeckte den großen, roten Fleck auf dem Laken. Obwohl es ihn davor schauderte, atmete er doch erleichtert auf.

»Mit diesem sichtbaren Zeichen unserer Pflichterfüllung wird der König hoffentlich zufrieden sein.«

Seine Gedanken drehten sich jedoch um Hildiger, den er durch die Vereinigung mit Ermengilda betrogen hatte, und er zitterte vor dem Zorn seines Geliebten.

10.

Ewards Sorgen waren zumindest im Augenblick völlig unnötig, denn gerade in diesem Augenblick traten zwei von Rolands Bretonen auf Hildiger zu. »Der Markgraf will dich sehen!«

Hildiger zog die Stirn kraus. »Mein Herr ist Graf Eward. Nur er hat das Recht, mich zu sich zu rufen.«

»Eward ist auf diesem Kriegszug dem Markgrafen Roland unterstellt. Daher wirst du dessen Befehle so befolgen, als kämen sie von deinem Grafen.« Dem Bretonen lag ein anderer Ausdruck auf der Zunge, doch er beherrschte sich. Da Hildiger noch immer keine Anstalten machte, ihnen zu folgen, packten die beiden Männer ihn unter den Armen und schleppten ihn mit sich.

»Was soll das?«, schimpfte Ewards Liebhaber und versuchte, sich zu befreien. Doch er erreichte nur, dass die beiden ihren Griff noch verstärkten. Schlimmer noch als diese Demütigung war das höhnische Lachen der Krieger, das ihn begleitete. Sogar einige von Ewards Leuten vermochten ihre Heiterkeit nicht ganz zu verbergen. Die Männer hatten schon viele spöttische Bemerkungen über sich ergehen lassen müssen, sich aber nicht getraut, ein Wort gegen Eward oder Hildiger zu sagen. Nun aber stellten sie zufrieden fest, dass der Wind dem Schwertbruder ihres Anführers ins Gesicht blies.

Dies begriff auch Hildiger, der im Stillen die Ankunft des Königs verfluchte. Seit Karls Erscheinen quälte ihn die Angst um seine Zukunft, denn Eward war eine Memme und würde sich niemals gegen seinen königlichen Verwandten durchsetzen können. Sicher hatte er sich dazu drängen lassen, die asturische Kuh zu besteigen, und wenn Karl darauf bestand, würde er sich auch von ihm trennen.

Hildiger hatte als Einziger der Männer, die Eward umgaben, dessen Vorliebe für Männer erkannt und sie sich zunutze gemacht. Für das, was er erreichen wollte, hatte er den Spott derer, die sich über das enge Verhältnis zwischen ihm und dem Halbbruder des Königs lustig machten, gerne ertragen. Ewards Herkunft prädestinierte diesen dazu, eine hohe Stellung im Reich einzunehmen. Doch das halbe Kind war unfähig, Verantwortung zu tragen und Pflichten zu übernehmen, die zu einem bedeutenden Amt gehörten. Also hatte er geplant, an Ewards Stelle Macht auszuüben.

Allerdings musste er nun weitaus vorsichtiger vorgehen als früher und durfte seinen Einfluss nicht mehr offen zeigen. Vor allem aber musste er dafür sorgen, dass sein Geliebter nicht doch Gefallen an seinem Weib fand. Schlimmstenfalls würde ein schneller Dolchstich ihn von Ermengilda befreien müssen.

In seinen Gedanken eingesponnen, merkte Hildiger erst, dass er vor Roland stand, als dieser ihn ansprach. »Der König hat einen Auftrag für dich. Du wirst nach Asturien reiten und König Silo an sein Bündnis mit König Karl erinnern. Sag ihm, wir erwarten ihn und sein Aufgebot bei Saragossa, und teile ihm mit, es sei besser für ihn, zu kommen und genug Vorräte mitzubringen. Unser König ist – das kannst du dem Asturier ausrichten – im Allgemeinen sehr großmütig. Wenn ihn jedoch der Zorn packt, wird es Silo die Krone kosten.«

Hildiger stierte den Markgrafen von Cenomanien an und fragte sich, ob Roland ihn auf ein Himmelfahrtskommando schicken wollte. König Silo war gewiss nicht der Mann, der auf eine solche Weise mit sich reden lassen würde. Wahrscheinlich würde der Asturier ihn einkerkern oder gar umbringen lassen, wenn er ihm diese Botschaft überbrachte.

Seine Überlegungen spiegelten sich auf seinem Gesicht wider und brachten Roland dazu, verächtlich den Mund zu verziehen. Ihm persönlich war es gleichgültig, was zwei Männer miteinander trieben, Hauptsache, sie erwiesen sich als tapfere und geschickte Krieger. Doch Eward, der selbst ein Hasenherz war, hatte sich mit Hildiger ausgerechnet einen Geliebten ausgesucht, der im Grunde noch feiger war als er selbst.

»Ich hoffe, du hast verstanden, was ich gesagt habe! Damit König Silo sieht, wie ernst wir es meinen, schickt Karl dir fünfhundert Krieger mit. Die werden wohl ausreichen, deine kostbare Haut zu beschützen. Konrad vom Birkenhof ist mit nur wenig mehr als dreißig Mann nach Asturien geritten und unbeschadet zurückgekehrt.« Rolands Stimme troff vor Hohn, doch Hildiger war nicht einmal beleidigt, denn er verstand nur, dass er von einem kleinen Heer begleitet werden sollte.

Allerdings passte es nicht in seine Pläne, Eward ausgerechnet in dieser heiklen Phase verlassen zu müssen. Weigerte er sich jedoch zu reiten, bot er Karl die Möglichkeit, ihn wegen Ungehorsams zum Sklaven degradieren oder gar hinrichten zu lassen, und dann würde auch Eward ihm nicht mehr helfen können. Also blieb ihm nichts anderes übrig, als auf die Treue seines Geliebten zu bauen. Er aber würde die Gelegenheit wahrnehmen, dem König seinen Wert zu beweisen.

Er verbeugte sich vor Roland und bemühte sich, verbindlich zu sein. »Ich werde nach Asturien reiten, Markgraf, und mit König Silos Scharen zurückkehren. Mit ihnen zusammen werden wir die Mauren besiegen.«

Roland musterte ihn von oben bis unten. »Mit den Mauren werden wir Franken auch allein fertig. Wir müssen nur verhindern, dass Silo uns in den Rücken fällt und Land an sich rafft, das wir für uns bestimmt haben. Und nun geh! Ich habe zu tun.«

Hildiger schluckte seine Wut über diesen unhöflichen Abschied hinunter und verließ das Zelt, ohne ein weiteres Wort zu sagen. Als er kurz darauf Eward aufsuchen wollte, um sich von ihm zu verabschieden, verlegten ihm mehrere Krieger der königlichen Garde den Weg. »Hier geht es nicht zu den Pferden, Hildiger. Dein Weg führt in diese Richtung. Aber beeil dich! Deine Eskorte sitzt bereits zu Pferd.«

Auch jetzt schluckte Hildiger den Fluch, der ihm über die Lippen wollte, hinunter. Während er mit grimmiger Miene zu den Pferden stapfte, bei denen tatsächlich schon die Reiter seiner Truppe auf ihn warteten, schwor er sich, Roland diese Behandlung heimzuzahlen.

II.

Anders als Ermengilda befürchtet hatte, stellte der Befehl, ihr zu dienen, für Maite eine Erlösung dar. Ihr waren die anderen waskonischen Mädchen auf die Nerven gegangen, insbesondere, da sie in deren Gesellschaft zum ersten Mal in ihrem Leben erfahren hatte, was Langeweile hieß. Als sie mit dem wenigen, das sie besaß, in Ewards Zelt eintraf, fand sie Ermengilda still und bedrückt vor.

Bei ihrem Anblick versuchte die junge Asturierin jedoch zu lächeln. »Schön, dass du da bist, Maite. Ich hoffe, du bist mir nicht böse, dass ich dich als meine Dienerin vorgeschlagen habe. Es geschah nicht aus Bosheit, sondern ...«, sie sah Maite mit einem traurigen Blick an, »... weil du der einzige Mensch bist, dem ich hier vertrauen kann.«

Die aufrichtigen Worte rührten Maite. Zwar waren Ermengilda und sie im Grunde Feindinnen, doch das Schicksal hatte sie beide zu Gefangenen der Franken gemacht, Ermengilda durch Heirat und sie als Geisel. Im Grunde war sie in der glücklicheren Lage, denn sie konnte hoffen, bald freizukommen. Ermengilda aber hatte man mit Ketten an Eward gefesselt, die stärker waren als Eisen.

»Ich gehe dir gerne zur Hand, denn mir bliebe sonst nichts anderes übrig, als mir dumme Sprüche von noch dümmeren Gänsen anzuhören.« Maite sah sich um, ob etwas zu tun sei, und entdeckte eine offene Truhe, in der bereits einige Kleider lagen. Ermengilda deutete darauf. »Mir wurde gesagt, es würde heute noch der Befehl ergehen, Pamplona zu verlassen. Der König will nach Süden ziehen und das Land bis zum Ebro seiner Herrschaft unterwerfen. Möglicherweise marschiert das Heer sogar bis Saragossa. Daher müssen wir packen, um für den Abmarsch vorbereitet zu sein. Die Truhe enthält bereits einige meiner Gewänder und außerdem Tuch für ein paar neue Kleider. Darunter befindet sich auch der Rest des Stoffes, der dich kleiden soll. Wir haben also genug zu tun, während das Heer zieht.«

Zu Maites Verwunderung schien Ermengilda froh zu sein, dass es endlich weiterging, aber der Grund dafür erschloss sich ihr nicht.

Ermengilda wollte ihr nicht offenbaren, dass sie hoffte, Eward würde sie unterwegs in Ruhe lassen. Da die Erfahrung, die sie beim ersten Mal mit ihm gemacht hatte, schmerzhaft gewesen war, wollte sie so rasch nicht wieder in sein Bett steigen müssen.

Maite hätte Verständnis für sie gehabt, denn ihr Urteil über Eward stand fest. Verglichen mit Philibert und Konrad war er ein erbärmlicher Charakter, und sie war froh, nichts mit ihm zu schaffen zu haben.

Gemeinsam mit Ermengilda kniete sie neben der Truhe und half ihr, die Kleider auszusuchen, die diese mitnehmen wollte.

Zwei davon, die noch recht gut aussahen, wanderten zu ihr hinüber. Sie würde sie kürzen und mit den dabei abfallenden Stoffstücken um Taille und Hüfte weiter machen müssen. Dennoch fand sie, dass sie noch nie schönere Kleider besessen hatte.

Diese Erkenntnis ließ die Erinnerung an die Jahre in Okins Haus bitter in ihr hochsteigen. Ihr Onkel hatte ihr nicht nur gegen jedes Recht den Besitz ihres Vaters vorenthalten, sondern auch gemeinsam mit seiner Frau dafür gesorgt, dass sie stets in schlichten Kitteln herumgelaufen war, als sei sie armer Leute Kind. Früher hatte sie das nicht gestört, aber als sie jetzt Ermengildas Kleider bewunderte, empfand sie noch mehr Zorn auf den Mann, der von dem Tod ihres Vaters profitiert und sie all ihrer Rechte beraubt hatte. So, wie Okin und Estinne sie erzogen hatten, war es ihr nicht möglich gewesen, ein unbeschwertes junges Mädchen unter anderen jungen Waskoninnen zu sein. Die beiden hatten sie nach ihrer Rückkehr aus Roderichs Burg von anderen Kindern ferngehalten und sie damit auch dem Stamm entfremdet. Nun musste sie froh sein, dass Ermengilda sich ihrer angenommen hatte, auch wenn sie im Gegensatz zu den letzten Monaten nun deren Dienerin war.

Sie lächelte Ermengilda zu und zeigte auf eines der Kleider. »Ich glaube, darin wirst du besonders hübsch aussehen.«

»Mir wäre lieber, ich wäre hässlich wie die Nacht«, antwortete Ermengilda leise.

Maite schüttelte den Kopf. »Da wärst du aber die einzige Frau auf der Welt, die sich das wünscht.«

Mit einer geschmeidigen Bewegung fuhr Ermengilda hoch. »Wäre ich hässlich, müsste ich nicht zwei wackere Männer betrüben, die mir aufrichtig zugetan sind.«

»Männer sind Männer«, antwortete Maite leichthin. »Du kannst dir zehn aussuchen, und es ist kein Gescheiter darunter. Wir Mädchen müssen es nehmen, wie es kommt. Manchmal hat man ein wenig Glück, meistens aber eher nicht.«

»Wie oft warst du schon verheiratet, dass du so klug daherredest?«, fragte Ermengilda.

Maite amüsierte sich über den Vorwurf. »Natürlich noch kein einziges Mal. Aber ich brauche nur die Männer anzusehen, die mir vor die Füße laufen. Ich würde einen Schock von ihnen für einen Denar verkaufen, wenn ich könnte.«

»Ich würde nur einen ganz Bestimmten verkaufen, doch genau das kann ich nicht. Mir bleibt nur, zu erdulden, was das Schicksal mir auferlegt hat.« Ermengilda seufzte und schloss ihre Truhe. Da noch einige Kleider und Maites Stoffballen auf ihrem Bett lagen, wies sie zum Zelteingang.

»Wir werden uns eine weitere Truhe besorgen müssen, um alles unterzubringen.«

»Nimm doch eine von deinem Gemahl. Bei Gott, hat der Mann seinen ganzen Hausstand dabei?« Maite starrte verdutzt auf die Vielzahl an Truhen, die auf der anderen Zeltseite aufgestapelt waren. Es war mindestens ein halbes Dutzend, und in jede davon hätte Ermengildas Kiste dreimal hineingepasst.

Die Asturierin versteifte sich. »Ich will nichts von meinem Gemahl haben!«

»Da ist der König leider anderer Ansicht.« Unbemerkt von den beiden Frauen war Eward ins Zelt getreten. Sein Gesicht wirkte angespannt, und er starrte Ermengilda an, als sei sie ein Dämon, der geschickt worden war, ihn zu plagen.

Mit einer Hand wies er zum Zelteingang. »Du kannst gehen und draußen weitermachen, Sklavin. Ich muss mit meinem Weib allein sein!«

»Ich bin keine Sklavin!«, schnaubte Maite empört.

Sie sah, wie Ermengilda erbleichte, und sagte sich, dass hier zwei Menschen vor Gott zusammengespannt worden waren, die wirklich nicht zueinander passten. Da dies jedoch nicht ihre Sache war, verließ sie das Zelt, ohne Eward noch einmal anzusehen. Draußen scheuchte sie die Knechte herum, damit diese ihr eine weitere Truhe besorgten. Auch forderte sie die Männer auf, einen Wagen für Ermengilda und sie bereitzustellen, denn sie hatte keine Lust, bis Saragossa zu laufen.

Im Zelt wandte Eward sich mit unverhohlenem Widerwillen an Ermengilda. »Zieh dich aus! Der König wünscht, dass ich dich regelmäßig besteige. Gebe Gott, dass du bald schwanger wirst.«

»... und es dir erspart bleibt, weiterhin mit mir Hengst und Stute spielen zu müssen«, ergänzte Ermengilda seine Aussage. »Da bist du nicht der Einzige, der sich das erhofft.«

12.

Das Heer befand sich auf dem Marsch. Zwar bildete Rolands Truppe erneut die Vorhut, aber sie ritt diesmal nicht so weit voraus wie beim Vorrücken auf Pamplona. Eward hätte Ermengilda am liebsten bei der Nachhut oder wenigstens beim Haupteer zurückgelassen, doch König Karl hatte sich unerbittlich gezeigt. Das Ehepaar musste zusammenbleiben und dabei täglich seine ehelichen Pflichten erfüllen.

Der Markgraf hatte vom König den Auftrag erhalten, dafür zu sorgen, dass Eward diesen Befehl auch befolgte, und ihm schien es Freude zu bereiten, den jungen Ehemann jeden Abend daran zu erinnern. Wäre Hildiger bei ihm gewesen, hätte Eward auf dessen Drängen hin aufbegehrt. So aber ergab er sich in sein Schicksal. Es machte ihm zwar keine Freude, mit Ermengilda zu verkehren, doch seine Abscheu vor ihr begann zu schwinden.

Auch Ermengilda hatte sich daran gewöhnt, dass ihr Ehemann

jeden Abend zu ihr kam. Da er ihr keine Schmerzen mehr zufügte, nahm sie es klaglos hin und klammerte sich an die Hoffnung, bald in andere Umstände zu kommen. Manchmal, wenn sie mit Maite zusammen auf dem Ochsenwagen saß, der ihnen als Transportmittel zur Verfügung gestellt worden war, dachte sie mit Schaudern daran, wie lange es bei ihrer Mutter gedauert hatte, bis diese empfangen hatte.

Maite ließ sich ihre Laune nicht von Ermengildas verzweifelter Miene trüben, denn ihr gefiel es, dass es auf dem Marsch endlich wieder Ansprechpartner gab. Auf Karls Befehl hatte Graf Eneko Roland mehrere seiner Gefolgsleute als Führer mitgegeben, und da die jungen Waskonen die Franken nicht mochten, unterhielten sie sich lieber mit ihr. Bei ihnen galt Maite immer noch als die kühne Tochter des berühmten Häuptlings Iker, die selbst einem Grafen Roderich ins Gesicht gespuckt hatte, und so konnte sie sich im Kreis dieser Burschen wieder ganz als Waskonin fühlen und davon träumen, einmal jenen Platz einzunehmen, der ihr ihrer Abkunft nach zustand.

Von den Franken kümmerte sich kaum einer um Maite. Nur Philibert und Konrad, die seit König Karls Machtwort häufig zusammen mit anderen Trabanten von Eward in dessen Zelt eingeladen wurden, sprachen mit ihr. Maite merkte jedoch, dass es den jungen Männern nur darum ging, sie über Ermengilda auszuhorchen.

Die schöne Asturierin war auch der Grund, weshalb die beiden so bereitwillig zu Eward kamen. Zwar durften sie nichts tun oder sagen, was dessen Ehre kränken konnte, versuchten aber, Ermengilda unauffällig zu vermitteln, dass sie jederzeit mit ihrer Unterstützung rechnen konnte.

Sie lernten auch Eward besser kennen und begriffen bald, dass sich hinter dessen hochmütiger Fassade ein schwacher, ängstlicher Mensch verbarg. Nach Konrads Worten wäre Karls Verwandter ein guter Betbruder geworden. Als Anführer von

Kriegern taugte er nicht, und der Gedanke, dass dieser Schwächling die Frau sein Eigen nennen konnte, die er und Philibert verehrten, vergällte ihnen beiden das Dasein. Sie fieberten dem Kampf mit den Mauren entgegen und wünschten sich im Stillen, Eward würde bei den Kämpfen fallen.

Zu Beginn ihres Marsches sah es jedoch nicht so aus, als würde es in nächster Zeit zu einem Gefecht kommen. Zwar tauchten immer wieder maurische Reiter auf, doch jedes Mal, wenn Roland eine Schar ausschickte, um die Feinde zu jagen, gaben diese ihren Pferden die Sporen und verschwanden schneller, als die schwerfälligen Hengste der Franken ihnen folgen konnten.

Auch an diesem Tag konnten sie nur auf die wehenden Schweife der Maurenpferde starren, während ihren Reittieren bereits der Schaum vom Maul troff. Konrads Hengst rasselte bedenklich in der Brust. Daher zügelte er ihn und hob die Hand zum Zeichen für die anderen Reiter, die Verfolgung abzubrechen.

»So wird das nichts, Männer. Die maurischen Gäule sind einfach zu schnell für uns.«

»… und wir zu schwer gepanzert«, setzte Philibert enttäuscht hinzu, der mittlerweile wieder auf den Beinen war. »Das mag in der Schlacht von Vorteil sein, nicht aber bei einer solchen Hetzjagd.«

Konrad sah ihn an und grinste. »Vielleicht kriegen wir diese Kerle doch noch. Ich habe da eine Idee!«

Philibert verdrehte die Augen. »Du und deine Ideen! Das wird wieder was sein.«

»Lass dich überraschen.« Konrad wandte sich an Rado, dessen Mienenspiel verriet, dass er begriff, was sein Anführer im Schilde führte. »Wie viele der erbeuteten maurischen Stuten führen wir mit uns?«

»Etwa dreißig, und alle gut im Saft, wie ich bemerken will.«

Konrads Blick überflog seine Schar und suchte die leichtesten

Reiter heraus. »Wir werden auf Panzerhemden und Schilde verzichten müssen. Wenn wir geschickt vorgehen, überraschen wir den Feind.«

»Und wenn nicht, geraten wir in Teufels Küche«, antwortete Philibert lachend. »Beim Heiland, das wird ein Spaß ganz nach meinem Sinn. Ich bin dabei.«

»Du bist zu schwer«, wandte Konrad ein. »Außerdem brauche ich jemanden, der die anderen Reiter anführt. Ihr werdet uns die Kerle zutreiben müssen.«

»Worauf du dich verlassen kannst!« Philibert stieß einen Jubelruf aus, der von den nahen Felsen widerhallte, und begann misstönend zu singen. Etliche Reiter fielen fröhlich mit ein, während die schwerer gebauten Männer schiefe Gesichter zogen. Zwar hatten sie Maurenstuten als Beute erhalten, würden sie aber für diesen Zweck wieder hergeben müssen, und das passte den meisten nicht.

»Du wirst dem Markgrafen erklären müssen, was du vorhast«, wandte einer von ihnen ein.

Konrad grinste übermütig. »Ich habe nichts anderes vor! Ganz gewiss wird Roland diesen Streich gutheißen, und wie ich ihn einschätze, würde er am liebsten mit uns reiten.«

Da die Männer ihren Heerführer kannten, wettete keiner dagegen, und zum ersten Mal kehrten sie trotz der vergeblichen Jagd mit der Hoffnung auf einen baldigen Erfolg zum Haupttrupp zurück.

Roland erkannte auf den ersten Blick, dass etwas im Schwange war. Mit einem Zungenschnalzen trieb er sein Pferd an und lenkte es neben Konrads Hengst.

»Ihr seht alle so munter aus, als hättet ihr mit den Mauren Ringelreihen gespielt.«

»Sie sind uns mal wieder entwischt. Aber ich habe eine Idee, wie wir sie überlisten können. Ich brauche nur dreißig Reiter und dazu die maurischen Stuten, die wir bei uns haben.«

Für einen Augenblick huschte ein fragender Ausdruck über Rolands Gesicht, dann begriff er und nickte. »Ihr werdet die Panzerhemden ablegen müssen, und das liefert euch den Pfeilen der Mauren aus, wenn die Überraschung nicht gelingt. Ihr solltet wenigstens leichte Schilde tragen.«

Mit diesen Worten deutete der Markgraf an, dass er mit Konrads Überlegungen einverstanden war, und machte einige Vorschläge, wie Konrad seine Pläne erfolgreich in die Tat umsetzen konnte. Der junge Reiter lauschte geradezu ehrfürchtig und erkannte Rolands größere militärische Erfahrung neidlos an.

»Morgen schicke ich eine doppelt so große Reiterschar als Vortrab los. Die Mauren sollen glauben, sie hätten uns bis aufs Blut gereizt, und das wird sie noch übermütiger machen. Graf Eward soll die Panzerreiter anführen. Du wirst dich mit deinen dreißig Mann noch vor dem Morgengrauen auf den Weg machen und jede Deckung nützen, die sich euch bietet. Seid am Mittag bei dem roten Felsen, von dem unsere Führer gesprochen haben. Dort wird Eward seine Attacke beginnen.«

Konrad wäre es lieber gewesen, Roland hätte seinen Freund Philibert mit dieser Aufgabe betraut. Doch der Markgraf hatte von König Karl den Auftrag erhalten, dafür zu sorgen, dass Eward Kampferfahrung sammelte, und die Gelegenheit schien günstig zu sein.

Er zwinkerte Konrad vertraulich zu. »Graf Eward wird den ersten Angriff auf die Mauren anführen. Für die eigentliche Jagd nehme ich meine Männer. Sie werden euch den Feind in die Arme treiben. Macht aber etwas daraus! Wenn es morgen leere Sättel gibt, sollen es die der Mauren sein.«

»Dafür sorge ich!« Konrad nickte Roland kurz zu, dann zügelte er seinen Hengst und reihte sich weiter hinten in den Heerzug ein.

Philibert blieb an seiner Seite und sah ihn herausfordernd an. »Ich komme morgen mit dir, was auch immer du sagst.«

Konrad begriff, dass er seinen Freund nicht zurückhalten konnte, und nickte verdrossen. »Also gut! Aber denke nicht, dass wir auf dich Rücksicht nehmen, wenn dein Gaul unseren Stuten nicht folgen kann.«

»Pah! Mein Hengst gehört zu den schnellsten im Heer!«

»Also gut! Aber leih dir lieber eine der Maurenstuten aus und schone dein Schlachtross«, antwortete Konrad gelassen. »Wir reiten morgen zusammen. Ich wette jedoch mit dir, dass ich mehr Mauren töten werde als du.«

»Die Wette halte ich. Was willst du einsetzen?«

Konrad hatte die Wette angeboten, ohne darüber nachzudenken. Jetzt sah er Philibert überrascht an und wusste nicht so recht, was er sagen sollte. Da er sich jedoch nicht vor Philibert blamieren wollte, indem er von der Wette zurücktrat, streckte er diesem die Hand hin.

»Ich setze den Wert meines Hengstes in Gold.«

»Hast du so viel?«, fragte Philibert überrascht.

»Nein! Aber ich werde es morgen erbeuten!«

13.

Als Graf Eward am nächsten Morgen erwachte, spürte er einen warmen Körper neben sich, der sich im Schlaf an ihn schmiegte. War Hildiger in der Nacht zurückgekehrt?, fragte er sich und tastete danach. Doch statt fester Muskeln berührten seine Finger zartes Fleisch und eine weibliche Brust.

Neben ihm lag ein Weib. Er wollte zornig auffahren, als er im Licht des beginnenden Tages Ermengilda erkannte. Er hatte sie am Abend pflichtgemäß bestiegen, dann aber nicht weggeschickt, sondern sich mit ihr unterhalten, weil er einfach einen Menschen gebraucht hatte, mit dem er reden konnte.

An diesem Tag würde er zum ersten Mal einem richtigen Feind

gegenüberstehen. Sein Magen verkrampfte sich bei dem Gedanken, und er spürte, dass die Angst wie schleichendes Gift in ihm aufstieg.

»Du bist ein Mann!«, rief er sich zur Ordnung und beneidete mit einem Mal Ermengilda, die sorglos in den neuen Tag hinein schlief. In diesem Augenblick wäre er auch lieber eine Frau gewesen, die im Lager bleiben und den abreitenden Männern zusehen konnte. Doch er war König Karls Halbbruder und musste in wenigen Stunden seine Männer in die Schlacht führen.

Nein, eine Schlacht würde es nicht werden, korrigierte er sich in Gedanken, höchstens ein Scharmützel. Doch dabei konnte man sich ebenfalls einen tödlichen Schwerthieb einfangen.

Da Eward sich unruhig hin und her warf, wachte Ermengilda auf und sah ihn verwundert an. »Verzeih, aber ich bin neben dir eingeschlafen.«

Sie wollte aufstehen und in den Teil des Zeltes gehen, der ihr und Maite zur Verfügung stand, doch Eward griff nach ihrer Hand.

»Ich habe Angst«, flüsterte er und fürchtete im gleichen Augenblick, Verachtung auf ihrem Gesicht zu lesen.

Ermengilda blickte ihn nachdenklich an. Längst hatte sie begriffen, dass in Ewards schönem, kraftvollem Körper der Geist eines Kindes ruhte – oder der eines Weibes. Zwar versuchte er, dies zu verbergen, aber es gelang ihm nicht immer.

»Ich glaube, jeder Krieger, der in den Kampf reitet, hat Angst. Selbst bei meinem Vater war es so«, antwortete sie daher freundlich und verständnisvoll.

Graf Roderich hatte zwar weniger den Tod in der Schlacht gefürchtet, als vielmehr durch einen eigenen Fehler zu unterliegen, doch als Ermengilda sah, wie ihre Worte Eward aufrichteten, bedauerte sie die kleine Lüge nicht. Seit sein Schwertbruder fort war, kam sie mit ihrem Gemahl besser aus, und sie betete im Stillen, Hildiger würde fern von ihnen im Kampf fallen. Dann konnte Eward sich endlich dem Einfluss dieses Mannes entziehen und vielleicht doch noch ein akzeptabler Ehemann werden. Es war zwar eine schwere Sünde, einem Menschen den Tod zu wünschen, aber ihr war klar, dass sie nur in dem Fall darauf hoffen konnte, ein halbwegs erfülltes Leben als Ehefrau zu führen.

Während sie versuchte, sich ihre Zukunft rosiger auszumalen als die Gegenwart, wusch Eward sich Gesicht und Hände und zog anschließend Hosen und Tunika an. Seine Finger zitterten dabei so, dass Ermengilda ihm helfen musste.

Er starrte sie verzweifelt an. »Ich wollte, ich könnte bei dir bleiben.«

Sie strich ihm über die Wange wie einem Kind. »Das kannst du aber nicht. Also fasse Mut und vertraue auf unseren Heiland. Er wird dich beschützen.«

Eward bekreuzigte sich und sprach ein kurzes Gebet, um die Unterstützung von Jesus Christus und aller Heiligen zu gewinnen. Danach gelang es ihm sogar, ein wenig zu lächeln. Auch wenn Ermengilda eine Frau war, so hatte es doch gutgetan, mit ihr zu sprechen. Ruhiger geworden, zog er sich weiter an und bat sie, ihm in das Panzerhemd zu helfen.

Ermengilda musste Maite rufen, um das schwere Ding so halten zu können, dass Eward es überstreifen konnte. Maite schloss die Schnallen, legte ihm den Schwertgurt um und reichte ihm Panzerhandschuhe und Schwert. Er klemmte die Handschuhe unter den Arm und verließ das Zelt ohne Gruß. Dabei wunderte er sich über sich selbst. Bis jetzt hatte er geglaubt, es in der Nähe von Frauen nicht aushalten zu können. Nun aber zog er ihre freundliche, gelassene Art dem rauhen Ton vor, der unter den Kriegern herrschte. Es kostete ihn zwar immer noch Überwindung, mit Ermengilda das Lager zu teilen, und er musste sich meist vorstellen, ihre Rollen wären vertauscht und sie der Mann. Dennoch fand er es nicht so schrecklich abstoßend, mit ihr zu verkehren, wie Hildiger es dargestellt hatte.

Obwohl Eward sich beeilte, zum Sammelplatz zu kommen, saßen die anderen Krieger bereits auf den Pferden. Ein Knecht brachte sein Ross heran und half ihm aufzusteigen.

Roland trat an seine Seite und sah ihn durchdringend an. »Heute kannst du dem König deinen Wert als Krieger und Anführer beweisen.«

Eward nickte beklommen. »Ich werde alles tun, um Karl und auch dich nicht zu enttäuschen.«

»Das will ich hoffen! Reitet jetzt los. Der Haupttrupp folgt euch, sobald das Lager abgeschlagen ist.« Damit wandte Roland sich ab.

Eward sah ihm nach und beneidete ihn glühend um die Kälte seines Blutes. Für Roland war Angst ein unbekanntes Wort. Der Markgraf vertraute seinem Schwert und seinem Können als Krieger und würde niemals vor einem Feind zittern. Er hingegen …

Das mahnende Hüsteln eines der Männer beendete sein Sinnieren. Er winkte noch kurz zum Lager hin, ohne jemand Bestimmten zu meinen, und zog sein Pferd herum. Dabei überflog sein Blick die Schar, die er anführen sollte. Das Gros stellten Rolands Bretonen und andere Krieger aus dessen Truppe. Von seinen Reitern war kaum jemand darunter.

In dem Augenblick begriff Eward, dass die meisten seiner Gefolgsleute in den Augen des Markgrafen nichts taugten. Bis auf jene, die der König ihm aufgenötigt hatte, waren alle von Hildiger ausgewählt worden, und der hatte nur Männer genommen, die ihm nicht gefährlich werden konnten. Eward spürte eine gewisse Beschämung bei dem Gedanken. Gleichzeitig aber wurde ihm klar, dass dieser Umstand seiner Liebe zu Hildiger keinen Abbruch tat.

Philibert, der zu seinem Leidwesen bei den Panzerreitern hatte bleiben müssen, schloss zu ihm auf. Er war von Roland zu Ewards Stellvertreter ernannt worden und damit im Grunde der eigentliche Anführer der Schar. Dies söhnte ihn ein wenig mit der Tatsache aus, dass er nicht mit Konrad reiten konnte.

»Wo sind unsere Maurenjäger?«, fragte Eward ihn.

»Die sind noch in der Nacht aufgebrochen. Einer von Enekos Berghirten führt sie auf verborgenen Pfaden zum Ziel.«

Maite hätte ihm sagen können, dass es sich bei diesem Berghirten um Enekos gleichnamigen Sohn handelte, doch Philibert hatte sich ebenso wie die meisten anderen fränkischen Reiter keine Gedanken über die Waskonen gemacht, die sie begleiteten.

Philibert trabte an und zwang Eward damit, ebenfalls schneller zu reiten. Für dessen Gefühl blieb das Lager viel zu rasch hinter ihnen zurück, und er kämpfte gegen den Wunsch an, umzudrehen und zurückzureiten. Doch dann würde man ihn als Feigling brandmarken. Stattdessen umklammerte er den Schwertgriff, als hinge seine Seligkeit von der Waffe ab.

»Noch sind die Mauren nicht so nahe, dass es zum Kampf kommen könnte«, versuchte Philibert ihn zu beruhigen.

Eward sah auf und entdeckte einige maurische Reiter in der Ferne. Sie lümmelten sich herausfordernd auf ihren Pferden, und einer hatte sogar das rechte Bein über den Sattel gelegt. Auch hielt keiner von ihnen eine Waffe in der Hand, so als befänden sie sich auf einem Ausritt im Freundesland und sähen harmlosen Reisenden zu, die ihres Weges zogen.

»Den Kerlen werden wir den Spaß verderben! Kommt, mein Herr, reiten wir ein wenig schneller. Diese Hunde sollen glauben, wir hätten es auf sie abgesehen!« Philibert winkte dem Trupp, ihnen zu folgen, und hoffte, dass Eward dies ebenfalls tat. In seinen schlimmsten Befürchtungen sah er diesen schon zurückbleiben und ein hilfloses Opfer maurischer Streifscha-

ren werden. Zwar würde Ermengilda damit frei für eine neue
Ehe werden, doch er wollte sein Glück nicht durch das Unheil
eines anderen erringen. Außerdem hatte Roland ihm den
Halbbruder des Königs anvertraut, und wenn diesem außerhalb des dichtesten Kampfgetümmels etwas geschah, würde
ein Schatten auf seine Ehre fallen.

Zu seiner Erleichterung trieb Eward sein Schlachtross wacker
an, auch wenn sein Gesichtsausdruck verriet, dass er sich ans
andere Ende der Welt wünschte.

14.

Abdul der Berber beobachtete die Franken, die eben ihren
Pferden die Zügel freigaben, und grinste. Diese Narren lernten doch nie dazu! Schon seit Tagen spielte er immer wieder
das gleiche Spiel mit ihnen. Er ließ sich mit seinen Reitern sehen und wurde von den viel zu schwer gepanzerten Reitern auf
ihren lahmen Hengsten gejagt. Bis jetzt hatten er und seine
Begleiter ihren Stuten nicht einmal die Sporen geben müssen,
um den Franken zu entkommen. Er bedauerte, dass Abd ar-
Rahman ihm nur wenige Krieger anvertraut hatte. Bereits die
dreifache Anzahl hätte ausgereicht, um den Franken eine Falle
stellen zu können.

Näher auf Saragossa zu würde er es tun. Sein Bruder Fadl war
schon dabei, die Berber zu sammeln, die in der Umgebung der
Stadt wohnten. Diese Männer würden ihm mit Freuden folgen, denn Fadl und er waren durch die Mutter des Emirs mit
diesem verwandt und galten als seine treuesten und gefähr-
lichsten Krieger.

»Was ist, Abdul? Lassen wir sie heute nahe genug herankommen, um ihnen ein paar Pfeile aufbrennen zu können?«, fragte
sein neuer Stellvertreter, der den Mann ersetzte, dem er im

Grenzgebiet zwischen Asturien und dem Waskonenland den Kopf abgeschlagen hatte.

Abdul überlegte kurz und nickte. »Das tun wir! Die Franken sollen merken, dass sie sich den Weg in unser Land nur mit ihrem Blut erkaufen können.« Er holte seinen Bogen heraus und legte einen Pfeil auf die Sehne. Gleichzeitig versuchte er den Anführer der Franken zu bestimmen, um das Geschoss auf diesen abschnellen zu können. Ein Krieger auf einem dunklen Ross stürmte den anderen voran. Ein weißgekleideter Reiter folgte ihm, und dahinter trabte die restliche Schar.

»Ich nehme diesen Giaur auf dem Braunen, du den hinter ihm. Die Übrigen suchen sich ihre Ziele unter den anderen Kriegern aus«, befahl er und blieb mit dem über das Sattelhorn gelegten rechten Bein auf seinem Pferd sitzen. Die Stute tänzelte unruhig, auf einen leisen Befehl hin aber stand sie so starr wie eine Statue.

Nur wenige hundert Schritt von ihm entfernt wunderte Philibert sich über die veränderte Taktik der Mauren. »Es sieht fast so aus, als wären sie heute auf Kampf aus«, rief er Eward zu. Dabei entblößte er die Zähne zu einem zufriedenen Grinsen. Ihm war es lieber, wenn er selbst Gelegenheit fand, sich als Krieger auszuzeichnen, als wenn Konrad dies tat.

»Die halten Bögen in der Hand!«, rief Eward mit schriller Stimme. Nur mit Mühe widerstand er dem Wunsch, sein Pferd zu wenden und zum Haupttrupp zu fliehen.

Abdul der Berber schätzte die Entfernung zu den anstürmenden Franken ab, hob dann seinen Bogen, zielte kurz und ließ den Pfeil von der Sehne schnellen. Das Geschoss war noch in der Luft, als er seine Stute herumriss und ihr die Sporen gab. Während das Tier in Galopp fiel, warf Abdul einen Blick über die Schulter. Sein Pfeil hatte getroffen. Der vorderste Reiter saß zwar noch auf seinem Pferd, doch er schwankte und vermochte sich nur mit Mühe im Sattel zu halten.

Auch das Geschoss seines Stellvertreters traf sein Ziel. Zwar fiel auch dessen Opfer nicht vom Pferd, dafür aber etliche der anderen Franken, die von den Pfeilen seiner Krieger getroffen worden waren. Abdul dachte zufrieden, dass diese ungläubigen Hunde jetzt wohl begriffen hatten, dass sie nicht ungestraft in die Länder der Mauren eindringen durften.

Da Abdul und seine Krieger nach hinten spähten, um zu sehen, wie viele Franken sie aus den Sätteln geholt hatten, entging ihnen der Reitertrupp, der sich bei einem einzeln stehenden roten Felsen gesammelt hatte und sich nun zu einer Angriffslinie formierte. Als die Mauren die neuen Gegner entdeckten, war es zu spät, denn Konrads Trupp kam wie eine Gewitterwand auf sie zu. Wohl gelang es einzelnen Mauren, ihre Pfeile abzuschießen, doch sie trafen schlecht und sahen sich Augenblicke später den stählernen Spitzen der fränkischen Lanzen gegenüber.

Konrad ritt auf Abdul zu, den Berber, den er als Anführer ausgemacht hatte. Dieser wollte noch einen Pfeil aus dem Köcher ziehen, warf dann aber den Bogen weg und griff zum Schwert. Bevor er es jedoch ziehen konnte, rammte ihm der junge Franke den Speer in den Leib.

Konrad ließ den Schaft los und zog selbst das Schwert. Er musste jedoch nicht mehr eingreifen, denn bis auf zwei Mauren, denen es gelungen war, zwischen seinen Reitern durchzubrechen, waren alle niedergemacht worden. Er blickte den Fliehenden nach und wollte schon die Stute herumziehen, um ihnen zu folgen. Da fasste ihn einer seiner Männer am Arm.

»Die kommen nicht weit. Ich sehe dort Reiter von uns!«

»Wo?« Konrad stellte sich im Sattel auf und entdeckte nun selbst die Schar Panzerreiter, die aus östlicher Richtung auf sie zukam. Es mochten etwas weniger als hundert Mann sein, die gerade auf die beiden Mauren aufmerksam geworden waren.

Der Anführer gab ein Zeichen, und sofort schwärmte der Trupp aus, um den Feinden den Weg zu verlegen.

Die Mauren versuchten noch, an ihnen vorbeizukommen, doch da brausten Philiberts Reiter von der anderen Seite heran und verlegten ihnen den Weg. Auch Konrad ließ seine Männer wieder antraben, um auch noch die letzte Lücke zu schließen.

Abduls Reiter fanden sich umzingelt und zügelten ihre Pferde. Die Franken sahen, wie sie eifrig miteinander redeten und dann versuchten, durch die gepanzerten Reihen zu brechen. Der Wald fränkischer Speere war jedoch zu dicht. Beide Reiter wurden mehrfach durchbohrt und stürzten zu Boden. Ihre Stuten rannten noch weiter, wurden aber von Konrads Leuten eingefangen. Auch die restlichen Maurenpferde wurden eine Beute der Sieger, und dann trafen die drei Trupps an der Stelle zusammen, an der die meisten toten Mauren lagen.

»Das war gute Arbeit, Konrad«, rief Philibert schon von weitem. Der Pfeil Abduls des Berbers war an einer Panzerschuppe abgeglitten und hatte ihn nur leicht unterhalb des rechten Ellbogens verletzt. Jetzt wickelte er ein Tuch darum und verknotete es mit Hilfe seiner Zähne.

Eward ging es schlechter als ihm. Der Maurenpfeil hatte eine Lücke in seinem Panzerhemd gefunden und sich in seinen Oberschenkel gebohrt. Er verlor viel Blut und sah so bleich aus wie frisch gefallener Schnee.

»Wie geht es Euch, Herr?«, sprach Konrad ihn an.

Die Besorgnis in seiner Stimme brachte Eward dazu, seine Schmerzen für einen Augenblick zu vergessen. »Ich habe mich schon wohler gefühlt als jetzt, Konrad. Aber ich glaube nicht, dass ich zu Tode getroffen bin.«

»Es sei denn, sein Herz ist ihm so tief gerutscht«, sagte einer der Reiter zu seinem Nachbarn, aber leise genug, damit Eward ihn nicht verstand.

Konrad aber vernahm die Worte und kniff kurz die Lippen zusammen. »Die Mauren sind übermütig geworden. Wahrscheinlich dachten sie, sie könnten Wespen spielen und uns stechen, ohne dass wir selbst zuschlagen könnten. Aber den Glauben haben wir ihnen ausgetrieben. Gibt es Gefangene?«

Philibert nickte. »Zwei der Kerle haben wir erwischt. Sie sind nicht allzu schwer verletzt und werden Roland Rede und Antwort stehen können.«

»Sehr gut.« Konrad grinste fröhlich und wandte sich der Schar zu, die ihnen zu Hilfe gekommen war. Zunächst wollte er es nicht glauben, dann aber jubelte er laut auf.

»Herr Hasso, Ihr? Welch eine Freude, Euch zu sehen!«, rief er und reichte ihm die Hand.

Graf Hasso ergriff sie und hielt sie etliche Herzschläge lang fest. »Konrad! Gepriesen sei der Heiland, dass ich dich gesund und munter wiedersehe. Ich freue mich, euch alle zu sehen. Wo ihr seid, ist König Karl nicht weit.«

»Er folgt uns in weniger als einem Tagesmarsch Abstand. Wir sind auf dem Weg nach Saragossa. Suleiman Ibn al Arabi hat versprochen, dass die Stadt ihre Tore für uns öffnen wird.«

»Hoffentlich ist dieses Versprechen mehr wert als das, welches er uns bezüglich Barcelonas gegeben hat. Dort haben die Mauren nämlich die Tore vor uns versperrt.« Über Hassos Gesicht huschte ein Ausdruck tief sitzender Wut, aber er winkte ab. »Diesen Bericht würde ich lieber Markgraf Roland erstatten, damit ich nicht alles wiederholen muss. Auf jeden Fall folgt uns der Hauptteil des austrasischen Heerbanns in geringem Abstand.«

Offensichtlich war auch bei ihnen nicht alles so gelaufen, wie der König es sich vorgestellt hatte. Konrad drang jedoch nicht in ihn, sondern kümmerte sich um seine Reiter. Anders als in Graf Ewards Trupp war niemand von ihnen verletzt. Aber auf ihren Gesichtern zeichnete sich Ärger ab, und sie umringten einen Krieger, der sich lautstark mit einem von Hassos Männern stritt. Dieser war abgestiegen und hatte begonnen, die toten Mauren zu fleddern.

Als Konrad näher kam, erkannte er, dass es sich bei dem Plünderer um Ermo handelte, den Anführer des Aufgebots aus seinem Nachbardorf. Er hatte die Existenz dieses Mannes längst aus dem Gedächtnis gestrichen und wunderte sich zunächst, warum ihm dessen Geschimpfe so bekannt vorkam. Rasch lenkte er sein Pferd auf Ermo zu und drängte ihn zurück.

»Halt, mein Guter! Die Beute gehört allen und wird gerecht verteilt. Also gib das, was du eben an dich gebracht hast, wieder heraus.«

Ermo sah mit schräg gehaltenem Kopf zu ihm auf. »Nichts habe ich mir bislang genommen. Alles, was ich bei mir trage, gehört mir.«

»Das stimmt nicht! Ich habe gesehen, wie er etwas in diese Tasche dort gesteckt hat«, rief einer von Konrads Reitern empört und zeigte dabei auf einen großen Lederbeutel, der an Ermos Gürtel hing.

Gaugraf Hasso kam heran. »Was ist hier los?«

»Dieser Mann da«, Konrad wies dabei auf Ermo, »hat geplündert, ohne dass es ihm gestattet worden wäre.«

Ermo zischte einen Fluch und versetzte Konrads Stute einen Schlag, dass dieser alle Mühe hatte, das empörte Tier zu bändigen.

»Spiel dich nicht so auf, Bürschchen! Sonst könnte es sein, dass dich andere auf das dir zustehende Maß zurechtstutzen!« Mit diesen Worten wollte Ermo sich umdrehen und gehen.

Doch auf Konrads Wink packten ihn zwei Reiter und warfen ihn zu Boden. »Durchsucht ihn und nehmt ihm alles ab, das er nicht durch den Eid zweier Männer als sein Eigentum erklären kann.«

Ermo wand sich wie eine Schlange und sah zu Hasso auf, der mit verschränkten Armen auf seinem Pferd saß. »Das darfst du nicht zulassen. Ich bin einer deiner Unteranführer mit einer eigenen Schar.«

»Gerade deshalb solltest du den einfachen Kriegern ein Vorbild sein! Diese Mauren wurden von Konrads Leuten besiegt. Daher ist es allein deren Recht, die Toten zu durchsuchen und die Beute einzusammeln.« Hasso hatte sich in der Vergangenheit häufig über den Mann geärgert und war nicht bereit, ihm beizuspringen. Ohne eine Miene zu verziehen, sah er zu, wie die Reiter Ermos Taschen ausräumten, in die er alles gesteckt hatte, was ihm in die Finger geraten war. Selbst Hasso staunte über das, was alles zum Vorschein kam. Plötzlich stutzte er und hob mehrere Geldstücke auf, die einer der Reiter auf seinen umgedrehten Schild geworfen hatte.

»Diese Münzen kenne ich. Das Geld habe ich dir gegeben, damit du Pferdefutter und Vorräte kaufen solltest!«

»Du musst dich irren, Hasso«, wehrte Ermo ab. Seine Stimme zitterte jedoch, und er wagte es nicht, den Gaugrafen anzublicken.

Dieser hielt ihm eine der Münzen vor das Gesicht. »Du lügst! Hier, dieses Geldstück weist noch den Kratzer auf, den ich aus Versehen selbst verursacht habe. Du hast die Sachen, die du besorgen solltest, also nicht richtig bezahlt.«

»Doch, das habe ich«, rief Ermo aus. »Es war alles nur billiger als gedacht.«

»Dann hättest du mir den Rest der Summe zurückgeben müssen. So aber bist du ein Dieb und womöglich noch Schlimmeres!« Hasso versetzte Ermo einen Fußtritt und wies dann seine Leute an, den Mann zu fesseln. »Der König soll Gericht über ihn halten!«

»Ich habe nichts getan!«, heulte Ermo auf, doch der Gaugraf würdigte ihn keiner Antwort.

Konrad war nicht weniger wütend als Hasso, warf der Vorfall doch einen üblen Schatten auf den Erfolg, den sie errungen hatten. Er wartete unwillig, bis seine Männer die Mauren durchsucht hatten, und winkte ihnen dann mit einer knappen Geste, ihm zu folgen. »Kommt! Roland wartet auf uns und unseren Bericht.«

Dann zog er sein Pferd herum und ritt zu Eward, der sich wider Erwarten im Sattel gehalten hatte. »Ihr werdet bald ärztliche Hilfe erhalten, Herr. Wie gut Markgraf Rolands Heiler ist, habt Ihr bereits an Philibert gesehen. Der ist heute wieder wie neu.«

»Jetzt nicht mehr ganz, aber schlimm ist meine Wunde wirklich nicht«, antwortete Philibert und versetzte ihm einen freundschaftlichen Stoß.

»Mein Trupp hat keinen einzigen Mann verloren, aber mehr als zwei Dutzend dieser Heiden erwischt. Das wird sie lehren, fränkische Schwerter und Speere in Zukunft zu fürchten!«, erklärte Konrad und beschloss, diesen Tag allen Ermos dieser Welt zum Trotz zu feiern.

15.

Als sie wieder auf den Heerzug stießen, nahm Markgraf Roland Konrads Bericht mit grimmiger Zufriedenheit entgegen. Ihn hatte schon lange gestört, dass die Mauren zwar seinen Trupp überwachten, aber niemand von ihnen versucht hatte, Kontakt mit ihm aufzunehmen. Suleiman Ibn al Arabis Erklärungen zufolge hätte der gesamte maurische Norden von al Andalus, wie er Spanien nannte, sich den Franken anschließen müssen.

Doch das Gegenteil war der Fall. Trafen sie auf ein maurisches Dorf, so fanden sie dieses verlassen vor. Die Einwohner hatten alles Vieh weggetrieben und kein Getreidekorn zurückgelassen. Selbst ihre Brunnen hatten sie mit Mist und toten Tieren unbrauchbar gemacht.

Karls Hauptheer hatte zwar einiges an Vorräten mit nach Spanien gebracht und einen Teil davon Rolands Schar abgetreten. Dafür aber machte ihnen der Mangel an sauberem Trinkwasser zu schaffen. Konrad mochte sich gar nicht vorstellen, wie es dem Hauptheer unter König Karl ergehen mochte.

»Ich hoffe nur, dass die Mauren von Saragossa uns versorgen oder Hildiger bald mit Vorräten aus Asturien erscheint«, sagte er zu Philibert, der auch an diesem Tag wieder neben ihm ritt.

»Wenn mir früher einer gesagt hätte, ich würde Hildigers Erscheinen herbeisehnen, dem hätte ich die Zähne eingeschlagen. Jetzt werde ich froh sein, ihn heil zurückkommen zu sehen, aber nur, wenn er etliche Wagenladungen an Lebensmitteln und Wein mitbringt. Unsere Fässer und Schläuche sind leer, und das Wasser, das wir vorhin am Bach geschöpft haben, schmeckte so eigenartig, dass ich es kaum über die Lippen brachte.« Philibert schüttelte sich und hätte die Flüssigkeit, die ihm wie ein glühender Stein im Magen lag, am liebsten wieder erbrochen.

»Ich konnte es nicht trinken«, gab Konrad zu. »Mein Hengst hat es zwar gesoffen, doch die beiden maurischen Stuten mochten es ebenfalls nicht. Ich will mir gar nicht erst vorstellen, wie es den Frauen dabei ergeht. Für Ermengilda und ihre waskonische Magd muss dies eine Reise durch die Hölle sein.«

»Wir sollten schauen, wie es Ermengilda geht.« Ungeachtet der Tatsache, dass er die anderen Reiter aus dem Tritt brachte, hielt Philibert seinen Hengst an und ritt ein Stück in die Richtung, aus der sie gekommen waren. Konrad folgte ihm, um zu verhindern, dass Ermengilda glaubte, ihr Schicksal wäre ihm gleichgültig. Daher trafen sie gleichzeitig neben dem Ochsenkarren ein, auf dem Ermengilda und Maite saßen.

Die Asturierin blickte hoffnungsvoll zu den Reitern auf. »Habt ihr Wasser entdeckt? Ich vergehe vor Durst.«

Als sowohl Konrad wie auch Philibert die Köpfe schüttelten, lachte Maite spöttisch auf. »Die Franken würden nicht einmal dann einen Brunnen finden, wenn die sie in die Nase bissen. Dafür haben die Mauren sie zu gut verborgen. Ich sage euch aber, dass sie weniger als eine Meile vom Marschweg entfernt Wasser finden könnten. Doch um sich so weit vom Heerwurm zu entfernen, fehlt ihnen der Mut.«

»Wir und keinen Mut?« Philibert warf Konrad einen fragenden Blick zu und sah diesen nicken.

»Wir sollten uns wirklich ein wenig umsehen«, sagte dieser und ließ seinen Hengst antraben, bis er zu Roland aufgeschlossen hatte. »Habt Ihr etwas dagegen, wenn Philibert und ich die Gegend erkunden?«, fragte er.

Der Markgraf sah ihn verwundert an. »Das machen bereits Hasso und seine Leute.«

»Wir wollen schauen, ob wir nicht etwas von der Straße entfernt saubereres Brunnenwasser finden.«

Nach einem kurzen Augenblick des Überlegens nickte Roland. »Macht das, aber nehmt einen der Waskonen mit. Auch wenn das hier nicht ihr Land ist, kennen sie es doch besser als ihr.«

»Das tun wir!« Konrad rief dem Markgrafen noch einen kurzen Gruß zu und sah sich nach den Waskonen um. Da er keinen ihrer Führer sah, kehrte er zu Philibert zurück, der noch immer neben Ermengildas Ochsenkarren ritt und sich mit der jungen Frau unterhielt.

»Roland hat uns erlaubt, die Straße zu verlassen. Wir sollen einen von diesen verdammten Waskonen mitnehmen, aber es ist niemand zu sehen!«

Philibert stellte sich in den Steigbügeln auf und sah sich um.

»Ich sehe auch keinen. Immer wenn man einen braucht, scheinen sie unsichtbar zu werden.«

»Ich reite trotzdem los!«, rief Konrad. Da sprang Maite mit einer geschmeidigen Bewegung vom Wagen.

»Ich komme mit! Der junge Eneko und die anderen meines Volkes kennen diese Gegend ebenso wenig wie ich, aber wir wissen genug über maurische Schliche.«

Konrad lachte. »Du willst uns helfen? Du bist doch nur ein Mädchen!«

»Besser ein Mädchen findet Wasser, als dass zwei so stattliche Recken wie ihr verdursten!« Spott schwang in Maites Worten mit, aber auch die Sehnsucht, endlich wieder einmal auf einem Pferd zu sitzen und über das Land galoppieren zu können.

»Wir sollten ihren Vorschlag annehmen«, drängte Philibert.

»Also gut! Sie kann eine meiner maurischen Stuten haben.« Konrad rief Just zu, das Tier zu bringen, und ärgerte sich gleichzeitig, weil er nachgegeben hatte. Immerhin befanden sie sich auf einem Kriegszug und nicht auf einem fröhlichen Ausritt.

Inzwischen hatte Rado wahrgenommen, dass sein Anführer etwas im Schilde führte, und kam heran.

»Ich werde euch begleiten. Drei Krieger sind besser als zwei, vor allem, wenn der Dritte die Augen offen hält.« Er grinste und schwang sich in den Sattel. Auch Maite stieg auf, doch die Stute bockte so sehr, dass sie Konrad am liebsten um ein anderes Pferd gebeten hätte. Sein spöttischer Blick und die sichtliche Erwartung, sie gleich aus dem Sattel stürzen zu sehen, brachten sie dazu, die Zähne zusammenzubeißen.

»Die Stute will laufen, also lassen wir ihr den Willen«, rief sie Konrad zu und preschte davon.

»Verdammtes Weibsstück!« Er trieb seinen Hengst an, doch obwohl dieser sich alle Mühe gab, wurde der Abstand zu Maite immer größer. Plötzlich bekam Konrad es mit der Angst zu tun. Kein weibliches Wesen vermochte einen solchen Ritt unbeschadet zu überstehen. In seiner Phantasie sah er Maite bereits zerschmettert am Wegrand liegen und gab seinem Gaul erneut die Sporen. Der Hengst wieherte schrill und raste hinter der Stute her. Als Konrad sich kurz umdrehte, sah er, dass er sich schon weit vom Heerzug entfernt hatte. Philibert und Rado konnten nicht mithalten und winkten ihm, dass er langsamer werden sollte. Doch solange dieses verrückte Mädchen ihre Stute nicht in den Griff bekam, war daran nicht zu denken.

Schon bald rasselte es in der Brust seines Hengstes, Schaum stob vom Mund des Tieres, und Konrad spürte trotz Sattel und Lederhosen den Schweiß, der über den Pferdekörper floss. Es wunderte ihn, denn sein Hengst zählte zu den ausdauerndsten Rossen im Heer. Zu seiner Erleichterung gelang es Maite jedoch, ihre Stute zum Halten zu bewegen. Er selbst zügelte sein Pferd zu einem ruhigen Trab und schloss zu dem Mädchen auf.

»Es tut mir leid, dass ich dir diesen Gaul aufgenötigt habe. Ich hätte dafür sorgen müssen, dass du ein braves Maultier erhältst!« Zu seiner eigenen Überraschung entschuldigte er sich, anstatt ihr den Hintern zu versohlen, weil sie einfach losgeprescht war.

»Oh, ich komme schon mit diesem Mädchen zurecht. Es ist schnell wie der Blitz, und ich glaube, es könnte den ganzen Tag im Galopp laufen.« Maites Augen leuchteten fröhlich. Für die Dauer eines Herzschlags oder zwei hatte sie sogar überlegt, ob sie nicht fliehen und die Stute mitnehmen sollte. Doch solange Okin Herr ihres Stammes war, würde er das Pferd für sich selbst fordern, und eine solche Beute gönnte sie ihm nicht.

Sie sah Konrads Hengst an und schüttelte den Kopf. »Du hättest das arme Tier nicht so hetzen dürfen. Es sieht erschöpft aus.«

»Uns fehlten der Hafer und genügend gutes Wasser.«

»Ich hoffe, wir finden einen Brunnen. Das Wasser, das wir letztens trinken sollten, roch verfault. Weder Ermengilda noch ich konnten es über die Lippen bringen, obwohl wir großen Durst hatten – und den habe ich immer noch.« Maite sah sich suchend um und lenkte dann ihre Stute zu einigen Häusern, die sie in der Nähe entdeckte.

Das Dorf war verlassen, doch die Leute hatten sich hier abseits der Heerstraße weniger Mühe gegeben, ihre Vorräte zu verbergen. Als sie in ein Haus traten, wirkte es zwar so, als bestünde sein Boden zur Gänze aus gestampftem Lehm, doch als Konrad durch den Raum ging, klang der Boden unter seinen Schritten an einer Stelle hohl.

»Hier ist was!«, rief er und suchte nach einem Werkzeug, um den Lehm beiseitezuräumen. Er musste schließlich sein Schwert nehmen, während Maite sich niederkniete und mit der Klinge ihres Dolches grub. Schon bald stießen sie auf mehrere Bohlen, unter denen ein Kellerraum zum Vorschein kam. Dieser enthielt getrocknete Datteln, Oliven, Schinken und Würste, die so steinhart waren, dass Konrad sie mit seinem Haumesser teilen musste, damit sie davon essen konnten. Außerdem gab es ein ganzes Fass voll Wein, der ihnen in dieser Stunde köstlicher schmeckte als jeder Tropfen, den sie früher getrunken hatten. In einer Kiste fanden sie ein in Leder eingeschlagenes, verziertes Kreuz und andere christliche Symbole, die darauf hinwiesen, dass dieses Dorf von Leibeigenen bewohnt worden war, die zumindest heimlich dem wahren Glauben anhingen. Das bestätigte Konrads Überzeugung, dass der König gut daran tat, Spanien unter fränkische Herrschaft zu stellen.

Inzwischen waren auch Philibert und Rado eingetroffen und musterten die Lebensmittel.

»Nicht schlecht, aber für unseren ganzen Trupp ist es viel zu wenig. Wir sollten auch in den anderen Hütten nachsehen.

Vielleicht finden wir dort auch noch einiges«, erklärte Philibert und machte sich sofort ans Werk.

»Halte du Wache!«, rief Konrad Rado zu und drang ebenfalls in eines der Häuser ein. Auch dort gab es einen verborgenen Keller mit Vorräten und einem großen Krug Wein. Der Durst brachte ihn dazu, mehr zu trinken, als ihm guttat. Das schwere, süße Getränk stieg ihm rasch zu Kopf, und als er weiterging, verlor er das Gleichgewicht und musste sich an der Wand abstützen.

»Der große Held ist wohl vom Wein übermannt worden«, spottete Maite, die ihm gefolgt war.

Konrad würdigte sie keiner Antwort, sondern verließ die Hütte, nicht ohne sich dabei den Kopf am Türbalken anzuschlagen. Er war noch immer durstig, und als er in der Nähe einen Bach rauschen hörte, stolperte er darauf zu und kniete nieder, um das Wasser mit den Händen zu schöpfen.

Doch bevor er einen Tropfen über die Lippen bringen konnte, spürte er einen festen Griff an der Schulter und blickte auf. Maite stand hinter ihm und zog ein ernstes Gesicht.

»Das würde ich nicht tun, Franke. Sieh dorthin!« Mit der freien Hand wies sie auf eine Stelle weiter oben im Bach.

Konrad kniff die Augen zusammen, um besser sehen zu können, und schüttelte verwirrt den Kopf. »Was ist das?«

»Ein Toter. Wahrscheinlich einer der Bauern hier, der seinen Hof nicht hatte räumen wollen. Ich schätze, die Mauren haben ihn erschlagen und ins Wasser geworfen. Es muss schon vor etlichen Tagen geschehen sein, denn der Leichnam fault bereits. Der Wein muss deine Nase betäubt haben, denn der Leichnam stinkt bis hierher.«

Jetzt roch Konrad es auch. Angeekelt stand er auf und wischte sich die nassen Hände an seiner Lederhose ab. »Diese elenden Hunde. Dafür werden sie bezahlen!«

»Aber nur, wenn du und deine Franken in der Lage seid, ihnen diese Rechnung zu stellen. Es dürfte in dieser Gegend überall so aussehen. Die Brunnen wurden versteckt, und in die Bäche hat man Leichen oder tote Tiere geworfen, um das Wasser zu verderben. Euer großer und mächtiger König wird sich etwas einfallen lassen müssen, wenn er vor Saragossa nicht dürsten will.«

»Suleiman der Araber hat geschworen, dass er uns die Stadt übergeben wird«, wandte Konrad ein.

»Manche Schwüre sind leichter ausgesprochen als erfüllt. Einige Rebellen warten vielleicht auf euer Kommen, doch in ihren Städten gibt es genug Mauren, die euch als Ungläubige verachten und sich lieber auf die Seite Abd ar-Rahmans stellen. Die Tore Saragossas, so befürchte ich, werden sich für euch nicht öffnen!«

»Woher willst du das wissen?« Die heimliche Furcht, Maite könne recht haben, ließ Konrad harsch reagieren.

Maite machte nur eine wegwerfende Handbewegung und ging. Unterwegs wurde sie auf ihre Stute aufmerksam, die an einer Stelle des Bodens mit einem Huf scharrte. Als sie hinging, hatte sie das Gefühl, als wehe ihr ein kühler Hauch entgegen.

»Ich glaube, meine Kluge hat den verborgenen Brunnen entdeckt. Kommt, ihr tapferen fränkischen Krieger! Ihr dürft wieder graben!«

16.

Die gefundenen Vorräte reichten nicht einmal für eine Mahlzeit für die Krieger und Knechte der Vorhut. Dafür aber konnten die Männer endlich genug trinken. Allen war bewusst, dass bald etwas geschehen musste. Doch die meisten Männer klammerten sich an die Hoffnung, in Saragossa all das zu erhalten, was ihnen auf dem Weg dorthin schmerzlich fehlte.

Da Maite die Mauren besser kannte, teilte sie diese Hoffnung nicht. Die Sippe der Banu Qasim, die das Land im weiten Umkreis beherrschte, mochte sich zwar wünschen, der lästigen Herrschaft Córdobas ledig zu werden, aber sie würde sie niemals gegen das Joch der Franken eintauschen.

Ermengilda teilte ihre Ansicht, fand aber weder bei ihrem Gemahl noch bei Konrad oder Philibert Gehör. Der Einzige, der ihr zuhörte, ohne ihr zu widersprechen, war Just, der stundenlang neben dem Wagen herlief oder sich zu Maite und Ermengilda setzte, um von ihnen so viel wie möglich über das Land um sie herum zu erfahren. Allerdings wusste auch er nicht, was er von den Befürchtungen der beiden Frauen halten sollte. Noch glaubte auch er unbeirrt an einen Sieg über die Mauren, aber er behielt diese Ansicht für sich, weil er es sich nicht mit seinen Gesprächspartnerinnen verderben wollte.

Unterdessen hatte Rolands Trupp den Ebro erreicht und ritt durch die vom Fluss geprägte Landschaft immer weiter auf Saragossa zu, begleitet von einer wachsenden Zahl maurischer Streifscharen. Diese überschütteten den Vortrab immer wieder mit Pfeilen und verschwanden so schnell, dass die Reiter keine Chance bekamen, sie zu stellen.

Unter diesen Umständen befürchtete auch Roland, dass Saragossa ihnen nicht freiwillig die Tore öffnen würde, und sandte einen Boten zum König. Als Antwort erhielt er nur den Befehl, so rasch wie möglich auf die Stadt vorzurücken.

Es kam wie befürchtet. Als sie Saragossa erreichten, hatte die Stadt sich auf eine Belagerung eingerichtet und hielt die Tore geschlossen. Roland schickte einen Mann vor, um Verhandlungen einzuleiten, und musste zusehen, wie sein Bote von Dutzenden maurischer Pfeile durchbohrt tot vor dem Stadttor liegen blieb.

»Der arme Hund«, sagte Rado, der ebenfalls Zeuge der Ermordung des Unterhändlers geworden war.

»Dafür werden sie bezahlen!« Konrad ballte die Faust und dachte dabei an Maites Worte, dass er und die anderen Franken erst einmal in der Lage sein müssten, den Mauren die Rechnung zu präsentieren.

»Es wäre nicht die erste Stadt, die wir eingenommen haben. Auch Pavia in Italien musste uns die Tore öffnen.« Rado spuckte aus und zeigte dann auf die Stelle, an der bereits der Aufbau des Lagers in Angriff genommen wurde.

»Wir sollten uns ein gutes Plätzchen sichern, sonst geraten wir zu nahe an den Fluss. Von dem steigen gewiss üble Dämpfe auf, die Krankheit und Tod mit sich bringen.«

»Tu das. Nimm Just und die beiden Stuten mit. Philibert und ich kommen gleich nach.« Für sich dachte Konrad, dass er sich längst einen Sklaven hätte besorgen müssen, der Rado zur Hand ging. Immerhin war dieser ein freier Krieger und nur aus Anhänglichkeit bei ihm geblieben. Just half ihm zwar, aber er war nur ein Knabe und sollte keine schweren Arbeiten verrichten.

»Also warten wir auf König Karl«, murmelte er und wollte Rado folgen.

Da tauchte einer von Rolands Bretonen neben ihm auf. »Der Markgraf wünscht, dass du mit einer Schar Reiter die Gegend durchkämmst und jeden Mauren, der sich hier herumtreibt, fängst oder vertreibst.«

»Dann habe ich wenigstens etwas zu tun und muss nicht herumsitzen, bis das Hauptheer eintrifft.« Konrad winkte dem Mann zu und wollte antraben. Doch obwohl sie heute eine kürzere Strecke zurückgelegt hatten als die Tage vorher, keuchte sein Hengst wie ein Blasebalg und trippelte unruhig hin und her.

»Ich fürchte, dein Pferd ist krank«, sagte Philibert.

Erschrocken sprang Konrad ab. »Das darf nicht sein!«

»Es ist aber so! Leider ist er nicht der einzige Gaul, der diese Anzeichen zeigt. Erst gestern ist einer fast unter seinem Reiter krepiert. Es muss das schlechte Wasser sein. Einige Krieger, die es getrunken haben, klagen jedenfalls über Bauchweh und noch Schlimmeres.« Philibert musterte den Hengst, der dürrer und schwächer wirkte als früher. Die Augen des Tieres waren blutunterlaufen, und aus seinen Nüstern rann der Rotz.

»Ich glaube nicht, dass das Tier noch zu retten ist. Lass den Gaul hier. Rado soll sich um ihn kümmern. Nimm die größere deiner beiden Stuten. Wir reiten ja nicht Sattel an Sattel in die Schlacht, sondern wollen Mauren jagen!« Philibert kannte die enge Verbundenheit zwischen Konrad und dessen Reittier. Doch das Leben ging weiter, und es galt, Rolands Befehl auszuführen.

Konrad nahm nun den elenden Zustand seines Hengstes wahr und kämpfte mit den Tränen. Das Tier hatte ihn so viele hundert Meilen brav getragen und würde so kurz vor dem Ziel ein unrühmliches Ende finden.

»Es wäre besser, er wäre in der Schlacht gefallen, als so zu krepieren.« Einen Augenblick erwog er, Rado um dessen Wallach zu bitten. Dann entschied er sich doch für die helle, gefleckte Stute.

»Kümmere dich um den Hengst, während ich weg bin, Rado«, sagte Konrad mit brüchiger Stimme, obwohl er keine Hoffnung hatte, sein Begleiter könne dem Tier helfen.

Dieser nickte. »Ich habe mir schon gedacht, dass es nicht allein die Erschöpfung des langen Marsches ist, die ihm so zusetzt. Er ist ein treues Tier. Einen besseren Gaul wirst du so rasch nicht finden.«

Dann wandte Rado sich an Just. »Sattle die große Stute für Konrad, schnell!« Er seufzte und sah Konrad treuherzig an. »Ich wollte, ich könnte mit dir kommen und den Mauren das Wasser heimzahlen, das sie verdorben haben. Versprich mir, ein paar Heidenschädel zu spalten, wenn du nahe genug an sie herankommst.«

»Das werde ich, mein Guter! Darauf kannst du dich verlassen.« Konrad nickte ihm zu und stieg auf das Maurenpferd, das Just herangeführt hatte.

»Darf ich einen Wunsch äußern?«, fragte der Junge.

»Gerne.«

»Wenn es möglich ist, dann bringt mir einen Text in der Sprache und Schrift der Mauren mit. Maite hat versprochen, mir zu zeigen, was diese Zeichen bedeuten.«

»Junge, unser Herr reitet doch nicht in ein Kloster, um ein Schriftstück zu besorgen, sondern in den Kampf. Glaubst du denn, die Mauren tragen beschriebenes Pergament bei sich?«

Just nickte zaghaft. »Das hat Maite mir erzählt. Die meisten ihrer Krieger sollen Zettel mit den Aussprüchen ihres Propheten als Schutzamulett bei sich tragen, ähnlich wie viele unserer Leute das Kreuz.«

»So ein Unsinn«, sagte Rado und vergaß dabei die Wieselpfote, die ihm seine Frau mitgegeben hatte, damit er wieder gesund nach Hause kommen sollte.

Konrad beugte sich aus dem Sattel und strich dem Jungen über das Haar. »Wenn ich so ein Ding finde, bringe ich es dir mit.«

»Danke!« Just blickte mit leuchtenden Augen zu ihm auf und trat zurück, als Konrad anritt. Die Stute war um etliches kleiner als die Hengste, die seine Männer ritten, aber flink und von einem kaum zu bremsenden Tatendrang.

»Wenn unser Herr das Tier gesund nach Hause bringt, wird er ausgezeichnete Fohlen von ihr bekommen.«

Rado drehte sich zu dem Jungen um. »Was weißt du schon von Pferdezucht? Aber recht hast du. Diese Stute ist etwas ganz Besonderes.« Er sah Konrads Hengst an und wollte gerade Just befehlen, ihm einige Sachen zu bringen, die er für eine Behandlung des Tieres benötigte. Doch der Junge war nicht mehr zu sehen.

Just war hinter seinem Rücken in das Zelt geschlüpft, in dem

Maite und Ermengilda sich aufhielten. Die beiden wussten so viel zu erzählen, das ihn brennend interessierte, und da sie sich nicht mehr auf dem Marsch befanden, hatten sie Zeit, ihm mehr über jene Dinge zu berichten, die er wissen wollte.

17.

Fadl Ibn al Nafzi, der Anführer der Mauren, hatte das Schicksal seines Bruders, den man nur Abdul den Berber genannt hatte, vor Augen und ging Konrads Trupp im weiten Bogen aus dem Weg. Die Franken sahen die feindlichen Reiter in der Ferne und mussten zu ihrem Ärger erkennen, dass sich eine Verfolgung nicht lohnte. Schon bald erinnerte nur die wehrhafte Stadt, auf deren Zinnen stolz die maurischen Banner mit ihren eingestickten goldenen Zeichen wehten, daran, dass sie sich nicht auf einem gemütlichen Ausritt befanden. Alles an Saragossa strahlte Kampfbereitschaft aus, und die Wachen auf den Mauerkronen verkündeten lautstark, was sie von den Franken vor ihren Toren hielten.

»Werden die Kerle auch noch so zuversichtlich sein, wenn der König mit seinem Heer erscheint?«, fragte Konrad Philibert, der ungeachtet seiner Schramme am Arm an seiner Seite ritt. Dieser warf einen Blick auf die Stadt und zuckte mit den Achseln. »Bis jetzt hat König Karl noch jeden Feind bezwungen. Warum sollte es hier anders sein?«

»Möge unser Heiland im Himmel geben, dass du recht behältst. Ich will nicht so weit gereist sein, um wie ein geprügelter Hund mit eingezogenem Schwanz nach Hause zurückzukehren.« Konrad brachte seine Stute mit einem Zungenschnalzen dazu, schneller zu werden, und dachte dabei an seinen Hengst, der krank im Lager stand und vielleicht noch vor seiner Rückkehr sterben würde.

Um nicht in Trübsinn zu versinken, blickte er nach Nordwesten und starrte hoffnungsvoll auf die Staubfahne, die König Karls Heer aufwirbelte. Philibert hat recht, dachte er. Der König hat bisher noch jeden Krieg gewonnen, und er wird auch hier siegen. Wahrscheinlich kam es nicht einmal zur Schlacht, weil Saragossa ihm ebenso die Tore öffnen würde, wie Pamplona es getan hatte. Suleiman der Araber hatte es ja versprochen.

Siebter Teil

Roncesvalles

I.

Der König blickte so angespannt auf die Stadt, als wolle er deren Mauern mit der Kraft seines Willens zum Einsturz bringen. Die Männer in seiner Umgebung verharrten so regungslos wie Statuen. Die Franken strahlten Zuversicht aus, während Suleiman der Araber so wirkte, als wünsche er sich ans andere Ende der Welt. Panik zeichnete sich auf seinem Gesicht ab, und seine Haut hatte einen grauen Farbton angenommen.

Konrad konnte sich vorstellen, was in dem Mann vorging, der in Paderborn hundert Eide geschworen hatte, die sich angesichts dieser Stadt alle als falsch erwiesen. Im Gegensatz zu seinen Behauptungen war es Suleiman nicht gelungen, die Männer, die in Saragossa das Sagen hatten, dazu zu bewegen, die Tore zu öffnen und sich den Franken anzuschließen.

Bei dem bisher letzten Versuch, Verhandlungen einzufordern, hatte der König den Mauren unter strenger Bewachung zum Stadttor reiten lassen. Der Kommandant der Stadt, der sich Suleimans Auskunft zufolge Jussuf Ibn al Qasi nannte, hatte den Mann nicht einmal mehr angehört, sondern seinen Bogenschützen befohlen, auf ihn und die Gesandten der Franken zu schießen.

Drei Männer waren verletzt worden, darunter auch Philibert, der feindliche Pfeile wie ein Magnetstein anzuziehen schien. Nun lag er neben Eward in dessen Zelt und ließ sich ebenso wie dieser von Ermengilda und Maite versorgen. Konrad, der das Samariterwerk der beiden Frauen mit Argusaugen beobachtete, ertappte sich bei dem Wunsch, auch einmal eine Wunde davonzutragen. Dann würde er endlich die sanften Hände der Asturierin auf seiner Haut fühlen dürfen. Er sehnte sich nach ihrer tröstlichen Nähe, die es ihm leichter gemacht hätte, über den Tod seines treuen Hengstes hinwegzukommen, der ihn von der Heimat bis in dieses Land getragen hatte und hier verendet war.

Energisch schob er diesen Gedanken beiseite. Immerhin haftete er mit seinem Kopf dafür, dass Suleiman der Araber sich nicht heimlich in die Büsche schlug. So entging ihm nicht, wie der Maure fast unmerklich dem Rand der Gruppe entgegenstrebte, und folgte ihm.

»Hiergeblieben, mein heidnischer Freund!«

Als Suleiman nicht sofort stehen blieb, packte Konrad ihn am Oberarm.

Der Maure machte keine Anstalten, sich zu wehren, sondern starrte verzweifelt nach Saragossa hinüber. »Ich verstehe das nicht«, flüsterte er mit blutleeren Lippen. »Wir hatten uns alle vom Joch dieses verfluchten Omaijaden befreien wollen! Meine Freunde und ich waren uns einig gewesen, zu diesem Zweck ein Bündnis mit König Karl einzugehen. Einer von ihnen war auch Jussuf Ibn al Qasi! Ich kann nicht begreifen, warum er sich nun Abd ar-Rahman unterworfen hat. Allah möge sie beide in der tiefsten Dschehenna verfaulen lassen!«

Konrad begriff, dass der Maure vor den Trümmern seiner Pläne und Träume stand. Als der Mann aufgebrochen war, um mit König Karl zu verhandeln, war dies im Einverständnis mit den meisten Maurenfürsten des Nordens geschehen. Doch nun, da Karl in Spanien erschienen war, hatte nur die Stadt Girona den Franken freiwillig die Tore geöffnet. Die Bewohner der übrigen Städte hielten sich hinter ihren festen Mauern verschanzt, und hier vor Saragossa sah es ebenfalls nicht danach aus, als würde Karls Goldflamme demnächst anstelle der maurischen Fahnen über den Mauern flattern.

Mit einem Mal rührte sich der König. »Verdammt sollen die Ungläubigen sein! Hier bräuchten wir die Posaunen von Jericho, um eine Bresche in diese Mauern zu schlagen!«

Roland glühte vor Zorn, als er an Karls Seite trat. »Befiehl, die

Stadt zu stürmen! Unsere tapferen Franken werden diese Mauern überwinden!«

»Wenn sie Spinnen wären, die daran hochklettern können, wäre es möglich. Aber ich werde sie nicht sinnlos an dieser Feste verbluten lassen. Die Stadt auszuhungern, vermögen wir ebenfalls nicht, denn wir haben weder genügend Vorräte noch ausreichend Zeit.«

Der Markgraf blickte ihn verdutzt an. »Keine Zeit? Was ist passiert?«

Der König winkte den Umstehenden, ein wenig zurückzutreten, und zog Roland zu sich heran. »Ich habe Botschaft erhalten, dass die Sachsen sich rüsten. Sie werben in Dänemark Söldner an – und sie zahlen mit maurischem Geld.«

Der Markgraf zuckte zusammen wie unter einem Peitschenschlag, doch bevor er etwas sagen konnte, befahl der König ihm zu schweigen. »Es darf noch keiner davon erfahren. Zuerst muss ich einen Ausweg finden, der uns nicht ins Verderben führt.«

Roland konnte Karls Besorgnis verstehen. Tausende von Kriegern hatten auf Geheiß des Königs die Heimat verlassen, um in der Ferne für ihn zu kämpfen. Wenn die Männer jetzt erfuhren, dass am anderen Ende des Reiches Krieg drohte und ihre Familien Gefahr liefen, von aufständischen Sachsen niedergemetzelt zu werden, würde das den Zusammenhalt des Heeres gefährden. Brachen die Krieger jedoch auf eigene Faust in die Heimat auf, verlor der König jede Möglichkeit, hier in Spanien doch noch etwas zu bewirken. Zudem benötigte er diese Armee im Kampf gegen die Sachsen. Einen neuen Heerbann aufzurufen würde viele Monate dauern und dem rebellischen Volk an der Nordostgrenze die Möglichkeit bieten, das Reich auf Hunderte Meilen zu verwüsten.

Es bestand noch eine weitere Gefahr. Viele Männer waren dem Aufruf zur Heerfolge nachgekommen, weil sie sich reiche Beute erhofften. Blieb diese aus, war nicht auszuschließen, dass sie sich aus Enttäuschung gegen ihre Anführer wandten. Das würde Karls Macht ernsthaft erschüttern und zu Aufständen in einigen Teilen des Reiches führen. Die Gascogner und Aquitanier würden sich diese Gelegenheit ebenso wenig entgehen lassen wie die Bayern und Langobarden.

Roland war froh, nicht in der Haut seines Vetters zu stecken. Wenn Karl eine falsche Entscheidung traf, konnte dies das Ende seines Reiches bedeuten.

»Bringt den Mauren hierher!« Die Stimme des Königs verhieß nichts Gutes für Suleiman. Dieser krümmte sich in Konrads hartem Griff und wagte es nicht, dem König ins Gesicht zu sehen.

Karl musterte Suleiman wie einen ekelhaften Wurm. »Du hast versprochen, Saragossa, Barcelona und die anderen Städte würden mir die Tore öffnen und Jungfrauen mich mit Blumen willkommen heißen. Deine Jungfrauen stecken jedoch in eisernen Rüstungen, ihre Blumen haben scharfe Spitzen, und ihr Willkommen ist eher rauh als herzlich zu nennen.«

»Ich weiß nicht, was in der Zwischenzeit geschehen ist. Als ich losritt, um dich aufzusuchen, waren alle Walis des Nordens bereit, sich dir zu unterstellen.«

»Und warum sind sie es jetzt nicht mehr?«

Der Maure zuckte mit den Schultern. »Ich weiß es nicht. Ich müsste mit einigen meiner Freunde sprechen, um mehr zu erfahren. Wenn du erlaubst, werde ich aufbrechen und sie aufsuchen.«

»... und nie mehr zurückkommen!« Karl versetzte dem Mauren einen Stoß. »Nicht einmal die Stadt, in der du angeblich herrschst, hat sich meinen Scharen geöffnet. Bildest du dir wirklich ein, ich würde dir noch einmal vertrauen?«

»Lass uns nach Barcelona reiten! Du wirst sehen, dort werden die Männer meinen Befehlen gehorchen.« Suleiman klammerte sich verzweifelt an diese Hoffnung, doch Karl hatte sich bereits anders entschieden. Der Marsch nach Barcelona würde ihn wertvolle Wochen kosten, in denen die Sachsen die Kriegsfurie tief in den östlichen Teil seines Reiches tragen konnten. Außerdem war es ein Abenteuer mit ungewissem Ausgang. Bereits jetzt reichten die Vorräte kaum aus, das Heer zu ernähren. Noch bevor sie Barcelona erreicht hätten, würden sie das letzte Getreidekorn gegessen haben und auf die Hilfe von Suleimans Leuten angewiesen sein. Blieb diese aus, musste er einen hungrigen, erschöpften Haufen nach Norden führen, der unter dem ständigen Beschuss von maurischen Bogenschützen dezimiert und entmutigt werden würde.

Mit einer energischen Bewegung wandte er sich zu Roland um. »Lass das gesamte Heer antreten! Ich will zu den Männern sprechen.«

Roland nickte, obwohl ihm die Angst vor dem, was auf sie zukommen mochte, den Atem nahm. Wäre er einem überlegenen Feind gegenübergestanden, hätte er der Kraft seines Schwertarms vertraut. In dieser Situation fühlte er sich jedoch so hilflos wie ein kleines Kind. Bedrückt fragte er sich, was Karl tun konnte, um sich die Treue seiner Männer zu erhalten, obwohl diese zum ersten Mal seit vielen Jahren ohne Beute den Rückzug antreten mussten.

2.

Der Anblick des versammelten Heeres war überwältigend, und Konrad fragte sich, weshalb der Mut all dieser Männer nicht ausreichen sollte, eine Stadt wie Saragossa einzunehmen. Zwar hatte Rado, der bei Pavia dabei gewesen war, ihm erzählt, dass sie die Hauptstadt der Langobarden monatelang hatten belagern müssen, bis die Vorräte in der Stadt zur Neige gegangen waren. Doch die Mauern von Saragossa wirkten angesichts des davorstehenden Heeres nicht unüberwindlich. Allerdings gab es im weiten Umkreis keine Lebensmittel, und daher würden sie schneller verhungern als einen Weg in die Stadt finden.

Die Ankunft des Königs unterbrach sein Sinnieren. Karl war nun mit einer roten Tunika und einem dunklen Mantel bekleidet und ritt auf seinem Lieblingshengst. Auf dem Kopf trug er den Kronreif, und in der linken Hand hielt er sein Banner, die Goldflamme, die ihm in so vielen Siegen vorausgetragen worden war. Immer wieder zügelte er sein Pferd und wechselte ein paar Worte mit Männern, die er kannte.

Die Spannung stieg, als er den Hengst auf einen kleinen Hügel lenkte. Für etliche Augenblicke herrschte eine Stille, als wage nicht einmal mehr ein Vogel, Atem zu schöpfen.

Karls Blick glitt über die Männer. Die Muskeln seiner Wangen spannten sich, als er das Banner hob und es im Kreis schwang. Mit einer heftigen Bewegung rammte er es dann in die Erde, zog sein Schwert und hob die Klinge, bis sich das Sonnenlicht gleißend in ihr spiegelte.

»Männer!«, rief er. Seine Stimme klang etwas zu hell für seine wuchtige Gestalt, drang aber so weit, dass ihn auch die hinteren Reihen verstehen konnten.

»Meine Krieger, ich habe euch nach Spanien geführt, weil dieser Mann«, er zeigte auf Suleiman den Araber, der von Karls Leibwachen auf den Hügel geschleift wurde, »heilige Eide geleistet hat, diese Stadt hier und die anderen Städte im Norden Spaniens würden uns die Tore öffnen und uns willkommen heißen.

Ich war ein Narr, diesen Schwüren zu glauben. Nun stehe ich mit leeren Händen da! Ich habe euch in die Ferne weitab unserer Heimat geführt und vermag euch kaum genug Brot zu essen zu geben, geschweige denn, euch für eure Treue zu belohnen.«

Karl schwieg einige Augenblicke, als wolle er abwarten, wie das Heer auf seine Worte reagierte.

Ein Mann trat vor und reckte die Faust gen Himmel. »Lass uns stürmen, Karl! Wir werden diese Stadt für dich erobern.«

»Jawohl, das tun wir!«, schrien andere. Weitere Krieger stimmten lautstark zu, und dann schlugen die Männer mit ihren Schwertern und Speeren gegen die Schilde.

Der König ließ sie eine Weile gewähren, dann hob er die Hand und gebot Ruhe. »Meine Freunde! Gerne würde ich euch diesen Wunsch erfüllen. Doch nicht diese Maurenstadt ist unser Problem. Ob sie steht oder fällt, ist für unser Reich ohne Belang. Anders ist es jedoch mit den Sachsen. Sie haben ebenfalls heilige Eide geschworen, den Frieden zu halten, den ich mit ihnen geschlossen habe. Doch der Schwur eines Sachsen ist ebenso viel wert wie der eines Mauren, nämlich einen Hundedreck! Nur weil ich den Schwüren der Sachsen vertraute, habe ich euch bis nach Spanien geführt. Doch kaum weilen wir in der Ferne, wetzen die Eidbrüchigen ihre Schwerter und überfallen unsere Dörfer.

Ich weiß, dass euer unerschütterlicher Mut diese Stadt bezwingen könnte. Doch der Preis dafür wären brennende Dörfer und ermordete Kinder und Frauen im Osten unseres Reiches. Franken, ich bekenne mich schuldig, einen Fehler begangen zu haben, indem ich auf die Versprechungen dieses Mauren und die Friedensschwüre der Sachsen gebaut habe.«

»Du trägst keine Schuld, Karl, sondern all jene verräterischen Hunde!«, rief der Anführer eines Aufgebots, das von der Sachsengrenze kam, und etliche fielen ein.

»Wir folgen dir, König, wohin du uns führst!«

»Tod den Mauren und den Sachsen!«

Diesmal schrien die Männer noch lauter als zuvor und schlugen so heftig gegen ihre Schilde, dass es von den Mauern Saragossas widerhallte. Konrad empfand schrankenlose Bewunderung für seinen König, der vor seinen Leuten einen fatalen Fehler zugegeben hatte und dennoch von ihnen bejubelt wurde.

Karl ließ den Männern Zeit, ihre Meinung zu äußern. Erst als sie ruhiger wurden, ergriff er erneut das Wort. »Franken, wir werden dieses Land, in dem die Freunde von gestern sich in Feinde verwandelt haben, verlassen und in die Heimat zurückkehren, nach Franken, wo die Mädchen euch mit Blumen und Brot begrüßen werden …«

»… und mit Wein«, rief ein Krieger dazwischen.

Um Karls Lippen zuckte ein Lächeln. »… und mit Wein, meine Freunde. Wenn wir uns dann gestärkt haben, ziehen wir weiter ins Sachsenland und lassen dieses Volk für seinen Verrat bezahlen!«

»Tod den Sachsen!«, erscholl der Ruf aus Tausenden Kehlen.

»Tod allen Verrätern!«, antwortete Karl ihnen und lenkte sein Pferd ein Stück zur Seite. Mehrere Knechte schleppten einen Baumstamm herbei und rammten ihn auf der höchsten Stelle des Hügels in die Erde. Auf ein Zeichen des Königs hin rissen die Wachen Suleiman Ibn al Arabi die Kleider vom Leib und banden ihn an den Pfahl.

Karl zeigte mit der Spitze seines Schwertes auf den Mauren. »Dieser Mann hat uns mit seinen falschen Versprechungen beinahe ins Verderben gelockt. Jetzt wird er für diesen Verrat bezahlen.«

Der Maure wand sich in seinen Fesseln und begann zu flehen. »Übe Gnade, oh mächtigster Herrscher im Weltenrund! Nicht ich bin an diesen Dingen schuld, sondern das Schicksal. Lasst mich leben, und ich lege dir die Schlüssel von Barcelona vor die Füße, dazu übergebe ich dir Kisten voller Gold und Silber und hundert schöne Jungfrauen, die noch bei keinem Mann gelegen sind. Ich …«

»Schweig!«, fuhr Karl ihn an. »Nach dem Empfang, der mir

hier in Spanien zuteilgeworden ist, gilt mir dein Wort weniger als der Staub unter meinen Sohlen. Fangt an!« Die letzten beiden Worte galten zwei vierschrötigen Kerlen in ledernen Hemden und Hosen.

Die Männer zogen lange Messer aus den Scheiden an ihren Gürteln und begannen, dem Mauren die Haut abzuziehen. Nicht lange, da brachen sich Suleiman al Arabis Schreie an den Stadtmauern von Saragossa und kehrten als Echo zurück. Karl sah mit grimmiger Miene zu, wie der Mann, der ihm den Norden Spaniens versprochen hatte, zu Tode geschunden wurde. In seinen Augen war es die gerechte Strafe für einen Meineidigen, der ihn mit vielen Versprechungen und Schwüren zu diesem Abenteuer verleitet hatte.

Konrad empfand ebenfalls kein Mitleid mit Suleiman, auch wenn ihm bewusst war, dass der Maure nur ein Sündenbock war, der dem Heer vorgeworfen wurde. Sein Blick wanderte zu Ermengilda, die ein Stück entfernt neben den beiden Tragbetten stand, auf denen ihr Gemahl und Philibert lagen. Sie hatte beide Hände auf den Mund gepresst und sah aus, als würde sie jeden Augenblick anfangen zu schreien.

»Das ist kein Anblick für eine Frau«, murmelte Konrad und hätte Ermengilda am liebsten ins Lager zurückgeführt. Maite stützte sie, starrte aber unverwandt auf den Hügel. Dabei wirkte ihr Gesicht so starr, als schien sie das Geschehen nicht zu berühren. Missbilligend zuckte er mit den Schultern und sagte sich, dass es ihn nicht scherte, was die Waskonin dachte.

Maite fühlte sich tatsächlich von der Hinrichtung nicht abgestoßen, sondern stellte sich vor, der Mann dort wäre Grenzgraf Roderich, der seine gerechte Strafe für den Mord an ihrem Vater erlitte. Dann aber schüttelte sie den Kopf. Eine solche Rache träfe den Falschen. Roderich war Ikers Feind gewesen und hatte ihm eine Falle gestellt. Die Schuld am Mord ihres Vaters trug derjenige, der ihren Vater an die Asturier verraten hatte.

Sie ballte die Fäuste und schwor dem Verräter erneut blutige Rache. Wäre ihr Vater nicht getötet worden, würde er den Stamm wie ein wahrer Häuptling führen und nicht vor Eneko von Iruñea buckeln, wie Okin es tat.

Hier im Lager der Franken war ihr endgültig klargeworden, dass der Verrat an ihrem Vater ihr Leben zerstört hatte. Wäre Iker nicht ermordet worden, würde sie als Tochter des Stammesführers unumschränktes Ansehen genießen und könnte unter den Söhnen anderer Anführer wählen. Vielleicht wäre sogar Enekos gleichnamiger Sohn an ihr interessiert gewesen, denn eine Heirat mit ihr hätte den Herrschaftsbereich seines Vaters um mehr als die Hälfte vergrößert. Für einige Augenblicke stellte Maite sich vor, die Frau des mächtigsten Häuptlings von Nafarroa zu sein, doch das schriller werdende Geschrei des geschundenen Mauren rief sie in die grausame Gegenwart zurück, und sie fragte sich mit klopfendem Herzen, was das Schicksal ihr bringen würde.

Bislang hatte sie nur jenen Augenblick herbeigesehnt, an dem sie der Geiselhaft bei den Franken ledig sein und in ihr Dorf zurückkehren würde. Nun aber versuchte sie sich vor Augen zu führen, was dort auf sie wartete. Wahrscheinlich würde Okin sie zwingen, Asier zu heiraten. Ihr Vater hätte über einen solchen Brautwerber gelacht. Doch welche anderen Möglichkeiten hatte sie? Ihr war, als sei sie ein von den Hängen herabrollender Stein, der keinen Einfluss auf seinen Fall nehmen konnte. Im Gefühl völliger Hilflosigkeit verfluchte sie Graf Roderich, ihren Onkel, Eneko von Iruñea, die Franken, die mit ihrem Erscheinen die Lawine ausgelöst hatten, die sie nun mitzureißen drohte, und zuletzt sogar ihren Vater, der wie ein grüner Junge in die Falle seines Feindes gegangen war. Ihnen allen hatte sie es zu verdanken, dass ihre Zukunft wie eine schwarze Wolke über ihr hing, aus der jederzeit Blitze zucken und sie töten konnten.

»Es wird Zeit, dass ich mein Schicksal wieder in die eigenen Hände nehme!«

»Was hast du gesagt?«

Ermengildas Frage machte Maite klar, dass sie ihre geheimsten Gedanken laut ausgesprochen hatte. Sie rettete sich in ein gekünsteltes Lachen und wies auf Suleiman, dessen Schreie inzwischen in ein unmenschliches Geheul übergegangen waren. »Ich dachte nur, welch grässliches Schicksal diesen Mann ereilt. Das hätte er sich vor seiner Reise nach Franken gewiss nicht vorgestellt.«

Ermengilda wusste, dass Maite ihr nicht die Wahrheit sagte, aber sie fühlte sich nicht in der Verfassung, in die Freundin einzudringen. Bedrückt starrte sie zu Boden. »Suleiman Ibn Jakthan al Arabi el Kelbi hat sich seine Rückkehr nach Spanien gewiss anders ausgemalt. Doch wir Menschen sind nur Blätter im Wind des Schicksals und werden an die Stelle geweht, an die es uns bringen will.«

Dabei dachte sie jedoch nicht an den Mauren, der dort vorne einen grässlichen Tod starb, sondern an ihre Ehe mit Eward, die wohl nie zu einem gedeihlichen Miteinander führen würde. In seinen Fieberträumen hatte ihr Mann immer wieder nach Hildiger gerufen wie ein kleines Kind nach der Mutter, und auch sonst musste sie feststellen, dass sein Denken und Sehnen einzig dem Mann galt, dessen Name allein ihr Übelkeit bereitete.

Unterdessen trat Markgraf Roland auf den König zu und legte die Hand auf dessen Sattel. »Du hast weise gesprochen, und die Männer scheinen es leichter aufgenommen zu haben, als ich es mir hätte vorstellen können. Doch was machst du, wenn die Asturier doch noch kommen?«

Karl verzog verächtlich den Mund. »Das werden sie nicht. König Silo dürfte sich weiterhin mit dem Aufstand in Galicien entschuldigen. Doch der ist, wie mir meine Gewährsleute berichtet haben, nur ein besserer Ringelreihen. Hier und da gibt es kleine Scharmützel, doch im Grunde tun sich die Krieger des Königs und die Rebellen nicht weh. Meiner Ansicht nach unterstützen die Mauren diesen Aufstand nur deshalb, um Silo von Asturien einen Grund zu geben, nicht zu uns stoßen zu müssen.«

»Dann sollten wir diesen verräterischen König bestrafen, bevor wir Spanien wieder verlassen«, stieß Roland zornig hervor.

Karl schüttelte den Kopf. »Das würde uns zu lange aufhalten. Oder willst du die Sachsen ungestraft sengen und brennen lassen? Nein, diesmal kann Silo sich in Sicherheit wiegen. Doch wenn wir unsere Grenzen im Osten gesichert haben, werden wir mit der Erfahrung zurückkehren, die wir auf diesem Zug gewonnen haben.«

»Also kommen wir hierher zurück und wetzen die Scharte aus!« Rolands Miene hellte sich auf, aber er war noch nicht ganz zufrieden. »Es wird den Männern nicht gefallen, den ganzen Weg erneut marschieren zu müssen, ohne dabei auch nur ein einziges Silberstück als Beute in die Taschen stecken zu können.«

»Keine Sorge! Sie werden auf ihre Kosten kommen. Es gibt nämlich noch jemanden, dem eine Lektion erteilt werden muss.« Karls Blick fiel dabei auf Eneko Aritza, der seine Zufriedenheit darüber, dass die Franken Spanien wieder verlassen mussten, kaum verbergen konnte.

3.

Jussuf Ibn al Qasi stand auf dem höchsten Turm von Saragossa und sah den abziehenden Feinden nach. Doch er empfand keine Erleichterung, sondern nur Verblüffung und Ärger. Er hatte erwartet, die Franken wären so gereizt, dass sie seine Stadt belagern würden, bis Hunger und Seuchen ihr Heer geschwächt hatten. Stattdessen zogen sie sich vollkommen geordnet zurück. Beklommen fragte er sich, welche Absichten sie hegten, und war auf eine List gefasst.

»Soll ich die ungläubigen Hunde verfolgen?«, fragte Fadl Ibn al Nafzi und streichelte den Knauf seines Säbels.

»Nein! Es sei denn, du willst das Schicksal deines Bruders teilen. Abdul hat mehr als ein Mal geprahlt, wie er diese fränkischen Hunde abschlachten würde, und am Ende haben sie ihn getötet. Das Heer der Franken ist noch immer ein scharfes Schwert in der Hand ihres Königs. Ich spüre förmlich ihren Zorn, weil sie weichen müssen. Jeder der Unseren, der in ihre Hände fällt, wird ebenso grausam zu Tode gefoltert wie der Verräter Suleiman.«

»Ich fürchte die Franken nicht!«, fuhr Fadl auf.

»Das solltest du aber. Als sie kamen, habe ich diese plumpen Bauern verachtet. Aber nun, da sie gehen, fürchte ich sie. Ihr König handelt völlig anders, als ich es erwartet habe, und ich bin sicher, dass dies nicht Karls einziger Ritt nach al Andalus bleiben wird. Nur wird er sich beim nächsten Mal besser auf diesen Krieg vorbereitet haben.«

»Wenn das so ist, sollte ich ihm mit meinen Männern folgen und ihm zeigen, was ihn erwartet, wenn er noch einmal hier erscheint!«

Jussuf Ibn al Qasi wandte den abziehenden Franken den Rücken zu und blickte dem Berber in die Augen. »Ich sagte: Nein! Die Franken sind zumindest jetzt kein Problem mehr für uns. Ich brauche dich und deine Männer, um Silo von Asturien und Eneko von Pamplona unter Kontrolle zu halten. Die beiden warten nur darauf, dass ich Schwäche zeige!«

Der Wali von Saragossa spürte, wie sein Magen sich bei dem Gedanken verkrampfte. Die Angst, zwischen Abd ar-Rahman und König Karl zu geraten wie zwischen Hammer und Amboss, hatte ihn ebenso wie die meisten anderen Walis des Nordens dazu gebracht, sich dem Emir zu unterwerfen. Nun, da die Franken gekommen und gegangen waren wie der Wind, der über die Felder streicht, würde der Emir ihn seine Macht noch stärker spüren lassen.

Mit einem Mal wünschte Jussuf Ibn al Qasi sich, die Franken würden zumindest einen Teil Spaniens besetzen, um ein Gegengewicht zu Abd ar-Rahmans Ansprüchen zu bilden. Am liebsten hätte er Boten zu Karl geschickt, um doch noch mit ihm zu verhandeln. Doch sein Blick wanderte zu dem Hügel, auf dem noch immer der Pfosten mit den Überresten des unglücklichen Suleiman Ibn al Arabi stand. Dieses Schicksal würde wohl jeder Mann teilen, den er zu den Franken schickte.

4.

Abgesehen von kleineren Scharmützeln mit maurischen Streifscharen erreichte das Heer ungehindert die Stadt Pamplona. Zur Verwunderung aller, die geglaubt hatten, der König werde hier nur kurz lagern lassen, um dann den Marsch in die Pyrenäen anzutreten, zog Karl mit seinen Kerntruppen in die Stadt und befahl, den Palast und alle wichtigen Plätze zu besetzen.

Graf Eneko verfolgte Karls Handeln mit Sorge, wagte aber nicht zu widersprechen oder gar Widerstand zu leisten. Als er am Abend mit dem König und dessen Edlen in der großen Halle beim Mahl zusammensaß, erschien ihm die Situation sogar noch bedrohlicher.

Karl stocherte mit seinem Messer scheinbar lustlos in dem Fleisch auf seinem Holzteller herum. Mit einem Mal hob er den Kopf und sah Roland an. »Wenn wir nach Spanien zurückkehren, benötigen wir einen festen Stützpunkt für die Versorgung unseres Heeres.«

»Das könnte Pamplona sein!« Diese Idee gefiel Roland, und er maß Eneko, der unruhig auf seinem Stuhl hin und her rutschte, mit einem spöttischen Blick. Seiner Meinung nach gab es genug, wofür der Waskone zu zahlen hatte, angefangen von den verweigerten Vorräten und den Behinderungen durch seine Leute beim Wasserholen bis hin zu der Tatsache, dass die waskonischen Krieger sich auf dem Marsch nach Saragossa eher als hinderlich denn als nützlich erwiesen hatten.

»Ja, ich denke an Pamplona«, erklärte Karl.

»Wenn du es wünschst, werde ich mit einer streitbaren Schar zurückbleiben und diese Stadt für dich halten, Vetter«, erklärte Roland bereitwillig.

»Und wer soll dann meine Nachhut führen, Eward vielleicht oder gar Hildiger?« Karl lachte auf und bedachte seinen Halbbruder, der an diesem Tag zum ersten Mal wieder an der königlichen Tafel saß, mit einem verächtlichen Blick. Eine Wunde wie die, die Eward empfangen hatte, handelte sich jeder Krieger früher oder später ein. Aber er hatte sie nicht mannhaft ertragen, sondern vor Schmerzen gewimmert und gegreint wie ein kleines Kind. Außerdem, so war es Karl zugetragen worden, fragte sein Verwandter immer wieder, wann Hildiger zurückkehren würde.

Nicht zum ersten Mal ertappte der König sich bei dem Wunsch, Silo von Asturien habe Ewards Schwertbruder einen Kopf kürzer machen lassen. Der Misserfolg hier in Spanien hatte seine Geduld erschöpft, und er sah in Eward nicht länger den jüngsten Sohn seines Vaters, den dieser ihm ans Herz gelegt hatte, sondern ein unfähiges Bürschchen, das härter angepackt gehört hätte.

Roland nahm Karls Verärgerung über Eward und dessen Freund mit einer gewissen Zufriedenheit wahr, denn er kannte

Hildigers Bestreben, so viel Einfluss wie möglich auf Kosten anderer zu gewinnen. Kurz erwog er, dem König vorzuschlagen, Eward zum Statthalter von Pamplona zu machen und ihn samt seinem Liebhaber hier zurückzulassen. Dann aber sagte er sich, dass er den beiden keinen einzigen fränkischen Krieger anvertrauen würde.

Unterdessen hatte der König sich wieder naheliegenden Dingen zugewandt. »Eine fränkische Garnison in Pamplona würde sich nicht lange gegen die Mauren halten können, zumindest nicht ohne gesichertes Hinterland und geregelten Nachschub. Doch ich weiß nicht, wann ich genügend Verstärkung hierherschicken kann. Also überlassen wir die Stadt Graf Eneko.«

Die wenigen Waskonen, die für würdig erachtet worden waren, im selben Raum wie der König zu speisen, grinsten und stießen einander an. In dem Augenblick, in dem der letzte Franke die Stadt verlassen hatte, würden sie die Tore hinter ihnen schließen und sie nie mehr einlassen. Eneko Aritza aber starrte Karl beunruhigt an, denn ein Unterton in dessen Stimme hatte ihn aufhorchen lassen.

»Wie willst du verhindern, dass Eneko noch einmal das gleiche falsche Spiel mit uns treibt und uns bei unserer Rückkehr vor der Stadtmauer verrotten lässt?«, rief Roland empört, der kaum glauben konnte, dass Karl den letzten Vorteil in Spanien aus der Hand zu geben bereit war.

»Das wird er nicht«, antwortete Karl sanft lächelnd, »weil er nämlich keine mehr besitzen wird. Wir werden die Mauern und Türme von Pamplona schleifen. Ab morgen wird jeder Mann, jedes Weib und jedes Kind in dieser Stadt daran mitarbeiten. Wer es nicht tut, dessen Besitz ist unserem Heer verfallen, und er selbst und seine Familie werden als Sklaven fortgeführt.«

Eneko sprang entsetzt auf. »Das könnt Ihr nicht tun!«

Karl maß ihn mit kaltem Blick. »Ich tue, was ich für richtig halte. Trotz deines Treueids hast du deine Stadt vor dem Kommandanten meiner Vorhut verschlossen gehalten und mich nur gezwungenermaßen und mit vielen Ausflüchten unterstützt. Da ich nicht auf deine Treue bauen kann, muss ich dafür sorgen, dass du mir nicht noch einmal in den Rücken fallen kannst. Daher wirst du morgen ebenfalls beim Abriss mit anpacken und deinen Leuten ein Vorbild sein. Arbeitet rasch, denn ich habe nicht viel Zeit. Wenn ihr mir zu sehr trödelt, lasse ich Pamplona plündern und niederbrennen.«

Bei dieser Drohung schnappte Eneko nach Luft. Die Franken aber klopften begeistert auf die Tische, denn sie waren mit der Überzeugung in dieses Land gekommen, von Freunden empfangen zu werden. Stattdessen hatte man sie wie unerwünschte Eindringlinge behandelt, und das wollten sie den Waskonen heimzahlen.

Auch Roland war zufrieden. Er beschloss, die Bewohner, welche die Mauern niederreißen sollten, selbst zu überwachen und jede Nachlässigkeit gnadenlos zu ahnden. Wie der König schon gesagt hatte, mussten sie so schnell wie möglich in die Heimat zurückkehren und gegen die Sachsen vorgehen. Wenn dieses renitente Volk endlich niedergeworfen war, schwor Roland sich, würde er erneut nach Spanien ziehen und all jene bestrafen, die viel versprochen und nichts gehalten hatten.

Weiter unten an der Tafel lauschte Eward mit wachsender Erbitterung den Worten des Königs. Seine Hoffnung, Karl werde ihn getreu seinem Versprechen zum Markgrafen in Spanien ernennen, zerrann wie Wasser aus einem zerschlagenen Topf, und er fragte sich beklommen, was Hildiger zu dieser Entwicklung sagen würde. Sein Geliebter war noch immer nicht aus Asturien zurückgekehrt, und es sah nicht so aus, als sei Karl bereit, auf ihn und seine Männer zu warten. Die Angst um Hildiger und die Enttäuschung brachten Eward beinahe dazu, seinem Halbbruder ins Gesicht zu schreien, dass auch er sich verraten sah – und zwar von ihm. Da er jedoch fürchtete, Karls Zuneigung vollends zu verlieren, presste er die Lippen aufeinander und hockte den Rest des Mahles mit düsterer Miene auf seinem Platz.

Auch Ermengilda war niedergeschlagen. Wenn die Franken Spanien verließen, würde sie Eward in seine Heimat folgen müssen. Welches Schicksal sie dort als aufgenötigte Gattin eines Mannes zu erwarten hatte, der mit ihr nichts anzufangen wusste, konnte sie sich lebhaft vorstellen. Wahrscheinlich würde Eward sie auf Hildigers Bestreben hin in ein abgelegenes Kloster schicken und vergessen haben, ehe der Wagen, der sie dorthin bringen sollte, eine Pferdelänge zurückgelegt hatte.

Die Einzige, der diese Entwicklung ein gewisses Gefühl der Zufriedenheit verschaffte, war Maite. Sie hatte nicht vergessen, dass Eneko von Iruñea sich in die Belange ihres Stammes eingemischt und ihrem Onkel geholfen hatte, seine Stellung auszubauen. Nun saß Okin als geehrter Gast an Enekos Tisch, während Männer wie Amets von Guizora und Asier nicht eingeladen worden waren. Dies zeigte ihr, welchen Rang man ihr zumessen würde, wenn sie eine Ehe mit Asier einging.

Bislang hatte Maite sich nie die Frage gestellt, warum ihre Mutter als Frau und sie als Tochter eines Anführers selbst ihre Wäsche gewaschen und den Ziegenstall ausgemistet hatten. Auch ihr Vater hatte stets selbst Hand angelegt. Männer wie Eneko und Okin aber folgten dem Beispiel fremder Edelleute, die an der Tafel saßen und Wein tranken und Knechte und Mägde ihre Arbeit erledigen ließen.

Während sie ihren Gedanken nachhing, spürte sie, wie jemand an ihrem Ärmel zupfte. Sie drehte sich um und blickte in das bleiche Gesicht des jungen Eneko. »Ich habe kurz mit Vater sprechen können. Wir Geiseln sollen mithelfen, die Mauer niederzureißen. Aber wir werden im Lauf des morgigen Tages fliehen, damit die Franken uns nicht in ihr Land verschleppen können. Halte dich also in meiner Nähe und achte auf mein Zeichen.«

Maite atmete auf. Wenn die Franken sie über die Pyrenäen brachten, würde sie erst nach Jahren oder sogar niemals mehr zurückkehren können, und damit bekäme Okin freie Hand. So aber konnte sie wenigstens versuchen, gegen den Einfluss ihres Onkels im Stamm anzugehen, auch wenn sie dazu einen von Amets' Söhnen heiraten musste. Mit einem spöttischen Lächeln blickte sie zu Okin hinüber. Diesem würde es gewiss nicht passen, dass der junge Eneko auch ihr zur Flucht verhelfen wollte, und sie freute sich schon, sein dummes Gesicht zu sehen, wenn sie wieder in Askaiz auftauchte. Bei dem Gedanken spürte sie, wie glücklich sie sein würde, ihr Heimatdorf wiederzusehen.

Mit einem Mal musste sie an das Schicksal denken, welches Ermengilda erwarten mochte. Hatte es vor Ewards Verletzung so ausgesehen, als gewöhne dieser sich nach und nach an seine Gemahlin, war diese Hoffnung inzwischen geschwunden. Er hatte sich als jämmerlicher Patient erwiesen und trug Ermengilda wie auch ihr die Schmerzen nach, die er erlitten hatte. Ihre Freundin würde von Glück sagen können, wenn sie sich nur in einem Kloster wiederfand. Vermutlich würde ihr, wie Maite Hildiger einschätzte, stattdessen der Tod durch eine scharfe Klinge drohen.

Kurzentschlossen stupste sie Ermengilda an. »Ich muss mit dir sprechen. Heute noch!«

Über Ermengildas Gesicht huschte ein bitteres Lächeln. »Ich glaube kaum, dass es meinen Gemahl heute Nacht nach mir gelüsten wird. Vorhin ist ein Bote erschienen und hat Hildigers baldige Ankunft angekündigt. Daher werde ich in der gleichen Kammer schlafen wie du.«

»Das ist gut!« Maite atmete auf. Wenn Hildiger wieder um Eward herumstrich, würde Ermengilda eher für ihre Vorschläge offen sein.

5.

Als Ermengilda wenig später in den düsteren Gang einbog, der zu der Kammer führte, die man ihr und Maite zugeteilt hatte, löste sich ein Schatten von der Wand. Im ersten Augenblick erschrak sie, erkannte dann aber Philibert, der auf einen Stock gestützt auf sie gewartet hatte.

»Verzeiht mir, aber ich muss einfach mit Euch reden«, flüsterte er.

»Ihr seid verletzt und gehört ins Bett!« Ermengilda blickte sich besorgt um, denn sie hatte Angst vor Zuträgern, die ihrem Gemahl berichteten, sie sei mit einem anderen Mann vor ihrer Kammertür gesehen worden, und sie wollte auch Maite nicht Rede und Antwort stehen.

»Pah! Die Schramme ist bald verheilt«, tat Philibert seine Wunde ab, obwohl er vor Schwäche zitterte. »Mir geht es um Euch! Ihr dürft nicht mit ins Frankenreich ziehen, denn Eward wird die erste Gelegenheit nutzen, sich Eurer zu entledigen.«

»Was soll ich Eurer Ansicht nach tun? Den Palast verlassen und die Wachen am Tor bitten, mich hinauszulassen? Es sind viele Meilen bis zur Burg meines Vaters. Ich glaube nicht, dass ich das allein schaffen kann.«

»Ihr seid nicht allein!« Philibert fasste nach ihrer Hand und führte sie an die Lippen. »Ich werde Euch begleiten. Beim Heiland, um Euch vor Eward und Hildiger zu retten, würde ich sogar zum Muselmanen werden.«

»Ihr versündigt Euch!«, wies Ermengilda ihn zurecht. Gleichzeitig stieg ein warmer Strom von ihrem Herzen auf. Es tat gut, so geliebt und verehrt zu werden, und für einen Augenblick war sie bereit, Philiberts Angebot anzunehmen. Dann aber schüttelte sie den Kopf. »Es geht nicht. Eure Wunde heilt nicht gut, und wenn sie wieder aufbricht, könnte es Euer Tod sein. Außerdem würdet Ihr alles aufgeben, was Euch lieb und teuer ist: Eure Familie, Eure Heimat und Euren König!«

»Für Euch gebe ich selbst mein Leben hin!« Philibert wollte sein Knie vor ihr beugen, doch sein verletztes Bein gab nach. Ermengilda stützte den Taumelnden und hielt ihn für einige Augenblicke fest. »Ich achte Euch sehr für das, was Ihr für mich tun wollt, doch ich kann Euer Opfer nicht annehmen.«

»Doch nur, weil ich ein hinkender Krüppel bin!« Enttäuscht wandte Philibert sich ab und humpelte ohne Abschied davon. Ermengilda wollte ihm folgen, sah dann aber von der anderen Seite Maite kommen und blieb stehen.

»Du hättest nicht auf dem Flur auch mich warten müssen«, sagte die Waskonin verwundert.

Ermengilda hörte sie kaum, denn sie starrte immer noch in die Richtung, in die Philibert gegangen war, und fragte sich, ob sie seinen Vorschlag aus Pflichtbewusstsein oder aus Feigheit abgelehnt hatte. Vielleicht wäre es besser für sie, mit ihm zu fliehen. Dann aber dachte sie an seine Verletzung und schüttelte den Kopf. In seinem Zustand hätte er den Weg bis zur Burg ihres Vaters niemals bewältigt, und sie wollte ihre Freiheit nicht auf Kosten seines Lebens erringen.

Da Ermengilda gedankenverloren dastand und nicht reagierte, fasste Maite sie am Arm und zog sie ins Zimmer. Während sie die Riegel vorschob, fühlte sie sich auf einmal unsicher, ob sie sich Ermengilda anvertrauen sollte. Wenn diese sie an die Franken verriet, würde die Flucht der waskonischen Geiseln durch ihre Schuld scheitern. Schließlich hatte sie keinen Grund, der Tochter jenes Mannes zu helfen, der ihren Vater getötet hatte. Sie spürte jedoch, dass ihr Hass nicht groß genug war, Ermengilda all das Elend zu wünschen, welches die Astu-rierin im Frankenreich erwartete. Entschlossen packte sie sie, schüttelte sie und zog sie zu sich herum.

»Jetzt hör mir gut zu! Bist du bereit zu schwören, nichts von dem, was ich dir jetzt sage, weiterzuerzählen?«

Ermengilda starrte sie verwundert an, ohne zu begreifen, was Maite von ihr wollte.

»Verdammt, schwörst du nun, oder tust du es nicht?«, fuhr diese sie an.

Ermengilda schob ihre Zweifel und ihren Kummer beiseite. »Ich schwöre«, sagte sie mit müder Stimme.

»Eneko, ich und einige andere werden morgen fliehen. Ich will, dass du mit mir kommst.«

»Fliehen?« Ermengilda starrte sie zweifelnd an. Als Philibert ihr denselben Vorschlag gemacht hatte, war sie sofort dagegen gewesen, aber mehr aus Sorge um ihn als wegen der Folgen, die dieser Schritt nach sich ziehen würde. Um Maite brauchte sie sich keine Gedanken zu machen. Die Waskonin war so jung und gesund wie eine Bergziege und kannte das Land wie keine Zweite. Zudem war sie überzeugt, dass Maite sie nach alle-dem, was sie gemeinsam erlebt hatten, nicht erneut versklaven lassen wollte.

Langsam, als sträube sich ihr Nacken gegen den Entschluss, nickte sie. »Ich komme mit!«

Das würde für Philibert das Beste sein – und auch für Konrad. Sie fragte sich jedoch, warum sie ausgerechnet jetzt an die bei-den denken musste. Natürlich hatten die fränkischen Krieger ihr das Leben gerettet und damit Anspruch auf ihre Dankbar-keit erworben. Aber sie empfand viel mehr für die jungen Männer. Beide wären ihr als Ehemänner lieber gewesen als der, der sich vor der Welt so nannte, ohne es vor Gott zu sein.

Maite sah, wie Ermengilda in ihr Grübeln zurücksank, und war im Augenblick froh, keine Fragen beantworten zu müssen, denn sie hatte einen Haken entdeckt. Als Gemahlin eines fränkischen Edelings zählte Ermengilda nämlich nicht zu jenen, die die Mauern von Iruñea schleifen mussten. Aber wenn sie zusammen fliehen wollten, musste die Asturierin sich in ihrer Nähe aufhalten.

»Hör mir gut zu! Du wirst morgen Nachmittag zum östlichen Tor kommen. Dort versammeln wir uns und nehmen dich mit. Graf Eneko wird Pferde für uns bereitstellen lassen.«

Bei diesen Worten ging ihr auf, dass sie dem Herrn von Iruñea, der Okin zu höherer Macht und Ansehen verholfen hatte, dankbar sein musste, weil er ihr die Möglichkeit zur Flucht bot.

6.

Bei den Bewohnern von Iruñea löste der Befehl des Königs, die Mauern niederzureißen, Entsetzen aus. Da ihre Stadt im Spannungsfeld zwischen Asturien, den Mauren und dem Fränkischen Reich lag, bedeutete dies, in Zukunft jedem Feind schutzlos ausgeliefert zu sein. Für Graf Eneko war es außerdem das Ende seiner Pläne, Nafarroa zu einem unabhängigen Reich zu machen und sich die Königskrone aufs Haupt zu setzen.

Mit glühendem Hass im Herzen musste er zusehen, wie die Franken die Bewohner seiner Stadt aus den Häusern holten und zu den Befestigungswerken trieben. In einem Viertel weigerten sich etliche, mit dem Zerstörungswerk zu beginnen, und es war, als hätten die Franken nur darauf gewartet, ein Exempel statuieren zu können.

Fränkische Krieger rissen den Widerstand leistenden Bewohnern die Kleider vom Leib, schoren ihnen die Haare und legten ihnen Sklavenringe um den Hals. Währenddessen wurden ihre Häuser geplündert und niedergerissen. Danach wagte niemand mehr, sich König Karls Befehl zu widersetzen. Roland zwang auch Eneko Aritza dazu, Hand anzulegen. Dies war seine persönliche Rache für die vielen Tage, an denen der Stadtherr Pamplonas Tore vor ihm verschlossen gehalten hatte.

Während Eneko mit einem schweren Stein kämpfte, der sich nicht aus der Mauer lösen wollte, trat jemand an seine Seite und packte mit an.

»Du lässt dir viel gefallen, mein Freund!«, sagte der Mann. Seiner Kleidung nach handelte es sich um einen der ärmeren Bewohner der Stadt, aber sein Arabisch verriet hohe Abkunft.

Eneko brauchte einige Augenblicke, bis er seinen Helfer erkannte. »Jussuf Ibn al Qasi! Was für eine Kühnheit, hier aufzutauchen. Wenn die Franken dich entdecken, bist du schneller bei deinem Allah, als du es dir vorstellen kannst.«

»Die Augen der Giauren sehen nur das, was sie sehen wollen. Es sei denn, du willst um ihre Gunst buhlen und mich verraten. Fadl Ibn al Nafzi würde sich darüber freuen. Er hat eine stattliche Schar zusammengetrommelt und wartet nur darauf, sein Schwert zu erproben. Pamplonas Frauen und Mädchen könnten ihm als Sklavinnen gefallen.«

Jussuf Ibn al Qasi gönnte seinem einstigen Protegé die schmachvolle Demütigung durch die Franken, denn Eneko hatte zu lange geschwankt, ob er sich nun den Franken anschließen und sich in deren Schatten ein Reich aufbauen oder es lieber mit den Mauren halten sollte.

»Natürlich verrate ich dich nicht. Immerhin sind wir Blutsverwandte.« Eneko packte den nächsten, locker gewordenen Mauerstein und warf ihn in die Tiefe. Nach einem prüfenden Blick auf die Franken, die in der Nähe standen, fragte er: »Was tust du hier?«

»Ich bin gekommen, um dir mit meinem Rat beizustehen.«

»Du hast mir schon einmal einen Rat gegeben, der mir zum Schaden ausgeschlagen ist. Ich sollte die Franken nicht unterstützen, sagtest du. Also habe ich die Tore versperrt und ihnen keine Vorräte geliefert. Zum Lohn darf ich die Mauern meiner Stadt niederreißen. Wenn wir in Zukunft angegriffen werden, bleibt mir nichts anderes übrig, als mich in die Berge zurückzuziehen. Dort aber bin ich nur noch ein Häuptling wie die anderen, die mich jetzt als ihren Herrn anerkennen!«

»Du brauchst Freunde, die dich unterstützen, Verwandter. Ich habe dir diese Stadt in die Hand gegeben und werde dafür sorgen, dass du sie behalten kannst. Allerdings hat das seinen Preis«, antwortete Jussuf Ibn al Qasi lächelnd.

»Nenne ihn mir! Willst du Jungfrauen haben, du kriegst so viele, wie du willst, auch Sklaven ...«

»Das alles interessiert mich nicht! Mein Ziel ist es, den Franken das Rückgrat zu brechen, damit sie das Wiederkommen vergessen. Gelingt es uns, ein Fanal des Untergangs zu setzen, wird Karls Reich bald an vielen Enden brennen. Die Sachsen haben sich bereits erhoben. Ihnen werden andere Völker folgen, und bald schon wird das Banner mit der goldenen Flamme in blutigem Staub versinken. Dazu, mein Bruder, wirst du das Deinige tun.«

Eneko lachte freudlos, hielt aber inne, damit kein fränkischer Wächter auf seinen Gesprächspartner aufmerksam wurde.

»Wie stellst du dir das vor? Soll ich mit meinen Kriegern über das mir mindestens zehnfach überlegene Heer der Franken herfallen?«

»Die Franken im offenen Feld anzugreifen, wäre Wahnsinn. Das hat selbst der Emir nicht gewagt. Etwas anderes ist es jedoch, ihr Heer oder wenigstens einen Teil davon in einen Hinterhalt zu locken, wenn es die Schluchten der Pyrenäen passiert. Oder willst du keine Rache dafür nehmen, was sie dir und deiner Stadt angetan haben?«

»Und ob ich das will!«, rief Eneko unvorsichtig laut. Er hatte diese eisengepanzerten Männer aus dem Norden satt, die ihn wie einen Knecht behandelten. Dennoch fand er noch ein Haar in der Suppe. »Ich habe nicht einmal genug Krieger, um die Nachhut der Franken mit Erfolg angreifen zu können. Außerdem würde Karl sofort sein Heer wenden und Iruñea dem Erdboden gleichmachen.«

»Karl wird nicht zurückkommen. Dafür liegen ihm die Sachsen zu sehr im Magen. Außerdem werdet ihr Waskonen nicht allein kämpfen. Ich sagte bereits, dass Fadl Ibn al Nafzi danach giert, sein Schwert in das Blut der Feinde zu tauchen. Seine Krieger werden oberhalb von Orreaga auf euch warten.«

Ohne eine Antwort abzuwarten, kehrte Jussuf Ibn al Qasi Eneko den Rücken und ging. Einer der Franken wollte ihn aufhalten. »He, du da, du sollst arbeiten.«

»Ich komme gleich zurück. Ich will nur ein wenig Wein holen, um mich zu stärken. Wenn du mich gehen lässt, bekommst du einen vollen Krug!«

Jussuf Ibn al Qasi lächelte, als sich der Gesichtsausdruck des Franken wandelte. Der grimmige Zug machte einem erwartungsfrohen Ausdruck Platz. »Also gut! Bring mir einen Krug mit. Aber keinen zu kleinen, verstanden?«

»Er wird so groß sein, dass du ihn nicht alleine wirst austrinken können!« Damit verließ Jussuf Ibn al Qasi die Stadtmauer und amüsierte sich über den fränkischen Trottel, der vergebens auf den Wein warten würde.

7.

Die Geiseln mussten tatsächlich mithelfen, die Mauer zu schleifen, und sie bekamen die Verachtung der Franken für die Bergwilden, wie die Waskonen ganz offen genannt wurden, zu spüren. Daher sehnte sich nicht nur Maite danach, der Gefangenschaft zu entrinnen. Zu ihrem Glück war der Plan des jungen Eneko ebenso einfach wie genial. Er schickte zwei der Mädchen in den Palast, um Wein zu holen. Dafür musste er den Franken, die sie bewachten, versprechen, ihnen einen Krug mitzubringen. Als die Waskoninnen mit zwei Körben voller Krüge zurückkehrten, forderten die Wachen als Erste ihren Anteil. Danach brauchten Eneko, Maite und die anderen nur noch zu warten, bis der betäubende Sud zu wirken begann, der unter den Wein gemischt worden war.

Als die Franken schnarchend am Boden lagen, winkte Eneko den Geiseln, ihm zu folgen, und tauchte im Gewirr der engen Gassen unter. Die anderen folgen ihm so schnell, als hätten sie Angst, zurückgelassen zu werden. Nur Maite wandte sich in eine andere Richtung und eilte zu der Stelle, an der Ermengilda auf sie wartete.

»Komm mit!«, rief sie ihr zu.

»Wie willst du aus der Stadt kommen? Die Franken bewachen doch alle Ausgänge«, fragte Ermengilda besorgt.

»Eneko kennt einen Geheimgang, der noch aus alter Zeit stammt. Am anderen Ende warten Pferde auf uns. Wir reiten so tief in die Berge hinein, dass die Franken uns nicht finden werden. Jetzt komm!«

Erst in diesem Moment begriff Ermengilda, dass sie im Grunde gar nicht fliehen wollte. Zumindest nicht, ohne vorher mit Philibert und Konrad gesprochen zu haben. Entschlossen schüttelte sie den Kopf. »Ich komme nicht mit. Dir aber wünsche ich alles Glück der Welt!«

Maite starrte sie verärgert an. »Was soll das? Gestern warst du noch bereit zu fliehen.«

»Es geht nicht!«, antwortete Ermengilda, wagte aber nicht, Maite ins Gesicht zu sehen.

Diese zuckte mit den Achseln. »Es ist deine Entscheidung.

Aber beschwere dich hinterher nicht, wenn dein Mann dich von sich stößt oder gar umbringen lässt!« Damit wandte sie der Asturierin den Rücken zu und ging.

Ermengilda blickte ihr seufzend nach und machte sich dann auf den Rückweg zum Palast. Dabei bemerkte sie nicht, wie jemand auf sie zutrat. Erst als sich eine Hand auf ihren Mund legte und sie in einen düsteren Torbogen gezerrt wurde, schrak sie auf und versuchte, sich zu wehren. Doch sie hing fest in den Armen eines Mannes, der sie immer tiefer in die Dunkelheit hineintrug. War dies bereits der Mörder, den Hildiger ihr geschickt hatte?, fragte sie sich. Wenn ja, dann war es ihre eigene Schuld, wenn sie hier starb. Maite hatte ihr einen Ausweg gezeigt, und sie hatte ihn ausgeschlagen.

Plötzlich liefen ihre Überlegungen in eine andere Richtung. Was aber war, wenn der Kerl nur ein Weib suchte, dem er Gewalt antun wollte? Würde er ihren Worten glauben, dass sie Graf Ewards Gemahlin sei, oder sie trotzdem schänden?

Nach wenigen Schritten blieb der Mann stehen und ließ sie los. »Verzeiht, dass ich Euch überfallen habe. Aber ich wusste mir keinen anderen Rat!«

Jetzt erkannte sie ihn. »Konrad? Hast du mich aber erschreckt!«

»Das wollte ich nicht. Aber ich habe die ganze Zeit überlegt, was für ein Leben Euch erwarten wird, wenn Eward Euch in seine Heimat mitnimmt. Das will ich Euch ersparen.«

»Deine Besorgnis in allen Ehren, doch weshalb überfällst du mich und schleppst mich hierher?« Ermengilda war nun mehr empört als verängstigt.

»Bitte nicht so laut«, flehte er sie an. »Ich will Euch in Eure Heimat bringen. Meine beiden maurischen Stuten warten auf uns. Es ist kein Problem, aus der Stadt zu kommen, denn an ein paar Stellen ist die Mauer bereits zusammengebrochen.«

»Du willst mit mir fliehen?«

Der junge Franke nickte. »Ja, das will ich.«

Ermengilda strich gerührt über seine Wange. Gerade weil das Schicksal ihr übel mitgespielt hatte, tat es gut, Freunde zu haben, die ihr helfen wollten. Mit Konrad an ihrer Seite würde sie ihre Heimat erreichen. Er war ein guter Krieger und besaß schnelle Rosse. Außerdem war er ein Mann, von dem sie glaubte, mit ihm leben zu können.

Da schob sich auf einmal Philiberts Bild in ihre Gedanken. Bevor sie Konrad folgte, musste sie unbedingt mit dessen Freund sprechen und ihm erklären, weshalb sie nicht mit ihm hatte fliehen können. Mit einer entschlossenen Geste schob sie daher Konrad zurück.

»Es tut mir leid, aber ich ... es geht nicht – zumindest noch nicht!«

Der junge Mann starrte sie zuerst fassungslos an. Dann verzog sich sein Gesicht zu einer wütenden Grimasse. »Also willst du bei Eward bleiben, der kein Mann, sondern eine Memme ist. Ja, natürlich! Ich verstehe! Er ist Graf und stammt aus königlicher Familie. Damit ist er natürlich etwas Besseres als ich. Der Sohn eines Freibauern ist eben nicht gut genug für Deinesgleichen.«

Bevor Ermengilda etwas erwidern konnte, ließ er sie stehen und ging mit langen Schritten davon.

Die junge Frau sah ihm nach und spürte, wie ihr die Tränen über die Wangen rannen. Durch ihr Zögern war es ihr gelungen, sowohl Philibert wie auch Konrad vor den Kopf zu stoßen. Dabei waren beide bereit gewesen, für sie ihre Heimat und ihre Familien zu verlassen und ihrem König, dessen Gunst sie sich mit ihrem Mut errungen hatten, den Dienst aufzusagen. Jetzt blieb ihr nichts anderes übrig, als mit Eward zu ziehen und das Schicksal auf sich zu nehmen, das er für sie bereithalten würde.

8.

Maite und ihre Begleiter hatten Glück. Die Wachen meldeten deren Verschwinden zwar Eward, den König Karl mit der Aufsicht über die Geiseln betraut hatte, aber dieser fieberte Hildigers Rückkehr entgegen und interessierte sich nicht für deren Flucht. Daher gab er die Nachricht nicht an Roland oder Karl weiter. Als die Vorhut von Karls Armee am nächsten Tag nach Norden aufbrach, nahmen diejenigen, die die Geiseln vermissten, an, Eward habe sie dem abziehenden Heeresteil mitgegeben. Er bemühte sich nicht, diesen Eindruck richtigzustellen, sondern begrüßte Hildiger voller Freude und versuchte anschließend, seinem Schwertbruder beizustehen, der vor der schweren Aufgabe stand, König Karl das Scheitern seines Auftrags mitteilen zu müssen.

Hildiger war zwar bis nach Pravia geritten, der Stadt, die König Silo als Hauptstadt diente, hatte diesen dort jedoch nicht zu Gesicht bekommen. Nachdem er einige Wochen vergeblich gewartet hatte, war ihm zugetragen worden, dass König Karl vor Saragossa gescheitert war und Spanien wieder verlassen wollte. Danach hatte er sich beeilt, nach Pamplona zu kommen. Ihm war es wichtiger, von seinen Plänen zu retten, was zu retten war, als Vorräte heranzuschaffen. Als er endlich im Lager eintraf, meldete er sich nicht bei Roland zurück, sondern trat in Ewards Zelt und beratschlagte die halbe Nacht mit ihm, was zu tun sei. Dabei rang er seinem Geliebten etliche Versprechungen ab und wartete am nächsten Tag mit einiger Zuversicht darauf, was der König beschließen würde.

Karl interessierte sich im Augenblick nicht für seinen Verwandten oder dessen Bettgesellen, sondern starrte düster vor sich hin. Die Nachrichten von der Sachsengrenze wurden immer bedrohlicher. Und selbst wenn er mit seinem Heer in Eil-

märschen dorthin zog, würden sie Wochen unterwegs sein. Bis
dahin waren die Aufgebote der Grenzgrafen auf sich allein gestellt, und das gegen einen Feind, für den es nur ein Ziel gab –
jeden Franken zu töten, dessen er ansichtig wurde.

Nach einer Weile dumpfen Brütens hob der König den Kopf.
»Ich werde mich umgehend mit der Hauptmacht auf den Weg
machen. Roland wird die Nachhut anführen. Er ist als Erster
nach Spanien gekommen und wird es als Letzter wieder verlassen.«

Roland nickte nur und streichelte seinen Schwertknauf. Auf
diesem Feldzug hatte er seine gute Klinge nur wenig einsetzen
können, doch wenn die Sachsen geschlagen waren, würde er
zurückkehren.

Der König sah ihn ernst an. »Da ich so viele Krieger wie möglich mitnehmen will, um gegen die Sachsen vorgehen zu können, wirst du dich mit einer kleineren Schar zufriedengeben
müssen als der, die du bis jetzt anführst.«

»Mir reicht die Hälfte meiner früheren Vorhut«, erklärte Roland nach kurzem Nachdenken.

Der König schüttelte den Kopf. »Das ist zu wenig! Du musst
über genug Männer verfügen, um Eneko und seine Waskonen
in Schach zu halten. So gerne reißen die ihre Stadtmauern
auch nicht nieder.«

Roland lachte wie über einen guten Witz und warf dann einen
prüfenden Blick in die Runde. Anführer und Krieger aus den
von den Sachsen bedrohten Gauen wollte er nicht bei sich behalten, denn die würden nur an ihre Familien denken und auf
einen raschen Aufbruch drängen.

»Ich werde mich auf keine größere Schlacht mit den Mauren
einlassen, sondern mich notfalls hinter die Pyrenäen zurückziehen. Daher kann ich auf etliche gute Männer verzichten.«

»Ich lasse dir Eginhard mit seinen Leuten hier und auch Anselm von Worringen. Zusammen mit ihren Aufgeboten und

deinen Bretonen wirst du mit den Waskonen fertig werden.«
Karl wandte sich den Genannten zu und sah sie nicken.

Auch Roland war zufrieden. Beide Männer waren mit ihm zusammen nach Spanien gekommen, und er hatte sie als fähige Anführer schätzen gelernt. Dafür hoffte er Eward und dessen Anhang mit Ausnahme von Konrad loszuwerden. Doch bevor er etwas sagen konnte, kam ihm der König zuvor.

»Du wirst die Verwundeten und Kranken, für die der Marsch zu beschwerlich ist, bei dir behalten. Sie sollen sich hier in Pamplona erholen. Das gilt auch für Eward. Mein Verwandter würde den Gewaltmarsch nach Sachsen nicht durchstehen.«

Hildiger versetzte Eward einen Stoß. »Wenn du noch etwas zu unseren Gunsten erreichen willst, musst du es jetzt tun.«

Mit einem unsicheren Blick auf den König stand Eward auf. »Mein Bruder, du hattest mir versprochen, mich hier in Spanien als Markgrafen einzusetzen. Jetzt aber lässt du die Mauern der einzigen Stadt niederreißen, die ich übernehmen könnte! So werde ich nicht in der Lage sein, Pamplona zu halten.«

»Das sollst du auch nicht. Sobald deine Wunde ausgeheilt ist, wirst du mit Roland und seiner Nachhut ins Reich zurückkehren. Markgraf kannst du auch später noch werden ...« ... wenn du dich bewährt hast, ergänzte der kühle Blick des Königs.

Eward kämpfte gegen die Tränen, die in ihm aufsteigen wollten. Bei seinem Gespräch mit Hildiger waren ihnen Dutzende Gründe eingefallen, um den König davon zu überzeugen, ihnen Pamplona mit einer entsprechend starken Kriegerzahl zu überlassen. Doch nun fehlten ihm dazu die Worte. Er sah Hildigers ärgerliche Miene und bedauerte es nicht zum ersten Mal, ein hochgeborener Herr zu sein.

Unterdessen wurde Hildiger klar, dass sein Schwertbruder es nicht wagte, sich gegen Karls Entschluss aufzulehnen, und trat vor. »Mein König, Ihr habt meinem Herrn, Graf Eward, große

Versprechungen gemacht. Diese könnt Ihr nicht einfach zurücknehmen.«

Einige Anwesenden murrten empört, doch Karl gebot ihnen zu schweigen. Ein paar Augenblicke lang musterte er Hildiger und Eward. Einige Wochen hatte er gehofft, sein junger Verwandter werde sich bessern. Aber seit Eward durch einen Pfeil verletzt worden war, hatte dieser sich benommen wie ein kleines Kind, und unter Hildigers erneutem Einfluss fiel er in die alten Gewohnheiten zurück. Der König bedauerte Ermengilda, die solch eine erbärmliche Ehe führen musste, und er fragte sich wieder, ob er nicht längst hätte hart durchgreifen müssen. Wenn er Eward und Hildiger beim ersten Anzeichen ihres unzüchtigen Verhaltens getrennt und seinen Halbbruder für einige Monate in ein Kloster gesperrt hätte, wäre es vielleicht anders gekommen.

Karl seufzte, denn im Grunde waren diese Überlegungen müßig. Was geschehen war, konnte er nicht mehr ändern. Bemüht, sich seine Verachtung für die beiden jungen Männer nicht zu sehr anmerken zu lassen, nickte er. »Ich pflege meine Versprechen zu halten, Hildiger. Doch wenn du dich genau erinnerst, gab ich dieses mit dem Vorbehalt, dass mein Verwandter sich auf diesem Kriegszug auszeichnen sollte. Das hat er jedoch nicht getan.«

»Ihr habt ihm auch keine Möglichkeit dazu gegeben«, rief Hildiger empört.

Diesmal wurde die Unruhe unter den Anwesenden so groß, dass der König mit der Faust auf den Tisch schlug. »Seid still, und zwar alle! Eward wird sich gedulden müssen, bis ich ihm einen verantwortungsvollen Posten im Reich anvertrauen kann. Dir aber gebe ich die Gelegenheit, dich auszuzeichnen. Reite mit mir gegen die Sachsen und beweise deinen Wert.«

»Ich kann meinen Herrn doch nicht verlassen!«, rief Hildiger entsetzt aus. Damit bestärkte er die Ansicht der meisten Anwesenden, die ihn für einen erbärmlichen Feigling hielten.

9.

Der junge Eneko brachte die mit ihm geflohenen Geiseln auf eine der Hochalmen, die zu den Besitzungen seines Vaters gehörten. Von Beginn der Flucht an hatte er sich zum Anführer aufgeschwungen und kommandierte die jungen Männer und auch die Mädchen herum, als wären es seine Untertanen. Zu Maites Bestürzung gehorchten ihm alle widerspruchslos. Umso mehr stellte sie selbst ihre Stacheln auf. Als er an diesem Vormittag auf sie zukam und von ihr verlangte, sie solle den anderen Mädchen helfen, das Essen zu kochen, zog sie blitzschnell ihr Messer und schleuderte es. Eneko zuckte erschrocken zusammen, als sich die Klinge nur wenige Fingerbreit neben seinem Ohr in den Türpfosten bohrte. Da stand Maite auch schon mit in die Hüften gestemmten Fäusten vor ihm. »Was denkst du eigentlich, wer du bist? Es sind genug Weiberröcke hier, um das Essen zubereiten zu können!«

Hinter ihrem Rücken kicherten die anderen Mädchen. »Maite kann doch gar nicht kochen! Bei ihr verbrennt das Fleisch am Spieß, und ihr Brot wird so hart, dass man einen Hammer braucht, um es zu brechen.«

Maite zog ihr Messer mit einem heftigen Ruck aus dem Türpfosten, drehte sich zu den Spottdrosseln um und zeigte mit der Klinge auf sie. »Ich kann mit meinem Messer auch etwas anderes schneiden als Brot und Braten!«

Die Mädchen quiekten auf und rannten davon. Lachend steckte Maite ihr Messer wieder ins Futteral und wollte eben die Hütte verlassen, als Eneko sie aufhielt.

»Da du die übrigen Frauen und Mädchen verjagt hast, wirst du jetzt für uns kochen. Ich hoffe, du kannst es besser, als man dir nachsagt.« Lachend und mit einer überheblichen Geste kehrte er ihr den Rücken.

Zunächst begriff Maite nicht, was ihn so handeln ließ, dann ging ihr auf, dass das Zusammenleben mit den Franken ihn verändert hatte. Dort hatte er gesehen, wie die hohen Herren sich verhielten, und nahm sie sich zum Vorbild. Das Gefühl der Kameradschaft, das während ihrer Gefangenschaft unter den Geiseln geherrscht hatte, war verschwunden. Zudem erinnerte Eneko sich nun wieder daran, dass sie Ikers Tochter war und ihr Ehemann einmal die Herrschaft über ihren Stamm fordern würde. Damit stellte sie für den Herrn von Iruñea eine Gefahr dar, weil sie ihm den Westteil des Gebiets streitig machen konnte, welches Eneko Aritza seiner Meinung nach für sich gewonnen hatte.

Als Eneko merkte, dass Maite sinnend stehen geblieben war, drehte er sich um und versetzte ihr einen heftigen Rippenstoß.

»Ich sagte, du sollst dich ans Kochen machen!«

Dann grinste er zweideutig und klopfte ihr auf das Hinterteil.

»Du bist ein rassiges Füllen, Maite. Bei dir würde ich gerne einmal im Sattel sitz…«

Zu mehr kam er nicht. Maite schnellte herum und schlug ihm mit aller Kraft ins Gesicht. Noch in derselben Bewegung zog sie das Messer und setzte es ihm an die Kehle.

»Du magst hundertmal der Sohn Enekos von Iruñea sein, doch in dem Augenblick, in dem du mir zu nahe trittst, steche ich dich ab!« Mit der freien Hand stieß sie ihn zurück und verließ mit hocherhobenem Kopf die Hütte.

Eneko sah ihr nach und zischte einen Fluch. Dann warf er seinen Kameraden einen auffordernden Blick zu. »Wir müssen den Hochmut dieses Weibsstücks brechen. Heute Abend werden wir sie überwältigen und unter jedem von uns stöhnen lassen.«

Tarter aus der Gascogne schüttelte den Kopf. »Das sollten wir nicht tun. Ich habe Maite bei dem Überfall auf Ermengildas Trupp erlebt. Behandeln wir sie so, wird sie uns hinterher allen die Kehle durchschneiden.«

»Feigling!«, verspottete ihn Eneko. Gleichzeitig aber dachte er daran, dass Maite aus einer ähnlich alten Blutlinie von Häuptlingen stammte wie sein Vater und er. Auch wenn Iker von Askaiz langsam in Vergessenheit geriet, so vernahm man auch heute noch die Lieder über Maites Flucht aus Roderichs Burg. Ein Mädchen, das als kleines Kind mehr als hundert Meilen weit gelaufen war und dabei Wölfen und Bären getrotzt hatte, durfte er nicht mit der gleichen Elle messen wie die kichernden Dinger, die ihm oft genug angedeutet hatten, dass sie nichts gegen einen gemeinsamen Spaziergang im Wald einzuwenden hätten. Daher gab er seinen Plan widerwillig auf.

»Meinetwegen kann der Teufel Maite haben. Es gibt genügend andere Weiber hier.«

Da fiel Tarters Hand schwer auf seine Schulter. »Pass nur auf, dass du nicht an die Falsche gerätst! Die meisten Mädchen hier haben Brüder oder Verwandte, die deren Ehre zu verteidigen wissen.«

Da eine von Tarters Cousinen zu den Mädchen gehörte, die ihm Avancen gemacht hatte, biss Eneko die Zähne zusammen, um den Mann nicht weiter zu reizen.

Tarter grinste. »Du hättest bei den Franken bleiben sollen, Eneko. Bei denen gab es genug Huren, die bereit waren, ihre Schenkel für dich zu spreizen. Unsere waskonischen Mädchen werden dir nicht als Spielzeug dienen.«

»Tarter hat recht. Du wirst die Hände von den Mädchen lassen«, rief ein junger Bursche, der ebenfalls eine Verwandte in der Gruppe wusste.

Mit einem Laut, der Wut, aber auch Resignation bedeuten konnte, wandte Eneko sich um und deutete auf den Herd, dessen Feuer fast heruntergebrannt war. »Seht zu, dass ihr ein paar von diesen Weiberröcken hierhertreibt und sie ans Kochen bringt, sonst dürft ihr euch selbst an die Töpfe stellen.« Sofort sprangen ein paar Burschen auf und liefen zu der Wiese, auf der helle Stimmen erklangen. Eneko begriff jedoch, dass sie seinem Befehl nur deshalb folgten, weil sie Hunger hatten, und nicht, weil sie ihn fürchteten.

10.

Nach dem Abrücken des Hauptheers herrschte in Iruñea eine gewisse Erleichterung. Zwar stand Markgraf Roland mit einer kampfstarken Truppe in der Stadt, doch die Bewohner hofften, nun würde es leichter für sie. Da sie wussten, dass ihre Stadt ohne schützende Mauer ein leichtes Ziel für plündernde Heere sein würde, ließ ihr Eifer merklich nach. Die meisten waren überzeugt, die Franken zögen bald ab, und richteten sich darauf ein, die Befestigungsanlagen rasch wieder aufzubauen.

Die Bewohner hatten jedoch nicht mit Rolands Beharrlichkeit gerechnet. Was er sich vornahm, führte er aus, und als er merkte, dass viele nur noch so taten, als trügen sie ihre Stadtmauer ab, stellte er alle zehn Schritte Wachen auf und ließ Krieger mit langen Peitschen durch die Reihen gehen, um den Arbeitseifer der Einheimischen anzuspornen. Bald erklang überall ihr scharfer Knall, gefolgt von schmerzerfüllten Schreien, und hinter vorgehaltener Hand wurden Roland und seine Franken inbrünstig zur Hölle gewünscht.

Graf Enekos Zorn wuchs ebenfalls, denn Roland ließ ihn einsperren und von seinen Bretonen bewachen, so dass er nur über treue Bedienstete Kontakt mit seinen Leuten aufnehmen konnte. Mit hasserfüllten Blicken starrte er auf das Lager der

Franken hinab. Nachdem König Karls Hauptmacht abgezogen war, wirkte es beinahe verlassen. Doch die Krieger, die mit Roland zurückgeblieben waren, waren zu zahlreich, um einen direkten Angriff auf sie wagen zu können. Selbst wenn er dabei siegreich blieb, würden seine Verluste ihn die führende Stellung in Nafarroa kosten.

»Orreaga!« Eneko sprach den Namen des kleinen waskonischen Dorfes, hinter dem eine große Schlucht und einer der wichtigsten Pässe lagen, voller Inbrunst aus. An diesem tiefen Einschnitt, der von den Asturiern Roncesvalles genannt wurde, würde sich das Schicksal der Franken entscheiden.

II.

Roland brannte die Zeit unter den Nägeln. Wenn er sich zu lange in Spanien aufhielt, würde er nicht zu König Karl aufschließen können, bevor dieser die Sachsengaue erreichte. Daher trieb er den Abbau der Stadtmauer mit harter Hand voran und ließ auch die Hälfte seiner Krieger mitarbeiten. Die andere Hälfte benötigte er, um die zwangsverpflichteten Einwohner zu bewachen.

Konrad gehörte ebenfalls zu den Wächtern und hatte die Aufsicht über ein Teilstück des Mauerrings übertragen bekommen. Für diese Aufgabe war er Roland dankbar, denn sie lenkte ihn von seinem Ärger über Ermengildas Weigerung ab, mit ihm zu fliehen.

Seinem Freund ging es weniger gut. Philiberts Wunde hatte sich wieder entzündet, und er wurde von Tag zu Tag schwächer. Zudem litt er stark unter Ermengildas Zurückweisung. Seit er der Asturierin seine Hilfe angeboten hatte, war er ihr aus dem Weg gegangen, doch er musste ununterbrochen an sie denken. Für diese Frau hatte er seine Heimat verraten und dem König die Treue aufsagen wollen, und nun kämpfte er mit dem Gefühl, ihr nicht gut genug gewesen zu sein.

Auch für Konrad, den ähnliche Gefühle bewegten, war es schier unerträglich, Ermengilda auch nur von ferne zu sehen. Er liebte seine Eltern und seinen Bruder und hing an seinem Dorf. Dennoch hatte er alles aufgeben wollen, um ihr zu helfen. Jetzt sehnte er sich nach bekannten Gesichtern und bedauerte, nicht mehr zu Gaugraf Hassos Aufgebot zu zählen, das bereits Richtung Heimat marschierte. Stattdessen musste er sich mit renitenten Waskonen herumschlagen und hatte auch noch Ermo am Hals, der vom König als unfreier Knecht in die Nachhut gesteckt worden war. Der Mann tat zwar die Arbeit, die ihm aufgetragen wurde, doch sein Blick verriet, dass er Konrad die Schuld an seinem Schicksal gab.

Rado spürte den Hass des Mannes und versuchte, Konrad zu warnen. »Du solltest nicht zu nahe am Mauerrand stehen, solange Ermo in deiner Nähe ist!«

»Das werde ich auch nicht, und ich werde ihm auch nicht den Rücken zukehren. Er trägt zwar keine Waffe, aber eine Hacke oder ein Brecheisen können einem Mann ebenfalls den Schädel spalten.«

»Spalte den seinen! Er ist nur ein verurteilter Sklave, und niemand würde dich tadeln.«

Rados Vorschlag klang verlockend, denn Konrad kam ein Opfer, an dem er seine Enttäuschung und seine Wut über Ermengilda austoben konnte, gerade recht. Als er zum Schwert griff, erschien jedoch das Gesicht seines Vaters vor seinem inneren Auge. Es wirkte beherrscht und auch ein wenig tadelnd. Konrad glaubte sogar, Arnulfs Stimme in seinem Kopf zu vernehmen. »Auch wenn Ermo ein Lump ist, so hüte dich, vorschnell zu handeln. Er hat Verwandte, die für ihn einstehen und ihn rächen würden. Eine Fehde hier im Gau ist dieser Mann nicht wert.«

»Du hast recht, Vater«, murmelte Konrad.

Damit verwirrte er Rado. »Was hast du gesagt?«

»Ach, nichts! Nur dass dieser Kerl es nicht wert ist, durch eine gute Klinge zu sterben.« Konrad machte eine wegwerfende Handbewegung und ging weiter.

Einige der Zwangsverpflichteten arbeiteten ihm zu langsam, und so fuhr er mit einem Donnerwetter dazwischen. »Wollt ihr wohl schneller machen, ihr Kerle! So dauert es bis zum Sankt-Nimmerleins-Tag, bis wir fertig sind. Denkt daran, dass ihr uns so lange durchfüttern müsst!«

Die Leute zuckten zusammen und stierten auf sein Schwert. Da er den Griff umklammert hielt, glaubten sie, er würde es jeden Augenblick ziehen, um sie zu erschlagen, und wurden plötzlich fleißig. Sein bärbeißiger Spott, die Bewohner Pamplonas würden Rolands Schar so lange ernähren müssen, bis der letzte Stein abgetragen worden war, machte rasch die Runde. Jeder Einwohner der Stadt wünschte die verhassten Besatzer zum Teufel. Da es aber nicht in ihrer Macht stand, die Franken dorthin zu schicken, wollten sie sie wenigstens so schnell wie möglich vom Hals haben.

Nach einiger Zeit gesellte sich Just zu Konrad. »Müssen wir noch lange hierbleiben?«

Konrad blieb stehen und sah ihn forschend an. »Du hörst dich an, als hättest du Heimweh.«

»Nein, das ist es gewiss nicht. Ich weiß ja nicht einmal, wo ich zu Hause bin. Aber ich langweile mich. Früher hatte ich noch Maite, doch seit die fort ist, gibt es niemanden mehr, mit dem ich reden kann.«

»Du redest doch gerade mit mir!«

Der Junge verzog das Gesicht. »Ja, das schon. Aber das ist nicht das Gleiche, wie mit Maite zu reden.«

»Für solche Dinge bist du noch etwas zu jung«, wies Konrad ihn zurecht.

Just begriff zunächst nicht, was er meinte, musste dann aber lachen. »Oh Gott, an so etwas habe ich noch gar nicht gedacht! Vor allem nicht mit Maite. Mit ihr konnte ich über alles reden, was mich interessierte. Sie hat mir sogar beigebracht, Arabisch zu sprechen. Wollt Ihr es hören, Herr?« Ohne auf Konrads Antwort zu warten, gab er mehrere arabische Sätze von sich.

»Das soll eine Sprache sein? Was heißt das überhaupt?«

»Es ist der Anfang der Heiligen Schrift des Islam und heißt: Im Namen Allahs, des Allbarmherzigen! Lob und Preis sei Allah, dem Herrn aller Weltenbewohner, dem gnädigen Allerbarmer, der am Tage des Gerichts herrscht. Dir allein wollen wir dienen. Und zu dir allein flehen wir um Beistand.«

Just blickte Konrad so stolz an, als erwarte er höchstes Lob. Der junge Krieger aber streckte abwehrend die Arme aus. »So ein heidnisches Zeug hat Maite dich gelehrt? Da ist es gut, dass König Karl sie und die übrigen Geiseln mitgenommen hat.«

Nun wirkte der Junge verwirrt. »Das hat er doch gar nicht! Maite ist schon zwei Tage früher fortgegangen als der König.«

»Dann ist sie eben wie die anderen Geiseln von der Vorhut mitgenommen worden.«

Just schüttelte den Kopf. »Ist sie nicht! Die Vorhut habe ich abmarschieren sehen. Da waren die Geiseln nicht dabei. Die sind zusammen mit Maite verschwunden.«

»Du musst dich täuschen. Hätte König Karl die Geiseln freigegeben, wüsste ich es.«

»Vielleicht sind sie geflohen«, wandte Just ein.

»Geflohen?« Konrad lachte. »Junge, du träumst! Schließlich befindet Graf Eneko sich in unserer Gewalt. Der Anführer der Geiseln war sein Sohn, und der würde doch nicht das Leben seines Vaters aufs Spiel setzen.«

»Wenn Ihr meint, Herr.« Just war enttäuscht. Zum einen hatte Konrad ihn wegen seiner Arabischkenntnisse gescholten, und nun tat er seine Überlegungen als Unsinn ab. Da konnte er genauso gut die Pferde striegeln. Die hörten ihm wenigstens zu.

12.

So ganz auf die leichte Schulter nahm Konrad Justs Worte jedoch nicht. Als er kurz darauf Roland in voller Rüstung auf die Stadt zukommen sah, eilte er ihm entgegen.

»Auf ein Wort, Herr Roland!«

Der Markgraf von Cenomanien blieb stehen. »Gibt es Probleme mit den Bewohnern?«

Konrad schüttelte den Kopf. »Nein, Herr! Die arbeiten neuerdings erstaunlich fleißig. Mir geht es um die Geiseln, die Graf Eneko stellen musste. Sie sind fort.«

»Das weiß ich. Der König hat sie mitgenommen.«

»Just, mein jüngerer Knecht, sagt, dass dies nicht der Fall sei. Seinen Worten zufolge hätten die Geiseln die Stadt bereits vor Karls Aufbruch verlassen.«

Jetzt wurde Roland aufmerksam. »Du meinst, die Geiseln wären nicht beim König?«

»Zumindest behauptet Just das, und er ist ein kluger Junge.«

»Das ist doch der, der so rasch fremde Sprachen lernt, nicht wahr? Du solltest ein Auge auf ihn haben und ihn rechtzeitig in ein Kloster geben. Dort vermag er ein gelehrter Mann zu werden. Als Krieger eignet er sich, so glaube ich, weniger. Er ist nur ein Hänfling und wird auch später einmal nie zu den Größten zählen.« Rolands Worte endeten in einem Lachen, denn für ihn war ein guter Krieger mehr wert als ein ganzes Kloster voller Mönche, die des Lesens und Schreibens kundig waren.

Konrad amüsierte sich bei der Vorstellung, Just als Krieger in Rüstung zu sehen. Auch wenn der Junge wusste, wo bei einem

Messer das Heft und wo die Klinge war, so verstand er sich doch besser auf Schreibfeder und Pergament. Da ihn jedoch die verschwundenen Geiseln beunruhigten, lenkte er das Gespräch wieder auf dieses Problem.

Roland winkte schließlich ab. »Die haben sich wahrscheinlich aus Heimweh in die Büsche geschlagen. Sie zu verfolgen bringt nichts. In den Bergen können sie sich überall verstecken. Solange wir Graf Eneko in unserer Gewalt haben, beunruhigt mich das nicht.«

Damit war die Sache für ihn erledigt. Seine Gedanken weilten längst nicht mehr in Spanien, sondern galten den aufständischen Sachsen. »Sieh zu, dass die Mauer schneller niedergerissen wird. Wir müssen Karl so bald wie möglich folgen, denn mein Schwert will Sachsenschädel spalten.« Roland klopfte Konrad aufmunternd auf die Schulter und ging weiter.

Dieser kehrte nachdenklich zu seinem Mauerabschnitt zurück und stellte fest, dass die Leute dort auch während seiner Abwesenheit nicht faul gewesen waren, die Blicke aber, die sie ihm zuwarfen, kaum giftiger hätten sein können. Ihn kümmerte es jedoch nicht, denn ihm gingen die verschwundenen Geiseln nicht aus dem Kopf. Es ärgerte ihn, dass Maite sich den anderen Geiseln angeschlossen hatte. Ein wenig Dankbarkeit dafür, dass er ihr das Leben gerettet hatte, wäre wohl angebracht gewesen. Dann aber zuckte er mit den Schultern. Was kümmerte ihn diese stachelige Waskonin? Er hatte mit sich selbst genug zu tun.

»Vorwärts! Oder wollt ihr in einem Jahr noch immer hier arbeiten?« Seine Worte hallten laut über die Mauerreste, und ein fränkischer Krieger, der mit seiner Peitsche bereitstand, nahm sie zum Anlass, wahllos auf die Einheimischen einzuschlagen.

»He, lass das! Die Leute arbeiten doch, so rasch sie können«, wies Konrad ihn zurecht und versuchte auszurechnen, wie lange sie noch hier in Pamplona bleiben mussten. Bei Rolands Ungeduld konnte es sich nur noch um wenige Tage handeln. Da der Markgraf jedoch nicht aufbrechen würde, bevor die Befestigungswerke der Stadt völlig geschleift waren, durften weder die Einwohner noch seine Leute trödeln.

Gerade, als ihm dieser Gedanke durch den Kopf schoss, bemerkte Konrad, dass Ermo, der ebenfalls in seinem Abschnitt zur Arbeit eingeteilt worden war, sich verdrücken wollte. Schnell winkte er den Peitschenschwinger heran. »Zieh dem Kerl dort ein paar über. Ich glaube, der braucht es!«

Das ließ der Mann sich nicht zweimal sagen, und ehe Ermo begriff, aus welcher Richtung der Wind wehte, tanzte die Peitsche auf seinem Rücken. Den hasserfüllten Blick, den er Konrad nun zuwarf, tat dieser mit einer Handbewegung ab. In seinen Augen hatte Ermo diese Hiebe verdient.

Konrad verdrängte den Mann aus seinen Gedanken und ging weiter. Unterwegs sah er Ermengilda von zwei fränkischen Kriegern und einer Magd begleitet die Straße heraufkommen. Auf ihren Wangen entdeckte er nasse Spuren, als hätte sie eben noch geweint.

Gegen seinen Willen empfand er Mitleid mit ihr. Aber er schob es von sich, indem er sich sagte, dass sie selbst schuld war an ihrer Situation. Warum hatte sie seine helfende Hand ausgeschlagen? Im Gegensatz zu Eward hätte er sie verehrt wie eine Heilige. Aber sie war doch nur ein Weib und als solches von Natur aus dumm. Als er zu diesem Schluss gekommen war, zuckte er zusammen, denn ihm war, als fühle er den Besen seiner Mutter mit ähnlicher Wucht auf seinen Rücken klatschen wie die Peitsche, die Ermo getroffen hatte.

Er war noch ein Kind gewesen, als er den Satz von der Dummheit der Frauen von einem reisenden Prediger vernommen und zu Hause weitergetragen hatte. Damals hatte seine Mutter einen Besen zur Hand genommen und ihm beigebracht, dass

Frauen, denen man Dummheit unterstellte, schmerzhafte Antworten gaben.

13.

Maite wusste, was Einsamkeit bedeutet, aber sie hätte sich nicht vorstellen können, dass sie sich in einer Gruppe von gut zwanzig Menschen so allein fühlen würde, als habe sie sich in der tiefsten Wildnis verirrt. Nach ihrem Zusammenstoß mit Eneko schnitten die Geiseln sie und sprachen nur das Notwendigste mit ihr. Die Mädchen kicherten, wenn sie in ihre Nähe kam, taten aber, als sei sie Luft für sie. Etwas gegen sie zu sagen, trauten sie sich jedoch nicht, denn eine so durchsetzungsfähige und kriegerische junge Frau war ihnen nicht geheuer. Die jungen Männer maßen sie mit verächtlichen Blicken und drehten ihr den Rücken zu.

Das war die Schuld von Unai, der zwei Tage nach der Flucht bei den ehemaligen Geiseln aufgetaucht war und berichtet hatte, was auf der Hochweide seines Stammes geschehen war. Dabei hatte er sich nicht an die Wahrheit gehalten, sondern die Ereignisse so geschildert, als habe Maite den Franken geholfen, die Hirten seines Stammes umzubringen.

Ihr war schnell klargeworden, dass Unai sie hasste und sich an ihr rächen wollte, weil sein Stamm ihn verstoßen hatte und er nun dem Herrn von Iruñea als einfacher Krieger dienen musste. Da sie ihm zutraute, sie töten zu wollen, blieb sie auf der Hut. Aus den Waffen, mit denen Eneko die Flüchtlinge versorgt hatte, hatte sie ein altes Kurzschwert an sich genommen, das sie nun offen neben ihrem Messer an der Seite trug, und zwei weitere Messer, die sie unter ihrer Kleidung versteckt hatte.

Als sie an diesem Tag ein Stück von der Hütte entfernt auf einem Felsen saß und ins Tal starrte, dachte sie darüber nach, wie die Welt um sie herum sich gewandelt hatte. In fränkischer Geiselhaft hatte sie sich sicher fühlen können, und nun, da sie frei war, musste sie sich vor den Angehörigen ihres eigenen Volkes hüten. Gegen alle Vernunft sehnte sie sich deshalb zu den Franken zurück. Sie vermisste die Gespräche mit Ermengilda ebenso wie Justs wissensdurstige Fragen. Selbst Konrads und Philiberts Gesellschaft wäre ihr im Augenblick lieber gewesen als die ihrer Landsleute.

Als sie schon glaubte, die Situation nicht mehr ertragen zu können, änderte diese sich von einem Tag auf den anderen. Immer mehr Krieger verschiedenster Stämme tauchten auf der Hochweide auf. Es waren junge Männer aus Nafarroa, aber auch aus dem Westen und von jenseits der Pyrenäen. Sogar Gascogner gesellten sich zu ihnen. Für viele dieser Männer hatte der Name Maite einen beinahe mythischen Klang, und sie sangen die Lieder über ihre Flucht aus Graf Roderichs Gefangenschaft sowie über die Rache, die sie an dessen Tochter geübt hatte. Mit einem Mal gehörte Maite wieder dazu, und weder Unai noch dem jungen Eneko gelang es, sie bei den Neuankömmlingen schlechtzumachen.

Maite spürte die Kampfeslust der jungen Männer, fand aber nicht heraus, gegen wen sie ziehen wollten. Sie hoffte schon, Asturien wäre das Ziel ihrer Begierde. Doch diese Aussicht zerschlug sich, als Graf Enekos Handlanger Zigor ins Lager kam und sich vor den Kriegern aufplusterte.

»Ich sage euch, das wird ein Kinderspiel! Die Franken werden gar nicht dazu kommen, sich zur Wehr zu setzen«, tönte er.

»Ihr wollt die Franken angreifen? In Iruñea?« Maite lachte Zigor ins Gesicht.

Der Mann starrte sie angewidert an. »Was willst du denn hier? Ein Weib hat im Rat der Krieger nichts zu suchen!«

»Das ist keine normale Frau, Zigor, sondern Maite von Askaiz! Ich wette mit dir, dass es hier im Lager nur wenige Männer gibt, die ihr im Gebrauch der Schleuder und des Dolches das Wasser reichen können«, wies ein Gascogner den Mann aus Iruñea zurecht.

Maite drehte sich zu dem Sprecher um und erkannte Waifar, der bei dem Überfall auf Ermengildas Eskorte dabei gewesen war. Für ihn und seine Freunde war sie noch immer die Tochter eines ruhmreichen Vaters und wert, im Kreis der Krieger sitzen zu dürfen.

Zigor begriff, dass er auf die Stimmung dieser Burschen Rücksicht nehmen musste. »Natürlich greifen wir die Franken nicht in Iruñea an. Dafür verfügt dieser verdammte Roland über zu viele Krieger. Aber er wird sich schon bald auf den Weg Richtung Norden machen. Ihr Schicksal wird sich in der Schlucht von Orreaga entscheiden.«

»Das wird so ähnlich werden wie damals, als wir Roderichs Tochter geraubt haben«, rief einer der jungen Männer begeistert aus. »Du kommst doch mit, Maite? Wir können deine Schleuder gut gebrauchen.«

»Ich bin dagegen, ein Mädchen mitzunehmen!«, fuhr der junge Eneko auf, wurde jedoch vor allem von den Gascognern ausgelacht.

»Bei dem Überfall auf die Asturier hast du auch nicht gezögert, an Maites Seite zu kämpfen. Im Grunde war sie unsere Anführerin und nicht du. Wir wollen sie dabeihaben, nicht wahr, Freunde?« Waifar ließ keinen Zweifel daran, dass er nicht bereit war, sich Enekos Willen zu beugen.

Zigor war klar, dass Maites Ansehen durch die Teilnahme an diesem Überfall wieder steigen und dies zu Lasten seines Herrn gehen würde, daher schüttelte er den Kopf. »Soll sie etwa mit ihrem Kurzschwert kämpfen, ihr Narren? Sie besitzt doch keine Schleuder.«

»Die ist schnell gefertigt, und Steine finde ich überall. Wenn es gegen die Franken geht, bin ich dabei!« Maite fühlte ihr Blut heiß durch die Adern rauschen. Es gab also immer noch Waskonen, denen sie und ihre Abkunft etwas galten. Wenn sie sich klug verhielt und Mut im Kampf bewies, würde sie genug Anhänger um sich versammeln, um ihren Anspruch auf die Häuptlingswürde ihres Stammes erheben zu können.

»Braves Mädchen. Zeige es diesem aufgeblasenen Kerl!« Waifar zwinkerte Maite zu. Als Gascogner hielt er wenig von Zigors Auftritt, denn für ihn war der Mann nur der Handlanger eines Waskonenhäuptlings unter vielen. Lachend nahm er einem Krieger neben ihm den noch fast vollen Weinbecher ab und reichte ihn Maite.

»Komm, Mädchen, trink auf die Gascogne und die Gascogner!«

Maite griff nach dem Becher und trank ihn in einem Zug leer. »Auf die Gascogne! Für Askaiz! Tod den Franken!«

Für Augenblicke sah sie Just vor sich, der sie mit erschrockenen Augen zu betrachten schien, und dann auch Konrad, diesen maulfaulen Kerl, der so von Ermengilda fasziniert gewesen war, dass er sie keines einzigen Blickes gewürdigt hatte. Doch sie verdankte ihm ihr Leben, und das legte ihr eine Verpflichtung auf, die sie in einen Zwiespalt stürzte. Schnell schüttelte sie diesen Gedanken ab. Hier ging es um ihr persönliches Schicksal. Sie musste sich den ihr gebührenden Platz im Stamm erkämpfen.

14.

Endlich befanden sie sich wieder auf dem Marsch. Darüber war Konrad so froh, dass er die Hitze ebenso klaglos ertrug wie den Staub, den die vor ihm ziehenden Krieger aufwirbelten. Roland hatte sein Heer in drei Gruppen aufgeteilt. Die erste wurde von Eginhard, dem Truchsess des Königs, angeführt, die mittlere kommandierte Anselm von Worringen, und Roland selbst hatte sich an die Spitze der Schar gesetzt, die Spanien zuletzt verlassen würde. Dieser Aufteilung waren einige lautstarke Auseinandersetzungen mit Eward und Hildiger vorausgegangen. Karls Verwandter hatte darauf bestanden, Eginhard und Anselm aufgrund seines Geburtsrechts vorgezogen zu werden. Daraufhin hatte Roland Eward noch einmal klargemacht, dass seine Aufgabe darin bestand, mit seinen Reitern den Tross zu bewachen und dafür zu sorgen, dass keine Lücken zwischen den einzelnen Truppenteilen entstanden. Aber der Einzige unter Ewards Männern, der sich an diesen Befehl hielt, war Konrad. Er tat alles, was in seiner Macht stand, doch bei den vielen Karren und Fuhrwerken konnte er nicht überall sein. Eben noch hatte er befohlen, die Ladung eines Karrens, bei dem ein Rad zerbrochen war, auf andere Karren zu verteilen und das beschädigte Gefährt beiseitezuschieben, da stockte der Zug ein Stück weiter hinten.

Fluchend zog er seine arabische Stute herum und bahnte sich an den Wagen entlang einen Weg zu der neuen Unglücksstelle. Dort begutachtete Rado bereits den Schaden.

»Wieder ein zerbrochenes Rad! Wenn das so weitergeht, werden wir den halben Tross verlieren«, meldete er Konrad.

Dieser warf einen kurzen Blick auf das kaputte Rad und wies nach vorne. »Nehmt eins von dem beschädigten Wagen dort und zieht es auf diese Achse.«

»Mach ich!« Rado war schon auf dem Weg, blieb aber dann noch einmal stehen und wies auf Eward und Hildiger, die mit ihren Begleitern weiterritten, ohne sich um die entstehende Lücke zu scheren.

»Der Teufel soll die beiden holen! Eigentlich wäre es ihre Aufgabe, sich um den Tross zu kümmern, doch die hohen Herren rühren keinen Finger, sondern lassen dich die Arbeit tun. Und so etwas wollte Markgraf in Spanien werden!« Angeekelt spie er aus und lief los, um das Rad zu holen. Doch da wurde Konrad bereits zu einer anderen Stelle gerufen, an der es Probleme gab.

Unterwegs kam er an Ermengildas Reisewagen vorbei. Die Asturierin hatte den Vorhang zurückgeschlagen und blickte heraus. »Weshalb kommen wir so langsam vorwärts?«

»Weil zu viele Räder brechen.« Konrad hatte weder Zeit noch Lust, sich mit ihr zu unterhalten, und ritt weiter. Als er sah, dass bereits der dritte Wagen an diesem Morgen ein Rad verloren hatte, begann er zu fluchen.

Da zupfte Just ihn am Ärmel. »Herr, ich habe mir den Karren angesehen. Jemand hat den Bolzen entfernt, mit dem die Räder befestigt werden. Bei diesem Karren dort ist es dasselbe. Dessen Rad wird auch gleich abgehen.«

Jetzt sah Konrad es selbst. »Verdammter Dreck! Wenn ich den Kerl erwische, geht es ihm schlecht.«

»Wenn Ihr mich fragt, Herr, so bin ich sicher, dass es Ermo war. Der Kerl will Euch schaden.« Just zeigte auf den Genannten, der halb hinter einem Karren verborgen zu ihnen herüberspähte. Selbst auf die Entfernung vermochte Konrad das hämische Grinsen auf Ermos Gesicht zu erkennen.

»Den hole ich mir!« Voller Zorn trieb Konrad seine Stute an und ritt auf Ermo zu. Dessen Miene erstarrte und zeigte blanke Furcht. Dann drehte er sich um und rannte an den anderen Wagen vorbei nach vorne.

Konrad verfolgte ihn unbarmherzig. Als Ermo sah, dass er ihm auf diese Weise nicht entkommen würde, wollte er den Hang hochklettern. Er kam jedoch nicht weit. Konrad holte ihn ein, packte ihn am Fuß und zerrte ihn wieder herunter. Zwei handfeste Krieger ergriffen Ermo und fesselten seine Hände auf den Rücken.

»Durchsucht ihn!«, befahl Konrad mit eisiger Stimme.

Die Männer rissen Ermo die Kleider vom Leib und filzten jeden Saum und jede Falte. Als Erstes kam ein Dolch mit vergoldetem Griff zum Vorschein, den der Mann in Pamplona hatte mitgehen lassen. Ein Tuch mit mehreren darin eingeschlagenen Münzen folgte, und dann reichte ihm einer der Männer ein längliches Päckchen, das in schmutziges Leinen gehüllt war. Hastig riss Konrad das Tuch auseinander und fluchte, als etwas die Finger seiner linken Hand ritzte.

Um einiges vorsichtiger machte er weiter und starrte dann auf eine kurze Säge, deren verbogene, aber blanke Zähne vom häufigen Gebrauch in letzter Zeit erzählten.

»Was hast du damit angestellt, Kerl?«, schrie Konrad Ermo an. Ermo sank in sich zusammen, während einer der Trossknechte empört auf die Zeltstangen wies, die auf dem Karren geladen waren. »Seht, Herr, die Stangen sind angesägt. Sie wären uns heute Abend beim Aufbau der Zelte zerbrochen.«

»Verfluchter Hund!« Konrad warf Ermo die Säge vor die Füße und wollte den Lappen um seine blutende Hand winden.

Da hielt Just ihn auf. »Der Lumpen ist zu schmutzig. Ihr müsst zum Verbinden ein sauberes Stück Leinen nehmen. Am besten ist es, wenn dieses vorher noch ausgekocht wird.«

»Woher weißt du das schon wieder?«, schnaubte Konrad ihn an.

»Von dem jüdischen Arzt in Pamplona, der Herrn Eward und Herrn Philibert behandelt hat. Er sagt, Schmutz sei gefährlich, da er die Wunde eitern lassen würde.«

»Auf das Wort eines Juden gebe ich ebenso wenig wie auf das eines Mauren.« Trotz seiner abschätzigen Bemerkung warf Konrad den dreckigen Lappen fort und wartete, bis Just mit einem Streifen weißgebleichten Leinens zurückkam.

»Das hat mir die Herrin Ermengilda gegeben!«

»Von der will ich nichts!« Konrad wollte die Hand, die er Just bereits hingestreckt hatte, wieder entziehen, doch der Junge hielt sie lächelnd fest.

»Bei einer so ernsten Sache wie einer Verletzung dürft Ihr Euch nicht von Euren Launen leiten lassen.«

»Das ist doch nur ein Kratzer«, tat Konrad die Wunde ab.

Das Lächeln des Jungen vertiefte sich. »Das werdet Ihr nicht mehr sagen, wenn Ihr dadurch die Hand verliert oder gar das Leben. Ich habe noch ein wenig von der Salbe, die mir der Arzt mitgegeben hat. Ich werde sie holen und damit die Verletzung behandeln. Es ist kein scharfer Schnitt. Die Zähne der Säge haben die Finger aufgerissen. Ihr könnt von Glück sagen, dass die Sehnen heil geblieben sind.«

»Schwafle nicht so viel, sondern hole deine Salbe! Ich habe zu tun.«

»Und was geschieht mit dem da?«, fragte ein Krieger und deutete auf Ermo.

»Bindet ihn an einen Wagen und bewacht ihn. Markgraf Roland soll später das Urteil über ihn sprechen«, befahl Konrad und wandte sich dringlicheren Problemen zu. Ermo hatte er im nächsten Augenblick vergessen. Er wies die Männer an, die anderen Karren zu kontrollieren, und bekam kurz darauf den Bescheid, dass bei vier weiteren Rädern der Befestigungsbolzen entfernt worden war.

Konrad nickte grimmig. »Repariert, was geht, und schiebt den Rest der Karren zur Seite. Ach ja! Einer von euch sollte hinter Eward herreiten und diesem sagen, dass die Spitze des Zuges auf uns warten muss!«

Unterdessen war Markgraf Roland nach vorne geritten, um herauszufinden, weshalb der Zug schon wieder anhielt. Verärgert nahm er die Lücke wahr, die sich zu den weiter vorne reitenden Kriegern aufgetan hatte. »Eward und Hildiger sind dir wahrlich keine Hilfe. Der Teufel soll sie holen.«

»Ihr seid heute schon der Zweite, der sich das wünscht.« Konrad grinste, wurde aber sofort wieder ernst. »Herr Anselm sollte achtsamer sein und das Heer anhalten lassen. Wenn er so weiterzieht, werden wir mindestens einen Tag brauchen, um wieder aufzuschließen.«

»Urteilst du da nicht ein wenig vorschnell?«, tadelte Roland ihn. »Der Weg ist schmal und krumm. Wenn Anselm sich umblickt, sieht er Eward und dessen Schar hinter sich. Woher soll er wissen, dass die beiden sich nicht um die Aufgaben scheren, die ihnen aufgetragen wurden? Schick einen Boten nach vorne, der Anselm und Eginhard mitteilt, dass sie warten müssen.«

»Das wollte ich gerade tun.« Konrad sah sich um und entdeckte Rado in der Nähe. »Reite an die Spitze und berichte Herrn Anselm von unseren Schwierigkeiten. Bei dir weiß ich wenigstens, dass du es richtig machst.«

»Ich bin schon unterwegs.« Rado trieb sein Pferd an und ritt hinter dem davonziehenden Heeresteil her. Auch Roland verabschiedete sich wieder, um zu seinen Leuten zurückzukehren. »Sorg dafür, dass es rasch weitergeht. Wir wollen heute noch die Schlucht hinter uns bringen«, rief er Konrad zu.

Konrad sah ihm einen Augenblick lang nach, dann drehte er sich zu den Knechten um, die während seiner Unterredung mit dem Markgrafen näher gekommen waren und gelauscht hatten. »Ihr habt es gehört! Wir müssen heute noch die Schlucht von Roncesvalles passieren. Macht weiter, sonst helfe ich nach!«

Die Männer nickten und gingen wieder an die Arbeit. Schon bald waren die Schäden behoben, und die Treiber stachelten ihre Ochsen an, weiterzugehen. Da alles in Ordnung zu sein schien, ritt Konrad voraus, um den Anschluss an die vor ihnen marschierende Truppe wiederherzustellen. Bereits nach zwei Wegkrümmungen sah er die Männer vor sich. Sie hatten angehalten und warteten.

»Auf Rado kann ich mich verlassen«, sagte er erleichtert und machte wieder kehrt. An der Spitze des Trosses erwartete ihn Just. Der Junge wirkte besorgt und machte ihm ein Zeichen, stehen zu bleiben.

»Was ist denn jetzt schon wieder?«, fragte Konrad, der vermutete, dass erneut ein Karren zusammengebrochen war.

Just wies mit einer verstohlenen Geste auf den Wald, der sich zu beiden Seiten des Weges die Höhen hinaufzog. »Dort ist jemand, Herr. Der Wald lebt.«

»Natürlich lebt er. Dort gibt es Hirsche, Wölfe und Bären«, antwortete Konrad ungehalten und wollte die Knechte antreiben, damit sie zum vorderen Teil des Zuges aufschlossen.

Just ließ nicht locker. »Das dort sind keine Hirsche oder Bären, es sei denn, Gott hat welche mit zwei Beinen geschaffen. Auch laufen solche Tiere nicht mit Fellen aus klirrendem Eisen herum.«

Jetzt spitzte auch Konrad die Ohren. »Hast du jemanden bemerkt?«

»Ich habe Schatten gesehen, die wie Männer aussahen, welche Speere in den Händen halten. Aber wie viele es sind, kann ich nicht sagen.«

»Vielleicht sind es Hirten, die sich aus Angst vor uns verstecken, und deine Speere sind ihre Stecken.« Konrad konnte sich nicht vorstellen, dass jemand es wagen könnte, ihren Heerzug zu bedrohen. Schließlich führte der kühnste Recke der Christenheit sie an. Dennoch wollte er Justs Warnung nicht auf die leichte Schulter nehmen.

»Lauf zu Roland und sage ihm, dass wir beobachtet werden!« Konrad versetzte dem Jungen einen aufmunternden Klaps und sah zu, wie dieser nach hinten rannte. Dann wandte er seine Aufmerksamkeit wieder den Trosskarren zu und schalt die Knechte, die die Ochsen nicht schnell genug antrieben. »Verdammt noch mal, wollt ihr etwa in der Schlucht übernachten? Also macht, dass ihr eure Tiere zum Laufen kriegt. Eine Schnecke kriecht ja schneller als ihr.«

*D*ie Franken schienen in Schwierigkeiten zu stecken. Immer wieder stockte der Heerzug, und die Knechte mussten die Karren reparieren. Einige wurden einfach zur Seite geschoben und stehen gelassen. Maite fragte sich, was dort unten los war. Neben ihr fluchte Waifar und fügte wütend hinzu: »Wenn die so weitermachen, hat die Spitze des Zuges die Schlucht bereits passiert, bevor der hintere Teil sie betreten hat.«

»Vorsicht! Wenn die Franken dich hören, sind sie gewarnt«, wies Maite ihn zurecht. Doch auch sie konnte sich keinen Reim auf das Verhalten der Feinde machen. Sie starrte auf den gepanzerten Wurm, der quälend langsam die Straße entlangkroch. Von den Felsen aus, auf dem sie lagen, wirkten die Krieger so klein wie Ameisen. Das machte es ihr leichter, nicht an sie als Menschen zu denken, denn sie hatte einige der Franken schätzen gelernt.

Am schlimmsten war die Vorstellung, dass der kleine Just schon bald tot im Schatten eines Felsens liegen würde. Auch wünschte sie sich, sie könnte etwas für Philibert und Konrad tun, denen sie ihre und Ermengildas Rettung vor dem Bären zu verdanken hatte. Die Asturierin befand sich ebenfalls dort unten und lief Gefahr, einem verirrten Pfeil oder blindwütigen Angreifern zum Opfer zu fallen. Beinahe war es wie damals, sagte sie sich. Erneut lauerte sie einem Reisezug auf, der die Rose von Asturien nach Franken bringen sollte. Nur standen ihnen diesmal nicht nur zwei Dutzend Krieger gegenüber, sondern mehr als tausend.

Auch auf ihrer Seite hatten sich weitaus mehr Krieger als die gut hundert jungen Burschen jenes Überfalls versammelt. Rechts und links der Schlucht lauerten Aufgebote der meisten Waskonenstämme und der mit ihnen blutsverwandten Gascogner. Dazu kam eine große Zahl von Mauren, darunter die

Berberkrieger Fadl Ibn al Nafzis und die Männer von Jussuf Ibn al Qasi, die zwar Muslime waren, aber ihre visigotische Abkunft nicht verbergen konnten.

Die Berber hatten etliche Gefährten bei Scharmützeln gegen die Franken verloren und gierten nach Rache. Sie konnten es kaum erwarten, die Franken in der Falle zu sehen, und verfluchten die Verzögerung.

»Wenn es so weitergeht, entdecken diese Giaurenhunde uns noch!«, schimpfte Fadl Ibn al Nafzi, ohne Rücksicht darauf zu nehmen, dass seine waskonischen Verbündeten ebenfalls Christen waren.

Maite wandte sich mit tadelnder Miene zu ihm um. »Wenn du nicht willst, dass die Franken aufmerksam werden, dann gib auf deine Leute acht. Die trampeln hier herum wie eine Herde Maulesel. Wir Waskonen vermögen unsere Schritte so zu setzen, dass uns niemand hören kann, und wir wissen uns vor unseren Feinden zu verbergen.«

Der Maure spie aus. »Was soll dieses Weib hier? Es hat bei diesem Angriff nichts verloren!«

»Meine Freunde sind anderer Ansicht.« Maite wandte dem Berber den Rücken zu und blickte wieder zu den Franken hinab. Inzwischen hatten diese offensichtlich ihre Probleme mit den Karren behoben und zogen weiter. Der vordere Teil des Zuges hielt an und wartete auf die Nachzügler. Damit bestand nicht mehr die Gefahr, dass die Spitze des Heeres den nördlichen Ausgang der Schlucht erreichte, ehe der Rest das südliche Ende passiert hatte.

»Sie sind uns in die Falle gegangen! Macht euch bereit.« Maite zog die Schleuder, die sie am Vortag gefertigt hatte, aus dem Gürtel und legte einen Kieselstein hinein.

Fadl Ibn al Nafzi verzog geringschätzig die Lippen. »Das ist eine Waffe für Kinder und Weiber!«

»Den Toten ist es gleichgültig, welche Waffe sie gefällt hat«, beschied ihm Maite, denn nach den Übungen am Vortag wusste sie, dass es ihr weder an Zielgenauigkeit noch an Durchschlagskraft mangelte.

»Wir warten, bis alle Franken in der Schlucht sind, dann greifen wir an!« Der junge Eneko wollte seinen Anspruch als Anführer hervorkehren, doch die meisten blickten auf Lupus, den Gascogner, der sich bereits als Krieger ausgezeichnet hatte. Obwohl dieser von König Karl als Herzog von Aquitanien eingesetzt worden war, hatte er sich dessen Feinden angeschlossen, um bei der Schlacht, die den Anfang vom Untergang des Fränkischen Reiches markieren sollte, an vorderster Front mitzukämpfen. Ihm ging es nicht nur um die Freiheit seines Landes, sondern auch darum, Enekos Anspruch auf die waskonischen Gebiete nördlich der Pyrenäen zurückzuweisen.

»Sobald das Ende des Zuges die Schlucht erreicht hat, greifen wir an. Ist alles bereit?« Der Mann aus der Gascogne erteilte seine Befehle, ohne dem Sohn seines Rivalen auch nur einen Blick zu schenken.

Maite hielt ihn für einen weitaus besseren Anführer als Graf Eneko oder dessen Sohn, der bisher nur durch seine Großmäuligkeit aufgefallen war. Nicht von ihm, sondern von Lupus war der Vorschlag gekommen, die Ausgänge der Schlucht mit Verhauen aus Baumstämmen abzuriegeln, um den Franken den Fluchtweg zu verlegen.

Die Spannung stieg, als die Spitze des Heeres in die Schlucht eintauchte. Einige Krieger ritten voran, um aufzuklären. Jetzt hätte der Heerzug in Maites Augen warten müssen, bis einer der Späher zurückkehrte, um zu melden, dass der Weg frei war. Die Franken waren jedoch zu überheblich oder zu dumm, um mit einem Angriff zu rechnen. Mit einer gewissen Verachtung dachte Maite, dass der hochgelobte Markgraf Roland doch eher ein Totschläger als ein Heerführer war. Im offenen

Kampf vermochte er seine Männer mitzureißen. Doch hier würden ihm all seine Schwertkunst und Tapferkeit nichts nützen.

Für eine Weile schien die Welt den Atem anzuhalten, so still war es geworden. Daher wirkten Lupus' nächste Worte wie ein Donnerschlag. »Fadl, sind deine Bogenschützen auf ihren Posten?«

Fadl Ibn al Nafzi, der Bruder Abduls des Berbers, der bei Saragossa ein jähes Ende gefunden hatte, nickte grimmig. »Unsere Pfeile sehnen sich danach, sich in die Herzen der Franken zu bohren.«

»Warte noch einen Augenblick!«, wies Lupus ihn an. »Tarter, sind die Männer am Ausgang der Schlucht bereit, den fränkischen Vortrab abzufangen und die Schlucht zu blockieren?«

»Wenn mein Vater da wäre, würde er diesem aufgeblasenen Gascogner schon zeigen, wer hier der Herr ist«, zischte Eneko, allerdings so leise, dass ihn weder Lupus noch einer von dessen Vertrauten verstehen konnte. Zigor kniete mit dem Speer in der Hand neben dem Sohn seines Herrn und lächelte. Ihm gefiel es, dass Lupus sich so in Szene setzte. Wenn König Karl, wie zu erwarten war, Rache forderte, würde diese die Gascogner treffen und es Eneko von Iruñea ermöglichen, seine Macht auf deren Kosten auszubauen.

Maite waren solche Überlegungen fremd. Sie wollte nur die Freiheit ihres Stammes bewahren und dessen Dörfer und Weiden gegen jedermann verteidigen, ob dies nun Mauren, Franken, Asturier oder großmäulige Häuptlinge wie Lupus und Eneko waren. Eine Berührung an der Schulter ließ sie aufschauen.

Hinter ihr stand Danel, der mit seinem Bruder Asier und etlichen Dutzend Kriegern aus Askaiz und den anderen Dörfern des Stammes zu ihnen gestoßen war. Er grinste und zeigte nach unten auf das endlose Band des fränkischen Heerzugs. »Das wird ein noch größerer Spaß als damals, als wir Ermengilda gefangen haben.«

»Es wird vor allem ein blutiger Spaß!« Maite blickte unwillkürlich zu Asier hinüber. Dieser hatte sie weder gegrüßt noch sonst ein Wort mit ihr gewechselt und kehrte ihr auch jetzt den Rücken zu. War möglicherweise er der Verräter, der ihren Vater an die Asturier ausgeliefert hatte?, fragte sie sich. Sie erinnerte sich jedoch daran, dass Danel mit ihrem Vater gezogen war, um Roderichs Schafe zu stehlen, und konnte sich nicht vorstellen, dass Asier seinen Bruder absichtlich in Gefahr gebracht hätte.

Da Maite ihn nicht weiter beachtete, zog Danel sich zurück und gesellte sich zu seinen Kameraden, die von Eneko wie lange entbehrte Freunde behandelt wurden. Es war Maite klar, dass Graf Enekos Sohn alles tat, um sich die Gefolgschaft der Männer von Askaiz zu sichern. Als sie das sah, wurde ihr mit einem Mal bewusst, dass es ihr nicht mehr möglich sein würde, die alten Verhältnisse in den Bergen wiederherzustellen. Die Welt war im Wandel, und schuld daran waren die Franken.

Zornig sprang sie auf und blieb vor Lupus stehen. »Wann greifen wir endlich an?«

Der Gascogner warf einen kurzen Blick auf den fränkischen Heerzug. »Jetzt!«

Maite wandte sich an die umstehenden Männer. »Ihr habt es gehört. Wir greifen an!« Mit diesen Worten kletterte sie flinker als eine Ziege bergabwärts zu einem Felsen, der so hoch über der Talsohle lag, dass die Franken ihn weder erklettern noch mit ihren Speeren erreichen konnten. Ihr aber bot sich dort die beste Gelegenheit, die Schleuder einzusetzen.

Noch ehe Fadl der Berber seinen Bogenschützen befehlen konnte, ihre Pfeile abzuschießen, schleuderte Maite den ersten

Stein und jubelte auf, als einer der Fußkrieger, der den Tross begleitete, zusammenbrach und leblos liegen blieb.

Nun prasselten maurische Pfeile auf die Franken nieder. Männer fielen, getroffene Pferde warfen ihre Reiter ab, Ochsen brüllten, und für Augenblicke herrschte schiere Panik. Dann aber riefen die Anführer ihre Befehle, und die Krieger schlossen sich zusammen. Es gab nur wenige Bogenschützen im Heer, und die sahen nur Berge und Wald um sich, aber keine Feinde. Auch die Reiter waren in diesem Gelände wenig hilfreich. Eginhard von Metz war bewusst, dass sie in der Schlucht ein leichtes Opfer feindlicher Pfeile waren, und er befahl seinen Reitern, voranzupreschen, um das nördliche Ende zu gewinnen. Da Anselm von Worringen seine Männer ebenfalls antrieb, tat sich zwischen ihm und den langsamen Ochsenkarren eine Lücke auf, die rasch größer wurde.

Konrads Stute war ebenfalls getroffen worden und hatte ihn abgeworfen. Doch er stand sofort wieder auf den Beinen und stellte wuterfüllt fest, dass Eward und Hildiger einfach weiterritten, anstatt den Tross zu schützen und dafür zu sorgen, dass keine Lücke entstand.

Rado wies auf die Pfeile, die in seinem Schild steckten. »Sieh doch! Die Angreifer müssen Mauren sein.«

»Unmöglich! So eine große Truppe wäre uns nicht entgangen. Außerdem sind sie mit den Waskonen verfeindet!«

»Den Eindruck hatte ich nicht. Dieses Berggesindel hat sich doch mit Händen und Füßen gesträubt, uns zu helfen!« Rado zog den Kopf ein, als ein Stein direkt neben ihm gegen das Holz eines Karrens klatschte.

»Der wurde nicht geworfen, sondern geschleudert. Aber mit Schleudern geben sich die Mauren nicht ab.«

»Also doch Waskonen!« Konrad erinnerte sich an Maite und deren Lieblingswaffe. Wie gut sie damit umzugehen verstand, hatte sie bereits bewiesen. Er verdrängte das Mädchen wieder aus seinen Gedanken und wies nach hinten. »Kümmere du dich um Philibert und die Dame Ermengilda! Du bist mir dafür verantwortlich, dass ihnen nichts geschieht!«

Während Rado, dessen Wallach dem ersten Angriff erlegen war, Haken schlagend davoneilte, versuchte Konrad, sich einen Überblick zu verschaffen. Auf der Wegstrecke, die er übersehen konnte, erfolgte der Überfall nur durch Bogenschützen, war aber heftig genug, um sie aufzuhalten. Weit vor ihnen jedoch ertönten bereits wildes Geschrei und Kampfgetöse, das von den Felswänden widerhallte, und auch von hinten klang nun heftiger Kampflärm auf. Besorgt rief er zwei Männer zu sich und wies in die jeweilige Richtung.

»Einer von euch muss zu Pfalzgraf Anselm, der andere zum Markgrafen Roland. Fragt sie, welche Befehle sie für uns haben, und kommt so rasch wie möglich zurück.«

Die beiden nickten und rannten los. Konrad konnte nur hoffen, dass die maurischen Pfeile und die Schleudersteine der Waskonen sie verfehlen würden. Doch da änderte der Feind seine Taktik und wählte die vordersten Zugochsen als Ziel. Noch während die Tiere zusammenbrachen, begriff Konrad, dass er keinen einzigen Wagen aus dieser Schlucht würde hinausbringen können.

Damit schwebten Ermengilda und die anderen Frauen, die mit dem Heer zogen, in großer Gefahr, und das galt auch für Philibert und die übrigen Verwundeten. Nun geriet Konrad in Panik. Bisher hatte er sich nur in kleinen Scharmützeln bewährt, und nun, da es um Leben oder Tod ging, drohte er zu versagen.

»Niemals!«, rief er und rannte an den Wagen entlang, um zu Ermengilda zu kommen, deren Kränkungen in der Stunde der Not vergessen waren. Unterwegs erteilte er den erschrockenen Knechten Anweisungen und rief auch die Krieger zu sich, die erfolglos versuchten, einen Gegner zu stellen.

»Spannt aus! Wir lassen die Karren zurück. Nehmt die Kranken und die Frauen mit. Bleibt in Deckung der Tiere. Wenn wir rasch und umsichtig handeln, werden wir die Lücke zur Spitze des Zuges schließen und geben Herrn Rolands Mannen den Raum, den sie brauchen, um dieses Gesindel niederzukämpfen!«

In diesem Augenblick glaubte er wieder an einen Sieg. Als er sich jedoch Ermengildas Wagen näherte, schlugen die Pfeile hageldicht um ihn herum ein, und beinahe jeder fand sein Ziel. Die Reihen der schlecht gerüsteten Knechte und jener Krieger, die versuchten, den Tross zu schützen, lichteten sich, und er hatte noch keinen einzigen Feind zu Gesicht bekommen.

Als er den Karren erreichte, hing die Leinwand des Daches in Fetzen, und Ermengilda kauerte im Schutz eines über sie gehaltenen Schildes neben einem Rad.

»Was geschieht mit uns?«, fragte sie, als Konrad sich über sie beugte.

»Wir werden aus dem Hinterhalt angegriffen. Aber damit werden wir schon fertig. Kommt, ich bringe Euch nach vorne zu Eurem Gemahl.« Konrad fasste sie unter und beschirmte sie gleichzeitig mit seinem Schild, in dem bereits mehrere Pfeile steckten.

Unterdessen hoben Knechte die Verwundeten von den Karren. Als jedoch einige von ihnen von Pfeilen und Schleudersteinen getroffen zu Boden gingen, ließ der Rest die ihnen Anvertrauten im Stich und rannte davon. Einige versuchten ihr Heil in den Wäldern, doch da tauchten die Waskonen wie Schatten vor ihnen auf und stachen mit Spießen und Schwertern auf sie ein.

16.

Sie hatten die Franken tatsächlich überrascht. Maite sah auf die kopflos umherrennenden Männer hinab, schwang ihre Schleuder und zählte zufrieden die Treffer. Auch wenn die Rüstungen und Helme verhinderten, dass sie ihre Opfer auf Anhieb tötete, so sanken sie doch bewusstlos oder vor Schmerzen schreiend nieder und konnten nicht mehr kämpfen.

Ein Trupp beim Tross war jedoch nicht in die allgemeine Panik verfallen. Ihr Anführer hatte seine Männer fest im Griff, und er bewies Übersicht, indem der die nutzlosen Karren zurückließ und versuchte, mit seinen Leuten zur Spitze des Zuges zu gelangen.

Maites Blick suchte den Mann, während sie einen besonders runden Stein in die Schleuder legte. Sie schwang bereits die Waffe, als sie ihn erkannte. Es war Konrad. Gleichzeitig nahm sie Ermengilda wahr, die sich eng an den Franken drückte. Für einen kurzen Augenblick zögerte sie und überlegte, ob sie Konrad nicht doch ausschalten sollte. Er war ein tapferer Krieger und würde den Tod für etliche Waskonen bedeuten.

Aber sie schuldete ihm ihr Leben, und das wog schwerer als das Schicksal ihrer Landsleute. Mit einem wütenden Aufschrei schleuderte sie ihren Stein gegen einen anderen Franken, sah, wie dieser am Kopf getroffen wurde, und lachte schrill auf.

Mittlerweile waren die Krieger weiter vorgedrungen und griffen jene Franken an, die versuchten, in den Bergwald zu flüchten. Maite verließ ebenfalls ihren Platz und stieg den Hang hinab. Auf halbem Weg zum Talgrund kam ihr ein Franke entgegen, der ihren Landsleuten wie durch ein Wunder entgangen war. Bei ihrem Anblick stieß er einen Fluch aus und hob sein Schwert.

Maite ließ ihn bis auf zehn Schritt herankommen, schwang dann ihre Schleuder und ließ den Stein nach vorne schnellen.

Der Franke versuchte noch, zur Seite zu springen. Doch er war zu langsam, und das Geschoss traf ihn mit einem hallenden Schlag an der rechten Schulter. Sein Arm erschlaffte, und das Schwert fiel zu Boden. Maite hatte bereits den nächsten Stein in der Schlaufe, als der Mann zu flehen begann.

»Gnade! Dieser Schmerz! Meine Schulter, ich …« Wimmernd kroch er auf Maite zu. Diese ließ ihn nicht aus den Augen, und dennoch hätte er sie beinahe überrascht. Mit der Linken riss er den Dolch aus der Scheide und stürzte sich auf sie. Da sie den Stein nicht mehr schleudern konnte, hieb sie ihm das Band mit dem Geschoss auf den Kopf. Sein Helm beulte sich ein, und er sank lautlos zu Boden.

Maite begriff erst auf den zweiten Blick, dass der Mann tot war, und erschauderte. Der Tote vor ihr war der erste Mensch, dem sie in die Augen geblickt hatte, als sie ihn umbrachte. Wenn sie einen Stein schleuderte, hatte sie die Getroffenen immer nur von ferne gesehen und nicht sicher gewusst, ob sie tot waren oder nur bewusstlos. Nun aber lag ein Mann regungslos zu ihren Füßen, und auf seinem Gesicht stand noch die Todesangst, die ihn im Hagel der Geschosse erfasst hatte.

Rasch wandte Maite ihm den Rücken zu und schnupfte die Tränen, die in ihr aufsteigen wollten. Vielleicht hatte der Tote Frau und Kinder gehabt, die nun vergebens auf ihn warteten, gewiss aber eine Mutter und einen Vater. Bei diesem Gedanken stampfte sie auf. Sie hatte keinen Grund, sich so schlecht zu fühlen. Immerhin hatte der Kerl sie töten wollen.

Dieser Gedanke beruhigte sie. Sie steckte mitten im Krieg um ihre Heimat, und die Franken waren Feinde, die sie und alle anderen Waskonen bedrohten. Trotzdem ertappte sie sich bei dem Gedanken, dass es vielleicht besser gewesen wäre, oben in den Bergen darauf zu warten, ob den Männern der Überfall gelingen würde. Bestürzt, weil sie ihrer schwankenden Gefühle nicht Herr wurde, lief sie weiter und erreichte nach wenigen Schritten den verlassenen Tross. Von Rolands Männern, die am Schluss des Zuges marschiert waren, hatte sich noch niemand bis zu dieser Stelle durchgekämpft.

Maite sah, wie ihre Landsleute aus den Karren und rasch abgehauenen Ästen weitere Verhaue errichteten, damit die getrennten Heeresteile sich nicht mehr vereinigen konnten.

»Jetzt sind die Franken erledigt!«, schrie einer mit sich überschlagender Stimme. Es war Asier, der das Aufgebot ihres Stammes anführte. Voller Kampfgier stürmte er an der Spitze der Männer in die Richtung, in der dem Lärm nach zu urteilen Roland mit seinen Bretonen heftigen Widerstand leistete.

Maite ging unwillkürlich in die andere Richtung. Als sie einigen blutüberströmten Toten auswich, stolperte sie über zwei regungslos daliegende Männer und starrte sie erschrocken an. Beide waren Krieger, aber nur einer von ihnen trug volle Rüstung und Waffen. Diesen hatten mehrere Pfeile gefällt. Der andere, der unter ihm lag, blickte mit stierem Blick gen Himmel. Doch Maite war sicher, dass er sich eben bewegt hatte. Sie zog ihren Dolch, zögerte aber, dem Mann den Garaus zu machen, denn er kam ihr bekannt vor. Beim zweiten Hinsehen erkannte sie Philibert und erinnerte sich daran, dass dieser unter einer nicht heilen wollenden Verletzung litt. Sein Begleiter hatte ihn anscheinend stützen wollen und war dabei von Mauren erschossen worden.

Mit zusammengebissenen Zähnen kniete Maite neben Philibert nieder und legte ihm die Hand auf die Schulter. »Bleib liegen wie ein Toter! Dieser Rat ist das Einzige, mit dem ich dir helfen kann. Vielleicht ist der Heiland mit dir, und du bleibst am Leben!«

Philibert drehte den Kopf und sah sie an. In seinen Augen glühte das Wundfieber, dennoch war er so weit bei Sinnen, dass er sie erkannte. »Maite, was ist geschehen?«

Er schien nicht zu begreifen, dass sie zu den Angreifern zählte, denn er fasste nach ihrer Hand und versuchte sich aufzurichten. »Kümmere dich um Ermengilda! Diese Hunde dürfen sie nicht in die Finger bekommen!«

»Bleib liegen! Sie müssen dich für tot halten, sonst stechen sie dich ab!« Maite legte den Toten so, dass sein Blut über Philibert floss, und zerrte an dessen Kleidung, damit es so aussah, als wäre er bereits einem Plünderer in die Hände gefallen. Zuletzt langte sie selbst mit der Hand in das Blut und strich es dem Verletzten über Stirn und Gesicht. Jeder, der ihn jetzt so still daliegen sah, musste ihn für tot halten.

»Möge der Heiland dir beistehen, Franke. Meine Schuld dir gegenüber habe ich damit beglichen.« Maite stand auf und schritt weiter. Die Lust am Kampf war ihr vergangen. Sie hielt zwar noch ihre Schleuder in der Hand, setzte sie aber nicht mehr ein.

Inzwischen war die Schlacht heftiger geworden. Nachdem die Franken ihren ersten Schrecken überwunden hatten, wehrten sie sich wie die Löwen. Etliche von ihnen drangen in den Wald ein, um die Angreifer zu stellen, andere verschanzten sich hinter einer Mauer aus Schilden und warteten, bis ihnen jemand vor die Schwerter und Speere kam. In Maites Augen war es noch zu früh für ihre Landsleute, den Nahkampf zu wagen. Nach Lupus' Plan hätten Fadls Bogenschützen und etliche Schleuderer den hinteren Teil des Heerzugs beschäftigen sollen, während das Gros der Krieger über die Spitze des Zuges herfallen sollte.

Doch der junge Eneko hatte nicht hinter dem Gascogner zurückstehen wollen und die Männer seines Vaters bereits gegen Rolands Kernschar geführt. Als Maite auf eine Felsnase kletterte und sich umsah, sah sie erschrocken, dass Krieger aus allen Tälern und Landschaften Nafarroas wild brüllend die Hänge herabstürmten und sich auf die Franken stürzten. Viele von ihnen würden schon bald das Los ihrer Feinde teilen und als Tote die Erde bedecken.

Sie empfand jedoch wenig Bedauern, denn die Männer folgten blindlings dem Anführer, den sie sich erwählt hatten. Es tat ihr nur leid, dass Okin nicht unter ihnen war. Ihm hätte sie es vergönnt, durch eine scharfe Frankenklinge zu enden.

Auch dieser Gedanke verwehte, als sie sich der Stelle näherte, wo Konrad und eine Gruppe überlebender Franken sich gegen ihre Angreifer zur Wehr setzten. Ein Trupp Gascogner hatte sie umzingelt, und einige Mauren standen an erhöhten Stellen und schossen unentwegt Pfeile ab. Konrads Schild glich bereits einem Igel, doch er schien ebenso wie Ermengilda unverletzt zu sein.

Als Maite schon glaubte, Konrad im nächsten Augenblick fallen zu sehen, stürmte Fadl Ibn al Nafzi herbei und brüllte seine Männer an. »Ihr Narren! Auf diese Weise tötet ihr die Frau, die für den Harem des Emirs bestimmt ist! Stirbt sie, ist euer Leben keinen blutigen Dirhem mehr wert.«

Ermengilda sollte also die Beute Abd ar-Rahmans werden. In gewisser Weise erleichterte das Maite, denn sie wollte nicht, dass die Asturierin starb. Den Franken würde dieses Schicksal jedoch blühen, und wenn Konrad hier umkam, würde sie ihre Schuld bei ihm nicht mehr abtragen können. Doch sie sah keine Möglichkeit, sein Leben zu retten.

Nun versuchte eine Gruppe Gascogner, ihn zu Fall zu bringen. Er aber hielt die planlos handelnden Krieger mit einigen gezielten Schwerthieben auf Abstand und blieb dennoch schützend vor Ermengilda stehen.

Zwei Angreifer sanken schreiend zu Boden, und ehe die Übrigen erneut auf ihn eindringen konnten, rief Tarter sie zurück. »Wartet, ihr Narren, bis die Mauren die meisten Kerle niedergeschossen haben!«

Fadl Ibn al Nafzis Krieger ließen ihre Pfeile von der Sehne

schnellen, wagten es aber nicht, auf Konrad und jene Franken zu schießen, die dicht bei ihm standen.

»Den Rest müsst ihr erledigen«, erklärte einer von ihnen und winkte seinen Kameraden, ihm zu einer Stelle zu folgen, an der sie keine Rücksichten auf ein Weib nehmen mussten.

Das verschaffte Konrad etwas Luft. Kurz sah er zu den Gascognern hoch, die sich zwischen die Bäume zurückgezogen hatten. In der Hoffnung, dort den Ring der Angreifer durchbrechen zu können, winkte er den Männern seines Trupps, die noch auf den Beinen standen, ihm zu folgen.

Seine letzte Anweisung galt Ermengilda. »Halte dich dicht hinter mir, ganz gleich, was geschieht. Ich sorge schon dafür, dass kein Feind zu dir durchbricht.« Er hob sein Schwert, hieb mit einer beiläufig wirkenden Bewegung die Pfeilschäfte auf seinem Schild ab, und stürmte los.

Maite, die das Geschehen wie eine unbeteiligte Beobachterin verfolgte, bewunderte seinen Mut. Gerade traf er auf Tarter und stieß diesen mit dem Schild zurück. Seine Schwertklinge zuckte nach vorne. Da stolperte Tarter in der Rückwärtsbewegung über einen Stein und entging dem Hieb. Ein anderer Gascogner hatte weniger Glück. Konrads Schwert zerschlug ihm den Helm und zog eine blutige Spur über dessen Gesicht. Während der Getroffene schreiend zurückwich, griff Konrad bereits den Nächsten an.

Seine Gefährten versuchten, es ihrem Anführer gleichzutun, doch ihre Verluste waren ebenso groß wie die der Gascogner. Schon bald musste das Häuflein enger zusammenrücken und bildete schließlich einen Kreis um Ermengilda, die so bleich und leblos wirkte wie eine Statue.

Kurz darauf befanden sich die Gascogner im Vorteil. Konrad und seine Männer wehrten sich verbissen gegen die mit immer größerer Wucht anstürmenden Feinde. Doch während aus dem Wald immer mehr Gascogner und Waskonen auftauchten, kam den Franken niemand mehr zu Hilfe. Zuletzt standen außer Konrad nur noch Rado und zwei weitere Krieger auf den Beinen.

Tarter war wieder aufgestanden, hob Schild und Schwert und ging auf Konrad los. Aber als er nur noch wenige Schritte von dem Franken entfernt war, sah er in dessen eisgraue Augen. Der Franke wusste, dass er sterben würde, und er wollte den Feind einen hohen Preis dafür zahlen lassen.

Ein Speerstoß traf Rado, als er von drei Männern zugleich angegriffen wurde. Konrad sah seinen Getreuen fallen und stieß einen wilden Schrei aus. Bevor die drei Gascogner begriffen, wie ihnen geschah, zerschmetterte er dem, der Rado getötet hatte, den Schädel. Den beiden anderen erging es nicht besser. Ihre Freunde wollten noch eingreifen, sahen sich aber den bis zum Äußersten entschlossenen Franken gegenüber. Diese bluteten bereits aus etlichen Wunden, aber sie kämpften mit der Zähigkeit gereizter Bären. Durch Erfahrung gewitzt, vermieden die Gascogner den Nahkampf und hielten sie mit ihren Speeren auf Abstand. Die Franken versuchten noch, einander den Rücken zu decken. Da aber traf den Ersten von ihnen ein wuchtiger Speerstoß in die Hüfte. Noch während er zusammensank, war Tarter bei ihm und stieß ihm das Schwert in den Leib. Der andere Franke wurde gleichzeitig durch mehrere Speere getroffen und sank ebenfalls zu Boden.

Nun standen nur noch Konrad und Ermengilda aufrecht zwischen den Angreifern. Die junge Frau hatte den Schild eines toten Franken an sich gerafft und deckte damit sich selbst und Konrads Rücken.

Konrad lächelte. In Gedanken sah er die hügelige Landschaft seiner Heimat vor sich und hörte den Wind in den Birken rauschen, die dem Hof seines Vaters den Namen gegeben hatten. Wie gerne wäre er dorthin zurückgekehrt. Doch das Schicksal hatte es anders entschieden.

»Lebt wohl, Vater und Mutter, und auch du, Bruder. Wenn der König dich ruft, so kämpfe mit mehr Glück als ich.« Da er den Dialekt seiner Heimat verwendete, verstand ihn keiner der Gascogner. Auch Maite vermochte den Worten nicht zu folgen, begriff aber ihren Sinn. Konrad war bereit für den letzten Kampf.

Mit einem Mal schüttelte sie ihre Erstarrung ab, schritt durch die Reihen ihrer Landsleute und schwang ihre Schleuder. »Halt, dieser Mann gehört mir!«

Sie sah, wie Konrad sich ihr zuwandte. Bei ihrem Anblick wurden seine Augen groß, und sein Schwert sank nieder, als wäre es ihm zu schwer geworden. Maite zielte genau und ließ dann den Stein von der Schleuder.

Konrad sah das Geschoss kommen und dachte noch bedauernd, dass ihm nicht einmal der Tod durch eine ehrliche Schwertklinge vergönnt war. Dann traf der Stein seinen Helm, beulte das Blech ein und ließ ihn zu Boden stürzen wie einen gefällten Baum.

»Das wäre erledigt. Aber jetzt müssen wir unseren Freunden zu Hilfe eilen.« Tarter klang erleichtert. Während er und die meisten Gascogner und Waskonen in die Richtung rannten, aus der der lauteste Schlachtenlärm zu vernehmen war, blieb Fadl Ibn al Nafzi mit seinen Leuten zurück. Der Berber trat auf Ermengilda zu und streckte die Hand nach ihr aus.

Maite sah ihren entsetzten Blick und hätte den Mauren am liebsten mit ihrer Schleuder niedergestreckt. Doch sie sagte sich, dass Ermengilda im Augenblick keine Gefahr drohte. Sie war für Abd ar-Rahman, den Emir von Córdoba, bestimmt, und kein Maure würde es wagen, ihr zu nahe zu treten. Während der Berber Ermengildas Hände mit einer seidenen Schnur fesselte und dabei so vorsichtig zu Werke ging, als wäre sie aus hauchfeinem Glas, trat Maite zu dem am Boden liegenden Konrad und kniete neben ihm nieder. Sie öffnete die Schnallen seines Helms und zog ihm diesen vom Kopf. Mit der rechten Hand suchte sie seine Halsschlagader, und als sie ein schwaches, aber stetes Klopfen unter ihren Fingerspitzen spürte, atmete sie auf. Damit hatte sie ihre Schuld ihm gegenüber wenigstens zu einem Teil erfüllt. Jetzt galt es, sich des Restes dieser Verpflichtung zu entledigen.

Mit einer energischen Bewegung wandte sie sich an die Mauren. »Dieser Franke lebt noch. Bindet ihn! Ich will ihn als Sklaven haben!«

Ihre Landsleute hätten diese Anweisung nicht befolgt, denn sie metzelten derzeit jeden Franken ab, der noch atmete, selbst wenn er kampfunfähig oder bereit war, sich zu ergeben. Die Mauren aber waren gewohnt, menschliche Beute zu machen.

Fadl nickte nur und sah zu, wie seine Männer Konrad das Panzerhemd abnahmen, ihm die Kleidung vom Leib rissen und ihn fesselten. Dann grinste er. »Ich bin sehr froh, dass dieser Franke lebt. Seiner Rüstung nach muss er der Mann sein, der meinen Bruder Abdul erschlagen hat. Dafür wird er mir mit tausend Toden bezahlen, das schwöre ich bei Allah!«

Die Heftigkeit seiner Worte ließ Maite begreifen, dass der Maure ihr Konrad niemals überlassen würde. Für den Franken wäre es wahrscheinlich gnädiger gewesen, sie hätte ihn mit ihrem Schleuderstein getötet. Dann aber sagte sie sich, dass sie ihm hier an dieser Stelle das Leben gerettet und ihre Schuld damit abgetragen hatte. Was danach kam, lag nicht mehr in ihrer Hand.

17.

An einigen Stellen in der Schlucht wurde noch gekämpft. Eginhard von Metz und seine Männer stürmten verbissen gegen die Verhaue an, mit denen die Waskonen den Ausgang der

Schlucht verbarrikadiert hatten. Die gut postierten maurischen Bogenschützen und die Krieger, die die Franken mit geworfenen und geschleuderten Steinen überschütteten, richteten ein Blutbad unter den Eingeschlossenen an. Als Eginhard begriff, dass seine Männer keine Chance hatten, das Hindernis zu überwinden, ließ er zum Rückzug blasen, in der Hoffnung, stattdessen den südlichen Ausgang der Schlucht gewinnen zu können. Doch schon nach wenigen hundert Schritten trafen sie auf Anselm von Worringens Krieger. Deren Anführer lag von einem Maurenpfeil gefällt auf der Erde, und die meisten seiner Männer teilten bereits sein Schicksal. Eginhard rief den Überlebenden zu, sich seiner Schar anzuschließen, und kämpfte sich Schritt für Schritt nach Süden.

Nicht weit vor ihnen, aber durch mehrere Biegungen der Schlucht den Augen dieses Trupps entzogen, hatten Ewards Leute einen Ring um ihren Befehlshaber und Hildiger gebildet. Die beiden hielten zwar ihre Schwerter in den Händen, aber sie waren schier zu Salzsäulen erstarrt und hatten noch keinen einzigen Hieb geführt. Den Männern um sie herum war die Verachtung über die Feigheit und die Unfähigkeit ihrer Anführer ebenso ins Gesicht geschrieben wie das Wissen um das unausweichliche Ende.

Als ihre Reihen sich lichteten, drehte sich einer der Männer zu Eward und Hildiger um. »Es wird Zeit, dass ihr die Plätze der Toten einnehmt! Oder wollt ihr ohne Ehre sterben?«

Hildiger trat einen Schritt vor, wich aber sofort wieder zurück, weil erneut Feinde auf die Gruppe eindrangen.

Eward aber stierte weiter auf seine Füße und murmelte Anklagen gegen die Männer, die er für sein Schicksal verantwortlich machte. »Roland hätte Eneko und dessen Männer nicht in Pamplona zurücklassen dürfen, sondern mitnehmen müssen. Und Karl hat mich verraten! Warum hat er mir verboten, dieses grässliche Spanien mit ihm zu verlassen?«

Einer seiner Krieger, der Ewards Gejammer vernommen hatte, spie vor ihm aus und schimpfte: »Verdammtes Weib!«

Dann riss er sein Schwert hoch und stürmte den Angreifern entgegen, um einen ehrenhaften Tod im Nahkampf zu suchen. Die anderen folgten ihm und wurden fast augenblicklich getötet. Jetzt sahen Hildiger und Eward sich ihren Gegnern Auge in Auge gegenüber.

Einer der waskonischen Befehlshaber wies auf Eward. »Der da ist ein Verwandter des Königs. Den will ich lebend haben! Den anderen bringt um!«

Dieses Urteil traf Hildiger wie ein Schlag. Er sollte sterben, während Eward, dieser weibische Schwächling, leben durfte? Alles in ihm drängte danach, die Waskonen um Gnade anzuflehen, doch er las in ihren Gesichtern die Gier, ihn zu töten. Mit einem Aufschrei, in dem all seine Wut und Enttäuschung lagen, schnellte er herum und stieß seinem Geliebten das Schwert in den Leib. Ewards Miene, in der sich eben noch Liebe mit Trauer um Hildiger gemischt hatten, verzog sich zu kindlichem Erstaunen. Dann erlosch er wie eine Kerze im Wind.

Als vier Waskonen auf Hildiger zutraten und mit ihren Speeren zum entscheidenden Stoß ausholten, wehrte er sich nicht, sondern ließ sein Schwert fallen und sank auf die Knie.

18.

Den höchsten Blutzoll mussten die Angreifer an jener Stelle zahlen, an der Roland die Franken anführte. Seine Wut darüber, in eine Falle gelaufen zu sein, hatte den Markgrafen in einen Berserker verwandelt. Immer wieder fuhr sein langes Schwert auf die Feinde nieder, und wenn er es zurückzog, glänzte frisches Blut auf der Klinge.

Doch er konnte das Verhängnis nicht mehr aufhalten. Um ihn herum starben die Männer, und es wurde mit jeder Angriffswelle mühsamer, den Waskonen standzuhalten.

»Es war ein Fehler von Karl, die Mauern von Pamplona zu schleifen. Er hätte die ganze Stadt anzünden und die Bewohner als Sklaven nach Franken verschleppen sollen«, sagte er in einer kurzen Gefechtspause zu Bruder Turpinius, der von einem der Gefallenen zum nächsten eilte, um ihnen die heiligen Sakramente zu spenden.

»Die Bergstämme hätten uns dennoch angegriffen«, wandte sein Beichtvater ein.

Roland spürte einen Schlag gegen seinen Arm und sah auf. Ein Pfeil hatte seinen Schild getroffen. »Anscheinend haben diese Hunde genug von unseren Klingen und versuchen es wieder mit Pfeilen. Aber auch damit können sie uns nicht schrecken.«

»Welche Hoffnung gibt es denn noch?«, fragte Turpinius verwirrt.

»Keine, wenn du es genau wissen willst. Aber es werden noch viele von diesen Hunden ins Gras beißen, ehe unsere Leiber den Boden decken.« Roland entblößte seine Zähne wie ein Wolf, der auf Beute aus ist. Da sah er, wie ein junger Krieger ein Horn aus Elfenbein, das mit kunstvollen Schnitzereien versehen war, von der Hüfte nahm und hineinblasen wollte.

»Was soll das?«, fragte er harsch.

»Vielleicht hört uns der König und macht kehrt, um uns zu helfen!« Der Bursche zitterte dabei und blies dann ins Horn, brachte aber keinen Ton heraus.

Bevor er es ein weiteres Mal versuchen konnte, nahm Roland ihm das Horn ab. »Das ist sinnlos. Das Heer des Königs ist uns etliche Tagesmärsche voraus. Sie können uns nicht hören. Und selbst wenn, würden sie zu spät kommen. Also lass sie marschieren. Wenn das Heer umkehrt, wird es noch länger dauern, bis es an die Sachsengrenze kommt. Damit aber bekämen die Sachsen noch mehr Zeit, unser schönes Frankenland zu verheeren.«

»Aber was ist, wenn die Mauren und Waskonen ins Reich einfallen?«, rief Turpinius besorgt.

»Dann treffen sie als Erstes auf Gascogner und Aquitanier, und denen ist ein Schlag zwischen die Hörner zu gönnen. Wir aber haben jetzt etwas anderes zu tun!« Mit grimmigem Lachen zeigte Roland auf eine Schar Waskonen, die den Weg heraufkamen. Sie lachten und spotteten über die toten Franken. Einige von ihnen beugten sich über die Gefallenen, um zu plündern, andere suchten nach Beutewaffen.

Roland hängte sich das Horn über die Schultern, packte sein Schwert fester und stürmte gegen die Waskonen an. Seine Bretonen folgten ihm auf dem Fuß, und nach kurzem Zögern rannten auch die noch kampffähigen Franken hinter ihm her.

Der junge Eneko und seine Begleiter waren schon geraume Zeit nur an toten und verwundeten Franken vorbeigekommen und hatten allen Feinden, in denen sie noch Leben vermuteten, mit ihren Speeren den Garaus gemacht. In ihren Augen war der Kampf bereits auf ganzer Linie gewonnen, als mit einem Mal Rolands letztes Aufgebot auf sie zustürzte. Die Rüstung des Markgrafen troff vor Blut, und auf seinem Schild saßen die Pfeilspitzen dicht an dicht.

Asier war der Erste, der auf Roland traf. Der Krieger aus Askaiz vermochte einen noch mit der eigenen Klinge abzuwehren, der zweite aber traf seinen ungeschützten Hals.

Einen Atemzug später sah Eneko sich dem entfesselten Franken gegenüber. Der Sohn des Grafen von Pamplona kämpfte mutig, doch gegen diesen Gegner hatte er keine Chance. Rolands Schwert drang durch die Schulter bis ins Herz.

Zigor versuchte, seinen jungen Herrn zu rächen, doch auch er war dem Wüten des Markgrafen nicht gewachsen. Doch um

Roland herum fielen nun auch die letzten Franken, und daher gelang es einigen Waskonen, ihn zu umgehen.

Turpinius bemerkte es gerade noch. »Vorsicht, hinter dir!«

Wie eine gereizte Katze schnellte Roland herum, schlug zu, und ein weiterer Waskone sank mit gebrochenen Augen zu Boden.

»Gegen diesen Mann kommen wir einzeln nicht an. Wir müssen ihn alle zugleich angreifen«, rief Danel seinen Kameraden zu.

»Sollen ihn doch die Mauren mit ihren Pfeilen erledigen!« Den Männern graute es vor diesem Krieger, der unbesiegbar schien. Obwohl Danel zum Angriff drängte, wichen die anderen zurück und lösten sich, als Roland ihnen folgte, wie Schemen zwischen den dunklen Bäumen des Waldes auf.

Roland blieb stehen und blickte sich um. Außer ihm selbst war nur noch Turpinius am Leben. Da es ihm wegen seiner Wunden zunehmend schwerer fiel, auf den Beinen zu bleiben, kehrte er zu Turpinius zurück und ließ sich ächzend neben ihm nieder.

»Wie es aussieht, muss Karl den Sachsen ohne uns den Garaus machen. Beim Heiland! Wird er wütend sein, wenn er von unserem Schlamassel erfährt!« Er atmete tief durch und kämpfte gegen die Schleier an, die vor seinen Augen waberten.

»Ich werde auf einmal so müde. Wecke mich, Bruder, wenn die Waskonen zurückkommen.«

Der Mönch sah, dass der Markgraf am Ende seiner Kräfte war. Roland schlief jedoch nicht ein, sondern schreckte auf, als sei er aus einem üblen Traum erwacht.

»Mein Schwert sollen sie nicht bekommen!« Er stemmte sich mühsam hoch, packte die Waffe mit beiden Händen und schlug sie gegen einen vorstehenden Felsen. Ein schriller Ton hallte durch die Schlucht, doch das Schwert blieb heil. Wütend hieb er erneut auf den Felsblock ein. Beim zweiten Hieb zeigte die Klinge Scharten, und beim nächsten zersprang sie wie Glas.

Roland lachte und warf den Knauf fort. Einer der Mauren glaubte, er sei wehrlos, und sprang mit erhobener Klinge auf ihn zu. Der Markgraf packte das Elfenbeinhorn, und während er selbst dem Hieb des Mauren auswich, schmetterte er ihm das Horn gegen den Helm. Der Mann sank halb betäubt in die Knie, doch bevor er wieder auf die Beine kommen konnte, war Roland bei ihm und brach ihm das Genick.

Das war der letzte Feind, den Roland in diesem Leben tötete, denn nun tauchten immer mehr Mauren zwischen den Bäumen auf und hoben ihre Bögen. Den aus nächster Nähe abgeschossenen Pfeilen hielt auch sein Panzer nicht stand. Roland spürte die Einschläge in seinem Rücken und drehte sich langsam zu den Mauren um.

»Feiglinge!«, murmelte er noch. Dann stürzte er zu Boden.

Turpinius eilte zu ihm, konnte aber nichts mehr für ihn tun. »Ihr braucht keine Angst mehr vor ihm zu haben. Er ist tot!«, rief er den Mauren und Waskonen zu, die sich nur langsam näher wagten. Tränen liefen ihm über die Wangen, und daher sah er nicht, wie einer der Waskonen hinter ihn trat, um ihm mit einem Schnitt die Kehle zu durchtrennen.

19.

Kaum war der letzte Franke gefallen, brandete Jubel unter den Angreifern auf. In diesem Augenblick waren alle Zwistigkeiten zwischen den Stämmen vergessen. Noch immer loderte jedoch der Hass auf den Feind, der eine so schmähliche Niederlage erlitten hatte.

Danel schritt die Schlucht entlang, in der Hand ein erbeutetes Schwert, und tötete jeden, der noch atmete. Doch auch das

Blut, das er vergoss, vermochte seinen Schmerz über den Tod des Bruders nicht zu mindern. Die meisten Waskonen und Gascogner beteiligten sich an dem grausigen Werk. Die Männer aus Iruñea hatten neben ihren Freunden und Verwandten auch den jungen Eneko zu rächen und Zigor, den Vertrauten ihres Herrn.

Bei ihrem blutigen Tun kamen Danel und seine Freunde zu einem Karren, der halb umgestürzt auf der Seite lag. Ein paar nackte, behaarte Beine, deren Zucken noch Leben verriet, ragten darunter hervor. Einer der Waskonen entzündete lachend eine Fackel und trat an den Karren heran.

»Der Hund soll verbrennen!«, rief er und wollte den Karren in Brand setzen. Der Franke sah die Flamme und schrie gellend auf.

Unterdessen war Fadl Ibn al Nafzi um den Karren herumgegangen und befahl dem Mann mit der Fackel zu warten. »Er ist gefesselt. Vielleicht ist er einer unserer gefangenen Krieger.« Auf seinen Wink hin richteten mehrere Männer den Karren auf. Jetzt erkannten sie, dass sie keinen Mauren vor sich hatten, sondern einen untersetzten Mann mit dunkelblonden Locken.

»Es ist doch nur ein Franke!« Danel wollte zustoßen, doch der Maure schlug ihm die Waffe aus der Hand.

»Wir Mauren töten keine Gefangenen unserer Feinde. Ich will wissen, wer dieser Mann ist. Versteht einer von euch seine Sprache?«

Die Waskonen schüttelten den Kopf. Doch da trat ein Mann in der Tracht eines reisenden Händlers unter den Bäumen hervor und grüßte den Mauren unterwürfig. In seinen Augen aber lag ein spöttischer Glanz.

»Verzeih, oh hoher Herr, doch ich kam zufällig des Weges und habe deine Worte vernommen. Ich vermag die Sprache der Franken zu sprechen, wenn es dir beliebt.«

»Zufällig kommt hier niemand vorbei«, rief Danel und hob erneut das Schwert.

Fadl stieß ihn mit einer ärgerlichen Geste zurück. »Narr! Das ist Said der Händler. Ich habe ihn rufen lassen, damit er uns einen Teil der Beute abkauft!«

»So ist es, ruhmreicher Held.« Said verbeugte sich erneut und musterte anschließend den Mann, der auf dem Wagen festgebunden war.

»Wer bist du?« Er verwendete zunächst den westfränkischen Dialekt und wiederholte diese Frage noch einmal im Fränkischen des Ostens, da der Mann ihn zunächst nur entsetzt anstarrte.

»Ermo heiße ich«, würgte er schließlich hervor.

»Und weshalb liegst du in Fesseln?«

»Sie haben es getan, weil ich ein Freund der Mauren bin!«

Said hatte keinen Zweifel daran, dass der Gefangene log. Da der Mann jedoch von seinen Leuten in Stricke gelegt worden war, widerstrebte es ihm, ihn töten zu lassen. Außerdem war es möglich, dass er wichtige Dinge erzählen konnte. Ein zufriedenes Lächeln erschien auf den Lippen des als Händler verkleideten Spions. »Bindet ihn los und behandelt ihn gut. Er ist ein Feind unserer Feinde und weiß so manches zu berichten.«

Die Mauren kannten Said und seinen Einfluss bei Jussuf Ibn al Qasi und gehorchten, während Danel und die anderen Waskonen mürrische Gesichter zogen. Da jedoch Fadl Ibn al Nafzi mit Saids Entscheidung einverstanden schien, wagten sie nicht zu widersprechen.

Ermo atmete auf. Während der ganzen Schlacht hatte er halb unter dem Karren gelegen und sich trotz aller Mühen nicht von seinen Fesseln befreien können. Mit heimlichem Grauen blickte er auf die gefallenen Landsleute, lachte dann aber höhnisch und spie aus. Die Kerle hatten ihm ein paar lumpige Silberlinge nicht als Beute gönnen wollen. Nun waren sie tot, und er lebte.

20.

Kurz nach dem Beginn des Überfalls hatte Just sich unter einem Karren verkrochen, der von einem herabstürzenden Felsen umgestoßen worden war. Schon bald aber war ihm klargeworden, dass dieses Versteck ihm zwar Schutz vor den Pfeilen bot, aber nicht vor den Waskonen, die die Hänge herabstürmten.

Vor Angst zitternd überlegte er, was er machen sollte. Wenn er hier blieb, würden die Feinde ihn entdecken und umbringen. Doch wohin sollte er fliehen? Im Wald wimmelte es von Angreifern, und in der Schlucht gab es keinen Platz, an dem er sich verstecken konnte.

Als sich die Kämpfer an anderer Stelle ineinander verbissen, kroch er unter dem Karren hervor und rutschte auf allen vieren leise zu allen Heiligen betend durch Gebüsch zum Saum des Waldes. Dort stand er im Schutz eines dichtbelaubten Baumes auf und sah sich um. Wenige Schritte entfernt entdeckte er den Bau eines Tieres. Für einen erwachsenen Menschen war die Höhlung zu eng, doch für einen Jungen wie ihn mochte es reichen.

Vorsichtig schlich er hin und kroch mit den Beinen voran in die Erde. Dabei betete er, dass der Bewohner des Baus nicht zu Hause war. Mit den Händen verwischte er seine Spuren und wartete dann hilflos und verzweifelt auf das, was weiter geschehen mochte.

Lange Zeit hoffte er, seinen Freunden würde es gelingen, die Angreifer zu vertreiben. Doch der Kampflärm schien nicht enden zu wollen, und als er dann doch verebbte, jubelten keine fränkischen Zungen. Just vernahm maurische und waskonische Ausrufe, und ihm fiel trotz seiner lähmenden Furcht auf, dass neben dem südlichen Dialekt auch die Sprache der Gascogner benutzt wurde.

Rolands Truppe, die Nachhut des mächtigen Frankenheers, war also von Kriegern dreier Völker angegriffen worden. Als der Junge seinen Kopf ein wenig aus dem Dachsbau hinausstreckte, sah er, dass die Waskonen die gefallenen Franken untersuchten und jedem, in dem sie noch einen Funken Leben wähnten, die Kehle durchschnitten oder ihn erschlugen.

Wie es aussah, wollte der Feind sichergehen, dass niemand davonkam und König Karl berichten konnte, was hier geschehen war. Diese Erkenntnis ließ den Jungen ruhiger werden, es gelang ihm, seine Panik niederzukämpfen. Zwar hatte er seinen Freunden im Kampf nicht helfen können, aber er hatte zwei Beine, die weite Wege zurücklegen konnten, und einen Mund. Also würde ihm die Aufgabe zufallen, König Karl die Nachricht von dieser Schlacht zu überbringen.

Diese Überlegung half ihm, die nächsten Stunden zu überstehen. Erst als es Nacht wurde und das Feuer der von den Waskonen in Brand gesteckten Trosskarren die Schlucht gespenstisch erhellte, wagte er sich aus seinem Versteck. Von den Feinden war nichts mehr zu hören. Auch sonst war es so still, als hielte die Natur vor Entsetzen über dieses Blutbad den Atem an.

Während Just an Bergen von Leichen vorbei Richtung Norden stolperte, erfasste er das ganze Ausmaß des Verhängnisses, das Rolands Heer ereilt hatte. Die meisten Krieger waren bis auf die Haut ausgeplündert worden, im Schein des Feuers wirkten ihre nackten, blutüberströmten Körper wie bleiche, von Riesen zertretene Würmer. Dennoch erkannte Just so manchen Krieger oder Knecht, den er Freund genannt hatte. Die Tränen rannen ihm über das Gesicht, und als er auf Rado stieß, presste er die Hände auf den Mund, um seinen Schmerz nicht hinauszuschreien.

Er kniete neben dem Toten nieder und schlang ihm die Arme

um die Brust. »Nein! Oh Heiland, warum hast du das zugelassen? Er war doch mein bester Freund!«

Niemand antwortete ihm. Nach einer Weile zwang sich Just, wieder aufzustehen und weiterzugehen. Er hatte weder die Kraft noch die Möglichkeit, auch nur einen Einzigen der Toten zu begraben, geschweige denn alle. Der Gedanke, Rados Leib den Wölfen und Bären zum Fraß zurücklassen zu müssen, hätte ihn dennoch beinahe dazu gebracht, wieder umzukehren.

Da hörte er plötzlich eine Stimme. »Junge, du lebst? Dem Heiland sei Dank! Du wirst mir helfen müssen. Allein schaffe ich es nicht.«

»Philibert!« Just rannte in die Richtung, aus der der Ruf gekommen war, und stand kurz darauf vor einem Hügel aus Toten, den die Waskonen zusammengetragen hatten. Ganz zuunterst, aber nur teils unter den Leichen begraben, lag Philibert, der Maites Rat beherzigt und sich tot gestellt hatte. Der Leichnam seines letzten Begleiters hatte ihn besser gedeckt, als dieser es als Lebender vermocht hatte, und so hatte ihn auch niemand seiner Kleidung beraubt. Die Körper der Gefallenen lasteten jedoch so schwer auf seinen Beinen, dass er sich nicht rühren konnte.

Just griff beherzt zu und zerrte einen erstarrten Körper nach dem anderen beiseite, bis Philiberts Beine freilagen. Doch der Franke war zu schwach, sich zu erheben. Erst mit Justs Hilfe konnte er aufstehen. Er musste sich auf den Jungen stützen, um wenigstens einen Schritt vor den anderen setzen zu können.

»Das war ein schrecklicher Tag, mein Junge. So viele tapfere Männer mussten sterben. Außer uns hat wohl niemand überlebt.«

»Ich habe Rado gefunden. Er ist ebenfalls tot!« Justs Stimme klang schrill, und er fing wieder an zu weinen.

»Sie haben sie alle umgebracht, Roland, Eward, Anselm von Worringen, Konrad. Ich habe gehört, wie sie damit geprahlt haben. Zwar haben sie selbst viele Männer verloren, aber höchstens zwei auf zehn von uns. Bei Gott, warum haben unsere Anführer den Pass nicht vorher gesichert?«

Just zog die Schultern hoch. »Hinterher ist man alleweil klüger.«

Philibert nickte mit düsterer Miene. »Da hast du leider recht. Komm, lass uns diese Todesschlucht verlassen und uns auf den Weg nach Hause machen. Der König muss so rasch wie möglich erfahren, welche Katastrophe sich hier zugetragen hat.«

ACHTER TEIL

Versklavt

I.

Das Erste, was Konrad empfand, war Schmerz. Sein Kopf dröhnte, als würde er als Trommel benutzt, und sein Leib schien mit einem eisernen Striegel bearbeitet worden zu sein. Selbst das Atmen tat weh, und er rang nach Luft. Da vernahm er wie aus weiter Ferne die Frage: »Bist du endlich wach, Franke?«

Die Stimme kam ihm bekannt vor, doch sein gemartertes Gehirn vermochte sie niemandem zuzuordnen. Er wollte sich an den Kopf greifen und stellte fest, dass seine Hände auf den Rücken gefesselt waren. Mühsam öffnete er die Augenlider und kniff sie sofort wieder zusammen, denn das Licht der Sonne stach wie mit tausend Nadeln in seinen Kopf. Seine Schmerzen verstärkten sich, und im nächsten Moment rebellierte sein Magen.

Zuerst brachte er das Erbrochene nicht aus dem Mund und glaubte schon, daran ersticken zu müssen. Aber jemand packte ihn und hielt ihn so, dass er alles von sich geben konnte.

»Was ist geschehen?«, fragte er, als die schlimmsten Krämpfe abgeebbt waren.

Ein kurzes, hartes Lachen ertönte. »Weißt du das nicht mehr, Franke? Euer Heer ist besiegt und alle eure Krieger sind getötet worden. Du dürftest der Einzige sein, der mit dem Leben davongekommen ist. Zwar glaube ich nicht, dass du mir dafür danken wirst, aber nun habe ich meine Schuld bei dir beglichen.«

»Maite!« Endlich hatte Konrad die Sprecherin erkannt. Gleichzeitig tauchten Schreckensbilder vor seinem inneren Auge auf. Er glaubte, die Schlucht vor sich zu sehen, in der sie überfallen worden waren, ein enges, düsteres Loch, durch das Pfeile zuckten und in dem seine Freunde fielen wie reifes Korn unter der Sichel der Schnitterin. Mitten in Strömen von Blut war dann Maite aufgetaucht, mit starrer Miene, riesigen, vor

Hass glühenden Augen und einer Schleuder in der Hand. Etwas in ihm ahnte zwar, dass es nicht ganz so gewesen sein konnte, aber sein Zustand verstärkte die alptraumhaften Bilder noch.

»Du wolltest mich töten!«, sagte er mit kaum verhohlener Wut.

Maite schnaubte. »Hätte ich das tun wollen, lägst du mit zerschmettertem Kopf zwischen den anderen Franken. Ich habe dem Stein gerade so viel Schwung gegeben, dass du betäubt wurdest. Doch schon bald wirst du dir wünschen, du wärest tatsächlich durch meine Hand gefallen. Du bist ein Gefangener der Mauren, und Fadl Ibn al Nafzi beansprucht dich für sich. Er will sich an dir rächen, weil du seinen Bruder Abdul getötet hast. Ich kann dir jetzt nicht mehr helfen.«

»Wer ist dieser Fadl und wer sein Bruder?«, fragte Konrad, der Maite kaum folgen konnte.

»Abdul der Berber war jener maurische Anführer, den du samt seinen Leuten bei Saragossa gestellt und getötet hast. Jetzt bist du in die Hand seines Bruders geraten. Was er mit dir machen wird, kannst du dir ausmalen. Er hat geschworen, dich tausend Tode sterben zu lassen.«

Da nun alles gesagt war, ließ Maite Konrad los und erhob sich mit dem bitteren Gefühl, versagt zu haben. Sie hatte ihre Landsleute gesehen, die jeden noch lebenden Franken umgebracht hatten, und konnte sich nicht vorstellen, dass Philibert ihnen entgangen war. Sie hatte sowohl ihm wie auch Konrad das Leben retten wollen, aber beider Schicksal war ihr durch eine höhere Macht aus der Hand genommen worden.

Sie setzte sich ein Stück von Konrad entfernt auf einen Stein und sah sich um. Weiter vorne waren etliche Männer damit beschäftigt, den größten Teil der Beute fein säuberlich in drei Haufen aufzuteilen. Der Berber Fadl, Lupus aus der Gascogne und ihr Onkel Okin als Graf Enekos Stellvertreter achteten darauf, dass keiner übervorteilt wurde. Sie hatten reiche Beute gemacht, und Maite war überzeugt, dass ihr Anteil ausreichen würde, sich mehrere Sklaven zu kaufen, mit denen sie ihr Haus in Askaiz und die Felder, auf die sie Anspruch hatte, bewirtschaften konnte.

Doch auch diese Aussicht schmeckte schal angesichts dessen, was geschehen war. Sie hatte vielfachen Tod gesehen und selbst getötet. Bis zu dieser Schlacht hatte sie geglaubt, ihr fiele es ebenso leicht wie den Männern, anderen das Leben zu nehmen. Nun aber empfand sie Ekel und Scham. Die anderen Waskonenmädchen hatten recht gehabt, die in ihr ein unnatürliches Wesen gesehen hatten. Über ihrem Wunsch, Kriegerin zu sein, hatte sie vergessen, eine Frau zu werden.

In ihre Selbstvorwürfe verstrickt, merkte sie nicht, dass Graf Eneko erschien. Der Herr von Iruñea hatte die Nachricht vom Tod seines ältesten Sohnes bereits vernommen. Jetzt ruhte seine Hand auf der Schulter seines jüngeren Sohnes Ximun, den die Verantwortung, die durch den Tod des Bruders auf ihm lastete, zu erschrecken schien.

Mittlerweile saßen die Anführer der verbündeten Heere auf Teppichen zusammen, die Said der Händler hatte auslegen lassen. Dieser nahm an dem Rat teil, weil es seine Aufgabe war, die Beute, die Abd ar-Rahman erhalten sollte, nach Córdoba zu bringen.

Okin saß ebenfalls in der Runde. Nach Zigors Tod war er zu Graf Enekos neuem Ratgeber aufgestiegen, und dies wollte er nützen, um endlich den Dorn loszuwerden, der ihn seit dem Tod seines Schwagers quälte. Zunächst aber lauschte er schweigend. Jeder der drei Anführer wollte so viel wie möglich von der Beute haben, und sie rechneten ihre Toten und die Erfolge ihrer Männer gegeneinander auf.

Die wenigsten Verluste hatten die Mauren zu verzeichnen. Sie hatten die Franken aus sicherer Entfernung mit Pfeilen beschossen und nur wenige Männer im Nahkampf verloren. An ihrer Stelle hatten die Gascogner bluten müssen. Daher wies ihr Anführer Lupus auf den Teil der Beute, der eigentlich für die Mauren bestimmt war. »Die Hälfte davon steht ebenfalls mir und meinen Kriegern zu. Wir haben Mann gegen Mann gekämpft und die Franken mit unseren Speeren und Schwertern niedergemacht, während andere nur ihre Pfeile aus dem Hinterhalt abgeschossen oder mit Steinen geworfen haben.«

Diese Spitze galt ebenso den Mauren wie Enekos Waskonen. Der Stadtherr von Iruñea fuhr wütend auf. »Willst du etwa behaupten, deine Leute hätten mehr zum Sieg beigetragen als die meinen? Nicht ihr habt Roland erschlagen, sondern wir!«

»Du warst doch gar nicht dabei«, antwortete Lupus verächtlich.

»Aber mein Sohn!«, brüllte Eneko ihn an. »Und er ist gefallen! Ich verlange Blutgeld für seinen Tod! Deswegen steht mir der größere Teil der Beute zu.«

Maite, die der laute Wortwechsel aus ihren trübsinnigen Gedanken gerissen hatte, sah auf die Krieger hinab, die gemeinsam den errungenen Sieg feierten, während sich ihre Anführer bereits in den Haaren lagen. Sowohl Eneko als auch Lupus musste bewusst sein, dass die Bedrohung durch die Franken nicht kleiner geworden war. Die Gebiete nördlich der Pyrenäen würden bald wieder fest in Karls Griff sein. Nur im Gebirge und in dessen südlichen Ausläufern waren die waskonischen Stammesgebiete noch halbwegs sicher. Aber dort war kein Raum für zwei Anführer mit großen Ansprüchen.

Eneko war nicht gewillt, Lupus Macht an seinen Grenzen oder gar in den von ihm geeinten Gebieten einzuräumen. Das konnte Maite ihm von der Stirn ablesen. Offensichtlich wollte er erreichen, dass sein Kontrahent wieder nach Norden zurückkehrte, um sich in der Gascogne mit den Franken herumzuschlagen. Lupus jedoch wusste, dass er ohne einen festen

Rückhalt im Süden kaum eine Chance hatte, lange zu überleben. Daher stritten der Gascogner und Eneko sich vehement um die Beute und die Herrschaft über das waskonische Stammesland. Da sie sich nicht einigen konnten, warfen sie sich schließlich Beleidigungen an den Kopf.

Fadl Ibn al Nafzi verfolgte das unwürdige Schauspiel mit Verachtung. Für ihn waren Eneko und Lupus nur zwei Giauren, die sich zwar jetzt noch frei wähnten, aber über kurz oder lang die Faust seines Herrn, des Emirs von Córdoba, im Nacken spüren würden. Schon um die Würde Abd ar-Rahmans zu wahren, durfte er sich bei der Verteilung der Beute nicht mit einem geringeren Teil zufriedengeben.

»Im Namen Allahs, schweigt und setzt euch hin!«, rief er, als die beiden aufsprangen und nach ihren Schwertern griffen. »Wir werden die Beute so teilen, wie es im Vorfeld beschlossen worden ist. Diese beiden Haufen zur Rechten und zur Linken gehören euch, und der in der Mitte dem großmächtigen Emir, mir selbst und meinen Kriegern!«

Lupus schüttelte wütend den Kopf. »Damit bekämest du mehr als wir. Dabei habt ihr Mauren am wenigsten geleistet!«

»Unsere Pfeile haben mehr Franken dahingerafft als eure Speere und Schwerter! Daher werdet ihr euch mit dem zufriedengeben, was Abd ar-Rahman – Allah schenke ihm tausend Jahre – euch lässt. Oder wollt ihr den Emir erzürnen?«

Eneko dachte an die geschleiften Mauern seiner Stadt und stimmte dem Berber schließlich zähneknirschend zu. »Es soll so sein, wie du es sagst!«

»Aber ich bin nicht damit einverstanden!«, schrie Lupus so laut, dass es von den Felswänden widerhallte.

Eneko war nicht um eine Antwort verlegen. »Im Grunde gebührt dir und deinen Männern der kleinste Anteil, denn ihr Gascogner seid mit weniger Kriegern gekommen als meine Waskonen!«

Als Fadl Ibn al Nafzi dem Herrn von Pamplona zustimmte, begriff Lupus, dass er auf verlorenem Posten stand. Käme es wegen der Beuteteilung zum Kampf, würden Mauren und Waskonen gegen ihn und seine Krieger zusammenstehen. Voller Wut, weil er sich um seinen Anteil als Anführer der vereinigten Heere geprellt sah, stand er auf und winkte seinen Getreuen, mit ihm zu kommen. An dem Beutehaufen angekommen, den Fadl und Eneko ihm zugesprochen hatten, befahl er, all das einzupacken, was wertvoll war oder was sie brauchen konnten. Den Rest würde er für gemünztes Gold an Said verkaufen.

Unterdessen legte Fadl die Hand auf Enekos Schulter und wies auf ein Zelt, das von seinen Leuten bewacht wurde. »Der Emir – Allah schenke ihm Macht und Herrlichkeit – wird entzückt sein, die Rose von Asturien in seinem eigenen Garten blühen zu sehen.«

»Ich will hoffen, dass der Emir nicht vergisst, wem er diese Blume verdankt«, antwortete der Herr von Iruñea.

Die Ungläubigen wollen für alles belohnt werden, spöttelte Fadl Ibn al Nafzi insgeheim, schluckte aber seine Verachtung hinunter und gab sich freundlich und gelassen. »Der große Abd ar-Rahman wird sich deiner erinnern, mein Freund, und auch ich danke dir. Jenes Mädchen, das an der Seite deiner Männer gekämpft hat, gab mir meinen schlimmsten Feind in die Hand.«

Okin horchte auf, als der Berber auf seine Nichte zu sprechen kam. Vielleicht bot sich hier eine Möglichkeit, das zähe Weibsstück endlich loszuwerden. »Meine Nichte ist ein tapferes Mädchen und im Gegensatz zu Ermengilda, die bereits das Weib eines Franken gewesen ist, noch Jungfrau. Meinst du nicht, Freund Fadl Ibn al Nafzi, dass auch sie eine Zierde unter den Blumen im Harem des Emirs werden könnte?«

Der Berber schenkte ihm einen zweifelnden Blick, sah dann

aber zu Maite hinüber, die am anderen Ende der Wiese saß, und wiegte den Kopf. Das Mädchen war zwar recht hübsch, aber nicht mit Ermengilda zu vergleichen. Andererseits war sie ein Weib, das Heldensöhne gebären würde. Diese Überlegung ließ ihn seinen ursprünglichen Plan überdenken.

»Für den Harem des Emirs – Allah schenke ihm jedes Jahr tausend wohlgestaltete Jungfrauen – kommt sie wohl nicht in Frage. Doch ich wäre bereit, sie zu einem meiner Weiber zu machen.«

Okin schnappte überrascht nach Luft. Dann aber sagte er sich, dass diese Lösung ebenso gut war. Aus einem maurischen Harem würde Maite nicht mehr entkommen, insbesondere nicht aus dem Haus des gefürchteten Berbers. Aber dann erinnerte er sich an ihre Flucht aus Roderichs Burg. Dieses Weib hatte die Zähigkeit einer Katze und war bis jetzt jedes Mal zurückgekehrt. »Ich bin gerne bereit, dir das Mädchen zu überlassen, Freund Fadl. Aber meine Nichte ist ein eigensinniges Ding und sehr auf ihre Freiheit bedacht. Du wirst sie in Fesseln mitnehmen und später achtgeben müssen, damit sie dir nicht entflieht.«

Der Berber lächelte über die Angst, die aus Okins Worten sprach, und Eneko, der zugehört hatte, klinkte sich aufgeregt in das Gespräch ein. »Du kannst Maite nicht wie eine Kuh am Strick weggeben, Okin! Die Hälfte unserer Krieger und Lupus' gesamte Schar würden zu den Waffen greifen, wenn auch nur ein Maure es wagen sollte, Hand an sie zu legen. Hörst du denn nicht, dass sie schon wieder ihren Mut besingen?«

Auch Eneko fürchtet dieses Mädchen, fuhr es dem Berber durch den Kopf. Sein Wunsch, Maite zu besitzen, wurde stärker. Mit ihr würde er Druck auf seine waskonischen Verbündeten ausüben können. Außerdem reizte es ihn, ein Weib unter sich zu spüren, das mit eigener Hand Krieger getötet hatte. Für einige Augenblicke vergaß er, dass er Muslim und ein treuer Gefolgsmann Abd ar-Rahmans war. Er fühlte sich wieder als Berberkrieger, der in die Lieder über al Kahina einstimmte, jener Königin aus dem Stamm der Dscharawa, die den Heeren des Kalifen mehrere herbe Niederlagen beigebracht hatte, bevor sie durch Verrat gefällt worden war. Maite erinnerte ihn an diese tapfere Frau, und sie würde die Mutter starker Söhne werden.

»Du hast mir das Mädchen versprochen, also sorge auch dafür, dass es mir folgt«, herrschte er Okin an.

Der Waskone griff sich unwillkürlich an die Kehle, dann aber lächelte er. »Eine Möglichkeit gäbe es. Maite muss mit dir ziehen, ohne zu wissen, dass sie dein Weib werden soll.«

»Und wie stellst du dir das vor?«

Okin wandte sich Eneko zu. »Mein Graf, kannst du Maite nicht die Aufgabe erteilen, Ermengilda zum Emir zu begleiten? Immerhin war die Asturierin ihre Gefangene, und zudem hat sie den Franken besiegt, der die Rose von Asturien bis zuletzt verteidigt hat.«

»Wenn bekannt wird, dass ich mit Ikers Tochter ein falsches Spiel getrieben habe, werden mir viele ihrer Freunde die Gefolgschaft aufsagen«, gab Eneko zu bedenken.

Okin lachte verächtlich. »Das wird niemand erfahren. Wir werden behaupten, dass sie freiwillig bei dem großen Krieger und Feldherrn Fadl Ibn al Nafzi geblieben ist. Außerdem gibt es noch einen Grund, weshalb sie zu Abd ar-Rahman reisen muss. Schließlich soll sie ihm den Mann, den sie mit ihrer Schleuder betäubt hat, als Sklaven überbringen.«

»Der Franke ist mein Sklave und wird für den Tod meines Bruders bezahlen!« Fadl warf Okin einen drohenden Blick zu, der jedoch lächelte entspannt.

»Das bleibt er auch. Nur für Maite soll es so aussehen, als wäre der Franke ebenso wie Ermengilda für den Emir bestimmt.«

Fadl Ibn al Nafzi schloss die Augen, um seine Gedanken zu

ordnen, und nickte schließlich. »So soll es geschehen! Ich werde morgen früh mit meinen Männern aufbrechen. Bis dahin muss alles bereit sein!«

»Das wird es, mein Freund.« Okin war in diesem Augenblick so zufrieden wie seit dem Tod seines Schwagers nicht mehr. Nun, da Maites Schicksal besiegelt war, konnte er sich als unbestrittener Anführer seines Stammes und darüber hinaus als Graf Enekos einflussreichster Gefolgsmann fühlen.

2.

Von einer düsteren Vorahnung erfasst, wanderte Maite im letzten Tageslicht durch das Lager und sah sich um. Doch sie fand keinen Grund für ihre innere Unruhe. Die meisten Männer hatten den Ort bereits verlassen, und es war beinahe unheimlich ruhig geworden. Bei den Resten der drei Beutehaufen blieb sie stehen und sah sinnend auf die Dinge, die keiner hatte haben wollen. Sobald auch die restlichen Krieger abgezogen waren, würden es sich die Bewohner der umliegenden Dörfer holen. Eine Weile starrte sie darauf, ohne wirklich etwas wahrzunehmen, denn sie grübelte darüber nach, welchen Weg sie einschlagen sollte. Einige einflussreiche Gascogner hatten ihr angeboten, mit ihnen in ihre Heimat zu ziehen. Wie ihr Anführer Lupus träumten sie davon, ganz Aquitanien zu befreien und ihr einstiges Herzogtum wiederzuerrichten.

Maite wusste, dass dies ein Weg des Krieges sein würde, und von Kampf und Blutvergießen hatte sie fürs Erste genug. Also war es wohl doch das Beste, wenn sie nach Askaiz zurückkehrte und dort an das Leben anknüpfte, das sie geführt hatte, bevor König Karl mit seinen Heeren in Spanien aufgetaucht war.

Schritte ließen sie aufsehen. Sie sah ihren Onkel auf sich zukommen und wunderte sich über sein plötzliches Interesse. Seit sie zur Geisel der Franken bestimmt worden war, hatten sie kein Wort mehr miteinander gewechselt.

Okin wirkte angespannt, und als er zu sprechen begann, klang seine Stimme heiser. »Ich habe mit Graf Eneko gesprochen. Es geht um das Ehrengeschenk für den Emir. Eigentlich hätte Enekos ältester Sohn es überbringen sollen, doch der ist gefallen, und Ximun ist noch zu jung für eine solche Reise. Daher möchte der Graf, dass du diese verantwortungsvolle Aufgabe übernimmst. Von allen, die gestern auf unserer Seite gekämpft haben, steht dir dieses Recht am meisten zu. Keine Sorge! Ich werde dich begleiten und nach Kräften unterstützen.«

Zu diesem Schritt hatte Okin sich entschlossen, um zu verhindern, dass Maite vorzeitig Wind von dem geplanten Komplott bekam und fliehen konnte.

Maite war so überrascht, dass sie dem gepressten Unterton in seinen Worten keine Bedeutung zumaß. Der Weg nach Córdoba war weit, und es würden Monate vergehen, bis sie nach Askaiz zurückkehrte. Doch auf diese Weise konnte sie den Kampf um die Macht in ihrem Stamm noch etwas hinausschieben. Dann, so hoffte sie, würde sie nicht mehr das Gefühl haben, bis zum Hals in Blut zu waten. Und Ermengilda wäre vielleicht froh, auf dieser Reise ein bekanntes Gesicht um sich zu haben, und es verlockte sie zu versuchen, Konrad auf irgendeine Weise zu helfen. Zwar standen die Chancen schlecht, aber sie wollte die Möglichkeit nicht aus der Hand geben.

»Wann sollen wir aufbrechen?«, fragte sie.

Okin musste an sich halten, um sich seine Erleichterung nicht anmerken zu lassen. Er hatte niemals erwartet, dass Maite so rasch auf seinen Vorschlag eingehen würde. »Fadl Ibn al Nafzi will kurz nach Sonnenaufgang losziehen und uns mit einem Teil seiner Männer bis Córdoba eskortieren. Eben noch hat er sich bei Eneko und mir für unsere Sicherheit verbürgt!«

Das Letzte war Okin gerade noch eingefallen, um zu verhindern, dass seine Nichte argwöhnisch wurde.

Doch Maite war noch viel zu sehr von dem Grauen des Gemetzels erfüllt, um die Beweggründe ihres Onkels zu hinterfragen. Sie nickte nur und sah dann zu Konrad hinüber, der gefesselt am Boden lag und sich nicht rühren konnte. Für ihn würde der Weg, den er am nächsten Tag antreten musste, der Beginn eines langen Sterbens sein, und sie machte sich Vorwürfe, weil sie ihn mit dem Versuch, sein Leben zu retten, in diese Lage gebracht hatte. Seine Qualen und sein Tod würden ihr Gewissen bis zum letzten Atemzug belasten.

Da Maite wieder ihren Gedanken nachhing, kehrte Okin aufatmend zu Eneko zurück. Dieser saß mit starrer Miene auf einem Klappstuhl, den sie von den Franken erbeutet hatten, und starrte ins Leere. Als er Okins Schritte vernahm, wandte er ihm das Gesicht zu.

»In unserer jetzigen Situation ist es besser, Freunde zu suchen. Aus diesem Grund habe ich beschlossen, dich zu Abd ar-Rahman zu schicken. Wir brauchen die Gunst des Emirs, wenn wir die nächsten Jahre überstehen wollen. Ich traue weder Jussuf Ibn al Qasi noch dem Berber Fadl. Ersterer könnte versuchen, uns ganz seiner Herrschaft zu unterwerfen, und Fadl Ibn al Nafzi unterstelle ich, dass er eine eigene Markgrafschaft auf unsere Kosten errichten will.«

»Das möge Gott verhüten!« Okin wurde blass. Wenn Fadl sich in diesem Landstrich zwischen dem Herrschaftsgebiet der al Qasi bei Saragossa und den Pyrenäen ansiedelte, würde er Maite mitbringen und als ihr Ehemann genau jene Ansprüche erheben, die er fürchtete.

Eneko begriff, was seinen Gefolgsmann bewegte, und musste trotz der Trauer um seinen Ältesten lachen. »Wir wollen beide nicht hoffen, dass Fadl sich das Gebiet nördlich des Ebros als neue Heimat aussucht. Dann nämlich würde er Maite nicht in seinem Harem halten können. Mir ist das Mädchen ehrlich gesagt zu geschickt mit Schleuder und Dolch, und ich möchte es nicht in meiner Nähe wissen.«

»Ein schneller Dolchstoß würde uns vor dieser Gefahr bewahren«, schlug Okin vor.

»Narr! Das hättest du vor etlichen Jahren erledigen müssen, aber dazu warst du zu feige«, fuhr Eneko ihn an. »Heutzutage wird jeder Mann, der auch nur in den Ruf gerät, an ihrem Tod schuld zu sein, sich einer Reihe von selbsternannten Rächern gegenübersehen. Du hast doch selbst gesehen, wie die Krieger Ikers Tochter vergöttern. Geschähe ihr auf meinen Befehl hin etwas, könnte ich mir auch meiner eigenen Männer nicht mehr sicher sein. Nein, Okin! Maite in einem Harem weit weg von hier verschwinden zu lassen, ist die beste Lösung. Von dort aus wird sie uns nicht mehr in die Quere kommen.«

3.

Am nächsten Morgen gab Fadl schon vor Sonnenaufgang das Zeichen zum Aufbruch. Daher musste Maite ohne Frühstück in den Sattel steigen. Anmutig saß sie auf der kleinen, hellen Stute, die einst zu Konrads maurischer Beute gezählt hatte. Fadl Ibn al Nafzi hatte sich dieses Tier ebenso als Beute gesichert wie Konrads gefleckte Stute, die im Kampf verletzt worden war und ein wenig hinkte.

Der Franke selbst musste mit auf den Rücken gebundenen Händen zu Fuß gehen. Dazu hatten die Mauren ihm einen Strick um den Hals gelegt und das andere Ende am Schwanzriemen von Fadls Reittier befestigt. Um Konrad vollends zu demütigen, ließ der Berber ihm die restliche Kleidung vom Leib schneiden, so dass kein Fetzen mehr seine Blöße bedeckte.

Dann versetzte Fadl Konrad zwei Hiebe mit der Reitpeitsche, schwang sich in den Sattel und winkte seinen Männern, ihm zu folgen. Normalerweise pflegten Mauren ein flottes Tempo anzuschlagen, doch diesmal mussten sie auf die Waskonen Rücksicht nehmen, die keine guten Reiter waren. Kurze Zeit hatte Fadl geschwankt, ob er Ermengilda ebenfalls reiten lassen sollte, sich dann aber entschieden, sie in einen Karren zu setzen, dessen Plane zugezogen werden konnte. Die Frau war für den Emir bestimmt, und er wollte diesen nicht dadurch beschämen, dass er allen möglichen Leuten erlaubte, sie anzustarren.

Da das Maultiergespann des Karrens die Geschwindigkeit des Reisezugs bestimmte, vermochte Konrad trotz seines zerschlagenen Zustands zunächst mitzuhalten, ohne in Gefahr zu geraten, hinter dem Pferd zu Tode geschleift zu werden. Allerdings bereiteten ihm die scharfkantigen Steine auf der Straße Probleme, denn er war es nicht gewohnt, barfuß zu gehen. Ihm war jedoch bewusst, dass das Schicksal ihm nur eine Atempause vergönnte. Fadl Ibn al Nafzi war der Bruder jenes Mannes, dem er zuerst die Pferde weggenommen und den er später bei Saragossa getötet hatte. Mit welchen Qualen der Maure Abduls Tod an ihm rächen wollte, mochte er sich gar nicht vorstellen. Daher konzentrierte er sich auf den Weg zu seinen Füßen.

Je weiter der Tag voranschritt, umso stärker brannte die Sonne auf seinen nackten Leib. Schon bald lief ihm der Schweiß über Gesicht und Rücken, und seine Kehle wurde so trocken, dass sie schmerzte.

Fadl kannte jedoch keine Gnade. Als sie unterwegs Rast machten und die Tiere tränkten, bewachten zwei Männer den Gefangenen und hielten ihn vom Brunnen fern. Die anderen durften sich erfrischen, und Ermengilda wurden ein Krug und ein Becher ins Innere des Wagens gereicht.

Die Asturierin trank, ohne dass ihr Geist in die Gegenwart zurückkehrte. In ihren Gedanken wirbelten die Bilder von Blut und Tod, und in ihren Ohren gellten immer noch die schier unmenschlichen Schreie der Sterbenden und das Geheul der Angreifer. Sie zitterte am ganzen Körper, und wenn sie einen Augenblick zu sich kam, wurde ihr klar, dass sie kurz davor war, den Verstand zu verlieren. Mehr als ein Mal wünschte sie sich sogar, in geistiger Umnachtung zu versinken und die Welt wieder mit dem Staunen eines kleinen Kindes betrachten zu dürfen. Das grauenvolle Geschehen echote jedoch weiter in ihrem Kopf, und selbst in jenen Momenten, in denen sie für kurze Zeit einnickte, durchzog es ihre Träume.

Da man sie als einzige Frau des fränkischen Heerzugs ins Lager der Angreifer geschafft hatte, fragte sie sich, welches Schicksal ihre fränkischen Mägde ereilt haben mochte. Die Mauren hätten die Weiber gewiss als Sklavinnen mitgenommen, und so musste sie annehmen, dass die Waskonen in ihrem Blutrausch auch die Frauen umgebracht hatten.

In lichteren Momenten haderte sie mit Karls Vetter Roland, der sein Heer und damit auch ihren Ehemann blindlings in diese Falle geführt hatte. Obwohl zwischen ihr und Eward keine Liebe gekeimt war, hätte sie ihn niemals auf diese Weise verlieren wollen, auch nicht um den Preis, im Emir von Córdoba einen rücksichtsvolleren Gatten zu finden. Am stärksten aber bewegte sie Philiberts Schicksal. Da die Waskonen sich im Lager gerühmt hatten, keinen einzigen Franken verschont zu haben, war auch er erschlagen worden. Nun bedauerte sie, Philiberts sanftes Werben nicht erhört zu haben. Sie hätte mit ihm fliehen und ihm gewähren sollen, was er sich aus tiefster Seele gewünscht hatte.

Ermengilda sprach ein Gebet für den freundlichen Franken, der ihr Herz gewonnen hatte, schloss aber auch ihren umgekommenen Ehemann und Konrad darin ein. Philiberts Freund benötigte die Hilfe der himmlischen Mächte noch weitaus mehr als sie. Wenn sie die Plane ihres Wagens einen Spalt weit öffnete, konnte sie sehen, wie er hilflos hinter Fadls Stute herstolperte.

Der Berber selbst trat auf, als wäre er der Herr dieses Landes und hätte eben das gesamte Heer König Karls geschlagen. Den Bewohnern der Dörfer, durch die sie ritten, gönnte er nur verächtliche Blicke. Für ihn waren es Ungläubige, die über kurz oder lang unter die Herrschaft des Islam fallen würden.

Sein Stolz auf den errungenen Erfolg hinderte ihn nicht daran, Konrad zu quälen. Am Abend erhielt der junge Franke nur einen einzigen Becher Wasser. Obwohl er unendlich durstig war, trank er langsam und bemüht, keinen Tropfen zu verschwenden. Sein Blick verriet, dass sein Geist ungebrochen war. Daher zog Fadl ihm noch einige Hiebe mit der Reitpeitsche über und schwor sich, den Stolz dieses Mannes in den Staub zu treten und ihn erst dann zu töten, wenn er wie ein winselnder Hund zu seinen Füßen lag.

Die Hiebe trafen die von der Sonne verbrannte Haut. Konrad vermochte sich nicht mehr zu beherrschen und schrie seinen Schmerz hinaus. Dabei nahm er den hämischen Ausdruck wahr, der sich über das Gesicht seines Peinigers zog. Dieser Mann kannte kein Erbarmen und würde seine Rache auskosten, bis der letzte Funke Leben in ihm erloschen war. Doch als Fadls Männer ihn zu einem Mandelbaum führten und ihn dort festbanden, schwor er sich, niemals aufzugeben. Vielleicht kam er durch Gottes Gnade frei und konnte auch Ermengilda retten. Für sie musste er am Leben bleiben, damit sie nicht eine Ehehölle gegen ein noch schrecklicheres Los eintauschte. Er hatte sie nur kurz am Morgen gesehen, als sie auf den Karren gestiegen war, doch in ihrem Leid war sie ihm noch schöner erschienen als jemals zuvor.

4

Der Gedanke an Ermengilda verlieh Konrad in den nächsten Tagen die Kraft, den Marsch durchzustehen. Fadl verweigerte ihm Nahrung und Wasser, bis die Welt sich um ihn drehte und er das Tempo der Stute nicht mehr mithalten konnte. Er wurde umgerissen und spürte, wie sich die Schlinge um seinen Hals zusammenzog. Am Ende seiner Kraft, wünschte er sich in diesem Moment nur noch, einen schnellen Tod zu finden. Aber dann klammerte er sich an den Gedanken, dass sein Tod Ermengilda für immer den Heiden ausliefern würde. Daher war er froh, als ihm jemand wieder auf die Beine half.

Zu Konrads Verwunderung handelte es sich dabei um Ermo, von dem er geglaubt hatte, dieser wäre wie all die anderen Franken im Tal von Roncesvalles umgekommen. Er war direkt erleichtert, nicht der einzige Überlebende dieses Massakers zu sein, und sah Ermo als möglichen Verbündeten an, der ihm helfen konnte, Ermengilda zu befreien. Diese Hoffnung schwand jedoch rasch, denn um Fadl zu schmeicheln, beschimpfte Ermo ihn und versetzte ihm ein paar derbe Hiebe. Danach trieb der Maure mit einer verächtlichen Geste sein Pferd an, und Konrad vergaß Ermo rasch wieder.

Da er der sengenden Augustsonne schutzlos ausgeliefert war, fühlte sich sein Körper an, als bestände er aus rohem Fleisch. Seine Haut warf Blasen und blätterte nach ein paar Tagen in breiten Streifen ab. Seine Lippen waren ausgetrocknet und rissig, und er schmeckte sein eigenes Blut.

Als sie Saragossa erreicht hatten, war Konrad bewusst, dass sich sein Leben dem Ende zuneigte. Verzweiflung packte ihn, und er haderte mit Gott und dem Heiland, weil sie ihn so schwach hatten werden lassen.

Beim Anblick der geöffneten Tore traten ihm die Tränen in die Augen. Als Krieger war er vor ihnen gescheitert, und er empfand es als Hohn, sie nun als Sklave durchschreiten zu müssen. Noch beschämender erschien es ihm, so vielen Menschen nackt wie ein Tier vorgeführt zu werden. Er hörte die verächtlichen Rufe der Männer und das Kichern der Mädchen und Weiber. Buben hoben Steine und kleine Erdbrocken auf und warfen damit nach ihm. Einer traf Fadls Stute. Doch anstatt die Rangen zurechtzuweisen, löste der Berber den Strick und trieb sein Reittier an, so dass Konrad zurückblieb und ein leichtes Opfer für die Gassenjungen wurde.

Maite, die nicht weit hinter dem Berber ritt, hielt ihre Zügel mit beiden Händen fest, denn es zwickte ihr in den Fingern, die Steine werfenden Jungen mit ihrer Reitgerte zu züchtigen. Seit ihrem Aufbruch hatte sie sich oft genug verflucht, weil sie Konrad nicht die Gnade eines raschen Todes gegönnt hatte. An Ermengilda hatte sie in den letzten Tagen seltener gedacht. Die Asturierin wurde von Fadls Leuten so stark abgeschirmt, dass sie sie nicht einmal hatte sprechen dürfen. Sie beruhigte sich damit, dass Ermengilda kein allzu schlimmes Schicksal drohte. Die Töchter hoher Anführer wurden oft mit Männern jenseits der Grenzen verheiratet, auch wenn sie einem anderen Glauben angehörten als ihre Gatten. König Silo war der Sohn einer Maurin, und diese Frau war von einer Visigotin geboren worden. Zumindest würde das Leben, das Ermengilda im Harem des Emirs führen würde, erträglicher sein als jenes, welches sie als Ewards Gemahlin in Franken erwartet hätte.

Nun kam der Palast der al Qasi in Sicht. Es war ein mächtiger Bau, der Jussufs Sippe sowohl als Festung wie auch als Wohnung und zur Repräsentation diente. Ein mächtiges, nach oben in einen spitzen Bogen auslaufendes Tor verschluckte die Schar wie das Maul eines gierigen Ungeheuers. Kurz darauf fand Maite sich in einem großen Vorhof wieder, in dem es von Menschen wimmelte. Knechte eilten herbei, um die Pferde zu übernehmen, und junge Dienerinnen reichten ihr und den anderen

Reisenden Becher mit kühlem Sorbet. Eines der Mädchen blieb vor Konrad stehen. Dieser starrte mit durstigen Augen auf das Gefäß in ihren Händen, doch Fadl schickte sie weg.

»Für den Giaurenhund genügt Wasser – wenn er überhaupt welches bekommt.« Sein Gesicht verzerrte sich, und er schlug mit der Peitsche auf seinen Gefangenen ein. Konrad drehte sich so, dass die Hiebe nicht das Gesicht trafen, und nahm die Schläge für ein paar Augenblicke trotzig hin. Dann aber erinnerte er sich, was er auf dem bisherigen Weg gelernt hatte.

Er begann zu stöhnen, brach auf die Knie und fiel vornüber in den Staub. »Gnade, oh Herr! Seid barmherzig! Ich leide so sehr!« Konrad schämte sich, wie ein Weib zu jammern, aber es war der einzige Weg, noch schlimmere Qualen zu vermeiden.

Fadl zog ihm einen letzten Hieb über und drehte sich dann zu Okin um, der zu ihm aufgeschlossen hatte. »Die Franken sind Hunde! Sie winseln, wenn man sie schlägt«, erklärte er zufrieden.

»Das sind sie. Aber warum schlägst du nur diesen Franken und nicht auch den anderen?«, fragte Okin verwundert und zeigte auf Ermo, der den Weg nach Saragossa ebenfalls zu Fuß hatte bewältigen müssen. Ihm war unterwegs schon aufgefallen, dass die Mauren dem zweiten Gefangenen die Kleidung belassen und unterwegs genug zu essen und zu trinken gegeben hatten.

Ermo hatte seinen ersten Schrecken inzwischen überwunden und lauerte auf eine Gelegenheit, sein Schicksal zu wenden. Im Gegensatz zu Konrad dachte er jedoch nicht an Flucht, sondern wollte versuchen, die Gunst der Mauren zu erwerben. Als er begriff, dass von ihm die Rede war, drängte er sich zwischen den dicht stehenden Pferden hindurch und kniete vor Fadl nieder.

»Dein Diener steht bereit, deine Befehle zu empfangen.« Ermo bemühte sich, die Sprache des spanischen Nordens zu sprechen, doch da er zu wenige Worte davon kannte, ergänzte er die Lücken mit Ausdrücken aus seiner Heimat.

Der Berber blickte auf Ermo hinab und fragte sich, was er mit dem Kerl machen sollte. Dann griff er nach unten und zog ihn hoch. »Ich habe einen Auftrag für dich. Du wirst dich um diesen Hund dort kümmern und dafür sorgen, dass er Córdoba lebend erreicht. Tut er es nicht, lasse ich dich an seiner Seite begraben. Aber wehe dir, du behandelst ihn besser, als er es verdient!«

Da Ermo die in maurischer Sprache gehaltene Rede nicht verstand, blickte er sich hilfesuchend um. Fadl winkte Maite, die ebenfalls noch im Sattel saß, zu sich heran. »Erkläre diesem Mann, was ich gesagt habe.«

»Ich kenne die Sprache der Franken nicht gut genug, um darin Worte formen zu können!« Maite wollte sich diesem Auftrag entziehen, doch der Berber gab nicht nach.

»Tu es! Vielleicht versteht er dich! Sonst muss Said es ihm übersetzen.« Natürlich hätte Fadl seinem Spion auch gleich befehlen können, mit Ermo zu sprechen. Doch er wollte seine Macht über Maite erproben und brachte sie damit in einen Zwiespalt, der sie fast zerriss. Alles in ihr drängte danach, Ermo zu sagen, dass er Konrad schonend behandeln sollte. Doch da Said jedes ihrer Worte verstand, war dies ein sinnloses Unterfangen. Daher begnügte sie sich, Ermo genau das mitzuteilen, was Fadl von ihr hören wollte, und wagte es nicht, Konrad dabei anzusehen.

Ermengilda hörte ihre Worte und schauderte. Für sie sah es so aus, als habe Maite sich auf die Seite der Männer geschlagen, die Philibert getötet hatten und Konrad unerträglichen Qualen aussetzten. Dafür verabscheute sie die Waskonin.

Ermo atmete jedoch auf, als er begriff, was Fadl der Berber von ihm wollte. »Der Himmel ist gerecht, denn er gibt mir den Mann in meine Hand, der mich verderben wollte!«, rief er. Um

Fadl Ibn al Nafzi zu zeigen, wie gehorsam er dessen Befehle befolgen wollte, trat er auf Konrad zu und versetzte ihm einen derben Fußtritt.

Der Berber wunderte sich über dieses Verhalten, doch als Said ihm zuflüsterte, dass die beiden Franken den Worten des willfährigen Sklaven nach alte Feinde seien, nickte er zufrieden. Dieser Umstand würde verhindern, dass die beiden einander vertrauten und versuchten, gemeinsam zu fliehen. Er befahl, Konrad in den Hundezwinger zu werfen, damit er mit den unreinen Tieren um Wasser und Nahrung kämpfen musste, und wandte sich dann an Jussuf Ibn al Qasis Haushofmeister, der ehrerbietig in seiner Nähe gewartet hatte.

»Kümmere dich darum, dass die beiden Frauen gut untergebracht werden. Die eine ist für den Emir bestimmt, und die andere steht unter meinem Schutz!«

Der Mann warf Maite und dem Karren, in dem Ermengilda saß, neugierige Blicke zu. Er wusste jedoch, wie weit er gehen durfte, und befahl einem der Diener, den Obereunuchen zu holen.

Dann verneigte er sich tief vor dem Berber. »Man wird dafür sorgen, dass es den Frauen an nichts fehlen wird, und ihre Tür bewachen lassen, so dass selbst unser Herr sie nicht durchschreiten kann.«

»Das würde ich ihm auch nicht raten!« Fadl hatte eben Jussuf Ibn al Qasi entdeckt und ging ihm entgegen.

Jussuf schloss ihn wie einen lang vermissten Verwandten in die Arme. »Sei mir willkommen, Fadl Ibn al Nafzi! Dein Kommen lässt die Sonne heller strahlen. Du und deine Krieger – ihr habt einen gewaltigen Sieg errungen und Karl vom Frankenland für seinen Hochmut bestraft. Jetzt muss er die Toten seines Heeres beweinen und wird vor der Rache der Helden des Emirs zittern.«

»Wir haben seine Nachhut zerschlagen bis auf den letzten

Mann«, erklärte Fadl stolz und wies dann auf Ermo, der Konrad unter der Aufsicht mehrerer Berber zu den Hundezwingern schleppte. »Diese beiden sind die einzigen Frankenhunde, die noch am Leben sind. Der eine war ein Gefangener seiner eigenen Leute, der andere ist der Mann, der meinen Bruder Abdul getötet hat. Allah sei Preis und Dank, dass er in meine Hände gefallen ist.«

Jussuf warf den beiden Franken einen gleichgültigen Blick zu und bat Fadl, ihm in den Palast zu folgen. Da Okin sich missachtet fühlte, räusperte er sich und vertrat ihm den Weg. »Ich überbringe dir die Grüße meines Herrn, des Grafen Eneko. Er wünscht dir großen Reichtum und Ehre.«

»Melde Eneko Aritza meinen Dank«, beschied Jussuf Ibn al Qasi dem Waskonen und verbarg ein grimmiges Lächeln. Wie es aussah, war Eneko allzu sehr auf seine Würde als unabhängiger Herrscher Pamplonas und des Nafarroalandes bedacht und hatte deswegen nur einen Vertrauten geschickt. Wäre er selbst zu ihm gereist, hätte es heißen können, er wäre doch nur ein Vasall des Herrn von Saragossa, der selbst ein Vasall des Emirs von Córdoba und Herrscher von al Andalus war.

Jussuf empfand Enekos Verhalten als unhöflich und hielt es überdies für töricht. Nachdem König Karl die Mauern von Pamplona hatte schleifen lassen, hätte es dem Waskonen angestanden, sich guter Freunde zu versichern. Zwar hatten die verbündeten Krieger die von Roland geführte Nachhut der Franken vernichtet, doch Karl verfügte über genug Krieger, um einen weiteren Kriegszug über die Pyrenäen führen zu können.

In gewisser Weise hoffte Jussuf sogar auf einen neuen Kriegszug. Nur aus diesem Grund hatte er den Angriff auf Rolands Schar unterstützt. Wenn die Franken die Waskonen bedrohten, würden diese bei ihm Schutz suchen müssen. Karls Eroberungsgelüste würde er mit Unterstützung des Emirs von

Córdoba zurückweisen können. Und dann würde die Bedrohung aus dem Norden seine Stellung in al Andalus stärken und es ihm wahrscheinlich sogar erlauben, ein unabhängiges Reich zwischen Córdoba und den Franken zu errichten.

Als er merkte, dass er sich mehr seinen eigenen Überlegungen als seinen Gästen widmete, bat Jussuf diese mit einem freundlichen Lächeln, ihm zu folgen.

5.

Während Jussuf Ibn al Qasi durch das Palastportal trat, watschelte sein Obereunuch durch eine Nebenpforte in den Hof. Es handelte sich um einen kleinen Kerl, der beinahe so breit war wie hoch und dessen weites Gewand wie eine Fahne um seinen Körper wehte. Auf seinen Ruf hin schoben mehrere Knechte Ermengildas Karren in einen Innenhof und verließen diesen sofort wieder. An ihrer Stelle tauchten mehrere Sklavinnen auf, die sich des Gastes annahmen.

Maite wartete unterdessen darauf, dass sich jemand um sie kümmerte. Doch man beachtete sie erst, als die meisten Mauren und die anderen Waskonen den Hof verlassen hatten. Ein Knecht kam auf sie zu, nahm die Zügel ihres Pferdes und führte sie ebenfalls in jenen Innenhof, in dem der Obereunuch nun auf sie wartete.

»Steig ab, damit Mansur die Stute wegbringen kann«, befahl er ihr in einem Tonfall, als wäre sie eine renitente Magd.

Es juckte Maite in den Fingern, ihm die Reitpeitsche überzuziehen. Aber sie wollte keinen Streit mit einem Bediensteten, und so schwang sie sich aus dem Sattel und sah hochmütig auf den Mann hinab. »Wohin führst du mich?«

Der Obereunuch, der gewohnt war, dass Frauen seine Anordnungen ohne Widerspruch befolgten, zuckte unter ihrem her-

rischen Tonfall zusammen und bequemte sich zu einer Verbeugung. »Ich erlaube mir, dich und die Sklavin, die für den
ruhmreichen Emir Abd ar-Rahman – Allah segne und be-
schütze ihn – bestimmt ist, in den Trakt zu bringen, der für
hochrangige weibliche Gäste vorgesehen ist. Kein fremder
Mann wird euch dort belästigen, und selbst mein eigener Herr
wird die Schwelle dieses Gemachs nicht überschreiten.«

Maite war zwar noch nie in einem Harem gewesen, hatte aber
von dem Eunuchen, den Eneko von dem aus Iruñea verjagten
Statthalter übernommen hatte, einiges über die Art der Mauren erfahren. Diese Leute hüteten ihre Frauen und Mädchen
besser als die Waskonen ihre Herden. Kein fremder Mann
durfte sie sehen, geschweige denn, ihnen so nahe kommen,
dass er mit ihnen sprechen konnte. Da Abd ar-Rahman seine
Macht gegen die lokalen maurischen Walis immer stärker ausgebaut hatte, durfte selbst die mächtige Sippe der al Qasi ihn
nicht verärgern. Schon aus diesem Grund waren sie und Ermengilda so sicher, als stünden Engel mit Flammenschwertern
vor ihrer Tür.

In der Hoffnung, endlich mit Ermengilda über all das reden zu
können, was ihr Herz beschwerte, folgte sie dem Obereunuchen in das Gebäude. Die Eingangstür, die aus dicken Hart-
holzbohlen und Eisenbeschlägen bestand, hätte jeder Festung
zur Ehre gereicht, und der Gang dahinter war so düster, dass
man, wenn man von draußen kam, kaum die Hand vor Augen
sehen konnte. Mehrere Türen gingen rechts und links ab, waren aber verschlossen. Nur die letzte stand offen, und der Eunuch winkte ihr einzutreten.

Sie folgte ihm und fand sich in einem Märchenland aus Brokat
und Seide wieder. Auf dem Boden dämpften dicke Teppiche
die Schritte, und Wandbehänge in glühenden Farben zogen
ihre Blicke auf sich. Neben einem großen, polsterüberladenen
Diwan gab es ein Fenster, dessen hölzernes Gitter so ähnlich

gestaltet war wie die im Palast von Iruñea. Auch aus diesem konnte man hinausschauen, ohne selbst gesehen zu werden.

In einer kleinen Kammer, die von dem Raum abging, stand eine Badewanne aus Kupfer, in der Ermengilda gerade von zwei Mägden gebadet wurde. Maite sehnte sich zwar danach, den Schmutz der Reise abzuwaschen, doch die Wanne war zu klein, sie beide aufzunehmen. Daher lehnte sie sich mit der Schulter gegen die Wand, um zu warten, bis Ermengilda fertig war.

Eine Weile sah sie zu, wie die Sklavinnen Ermengilda mit weichen Schwämmen wuschen, ihr das blonde Haar mit wohlriechenden Essenzen einrieben und schließlich ihre Körperhaare entfernten. Dabei fiel ihr auf, dass Ermengilda die zuletzt recht unangenehme Behandlung geistesabwesend über sich ergehen ließ, und sie fragte sich, wie es in der Asturierin aussehen mochte.

Tatsächlich achtete Ermengilda kaum auf das, was mit ihr geschah. Wenn die Frauen zu sehr an ihr zupften, traten ihr Tränen in die Augen, doch sonst nahm sie ihre Umgebung kaum wahr. Sie litt noch immer unter den Bildern des grauenhaften Gemetzels und versuchte, diese zurückzudrängen, indem sie sich mehr mit Konrads Schicksal als mit ihrem eigenen beschäftigte. Da sie ihm bereits zum zweiten Mal das Leben verdankte, verging sie fast vor Mitleid. Aber ihr war auch bewusst, wie wenig sie für ihn tun konnte. Sie würde versuchen, den Emir von Córdoba zu bitten, sein Leben zu schonen. Das war das Einzige, was in ihrer Macht stand. Fadl um Gnade für den Franken zu bitten, fehlte ihr der Mut, denn sie fürchtete sich vor dem Berber. Bis Córdoba war es jedoch noch ein langer Weg, und sie hatte Angst, Fadl würde Konrad unterwegs zu Tode quälen. Ganz in ihre Gedanken versunken, bemerkte sie Maite nicht und schritt, als die Sklavinnen sie abgetrocknet und in ein flauschiges Gewand gehüllt hatten, an ihr vorbei, als bestände sie aus Luft.

Maite streckte die Rechte aus, um Ermengilda aufzuhalten, sagte sich dann aber, dass sie auch nach dem Bad mit ihr reden konnte, und trat auf die Wanne zu. Sofort waren die Sklavinnen bei ihr und begannen, sie zu entkleiden. Dabei schüttelten sie die Köpfe über die schlichte, fremdartige Tracht der jungen Frau. Eine Dame von Stand hatte sich besser zu kleiden, wenn sie den Herrn von al Andalus aufsuchen wollte.

Dennoch taten die Frauen alles, damit auch dieser Gast sich wohl fühlte. Sie halfen Maite in die Kupferwanne, gossen wohlriechende Essenzen und warmes Wasser hinein und unterzogen sie einer gründlichen Reinigung. Maite lehnte sich zurück und schloss die Augen. Zum ersten Mal, seit sie das Schlachtfeld in der Schlucht verlassen hatte, vermochte sie sich zu entspannen. Nach wenigen Augenblicken aber sah sie das vielfache Sterben wieder deutlich vor sich und fühlte sich wie in Blut getaucht. Sie unterdrückte die Schreie, die in ihr aufstiegen, und versuchte, sich ganz dem reinigenden Bad hinzugeben. Tatsächlich wurde sie unter den geschickten Händen der Sklavinnen, die sie mit ihren Schwämmen massierten, langsam ruhiger und dämmerte schließlich weg. Sie merkte noch, wie die Frauen ihre Haare wuschen und ausbürsteten, wurde aber erst wieder wach, als diese sie aus der Wanne hoben, um sie abzutrocknen. Als die Sklavinnen versuchten, ihre Schambehaarung zu entfernen, wurde es ihr jedoch zu viel.

»Lasst das!«, fuhr sie die Frauen an.

Diese begriffen zunächst nicht, weshalb ihr Gast sich so sträubte, und eine schüttelte entsetzt den Kopf. »Aber Herrin, wie willst du deinen Herrn empfangen, wenn dieses Gestrüpp seinem Vergnügen im Wege steht?«

»Ich bin mein eigener Herr, und es gibt auch keinen Mann, den ich zu mir lassen würde.« Maite schob die Hände der Frauen resolut zurück und wollte nach ihren Kleidern greifen. Die wurden ihr sofort wieder von einer der Sklavinnen entrissen.

»Herrin, dein Gewand muss dringend gewaschen werden. Es ist schmutzig und riecht nach Pferd und Schweiß.«

»Das ist nun mal so, wenn man längere Zeit im Sattel sitzt.« Maite ließ es schließlich zu, dass ihr die Frauen ein anderes Gewand reichten. Es bestand aus weißer Seide und schmiegte sich angenehm an ihren Leib. Allerdings war der Stoff sehr dünn und gab mehr von ihr preis, als ihr lieb war. Nach kurzem Zögern sagte Maite sich jedoch, dass kein Mann sie hier zu sehen bekommen würde, und verließ die Badestube, um sich zu Ermengilda zu gesellen.

Diese saß auf dem Diwan, hielt die Augen geschlossen und weinte.

Maite sprach sie an. »Betrauerst du dein Schicksal? Das solltest du nicht tun, denn für dich wird sich alles zum Guten wenden.«

Ermengilda drehte den Kopf in ihre Richtung und öffnete die Augen. »Bleib du mir vom Leib!«

»Was soll das? Ich habe dir doch gar nichts getan!«

»Du hast nichts getan?« Ermengildas Stimme klang schrill, und dann lachte sie so grässlich, dass Maite an ihrem Verstand zweifelte.

»Was ist mit den Toten in Roncesvalles? Du hast sie zusammen mit den anderen Bergräubern hingeschlachtet. Alle sind tot, Philibert, Roland, Eward! Selbst Hildiger hätte ich keinen solch grausamen Tod gewünscht. Den armen Konrad schleppt ihr als Gefangenen mit euch und quält ihn unsäglich. Quäle mich doch auch, dann ist deine Rache vollkommen.«

»Welche Rache?«, fragte Maite verdattert.

»Die Rache für den Tod deines Vaters. Das hast du doch geschworen, nicht wahr? Deshalb hast du mich doch damals überfallen und gefangen genommen. Jetzt befinde ich mich wieder in deiner Gewalt. Komm, schlage mich! Töte mich! Dann liegt es endlich hinter mir.«

»Du bist verrückt!« Maite packte sie und wollte sie durchschütteln.

Doch Ermengilda machte sich frei und schlug ihr mit aller Kraft ins Gesicht. »Hier hast du noch einen Grund, mich zu martern und umzubringen!«, schrie sie mit sich überschlagender Stimme und wollte Maite das Gesicht zerkratzen.

Die Waskonin musste alle Kraft aufwenden, um sich die Tobende vom Leib zu halten. Die Sklavinnen vernahmen den Lärm und stürzten herein. Als deren Bitten, doch Ruhe zu geben, nichts fruchteten, zerrten sie die beiden auseinander. Zuletzt fesselten sie Ermengilda mit Seidenbändern, um diese daran zu hindern, erneut auf Maite loszugehen. Danach betrachteten sie ihre Gäste und schüttelten den Kopf. Die Haare der beiden jungen Frauen waren zerzaust; über Maites Wange zog sich eine lange, rote Schramme, die von Ermengildas Fingernägeln herrührte, und ihr Seidenkleid wies einen hässlichen Riss auf.

Erschüttert von Ermengildas Hassausbruch, setzte Maite sich auf den Diwan. Glaubte die Asturierin wirklich, ihr hätte es Freude gemacht, die Franken in die Falle zu locken und zu töten? Es lag ihr schwer genug auf der Seele, dass sie Philibert nicht hatte retten können und Konrad durch ihr Dazwischentreten nun hilflos seinem Feind ausgeliefert war.

Am liebsten hätte sie Ermengilda gepackt und ihr dies ins Gesicht geschrien. Aber da die Asturierin sich beruhigt zu haben schien und nur noch still vor sich hin weinte, ließ sie es sein.

Nach einer Weile richtete Ermengilda sich auf, soweit es ihre Fesseln zuließen, und musterte Maite mit Abscheu. »Von deinen Händen tropft das Blut! Du bist kein weibliches Wesen mehr. Statt Leben zu schenken, wie Gott der Herr es uns Frauen aufgetragen hat, hast du Leben genommen. Dein Rachedurst hat dich blind gemacht und wird dich noch gänzlich zerstören! Es ist richtig, dass mein Vater den deinen getötet hat. Aber Iker wurde ihm durch einen von euren Leuten ans Messer geliefert.«

Damit sagte Ermengilda Maite nichts Neues, denn sie hatte schon damals gehört, wie sich die Asturier dessen gerühmt hatten. Dennoch fühlte sie es heiß durch ihre Adern rinnen. Sie sprang auf, kniete neben dem Diwan nieder, auf den die Sklavinnen Ermengilda gebettet hatten, und packte sie.

»Wer war es? Ich flehe dich an, nenne mir endlich seinen Namen!«

Ermengilda erschauerte unter dem rasenden Gesichtsausdruck der Waskonin. Plötzlich sah sie aber auch wieder das kleine Mädchen vor sich, das ihren Leuten entrissen und verschleppt worden war, und in ihren Ohren hallte das Klatschen der Stockhiebe, die Alma der Drache Maite versetzt hatte. Ein Kind, das so behandelt worden war, konnte nur noch Hass empfinden.

»Es tut mir leid, was ich vorhin gesagt habe, und auch, dass ich dich verletzt habe.« Da der Wahnsinn, der sie für kurze Zeit gepackt hatte, wieder gewichen war, schämte Ermengilda sich.

»Den Namen! Sag mir den Namen!«, forderte Maite.

Erregt schüttelte Ermengilda den Kopf. »Ich kenne ihn doch nicht. Das habe ich dir schon mehrmals erklärt! Der Name des Verräters ist nie gefallen, zumindest nicht vor meinen Ohren. Ich versuche doch, mich zu erinnern! Aber es gab keinen Hinweis … oder vielleicht doch! Wenn ich mich recht entsinne, muss der Mann in eurem Dorf leben und mit deinem Vater verwandt sein. Ramiro hat damals gespottet, der Verräter wolle seinen Schwager beerben – oder so etwas Ähnliches.«

Da Maite nie über ihre Sippe gesprochen hatte, ahnte Ermengilda nicht, was sie da sagte. Iker hatte nur einen Schwager gehabt, und das war Okin.

Maite sank kraftlos zu Boden und rang stumm um Fassung.

Also doch Okin! Der Bruder ihrer Mutter war der Verräter gewesen.

Sie hatte es all die Jahre geahnt und doch nicht glauben wollen, denn er hatte nach ihrer Flucht niemals etwas getan, das ihr Leben in Gefahr gebracht hätte. Nachdem sie aus der asturischen Burg zurückgekehrt war, hatte er sie in sein Haus aufgenommen und dafür gesorgt, dass sie alles lernte, was von der Frau eines einflussreichen Häuptlings erwartet wurde. Dabei hatte er genau gewusst, dass sie nach dem Gesetz des Blutes die Häuptlingswürde an ihren Ehemann vererben würde.

Dann erinnerte Maite sich, wie geschickt ihr Onkel seine Macht ausgebaut und sie zur Seite gedrängt hatte. Noch einmal sah sie die Szene vor sich, in der Okin Roderich völlig unnötig darauf hingewiesen hatte, dass sie Ikers Tochter sei. Schon damals hatte er sich ihrer unauffällig entledigen wollen. Wäre sie bei den Asturiern aufgewachsen, hätten die Ältesten des Stammes ihr das Recht abgesprochen, eine echte Waskonin und die wahre Erbin Ikers von Askaiz zu sein. Nach ihrer Rückkehr hatte Okin zwar keinen Versuch gemacht, sie zu beseitigen, aber Estinne hatte ihr nie erlaubt, mit anderen Mädchen Freundschaft zu schließen, weil sie angeblich etwas Besseres sei. Nun begriff sie, dass Okin und seine Frau es darauf angelegt hatten, sie dem Stamm zu entfremden.

»Okin also!« Maites Rechte griff an die Hüfte, an der sie sonst immer ihren Dolch trug. Doch die Stelle war leer. Die Sklavinnen hatten ihre Waffen beiseitegeräumt. Sie wollte sie schon zurückrufen und sie auffordern, ihr Dolch, Schleuder und Kurzschwert wiederzubringen, tat es dann aber doch nicht. Der Harem des Gästetrakts bot zwar Sicherheit vor zudringlichen Männern, aber er stellte gleichzeitig ein Gefängnis dar. Außerdem hätte sie selbst, wenn es ihr gelänge, den Harem zu verlassen, erst Okins Kammer suchen müssen. In den ihr unbekannten Gebäuden wäre sie kaum unbemerkt an den Wachen vorbeigekommen, und Okin hätte erfahren, dass sie in seiner Nähe entdeckt worden war. Aber er musste arglos bleiben, sonst hatte sie keine Chance, nahe genug an ihn heranzukommen, um ihm die Klinge in sein schwarzes Herz zu stechen.

»Ich habe ein Jahrzehnt auf meine Rache gewartet. Da kommt es auf eine Stunde oder einen Tag mehr nicht an«, sagte sie zu sich selbst und blickte dann Ermengilda an. »Kann ich dich losbinden? Nicht, dass du wieder auf mich losgehst.«

»Sei unbesorgt! Ich sagte doch, dass es mir leidtut.«

Maite musterte sie eindringlich, löste dann die Knoten und warf die Seidenbänder in eine Ecke. »Ich wollte es wirklich nicht«, flüsterte sie.

Ermengilda begriff, dass sie nicht die Fesseln meinte, die die Sklavinnen ihr angelegt hatten, sondern jenen grauenvollen Tag in der Schlucht von Roncesvalles. Die Feindschaft und der alte Hass, die vom ersten Tag ihrer Begegnung an wie eine Mauer zwischen ihnen gestanden hatten, lösten sich auf, und sie zog Maite an sich.

Als die Sklavinnen kurz darauf wiederkehrten, um zu sehen, ob die Gäste noch etwas benötigten, lagen die beiden eng umschlungen in tiefem Schlaf.

6.

Konrads Nachtquartier bestand nicht aus einem mit Seidenvorhängen geschmückten Raum und einem weichen Diwan, sondern aus stinkendem Matsch und Gittern. Als man ihn in den Zwinger geschleift hatte, waren die Hunde jaulend zurückgewichen, doch nun kamen sie näher und beschnüffelten ihn misstrauisch. Einige schnappten sogar nach ihm, so als wäre er ein Brocken Fleisch, den man ihnen zugeworfen hatte.

Da Konrad gefesselt war, konnte er die Tiere nicht abwehren, und fürchtete, sie würden ihn zerreißen. Er wusste, dass er keine Angst zeigen durfte, denn das würde die Tiere reizen. Daher drehte er sich auf den Bauch und blieb einfach wie tot liegen. Immer wieder spürte er die kühlen Schnauzen auf seinem Körper und erwartete den nächsten, tiefer gehenden Biss.

Allmählich verloren die Hunde das Interesse an ihm und liefen zu dem Wärter, der ihnen Fleischstücke hinwarf. Der Mann füllte auch den Trog, aus dem sie saufen sollten. Konrad hörte Wasser plätschern und fuhr sich mit der Zunge über die verharschten Lippen. Mühsam schob er sich in die Richtung, aus der das Geräusch gekommen war, und steckte seinen Kopf in das Gefäß. Einige Hunde gesellten sich zu ihm, um ebenfalls zu trinken, während Ermo und die maurischen Knechte ihn verspotteten.

»Hier könnt ihr sehen, dass alle Giauren Hunde sind, die sich mit unreinen Tieren im Dreck wälzen und aus ihren Näpfen fressen«, rief einer der Männer und versetzte Konrad einen Hieb mit der Peitsche, mit der er sonst die Hunde unter Kontrolle hielt.

Da Konrad auf nichts reagierte, sondern wie tot liegen blieb, wurde es den Männern bald zu langweilig, den Gefangenen zu verspotten. Sie wandten sich ab, um den Raum aufzusuchen, in dem das Abendessen ausgegeben wurde. Bereits im Gehen drehte sich einer zu Ermo um. »Kommst du mit?«

Ermo verstand ihn durch die Geste, mit der er diese Worte begleitete, und zeigte auf Konrad. »Was ist mit ihm? Wenn die Hunde ihn zerfleischen, wird Fadl mich hinrichten lassen.«

Der oberste Hundewärter verstand trotz des Radebrechens, was Ermo ihm sagen wollte, und warf den Tieren einen prüfenden Blick zu. »Dem geschieht schon nichts. Die Hunde sind satt gefressen und müde. Ich will jetzt zu Abend essen.«

Das Wort Essen verstand Ermo. Da er keine Lust hatte, die ganze Nacht hungrig bei Konrad zu sitzen und aufzupassen, schloss er sich den Knechten an.

»Was gibt es denn Gutes?«, fragte er und benutzte dabei neu gelernte Ausdrücke. In seiner Vorstellung sah er schon einen appetitlichen Schweinebraten vor sich.

Der Hundewärter lachte über seine Gesten. »Hirseeintopf mit Hammelfleisch. Du wirst sehen, der schmeckt gut.«

Zwar fand der Mann die Verständigung mit dem Franken mühsam, aber er war neugierig, mehr über dieses Volk zu erfahren. Daher schlang er seinen rechten Arm um Ermo, so als wäre dieser sein bester Freund.

Konrad blieb im Hundezwinger zurück und fragte sich, was er verbrochen hatte, dass Gott der Herr ihn so strafte. Sein ganzer Körper bestand aus Schmerz. Da kam es auf ein paar Hundebisse auch nicht mehr an. Wenigstens hatte er endlich genug trinken können. Zwar verspürte er auch Hunger, doch er wagte es nicht, den Hunden das Fleisch oder die Brotreste, die noch herumlagen, streitig zu machen.

Am Himmel erschienen die ersten Sterne. Aber Konrad blickte nicht einmal zu ihnen auf. Da vor allem sein Rücken von der Sonne verbrannt war, blieb er auf dem Bauch liegen und sehnte sich danach, im Schlaf seine Qualen und die Erinnerung an die Katastrophe zu vergessen.

Zu den Schmerzen kam jetzt noch die Kälte, denn so heiß die Sonne tagsüber vom Himmel gebrannt hatte, so kühl wurde es in der Nacht. Da er nackt war, zitterte Konrad bald am ganzen Körper. Nach einer Weile klapperten seine Zähne, und als er aufblickte, sah er verwunderte Hundeaugen auf sich gerichtet. Schließlich versank er in einen Dämmerschlaf, in dem er immer noch seinen gemarterten Körper spürte und wirre Träume durchlebte, in denen er ebenso verzweifelt wie vergeblich versuchte, Ermengilda zu retten. Irgendwann merkte er, dass ihm nicht mehr so kalt war, und begriff, dass sich einige Hunde an ihn geschmiegt hatten und ihn wärmten. Mit dem Gedanken, dass diese Tiere gnädiger waren als ihre Herren, schlief er wieder ein.

Als er erwachte, herrschte im Hof bereits reges Treiben. Konrad fühlte sich noch zerschlagener und schwächer als am Vortag, und es graute ihm davor, auf die Beine gestellt und erneut an den Schweif des Pferdes gebunden zu werden. Doch niemand kam, um ihn zu holen. Er konnte nicht ahnen, dass der Berber beschlossen hatte, die Gastfreundschaft Jussuf Ibn al Qasis für einen weiteren Tag in Anspruch zu nehmen und den vorgeschriebenen Gebeten in der Moschee von Saragossa beizuwohnen.

Da sich niemand um ihn kümmerte, blieb Konrad einfach liegen, bis einer der Knechte die steinerne Wanne gesäubert und mit frischem Wasser gefüllt hatte. Diesmal schmeckte der Inhalt nicht nach Schlamm. Er stillte gierig seinen Durst und hoffte, man werde ihm auch etwas zu essen geben. Doch als die Hunde gefüttert wurden, erhielt er nichts.

Einige Zeit später betrat eine Magd den Hof. Sie trug eine Schüssel auf dem Kopf und kam auf den Zwinger zu.

»Was willst du?«, fragte einer der Hundewärter.

»Ich bringe dem Gefangenen Essen. Der ruhmreiche Fadl Ibn al Nafzi wünscht nicht, ihn vor der Zeit, die Allah für ihn bestimmt hat, sterben zu sehen.«

»Dummes Ding! Der Franke wird genau zu dem Zeitpunkt sterben, den Allah bestimmt.« Der Mann lachte, trat aber beiseite.

»Pass auf, dass die Hunde nicht dich für eine leckere Mahlzeit halten!«, rief er der Frau noch nach.

Konrad hatte sich in seinen Schmerz vergraben und nahm zunächst gar nicht wahr, wie die Frau in den Zwinger kam und neben ihm stehen blieb. Erst als sie ihn mit der Fußspitze anstieß, blickte er auf und spürte im selben Augenblick, wie eine eisige Hand sein Herz packte. Über ihm gebeugt stand ein Wesen so schwarz wie die Nacht oder die Sünde. Der Körper des Geschöpfs, der in einem einfachen Kittel steckte, wies Ähnlichkeiten mit weiblichen Formen auf, und das Gesicht wirkte bei aller Fremdartigkeit ebenfalls wie das einer Frau. Dennoch war Konrad überzeugt, einen Dämon Luzifers vor sich zu sehen, der ihn mit sich in die feurigen Klüfte der Hölle schleppen würde.

Also war er in der Nacht gestorben. Diese Erkenntnis tat ihm weniger weh als sein Körper, der sich noch ausgesprochen lebendig anfühlte. Eigentlich hatte Konrad gedacht, mit dem Tod ende auch jeder Schmerz, doch wie es aussah, hatte er sich getäuscht.

Jetzt beugte sich der Weibsdämon über ihn und packte ihn am Kopf. Konrad glaubte, er werde ihm den Hals umdrehen. Stattdessen stützte ihn der schwarze Geist mit der einen Hand, wischte ihm mit der anderen den Schmutz von den Lippen und holte einen länglichen, köstlich duftenden Gegenstand aus der Schüssel.

»Du müssen langsam essen. Ist Brot«, erklärte das Wesen im Romanisch des spanischen Nordens. Auch wenn es stockend sprach, so besaß die Stimme einen unverkennbar weiblichen Klang.

Nun sah Konrad das Wesen genauer an. Da es sich stark vorbeugte, sah er durch den Halsausschnitt seines Kittels auf zwei dunkle, wohlgeformte Brüste. Nun erinnerte er sich, von Philibert gehört zu haben, dass in einem Land, welches noch weiter südlich liegen sollte als Spanien, die Nachfahren Hams lebten, die Gott aus Strafe für die Weigerung ihres Ahnen, seinem Vater Noah zu gehorchen, mit schwarzer Haut geschlagen hatte. Also war das Wesen eine Tochter dieser Unglücklichen.

Gehorsam öffnete er den Mund. Da er genug getrunken hatte, fiel es ihm trotz seines wunden Munds nicht schwer, das dünne, zu einer Wurst gerollte Brot zu kauen, das ihm die Schwarze zwischen die Zähne schob. Es schmeckte köstlicher als alle Äpfel des Paradieses. Gleichzeitig bemerkte er, dass dieser Fladen, der beinahe so flach war wie ein Pfannkuchen, kleine Fleischstücke enthielt und eine Soße, die man mit aufgerollt hatte. Aus dem ängstlichen Blick, mit dem die Frau ihre Umgebung bedachte, schloss er, dass sie nicht von Fadl Ibn al Nafzi geschickt worden war oder zumindest nicht tat, was er angeordnet hatte. Das rechnete er ihr hoch an.

»Hab Dank!«, flüsterte er zwischen zwei Bissen.

Sie lächelte nur und wischte ihm die Soße ab, die ihm über das Kinn gelaufen war.

7.

Die Angst, doch noch von streifenden Waskonen entdeckt und umgebracht zu werden, hielt Just und Philibert auf den ersten Meilen ihres Weges in den Klauen. Der Junge war noch zu klein, um sich erfolgreich gegen einen erwachsenen Mann wehren zu können, und der Krieger spürte die Wunde in seinem Oberschenkel, die sich durch die Belastungen wieder geöffnet hatte, schmerzhaft pochen. Da das Bein ihn nicht trug, stützte er sich auf Just, und so suchten sie sich ihren Weg zwischen den ausgeplünderten Leichen. Die teilweise grausam verstümmelten Toten glichen sich mit den sonnenverbrannten Gesichtern, und daher stolperten sie an Eward und Hildiger vorbei, ohne die beiden zu erkennen oder zu ahnen, welch ein Drama sich an dieser Stelle abgespielt hatte.

Schließlich erreichten sie den Ausgang der Schlucht. Hier häuften sich die Gefallenen, die vergebens gegen die waskonischen Verhaue angerannt waren, zu monströsen Hügeln. Die Toten lagen so ineinander verkeilt, dass die Plünderer nur jene beraubt hatten, die sie ohne große Mühe hatten erreichen können. Auch die Sperre, an der die Franken gescheitert waren, existierte noch. Daher mussten Just und Philibert über einen Berg aus Leichen klettern, um das an dieser Stelle zu einem schmalen Einschnitt mit schroffen Wänden verengte Tal endlich verlassen zu können. Als sie das Hindernis überwunden hatten, blutete Philiberts Wunde, und er sah so bleich aus, dass Just befürchtete, er werde noch in derselben Nacht sterben.

Voller Verzweiflung verließ er die Straße und suchte ein Versteck im Wald. Da Philibert vor Fieber glühte, folgte Just dem leisen Plätschern eines Baches und war froh, als er im Steilufer eine Höhlung fand, die ihnen für die Nacht Schutz bot. Dann brachte der Junge dem Verletzten Wasser in seinen zu Schalen geformten Händen und musste oft laufen, bis Philiberts Durst gelöscht war. Endlich trank er selbst und kauerte sich anschließend an seinen Begleiter, um diesen in der Nacht zu wärmen und selbst gewärmt zu werden.

Am nächsten Morgen ging es Philibert etwas besser, doch beiden war bewusst, dass sie nicht lange ohne Nahrung durchhalten würden. Nun kamen ihnen Justs Erfahrungen aus seinen Jahren als Landstreicher zugute. Eine biegsame Weidenrute war rasch zu einer Schlinge geformt, in der sich ein Kaninchen fing, und mit Hilfe des Messers, eines Steines und eines trockenen Baumschwamms gelang es dem Jungen sogar, Feuer zu schlagen. Sorgfältig achtete er darauf, dass die Flamme nur in der Bodensenke flackerte, in der er sie entzündet hatte. Da er das Feuer mit trockenem Holz und Pinienzapfen nährte, entstand kaum Rauch. Die Kerne der Zapfen und das am Stock gebratene Kaninchen verliehen ihm und Philibert genügend Kraft, ein weiteres Stück Weg in Angriff zu nehmen.

Sie mussten sehr vorsichtig sein, denn die Siedlungsgebiete der Waskonen reichten noch ein ganzes Stück nach Norden. Aus diesem Grund umgingen sie Dörfer und Siedlungen auf teilweise abenteuerlichen Umwegen. Wasser fanden sie hier im Gebirge genug, aber der Hunger machte ihnen zu schaffen. Es gelang Just nicht, zu jeder Mahlzeit ein Stück Kleinwild in seinen primitiven Fallen zu fangen. Wie in seiner Zeit als Streuner nahm der Junge Vogelnester aus und briet die Eier und manchmal auch die Jungvögel in Lehm. Salz hatten sie keines, und an Gewürzen gab es nur Kräuter, die sie am Wegrand fanden.

Am Abend des fünften Tages lehnte Philibert an einem Baum und schüttelte resigniert den Kopf. »Nein, mein Junge, so kommen wir nicht weiter. Du kannst mich nicht halb tragen und dann auch noch Essen beschaffen.«

»Aber was sollen wir tun?«, fragte Just.

Philibert wies auf einen noch recht jungen Baum in der Nähe, der sich weiter oben in zwei fast gleich starke Äste gabelte. »Nimm dein Messer und schneide dieses Bäumchen ab.«

»Ihr wollt es als Krücke verwenden!«

»Kluges Kerlchen!« Philibert grinste, verzog aber gleich darauf das Gesicht, weil eine neue Schmerzwelle durch seinen verletzten Oberschenkel raste.

»Wenn es nicht besser wird, musst du die Wunde noch einmal öffnen. Ich glaube, sie eitert«, stöhnte er.

Just starrte ihn entsetzt an. »Das wollen wir nicht hoffen! Ich bin kein Arzt! Mehr als verbinden kann ich die Wunde nicht, und selbst dafür fehlen mir frische Leinenstreifen. Der Verband, den Ihr jetzt tragt, ist schon ganz verdreckt. Simon, der jüdische Wundarzt, sagt, Schmutz sei von Übel, da sich die Wunde dadurch entzünden und brandig werden kann. Aber das Bein kann ich Euch wirklich nicht abnehmen, wenn es nötig sein sollte.«

»Ich mag mein Bein nicht verlieren.« Philibert ruckte ein bisschen herum, bis er bequemer saß, und löste den Verband um seinen Schenkel. Die Leinenstreifen waren mit der Wunde verklebt und verursachten höllische Schmerzen. Zuletzt ließ er sich nach hinten sinken und rief nach Just.

»Den Rest musst du tun. Aber besorge mir vorher etwas, in das ich hineinbeißen kann.«

Just ließ das Bäumchen stehen, das er fällen sollte, und kam auf ihn zu. »Tut es sehr weh?«

»Glaubst du, mir laufen Freudentränen über die Wangen? Es ist, als würde ein Dutzend Adler meinen Schenkel mit ihren Krallen und Schnäbeln zerfetzen.« Philibert keuchte und schrie im nächsten Augenblick auf, als Just den Rest des Verbands mit einem einzigen Ruck abriss.

»Junge, wenn ich irgendwann einmal einen Foltermeister brauche, werde ich an dich denken! Jetzt hilf mir wieder hoch. Ich will mir die Wunde ansehen.« Er streckte Just die Hand entgegen und setzte sich mit dessen Unterstützung auf. Als er auf sein verletztes Bein blickte, hob es ihm fast den Magen. Die Wunde war dick angeschwollen und glänzte glasig. Ein dünner Eiterfaden rann aus der rot umrandeten Öffnung und hatte den Verband so verschmiert, dass Philibert ihn angeekelt fortwarf.

»Das ist unsere einzige Binde, Herr!«, wies Just ihn zurecht.

»Wie war das mit Meister Simon und dem Dreck? Verdammt noch mal! Damals habe ich mich über diesen Juden geärgert, doch jetzt würde ich alles geben, ihn hier zu sehen.«

»Er ist nun mal nicht hier, und wir müssen selbst zurechtkommen.« Just stand auf und lief zum Bach, um Wasser zu holen, mit dem er die Wunde waschen konnte. Zuerst wollte er die Hände dafür nehmen, doch die riesigen Blätter einer am Ufer stehenden Pflanze brachten ihn auf eine andere Idee. Er brach eines davon ab und verwendete es als Gefäß.

Philibert war vor Erschöpfung bereits weggedämmert, als Just zurückkam und das Wasser aus dem Blatt auf die Wunde träufeln ließ. Dann aber schreckte er hoch und warf sich stöhnend herum.

»Du bist wirklich ein Foltermeister. Beim Heiland, tut das weh!«

»Aber ich muss die Wunde auswaschen. Ich werde sie auch öffnen müssen, damit der Eiter abfließen kann.« Just arbeitete weiter, ohne sich durch Philiberts Jammern beirren zu lassen. Als es zu schlimm wurde, sah er den Krieger an.

»Ich dachte, Ihr wolltet Euer Bein behalten?«

»Ja, denn ich will es mir bestimmt nicht von dir abschneiden lassen!« Philibert verzog seine Lippen zu etwas, das wohl ein Lächeln darstellen sollte. Aber es geriet ihm nur zu einer schmerzerfüllten Grimasse.

Unterdessen hatte Just sich an eine weitere Lehre des jüdischen Wundarztes erinnert und hielt die Klinge seines Messers in die Flamme des Lagerfeuers, obwohl er nicht wusste, was das bewirken sollte. Als er sich anschließend daranmachte, die Wundränder auseinanderzudrücken, um dem Eiter Bahn zu schaffen, stieß Philibert ihn weg.

»Beim Heiland! Die Klinge ist ja glühend heiß. Willst du mich verbrennen?«

»Wenn ich Euch die Wunde ausbrennen muss, wird Euch noch viel heißer werden!«, antwortete Just und machte weiter. Da er den alten Verband nicht mehr verwenden wollte, nahm er mehrere der großen Blätter, deckte die Verletzung mit ihnen ab und umwickelte die Schicht mit dem Bast des Bäumchens, aus dem er anschließend eine Krücke für Philibert schnitzte.

8.

Die nächsten Tage wurden hart. Trotz der Krücke brauchte Philibert immer wieder Justs Hilfe, um über Bäche zu gelangen oder steile Wegstücke zu überwinden. Noch befanden sie sich im Gebirge, doch von den Höhen sahen sie bereits auf das flache Land im Norden hinaus.

»Bald haben wir es geschafft, Herr«, versuchte Just Philibert Mut zu machen. Dieser lachte keuchend auf.

»Das ist die Gascogne, mein Junge. Das Land zählt zwar zu unserem Reich, doch dieser Umstand hat Herzog Lupus und seine Männer nicht gehindert, uns in der Schlucht von Roncesvalles aufzulauern. Wenn die Kerle uns in die Hände bekommen, schlachten sie uns ab.«

»Dann müssen wir uns eben durch dieses Land hindurchschleichen«, wandte Just ein.

»Das wird nicht nötig sein. König Karl hat gute fränkische Grafen hier eingesetzt, die sich gewiss zu behaupten wissen. Alles, was wir tun müssen, ist, den Hof eines dieser Herren zu finden. Dann sind wir in Sicherheit.«

In Justs Augen war das leichter gesagt als getan, doch er stimmte Philibert zu, um ihn nicht zu entmutigen. Das Land war einfach zu groß, und sie durften niemanden nach diesen fränkischen Herrensitzen fragen.

Bereits am nächsten Tag bewahrheitete sich Justs Befürchtung. Ein weiteres Dorf zwang sie zu einem Umweg, der sich als Sackgasse entpuppte. Bei der Suche nach einem gangbaren Weg verirrten sie sich, und als sie Richtung Norden blicken konnten, merkten sie, dass das flache Land weiter von ihnen entfernt lag als am Abend zuvor.

Philibert ließ sich auf den Boden sinken und schloss die Augen, während Just vor Enttäuschung weinte. »Wir sind den ganzen Tag umsonst gelaufen! Außerdem gibt es hier keinen einzigen Weg, der nach Norden führt. Wir müssen zurück und versuchen, das Dorf auf der anderen Seite zu umgehen.«

Die Enttäuschung raubte Philibert das letzte Quentchen Kraft. Sein Bein schmerzte nun so sehr, dass ihn jeder Schritt und jede Berührung wie ein Blitzstrahl durchfuhr, und in seinem Kopf drehte sich alles. Er vermochte kaum mehr einen klaren Gedanken zu fassen. Nur eines schwang durch sein Bewusstsein: Während er hier durch das Gebirge irrte, wurde Ermengilda immer tiefer in das Reich der Mauren verschleppt, um einem der Heiden dort als Sklavin zu dienen.

»Ich hätte sie beschützen müssen«, schrie er auf.

Just zuckte zusammen und sah sich hastig um. »Seid still, Herr! Nicht, dass Euch jemand hört.«

Philibert schlug sich die Hände vors Gesicht. »Ich bin es nicht wert, ein Mann und ein Krieger genannt zu werden. Ich habe versagt! Konrad und alle anderen sind tot, und Ermengilda ist eine Gefangene der Mauren.«

»Ich glaube, die Waskonen dürften auch sie getötet haben.«

Philibert schüttelte den Kopf. »Ich habe gehört, wie der Befehl weitergegeben wurde, sie am Leben zu lassen, damit sie dem Emir von Córdoba als Beute überbracht werden kann. Beim Heiland, wir müssen sie retten!«

Da Philibert so aussah, als wolle er sich augenblicklich umdrehen und sich auf den Weg nach Süden machen, hielt Just ihn fest.

»Das können wir nicht, Herr! Wir vermögen ja nicht einmal uns selbst zu helfen. Euer Bein ist wieder schlimmer geworden. Wenn es nicht bald von kundigen Händen behandelt wird, werdet Ihr es verlieren und damit auch Euer Leben.«

»Was nützt mir mein Leben, wenn ich Ermengilda in der Gewalt der Heiden weiß!« Philibert befreite sich mit einem heftigen Ruck und stand mit Hilfe seiner Krücke auf. Zu Justs

Erleichterung war er jedoch so schwach, dass er bereits nach wenigen Schritten ins Taumeln geriet und stürzte.

Er blieb weinend liegen und verfluchte Gott und die Welt, weil sie ihm die Möglichkeit versagten, Ermengilda zu folgen. Just setzte sich neben ihn, ließ ihn aber in Ruhe. Ihm war klargeworden, dass sein Begleiter vor einer Schwelle stand, hinter der ihn der Tod erwartete.

Schritte in der einsetzenden Nacht rissen den Jungen hoch. Ein Mann kam mit einer Fackel in der Hand heran. In der anderen hielt er den Hirtenstab mit der Eisenspitze, mit der er selbst einen Bären durchbohren konnte. Ein Hund trabte neben ihm her und hob die Nase in den Wind. Plötzlich gab das Tier Laut und rannte auf Just und Philibert zu.

Jetzt ist es aus, dachte der Junge, versuchte aber nicht zu fliehen, sondern blieb mit hängenden Schultern sitzen. Der Hirte folgte seinem Hund, blieb ein paar Schritte vor ihnen stehen und hielt seine Fackel in ihre Richtung. Über sein längliches, von den Jahren und der Sonne gegerbtes Gesicht huschte ein Ausdruck der Verwunderung.

»Seid ihr allein?«, fragte er in der Sprache des gallischen Südens.

Just nickte. »Ja, wir beide sind allein. Wir haben uns verirrt. Mein Begleiter ist schwer verletzt. Er wird sterben, wenn er keine Hilfe erhält.« Der Junge blickte den Mann flehend an, auch wenn er nicht glaubte, das Herz des Hirten rühren zu können.

Dieser musterte zuerst ihn und dann Philibert. Schließlich nickte er bedächtig. »Bleibt hier! Ich bin auf der Suche nach einem entlaufenen Schaf. Sobald ich es habe, komme ich zu euch zurück und bringe euch zu meiner Hütte.«

Der Mann klang weniger feindselig, als Just befürchtet hatte, und er schöpfte Hoffnung. Hütte – das bedeutete nicht nur ein Dach über dem Kopf und ein warmes Herdfeuer, sondern auch etwas zu essen und vor allem eine Decke, in die er sich einhüllen und schlafen konnte, ohne in der Nacht vor Kälte zu zittern. Vor allem aber versprach eine Hütte Hilfe für Philibert. Just wusste zwar nicht, wie sehr sich dessen Wunde bereits entzündet hatte, doch er glaubte mit der Zuversicht der Jugend an Rettung.

9.

Als der Hirte zurückkehrte, war er nicht allein. Ein untersetzter Mann in einer Weste aus Schaffell begleitete ihn. Auch er hielt einen langen Stab in der Hand, den der als Spieß verwenden konnte.

Just überlegte, aufzuspringen und davonzulaufen, doch er hatte keine Kraft mehr. Müde senkte er den Kopf und erwartete den tödlichen Stoß.

Da berührte ihn einer der Männer an der Schulter. »Hier!« Er drückte Just eine Lederflasche in die Hand. Der Junge öffnete sie, setzte sie an die Lippen und stellte fest, dass es gute, fette Schafsmilch war – das Beste, das er je getrunken hatte. Unterdessen fertigten die beiden Hirten aus ihren Stäben und mehreren geflochtenen Lederriemen eine Trage, auf die sie Philibert legten. Dieser war inzwischen bewusstlos geworden und nahm nicht mehr wahr, wie die Männer ihn bergan trugen.

Just folgte ihnen durch ein Wäldchen und trank dabei immer wieder einen Schluck aus der Flasche. Als sie den Hain verließen, sah er, dass Philibert und er nur wenige hundert Schritt von der Hütte der Hirten entfernt gelagert hatten. Er trat nach den Hirten ein, setzte sich auf einen dreibeinigen Schemel und atmete erleichtert auf.

Die Männer legten Philibert auf eine der Lagerstätten, die ihnen selbst als Betten dienten. Dann begann einer von ihnen, die Blätter und die Bastbinden zu entfernen, mit denen Just die Wunde verbunden hatte. Der andere trat an den Herd, legte mehrere Holzscheite nach und hängte anschließend einen Kessel mit Wasser über die Flamme. Als Nächstes griff er zu einer der Würste, die an einer Stange unter dem Dach hingen, schnitt ein Stück davon ab und warf es Just zu.

»Hier, iss! Du siehst halbverhungert aus.«

»Danke!« Der Junge sah ihn mit großen Augen an und kaute dann mit Begeisterung auf der knochenharten Wurst herum, die nach Kräutern und fremden Gewürzen schmeckte. Der Hirte reichte ihm dazu noch einen Brocken Brot sowie einen Becher Milch. Ohne weiter auf Just zu achten, stellte er sich neben seinen Kameraden, der mit zweifelnder Miene die rot entzündete Wunde auf Philiberts Oberschenkel betrachtete.

»Ob das noch einmal was wird, weiß ich nicht«, sagte er zu dem anderen und begann, die Wunde mit einem Tuch zu säubern, das er kurz in das heiße Wasser getaucht hatte.

Just hatte eigentlich zusehen wollen, was die beiden Hirten mit Philibert machten, doch kaum hatte er das letzte Stückchen Wurst hinuntergeschluckt, fielen ihm die Augen zu, und er schlief ein.

Als er wieder erwachte, war es bereits heller Tag. Er lag auf einem Schaffell, das auf der Erde ausgebreitet war, und ein anderes Schaffell bildete seine Zudecke. Als er sich umblickte, war von den beiden Hirten nichts zu sehen. Auf einem Schemel standen ein Becher mit Milch und ein Stück Schafskäse. Just dankte den beiden Männern in Gedanken und stürzte sich auf das Essen. Erst als der Käse verspeist und der Becher fast leer war, erinnerte er sich an Philibert und trat an dessen Lager. Sein Begleiter war noch immer bewusstlos. Der Schweiß rann ihm in dichten Strömen über Gesicht und Brust, und seine Lippen bewegten sich, als wolle er trinken.

»Ihr habt wohl auch Durst?«, fragte Just, obwohl er wusste, dass er keine Antwort erhalten würde. »Wartet, ich gebe Euch etwas Milch!«

Er holte seinen Becher, hob Philiberts Oberkörper an und flößte ihm vorsichtig den Rest der Flüssigkeit ein. Als der Becher leer war, schien der Verletzte immer noch Durst zu haben. Daher holte Just Wasser von der mit Holz eingefassten Quelle, die vor dem Haus plätscherte, und ließ es tropfenweise über dessen Zunge rinnen.

Zu seiner Erleichterung erwachte Philibert nach einiger Zeit und stemmte nun selbst den Oberkörper mit den Ellbogen hoch. »Hallo, Kleiner! Ich glaube, ich habe gestern schlappgemacht.« Dann erst bemerkte er, dass sie sich in einer Hütte befanden, und starrte Just fragend an. »Wo sind wir?«

»Das ist das Heim zweier Hirten. Sie haben Euch hierhergebracht und Eure Wunde verbunden. Mir haben sie zu essen gegeben. Wollt Ihr auch etwas?« Von dem Käse auf dem Schemel war zwar nichts mehr da, doch Just war bereit, notfalls eine der Würste von der Stange zu holen, damit sein großer Freund nicht hungern musste.

Philibert schüttelte den Kopf. »Ich habe keinen Hunger, nur verdammt viel Durst.«

»Ich hole Wasser!« Froh, dass es Philibert besserzugehen schien, eilte Just los und musste noch einmal in die Hütte zurück, da er kein Gefäß mitgenommen hatte. Um nicht andauernd mit dem Becher hinauslaufen zu müssen, suchte er so lange, bis er einen hölzernen Eimer fand, mit dem die Hirten ihre Schafe und Ziegen molken. Der Eimer roch zwar ein wenig säuerlich, doch als Just Wasser geschöpft hatte und es probierte, schmeckte es frisch.

Er ließ Philibert trinken, bis dieser den Kopf schüttelte. Als er dann mit ihm reden wollte, fielen dem Verletzten die Augen zu, und er begann leise zu schnarchen. Jetzt schwitzte er wieder stark, so dass Just sich fragte, ob sich das Wasser, das Philibert zu sich genommen hatte, sofort wieder den Weg aus dem Körper suchte. Er legte die Hand auf die Stirn des Verletzten und fand sie glühend heiß. Die Angst, sein Freund könne ihm unter den Händen sterben, tobte wie ein Feuer in seinem Magen, und er flehte alle Heiligen an, die er kannte, Philiberts Leben zu erhalten.

10.

Die Hirten kehrten erst in der Dämmerung zurück. Ohne sich um Just oder Philibert zu kümmern, erledigten sie ihre Arbeit. Während einer aus einem kleinen Keller, den Just bis dahin noch gar nicht wahrgenommen hatte, mehrere Bottiche mit geronnener Milch holte und diese zu Käse formte, kochte der andere einen Brei aus zerstoßenem Getreide, getrockneten Waldbeeren und frischem Wildgemüse. Als er fertig war, füllte er drei Näpfe und reichte Just einen davon.

»Hier, du hast sicher Hunger.«

Der Junge nickte, deutete dann aber auf Philibert. »Wird er sterben?«

Der Hirte machte eine unbestimmte Handbewegung. »Gewiss wird er einmal sterben, doch wann, bestimmt der Himmel. Es kann schon morgen sein, vielleicht auch erst in fünfzig Jahren.«

So wie Philibert aussah, rechnete Just eher mit dem kommenden Tag. Als die Hirten gegessen hatten, setzte sich einer neben den Verletzten und entfernte den Verband. Beim Anblick der Wunde brummte er zufrieden und begann, sie erneut mit einem in heißes Wasser getauchtes Tuch zu säubern.

Just, der ihm über die Schulter sah, fand, dass weniger Eiter zu sehen war als beim letzten Mal, und atmete auf. Der Hirte holte ein Tongefäß, das mit einer durchdringend riechenden Salbe gefüllt war. Er schmierte sie auf die Verletzung und wand dann wieder einen Lappen um das Bein.

»Die Salbe ist gut, wenn sich ein Schaf oder eine Ziege verletzt hat«, erklärte der Hirte.

»Was ist da drinnen?«, wollte Just wissen.

»Kräuter, Beeren, Olivenöl – was eben hier wächst und gut bei Verletzungen ist. Vielleicht hilft sie deinem Freund. Wenn nicht, wird der Heiland sich seiner annehmen.«

Der Stimme des Hirten war nicht zu entnehmen, ob ihn Philiberts Schicksal rührte. Wahrscheinlich würde er bei einem Schaf oder einer Ziege mehr empfinden, dachte Just Aber er war froh, dass ihm jemand die Verantwortung für Philibert abgenommen hatte.

Nachdem der Hirte die Verletzung behandelt hatte, flößte er Philibert einen noch dampfenden Absud aus verschiedenen Kräutern ein und legte sich dann zur Ruhe. Sein Kamerad tat es ihm gleich, und bald darauf konnte Just die Schnarchgeräusche der beiden Männer hören. Er selbst starrte zu Philibert hinüber, den er im flackernden Schein des niederbrennenden Herdfeuers gerade noch erkennen konnte, und betete erneut, dass der fränkische Krieger genesen möge.

Der nächste Tag verlief ähnlich. Just schlief so lange, dass die Hirten die Hütte bereits verlassen hatten, um ihre Herde über die Weiden zu treiben. Philibert kam für kurze Zeit zu sich und konnte etwas Milch und Wasser trinken. Das Brot und das Stück Käse, das Just ihm anbot, lehnte er jedoch ab. Er fieberte immer noch, doch wirkte sein Blick klarer als am Tag zuvor.

»Weißt du, wie es um mein Bein steht?«, fragte er Just.

Dieser schüttelte den Kopf. »Dafür verstehe ich zu wenig von der Heilkunst. Aber der Hirte meinte, Ihr könntet noch weitere fünfzig Jahre leben.«

»Schön wäre es.« Philibert lachte kurz auf, wurde aber sofort wieder ernst. »Was nützen mir die Jahre, wenn ich weiß, dass Ermengilda die ihren in maurischer Sklaverei verbringen muss?«

»Ihr könnt ihr nicht folgen. Mit dieser Wunde werdet Ihr noch viele Tage liegen müssen und dürft Euch auch danach nicht gleich auf eine so beschwerliche Reise machen. Die Dame Ermengilda hat nichts davon, wenn Ihr irgendwo in Spanien zugrunde geht.«

»Da hast du leider recht, Kleiner. So marode, wie ich jetzt bin, kann ich für Ermengilda nichts tun. Aber wenn der Heiland mir gnädig ist, werde ich sie suchen, finden und befreien.«

»Das wird aber etliche Wochen, vielleicht sogar Monate dauern, Herr. Bis dorthin wird die Dame Ermengilda die Gefangene des Emirs der Mauren bleiben und ihm so dienen müssen, wie es von Frauen verlangt wird.«

Philibert winkte mit der rechten Hand ab. »Sie war auch vorher keine Jungfrau mehr, weil Eward auf Befehl des Königs mit ihr verkehren musste. Da ich weiß, dass sie dem Mauren nicht freiwillig die Schenkel öffnen wird, kann mich das nicht bedrücken. Ich werde sie befreien und dann um sie werben. Sie ist eine edle Dame und hat gewiss einen Besseren verdient als mich. Aber ich liebe sie nun einmal.«

»Dann wünsche ich Euch, dass Ihr sie wiederfinden und retten könnt.«

»Das werde ich tun«, erklärte Philibert mit einem nachdenklichen Lächeln. Sein Blick ruhte auf Just. »Du bist doch ein findiger Bursche, Kleiner.«

»Ich hoffe es.«

»Weißt du, Just, du könntest mir helfen«, fuhr Philibert fort.

»Euch helfen? Ich habe seit Tagen nichts anderes getan!« Just sah seine Mühen nicht gewürdigt und war gekränkt.

Philibert streckte die Hand aus und strich ihm über den Schopf.

»Das weiß ich doch! Ohne dich wäre ich in der Schlucht von Roncesvalles jämmerlich krepiert, und ich werde dir nie vergessen, wie du für mich gesorgt hast. Jetzt aber geht es mir um Ermengilda. Meinst du, du könntest ihrer Spur folgen und sie ausfindig machen? Vielleicht könntest du ihr sogar sagen, dass ich sie nicht vergessen habe und sie befreien werde?«

»Soweit ich gehört habe, sperren die Mauren ihre Weiber ein. Daher weiß ich nicht einmal, ob ich etwas über die Dame in Erfahrung bringe. Und dass ich sie sprechen kann, bezweifle ich noch viel mehr.«

»Ich sagte doch, du bist ein findiger Junge. Versuche es wenigstens. Leider kann ich dir kein Geld mitgeben, da mich die verdammten Waskonen ausgeplündert haben. Aber wenn du mir hilfst, Ermengilda zu befreien, werde ich dich reich belohnen.«

»Ich hoffe, ich verfüge dann noch über beide Hände. Man sagt, die Mauren würden einem Dieb die rechte Hand abhacken, wenn sie ihn erwischen. Und ich werde stehlen müssen, wenn ich der Spur der Dame folgen soll.«

Philibert war bewusst, dass er Just in ein gefährliches Abenteuer schickte, doch der Wunsch, Ermengilda zu retten, war stärker als alle Vernunft. Er gab dem Jungen einen leichten Klaps und lachte. »Ich befehle dir einfach, dich nicht erwischen zu lassen. Du bist doch ein …«

»… findiger Bursche«, fiel Just ihm ins Wort.

Philibert klopfte ihm mit dem Anflug eines Lachens auf die Schulter, wurde aber rasch wieder ernst. »Es mag sein, dass Gott beschließt, meinen Tagen auf dieser Welt bald ein Ende zu bereiten. Wenn dies geschieht, musst du mir versprechen, Ermengilda selbst zu befreien.«

Das war eine unerfüllbare Aufgabe für einen Jungen in Justs Alter. Wäre Philibert ganz bei Sinnen gewesen, hätte er es niemals verlangt. So aber klammerte er sich an die Hoffnung, Just könne ein Wunder bewirken, und blickte ihn flehend an. »Versprich es mir! Bitte! Ich will nicht mit der Vorstellung sterben müssen, dass Ermengilda auf ewig die Sklavin dieser verdammten Heiden bleiben muss.«

»Ihr werdet nicht sterben, Herr, sondern die Dame selbst befreien.« Just redete dem Verletzten gut zu, doch Philibert beruhigte sich erst, als er ihm die Hand aufs Herz legte und den verlangten Schwur leistete.

Philibert sank erleichtert zurück. »Danke! Und jetzt gib mir ein wenig Wasser. Ich habe das Gefühl, zu verglühen.«

Die Stirn des Verletzten verriet Just, dass dessen Fieber wieder stieg. Er konnte ihm gerade noch ein wenig zu trinken geben, dann dämmerte Philibert weg und rief in seinem von Fieberträumen gequälten Schlaf nach Ermengilda und den toten Freunden.

Hilflos hockte Just neben ihm und sah immer wieder zur Tür, als erwarte er, den schwarzen Schnitter eintreten und Philiberts Seele mit sich nehmen zu sehen. Er entspannte sich erst etwas, als die Hirten zurückkehrten. Diese verrichteten wieder stumm ihre Arbeit. Nachdem sie gegessen und auch Just etwas von ihrem Brei abgetreten hatten, kümmerte sich einer von ihnen um Philibert.

Just sah dem Mann zu und fand, dass die Wunde noch blasser geworden war als am Vortag. Während Philibert verbunden wurde, kam er wieder zu sich und sah den Jungen an. »Du bist ja immer noch da. Ich habe dir doch einen Auftrag erteilt!«

»Aber ich kann Euch doch jetzt nicht verlassen«, rief Just empört.

Philibert streckte die Hand aus und packte ihn an der Schulter. »Du musst! Verstanden? Ich habe keine ruhige Minute mehr, solange ich Ermengilda in der Hand der Mauren weiß.«

»Aber Herr, ich …« Just kam nicht dazu, seinen Satz zu vollenden, denn der Hirte mischte sich ein.

»Tu, was der Mann von dir verlangt! Die Sache liegt schwer auf seinem Herzen und drückt es ihm ab. Gehorchst du ihm aber, vermag dies ihm zu helfen, gesund zu werden. Ich werde mich weiter um ihn kümmern, das verspreche ich dir.«

Just nickte, sagte sich aber gleichzeitig, dass der Bergler leicht reden hatte. Der musste ja auch nicht in fremder Tracht und ohne einen Denar in der Tasche in ein Land eindringen, das voll von Feinden war. Dann aber blickte er Philibert an und rang sich ein Lächeln ab.

»Morgen bei Sonnenaufgang werde ich nach Süden gehen, Herr!« … wenn mich die Hirten rechtzeitig wecken, setzte er stumm hinzu. Doch selbst wenn er verschlief, würde es seinen Aufbruch nur um eine oder zwei Stunden hinauszögern. Da er die Reise ausgeruht antreten wollte, legte er sich auf sein Schaffell und schlief trotz seiner Anspannung bald ein.

II.

Konrad wusste hinterher nicht mehr zu sagen, wie oft er auf dem Weg nach Córdoba gestürzt war und sich wieder aufgerafft hatte. Seinem Peiniger bereitete es ein höllisches Vergnügen, seine Stute immer wieder kurz anzutreiben, so dass er von dem Ruck umgerissen und ein Stück über den Boden geschleift wurde. Seine Haut bestand nur noch aus Schrammen, Schrunden und von der Sonne verbrannten Fetzen. Er bekam kaum genug zu trinken und zum Essen nur halb verbranntes Fladenbrot. Und doch hielt er besser durch, als er befürchtet hatte. Der Grund dafür hieß Ermengilda. Jeden Morgen beobachtete er, wie sie in den Wagen stieg, und am Abend konnte er einen kurzen Blick auf sie werfen, wenn sie die drei Schritte in das für sie aufgebaute Zelt ging. Während des Tages erlaubte man ihr unterwegs kein einziges Mal, vom Karren zu steigen, und zwang sie sogar, ihre Bedürfnisse darin zu erledigen. Ermo, dem Fadls Begleiter alle in ihren Augen entwürdigenden Tätigkeiten aufhalsten, musste das von ihr benutzte Tongefäß in Empfang nehmen und abseits des Weges entleeren.

Während Konrad durch das sonnendurchglühte Land stolperte, rettete er sich in das Reich der Phantasie. Dort war er kein Sklave mehr, sondern Herr auf seinem eigenen Hof und ein angesehener Mann. Ermengilda war seine angetraute, heißgeliebte Ehefrau, mit der er die Nächte verbrachte. Diese Vorstellung beherrschte ihn so stark, dass er sich seiner Umgebung erst wieder bewusst wurde, wenn Fadls Gemeinheiten ihn aus seinen Tagträumen rissen.

Als Córdoba wie eine Erscheinung aus einer anderen Welt vor den Reisenden auftauchte und Konrad von der Höhe eines Hügels aus auf die eleganten Kuppeln, die hoch aufragenden Minarette und die in voller Pracht stehenden Gärten blickte, dauerte es eine Zeitlang, bis er begriff, dass er kein Traumbild vor sich sah, sondern das Zentrum der maurischen Macht in Spanien. Gegen diese Stadt waren Pamplona und Saragossa und all die anderen Orte, durch die sie auf ihrer Reise gekommen waren, nur winzige Sterne angesichts dieser strahlenden Sonne.

Córdoba war nicht nur schön, sondern auch wehrhaft. Eine feste Mauer mit hohen Türmen und Zinnen umfing die Stadt, hinter denen die maurischen Bogenschützen den Ansturm ihrer Feinde gelassen erwarten konnten. Da Konrad wusste, wie weit die Macht des Emirs reichte, konnte er sich nicht vorstellen, dass jemals Feinde vor diesen Mauern auftauchen würden. Wenn selbst Karl, der mächtigste König der Christenheit, bereits vor Saragossa gescheitert war – welchem Gegner sollte es gelingen, bis hierher vorzustoßen und diese Stadt einzunehmen?

Konrad spürte, wie dieser Gedanke ihm den Hals zuschnürte. Eine Stadt, die so gesichert lag, würde auch im Innern wohlgeordnet sein. Sie gegen den Willen ihrer Verteidiger zu verlassen, schien unmöglich. Von hier gab es keine Flucht, nicht für ihn allein und noch weniger für ihn und Ermengilda.

Die Wachen am Tor kannten Fadl Ibn al Nafzi und jubelten ihm zu. Hier ritt ein Sieger in seine Heimatstadt ein, während Konrad sich wie ein Ochse fühlte, der zur Schlachtbank geführt wird. Sein Peiniger demütigte ihn erneut, indem er ihn auch in den Straßen Córdobas den Steinen und Dreckkugeln der Gassenjungen aussetzte. Als ihn ein scharfkantiger Stein am Ohr traf, schrie er auf. Der Schmerz half ihm jedoch, seinen Kleinmut abzuschütteln, und er schwor sich, alles zu tun, um zu überleben. Schließlich hatte er eine Aufgabe: Er musste Ermengilda aus der Gewalt der Mauren retten und mit ihr fliehen.

Die Frau, die ihn mehr beschäftigte als sein eigenes Schicksal, hatte die Plane um ihren Karren einen Spalt weit geöffnet und sah mit Tränen in den Augen zu, wie er unter dem Hagel kleiner Steine durch die Straßen wankte.

Maite hockte mit verbissener Miene neben ihr, ohne sich um das Geschehen um sie herum zu kümmern. Seit Saragossa hatte sie nicht mehr reiten dürfen, sondern ebenfalls Morgen für Morgen in den holpernden Karren steigen müssen. In den ersten Tagen hatte sie das Herumsitzen in dem engen, heißen Gefährt kaum gestört, denn ihre Gedanken kreisten ausschließlich darum, dass ihr Vater von seinem eigenen Schwager an die Asturier verraten worden war. Immer wieder streichelte sie das Heft ihres Dolches und stellte sich vor, Okin die Klinge zwischen die Rippen zu jagen oder ihm die Kehle durchzuschneiden. Da ihre Wut größer war als ihre Vorsicht, hatte sie unterwegs eifrig nach einer Gelegenheit gesucht, diesen brennenden Wunsch in die Tat umzusetzen. Doch die Mauren bewachten sie ebenso scharf wie Ermengilda und ließen sie nur vom Wagen ins Zelt und wieder vom Zelt in den

Wagen steigen. Daher hatte sie beschlossen, Okin an jenem Ort zu bestrafen, an dem er den Verrat begangen hatte, nämlich mitten in Askaiz und vor den Augen des ganzen Stammes.

»Die Mauren sind grausamer als wilde Tiere!«

Ermengildas Ausruf riss Maite aus ihrem Brüten, und sie starrte die Asturierin verärgert an. »Ich glaube nicht, dass deine Leute oder die meinen einen Feind besser behandeln würden.«

»So grausam verhalten sich die Asturier nicht! Diese Mauren aber sind elende Heiden, die Gott verderben möge!«

Zu Beginn ihrer Reise nach Córdoba hatte Ermengilda noch den Waskonen die Schuld am Überfall auf Rolands Heer gegeben, doch mit jeder Meile, die sie dem Süden näher brachte, war ihr Zorn auf die Mauren gewachsen. Sie mochte Konrad und war ihm zutiefst dankbar für ihre Rettung vor dem Bären. Daher schnitt es ihr ins Herz, zusehen zu müssen, wie er gequält und gedemütigt wurde.

Maite warf nun ebenfalls einen Blick auf Konrad und sagte sich, dass Fadl sich nur von seinem Rachedurst leiten ließ. Im Allgemeinen behandelten Mauren ihre Sklaven recht gut. Das konnte man an Ermo sehen, der zwar zu Fuß gehen und schmutzige Arbeiten verrichten musste, aber wohlgenährt wirkte und auch nicht geschlagen wurde. Konrad aber büßte für den Tod von Fadls Bruder mit wahrhaft höllischen Qualen, und Fadls Drohungen verhießen noch Schlimmeres.

Sie machte sich immer noch Vorwürfe, dass sie Konrad in diese Lage gebracht hatte. Wäre er unter den Klingen der Waskonen oder den Pfeilen der Mauren gefallen, hätte sie ihn als ihren Lebensretter und tapferen Mann betrauern können, der wie ein Krieger gestorben war. Nun aber endete er durch ihre Schuld als Sklave eines Mannes, der ihn zu Tode schinden wollte.

»Ich weiß wirklich nicht, weshalb das Schicksal es so übel mit mir meint. Wie auch immer ich mich entscheide, ist es falsch!«, brach es aus Maite heraus.

Ermengilda maß sie mit einem Blick, in dem zum ersten Mal seit Saragossa wieder Abneigung lag. »Was willst du denn? Du hast es doch gut! Während ich die Sklavin dieses unsäglichen Heiden werden und allen Schimpf ertragen muss, der einer Frau angetan werden kann, wirst du frei und glücklich in deine Heimat zurückkehren und dein früheres Leben wieder aufnehmen.«

Erst in diesem Moment begriff Maite, dass kein gütiges Schicksal auf Ermengilda wartete. Die Asturierin hegte einen zu großen Hass auf die Menschen im Maurenland, um sich einfügen und mit dem Leben hier zufrieden sein zu können. Dennoch sah Maite keinen Unterschied darin, ob ein vom Vater ausgesuchter Ehemann leibliche Dienste von einer Frau forderte oder ein Maure, dem diese als Beute zugefallen war.

Sie ließ sich diesen Gedanken durch den Kopf gehen und verneinte ihn dann. Natürlich war es etwas anderes, mit einem Mann verheiratet zu sein und dessen Leben zu teilen, als in einem Harem eingesperrt zu werden und darauf zu warten, dass man von seinem Herrn gerufen wurde, der sich nur der Weiblichkeit bedienen wollte.

Mit einem Mal tat Ermengilda ihr leid. Aber sie zuckte mit den Achseln. »Du hättest mit mir kommen sollen, als ich mit den anderen Geiseln geflohen bin. Dann wärst du heute nicht hier.« ... und ich auch nicht, setzte sie in Gedanken hinzu. Andererseits hatte diese Reise ein Gutes gehabt, denn nun war sie sich sicher, dass Okin der Mann war, der ihren Vater auf dem Gewissen hatte.

12

Als sich der Reiterzug dem Palast des Emirs näherte, blieben die Gassenjungen hinter ihnen zurück. Dafür eilten ihnen Palastdiener und Knechte sowie Soldaten entgegen. Während Konrad mit bösen Blicken bedacht wurde, ergriffen zwei Männer die Zügel von Fadls Stute und führten sie durch das Tor auf den äußeren Hof. Dort schwang der Berber sich geschmeidig aus dem Sattel und verneigte sich in Richtung des Trakts, in dem der Emir residierte. Er war sicher, dass Abd ar-Rahman an einem Fenster stand und seine Ankunft beobachtete, deshalb war eine Geste der Demut angebracht.

Die maurischen Knechte starrten den mit Planen verschlossenen Karren neugierig an, wagten aber nicht zu fragen, was es damit auf sich hatte.

Fadl ließ sie einige Augenblicke warten. Dann winkte er einen der höheren Bediensteten zu sich und wies auf Konrad und Ermo. »Dieser Franke ist mein Gefangener und meiner Rache verfallen. Der andere ist ein Sklave und als solcher zu behandeln. Die beiden Frauen auf dem Karren schafft in den Harem des Emirs, dem Allah stets den Sieg schenken möge. Die Blonde wird die Rose von Asturien genannt und ist für den mächtigen Abd ar-Rahman bestimmt. Die andere ist ein Mädchen aus den Bergen, das er, so es ihm gefällt, mir als Beute überlassen soll.«

Es war zu gefährlich, Maite dem Emir von vornherein zu verweigern. Gefiel sie Abd ar-Rahman, so hatte Allah dies bestimmt. Fadl war aber recht sicher, dass Abd ar-Rahman ihm das Mädchen als Siegespreis zugestehen würde, und sah sich bereits als Vater kräftiger Söhne.

Okin war erleichtert, dass Fadls Worte nicht bis an Maites Ohr drangen, denn er kannte das Temperament seiner Nichte und wusste, dass eine Wildkatze leichter zu bändigen war als sie. Erst als mehrere Knechte den Karren mit den beiden Frauen in einen anderen Hof schoben, atmete er auf. Endlich stellte Maite keine Gefahr mehr für ihn dar.

Da Fadl ihm befahl, mit ihm zu kommen, folgte Okin dem Berber mit einer gewissen Anspannung. Auch wenn der Emir mit dem Scheitern der fränkischen Invasion zufrieden sein konnte, so war es doch möglich, dass er plante, seinen Einfluss auf Kosten Asturiens und der Waskonen auszudehnen und deren Länder zu unterwerfen. Da Iruñea keine Stadtmauer mehr hatte und diese auch nicht so rasch wieder errichtet werden konnte, würde jeder maurische Angriff in einer Katastrophe enden.

Okin war ebenso wenig wie Eneko bereit, wieder ein einfacher Berghäuptling zu werden, dessen größter Triumph es war, ein paar Schafe von einem Nachbarstamm geraubt zu haben. Daher wollte er alles tun, um Abd ar-Rahmans Wohlwollen zu erringen. Eneko hatte ihm erklärt, wie weit er mit seinen Zugeständnissen gehen durfte. Notfalls musste er eine formelle Oberhoheit der Mauren anerkennen und Tribut versprechen, darunter auch den schmählichen Mädchenzoll. Den entrichteten die christlichen Herrscher nur ungern, weil ihnen die Kirche vorhielt, brave, rechtgläubige Frauen den Heiden auszuliefern und damit deren Seelen zu gefährden.

Ein Diener führte die beiden Männer durch schier endlose Gänge, die Okin die Größe des Palastes erst so richtig zu Bewusstsein brachten. Schließlich erreichten sie eine Tür, die mit kunstvoll geschnitztem Rankenwerk verziert war. Zwei Wachen mit blankgezogenen Schwertern standen starr wie Statuen davor. Nur die dunklen, misstrauisch funkelnden Augen verrieten, dass es sich um lebendige Menschen handelte.

»Du musst deine Waffen ablegen«, sagte Fadl zu Okin und zog selbst Schwert und Dolch aus der Scheide. Ein Diener nahm beides entgegen und legte die Waffen auf eine gepolsterte

Bank. Auch Okin überreichte dem Diener sein Schwert. Es handelte sich um eine fränkische Beutewaffe, die Danel ihm gebracht hatte und die er so stolz trug, als hätte er sie selbst in hartem Kampf errungen. Auch den Dolch gab er ab, aber als der Maure auf sein kurzes Messer deutete, das er zum Essen benützte, protestierte Okin.

»Womit soll ich essen, wenn der Emir mich zum Mahl einlädt?«

Fadl bog verächtlich die Lippen. Natürlich war es undenkbar, dass Abd ar-Rahman, der Enkel des großen Kalifen Hischam, sein Mahl in Gegenwart eines Ungläubigen einnahm. Er selbst hatte die Anwesenheit Okins und dessen Begleiter unterwegs hinnehmen müssen, doch hier in Córdoba würden die Giauren unter sich bleiben und in ihrem Quartier essen. Der Berber sagte jedoch nichts, sondern bedeutete Okin nur, auch diese Waffe abzulegen. Als dies geschehen war, öffnete ein anderer Diener das Portal, so dass die beiden Männer in den Audienzsaal des Emirs treten konnten.

Der Raum war bis auf einen Diwan an der hinteren Wand leer. Dafür bedeckten farbenprächtige Wandbehänge die Wände, und unter seinen Füßen spürte Okin Teppiche, die ihm das Gefühl vermittelten, auf Wolken zu gehen.

Noch während Okin sich umsah, schritt Fadl zu seiner Verwunderung auf den leeren Diwan zu und kniete davor nieder.

»Warum machst du das? Der Emir ist doch noch gar nicht da!«

»Bekunde dem Thron des Herrn von al Andalus deine Verehrung«, forderte Fadl ihn auf und beugte seinen Kopf so tief, dass er mit der Stirn den Teppich berührte.

Okin begnügte sich mit einer knappen Verbeugung und fragte sich, was das solle.

Wie Fadl annahm, befand Abd ar-Rahman sich in einem Nebenraum und blickte durch ein Guckloch in den Thronsaal.

Er hatte den Berber und Okin bewusst hierher führen lassen und nicht in den Garten, in dem er seine Gespräche am liebsten führte. Fadl sollte sich bewusst werden, dass er trotz des Sieges über ein fränkisches Heer nur einer von mehreren Feldherren war, die er in die Schlacht schicken konnte, und der Waskone musste lernen, wer die wirkliche Macht in al Andalus innehatte.

Abd ar-Rahman hätte nun in den Saal gehen und sich auf seinen Thron setzen können. Doch vorher wollte er Klarheit über die beiden Frauen gewinnen, die Fadl Ibn al Nafzi mitgebracht hatte. Seine Schritte wurden von den Teppichen verschluckt, als er das Zimmer verließ und sich dem Gebäudeteil zuwandte, in dem sich der Harem befand. Ein Eunuch mit einem großen Krummsäbel an der Seite öffnete ihm die Tür. Innen wachten weitere Eunuchen darüber, dass kein Mann außer ihrem Herrn diese Räume betrat. Abd ar-Rahman beachtete sie kaum, denn für ihn zählten sie ebenso zum Inventar wie die Tische, Truhen und Diwane in den Räumen seiner Favoritinnen. Er wandte sich jedoch nicht deren Kammern zu, sondern ging weiter zu dem Trakt, in dem die neuen Sklavinnen einquartiert waren, bis über sie entschieden worden war. Dort öffnete er ein Guckloch und sah Ermengilda und Maite eine Weile zu.

Die Asturierin war ein Edelstein ohne jeden Fehl und Tadel und die schönste Frau ihres Volkes, die er je gesehen hatte. Doch auch die Waskonin, die Abd ar-Rahman mit erfahrenen Blicken taxierte, war hübsch und wohlgebaut. Zu jeder anderen Gelegenheit hätte er sie behalten, doch er wollte ihretwegen nicht einen seiner treuesten Offiziere vor den Kopf stoßen. Fadl Ibn al Nafzi sollte das Mädchen so haben, wie es jetzt war. Der Emir selbst war mit Ermengilda hochzufrieden, und er nahm sich vor, sie bald zu sich zu rufen.

13

Okin fragte sich gerade, ob der Emir sie verhöhnen wollte, weil er so lange ausblieb, da betrat Abd ar-Rahman den Raum und setzte sich mit untergeschlagenen Beinen auf den Thron. Ein nachsichtiges Lächeln spielte um seinen Mund, als wolle er es Fadl Ibn al Nafzi und Okin verzeihen, dass sie es gewagt hatten, ihn zu stören.

»Allah sei gepriesen, oh mächtiger Emir, denn ich kann dir die Kunde von einem ruhmreichen Sieg überbringen«, verkündete Fadl voller Stolz.

Zwar war die Nachricht von der Schlacht in Roncesvalles bereits vor mehreren Tagen von einer Reiterstafette nach Córdoba gebracht worden, dennoch blickte Abd ar-Rahman seinen Feldherrn voller Interesse an. »Berichte, du Treuester der Treuen!«

Das ließ Fadl sich nicht zweimal sagen. Er gab eine Darstellung der Ereignisse zum Besten, die von heldenhaften Kämpfen seiner Männer sprach und den Waskonen und Gascognern nur eine Nebenrolle einräumte. Okin platzte beinahe vor Wut, denn der Berber schmälerte Enekos Ruhm und damit auch den der Waskonen. Er wollte schon aufstampfen und erklären, dass es sich bei Fadls Gerede um einen Haufen Lügen handelte, doch ein warnender Blick Abd ar-Rahmans hielt ihn davon ab.

Der Emir hatte bereits einen Bericht von der Schlacht erhalten und wusste, welche von Fadl Ibn al Nafzis Worten der Wahrheit entsprachen und welche nicht. Doch er tadelte seinen Feldherrn nicht, obwohl dieser den Anteil seiner Leute stark übertrieb. Der Waskone sollte ruhig wissen, wie wenig sein Volk hier in al Andalus galt. Sobald die letzten Auseinandersetzungen mit den rebellischen Statthaltern siegreich abgeschlossen waren, würde er die christlichen Anführer des Nordens unterwerfen. Dafür war er auf Männer wie Fadl Ibn al Nafzi angewiesen.

In diesem Wissen nickte er seinem Feldherrn gnädig zu, nachdem der seinen blumigen Vortrag über die Schlacht beendet hatte. »Die Krieger des Islam haben über die Ungläubigen triumphiert. Sogar der Franke Karl musste erfahren, dass er nicht ungestraft nach al Andalus kommen und unsere Städte bedrohen kann.«

»Lob und Preis sei Allah! Er allein stärkt das Schwert des Gerechten.« Auch wenn Fadl Ibn al Nafzi bei seinem Bericht die eigene Rolle und die seiner Männer übertrieben hatte, so wusste er doch, was er seinem Gott und seinem Emir schuldig war. Abd ar-Rahman nickte lächelnd. Auch Fadl war nur ein Mensch und würde, wenn ihm die Gelegenheit günstig erschien, versuchen, an den Grenzen von al Andalus ein eigenes Herrschaftsgebiet zu errichten, so wie es die Nachfahren des Visigoten Cassius gemacht hatten, die sich nun die Banu Qasim nannten und das Land am Oberlauf des Ebros beherrschten. Er benötigte diese als Bollwerk gegen das Reich der Franken und als Schwert, das Asturien und die waskonischen Stämme im Zaum hielt. Allerdings durften Jussuf Ibn al Qasi und dessen Sippe nicht vergessen, wer ihr Herr und Gebieter war.

»Allah hat dein Schwert gestärkt, Fadl Ibn al Nafzi, und unsere Feinde in deine Hand gegeben. Dafür sollst du belohnt werden. Das Mädchen, das du als Sklavin mitgebracht hast, wird unangetastet in dein Haus geschafft.«

Okin verstand genug Arabisch, um seine Worte zu begreifen, und unterbrach den Emir verärgert. »Verzeih! Das Mädchen ist keine Sklavin, sondern meine Nichte, über die zu bestimmen allein mein Recht ist.« Zwar wollte Okin seine Nichte nur zu gern den Mauren überlassen, das aber zu einem Preis, den er selbst auszuhandeln gedachte. Auch wollte er Abd ar-

559

Rahman gegenüber klarstellen, dass er ein freier Häuptling war, und keiner von dessen Speichelleckern.

Der Emir sah zuerst ihn an und dann Fadl. Er nahm sich Zeit zum Nachdenken: Wollte Fadl ein Bündnis mit den Waskonen eingehen, um sich im Norden festzusetzen und einen eigenen Machtbereich zu schaffen? Wenn er Fadl zum Wali einer Provinz machte, wollte er ihn an einem Ort sehen, an dem er ihn überwachen konnte, und nicht in diesem diffusen Machtgeflecht nördlich des Dueros, in dem seine eigenen Statthalter, rebellische Provinzfürsten und die christlichen Herrscher und Anführer um die Vormachtstellung kämpften. Der Emir ließ sich seine Überlegungen nicht anmerken, sondern nickte Okin zu.

»Deine Nichte, sagst du? Fast wäre ich geneigt, das Mädchen in meinem eigenen Harem aufzunehmen, um die Verbindung zu deinem Volk noch enger zu knüpfen.« Abd ar-Rahman sah zufrieden, dass Fadls Mund so schmal wurde wie ein Strich.

Der Waskone schnappte jedoch nach dieser Möglichkeit wie ein Hund. »Wenn es dein Wunsch ist, Emir, dann überlasse ich dir Maite gerne.«

»Herrscher zu sein bedeutet, nicht immer seinen Wünschen folgen zu können. Die Hand eines Herrschers muss streng sein, um Feinde und Verräter zu bestrafen, aber auch offen, um Getreue belohnen zu können. Es hieße schlecht an Fadl Ibn al Nafzi zu handeln, würde ich dieses Mädchen für mich fordern, obwohl er mich mit der Rose von Asturien bereits reich beschenkt hat. Die Waskonin ist dein, Schwert meines Reiches, und sie wird nicht der einzige Lohn bleiben, den du als Lohn für deine Taten empfangen wirst.«

Fadl verneigte sich erneut so tief, dass seine Stirn den Boden berührte. Die Worte des Emirs ließen nur einen Schluss zu: Abd ar-Rahman wollte ihn zum Statthalter einer Provinz machen. In den Augen des Berbers war dies ein angemessener Lohn für seine Treue. Wie sehr sein Herr diese zu schätzen wusste, zeigte er allein dadurch, dass er ihm Maite überlassen wollte, ohne sie wenigstens ein paar Wochen in seinem Harem zu behalten.

»Ich danke dir, ruhmreichster Herrscher des Islam und Kalif der Rechtgläubigen.«

Abd ar-Rahman hob mahnend die Hand. »Nenne mich nicht Kalif. Ich bin zwar der Nachfahre und Enkel von Kalifen, aber derzeit verfügt al Madhi über die Heere Arabiens und Afrikas, und er hat auch schon zweimal bewiesen, dass er nicht willens ist, für alle Zeit auf al Andalus zu verzichten. Al Madhi lauert nur darauf, einen zweiten Tariq zu schicken, um das Haus der Omaijaden vom Angesicht dieser Welt zu tilgen.«

»Hast du deine Krieger zurückgehalten und die Franken an den Mauern Saragossas abtropfen lassen wie Wasser an einem Stein, weil du einen Angriff durch ein Heer dieses verfluchten Abbasiden erwartest? Oh, mein Emir! Dein Verstand gleicht dem Abu Bakrs und Omars, der ersten Kalifen und Nachfolger des Propheten. Preis und Ruhm sei dir, oh du Gewaltiger, der du …«

Bevor Fadl Ibn al Nafzi seine Lobeshymne fortsetzen konnte, winkte der Emir ihm, es gut sein zu lassen, und befahl einem Diener, ein Kissen zu bringen, auf das sein Gast sich setzen konnte. Fadl erhielt nun auch einen Becher Sorbet, um sich zu erfrischen.

Okin hingegen musste stehen bleiben und konnte nur neidisch zusehen, wie der andere genussvoll trank.

14.

Obwohl der Harem des Emirs mit den warmen Farben der Wandbehänge, Teppiche und Sofakissen Behaglichkeit ausstrahlte, hatte Maite das Gefühl, als sei eine Kerkertür hinter ihr ins Schloss gefallen. Während Ermengilda sich ihrer Trauer hingab und die Schrecken des Gemetzels immer wieder zu erleben schien, sah sie sich sorgfältig um und stellte fest, dass es kaum eine Möglichkeit gab, von hier zu entfliehen. In dem Augenblick war sie froh, dass sie nur zu Gast war und bald wieder nach Hause zurückkehren konnte. Bei diesem Gedanken streichelte sie den Griff ihres Dolches. Sobald sie in der Heimat waren, würde Okin die gerechte Strafe ereilen.

Als sie sich zu Ermengilda umwandte, saß diese auf einem Sofa und weinte. Doch weder die Erschöpfung durch die lange Reise noch die Tränen taten ihrer Schönheit Abbruch. Eward war ein Narr gewesen, seine Frau so schlecht zu behandeln, fuhr es Maite durch den Kopf. Was hätten die beiden für ein gutes Leben führen können! Nun aber war Eward so tot wie eine zerquetschte Fliege und mit ihm auch die anderen Franken in der Schlucht von Roncesvalles. Angesichts dessen war es sogar besser, dass Ermengilda sich nichts aus ihrem Ehemann gemacht hatte. So würde es ihr leichter fallen, sich an ihr neues Leben zu gewöhnen und die willfährige Dienerin ihres maurischen Herrn zu werden. Maite wusste zu wenig von Abd ar-Rahman, um ihn einschätzen zu können. Er hatte vor mehr als zwanzig Jahren seine Herrschaft in Spanien begründet und sie Schritt für Schritt ausgedehnt. Nach dem Fehlschlag der Franken würden sich ihm wohl nun auch die letzten rebellischen Provinzfürsten unterwerfen. Danach hatte er freie Hand, sich die Asturier einzuverleiben und auch die Freiheit ihres Volkes zu bedrohen.

Das Eintreten mehrerer Sklavinnen und eines Eunuchen ließ Maite aus ihrem Grübeln hochschrecken. Sie verspürte Durst und wollte die Frauen schon bitten, ihr zu trinken zu bringen, da blieb der Eunuch neben ihr stehen und sah sie hochmütig an. »Diese Sklavin ist schmutzig, und sie riecht. Sie muss gewaschen werden!«

»Ich bin keine Sklavin!«, wies Maite ihn zurecht.

Der Eunuch achtete nicht auf sie, sondern ging zu Ermengilda. »Diese Sklavin muss ebenfalls ein Bad nehmen. Spart nicht mit wohlriechenden Salben und Essenzen, denn unser Herr wird sie heute noch zu sich rufen. Bereitet sie darauf vor!«

Die Frauen neigten die Köpfe und wandten sich erst einmal Ermengilda zu. »Bitte folge uns, Herrin!«, sagte eine von ihnen.

Ermengilda stand auf und ließ sich widerstandslos in einen Raum führen, in dem ein Bad für sie vorbereitet war. Maite folgte ihnen, lehnte sich gegen die Wand und sah zu, wie die Sklavinnen ihre Freundin entkleideten und ihr mit feuchten Tüchern den Reisestaub abwischten. Danach baten sie Ermengilda, in die Wanne zu steigen und sich ihren geschickten Händen zu überlassen.

Der Duft unbekannter Wohlgerüche erfüllte den Raum, während die Frauen Ermengilda badeten, sie anschließend abtrockneten und massierten. Ihre Körperhaare wurden erneut mit großer Sorgfalt entfernt, und zuletzt kleideten die Frauen sie in ein Gewand aus Samt und Seide, dessen Wert Maite angesichts der eingenähten Perlen und Edelsteine unermesslich erschien. Wie es aussah, erhielt die Asturierin einen großzügigen Herrn.

Maite verspürte jedoch keinen Neid. Der Preis für dieses Kleid war die Freiheit – und der war ihr zu hoch. Nie mehr würde Ermengilda über die Berghänge schreiten und auch nie mehr mit einem fremden Mann sprechen können. Stattdessen würde sie immer in diesen von schwülen Düften erfüllten Räumen leben und höchstens den Garten des Harems betreten dürfen, den sie durch die Rankengitter der Fenster sehen konnte, während sie auf die gelegentlichen Besuche des Emirs wartete.

Kaum war Ermengilda angekleidet, führte der Eunuch sie aus dem Zimmer. Als sich die Tür hinter ihr geschlossen hatte,

kam eine der Frauen auf Maite zu und baute sich vor ihr auf.
»Jetzt bist du dran!«

Die Sklavin wusste, dass Maite nicht für den Emir bestimmt war, und glaubte daher, ihr nicht dieselbe Höflichkeit schuldig zu sein wie Ermengilda.

Da Maite froh war, sich den Staub und den Schweiß abwaschen zu können, zog sie sich aus und überließ sich den Händen der Bademägde. Zwar hätte sie sich lieber selbst gewaschen, doch es war recht angenehm, in dem duftenden Wasser zu sitzen und sich zu entspannen. Die Frauen schäumten auch ihre Haare ein, spülten sie gründlich aus und rieben sie mit Rosenöl ein, bis sie wie die Federn eines Raben glänzten.

»Herauskommen!«

Der Wortschatz der Aufseherin erschien Maite arg eingeschränkt. Da sie aber nicht lange bleiben wollte, tat sie deren Benehmen mit einem Achselzucken ab und stieg aus der Wanne.

Zwei Mägde trockneten sie mit weichen Tüchern ab und wiesen dabei immer wieder auf das Hügelchen über ihren Schenkeln, das von einem Dreieck glatter, dunkler Haare bedeckt war.

»Das muss weg!«, befahl ihre wortkarge Anführerin.

»Nein! Da habt ihr nichts zu suchen«, erklärte Maite scharf, für die diese Stelle den Unterschied zwischen einer Maurin und einer freien, christlichen Frau ausmachte. Sie stieß die Hände, die nach ihr greifen wollten, beiseite und versetzte einer der Sklavinnen, die nicht nachgeben wollte, eine schallende Ohrfeige.

Dann herrschte Ruhe, und Maite glaubte schon, sich durchgesetzt zu haben. Da quollen auf einmal weitere Sklavinnen und mehrere Eunuchen in den Raum, packten sie und schleiften sie zu der Bank, auf der die Frauen nach dem Bad massiert wurden. Ehe Maite sichs versah, lag sie mit dem Rücken darauf.

Mehr als ein Dutzend Hände hielten sie fest, so dass sie weder Arme noch Beine bewegen konnte. Während eine der Frauen sich daranmachte, ihre Schamhaare mit einer Schere zurechtzustutzen, brachte eine andere ein Gefäß heran. Als die andere Sklavin zu schneiden aufhörte, goss sie ein Gemisch aus erhitztem Wachs, Honig und Harz auf die Stoppeln. Die Masse war so heiß, dass Maite vor Schmerzen aufschrie.

Ihre Peinigerin warf ihr einen spöttischen Blick zu, wartete, bis die Masse abgekühlt und damit fest war, dann riss sie sie mit einem Ruck herunter. Es tat so weh, dass Maite die Tränen in die Augen schossen. Gleichzeitig nahm jetzt die erste Sklavin eine Pinzette zur Hand und begann, ihr die an ihrer empfindlichsten Stelle verbliebenen Härchen auszuzupfen.

Maite konnte nichts anderes tun, als diesen Weibern und Eunuchen im Geist den Hals umzudrehen. Doch selbst die lauten Flüche, mit denen sie der ganzen Bande die Seuche an den Hals wünschte, vermochten sie nicht zu trösten.

Als die Horde endlich von ihr abließ, war sie unten herum genauso kahl wie Ermengilda. Weit davon entfernt, sich damit abzufinden, packte Maite den nächstbesten Gegenstand und ging auf ihre Peiniger los. Hier war sie im Vorteil, denn sie konnte zuschlagen, während die anderen Rücksicht nehmen mussten, dass sie nicht zu Schaden kam.

Die Sklavinnen und Eunuchen ließen sich jedoch auf keinen Kampf ein, sondern verschwanden durch die beiden Türen und sperrten diese hinter sich zu.

Nun fand Maite sich in dem Zimmer eingeschlossen, in das man sie zuerst geführt hatte. Zornig trommelte sie gegen die Türen und schleuderte die überall herumliegenden Kissen durch den Raum. Erst nach einer Weile beruhigte sie sich so weit, dass sie wieder einen klaren Gedanken fassen konnte. Sie fragte sich, was diese Behandlung zu bedeuten hatte. Sie war doch nur Gast hier und würde mit ihren Landsleuten abreisen.

Noch keuchend vor Wut ließ sie das letzte Kissen fallen und trat an das Fenster, das den Blick in den Garten des Harems freigab. Maite sah einige Frauen durch die Blumenbeete und Buschreihen schlendern. Ihre Gewänder ließen darauf schließen, dass zwei von ihnen zu den Konkubinen des Emirs gehörten, der Rest waren Dienerinnen. Letztere waren meist noch sehr jung und hübsch genug, um irgendwann einmal das Interesse ihres Herrn wecken zu können. Die Frauen tuschelten miteinander, und obwohl Maite nur Wortfetzen verstand, begriff sie, dass sich das Gespräch um Ermengilda drehte. Wie es aussah, waren die Favoritinnen des Emirs nicht gerade begeistert über diesen Zuwachs, und ihre Dienerinnen hetzten fleißig mit.

Mit der Missgunst der anderen Frauen würde Ermengilda ebenfalls fertig werden müssen, dachte Maite. Wenn es der Asturierin nicht gelang, das Interesse Abd ar-Rahmans auf Dauer zu gewinnen oder ihm einen Sohn zu gebären, würde sie hier sehr einsam sein.

Der kühle Luftzug, der vom Garten heraufwehte, erinnerte Maite daran, dass sie noch immer nackt war. Ärgerlich machte sie sich auf die Suche nach etwas, womit sie sich bedecken konnte, doch die Sklavinnen hatten sowohl ihre Reisekleider wie auch das Gewand, das für sie bestimmt gewesen war, mitgenommen. Daher blieb Maite nichts anderes übrig, als die Kissen wieder einzusammeln, sie um sich herum aufzustapeln und sich ihrem Zorn hinzugeben.

15.

Ermengilda hatte gehofft, bei Maite bleiben und mit ihr reden zu können. Doch ein Eunuch fasste sie am Arm und führte sie durch mehrere Korridore in einen Raum, den ein großes, bequem aussehendes Bett beinahe zur Gänze einnahm. An der Wand stand ein kleines Tischchen mit Beinen aus Ebenholz und einer Platte aus gehämmertem Silber, darauf waren ein silberner Krug und zwei Becher aus dem gleichen Metall.

»Setz dich!«, sagte der Eunuch.

Mit einem wehen Seufzer gehorchte Ermengilda. Da sie Durst verspürte, streckte sie die Hand aus, um sich aus dem Krug einzuschenken. Da packte der Eunuch sie am Arm.

»Du wirst erst trinken, wenn der Herr erscheint und selbst etwas zu trinken verlangt!«

»Aber ich habe einen ganz trockenen Mund«, protestierte Ermengilda.

Der Eunuch schüttelte den Kopf. »Du wirst warten. Der Herr soll nicht in seinem Vergnügen beeinträchtigt werden, weil deine Blase zu voll ist!« Damit drehte er sich um und ging.

Ermengilda sah ihm nach, bis er die Tür hinter sich schloss und den Riegel vorschob. Jetzt war sie allein und dazu verurteilt, die Beute eines ihr unbekannten Mannes zu werden. Sie musste an all die Tage denken, an denen ihr gefallener Ehemann diese Dienste von ihr verlangt hatte. Es hatte ihr zwar nicht zugesagt, doch war es ihre Pflicht gewesen, Eward zu gehorchen.

Die Zeit verging, und zuletzt wusste Ermengilda nicht mehr, wie lange sie schon hier saß und wartete. Was war, wenn der Emir heute nicht erschien? Würde man sie verdursten lassen?, fragte sie sich mit einem Anflug von Galgenhumor und beschloss, selbst in dem Fall nichts von dem Sorbet zu trinken. Vielleicht konnte sie auf diese Weise ihrem Leben ein Ende bereiten.

Das Geräusch, mit dem der Riegel zurückgezogen wurde, ließ sie aufhorchen. Die Tür öffnete sich, und ein Mann trat herein. Er war nur wenig größer als sie, schlank und hatte angenehme Gesichtszüge. Das Kinn zierte ein gestutzter Vollbart, und sein Blick erinnerte sie an den eines Falken. Sein Alter schätzte sie auf vierzig bis fünfzig, doch er bewegte sich mit einer Geschmeidigkeit, die viele Jüngere beschämt hätte. Bekleidet war er mit einem weiten, weißen Hemd, das fast bis auf den Boden reichte, sowie mit einem ebenfalls weißen Mantel. Seine nackten Füße steckten in bestickten und vorne spitz nach oben gebogenen Pantoffeln, und auf seinem Kopf saß ein eng gedrehter Turban, den eine Agraffe mit einem großen, kunstvoll geschliffenen Smaragd zierte.

Abd ar-Rahman, der Emir von Córdoba und Herr von al Andalus, war auf den ersten Blick kein Mann, vor dem eine junge Frau zurückschrecken musste. Ermengilda fühlte sich dennoch beklommen, und das umso mehr, als er sie auf Arabisch ansprach. Sie hatte diese Sprache zwar vor Jahren erlernt, doch jetzt war ihr Kopf wie leergefegt, und sie brachte nicht einmal eine einfache Grußformel zustande.

Abd ar-Rahman betrachtete die Frau nun erstmals von nahem, die er sich sowohl von Roderich selbst wie auch von Eneko als Tribut ausbedungen hatte, und war entzückt. Ermengilda erschien ihm noch schöner, als er es nach dem ersten kurzen Blick auf sie erwartet hatte.

Er lächelte und wies auf die Silberkanne. »Du darfst mir einschenken, mein Kind, und dir ebenfalls.«

Als Ermengilda es tat, bewunderte er die Harmonie ihrer Bewegungen und sagte sich, dass er sich glücklich schätzen durfte, diese Frau sein Eigen zu nennen.

»Du bist groß und dennoch anmutig wie die Huris des Paradieses. Ich habe andere Frauen deiner Größe immer als ungelenk empfunden. Aber du bist vollkommen wie die Schöpfung Allahs.«

Bis zu diesem Zeitpunkt hatte Abd ar-Rahman noch nicht entschieden, ob er mit seiner neuen Sklavin bereits an diesem Tag das Lager teilen sollte oder ob er wartete, bis sie sich von der Reise erholt hatte und zugänglicher geworden war. Nun aber spürte er, wie sein Verlangen nach ihr wuchs. Er streckte die Hand aus und ließ eine Strähne ihres wie Gold glänzenden Haares durch seine Finger fließen.

»Du bist wunderschön. Wer dich sieht, muss Allah preisen!«

Wer wird mich schon sehen außer dir, deinen Eunuchen und den Sklavinnen, dachte Ermengilda bitter. Während der Emir einmal um sie herumging, um sie von allen Seiten zu betrachten, richtete sie ihre Blicke auf seinen Gürtel. Enttäuscht stellte sie fest, dass er keinen Dolch bei sich trug. Während der Reise hatte sie mehrfach überlegt, sich mit der Waffe des Mannes zu töten, der ihr Gewalt antat. Nun aber musste sie alles über sich ergehen lassen, was er verlangte. Sie fragte sich, ob sie sich zur Wehr setzen sollte, gab den Gedanken aber sofort wieder auf. Das, was sie über die Mauren und ihre Sitten gehört hatte, war nicht dazu angetan, ihr Mut zu machen. Sie wollte sich weder ihren Rücken mit Ruten zerschlagen lassen noch als Soldatenhure in ein Feldlager gesteckt werden.

Daher sträubte sie sich nicht, als der Emir sie aufforderte, sich zu entkleiden, sondern schlüpfte aus dem durchscheinenden Gewand, das nur wenig verborgen hatte. Dabei hielt sie die Augen geschlossen, um nicht sehen zu müssen, wenn sie wie eine Stute auf dem Markt gemustert wurde. Als er sie berührte und mit der Hand über ihren Busen strich, blieb sie stocksteif stehen. Seine Zärtlichkeiten erschreckten sie, denn er benahm sich ganz anders als Eward, der den ehelichen Akt stets rasch hatte hinter sich bringen wollen.

Abd ar-Rahman setzte jedoch die Erkundung ihres Körpers in aller Ruhe fort. Ihm ging es nicht darum, sie einfach zu nehmen, sondern er wollte sich an ihr erfreuen wie an einem kostbaren Edelstein. Ihre offenkundige Unerfahrenheit war ihm nur recht, denn er schätzte es nicht, wenn sich eine Frau von Anfang an als ebenso leidenschaftliche wie kenntnisreiche Meisterin der körperlichen Liebe erwies.

Auf einen Wink trat ein Eunuch auf ihn zu, der an der Tür gewartet hatte, und half ihm, Mantel und Hemd abzulegen. Während der Verschnittene das Gewand säuberlich zusammenlegte und auf ein Bord in der Ecke des Raumes legte, schob Abd ar-Rahman Ermengilda auf das Bett zu.

Als sie den weichen Rand der Lagerstatt an ihren Waden spürte, wusste Ermengilda, dass der Augenblick gekommen war, den sie so sehr fürchtete. Sie befahl ihre Seele Jesus und bat ihn, sie nie am rechten Glauben zweifeln zu lassen. Dann legte sie sich auf das seidene Laken.

Eine kurze, aber herrische Berührung ihrer Oberschenkel brachte sie dazu, sich für ihn zurechtzulegen. Sie fühlte, wie der Mann ihr auf das Lager folgte und sich auf sie legte. Dabei stützte er sein Gewicht mit den Ellbogen ab, um sie nicht zu sehr in die Laken zu drücken, schob sich zwischen ihre Schenkel und drang langsam in sie ein.

Es war ähnlich wie bei ihrem Ehemann, fuhr es Ermengilda durch den Kopf, und doch fühlte es sich anders an. Eward hatte nur widerwillig und geradezu hastig mit ihr verkehrt, als wolle er es schnell hinter sich bringen. Diesem Mann aber schien es Freude zu machen, mit ihr zusammen zu sein, und er vermittelte ihr das Gefühl, begehrt zu werden. Sofort schämte sie sich für diese Empfindung. Dennoch entspannte sich ihr Körper, und sie nahm diesen Mann zwar nicht mit Begeisterung, aber doch mit weniger Abneigung in sich auf als Eward. Dann aber musste sie an Konrad denken, der irgendwo als Sklave eingesperrt war und vielleicht gerade wieder gequält wurde, und an Philibert, der in hilflosem Zustand erschlagen worden war, und ihr kamen die Tränen. Um wie viel lieber hätte sie sich einem der beiden hingegeben als diesem Mauren, der sie doch nur als Spielzeug ansah.

16.

Wäre es nach Fadl Ibn al Nafzis Willen gegangen, hätten die Knechte des Emirs Konrad wieder in den Hundezwinger werfen sollen. Den Männern war jedoch der Hass fremd, mit dem der Berber den jungen Franken verfolgte, und so brachten sie den Sklaven in einen kleinen Raum mit einem vergitterten Fenster und einer festen Tür, die sie von außen verriegeln konnten.

Als die Tür sich nach einiger Zeit wieder öffnete, kam ein Mann in einem weiten Hemd und einem bis zum Boden reichenden Umhang herein. Ihn begleitete ein etwa zehnjähriger Mohrenknabe, der eine lederne Tasche trug.

Inzwischen hatte Konrad sich an dunkelhäutige Afrikaner gewöhnt und schrak nicht mehr vor ihnen zurück. Während der Junge die Tasche auf den Boden stellte und dann bis an die Wand zurücktrat, betrachtete sein Herr Konrad kopfschüttelnd.

»Du musst einen sehr mächtigen Mann gewaltig erzürnt haben, dass er dich so gestraft hat.« Er sprach den südfränkischen Dialekt mit einem starken Akzent.

Konrad, dem die Hände noch immer hinter dem Rücken gefesselt waren, richtete sich mühsam auf. »Ich habe Abdul den Berber getötet und bin seinem Bruder Fadl Ibn al Nafzi in die Hände gefallen.«

Über das Gesicht des Fremden huschte ein Schatten. »Die Berber sind ein wildes Volk. Du kannst von Glück sagen, dass er dich nicht gleich getötet hat.«

»Das hätte ihn um den Spaß gebracht, mich langsam krepieren zu sehen.«

Der Mann versuchte, Konrad zu beruhigen. »Jetzt bist du ein Sklave des Emirs und wirst sterben, wenn Gott der Herr es bestimmt, und nicht, wann Fadl Ibn al Nafzi es will.«

Dieser sah ihn mit großen Augen an. »Bist du Christ?«

Der Fremde schüttelte den Kopf. »Nein, ich bin Jude. Aber beten wir nicht beide zu dem gleichen Gott, der Adam aus Lehm und Eva aus der Rippe ihres Gefährten geformt hat? Mein Name ist Eleasar, und ich bin Arzt. Ich wurde geholt, um nach deinen Verletzungen zu sehen.«

Nach diesen Worten drehte sich der Jude zu seinem jungen Begleiter um. »Veranlasse, dass Wasser gebracht wird, Amos. Der Mann strotzt vor Schmutz, und wir müssen ihn säubern, ehe ich ihn behandeln kann.«

Der Knabe verbeugte sich und verließ eilig den Raum. Kurz darauf kehrte er mit zwei Knechten zurück, die ein Schaff Wasser und einen einfachen Tisch hereintrugen und sogleich wieder verschwanden. Eleasar begann, Konrad von oben bis unten abzuwaschen. Es tat weh, und der junge Franke stöhnte, als der Lappen über seine offenen Wunden strich.

»Mit Fadl Ibn al Nafzi hast du dir einen sehr mächtigen Mann zum Feind gemacht. So wie dich hat er noch keinen Sklaven gestraft«, führte Eleasar das Gespräch fort.

»Vielleicht habe ich unwissentlich noch ein paar weitere Brüder von ihm in die Hölle geschickt«, antwortete Konrad bissig.

»Fadl hat Abdul sehr geliebt. Dennoch schlägt ihm dessen Tod zum Vorteil aus, denn er erbt mit dem Besitz seines Bruders auch dessen Bedeutung am Hof des Emirs.«

Konrad, der sich in eine Art Dämmerzustand geflüchtet hatte, wurde mit einem Mal hellwach. Der Jude schien sehr viel von dem zu wissen, was hier in Córdoba vorging. Da ihn nur der Wunsch am Leben gehalten hatte, Ermengilda zu befreien und mit ihr zu fliehen, musste er alles erfahren, was ihm zur Freiheit verhelfen konnte.

»Kennst du Fadl genauer und auch den Emir? Was für ein Mann ist das?«

Während der Arzt sein Samariterwerk fortsetzte, begann er zu berichten. Konrad erfuhr, dass Abd ar-Rahman aus der fernen Stadt Damaskus stammte und nach dem Untergang seiner Sippe bis hierher ins ferne Spanien geflohen war.

»Er kam jedoch nicht, um Zuflucht zu erbitten, sondern um zu herrschen. Seine Mutter war eine Berberin, und er vermochte die meisten Krieger dieses Volkes auf seine Seite zu ziehen. Zudem herrschten in vielen Städten von al Andalus Vertraute seiner Familie, der Omaijaden, die bis zu ihrem Sturz die Kalifenwürde innegehabt hatte. Er kam über das Meer wie einst Tariq Ibn Ziyad, der Eroberer, und machte sich zum Herrn von Córdoba. Nun baut er seit mehr als zwanzig Jahren seine Macht gegen den Widerstand rebellierender Provinzstatthalter und gelegentliche Angriffe des neuen Kalifen aus der Sippe der Abbasiden aus. Da euer König Karl das Land schmählich verlassen musste und dabei einen Großteil seines Heeres einbüßte, hält Abd ar-Rahman das Schicksal ganz Spaniens in der Hand.«

»Karl ist nicht schmählich abgezogen!«, protestierte Konrad.

»Er ist ins Land gekommen und hat es wieder verlassen, ohne das Geringste erreicht zu haben. Anstatt selbst hier zu herrschen, hat euer Karl dem Emir die Gelegenheit gegeben, sich der letzten Aufständischen zu entledigen. Denke an das Schicksal von Suleiman Ibn Jakthan al Arabi el Kelbi, der gehofft hatte, sich mit Karls Hilfe im Norden ein großes Reich zu schaffen. Er ist am raschen Handeln des Emirs und an der Eifersucht der anderen Fürsten gescheitert, die wie Jussuf Ibn al Qasi lieber den Nachkommen der Kalifen als Herrn anerkennen wollen als einen der Ihren.«

Der Jude weiß wirklich gut Bescheid, fuhr es Konrad durch den Kopf, und er schien sich gern reden zu hören. Das wollte er sich zunutze machen. Er zwang sich zu einem Lächeln, obwohl er das Gefühl hatte, Eleasar würde ihm die restliche Haut vom Leib schälen.

»Und wie leben diese Mauren eigentlich? Weißt du, bei uns erzählt man sich so mancherlei, aber wenn ich mir diese Häuser, diese Städte und auch den Palast ansehe, dann ist das vollkommen anders, als ich es mir vorgestellt habe.«

Eleasar war in seiner Jugend einmal in Reims gewesen und auch in einer Stadt am Rhein, von deren Namen er nur das Wort Colonia im Gedächtnis behalten hatte. Daher kannte er die Unterschiede zwischen dem barbarischen Norden und seiner Heimat aus eigener Anschauung. Der Franke war nun ein Sklave, der dieses Land hier nie mehr verlassen würde, und da war es sinnvoll, wenn der junge Mann einiges über al Andalus und das Volk der Mauren erfuhr, um nicht versehentlich Gesetze zu übertreten und dafür bestraft zu werden.

Während er Konrad verarztete und dabei weder mit Salben noch mit Verbänden sparte, berichtete er ihm etliches über das Leben in diesem Land und machte ihn auf Dinge aufmerksam, auf die er achten musste.

17.

Eine Woche später waren die Verhandlungen abgeschlossen, die Okin in Graf Enekos Auftrag mit dem Emir von Córdoba geführt hatte, und Maites Onkel konnte sich wieder auf den Heimweg machen. Wohlweislich verzichtete er darauf, sich von seiner Nichte zu verabschieden, sondern ließ sie einfach im Harem des Palastes zurück. Dort blieb Maite jedoch nicht lange, denn Fadl Ibn al Nafzi drang darauf, dass sie in das Haus gebracht wurde, das ihm als Erbe seines Bruders zugefallen war.

Seit sie sich gegen das Entfernen der Haare gewehrt hatte, war Maite in dem Zimmer eingesperrt gewesen und hatte keinen anderen Menschen gesehen als die Magd, die ihr das Essen brachte. Acht Tage nach dieser Szene drang nun eine ganze Schar von Sklavinnen und Eunuchen in den Raum, und zwei der Verschnittenen trugen seidene Schnüre am Gürtel.

»Was wollt ihr?«, fragte Maite, die bereit war, sich notfalls bis zum Äußersten zu verteidigen.

»Wir haben den Auftrag, dich zum Haus des ruhmreichen Fadl Ibn al Nafzi zu bringen«, erklärte der Obereunuch.

»Warum?«

»Weil es so beschlossen ist.«

Maite sah den Sprecher durchdringend an. »Wer hat das beschlossen?«

Ihre Hartnäckigkeit ärgerte den Eunuchen. Die Frauen, über die er sonst wachte, gehorchten ihm aufs Wort, denn sie wussten, dass eine einzige Bemerkung von ihm sie die Gunst des Emirs kosten konnte. Da dieses Weib jedoch den ihm anvertrauten Harem verlassen und in Zukunft einen anderen Eunuchen ärgern würde, beschloss er, nachsichtig zu sein.

»Der ruhmreiche Fadl Ibn al Nafzi wünscht es.«

»Und warum wünscht er es?«, bohrte Maite nach.

»Dies entzieht sich meiner Kenntnis«, antwortete der Eunuch nicht ganz wahrheitsgemäß.

Prompt zog Maite einen falschen Schluss. Da Fadl geschworen hatte, für ihre Sicherheit zu sorgen, glaubte sie, er habe ihre Rückreise in die Heimat vorbereitet. Aus diesem Grund nickte sie zustimmend und ließ es zu, dass die Mägde sie noch einmal badeten und ankleideten. Der Obereunuch führte sie in den Innenhof, in dem bereits eine von zwei Sklaven getragene Sänfte auf sie wartete. Ein Dutzend Bewaffnete aus Fadls Gefolge stand auf dem angrenzenden Hof bereit, um die Sänfte zu eskortieren.

Maite war erleichtert, den Palast des Emirs verlassen zu dürfen. Sie hatte Ermengilda seit dem Tag ihrer Ankunft nicht mehr gesehen und hatte sich in der Kammer, in die sie gesperrt worden war, wie ein Tier in der Falle gefühlt. Gewohnt, sich in freier Natur zu bewegen und den Wind auf der Haut zu spüren, war sie überglücklich bei dem Gedanken, aus dieser stickig heißen Stadt herauszukommen.

»Wahrscheinlich hat der Emir Fadl mit der Grenzsicherung im Norden beauftragt. Daher wird er bald aufbrechen«, sagte sie zu sich und blickte eine Weile hoffnungsvoll in die Zukunft. Dann dachte sie an ihren Onkel und ihre Rache, die noch zu vollenden war, und es war, als verdüstere sich alles um sie. Seit das vielfache, grausame Sterben in der Schlacht Nacht für Nacht in ihre Träume zurückkehrte und sogar am Tag in ihrem Kopf echote, fühlte sie sich nicht mehr in der Lage, mit eigener Hand zu töten. Aber sie musste Okin aus dem Weg räumen, sonst würde er sie ebenso heimtückisch umbringen lassen wie ihren Vater. Ihr Onkel war zu mächtig geworden, als dass man ihn würde zwingen können, einem von ihr erwählten Ehemann den Platz zu räumen.

Um sich von diesen unangenehmen Gedanken abzulenken, wollte sie zur Sänfte hinausblicken, fand aber die Vorhänge festgebunden. Nur nach hinten gab es einen schmalen Spalt, der den Blick auf die Straße freigab. Zunächst sah sie niemanden, da Fadls Männer jeden wegscheuchten, der ihren Weg kreuzte. Dann aber entdeckte sie Konrad. Fadl hatte ihn erneut an den Schwanz seines Pferdes binden lassen, nur war der Strick diesmal nicht um den Hals geschlungen worden, sondern um die nach vorne gefesselten Hände. Außerdem steckte er in einem einfachen, sauberen Kittel, der ihm bis zu den Waden reichte. In Maites Augen sah er frischer aus, als sie befürchtet hatte, und sie hoffte, Fadls Zorn habe sich so weit gelegt, dass er Konrad in Zukunft wie jeden anderen Sklaven behandeln würde.

Als die Gruppe die Straße verließ und unter einem gemauerten Torbogen hindurch in Fadl Ibn al Nafzis Anwesen einbog, hielt Maite Ausschau nach ihren Landsleuten, die als Gäste bei dem Berber weilen mussten. Doch sie konnte nur einen gepflasterten Hof erkennen, auf dem ihre Eskorte zurückblieb, während die Träger ihre Sänfte in einen kleinen Innenhof trugen und sie dort absetzten. Danach verschwanden die Männer wieder. Statt ihrer erschienen ein in ein weites, langes Hemd gekleideter Eunuch und mehrere Sklavinnen in schlichten Kitteln.

Der Eunuch öffnete die Sänfte und forderte Maite mit einer Handbewegung auf auszusteigen.

Zögernd gehorchte sie. Ihre Ankunft hier hatte sie sich anders vorgestellt. Sie hatte fest damit gerechnet, ihre Landsleute hier anzutreffen. Denn auch wenn ihre Freundschaft zu Danel erkaltet war, hätte sie doch gerne mit ihm gesprochen, um zu erfahren, ob er Asiers Verlust verschmerzt hatte. Andererseits war sie froh, dass ihr der Anblick ihres Onkels erspart blieb.

Eine Berührung am Arm riss sie aus ihren Überlegungen, und sie folgte dem Eunuchen ins Haus. Es war schlichter eingerichtet als der Palast des Emirs. Auch erschienen ihr die Korridore viel schmaler, und die Kammer, in die sie gebracht wurde, war gerade groß genug für ein Bett, einen kleinen Tisch und mehrere Sitzkissen. Als sie sich umsah, entdeckte sie hinter einer Tür noch eine kleine Stube mit zwei Truhen sowie einen weiteren Raum mit einer hölzernen Wanne. In einem abgetrennten Teil gab es sogar einen Abtritt, dessen Öffnung mit einem großen Holzdeckel verschlossen werden konnte.

Insgesamt verfügte sie über weniger Platz als in dem Palastzimmer. Auch waren die Wände bis auf ein paar vereinzelte Wandteppiche kahl und der Boden nicht durchgehend mit weichen Teppichen bedeckt, so dass an vielen Stellen die gelblichen Steinplatten zum Vorschein kamen. Es war keine anheimelnde Umgebung, und sie tröstete sich, dass sie hier nur für kurze Zeit zu Gast sein würde.

Eine Dienerin brachte ihr zu trinken und einen kleinen Imbiss, wobei sie Maite durchdringend musterte. Ohne ein Wort verließ sie sie wieder. Wahrscheinlich war die Frau einfach nicht gewohnt, eine christliche Waskonin hier zu sehen, sagte sich Maite und aß mit gutem Appetit. Kurze Zeit später wurden die leeren Schüsseln wieder abgeholt. Da die Dienerin auch diesmal kein Wort sagte, versuchte Maite sie zum Sprechen zu bewegen.

»Es hat mir gut geschmeckt!«

Die andere nickte nur und verschwand, als sei sie in Eile.

»Seltsame Sitten«, murmelte Maite und ärgerte sich, weil sie anscheinend auch diesen Aufenthalt in völliger Abgeschiedenheit würde verbringen müssen. Da sie Durst hatte, schenkte sie sich einen Becher mit dem Fruchtsorbet ein und setzte sich ans Fenster. Es blickte ebenfalls in einen Garten, doch dieser war recht klein und so schmal, dass sie einen Olivenkern gegen die gegenüberliegende Wand hätte spucken können. Es wuchsen nur drei Bäume darin, ein paar Büsche und einige Blumen, die zum größten Teil bereits verblüht und zwischen wucherndem Unkraut fast verschwunden waren. Offensichtlich kümmerte sich niemand darum.

Noch während sie hinausstarrte, wurde die Tür geöffnet, und Fadl Ibn al Nafzi trat ein. Er trug ein weißes Hemd und einen bequemen Hausmantel sowie einen Gürtel, in dem ein krummer Dolch steckte.

Sein Erscheinen überraschte Maite. Noch mehr verwunderte sie sein musternder Blick. Sie versteifte sich und lehnte sich mit dem Rücken gegen die kahle Wand.

»Zieh dich aus!«, befahl er.

Maite glaubte, nicht recht gehört zu haben. »Du hast dich wohl in der Tür geirrt. Deine Weiber sind woanders!«

»Oh nein! Meine Ehefrau steht vor mir. Um es genau zu sagen, du bist die dritte in meinem Harem.«

»Gar nichts bin ich!«, rief Maite empört.

»Dein Onkel hat dich mir überlassen. Daher wirst du mir von nun an gehorchen. Zieh dich aus und leg dich so hin, dass ich mich deiner bedienen kann.« Er sagte es in einem Ton, den Maite sich überheblicher nicht vorstellen konnte.

Sie fuhr wie angestochen auf. »Niemals! Mein Onkel hatte kein Recht, über mich zu verfügen.«

»Dann werde ich dir Gehorsam beibringen!« Fadl kam auf sie zu und wollte sie packen, doch Maite schlüpfte unter seinen zugreifenden Händen hindurch. Sie war wütend und nannte sich gleichzeitig eine Närrin, weil sie so dumm gewesen war, Okins Worten Glauben zu schenken. Sie hätte damit rechnen müssen, dass er plante, sie zu verraten und unauffällig aus dem Weg zu räumen. Wahrscheinlich hatte Graf Eneko ihm geholfen, sie loszuwerden, weil ihm eine schmeichlerische Ratte wie Okin lieber war als ein von ihr erwählter Krieger.

»Nicht mit mir!«, fauchte sie den Berber an und wich ihm ein weiteres Mal aus.

Dessen Gesicht färbte sich dunkel. Ein gewisses Zieren war er bei Frauen gewohnt, aber direkter Widerstand war ihm noch nie entgegengeschlagen. Seine Arme schnellten nach vorne, und diesmal war Maite nicht flink genug. Höhnisch grinsend packte er sie mit der Linken und versetzte ihr mit der Rechten eine heftige Ohrfeige. Dann warf er sie auf das Bett und begann, sie aus ihrem Gewand zu schälen. Er ging nicht rücksichtsvoll vor, sondern quetschte ihre Brüste so, als mache es ihm Vergnügen, ihr Schmerzen zuzufügen. Sie versuchte ihn abzuwehren, merkte aber, dass sie ihm nicht gewachsen war. Daher schnappte sie nach dem Griff seines Dolches.

Sie brachte die Klinge aus der Scheide, doch bevor sie zustoßen konnte, prellte er sie ihr aus der Hand. Seine Augen sprühten vor Zorn, und er schlug mit beiden Fäusten auf sie ein. Maite spürte, wie es warm aus ihrer Nase lief, und schmeckte

Blut auf ihren Lippen. Doch sie dachte nicht daran aufzugeben. Mit zu Krallen gebogenen Fingern fuhr sie durch sein Gesicht, und als er sie erneut schlagen wollte, packte sie seinen Arm und biss ihn in die Hand.

»Verfluchtes Weib!« Für einen Augenblick zuckte Fadl Ibn al Nafzi zurück, doch dann riss er ihr das mit Blut besudelte Hemd vom Leib und presste sie mit seinem Gewicht in die Kissen.

Noch war sie nicht besiegt. Sie versuchte, mit dem Knie oder dem Fuß dorthin zu stoßen, wo es ihm weh tun und es ihm auch unmöglich machen würde, sein Vorhaben in die Tat umzusetzen. Er wich dem Tritt im letzten Augenblick aus, wurde aber so hart am Oberschenkel getroffen, dass er schmerzerfüllt aufstöhnte. Doch er hatte im Kampf schon weitaus schlimmere Blessuren hinnehmen müssen und zuckte nicht zurück. Glühend vor Zorn rang er Maite nieder, bis sie so dalag, dass er in sie eindringen konnte, aber selbst dann bockte sie noch wie ein wildes Pferd.

Auf seinen Kriegszügen hatte Fadl Ibn al Nafzi bereits mehr als einem Weib Gewalt angetan, doch keine hatte sich so gewehrt wie diese Wildkatze aus den Bergen. Die meisten hatten nur geschrien und ihre Heiligen angerufen, ihnen zu helfen. Sie aber stieß keinen Laut aus, sondern schnappte wie ein wildes Tier nach seiner Kehle.

Selbst als er zur Erfüllung kam und von ihr abließ, dachte sie nicht daran, sich mit ihrem Schicksal abzufinden. Sie sprang auf, stürzte in die Ecke, in der sein Dolch lag, raffte die Waffe an sich und ging erneut auf ihn los.

Fadl Ibn al Nafzi wich dem ersten, wütenden Stoß aus, es gelang ihm aber nicht, ihr die Waffe aus der Hand zu schlagen. Ein weiteres Mal zuckte die Klinge auf ihn zu, und diesmal schnitt sie schmerzhaft über seinen linken Brustmuskel. Die Wunde war zwar nicht tief, entlockte Maite jedoch einen triumphierenden Aufschrei. Fadl nahm einen Hass in ihren Augen wahr, wie er ihn noch nie erlebt hatte, und suchte sein Heil in der Flucht.

Der im Nebenzimmer wartende Eunuch riss die Tür auf und wollte Maite mit raschen Peitschenhieben zurücktreiben. Sie fing jedoch die Peitschenschnur mit dem linken Arm auf, ließ sich von dem Schwung auf den Verschnittenen zutreiben und rammte ihm die Dolchklinge in den Leib. Zu seinem Glück hatte der Eunuch einen stattlichen Bauch, so dass die Waffe zwar durch eine dicke Fettschicht drang, aber keine lebenswichtigen Organe verletzte. Schreiend wich er zurück, schlug die Tür zu, bevor sie ein zweites Mal zustechen konnte, und schob den Riegel vor.

Während das Blut aus seiner Wunde lief, starrte er seinen Herrn entsetzt an. »Bei Allah, was ist das für eine Furie!«

Fadl Ibn al Nafzi keuchte wie nach einem langen Lauf und wies den Eunuchen an, den Juden Eleasar zu holen, damit dieser ihn verarzte. Während sie den Flur entlanggingen, hörten sie noch, wie Maite mit dem erbeuteten Dolch die Tür attackierte.

»Sieh zu, dass sie nicht herauskommen kann. Der Hunger soll sie zähmen! Wenn ich das nächste Mal zu ihr komme, hat sie mir aus der Hand zu fressen.«

Wohl wissend, dass er seinem Eunuchen eine beinahe übermenschliche Aufgabe übertrug, ging Fadl Ibn al Nafzi in seine Gemächer und setzte sich auf einen Diwan. Der Schnitt auf der Brust blutete stark, und er spürte die tiefen Kratzer in seinem Gesicht, die Maites Fingernägel ihm zugefügt hatten. Er war schon schlimmer verwundet worden, doch niemals hatten die Verletzungen so geschmerzt wie diese. Obwohl es ihm gelungen war, die waskonische Furie unter sich zu zwingen, fühlte er den bitteren Geschmack einer Niederlage in sich aufsteigen.

18

Nachdem sowohl Fadl Ibn al Nafzi wie auch sein Eunuch aus ihrem Zimmer geflohen waren, hackte Maite zuerst in voller Wut mit dem Dolch auf die Tür ein. Sie merkte jedoch rasch, dass sie dem dicken, harten Holz mit dieser Waffe nicht zu Leibe rücken konnte, sondern Gefahr lief, die Klinge zu zerbrechen. Daher hörte sie auf und kehrte zum Bett zurück. Die Laken waren zerwühlt, teilweise zerrissen und an mehreren Stellen mit Blut getränkt.

Nun wurde sie sich wieder ihres Körpers bewusst und empfand auf einmal starke Schmerzen. Sie blickte an sich hinunter und stellte fest, dass es rot aus ihrer Scheide quoll. Von den Frauen aus ihrem Dorf hatte sie zwar gehört, dass sie beim ersten Zusammensein mit einem Mann dort bluten würde, das aber für Ammenmärchen gehalten, mit denen man sie erschrecken wollte. Nun fragte sie sich, ob alle Männer wie Tiere über ihre Frauen herfielen und sie verletzten.

Mit einem Mal ekelte sie sich vor sich selbst und lief in die kleine Kammer, um sich zu waschen. Zuerst aber setzte sie sich auf den Abtritt, um alles an Flüssigkeit von sich zu geben, das sich in ihrer Blase gesammelt hatte. Im nächsten Augenblick brannte ihr Unterleib, als stehe er in Flammen. Während sie vor Schmerzen weinte, schwor sie, sich Fadl Ibn al Nafzi niemals freiwillig hinzugeben, ganz gleich, was er noch mit ihr machen würde. Sie war eine freie Waskonin und hatte als Nachkommin zahlreicher Häuptlinge und Tochter eines berühmten Anführers das Recht, sich ihren Gefährten selbst zu wählen. Genau das hatte Okin verhindern wollen. Dafür und besonders für diese letzte Stunde hatte ihr Onkel es verdient, durch ihre Hand zu sterben. Daran würden auch die Schreckensbilder in ihrem Innern sie nicht hindern.

Aus dem Haus des Berbers zu fliehen, würde jedoch weitaus

schwerer werden als damals aus Roderichs Burg. Zwar zählte sie keine acht Jahre mehr, aber die Mauren verstanden es, ihre Frauen einzusperren. Ohne Unterstützung von außen war es so gut wie unmöglich, von hier zu entkommen. Und hier im Maurenland gab es niemanden, der auch nur einen Finger für sie krümmen würde. Während sie darüber nachdachte, wusch sie sich gründlich und trat dann im Wohnraum ans Fenster, in der Hoffnung, den Hauch einer kühlenden Brise auf ihrer Haut zu spüren.

Inzwischen hatte jemand einen Sklaven geschickt, um das Unkraut zu jäten, und als Maite genauer hinsah, erkannte sie Konrad. Sofort machte ihr Herz einen Sprung. Zwar war auch er ein Gefangener der Mauren, aber er hatte ebenso wie sie gute Gründe, dies so schnell wie möglich zu ändern.

Neunter Teil

Córdoba

I.

*K*önig Karl starrte den Boten fassungslos an. »Was erzählst du da? Unsere Nachhut soll angegriffen und vernichtet worden sein?«

Dem Kurier war anzusehen, dass er jede andere Nachricht lieber überbracht hätte als diese. Er senkte den Kopf. »Leider ist es so, Herr. Nachdem Markgraf Rolands Trupp über die von ihm angekündigte Zeit hinaus ausgeblieben ist, sind wir ihm entgegengeritten und kamen bis in die Schlucht von Roncesvalles. Dort haben wir sie gefunden – hingemetzelt bis auf den letzten Mann.«

»Es soll keiner überlebt haben?«, fragte der König ungläubig. Er kannte die Schlucht und wusste, dass dort ein Überfall möglich war. Aber die Angreifer hätten überaus zahlreich sein müssen, um einem Heer dieser Größe gefährlich werden zu können. Er hatte genug Informationen über die Bergstämme, die dort lebten, und daher niemals angenommen, dass diese es wagen würden, sich seinen Leuten in den Weg zu stellen. Auch Roland war davon überzeugt gewesen.

»Ein Mann ist noch am Leben, mein König. Philibert von Roisel, einer von Graf Ewards Panzerreitern. Ein paar Hirten haben sich seiner angenommen und seine Wunden versorgt. Er war bereits vorher verwundet worden und hat sich, als der Angriff begann, tot gestellt. So konnte er die Feinde täuschen.«

»Ein Überlebender! Ich muss mit ihm sprechen.« Der König eilte mit langen Schritten zur Tür, doch der Ruf des Boten hielt ihn auf.

»Wir mussten Philibert bei den Hirten zurücklassen. Er war zu sehr geschwächt, als dass wir ihn hätten mitnehmen können.« Der König drehte sich zu dem Mann um. »Ich sagte, ich muss mit dem Mann sprechen! Wie weit ist die Hütte von hier entfernt. Vier, fünf Tagesritte?«

»Eher sechs, mein König.«

»Es muss schneller gehen! In einer halben Stunde reiten wir. Fünfhundert Mann auf den schnellsten Pferden kommen mit. Der Rest des Heeres zieht wie geplant weiter.«

»Aber was ist, mein König, wenn die Mauren mit einem großen Heer über den Pass kommen und Aquitanien bedrohen?«

Karl musterte den Sprecher mit einem ärgerlichen Blick. »Wenn der Emir von Córdoba größere Truppen im Norden zusammengezogen hätte, wüssten wir es. Oder glaubst du, ich hätte keine Spione in Spanien? Gegen eine Streifschar werden sich die Aufgebote der Grafen in der Gascogne wohl behaupten können.«

»Und wenn es dort zu einem Aufstand kommt?« Die Stimme des jungen Mannes verriet Furcht.

Karl hatte kein Interesse, Zeit mit Diskussionen zu vergeuden. Dennoch beantwortete er diese Frage. »Sollten die Gascogner es tatsächlich wagen, sich gegen uns zu erheben, werden wir, sobald wir die Sachsen niedergeschlagen haben, in dieses Land zurückkehren und dafür sorgen, dass in ganz Aquitanien kein böses Wort mehr gegen uns Franken fällt. Und jetzt komm! Die Pferde warten.« Mit diesen Worten verließ Karl das Haus, in dem er sich einquartiert hatte. Nun erwies es sich als Vorteil, dass er dem Heer ein paar Tage Rast gegönnt hatte. Dadurch war der Weg nach Süden nicht so weit, als wenn er eilig weitermarschiert wäre. Trotzdem würde er fast zwei Wochen brauchen, bis er wieder zu seinen Kriegern aufgeschlossen hatte, und das auch nur, wenn es im Süden zu keinen weiteren Zwischenfällen kam.

Vor dem Haus hatte sich eine erregte Menge eingefunden, darunter waren auch einige von Karls engeren Gefolgsleuten, die sich nun zu ihm durchzudrängen versuchten. Gebieterisch hob der König die Hand. »Wahrt Ruhe, meine Kinder! Ihr werdet sehen, es wird alles gut werden.«

»Stimmt es, dass Markgraf Roland mit seinem gesamten Heer vernichtet worden ist?«, wagte einer trotz dieser beschwichtigenden Worte zu fragen.

»Bis jetzt ist es nur ein Gerücht. Und selbst wenn es stimmen sollte, so wurde mitnichten ein Heer geschlagen, sondern nur eine kleine Schar. Ich muss mir vorwerfen, nicht genügend Krieger bei Roland gelassen zu haben, weil ich mit starker Heeresmacht gegen die Sachsen ziehen wollte, die ihre heiligen Eide gebrochen und uns gezwungen haben, den Feldzug in Spanien abzubrechen. Damit trifft die Sachsen die Schuld an allem, was geschehen ist. Sollte in der Schlucht von Roncesvalles tatsächlich gutes Frankenblut geflossen sein, werden die Sachsen es büßen! Zieht weiter, meine Krieger, und richtet euren gerechten Zorn auf dieses Volk. Jeder Schwertstreich, den ihr gegen die Sachsen führt, soll der Rache für Roland und seine Krieger dienen!«

Für Augenblicke schwiegen die Männer, dann aber brandete ein wilder Schrei auf. »Rache für Roland! Tod den Sachsen!«

Der König nickte zufrieden. Das hier war nicht mehr die Armee, die vor Saragossa gescheitert war und wie ein geprügelter Hund den Marsch ans andere Ende des Reiches hatte antreten müssen. Nun erfüllte heiße Wut die Männer und der Wunsch nach Rache.

»Die Sachsen werden für ihren Verrat und unsere Toten büßen«, sagte Karl noch einmal leise zu sich selbst, während er seinen Schwager, Graf Gerold, herbeiwinkte.

»Du wirst das Heer während meiner Anwesenheit befehligen. Marschiert rasch, damit die Sachsen so bald wie möglich unsere Schwerter sehen. Und jetzt Gott befohlen!« Mit diesen Worten eilte Karl dem Knecht entgegen, der seinen Hengst herbeiführte und ihm den Steigbügel hielt. Während er aufstieg, dachte Karl kurz an seinen Sohn Ludwig, den Hildegard ihm vor kurzem geboren hatte. Dieses Jahr hatte ihm nicht nur Katastrophen, sondern auch Freude geschenkt.

Bevor er aufbrach, hob er kurz die Hand. »Meine Krieger! Ihr werdet morgen unter dem Kommando des Bruders meiner Gemahlin weiterziehen, um die Sachsen zu schlagen. Doch bevor ihr es tut, trinkt einen Becher Wein auf das Wohl meines Sohnes Ludwig. Ich glaube, er wird einmal einen guten König für Aquitanien abgeben!«

»Da muss er aber noch ein bisschen wachsen. Bis jetzt passte der Kleine ja noch in eine Brotschüssel!«, rief einer der Männer.

Gelächter klang auf, und Karl musste trotz seiner Anspannung schmunzeln. Der Gedanke, Ludwig zum König von Aquitanien auszurufen, war ihm spontan gekommen, um dem Stolz der Edlen dieses Landes zu schmeicheln. Jetzt würde sich mancher überlegen, ob er sich einem Aufstand anschließen oder besser zu den Franken stehen sollte. Jeder Mann weniger, der in der Gascogne die Waffen gegen ihn erhob, war ein Gewinn.

2.

Der König ritt schnell. Vorreiter sorgten dafür, dass stets frische Pferde für ihn und seine Schar bereitstanden. Auch mussten sie keinen Augenblick länger als nötig auf Essen und Nachtlager warten. Trotz aller Eile hielt Karl Ohren und Augen offen, doch zu seiner Erleichterung gab es keine Hinweise auf eine Erhebung. Die Edelleute, bei denen er übernachtete, berichteten zwar von Reitern, die nächtens durch das Land zogen, um Aufruhr zu predigen, doch denen wurden nur selten die Hoftore geöffnet.

Zwar hatte das Gerücht von Rolands Niederlage bereits die Runde gemacht, doch das rasche Erscheinen des Königs und seiner Reiter brachte etliche gascognische Edelleute dazu, erst einmal abzuwarten, wie sich die Lage weiter entwickeln würde. Karl gegenüber stritten sie die Teilnahme eigener Männer an der Schlacht vehement ab und behaupteten, der Angriff sei durch maurische Truppen erfolgt.

Karl hörte ihnen zu, gab vor, ihnen zu glauben, und sprach immer wieder davon, Aquitanien als Königreich an seinen neugeborenen Sohn zu vergeben. Im Grunde seines Herzens aber drängte es ihn, die Hütte zu erreichen, in der Philibert von Roisel gepflegt wurde, um zu erfahren, was sich tatsächlich zugetragen hatte.

Als er schließlich sein Ziel erreicht hatte, entdeckte er als Erstes zwei Hirten, die nicht so recht zu wissen schienen, ob sie sich in die Wälder schlagen oder näher kommen sollten.

Karl winkte ihnen zu und sah, wie sich ihre verkrampften Mienen entspannten. Einer von ihnen schlurfte heran und blieb vor ihm stehen. »Du bist doch der König. Ich habe dich gesehen, wie du vor etlichen Monaten nach Spanien geritten bist.« Da der Hirte nicht gewohnt war, mit hohen Herren zu verkehren, sprach er ihn so an wie den Anführer seines Stammes.

»Wie geht es Philibert von Roisel?«, fragte Karl, ohne auf die Worte des Mannes einzugehen.

Der Hirte kniff die Augenlider zusammen. »Dass es sich um einen hohen Herrn handelt, haben wir nicht gewusst. Er war mit einem Knaben unterwegs. Ich habe ihn gefunden und mit meinem Freund zusammen hierhergebracht.«

»Ein Junge war bei ihm, sagst du?«

Der Hirte nickte. »Ja, aber den hat er nach ein paar Tagen losgeschickt. Ich glaube, der Junge sollte nach Spanien gehen, um dort nach jemandem zu forschen.«

»Es haben also mehr Leute überlebt.« Karl atmete insgeheim auf, auch wenn die Zahl nur äußerst gering sein konnte. Wäre mehr Kriegern die Flucht gelungen, hätte man diese längst gefunden.

»Ich will Philibert sehen!« Karl trat auf die Tür zu, die der Hirte blitzschnell aufriss. Das Innere der Hütte war eng, düster und vom Qualm des Herdfeuers erfüllt. Daher benötigte der König einige Augenblicke, bis er die Lagerstatt entdeckte, auf der Philibert lag. Dieser hatte ihn bereits erkannt und wollte sich erheben, doch Karl streckte abwehrend die Hand aus.

»Bleib liegen! Oder willst du, dass deine Wunde aufplatzt? Dies wäre nicht in meinem Sinn, denn ich brauche dich so rasch wie möglich, und zwar gesund.«

»Mein König, ich …« Philibert kamen die Tränen. Nie hätte er erwartet, dass der König selbst sich die Mühe machen würde, ihn aufzusuchen. Er begriff aber im selben Moment, dass diesem vor allem daran lag, einen möglichst detaillierten Bericht über die Schlacht zu erhalten. Daher bat er den Hirten, ihm einen Becher Wasser zu reichen, damit ihm die Kehle nicht so trocken war. Nach zwei Schlucken begann er zu erzählen.

Karl hatte von den Hirten einen Becher Schafsmilch, ein Stück hartes Brot und bröckeligen Käse erhalten, kam aber nicht dazu, etwas zu essen, so angespannt lauschte er Philiberts Bericht. Erst als dieser geendet hatte, stellte er eine erste Frage: »Du sagst, die Angreifer seien Waskonen und Gascogner gewesen.«

»Ja, Herr! Ich habe sie genau gesehen. Allerdings waren auch Mauren bei ihnen. Die haben uns zunächst nur mit Pfeilen beschossen, aber als es daran ging, unsere verletzten Kameraden abzuschlachten, waren sie eifrig mit dabei.«

»Heiden und Christen gemeinsam gegen meine Männer! Beim Heiland, welcher Wahnsinn hat Waskonen und Gascogner geritten?« Der König wollte es kaum glauben, erinnerte sich dann aber, dass auch Graf Eneko versucht hatte, ihm die Hilfe zu verweigern, und lachte bitter auf.

»Es hätte nur noch gefehlt, dass auch die Asturier mit auf der Seite unserer Feinde gestanden hätten.«

»Das war nicht der Fall«, erklärte Philibert. »Uns stand keine übermäßig große Zahl an Feinden gegenüber, aber sie hatten den Vorteil des Geländes für sich und wussten ihn auszunützen. Den Unsrigen sind die Pfeile und Steine nur so um die Ohren geflogen, und da Eward …«

»Was ist mit meinem Halbbruder?«, fragte Karl scharf.

»Ich will ja nichts gegen ihn sagen, aber durch seine Schuld hat sich der Heerzug immer weiter auseinandergezogen, bis schließlich die Lücke entstand, durch die uns die Angreifer trennen und uns auch noch von der Mitte her in die Zange nehmen konnten.«

»Aber ihr hattet doch die Geiseln bei euch! Das hätte die Waskonen davon abhalten müssen, euch anzugreifen«, rief Karl erregt aus.

Philibert schüttelte den Kopf. »Wir glaubten, die Geiseln wären bei Euch, denn sie waren nach Eurem Abmarsch nicht mehr da.«

»Ich habe sie gewiss nicht mitgenommen, sondern Eward befohlen, sich um sie zu kümmern.«

»Wie so vieles, was Eward befohlen wurde, ist auch das nicht geschehen. Hätte er kundgetan, dass die Geiseln verschwunden sind, hätte Herr Roland von Graf Eneko andere fordern können. So aber glaubten wir, es sei alles in Ordnung, und sind wie Blinde in den Untergang gezogen!« Philiberts Stimme schwankte, und er hasste Eward in diesem Augenblick fast noch mehr als die Mauren und Waskonen.

Karl vernahm die Bitterkeit, die aus Philiberts Worten sprach und für die er im Grunde selbst die Schuld trug. Er hatte Eward geliebt wie einen eigenen Sohn und seine Schwächen viel zu lange ignoriert. Deswegen hatten zahlreiche tapfere Männer sterben müssen. Er spürte, wie die Wut, in die er seine Krieger versetzt hatte, die gegen die Sachsen ziehen sollten, nun auch in ihm hochstieg. Am liebsten hätte er das Heer zurückgerufen, um jene zu strafen, die Rolands Schar vernichtet hatten. Doch er rief sich sofort zur Ordnung. Es hatte wenig Sinn, dieses Gebirge zu durchstreifen und ein paar armselige Hirten zu erschlagen. Dadurch würden die Sachsen nur noch mehr Zeit gewinnen, den Osten seines Reiches zu verheeren.

War dies vielleicht die Absicht des Herrn von Córdoba?, fragte er sich. Wenn er jetzt gegen die Waskonen zog, würde er diese schwächen und es den Mauren damit leichter machen, sie zu unterwerfen. Doch er selbst war zurzeit nicht in der Lage, einen festen Stützpunkt südlich der Pyrenäen einzurichten. Bevor dies geschah, musste er die Sachsen für ihre Falschheit bestrafen und dafür Sorge tragen, dass es auch an den übrigen Grenzen seines Reiches friedlich blieb.

Dieser Entschluss fiel ihm nicht leicht, da das in Roncesvalles vergossene Blut nach Vergeltung schrie. Karl atmete tief durch und klopfte Philibert auf die Schulter. »Ich freue mich, dass du noch lebst.«

»Andere hatten weniger Glück als ich«, antwortete der junge Krieger betrübt.

Karl nickte. »So ist es. Deshalb solltest du unserem Heiland im besonderen Maße danken, dass er dich errettet hat. Doch nun höre mir gut zu. Das, was in Roncesvalles wirklich geschehen ist, darf niemand erfahren. Es könnte die Gascogne und darüber hinaus ganz Aquitanien in Brand setzen.«

»Aber die Toten kann man nicht verschweigen«, wandte Philibert ein.

»Das kann man nicht«, stimmte der König ihm zu. »Aber würde es die Runde machen, ein paar lumpige Berghirten hätten mit Steinschleudern, wie Knaben sie zum Spielen verwenden, ein fränkisches Heer vernichtet, könnten andere diesem Beispiel folgen. Dies hieße für uns, endlose Kämpfe gegen die Sachsen, Friesen, Bayern, Langobarden, Sorben, Gascogner und andere Völkerschaften führen zu müssen. Genau das aber müssen wir mit aller Macht verhindern.« Der König dachte einige Augenblicke nach und verzog dann die Lippen zu einem freudlosen Lächeln.

»Du wirst berichten und von gelehrten Mönchen aufschreiben lassen, dass eure Nachhut von einem riesigen maurischen Heer verfolgt und angegriffen worden ist. Ihr seid ihnen fünf-, nein, zehnmal unterlegen gewesen, habt ihnen aber drei Tage lang standgehalten und ihnen so viel Blutzoll abverlangt, dass sie danach nicht mehr in der Lage waren, wie geplant über den Pass zu ziehen und in Aquitanien einzufallen. Es waren Mauren! Verstanden? Keine in Schaffelle gekleidete Bergwilde. Am besten erzählst du noch, der Emir hätte durch ein gewaltiges Heer aus Afrika Unterstützung erhalten und es erst dann gewagt, euch zu verfolgen. Berichte von Rolands Heldenkampf und wie er als Letzter seines Heeres gefallen ist, nachdem er drei feindliche Könige mit eigener Hand erschlagen hat.«

»Aber Herr, ich würde als Feigling dastehen, als jemand, der geflohen ist, anstatt den Tod in der Schlacht zu suchen«, wandte Philibert ein.

Karl lächelte ihm jedoch nur freundlich zu. »Als ich – von einem Boten gerufen – zurückgekommen bin und die letzten Mauren verjagt habe, wurdest du schwerverletzt unter einem Berg von Leichen gefunden. Mein Erscheinen hat dein Leben gerettet.« Karl ließ keinen Zweifel erkennen, dass er den Bericht der Schlacht so hören wollte, wie er ihn eben selbst ersonnen hatte.

Zunächst verstand Philibert nicht, was der König damit bezweckte. Dann aber begriff er, dass die Nachricht von der

Katastrophe in Roncesvalles der Anlass vieler kleiner Aufstände sein konnte, und nickte zögernd.

»Mein König, ich werde berichten, wie tapfer Roland und alle Franken gekämpft haben und wie heldenhaft sie gestorben sind.«

»Du darfst dich selbst nicht vergessen, mein Guter. Auch du hast tapfer gekämpft! Ich werde dir ein paar meiner Leute und einen Mönch zurücklassen, der die Geschichte der Schlacht aufschreiben soll. Sobald du wieder auf den Beinen bist, folgst du mir ins Sachsenland.« Damit glaubte Karl, alles gesagt zu haben, doch Philibert wagte es, sich zu widersetzen.

»Verzeiht, mein König, doch ich bitte Euch, mich nach Spanien gehen zu lassen. Die Herrin Ermengilda ist eine Beute der Feinde geworden. Sobald ich kann, will ich ihrer Spur folgen und zusehen, ob ich sie befreien kann.«

»Das ist eine Narretei! Spanien ist groß, und dort eine einzelne Frau zu finden ist unmöglich. Da findest du selbst eine Nadel im Heuhaufen schneller.«

»Mein König, ich habe gehört, dass sie nach Córdoba gebracht werden sollte, und Just losgeschickt, damit er ihr folgt und mir Bescheid gibt. Der Junge ist klug. Er wird Ermengilda finden.«

Karl spürte, dass Philibert nicht nachgeben würde, und ärgerte sich über dessen Starrsinn. Gleichzeitig meldete sich sein schlechtes Gewissen, weil er Ermengilda in eine Ehe mit Eward gezwungen hatte. Damit ruhte die Verantwortung für sie auf seinen Schultern, und er überlegte, was er für sie tun konnte.

»Vielleicht ist es mir möglich, mit den Mauren zu verhandeln und Ermengilda auszutauschen. Dafür aber bräuchten wir einige Mauren als Gefangene, die wertvoll genug sind, die Rose von Asturien aufzuwiegen.«

Philiberts Augen leuchteten auf. »Dafür werde ich sorgen, mein König!«

Karl wünschte ihm inständig Glück und wollte sich bereits abwenden. Dann aber hielt er noch einmal inne. »Von Eward kein Wort! Niemand, der ihn gekannt hat, würde glauben, dass er heldenhaft gekämpft hat. Ach ja – aus dem armen Mönch Turpinius sollten wir einen Bischof machen. Ein von den Mauren ermordeter Bischof hat mehr Gewicht als ein einfacher Kuttenträger. Doch nun behüte dich Gott. Vor mir liegt ein langer Weg, und ich will ihn zurückgelegt haben, bevor die Sachsen ganz Austrasien in Brand setzen können.«

Mit diesen Worten verließ der König die armselige Hütte und stieg wieder auf sein Pferd.

Philibert starrte auf die Tür, die sich hinter Karl geschlossen hatte, und wusste nicht zu sagen, ob der König wirklich hier gewesen war oder ob er ihn nur in einem Fiebertraum erlebt hatte. Als er kurz darauf in einen unruhigen Schlaf fiel, träumte er wieder von der Schlacht und schlug darin an Rolands Seite einen Angriff der Mauren nach dem anderen zurück.

3.

An den beiden ersten Tagen in Fadl Ibn al Nafzis Haus empfand Maite nur Hass. Um ihren Willen zu brechen, hatte der Feldherr befohlen, die Tür zu ihrer Kammer verschlossen zu halten und ihr weder Nahrung noch Wasser zu reichen. Maite erkannte seine Absicht und wusste, dass sie schon bald zu schwach sein würde, um sich wehren zu können. Doch eine schnelle Flucht, die sie als Einziges vor einer erneuten Vergewaltigung bewahren konnte, war unmöglich.

Bis jetzt hatte sie Konrad noch nicht sprechen können, obwohl er oft nur wenige Schritte vor ihrem Fenster Unkraut jätete. Die Arbeit ging ihm langsam von der Hand, der harte Marsch durch die gnadenlose Sonne schien ihm das Letzte an Kraft abgefordert zu haben. Auch war die Behandlung in Fadl Ibn al Nafzis Haushalt gewiss nicht dazu angetan, ihn rasch gesunden zu lassen. Er wirkte so mager, als bekäme er nicht genug zu essen, und jeden Morgen bedeckten frische Peitschenstriemen seinen Rücken. Wie es aussah, schien Fadl ihn vorerst am Leben lassen zu wollen, vielleicht um seine Rache in die Länge zu ziehen und den Franken möglichst lange leiden zu lassen. Irgendwann aber würde er ihn grausam töten, das hatte er geschworen.

Da Konrad wusste, welches Schicksal ihm hier bevorstand, war er Maites einzige Hoffnung. Als sie am dritten Tag am Fenster saß und versuchte, ihren brennenden Durst und das Rumoren in ihren Eingeweiden zu vergessen, hörte sie von draußen das Klappern von Hufen. Auch Konrad horchte auf, arbeitete dann aber weiter. Dabei kam er immer näher auf ihr Fenster zu.

Rasch öffnete Maite es und spürte, wie die warme Luft von draußen über ihre Haut strich. Um Konrad auf sich aufmerksam zu machen, klopfte sie mit dem Griff des Dolches gegen das hölzerne Gitter.

»Hörst du mich, Franke?«, fragte sie so laut, wie sie es gerade noch verantworten zu können glaubte.

»Maite?« Er sprach den Namen wie einen Fluch, und sein Gesicht verzerrte sich zu einer hasserfüllten Grimasse. »Du elende Verräterin!«

Seine Anklage empörte sie, doch sie hatte keine Zeit, über Dinge zu reden, die im Augenblick nicht von Belang waren.

»Wenn du nicht ewig Fadl Ibn al Nafzis Unkraut rupfen und als Lohn dafür Schläge erhalten willst, solltest du mir zuhören, Franke!«

Konrad blickte in die Richtung, aus der er die Stimme hörte, senkte aber sofort wieder den Kopf. »Gerade dir werde ich erzählen, ob ich fliehen will oder nicht.«

»Sei nicht so stur! Wir müssen beide fliehen. Gemeinsam können wir es schaffen. Allein kommt keiner von uns zurück in die Heimat.« Händeringend hoffte Maite, dass Konrad sich überzeugen ließ. Doch zunächst sah es nicht so aus. Er wandte ihr den Rücken zu und rupfte ein paar Stengel aus. In seinem Kopf jedoch arbeitete es. Weshalb war Maite noch hier? Ihr Onkel und die anderen Waskonen waren doch schon vor Tagen abgereist. Hatte ihr Verwandter Okin sie zurückgelassen, damit sie Fadl Ibn al Nafzis Frau oder – besser gesagt – eines seiner Weiber werden sollte? Er vergönnte es ihr. Trotzdem mochte sie der Schlüssel sein, der ihm und vielleicht auch Ermengilda das Tor zur Freiheit aufschließen konnte. Doch durfte er ihr trauen? Immerhin hatte sie sich schon einmal auf die Seite seiner Feinde geschlagen. Noch im Zwiespalt mit sich selbst, schüttelte er den Kopf.

»Flucht ist unmöglich. Es bleibt mir nichts anderes übrig, als mich in mein Schicksal zu fügen, so wie Ermo es tut.« Bei der Erwähnung seines einstigen Nachbarn zitterte Konrads Stimme. Ermo hatte seinen Verrat vollkommen gemacht und sich dem Glauben seiner neuen Herren angeschlossen. Nun wollte er zeigen, dass er ein besonders eifriger Moslem war, indem er alle Christen Schweine und die Juden Hunde nannte. Gebracht hatte ihm das bisher nicht viel, denn er galt in Fadls Haushalt als Sklave, und da dessen Knechte ein beschauliches Leben liebten, musste Ermo einen Gutteil der Arbeit für sie mittun. Konrad aber taugte wegen seiner Schwäche zu nicht mehr, als im Garten Pflanzen auszuzupfen, die hier als Unkraut galten.

Maite begriff, dass der Franke an Flucht dachte, nahm aber an, er wolle sie nicht mitnehmen, und wurde wütend. »Ich hoffe, Fadl Ibn al Nafzi fängt dich schnell wieder ein, wenn du fliehen solltest, und zeigt dir dann, was wirkliche Qualen sind.«

»Danke für den frommen Wunsch! Er wird wohl kaum in Erfüllung gehen. Fadl ist aufgebrochen, um die Grenzen des Königreichs zu sichern, und wird so schnell nicht zurückkehren!«

Was als Spott gedacht war, rief bei Maite große Erleichterung hervor. Fadl war fort!, jubelte es in ihr. Also würde er so schnell nicht wieder in ihre Kammer kommen und sie zwingen, ihm zu Willen zu sein. Nun konnte sie dem Eunuchen und den Sklavinnen vorgaukeln, ihr Wille sei gebrochen. Damit gewann sie Zeit und konnte vielleicht einen Weg finden, von hier zu verschwinden.

Noch während sie über diese neuen Entwicklungen nachdachte, hörte sie, wie die Tür ging, und drehte sich um. Für einen Augenblick sah sie einen Arm, der ein Tablett hereinstellte, das mit einem Tuch abgedeckt war. Bevor sie jedoch etwas tun konnte, verschwand der Arm wieder, und die Tür fiel ins Schloss. Sie hörte noch, wie der Riegel vorgeschoben wurde, achtete aber nicht darauf, sondern eilte zu dem Tablett. Als sie das Tuch abnahm, fand sie eine Schüssel mit Hirseeintopf vor, in der Fleischstücke vom Hammel steckten, und im Krug war frisches, mit Fruchtsorbet versetztes Wasser.

Während Maite durstig trank und danach den Eintopf löffelte, sagte sie sich, dass doch jemand in diesem Haus Mitleid mit ihr zeigte. Dies wertete sie als gutes Zeichen und nahm es als Omen, dass ihr die Flucht gelingen könnte.

4.

An diesem Morgen war Ermengilda schon beim Aufstehen übel. Sie kam gerade noch bis zum Abtritt, dann übergab sie sich in quälenden Wellen. Während sie den Mund angeekelt mit Wasser ausspülte, versank sie immer tiefer im Elend und schluchzte zuletzt hemmungslos, weil das Schicksal ihr so übel mitspielte. Dabei wusste sie sehr wohl, dass auch ihr eigener Vater sie notfalls als Friedensgabe einem Maurenfürsten übergeben hätte. In dem Fall wäre es ihre Pflicht gewesen, sich Abd ar-Rahman zu fügen und zu gehorchen. Ihr Herz rebellierte jedoch gegen diese Vorstellung. In ihren Träumen sah sie Nacht für Nacht Philibert tot und erschlagen vor sich liegen, und sie erlebte in ihrer Phantasie die Qualen mit, die Konrad erdulden musste.

Ihr Magen setzte ihren trüben Gedanken mit einem heftigen Knurren ein Ende, und sie verspürte mit einem Mal einen solchen Heißhunger, dass sie ein Sofakissen hätte verspeisen können. Sie musste sich jedoch gedulden, bis eine ältere Magd in ihre Kammer trat und ein Tablett auf das kleine Tischchen stellte.

Ermengilda schlich sich an das Tablett heran wie eine Katze an die Maus und öffnete die erste Schüssel. Diese enthielt Hirsebrei nach afrikanischer Art mit Hühnerfleisch. Daheim war sie gewohnt, einen Löffel zu benutzen, und sie hatte sonst auch hier einen bekommen. Diesmal aber hatte die Magd ihn vergessen. Während die dunkelhäutige Frau noch unter vielen Entschuldigungen die Kammer verließ, um den Löffel zu holen, griff Ermengilda mit beiden Händen zu und stopfte sich den Brei in den Mund, als wäre sie am Verhungern.

Sie aß weiter, und als sie aufhörte, waren sämtliche Schüsseln geleert, und ihr lief der Honig, mit dem die Nachspeise gesüßt worden war, in einem feinen Faden über das Kinn.

Die Magd kam zurück, schüttelte nur den Kopf und trug dann das Tablett mit den leeren Schüsseln hinaus. Ermengilda hingegen fühlte sich so satt und zufrieden wie lange nicht mehr. Sie wunderte sich selbst über ihre Gefühle, die wie ein Schifflein im Sturm schwankten. Dann aber traf es sie wie ein Blitz.

Ähnlich wie sie hatte ihre Mutter reagiert, als sie mit ihrer Schwester schwanger gewesen war.

Ermengilda horchte in sich hinein und fragte sich, wann sie das letzte Mal geblutet hatte. Wenn sie sich richtig erinnerte, war das gewesen, als König Karls Heer Pamplona erreicht hatte, um von dort weiter nach Saragossa zu ziehen. Wenn sie wirklich schwanger war, musste ihr verstorbener Ehemann der Vater sein, denn es waren nicht einmal drei Wochen vergangen, seit Abd ar-Rahman sie das erste Mal hatte zu sich rufen lassen.

Was würde der Maure sagen, wenn er von ihrem Zustand erfuhr? Würde er ihr Kind als das seine ansehen oder als das eines Franken? Wenn es ein Mädchen war, würde sie es wohl behalten dürfen, bis es alt genug war, einem anderen Mauren als Sklavin zu dienen. Einen Sohn aber würde der Emir vermutlich gleich umbringen oder – was ihr noch schrecklicher schien – kastrieren und zum Eunuchen erziehen lassen.

Ermengilda versank erneut in Trübsal, und als der Obereunuch kam, um nachzusehen, ob sie mit allem zufrieden sei, fand er sie zusammengekrümmt auf ihrem Diwan liegen und weinen. »Verzeiht, Herrin, was fehlt Euch? Soll ich den Arzt rufen?«

Eleasar, der Jude, war der einzige Mann, der den Harem des Emirs betreten durfte. Dabei wurde er aber von drei Eunuchen überwacht. Das wusste Ermengilda, dennoch überlegte sie, ob es nicht besser wäre, mit dem Arzt zu sprechen. Vielleicht besaß er ein Mittel, mit dem sie ihre flatternden Gefühle beruhigen konnte. Dann aber schüttelte sie den Kopf. Was half es ihrem ungeborenen Kind, wenn sie sich mit Säften und Pillen betäubte, die der Jude ihr mischte?

Aber sie sehnte sich nach jemandem, dem sie sich anvertrauen konnte. »Nein, ich brauche keinen Arzt. Ich habe Heimweh. Wenn ich wenigstens jemanden hätte, der mir hilft, diesen

Schmerz zu lindern. Doch die Einzige wäre Maite, und die hat Córdoba bereits verlassen.«

»Das hat sie nicht«, antwortete der Eunuch zu ihrer Überraschung. »Die Nichte des Waskonen Okin ist eines der Weiber des ruhmreichen Feldherrn Fadl Ibn al Nafzi geworden.«

»Das wusste ich nicht.« Ermengilda wunderte sich, dass Maite ihr nichts davon erzählt hatte. Ihr gegenüber hatte die Waskonin immer so getan, als wolle sie in die Heimat zurückkehren. Jetzt fühlte sie sich von ihr getäuscht. Andererseits aber war Maite die einzige Frau, mit der sie ohne Umschweife reden konnte.

»Ich würde sie gerne sehen. Doch das dürfte wohl nicht möglich sein«, sagte sie seufzend.

Der Eunuch überlegte kurz und lächelte dann pfiffig. »Warum nicht? Die Frauen der hohen Herren besuchen einander oft. Wenn Ihr wollt, werde ich es in die Wege leiten.«

»Damit würdest du mir eine große Freude bereiten!« Ermengilda hätte den Verschnittenen am liebsten umarmt, so glücklich fühlte sie sich in diesem Augenblick. Als Fadl Ibn al Nafzis Weib würde Maite vielleicht wissen, wie es Konrad erging. In dieser Stunde sehnte sie sich mehr nach dem jungen Franken als nach ihrer unberechenbaren Freundin.

5.

In Fadl Ibn al Nafzis Haushalt war nach der Abreise des Herrn wohltuende Ruhe eingekehrt. Die Diener und Sklaven taten nicht mehr, als unbedingt nötig war, und der Eunuch Tahir ließ es sich ebenfalls wohl ergehen. Die Verletzung, die Maite ihm beigebracht hatte, verheilte gut, dennoch überließ er es den ihm unterstellten Sklavinnen, die neue Frau in Fadls Harem zu versorgen. Da sein Herr dieses Haus vor nicht allzu langer Zeit von seinem Bruder geerbt hatte und seine anderen Weiber in seinem eigenen Anwesen in einer anderen Stadt lebten, gab es auch für die Dienerinnen wenig zu tun.

Maite erhielt frische Kleider, genug Wasser zum Waschen und wurde auch mit Essen und Trinken versorgt. Sonst aber blieb sie in ihrer Kammer eingesperrt und hatte als Einziges die Langeweile zur Gesellschaft. Es war ihr nicht gelungen, noch einmal mit Konrad zu sprechen, und sie wünschte den sturen Franken zum Teufel.

Als sie an diesem Tag ihr Mittagessen mit verdrießlicher Miene zu sich nahm, bemerkte sie, dass es in dem Anwesen unruhig wurde. Laute Stimmen waren zu vernehmen, darunter auch die des Eunuchen. Tahir klang zunächst abwehrend, wurde aber unter dem barschen Ton eines Fremden immer höflicher. Kurz danach klopfte jemand an ihre Tür.

»Herrin, darf ich eintreten?« So devot hatte Maite den Eunuchen noch nie erlebt.

»Was ist los?«, fragte sie und hoffte, dass es nicht Fadl Ibn al Nafzi war, der eben gekommen war.

Tahir öffnete die Tür und streckte den Kopf herein. »Unten befinden sich zwei Eunuchen des Emirs – Allah schenke ihm tausend Jahre –, die dich in den Palast begleiten wollen. Eine der Frauen ihres Herrn wünscht deinen Besuch.«

»Ermengilda!« Maite sprang auf und hätte beinahe ihren erbeuteten Dolch liegen gelassen. Rasch hob sie ihn unauffällig auf und steckte ihn unter ihr Hemd.

»Ich bin bereit, die Dame aufzusuchen!« Ihr Herz jubelte. Endlich kam sie aus diesen erdrückenden Mauern heraus und würde mit jemandem sprechen können, dem sie vertraute.

»Ich werde anweisen, dass eine Sänfte gebracht wird. So lange musst du dich noch gedulden.« Der Eunuch verbeugte sich vor ihr und zog dabei ein schmerzliches Gesicht.

Maite erinnerte sich daran, ihn verletzt zu haben, und senkte den Kopf. »Es tut mir leid! Das mit deiner Wunde meine ich. Ich war jedoch außer mir vor Zorn, denn mein Onkel hat mich Fadl Ibn al Nafzi ohne mein Wissen und gegen meinen Willen überlassen.«

»Die Wunde heilt gut!« Tahir ging nach ihren Worten davon aus, dass die neue Ehefrau ihren Trotz bald abgelegt haben und ihm keine weiteren Schwierigkeiten bereiten würde.

Als er kurz darauf in den Hof trat und dem Verwalter des Anwesens erklärte, dieser solle Sänftenträger rufen lassen, schüttelte der Mann den Kopf.

»Ich lasse ein Weib unseres Herrn nicht von fremden Männern tragen. In der Remise befindet sich eine Sänfte. Zwei unserer Sklaven sollen die Frau zum Palast schaffen.«

Es war komisch zu sehen, wie rasch die Knechte und Sklaven des Hauses verschwanden. Keiner von ihnen hatte Lust, dieses renitente Weibsstück durch die Mittagshitze zum Palast des Emirs zu schleppen.

»Sollen doch die beiden Franken sie tragen«, riet ein Sklave, der wegen seines hohen Alters nicht mehr Gefahr lief, zu einer solch schweißtreibenden Arbeit gezwungen zu werden.

Fadls Verwalter Zarif sah Tahir kurz an, und als dieser nickte, rief er nach Konrad und Ermo. Kaum waren die beiden erschienen, wies er auf einen Trakt des Hauses, in dem allerlei Gerätschaften untergebracht waren. »Holt die Sänfte heraus und säubert sie.«

Da ihm jedes Zögern Schläge einbrachte, gehorchte Konrad sofort. Ermo hingegen machte sich so gemächlich an die Arbeit, dass der Verwalter zornig wurde.

»Schneller«, befahl er und begleitete diese Worte mit zwei scharfen Peitschenschlägen.

Ermo krümmte sich und stöhnte vor Schmerz. »Verdammter Hund, dafür wirst du noch bezahlen«, murmelte er in seiner heimatlichen Mundart.

Konrad grinste. »Das ist die richtige Strafe für dich, Heide!«

»Ich bin kein Heide! Ich tue doch nur so, um eine Möglichkeit zur Flucht zu finden«, flüsterte Ermo.

»Ihr sollt arbeiten, nicht schwatzen!«, rief der Verwalter und ließ erneut die Peitsche knallen.

Während Konrad und Ermo die Sänfte reinigten, eilte der Eunuch zu Maite, um sie für den Besuch im Palast so ankleiden zu lassen, dass sie für seinen Herrn Ehre einlegte. Sie erhielt ein neues Gewand und einen Mantel mit einer weiten Kapuze, die sie über den Kopf ziehen musste, und zuletzt hängte er ihr einen Schleier vor das Gesicht, so dass nur noch ihre Augen zu sehen waren. Da Maite in der verhängten Sänfte getragen werden sollte, wäre das nicht notwendig gewesen, doch Tahir wollte nicht, dass es hieß, er erfülle seine Aufgaben nachlässig.

Konrad und Ermo mussten die Sänfte in den kleinen Hof neben dem Frauentrakt tragen und diesen so lange verlassen, bis Maite eingestiegen war. Für Augenblicke standen sie nebeneinander, ohne dass jemand in der Nähe war. Konrad kniff die Lippen zusammen und fragte sich, ob er Ermo trauen durfte.

»Du denkst an Flucht?«, fragte er dann doch.

»Natürlich! Sag nicht, dass du es nicht auch tust.«

»Ich glaube nicht, dass es mir gelingen würde. Dafür werde ich zu gut bewacht.« Konrad blieb vorsichtig, denn er traute Ermo zu, ihn zu verraten, wenn er nur einen kleinen Vorteil daraus ziehen konnte.

»Irgendwann lässt das nach. Fadls Leute lieben das Wohlleben, und das mache ich mir zunutze. Weißt du, ihr Prophet hat ihnen den Wein verboten. Sie mögen ihn aber trotzdem. Sie nennen ihn nur anders, nämlich Medizin, und die bekommen sie von dem Juden Eleasar.«

»Aber der ist doch Arzt!«, entfuhr es Konrad.

»Das schon, aber er hat Freunde, die mit Wein handeln. Die Juden dürfen Moslems keinen verkaufen, weil sie sonst schwer bestraft würden. Bei Arznei ist das jedoch etwas anderes. Die Kerle brauchen eine ganze Menge davon, sind aber zu faul, den Wein selbst herzuschleppen. Sie haben mich schon zweimal losgeschickt, und wenn sie das öfter tun, komme ich nicht mehr zurück.«

»Hast du denn keine Angst, dass ich dich verraten könnte?«, fragte Konrad bissig.

»Bildest du dir ein, jemand würde dir glauben? Ich hingegen bin ein guter Moslem, der am Freitag in die Kirche … äh, Moschee läuft, um dort zu beten. Ich brauche nur zu sagen, dass du mich verleumden willst, und schon tanzt die Peitsche lustig auf deinem Rücken.«

Leider hat dieses Schwein recht, sagte Konrad sich. Gleichzeitig begriff er, dass Ermo ihm das alles nur aus purer Bosheit erzählt hatte. Er selbst sollte sich vor Sehnsucht nach der Freiheit verzehren und den anderen nach dessen gelungener Flucht beneiden.

Da hast du dich aber getäuscht, Ermo, dachte er und ging wieder seine eigenen Möglichkeiten durch. Leider waren diese bei weitem nicht so gut wie die seines heuchlerischen Landsmanns. Bevor ihm auch nur der Hauch einer Idee eingefallen war, rief Tahir sie in den inneren Hof, um die Sänfte aufzunehmen. Der Eunuch lief neben ihnen her, während die Knechte, die der Obereunuch des Palastes geschickt hatte, und die eigenen Wächter dafür sorgten, dass die Gruppe unbehelligt die Straßen passieren konnte.

6.

Als Maite eintrat, eilte Ermengilda ihr entgegen und schloss sie in die Arme. »Ich bin so froh, dich zu sehen!« Dann betrachtete sie ihre Freundin und schüttelte den Kopf.

»Du siehst nicht gut aus. Bist du krank?«

Maite schüttelte den Kopf. »Nein, nur zornig.«

»Warum?«

»Mein Onkel hat mich Fadl Ibn al Nafzi überlassen, als sei ich eine Sklavin oder Kriegsbeute.«

Mehr sagte sie nicht, doch Ermengilda verstand auch das Unausgesprochene und schauderte. »Nach deinem Vater hat er jetzt auch dich verraten.«

»Im Gegensatz zu meinem Vater lebe ich noch, und ich werde das Wort Rache nicht vergessen, solange ich atme.« Maite klopfte gegen den Dolch, den sie unter ihrer Kleidung trug, und sah dabei so blutrünstig aus, dass Ermengilda vor ihr zurückwich.

»Also willst du dich auch an meinem Vater rächen?«

Für einige Augenblicke schwand die enge Verbundenheit, die sie während des letzten Teils ihrer Reise nach Córdoba verspürt hatten, und sie starrten sich wie Feindinnen an.

Maite fasste sich als Erste und senkte den Kopf. »Mir geht es um Okin. Dein Vater ist ein Krieger und hat nur seinen Besitz verteidigt.« Es fiel ihr nicht leicht, das zu sagen, doch wenn sie fliehen wollte, benötigte sie Ermengildas Hilfe. Diese würde jedoch keinen Finger für sie rühren, wenn sie ihren Vater gefährdet sah.

»Ich wünsche dir, dass du Okin so bestrafen kannst, wie er es verdient. Doch sag mir jetzt: Wie geht es Konrad? Wird er immer noch so grausam gemartert?«

»Fadl weilt im Augenblick in der Ferne, und seine Bediensteten scheinen nicht so grausam zu sein wie ihr Herr. Zumindest peitschen sie ihn nicht jeden Morgen aus«, antwortete Maite.

Ermengilda faltete die Hände wie zum Gebet. »Dem Heiland sei gedankt. Und? Weißt du, ob er eine Möglichkeit zur Flucht herausgefunden hat?«

»Warum willst du denn fliehen? Wirst du so schlecht behandelt?« Maite musterte ihre Freundin und fand, dass diese gesund und gut genährt wirkte. In ihren Augen führte die Asturierin ein bequemes Leben und würde als eine der Nebenfrauen Abd ar-Rahmans vor allen Stürmen des Lebens bewahrt bleiben.

Ermengilda lachte bitter auf. »Ich muss hier weg! Bislang musste ich zwei Männern gehorchen, denen ich keine Liebe entgegenzubringen vermochte, aber ich will Herrin meines eigenen Leibes werden und diesen nur einem Mann schenken, den ich liebe.«

»Zum Beispiel Konrad«, stichelte Maite.

»Er ist ein treuer Mann und würde mich gut behandeln.« Ermengilda seufzte tief, denn sie befürchtete, Konrad würde vielleicht nicht glücklich sein, von ihrer Schwangerschaft zu erfahren. Aber er würde sie als Witwe ehren, die ihrem toten Mann einen letzten Dienst erwies, indem sie sein Kind in dessen fränkische Heimat brachte.

Maite wusste nicht so recht, was sie darauf antworten sollte. Es erschien ihr schon schwer genug, für sich selbst eine Gelegenheit zur Flucht zu finden. Doch Frauen waren in den Maurenländern nicht ohne männliche Begleitung unterwegs, und daher würde es ihr ohne Konrad kaum gelingen, bis in die christlichen Länder zu gelangen. Mit einem Mal hob sie jedoch den Kopf und lächelte. Man brauchte Leim, um Fliegen zu fangen. Ermengilda mochte dieser Leim sein, an dem Konrad so kleben blieb, dass der sture Kerl ihr zuhören musste.

»Ich werde versuchen, mit Konrad zu reden, wenn er wieder in der Nähe meines Fensters arbeitet. Wir müssen nur hoffen und beten, dass Fadl Ibn al Nafzi lange genug fortbleibt.«

Ermengilda bedachte sie mit einem waidwunden Blick. »Wir haben nur sehr wenig Zeit! Ich bin schwanger, und zwar von meinem verstorbenen Ehemann. Wenn das entdeckt wird, weiß ich nicht, wie der Emir reagiert. Vielleicht bringt er mich um. Außerdem muss ich von hier weg, solange ich noch die Anstrengungen einer Flucht ertragen kann.«

Maite war es, als hätte Ermengilda eben einen Eimer Eiswasser über ihr ausgeleert. »Du bist schwanger? Beim Heiland, was können wir jetzt noch tun?«

»Fliehen!«, antwortete Ermengilda. »Konrad muss einen Weg finden.«

»Du traust ihm wahre Wunderkräfte zu«, spottete Maite, die die Hoffnungen absurd fand, die Ermengilda in den fränkischen Krieger setzte. Gleichzeitig war ihr bewusst, dass sie tatsächlich ein Wunder benötigten, welches ihnen den Weg in die Freiheit öffnete.

»Lass uns diese Stunde nützen und überlegen«, sagte sie zu Ermengilda, schwieg dann aber, weil eine Sklavin Erfrischungen brachte. Ein Eunuch begleitete sie, um nachzusehen, ob die beiden Damen noch etwas benötigten.

Geistesgegenwärtig schwärmte Ermengilda ihrer Freundin vom Emir vor, dessen Macht sie in den Bann geschlagen habe. Obwohl sie Asturisch sprach, verließ der Eunuch zufrieden lächelnd den Raum. Kaum waren die beiden Frauen wieder allein, drehte sich ihr Gespräch erneut um Flucht.

7.

Im Hof warteten Konrad und Ermo darauf, Maite wieder zurückzutragen. Der Eunuch Tahir hatte einen Freund im Harem des Emirs aufgesucht, und die Knechte waren ebenfalls verschwunden. Den Wortfetzen nach, die Konrad aufgeschnappt hatte, wollten sie einen Christen aufsuchen, von dem sie sich Wein erhofften. Ermo, dessen Gaumen nach einem guten Tropfen lechzte, schimpfte hinter den Kerlen her, die sie einfach in der Sonne stehen ließen; Konrad aber starrte unverwandt den Palast an, als wolle er mit seinen Blicken den Stein durchdringen, um Ermengilda sehen zu können. Plötzlich fasste ihn jemand an der Schulter und löste ihn aus seiner Versunkenheit.

»Meister Eleasar, welch eine Freude, dich zu sehen!« Konrad sprach aus ehrlichem Herzen. Seine Abneigung gegen den Juden war ebenso geschwunden wie der Schrecken, den ihm dunkelhäutige Menschen eingeflößt hatten.

Der Arzt sah ihn prüfend an. »Es scheint dir besserzugehen. Das freut mich. Als ich gehört habe, dass Fadl Ibn al Nafzi die Stadt verlassen hat, befürchtete ich schon, er hätte dich mitgenommen, um dich weiter schinden zu können.«

»Vorerst bin ich ihn los«, antwortete Konrad mit einem erleichterten Seufzen.

»Er wird wiederkommen und seinen Hass bis dorthin nicht vergessen haben!« Eleasars Worte klangen wie eine düstere Prophezeiung, aber sie schreckten Konrad nicht. Er war fest entschlossen, noch vor Fadls Rückkehr aus Córdoba zu verschwinden.

Der Arzt machte eine einladende Geste. »Komm mit in mein Haus. Ich will mir deine Verletzungen noch einmal ansehen und dir eine Salbe dafür geben. Dein Freund kann inzwischen einen Becher Wein trinken.«

»Dazu bräuchte ich Geld!« Obwohl er Moslem geworden war, hielt Ermo sich ebenso wenig an das Verbot berauschender Getränke wie Fadls Knechte.

»Oder jemanden, der dir einen Krug Wein hinstellt, ohne Geld zu fordern«, antwortete der Arzt. Er kannte die Hintergründe nicht und hielt Ermo und Konrad für Schicksalsgefährten.

Da sie mit dem bekannten Arzt unterwegs waren, hielt niemand die beiden Franken auf. Jetzt hätten sie die Gelegenheit wahrnehmen und fliehen können. Doch ihnen war bewusst, dass sie in ihren Sklavenkitteln und ohne Geld nicht weit kommen würden. Daher begleiteten sie Eleasar zu einer Seitengasse unweit des Palastes. Dort öffnete der Arzt eine unscheinbare Tür und bat sie einzutreten.

»Ich hoffe, du hast wirklich Wein im Haus. Sonst setzt es was!« Mit diesem Ausruf zeigte Ermo deutlich, wes Geistes Kind er war.

Eleasar zeigte jedoch nur sein gewohntes freundliches Lächeln. »Es ist genug da! Setz dich dort in die Ecke. Ich bringe dir gleich einen Becher. Dein Kamerad soll unterdessen die Treppe hochsteigen und durch die erste Tür gehen. Dort will ich mir seine Verletzungen ansehen. So wie er jetzt aussieht, kann er nicht arbeiten. Es war schon ein Wunder, dass er die Sänfte der Dame tragen konnte.«

»Ich musste ohnehin das meiste schleppen«, behauptete Ermo mit einem finsteren Seitenblick auf seinen Landsmann.

Konrad hatte zwar nichts davon gespürt, schluckte aber einen Einwand hinunter und stieg die Treppe hoch. Während er in die Kammer trat, hörte er noch, wie Eleasar seinen Mohren anwies, Ermo Wein zu bringen und ihm etwas zu essen aus einer der Garküchen in der Straße zu besorgen.

Dann folgte der Jude Konrad nach oben und schloss sorgfältig die Tür hinter sich. »Dein Begleiter scheint nicht dein Freund zu sein«, sagte er, während er die Schrunden und Narben auf Konrads Rücken untersuchte und sie mit einer kühlenden Salbe bestrich.

»Mein Freund ist Ermo gewiss nicht. Ich habe ihn gefangen setzen lassen, weil er gegen den Befehl geplündert hat und seine Beute vor den anderen verstecken wollte. Im Grunde habe ich ihm damit das Leben gerettet, denn mit einer Waffe in der Hand hätten die Waskonen ihn erschlagen. So aber fanden sie ihn als Gefangenen vor und befreiten ihn.«

»Um ihn zu versklaven! Ein solches Leben ist meist nicht sehr lebenswert, wie du am eigenen Leib erfahren hast. Doch reden wir von dir! Ein Mann, der aus der Sklaverei entfliehen will, muss entweder sehr verzweifelt sein oder sehr kühn. Du bist beides. Dennoch solltest du nicht einfach davonlaufen und darauf hoffen, zu entkommen. Die Reiter des Emirs sind schnell und die Nasen ihrer Hetzhunde gut. Wer ihnen entgehen will, muss wissen, was er zu tun hat.«

Konrad war verblüfft, denn er glaubte, bisher mit keinem Wort verraten zu haben, dass er zu fliehen beabsichtigte. »Wieso nimmst du an …?«, fragte er vorsichtig.

»Deine vielen Fragen haben nur diesen Schluss zugelassen, auch wenn du versucht hast, dir nichts anmerken zu lassen.«

Konrad schwankte zwischen Misstrauen und einem Funken Hoffnung. »Und was muss ein Sklave tun, der fliehen möchte?«

Eleasar nahm ihm seine misstrauische Haltung nicht übel. Wenn der junge Franke aus Córdoba entkommen wollte, musste er nicht nur kühn, sondern auch vorsichtig sein. »Einer Spur im Wasser vermag auch der schärfste Hetzhund nicht lange zu folgen. Doch das allein nützt nichts. Wer fliehen will, benötigt eine überzeugende Verkleidung.«

»Ich soll mich verkleiden? Als was?« Zum ersten Mal gab Konrad preis, was ihn sogar in seinen Träumen bewegte.

»Manch einer mag glauben, es wäre klug, sich als Maure zu verkleiden. Auch du könntest es, denn es gibt blonde Mauren, die ihre Herkunft auf die Visigoten zurückführen. Allerdings kennst du die Sitten und Gebräuche der Moslems zu wenig, um sie wirklich täuschen zu können, und du vermagst ihnen auch nicht den Namen deiner Sippe zu sagen. Da aber jeder Maure sich seiner Sippe verbunden fühlt, würde ein Reisender ohne Verwandte auffallen. Außerdem sprichst du nicht wie ein Maure. Gelänge es dir dennoch, über die Grenze zu kommen, würdest du als Maure von den Asturiern oder Waskonen gefangen genommen und versklavt werden.«

Eleasar schwieg und griff nach einer Flasche und träufelte eine scharfe Flüssigkeit auf Konrads Verletzungen. Es brannte wie Feuer, doch der junge Franke verbiss sich jeden Schmerzenslaut und wartete gespannt auf das, was der Arzt ihm vorschlagen würde.

»Als Christ bist du Einschränkungen unterworfen, die es dir beinahe unmöglich machen, aus al Andalus zu entkommen. Immer wieder gibt es christliche Flüchtlinge, die nach Norden zu entkommen suchen. Erwischen die Reiter des Emirs oder einer seiner Statthalter einen Christen, der seine Herkunft und den Zweck seiner Reise nicht glaubhaft erklären kann, wird er versklavt.«

Konrad war verunsichert. Wollte der Arzt ihm ausreden, sich Fadls Quälereien zu entziehen? »Was soll ich deiner Ansicht nach tun? Nach deinen Worten scheint jeglicher Versuch zur Flucht scheitern zu müssen.«

»Gebrauche deinen Kopf! Welches Volk lebt sowohl hier im Land der Mauren wie auch in dem der Franken und wird von beiden Völkern gleichermaßen verachtet?«

»Du meinst euch Juden?«, rief Konrad verblüfft aus.

Eleasar nickte. »Genau. Die Verachtung der anderen bringt es mit sich, dass sie sich nicht um uns kümmern und daher unsere Sitten und Gebräuche nicht kennen. Jemand, der ein paar fromme Sprüche und Gebete in unserer Sprache zu sprechen vermag, könnte von einem Ende des Maurenreichs bis zum anderen Ende des Frankenreichs ziehen, ohne dass er auffällt. Er muss nur die Gesellschaft echter Juden meiden. Und das ist nicht allzu schwer, denn wir sind nur wenige und leben sehr verstreut.«

»Ich soll mich als Jude verkleiden?« Konrads erster Gedanke war Abscheu. Er bezwang dieses Gefühl jedoch, indem er sich sagte, dass Eleasar ihm bereits mehr geholfen hatte, als es Fadl Ibn al Nafzi für gut geheißen hätte. Ein Rat aus seinem Mund war gewiss nicht zu verachten.

»Es wäre der sicherste Weg, ungeschoren durch das Land zu reisen. Dafür aber benötigst du jüdische Tracht und Geld für Unterkunft und Verpflegung sowie zum Bestechen der Anführer von Streifscharen und kleiner Würdenträger, die sich an Reisenden bereichern.«

»An beiden hapert es mir«, antwortete Konrad niedergeschlagen.

»Kleidung ist leicht mitgenommen, wenn sie unbeaufsichtigt herumliegt. Mit Geld kann ich dir jedoch nicht helfen. Auch solltest du nicht allein fliehen, sondern die neue Sklavin deines Herrn mitnehmen. Fadl Ibn al Nafzi wird wütend sein, ihr aber nicht allzu sehr nachtrauern. Sie ist ihm nämlich zu wild, musst du wissen.« Eleasar hatte die Schrammen und Verletzungen behandelt, die Maite Fadl beigebracht hatte, und auch die Wunde des Eunuchen Tahir. Während der Herr kein Wort über die Herkunft seiner Schrunden verloren hatte, war der Verschnittene umso mitteilungsfreudiger gewesen und hatte dem Arzt alles erzählt, was in Fadls Haus vorgegangen war.

»Eine Frau ist bestens geeignet, deine Täuschung vollkommen zu machen, denn niemand wird in einem Juden und seinem Weib ein entflohenes Sklavenpaar vermuten.«

»Wir werden zu dritt sein!«

Eleasar blickte Konrad verwundert an. »Willst du deinen Landsmann mitnehmen?«

Konrad schüttelte den Kopf und presste die Lippen zusammen. Auch der hilfsbereite Arzt würde wohl kaum den Mund halten, wenn er erfuhr, dass es sich bei der dritten Person um die neue Favoritin des Emirs handelte. Er war jedoch nicht bereit, ohne Ermengilda von hier wegzugehen, und die Gelegenheit erschien ihm günstiger denn je.

»Gibt es ein Elixier, das die Haut und das Haar eines Menschen so dunkel machen kann wie die eines Mohren? Ihr Juden besitzt doch auch Sklaven, und da würde ein schwarzhäutiger Diener nicht auffallen.«

»Du bist wirklich klug, mein Freund. Doch du wirst beides stehlen müssen, denn ich will bei Gott, dem Gerechten, schwören können, dass ich dir nichts in die Hand gegeben habe. Bringe Fadls Diener dazu, dich ihren Wein holen zu lassen. Ich gebe ihn dir billiger, damit du jedes Mal ein paar Dirhem für dich behalten kannst. Da Fadl noch einige Wochen ausbleiben dürfte, kannst du auf diese Weise genug Geld sparen, um die Flucht wagen zu können. Ach ja, meine alten Kleider liegen in der Kammer nebenan. Die meines verstorbenen Weibes habe ich ebenfalls dort aufgehoben, und ein Saft, der selbst aus dir einen Mohren machen könnte, steht unten auf dem Bord in einer schwarzen Flasche.«

Eleasar sagte sich, dass er damit genug für den jungen Mann getan hatte. Während er die letzten Narben seines Patienten versorgte, schalt er sich einen Narren, weil er so viel Mitgefühl an einen fränkischen Christen verschwendete. Der Gedanke an Fadl Ibn al Nafzi aber bestärkte ihn in seinem Tun. Der Berber hatte einen Verwandten von ihm umgeritten und den Verletzten mit dem Säbel geköpft, als dieser sich lauthals beschwert hatte. Auch sonst war der Berber für seine Grausamkeit verrufen, und das nicht zu Unrecht, wie man an diesem jungen Franken sah. Einen Mann zu töten, der den eigenen Bruder im Kampf erschlagen hatte, war eine Sache, diesen aber zu fangen und langsam zu Tode zu quälen, eine andere.

»Deine Wunden heilen gut. In ein paar Wochen werden sie für dich nur noch eine Erinnerung an schlimme Tage sein. Doch jetzt sollten wir sehen, was dein Begleiter macht. Ich hoffe, sein Durst war nicht so groß, dass er die Sänfte nicht mehr tragen kann.«

Als sie ins Erdgeschoss zurückkehrten, wirkte Ermo enttäuscht. »Da seid ihr ja schon!«

Eleasar blickte in den Krug, um zu sehen, ob noch etwas Wein übrig wäre, und fand nur noch den Boden bedeckt. Den Rest füllte er in einen Becher, der nur halb voll wurde, und reichte ihn Konrad. »Hier, zur Stärkung!«

»Danke!« Konrad ließ die süßlich schmeckende Flüssigkeit die Kehle hinunterrinnen und dachte wehmütig an die köstlichen Fruchtweine, die seine Mutter so meisterhaft anzusetzen wusste.

Trotzdem bedankte er sich bei Eleasar und tippte Ermo an. »Auf geht's! Wir müssen zum Palast zurück. Vielleicht wartet Maite bereits auf uns, und wir kriegen Ärger, weil wir so lange ausgeblieben sind.«

»Pah, ich kenn doch die Weiber! Die finden vor lauter Schwatzen kein Ende.« Ermo schielte auf den leeren Weinkrug und sah den Arzt auffordernd an. Der machte jedoch keine Anstalten, seinen Mohrenknaben noch einmal loszuschicken. Daher stand Ermo widerwillig auf, schwankte aber so stark, dass er fast über die eigenen Füße gestolpert wäre.

Konrad sah ihn bereits samt der Sänfte auf der Straße liegen, sagte aber nichts, sondern zuckte mit den Achseln. Schließlich hatte er Ermo nicht geheißen, sich zu betrinken. Mit einem freundlichen Gruß verabschiedete er sich von dem Arzt und trat auf die Straße hinaus.

Ermo folgte ihm und stöhnte, als die heißen Strahlen der Sonne ihn trafen.

Auch auf dem Vorhof des Palastes war es nicht kühler. Konrad dachte an Fadls Garten und sagte sich, dass dieser ein angenehmerer Aufenthaltsort wäre. Hier aber standen Ermo und er sich die Beine in den Leib. Dabei wartete er geradezu sehnsüchtig auf Maite, um von ihr zu erfahren, wie es Ermengilda erging.

8.

Als Maite und Ermengilda voneinander schieden, schworen sie sich noch einmal, gemeinsam zu fliehen. Beide wussten, dass nur ein Wunder sie retten konnte, doch sie beteten inbrünstig zu Christus und allen Heiligen, ein solches geschehen zu lassen.

»Ich werde morgen wieder nach dir schicken lassen«, versprach Ermengilda, als ein Eunuch Maite aus dem Raum führte.

Diese nickte und sah sich aufmerksam um. Doch das, was sie wahrnahm, war nicht geeignet, hoffnungsvoll in die Zukunft zu sehen. Anders als in Fadls Haushalt wimmelte es hier von Eunuchen und Dienern, und sie gaben sorgfältig acht. Also würde es kaum möglich sein, Ermengilda hier herauszuholen.

»Fliehen können wir nur, wenn es Ermengilda gelingt, den Palast zu verlassen«, murmelte Maite und erschrak beim Klang ihrer eigenen Worte.

Rasch blickte sie sich um und stellte erleichtert fest, dass die beiden Palasteunuchen, die sie begleitet hatten, gerade mit Tahir sprachen und keiner von den dreien auf sie geachtet hatte. Dennoch nahm sie sich vor, in Zukunft besser aufzupassen, um sich nicht durch eine unbewusste Bemerkung zu verraten.

Die Sänfte stand im inneren Hof bereit. Maite stieg ein und hörte dann, wie einer der Eunuchen nach den beiden Trägern und Fadls Knechten rief. Durch einen kleinen Spalt im Vorhang sah sie Konrad herankommen. Der vorher so verzweifelte Ausdruck auf seinem Gesicht hatte zu ihrer Verwunderung einem erwartungsfrohen Ausdruck Platz gemacht.

Hoffentlich hört er mir diesmal zu, dachte sie und lachte gleich darauf über ihre Besorgnis. Da sie von Ermengilda kam, würde er danach lechzen, etwas über die Asturierin zu erfahren. Vielleicht war es die Vorfreude darauf, die seine Augen so glänzen ließ. Maite war froh, dass sie die Mittlerin zwischen ihm und ihrer Freundin spielen musste. Wäre es ihm möglich, selbst mit Ermengilda zu sprechen, würde er alles tun, um diese zu befreien. Sie selbst aber würde er wohl schlicht und einfach zurücklassen.

Im nächsten Moment fiel ihr auf, dass Ermo nicht mehr allzu sicher auf den Beinen stand. Da keiner von Fadls Knechten Lust hatte, Sklavenarbeit zu tun, zwangen sie ihn, die Tragholme der Sänfte zu packen und diese aufzuheben. Als Konrad den Schritt vorgab, geriet Ermo ins Straucheln und hätte die Sänfte beinahe unsanft abgesetzt.

»He, Sklave, geh langsamer!«, rief Tahir Konrad zu. Dieser nickte und schlug ein Tempo an, welches einer Schnecke angemessen war.

Nun konnte Ermo mit ihm Schritt halten, ohne über die eigenen Füße zu stolpern. Dennoch schnaufte er nach kurzer Zeit wie der Blasebalg eines Schmiedes, und der Schweiß lief ihm in Strömen über Gesicht und Rücken.

Die Knechte spotteten über ihn, denn ihnen war klar, dass der Mann betrunken war. Maite vermeinte aus ihren Worten herauszuhören, dass sie sich ärgerten, weil ein Sklave Wein hatte trinken können, während sie sich schließlich doch mit gekühltem Fruchtsorbet hatten begnügen müssen.

»Den Kerl schicken wir nicht mehr zum Juden, um Arznei zu holen«, rief einer schließlich aus.

»Und wer geht dann?«, fragte Tahir, der den Wein ebenfalls nicht verachtete.

Der Mann wies mit dem Daumen auf Konrad. »Der andere Frankenslave! Der Arzt hat vorhin noch gesagt, er müsse weiterhin nach dessen Verletzungen schauen. Da kann der Sklave den Wein … äh, die Arznei mitbringen.«

»Aber der Herr hat gesagt, wir sollen ihn scharf bewachen! Was ist, wenn er entflieht?«

»Ach, der Bursche weiß doch genau, dass er in seinem Sklavenkittel keine zwei Meilen weit kommt. Es kann ja einer von uns mitgehen und ihn bewachen.«

Während der Eunuch und die Knechte noch diskutierten, ob und wie sie Konrad Wein holen schicken sollten, schob Maite sich an die Vorderwand der Sänfte. Konrad hatte auf einmal mehr Gewicht zu tragen als Ermo, begriff aber, dass Maite ihm etwas sagen wollte, und spitzte die Ohren.

»Ich soll dich von Ermengilda grüßen. Sie hofft auf dich! Kannst du heute noch oder spätestens morgen früh wieder im Garten arbeiten? Ich muss dir viel erzählen.«

Ermengildas Schwangerschaft werde ich ihm aber nicht auf die Nase binden, dachte sie. Männer reagierten komisch, wenn die Frau, in die sie vernarrt waren, von einem anderen einen dicken Bauch bekam.

»Wie geht es ihr?« In seiner Erregung fragte Konrad beinahe zu laut.

»Ihr geht es gut, doch sie sehnt sich nach Freiheit und nach dir!« Es war eine leicht vergiftete Speise, die Maite Konrad anrichtete, denn sie war überzeugt, dass Ermengilda nicht so viel für den jungen Franken empfand, wie sie vorgab. Ihre Freundin hatte Philibert geliebt, doch da dieser tot war, sah sie nun Konrad als ihren Beschützer an.

Konrad ist ganz gewiss nicht schlechter als Philibert, wahrscheinlich sogar zuverlässiger und ein besserer Krieger, dachte sie mit einem Anflug von Neid. Dann aber konzentrierte sie sich darauf, was sie Konrad mitteilen musste. »Ermengilda denkt Tag für Tag nur an Flucht! Doch es scheint keine Möglichkeit zu geben, es sei denn, du findest eine. Schließlich kannst du im Gegensatz zu uns danach suchen. Sie setzt all ihre Hoffnung auf dich!« Maite starb beinahe vor Angst, außer Konrad könnten auch andere ihre Worte hören. Doch Fadls Leute diskutierten noch immer, und Passanten wichen der

Sänfte in weitem Bogen aus, um sich nicht Fadl Ibn al Nafzis Zorn zuzuziehen.

»Vielleicht gibt es eine Möglichkeit!«, flüsterte Konrad erregt. Seine Antwort ließ Maites Herz schneller klopfen. Anscheinend hatte er sich nicht nur Gedanken über eine mögliche Flucht gemacht, sondern bereits konkrete Pläne geschmiedet. Am liebsten hätte sie ihn auf der Stelle ausgefragt. Da er aber schon stark unter der ungleich verteilten Last schwankte, setzte sie sich so, dass er möglichst wenig zu tragen hatte, und schloss die Augen. Sogleich begannen ihre Gedanken zu wirbeln wie ein Schwarm Schmetterlinge.

Wenn sie entkam, würde sie endlich mit Okin abrechnen können. Was danach sein würde, darüber wollte sie noch nicht nachdenken, auch wenn diese Frage wie ein Alpdruck in ihr aufstieg. Zuerst musste sie die Flucht vorbereiten, soweit es in ihrer Macht lag, und da durfte sie sich keinen Fehler leisten. Konrad hatte begriffen, dass er sie benötigte, um Ermengilda zu befreien, und das war der wichtigste Schritt. Weitergehende Pläne aber konnte sie erst schmieden, wenn sie mit diesem fränkischen Ochsen gesprochen hatte. Daher richtete sie ihre Gedanken auf ihre Heimat und stellte sich vor, durch die kühlen Wälder der Berge zu streifen. Schon bald würde sie deren würzigen Duft wieder riechen und den kühlen Wind, der von den Pyrenäen herabstrich, auf ihrer Haut spüren.

Vor allem aber würde sie Okin für alles bezahlen lassen, was er ihrem Vater und ihr angetan hatte, echote es in ihrem Kopf.

Doch als sie sich vorstellte, ihren Dolch in seine Brust zu stoßen, fröstelte sie trotz der Hitze, die in der von dichten Vorhängen verhängten Sänfte herrschte. Sie sah die Toten von Roncesvalles vor sich und fühlte wieder das Grauen, das sie dort überfallen hatte. Würde sie es tatsächlich über sich bringen, noch einmal einen Menschen zu töten? Aber wenn sie sich nicht an Okin rächen konnte, welchen Sinn hatte dann eine Flucht? Die Antwort gab sie sich gleich selbst: Sie wollte nicht tatenlos darauf warten, dass Fadl zurückkehrte und erneut über sie herfiel.

Auch sonst gab es Gründe genug. Sie wollte selbst bestimmen können, welchem Mann sie ihren Körper schenkte. Viel Auswahl gab es leider nicht. Um Okin zumindest seiner durch Verrat erschlichenen Stellung zu berauben, benötigte sie einen starken Verbündeten, und als Preis für die Hilfe konnte sie nur sich selbst und die Tatsache anbieten, dass in ihren Adern das Blut der alten Häuptlinge floss.

Möglicherweise würde sie Danel fragen müssen, ob er sie heiraten wolle. Zwar zählte er zu den Anhängern ihres Onkels, aber er würde die Gelegenheit, durch sie zum Häuptling des Stammes aufzusteigen und vielleicht auch Okins Platz in Nafarroa einzunehmen, gewiss nicht ausschlagen. Oder war es doch geschickter, sich mit Amets von Guizora zusammenzutun und einen von dessen Söhnen zu heiraten?

Als Maite in sich hineinhorchte, verspürte sie jedoch keinerlei Lust, ihre Freiheit als Frau zugunsten eines dieser Männer aufzugeben. Sie tröstete sich mit der Überlegung, dass das Leben selten das brachte, was der Mensch sich wünschte.

9.

Es dauerte tatsächlich bis zum nächsten Morgen, bis Maite die Gelegenheit erhielt, mit Konrad zu reden. Er kam bereits kurz nach Sonnenaufgang in den Garten und machte sich an einer weiter entfernten Stelle zu schaffen. Während er Beet für Beet bearbeitete, näherte er sich scheinbar zufällig ihrem Fenster. Dabei achtete er streng darauf, nicht nach oben zu sehen, als wäre ihm dies verboten worden.

Während Maite beinahe vor Anspannung verging, bewunderte sie seine Geduld. Als er endlich nahe genug war, um sie zu verstehen, verließ er den Garten. Maite holte verärgert Luft, sah ihn dann aber mit einem Korb voll feiner, weißer Kieselsteine zurückkehren, und er begann, den Weg unter ihrem Fenster auszulegen. Dabei machte er so viel Lärm, dass sie hätte schreien müssen, um von ihm verstanden zu werden. Verzweifelt fragte sie sich, was er damit bezweckte. Als habe er ihre Frage geahnt, machte er eine knappe Kopfbewegung zur Seite. Nun begriff sie. Irgendjemand stand an einem der anderen Fenster und hätte mithören können.

Es dauerte eine geraume Weile, bis Konrad mit dem Weg fertig war und nun das Unkraut unter ihrem Fenster zu zupfen begann.

»Jetzt können wir reden«, rief er leise zu ihr hoch.

»Was war?«, fragte sie, während sie ihre Finger in das Fenstergitter krallte.

»Der Eunuch Tahir! Er wollte wissen, wann ich fertig bin. Wahrscheinlich soll ich gleich den Wein für die Bande besorgen.«

»Dann sollten wir uns beeilen. Ermengilda will fliehen und baut darauf, dass wir ihr helfen.«

»Ich tue es jederzeit!«

Maite hörte ein gewisses Misstrauen in seiner Stimme. Also hatte er sich immer noch nicht mit dem Gedanken abgefunden, sich mit ihr verbünden zu müssen. Da jedoch nur sie ihm helfen konnte, würde ihm nichts anderes übrigbleiben.

»Ermengilda bittet dich, alles zu tun, damit sie so rasch wie möglich den Mauren entkommen kann. Sie fürchtet den Emir und leidet sehr«, sagte sie und hörte im gleichen Augenblick, dass die Tür zu ihrer Zimmerflucht geöffnet wurde.

»Vorsicht! Es kommt jemand«, warnte sie Konrad, huschte zu ihrem Sofa und griff nach dem Dolch. Als Tahir in die Kammer trat und die Waffe erblickte, zuckte er zurück. Unter der Tür blieb er stehen und sah sie an. »Hast du einen Wunsch?« Ja, dass du schleunigst wieder verschwindest, fuhr es Maite durch den Kopf. Aber sie rang sich ein Lächeln ab. »Ich hätte gerne etwas zu essen und ein anderes Kleid. Das hier ist völlig durchgeschwitzt.«

»Ich werde beides veranlassen.« Der Eunuch neigte kurz den Kopf und verließ den Raum. Kaum hatte er die Türe hinter sich geschlossen, trat Maite wieder ans Fenster.

»Jetzt können wir reden. Aber wir müssen uns beeilen. Hast du schon einen Plan, wie wir die Flucht bewerkstelligen könnten?«

»Zumindest ansatzweise. Zuerst benötigen wir Geld. Es wird gewiss ein paar Wochen dauern, bis ich ein paar Münzen zusammengespart habe.«

»So lange können wir nicht warten.« Maite überlegte. Sie selbst sah keine Möglichkeit, an Geld zu kommen, doch vielleicht konnte Ermengilda ihr helfen. Deren Kleid war über und über mit Perlen und kleinen Edelsteinen bestickt gewesen. Vermutlich hätte man mit deren Gegenwert bequem von hier bis Iruñea reisen können, ohne sich einen Genuss versagen zu müssen.

»Ich könnte Geld besorgen oder besser gesagt, ein paar Edelsteine.«

Konrad wollte schon fragen, was er damit anfangen solle. Dann aber fiel ihm ein, dass Eleasar sie ihm gewiss gegen Münzen eintauschen konnte. Dabei würde es ihm sogar möglich sein, dem freundlichen Arzt eine kleine Belohnung zukommen zu lassen.

»Dann schaff sie her!«, rief er leise zu Maite hoch und wischte sich den Schweiß von der Stirn. »Es wird mir zu heiß. Ich muss nun aufhören.«

»Wann können wir wieder miteinander reden?«, fragte Maite drängend.

»Sobald du die Edelsteine hast.« Damit wandte Konrad sich ab und verließ den Garten wieder. Einer der Knechte begegnete ihm am Tor.

»Na? Hast du Ausschau nach den Weibern unseres Herrn gehalten? Aber da bekommst du keine zu sehen. Bis auf die Neue sind alle woanders untergebracht. Und die ist ein Miststück, sage ich dir! Du hättest Fadl sehen sollen, nachdem er – du weißt schon was – mit ihr gemacht hat. Als hätte er mit einem Bären gekämpft! Tahir hat sie ein Loch in den Leib geschnitten. Wenn der nicht so fett wäre, befände er sich bereits bei den Huris im Paradies.«

Konrad hatte zwar die Schrammen in Fadl Ibn al Nafzis Gesicht gesehen, diese aber nicht mit Maite in Verbindung gebracht. Das Mädchen musste sich wie eine Löwin gegen ihn gewehrt haben. Ihn beeindruckte ihr Mut, und er begriff, dass der Berber das Mädchen mit Gewalt genommen hatte. Das ließ seinen Hass gegen den Mann wieder hochkochen. Auch dafür wirst du einmal bezahlen, Fadl Ibn al Nafzi, schwor er sich und ging weiter, ohne dem Knecht eine Antwort zu geben.

Dieser lachte und wies zur Tür. »Du wirst zu dem Juden Eleasar gehen und die Medizin holen, die er uns versprochen hat. Damit du uns nicht verlorengehst, wird der Sklave Ermo auf dich aufpassen.«

Konrad drehte sich um und machte eine abwinkende Handbewegung. »Wohin sollte ich schon gehen – ohne Geld und mit diesen Fetzen bekleidet?«

Der andere lachte ihn aus und rief dann nach Ermo. Dieser bog um die Ecke und funkelte Konrad drohend an.

»Wir sollen Wein holen. Du wirst ihn tragen, aber die Verhandlungen mit dem Arzt führe ich!«

Konrad begriff durchaus, was Ermo meinte. Diesem ging es um das Geld, das er beim Weinkauf in die eigene Tasche stecken konnte, um seine Flucht vorzubereiten. Vor dem Gespräch mit Maite hätte er sich noch darüber geärgert, da auch er Geld brauchte. Doch nachdem die Waskonin von Perlen und Edelsteinen gesprochen hatte, musste er über Ermo lächeln, der mühsam Dirhem um Dirhem zusammenkratzte.

Er ließ sich jedoch nichts anmerken, sondern folgte dem anderen in einen Vorratsraum. Dort lud Ermo ihm einen großen Korb auf, in dem sich mehrere leere Krüge befanden.

»Wenn du auf dem Rückweg nichts verschüttest, sorge ich dafür, dass du auch einen Becher bekommst!«

Du glaubst wohl, mich so billig abspeisen zu können, dachte Konrad lächelnd, nickte aber eifrig und leckte sich genießerisch die Lippen. »Das wäre nett von dir!«

Ermo grinste und schritt rascher aus. Als sie das Haus des Arztes erreichten, erfuhren sie von Amos, dem Mohrenknaben, dass sein Herr bei einem Patienten weilte, aber bald zurückerwartet wurde.

»Du kannst mir derweil einen Becher Wein einschenken«, forderte Ermo ihn auf und setzte sich.

Amos warf Konrad einen kurzen Blick zu und entschloss sich, zwei Becher zu bringen. Während er den Wein für Ermo einem Krug entnahm, der für heimliche Zecher bestimmt war, wählte er für Konrad eine Sorte, die dick wie Blut in den Becher floss und den sein Herr nur als Stärkungsmittel für Kranke verwendete.

Als der Junge zurückkam, riss Ermo ihm den Becher, den dieser ihm reichte, förmlich aus der Hand und stürzte den Inhalt in einem Zug hinunter. Danach stieß er auf und feixte.

»So ein Trunk mundet immer! Und dieser noch besser, weil ich ihn nicht bezahlen muss.«

Konrad nippte nur an seinem Becher. Er war keinen Wein mehr gewohnt und wollte sich nicht betrinken, aus Angst, zu vertrauensselig zu werden und Dinge auszuplaudern, die weder Ermo noch den jüdischen Arzt etwas angingen. Auch wenn Eleasar seine Bereitschaft gezeigt hatte, ihm und Maite zu helfen, so würde die Tatsache, dass sie eine Frau aus dem Harem des Emirs befreien wollten, ihn vielleicht dazu bringen, sie zu verraten.

Als der Arzt nach Hause kam und seine unverhofften Gäste freundlich begrüßte, war Konrads Becher noch fast halb voll, während Ermo bereits nach mehr gierte.

»Wir sollen in Zarifs Auftrag die bestellte Medizin holen. Der ganze Haushalt ist von einem ... äh, heftigen Schnupfen befallen, der nur mit diesem ganz besonderen Saft geheilt werden kann«, begrüßte Ermo den Arzt fröhlich und klimperte dabei mit den Münzen, die man ihm mitgegeben hatte.

»Wie viel willst du haben?« Eleasar richtete sich auf eine längere Feilscherei ein, da Ermo jedes Mal den Preis so weit wie möglich zu drücken versuchte, um mehr Geld für sich abzweigen zu können. Bei Konrad hätte er sich vielleicht erweichen lassen, diesem den Wein zu jenem Preis zu überlassen, den er selbst zahlen musste. Doch jetzt blieb er hart und ließ sich von Ermo noch weniger herunterhandeln als sonst.

»Verdammter Jude! So viel bezahle ich nicht«, fuhr der Franke auf.

Eleasar wies zur Tür. »Es steht dir frei, einen anderen Arzt aufzusuchen und dort deine Medizin zu besorgen.«

Da Ermo genau wusste, dass man ihm bei anderen Juden noch mehr abverlangen oder ihn gar abblitzen lassen würde, weil sie ihn nicht kannten, blieb er sitzen. »Also gut! Aber dafür soll mir dein Schwarzer noch einmal den Becher füllen.« Damit streckte er das Gefäß Amos hin, der es nach einem kurzen Nicken seines Herrn entgegennahm und damit verschwand.

Während der Junge weg war, bezahlte Ermo den mit Eleasar vereinbarten Preis und steckte die gesparten Münzen in seinen Gürtel. Es handelte sich nur um einen geringen Betrag, doch wenn er diesen bei jedem Weinkauf abzweigen konnte, würde er innerhalb einiger Wochen genug zusammenbekommen, um mit einiger Aussicht auf Erfolg die Flucht wagen zu können.

»Wenn Amos zurückkommt, soll er dir noch einen weiteren Becher einschenken! Ich sehe mir inzwischen Konrads Verletzungen an.«

Ermo grinste, denn solange der Arzt Konrad behandelte, konnte er hierbleiben und gleich einen ganzen Krug auf Eleasars Kosten trinken. »Du musst dich nicht beeilen! Mit einem vollen Becher in der Hand warte ich gerne.«

Da Amos gerade mit einem bauchigen Tongefäß durch die Tür trat, hielt Ermo ihm den Becher hin.

Eleasar beachtete ihn nicht mehr, sondern forderte Konrad auf, nach oben zu gehen und sich auszuziehen.

»Deine Wunden heilen gut, aber wenn ich sie nicht mit einer bestimmten Salbe einreibe, bleiben harte Narben zurück, die dich behindern würden.« Mit diesen Worten nahm er den Tiegel, öffnete ihn und begann, Konrad damit einzuschmieren. Dabei stellte er die Frage, die ihn schon die ganze Zeit beschäftigte.

»Weißt du schon, was du tun wirst? Solange dieser Kerl dich begleitet, wirst du nicht an Geld kommen.«

»Geld ist kein so großes Problem. Allerdings müssen wir Perlen und kleine Edelsteine verkaufen«, erklärte Konrad.

Eleasar hob überrascht die Augenbrauen. »Edelsteine, sagst du? Dann hat die Dame wohl etwas verstecken können. Biete das Geschmeide nicht irgendeinem Juwelier an, sondern bringe es zu mir. Wenn ich es für dich verkaufe, erlöse ich einen besseren Preis.«

»Ich danke dir! Es sähe auch seltsam aus, wenn ein Sklave Edelsteine verkaufen will. Ein Juwelier würde mich wahrscheinlich an meinen Herrn verraten. Deine Hilfe soll nicht umsonst sein. Du kannst ein Viertel des Wertes behalten.«

»Du bist großzügig, Sklave. Allerdings ist die Freiheit auch ein Gut, das jeden Preis wert ist.« Eleasar lächelte. Er hätte diesem Mann auf jeden Fall geholfen, um dem Berber eins auswischen zu können, aber gegen einen kleinen Zusatzverdienst hatte er nichts einzuwenden.

»Höre mir gut zu, Franke«, sagte er. »Ich weiß nicht, wie viel Zeit uns noch bleibt. Daher lehre ich dich jene Worte meiner Sprache, die ein Mann meines Volkes im Umgang mit Moslems und Christen verwendet. Zum Glück sind es nicht viele. Da du selbst des Maurischen nicht mächtig bist und auch die Sprache der christlichen Spanier nicht wie ein Einheimischer beherrschst, solltest du dich als Jude aus dem Norden ausgeben. Am besten spielst du einen Sklavenhändler, der auf der Heimreise ist. Da die Mauren dringend Sklaven benötigen, werden sie dich nicht behelligen.«

»Ich mag aber nicht als Sklavenhändler gelten!« Empört über den Vorschlag, antwortete Konrad schärfer, als der Arzt es verdient hatte.

»Aber es ist die beste Lösung! Ihr Franken macht auf euren Kriegen viele Gefangene und übergebt sie meinen Glaubensbrüdern, damit die sie für euch verkaufen. Da die Mauren am besten zahlen, werden diese Sklaven zumeist nach Spanien gebracht. Wenn du dich über die Händler erheben willst, so denke daran, wer ihnen die menschliche Ware aufnötigt!«

Konrad spürte Eleasars Verstimmung und lenkte ein. »Es tut mir leid. Ich wollte weder dir noch deinen Freunden Böses nachsagen.«

»Das habe ich auch nicht angenommen.« Eleasar forderte Konrad auf, sich umzudrehen, damit er ihm Gesicht, Brust und die Vorderseite seiner Schenkel einreiben konnte. Während er es tat, nannte er ihm Worte seiner Sprache, erklärte ihm ihre Bedeutung und ließ Konrad sie so lange wiederholen, bis er mit der Aussprache zufrieden war.

»Du wirst ein Boot brauchen, denn es ist besser, wenn du die Stadt auf diese Weise verlässt. Ich könnte dir dazu verhelfen, ebenso zu einem oder zwei Eseln. Kein Händler, der es sich leisten kann, reist diese lange Strecke zu Fuß oder lässt gar sein Weib laufen. Außerdem kannst du damit eure Verfolger täuschen. Die halten gewiss nicht nach einem Juden Ausschau, der gemächlich seines Weges zieht.«

Eleasar entwarf einen so ausgeklügelten Plan, dass Konrad vor Staunen der Mund offen stand. Der Arzt vergaß jedoch nicht, dass sie vorsichtig sein mussten. Daher beendete er das Gespräch, als er mit der Behandlung der Wunden fertig war, und befahl Konrad, sich anzuziehen und ihm nach unten zu folgen. Dort wusch er sich die Hände und sah zu, wie Amos den Korb mit etlichen Weinkrügen füllte.

Unterdessen hatte Ermo den dritten Becher geleert und hielt einen vierten in den Händen. Nun grinste er so breit, als wären der Arzt und Konrad seine besten Freunde. Er tätschelte Amos den Kopf und hängte sich dann bei Konrad ein, obwohl dieser den schweren Korb tragen musste. Während sie durch die engen Gassen gingen, redete er ununterbrochen auf ihn ein.

»So lässt sich das Leben ertragen! Aber wenn Fadl zurückkommt, sind die herrlichen Zeiten vorbei. Dann regiert wieder die Peitsche, und zum Saufen bekommen wir nur noch Wasser wie die Ochsen. Aber darauf warte ich nicht, mein Guter. Da bin ich schon vorher weg. Fadls Leute lassen sich volllaufen, bis sie unter dem Tisch liegen. Wenn sie dann einmal so richtig besoffen sind, schlüpfe ich in eines von Zarifs Gewändern, hole mir eine Stute aus dem Stall und trabe als mein eigener Herr in Richtung Heimat. Vielleicht nehme ich dich sogar mit, denn zu zweit reist es sich angenehmer als allein.«

Konrad sah Ermo erstaunt an. Bis jetzt hatte er ihn nur als unangenehmen Kerl kennengelernt, der auf nichts als seinen eigenen Vorteil bedacht war. Wenn er auf einmal kameradschaftliche Gefühle zu entwickeln begann, wäre dies für seine eigenen Pläne fatal. Daher hoffte Konrad, dass sich Ermo in nüchternem Zustand nicht mehr an dieses halbe Versprechen würde erinnern können. Gleichzeitig aber bestand die Gefahr, dass dessen Flucht Ermengilda, Maite und ihm zum Verhängnis wurde. Danach würden Fadl Ibn al Nafzis Leute sehr viel besser aufpassen und ihn gewiss nicht mehr allein aus dem Haus lassen.

Aus diesem Grund mussten sie sich so rasch wie möglich davonmachen. Allerdings hatte Konrad nicht den Hauch einer Ahnung, wie er Ermengilda aus dem Palast des Emirs herausholen konnte. Vielleicht fand Maite einen Weg. Sollte sie ihn allerdings auffordern, ohne Ermengilda zu fliehen, würde er sie erwürgen.

Mit diesem nicht gerade frommen Vorsatz erreichte er Fadls Anwesen und wurde bereits am Tor von Zarif, Tahir und anderen durstigen Seelen erwartet.

10.

Der Wein, den Eleasar verkauft hatte, war stark, und die Zecher zollten ihm rasch Tribut. Als die Männer einschließlich Ermos und des Eunuchen Tahir schnarchend in der Ecke lagen und die Sklavinnen sich kichernd den Rest des Weines geholt hatten, wagte Konrad sich in den Garten hinaus und warf mit kleinen Steinchen nach dem geschnitzten Holzgeflecht vor Maites Fenster. An einer leichten Bewegung hinter dem Gitter erkannte er, dass die Waskonin ihn gehört hatte.

»Was ist dort unten?«, fragte sie misstrauisch.

»Ich bin es, Konrad. Wir müssen uns beeilen! Ich brauche so bald wie möglich die Edelsteine. Außerdem muss ich wissen, wie du Ermengilda aus dem Palast herausholen willst. Ich sehe leider keinen Weg.«

»Aber ich!«, antwortete Maite. »Weißt du, Frauen dürfen einander besuchen. Wir müssen nur sehen, wie wir ihre Begleiter überlisten.«

»Mit Wein!« Konrad grinste zu ihr hoch, so dass sie seine weißen Zähne sehen konnte.

»Wie meinst du das?«, fragte Maite verwirrt.

»Ich sagte: Mit Wein! Fadls Leute trinken so viel, dass sie schon am Tag ihren Rausch ausschlafen – so wie heute! Wenn du Ermengilda zu Besuch lädst, werde ich so viel Wein besorgen, dass man ein ganzes Heer damit betrunken machen kann.«

»Kannst du dem Wein etwas beimischen, das die Leute tiefer und länger schlafen lässt?«

»Das ist keine schlechte Idee!« Konrad blickte anerkennend zu Maite hoch, obwohl er sie nur als Umriss hinter dem Holzgitter erahnen konnte. »Ich brauche aber die Edelsteine, um alles vorbereiten zu können.«

»Hast du jemanden gefunden, der dir helfen will?« Maite klang eher erschrocken als erleichtert, denn ein Mitwisser konnte genauso gut Verrat bedeuten.

Beschwichtigend hob Konrad die Hände. »Darüber will ich lieber schweigen. Überlass das mir! Es wird schon alles gut werden.«

»Mögen der Heiland im Himmel und alle Heiligen uns beistehen. Nur eines sage ich dir, Franke: Wenn du unser Vorhaben durch deine Dummheit zum Scheitern bringst und ich weiterhin Fadls Sklavin bleiben muss, sorge ich dafür, dass er dir zur Strafe das Fleisch von den Knochen peitschen lässt!«

Maites Drohung schreckte Konrad nicht, denn er glaubte dem Arzt vertrauen zu können. Als Dank dafür wollte er alles tun, damit niemand Eleasar beschuldigen konnte, ihm geholfen zu haben. Dazu gehörte auch, dass er dessen Existenz Maite vorenthielt.

»Überbringe der Dame Ermengilda meinen ergebenen Gruß und sag ihr, ich werde sie retten!«, flüsterte er noch einmal zum Fenster hoch und verließ den Garten. Als er in die Unterkunft zurückkehrte, die er mit Ermo teilte, saß dieser trotz seines Rausches auf seiner Schlafmatte und zählte die Münzen, die er beim Weinkauf unterschlagen hatte. Bei Konrads Anblick verdüsterte sich sein Gesicht.

»Versuche ja nicht, mich zu bestehlen! Sie hacken dir hier die rechte Hand ab, wenn du als Dieb erwischt wirst.«

»Das gilt genauso für dich«, antwortete Konrad gelassen.

Ermo zog unter seinem weit ausgeschnittenen Hemd ein Messer hervor. »Wenn du mich bedrohen willst, werde ich dich abstechen.«

»Das will ich aber nicht. Außerdem sollen die Leute hier Mörder auf eine sehr widerliche Art zu Tode bringen, habe ich mir sagen lassen.« Konrad sah, wie die Augen des anderen ob der versteckten Warnung wütend aufblitzten.

Dennoch steckte Ermo das Messer wieder weg und verstaute seine Münzen in einer Falte seines breiten Gürtels. Eines aber war Konrad von diesem Augenblick an klar. Ab jetzt lagen Ermo und er im Wettstreit, wer als Erster die Flucht wagte. Da Ermo nicht lange zögern würde, musste er alles tun, um ihm zuvorzukommen.

II.

Bereits am nächsten Tag ließ Maite sich wieder zum Palast des Emirs tragen und zu Ermengilda führen. Ihre Freundin schloss sie in die Arme, konnte aber die Tränen nicht zurückhalten.

»Ich bin so froh, dich zu sehen. Die ganze Zeit hatte ich Angst, es könnte dir verboten werden, wieder zu mir zu kommen. Gestern Abend war der Emir erneut bei mir, und ich bin vor Angst fast gestorben.«

»Verlangt es ihn oft nach dir?«, fragte Maite.

Ermengilda schüttelte den Kopf. »Nein, es war jetzt erst das dritte Mal. Bis es wieder so weit ist, werden einige Tage vergehen.«

»In dieser Zeit müssen wir handeln. Konrad wird alles vorbereiten. Dafür braucht er jedoch Geld. Glaubst du, du könntest heimlich ein paar Edelsteine von deinem Kleid abtrennen und mir mitgeben?« Maite musterte dabei Ermengilda besorgt, denn heute trug diese ein Kleid ohne jeden Juwelenschmuck. Wenn das wertvolle Gewand jedes Mal nach dem Tragen weggesperrt wurde, hatten sie keine Gelegenheit, an die Edelsteine zu kommen.

»Sage Konrad, dass er vorsichtig sein soll. Es darf niemandem auffallen, dass er etwas Wertvolles besitzt.«

Ermengildas Warnung vertrieb Maites düstere Gedanken, und sie sah ihre Freundin voll neuer Hoffnung an. »Also hast du dieses Gewand noch. Schneide rasch ein paar Steine ab, bevor eine Sklavin oder ein Eunuch uns stört.«

Kaum hatte Maite dies gesagt, tauchte tatsächlich ein Eunuch auf und setzte sich in eine Ecke.

»Die Sklavinnen bringen gleich Erfrischungen«, sagte er.

Da er keine Anstalten machte, wieder zu gehen, überlegte Ermengilda verzweifelt, was sie tun sollte. Mit einem Mal richtete sie sich auf, sah Maite an und schlug die Hände über dem Kopf zusammen.

»Der ruhmreiche Fadl Ibn al Nafzi vermag die Feinde meines erhabenen Herrn, des großen Emirs Abd ar-Rahman, mit seinem Schwert niederzuwerfen, doch wie man eine Frau bekleidet, weiß er nicht. Verzeih, meine Liebe, doch dein Gewand ist ein Fetzen, der für eine Sklavin gut genug ist, nicht aber für eine Dame aus dem edelsten Blut der Waskonen. Ich werde dir ein Kleid schenken, das deinem Stand entspricht.«

Mit diesen Worten sprang sie auf, eilte ins Nebenzimmer und kehrte kurz darauf mit dem juwelengeschmückten Gewand zurück. Jetzt entscheidet es sich, fuhr es ihr durch den Kopf, und sie warf dem Eunuchen einen ängstlichen Seitenblick zu. Der Verschnittene blieb jedoch sitzen und sah zu, wie Maite ihr eigenes Kleid förmlich vom Leib riss und sich das andere überstreifte. Es war zu lang und lag auch unbequem eng an.

»Ich werde es ändern müssen«, erklärte Maite, während sie mit den Fingern wie verliebt über den Edelsteinbesatz des Kleides strich. Dann wandte sie sich Ermengilda zu. »Es ist wunderschön. Wie kann ich dir nur dafür danken?«

Indem du dafür sorgst, dass ich von hier fortkomme, dachte ihre Freundin. Ihr Mund formte jedoch andere Worte. »Ich würde mich freuen, auch dich einmal besuchen zu dürfen, um zu sehen, wie gut du es mit dem Schwert des Emirs als deinem Herrn getroffen hast.«

Sofort ging Maite auf dieses Spiel ein. Sie umarmte Ermengilda und küsste sie auf beide Wangen. »Ich würde mich freuen, dich im Haus des ruhmreichen Fadl Ibn al Nafzi begrüßen zu können, nur steht es nicht in meiner Macht, dies zu entscheiden.«

Beide Freundinnen wandten sich dem Eunuchen zu und blickten ihn bittend an. Dieser nickte nach kurzer Überlegung. »Wann willst du Fadl Ibn al Nafzis Haus aufsuchen, Herrin?«

Während Ermengilda erleichtert aufatmete, sann Maite verzweifelt darüber nach, wie lange Konrad für seine Vorbereitungen brauchen würde. »Morgen oder vielleicht doch besser übermorgen«, brachte sie mühsam heraus.

»Übermorgen würde gehen, da der erhabene Emir an dem Tag

die Stadt verlassen will, um mit den Falken zu jagen. Er wird erst drei Tage später zurückkommen.«

»Wäre es möglich, dass ich diese drei Tage bei meiner Freundin bleiben könnte?«, fragte Ermengilda und wunderte sich, woher sie den Mut dazu nahm.

Diesmal dachte der Eunuch länger nach. »Ich werde fragen, ob dies erlaubt werden kann. Doch jetzt muss ich schauen, wo diese pflichtvergessenen Weiber bleiben. Sie hätten schon längst Sorbet und kandierte Früchte bringen sollen.« Damit stand er auf und ging.

Maite und Ermengilda sahen sich an und fassten einander an den Händen. »Beim Heiland, wenn es doch möglich wäre!«

Ermengilda zitterte bei diesen Worten so, dass Maite mit ihr schimpfte. »Nimm dich zusammen! Du verrätst uns sonst noch, und dann ist alles verloren.«

»Ich bin so furchtbar aufgeregt. Wenn nur alles gutgeht! Ich will, dass mein Kind in Freiheit aufwächst und mit all den Ehren, die ihm als Verwandtem König Karls zustehen.«

Maite begriff, dass Ermengildas Gedanken mehr der Zukunft galten als den Gefahren der Flucht, die ihr selbst schier unüberwindlich erschienen. Da sie ihre Freundin nicht entmutigen wollte, verschwieg sie ihre Bedenken und lenkte, als der Eunuch mit zwei Mägden im Gefolge erschien, das Thema geschickt auf die Gaumenfreuden, die ihnen aufgetischt wurden.

12.

An diesem Tag verzichteten die Knechte Fadl Ibn al Nafzis auf Wein und lasteten Konrad alle Arbeit auf, die sie nicht selbst tun mochten. Daher war es ihm nicht möglich, in den Garten zu gehen. Am nächsten Morgen schlich er gleich in der

Frühe hin, bevor ihm anderes aufgetragen werden konnte, und begann, Unkraut zu rupfen. Am liebsten hätte er laut nach Maite gerufen, um von Ermengilda zu erfahren. Es gelang ihm jedoch, seine Ungeduld zu zähmen und zu warten, bis sie sich von selbst meldete.

Ein leiser Pfiff ließ ihn aufhorchen. Doch bevor er etwas sagen konnte, hörte er, wie nicht weit von ihm etwas auf den Boden fiel. Er blickte hin und entdeckte ein kleines, primitiv gefertigtes Beutelchen. Rasch bückte er sich danach, hatte aber genug Verstand, so zu tun, als zupfe er ein Unkraut aus und stecke es in einen Sack. Dabei schob er das Beutelchen unter seinen Kittel. Ihm juckte es in den Fingern, nachzusehen, was darin war. Da er jedoch keinen Verdacht erregen durfte, verzichtete er darauf, sondern tat so, als suche er unter Maites Fenster nach Unkraut. Da hörte er sie leise rufen.

»Morgen ist der Tag der Entscheidung! Du musst sehr viel Wein besorgen. Wenn wir geschickt und schnell sind, wird unser Vorhaben gelingen.«

Mehr konnte Maite nicht sagen, da eine der Sklavinnen in ihre Kammer trat. Seit Tahir und seine Gehilfinnen gemerkt hatten, dass die neue Frau ihres Herrn nicht vorhatte, ihnen mit dem erbeuteten Dolch die Kehle durchzuschneiden, trauten sie sich wieder zu ihr und kamen zumeist in jenen Augenblicken herein, in denen es Maite überhaupt nicht passte. Nun hoffte sie, dass Konrad alles verstanden hatte und das Richtige in die Wege leitete. Dabei beantwortete sie freundlich die Frage, welche Speisen in der Küche für Ermengildas Besuch vorbereitet werden sollten.

Als die Sklavin nach vielem Nachfragen endlich ging, hatte Konrad den Garten bereits verlassen, und sie konnte nicht mehr tun als beten.

Maites knappe Auskunft hatte ausgereicht, Konrad die Situation begreiflich zu machen. Allerdings fielen ihm jetzt mindestens ein Dutzend Gründe ein, weshalb ihr Vorhaben scheitern musste, und in einem Anfall von Kleinmut überlegte er bereits, ob er es nicht abblasen und auf eine bessere Gelegenheit warten sollte. Der Gedanke jedoch, dass Ermengilda bis dorthin dem Emir wie ein angetrautes Eheweib würde gehorchen müssen, fegte seine Bedenken schließlich hinweg.

Das erste Problem war, dass er Fadl Ibn al Nafzis Diener dazu bringen musste, ihn am nächsten Tag Wein holen zu lassen. Um das zu erreichen, unterbrach er immer wieder die ihm zugewiesene Arbeit und stöhnte zum Steinerweichen.

Schließlich wurde der Verwalter Zarif darauf aufmerksam. »Was ist denn los mit dir?«, fragte er ärgerlich.

»Es tut so weh! Wenn es bis morgen nicht besser wird, muss ich wieder zum Juden!«

»Dann kannst du gleich unsere Medizin mitbringen«, rief einer der anderen Männer sofort.

Ein anderer verzog das Gesicht. »Ausgerechnet morgen, wenn die Leute vom Palast hier sind? Die würden doch mittrinken wollen.«

Konrad wurde flau vor Angst, die Männer würden aus diesem Grund ablehnen, Wein zu trinken. Doch da hob Zarif die Hand.

»Wenn die Nebenfrau des Emirs unseren Harem aufsucht, gebietet es die Höflichkeit, sie und auch ihre Begleiter gut zu bewirten. Unser ruhmreicher Herr wird uns daher nicht tadeln, wenn wir für diesen Anlass einige Dirhem mehr ausgeben als sonst. Du«, sein Zeigefinger stach auf Konrad zu, »wirst morgen früh Wein holen. Er muss für alle reichen, verstehst du?«

»Ich komme mit!« Ermo witterte einen guten Verdienst, kam aber bei Zarif schlecht an.

»Du bist beim letzten Mal betrunken zurückgekommen. Daher bleibst du hier und fegst den Hof. Danach kannst du Feuerholz und Wasser für den Koch holen.«

Zähneknirschend musste Ermo sich fügen, während Konrad am liebsten vor Freude gejubelt hätte. Damit konnte Ermo ihm bei seinem Gespräch mit Eleasar nicht in die Quere kommen. Er wusste zwar, dass er mehrmals würde laufen müssen, um die geforderte Menge an Wein heranzuschaffen, doch dies war ein geringer Preis für seine und Ermengildas Freiheit.

13.

Ein rüder Fußtritt riss Konrad aus einem Traum, in dem er gerade Ermengilda küsste und auf das Bett legen wollte. Aufstöhnend schrak er hoch und blickte in Ermos boshaft verzogenes Gesicht.

»Sieh zu, dass du an die Arbeit kommst, du Faulenzer! Die Sänfte mit der Frau des Emirs erscheint gleich.«

Konrad rieb sich die schmerzende Seite und wünschte sich, Ermos Bosheiten endlich einmal handgreiflich beantworten zu können. Doch der Verwalter ahndete alle Streitigkeiten sofort mit der Peitsche. Zudem wollte er Zarif nicht ausgerechnet an diesem Tag verärgern. Daher drehte er sich um und verließ die Kammer, ohne Ermo eines Blickes zu würdigen. Er wurde sofort entschädigt, denn kaum befand er sich in dem gekachelten Raum, in dem die Männer sich wuschen, vernahm er von draußen die zornige Stimme des Verwalters, der Ermo mit rüden Worten auf den Hof trieb.

Konrad hatte sich kaum gewaschen, da tauchte Zarif neben ihm auf und zählte ihm mehrere Dinare in die Hand.

»Hier! Sag aber dem Juden, dass wir besseren Wein als den verlangen, den er uns sonst verkauft.«

»Sehr wohl, Herr.« Konrad verbeugte sich rasch, damit der andere das Aufblitzen in seinen Augen nicht sehen sollte. Auch

Zarif zählte zu jenen, denen er liebend gerne ein paar Zähne ausgeschlagen hätte.

Der Verwalter versetzte ihm einen Stoß. »Geh jetzt! Unsere Gäste werden gleich erscheinen.«

Das ließ Konrad sich nicht zweimal sagen. Zum ersten Mal wurde es ihm erlaubt, Fadls Anwesen allein zu verlassen. Er atmete tief durch, als der Türsteher das Tor hinter ihm schloss und er sich auf der schmalen Gasse wiederfand. Unwillkürlich drehte er sich um und betrachtete Fadls Anwesen von der anderen Straßenseite. Von außen machte es nicht viel her. Die Mauer war hoch, grau und fensterlos. Es gab nur ein einziges Tor, das jedoch groß genug war, einen Reiter passieren zu lassen. Jemand, dem die hiesigen Verhältnisse fremd waren, hätte wohl kaum vermutet, dass sich hinter diesem abweisenden Äußeren der weitläufige Wohnsitz eines der engsten Vertrauten des Emirs verbarg.

Erleichtert, weil er die düsteren Mauern bald für immer hinter sich lassen würde, reihte Konrad sich in den Strom der Passanten ein, die in dieselbe Richtung gingen wie er. Es handelte sich meist um Sklaven, Diener und Handwerker. Auch einige Frauen waren darunter, Sklavinnen in schlichten Kleidern und mit offenen Haaren sowie Weiber aus ärmeren Verhältnissen, die mit einer Hand ihr Kopftuch vor dem Gesicht zusammenhielten, damit kein Fremder es sehen konnte.

Bis jetzt waren die Mauren für ihn schwertschwingende Heiden gewesen, die es auf dem Schlachtfeld zu besiegen galt. Aber die Menschen um ihn herum konnte er nicht als Feinde betrachten.

Konrad wunderte sich über die Wege, die seine Gedanken einschlugen, und war erleichtert, als Eleasars Haus vor ihm auftauchte. Wie alle anderen Gebäude hatte es ebenfalls keine Fenster zur Straße hin. Es war nur wenige Schritte breit, und die Räume waren um einen winzigen Innenhof gruppiert.

Auf sein Klopfen hin öffnete ihm Amos, der kleine Mohr, und hinter dem Jungen wartete bereits Eleasar auf ihn. Der Arzt musterte Konrad und las in seinen Zügen, dass der Mann noch heute die Flucht antreten wollte. Daher war er erleichtert, nicht schon am Morgen zu einem Kranken gerufen worden zu sein.

»Du kommst heute sehr früh zu mir, Franke. Treiben dich deine Schmerzen oder der Durst von Fadls Männern?«

»Der Durst! Ich muss mit dir reden, Eleasar. Ich habe …«

Weiter kam Konrad nicht, denn der Arzt unterbrach ihn mit einem Seitenblick auf den Jungen. »Während du das tust, kann Amos den Wein besorgen. Wie viele Krüge brauchst du diesmal?«

»Etliche. Fadls Verwalter will heute ein Fest feiern.«

»Was denn für ein Fest?«, fragte Eleasar verwundert, da keiner der muslimischen Feiertage bevorstand.

»Das ist mir nicht bekannt. Vielleicht hat er gute Nachricht von seinem Herrn erhalten.« Konrad war nicht wohl dabei, zu lügen, aber er wollte unter allen Umständen verhindern, dass der Arzt von Ermengildas Besuch erfuhr.

Zu seiner Erleichterung fragte Eleasar nicht nach, sondern begann, um den Preis für den Wein zu feilschen. Konrad hätte ihm am liebsten das ganze Geld hingelegt, das er von Zahir erhalten hatte, und ihm gesagt, er solle ihm dafür so viel Wein geben, wie es ihm gefiel.

Der Arzt wollte jedoch auf das Vergnügen des Feilschens nicht verzichten. Außerdem fiel Konrad ein, dass er den Wein nicht teurer kaufen durfte, als Ermo dies in der Vergangenheit getan hatte. Wenn er zu wenig Wein für das erhaltene Geld brachte, würde Zahir denken, er hätte den Rest in die eigene Tasche gesteckt. Das machten zwar alle Knechte im Haus, aber bei ihm würde man sofort annehmen, dass er es für die Flucht benötigte.

Daher dauerte es eine Weile, bis sie handelseinig geworden

waren und der Arzt Amos losschicken konnte. Nun bat er Konrad, ihm nach oben zu folgen.

»Ich musste deinen Redefluss bremsen, denn Amos braucht nicht zu wissen, was du planst«, erklärte er, während er sich Konrads Narben ansah. »Es ist fast vollständig verheilt. Ich werde dir eine Salbe mitgeben, damit du deine Haut unterwegs pflegen kannst.«

»Danke! Hier sind die Edelsteine. Glaubst du, sie reichen für alles?« Konrad streckte ihm dabei das Beutelchen hin, das er von Maite erhalten hatte.

Der Arzt öffnete es und schüttete den Inhalt auf seine freie Hand. Beim Anblick der präzise geschliffenen Steine weiteten sich seine Augen. »Beim Herrn der Heerscharen Israels, hast du etwa die Schatztruhe deines Herrn erbrochen?«

»Nein! Ich habe sie beim Unkrautrupfen im Garten gefunden.« Das entsprach nicht ganz der Wahrheit, war aber auch nicht gelogen.

Eleasar bedachte Konrad mit einem anerkennenden Blick. »Du bist unter einem guten Stern geboren worden, Franke, denn selbst das Elend schlägt dir noch zum Glück aus. Doch warte hier, ich bringe die Steine zu einem Freund und lasse sie schätzen.«

»So viel Zeit habe ich nicht! Fadls Männer warten auf den Wein. Wahrscheinlich muss ich mehrmals laufen, und beim nächsten Mal brauche ich auch die anderen Sachen, die du mir versprochen hast.«

Eleasar hob die Hand. »Versprochen habe ich dir gar nichts. Ich habe dir nur gesagt, wo Dinge zu finden sind, die dir nützlich sein könnten.«

»Kannst du mir vielleicht auch sagen, wo ich ein Mittel finde, das ich dem Wein beimischen kann, damit Fadls Männer länger schlafen?«, fragte Konrad angespannt.

Das Gesicht des Arztes verschloss sich. »Das werde ich nicht tun. Merkt nämlich nur einer, dass der Wein mit einem Betäubungsmittel versetzt ist, fällt der Verdacht unweigerlich auf mich. Nein, Franke, du wirst der Kraft des Weines und deinem guten Stern vertrauen müssen.«

Die Abfuhr war schmerzlich, doch Konrad verstand die Beweggründe des Arztes. »Dann muss es halt so sein«, sagte er gepresst.

Eleasar nickte und wies zur Tür. »Wenn Amos den Wein gebracht hat, werde ich mich mit ihm zu meinen Patienten aufmachen. Ich lasse die Türe offen, damit du die restlichen Krüge holen kannst. Keine Angst, das fällt nicht auf. Ich sperre nur selten zu, wenn ich gehe, damit Kranke hereinkommen und auf mich warten können. Ach ja, zwei Dinge will ich dir noch mitgeben.«

Eleasar ging zu einer Truhe, öffnete sie und holte eine schmale Ledertasche heraus. Als er sie öffnete, enthielt sie ein Papyrus mit Schriftzeichen, die Konrad keiner Sprache zuordnen konnte, sowie ein Stück dünn geschabtes Leder.

»Hier steht, dass dir Simeon Ben Jakob aus dem Dorf Al Manum zwei Esel geben soll. Das Dorf liegt einige Meilen flussabwärts am nördlichen Ufer des Wadi al Kebir. Du kannst es nicht verfehlen. Die Moschee steht auf einem Felsen direkt über dem Fluss. Simeons Haus ist von dort aus gesehen das dritte zur linken Hand. Das andere ist ein auf Kamelhaut geschriebener Pass für einen jüdischen Sklavenhändler aus dem Frankenreich, der hier verstorben ist. Ich weiß mit dem Ding nichts anzufangen, aber dir könnte es nützlich sein. Der Name darauf lautet auf Issachar Ben Juda. Doch nun geh mit Gott! Ich höre den Jungen zurückkommen.«

»Und mein Geld?«, rief Konrad verzweifelt.

»Das wirst du im Nebenzimmer bei den Kleidern finden.« Mit diesen Worten schob Eleasar den Franken zur Tür hinaus und forderte ihn auf, die ersten Weinkrüge mitzunehmen.

14

*A*ls Konrad durch das offene Tor in den Innenhof von Fadl Ibn al Nafzis Anwesen trat, prallte er förmlich zurück. Fast zwei Dutzend Krieger aus der Garde des Emirs standen da, dazu sah er zwei Eunuchen geschäftig herumwieseln. Wie es aussah, war Ermengilda bereits eingetroffen. Für so viele Männer, wie hier versammelt waren, würde der Wein niemals reichen. Außerdem musste er damit rechnen, dass die Soldaten die Gesetze ihres Glaubens strenger auslegten als Fadls Gesinde. Noch während er wie versteinert dastand, schoss der Verwalter Zarif auf ihn zu.

»Da bist du ja endlich! Schaff die Medizin in den Keller und hilf dann mit, Sorbet an die tapferen Krieger des Emirs auszuschenken!«

In dem Augenblick fühlte Konrad eine eisige Hand an seinem Herzen. Der Mann würde doch nicht etwa jemand anderen losschicken, um den restlichen Wein zu holen? Dann war alles verloren.

»Aber ich habe doch nicht alle Medizin mitbringen können!«, rief er erschrocken.

»Die kannst du nachher holen. Unsere Gäste wollen zum Palast zurückkehren. Also tummle dich, damit sie ihre Erfrischungen erhalten.«

Konrad fiel ein Stein vom Herzen. Wenn die Soldaten des Emirs, die Ermengilda hierher eskortiert hatten, das Haus bald verließen, konnte der Plan gelingen. Rasch trug er den Wein in den kühlen Keller, und anschließend half er mit, den Fruchtsaft, den die Sklavinnen in aller Eile gepresst hatten, in Trinkgefäße zu füllen. Er gab ein wenig zerstoßenes Eis dazu, welches im Winter aus den nahen Bergen geholt und im untersten Keller gelagert wurde, und teilte die Becher aus. Zu seiner Erleichterung hielten die Männer des Emirs sich nicht lange auf, sondern tranken hastig aus und folgten dann ihrem bereits ungeduldig werdenden Anführer.

»Wenn die Dame in den Palast zurückkehren will, schickt einen Boten«, rief der Mann Zarif noch zu, dann verschwanden die Soldaten wie ein Nebelstreif in der Sonne.

Nur die beiden Palasteunuchen blieben zurück, denn sie hatten von Tahir erfahren, dass es an diesem Tag einen ganz besonderen Genuss geben würde. Der Eunuch schickte Konrad auch sofort in den Keller, um den ersten Weinkrug zu holen. Danach gesellten die drei Verschnittenen sich zu Zarif und den Knechten, und Konrad musste mit seinem Krug herumgehen, um allen einzuschenken.

»Es ist gut, dass die Herrin Ermengilda die Nacht über bleiben will. Damit haben wir genug Zeit, um dieses köstliche Getränk zu genießen«, sagte einer der Eunuchen und schlürfte genüsslich den Wein.

Auch Zarif trank und hielt dann Konrad den leeren Becher hin. »Komm, Sklave, trödle nicht, sondern schenk ein.«

Konrad tat es, drückte dann aber den Krug Ermo in die Arme.

»Schenk du weiter ein! Ich muss fort und den restlichen Wein holen. Eleasar will nämlich seine Kranken aufsuchen.«

»Dann lauf gefälligst!«, befahl der Verwalter ihm und trank seinen Becher ein weiteres Mal leer.

Erleichtert eilte Konrad zum Haus des Arztes und trat ein. Um nicht von einem Kranken überrascht zu werden, der Eleasar aufsuchen wollte, schob er den Riegel vor und hastete in den ersten Stock. Als er die Tür des Nebenzimmers aufdrückte, fand er die Kammer sauber aufgeräumt vor. Im ersten Augenblick glaubte er, der Arzt hätte ihn betrogen, doch dann wurde er auf eine Truhe aufmerksam, deren Deckel leicht schräg stand. Er öffnete sie und sah mehrere zusammengefaltete Kleidungsstücke darin. Als er diese herausnahm, rutschte ein aus Stoff gefertigter Beutel heraus und fiel auf den Boden.

Dabei klirrte es, und Konrad zuckte erschrocken zusammen. Er fasste sich jedoch wieder, hob den Beutel auf und steckte ihn unter sein Hemd. Wie viel Geld darin steckte, wusste er nicht, aber in dem Augenblick hätte er die Flucht sogar mit drei Dirhems in der Hand angetreten.

Die Kleidung unterschied sich kaum von der Tracht, die einfache Moslems trugen. Für ihn selbst gab es ein langes Hemd und einen ebenso langen Überrock. Dazu kamen ein Umhang für kalte Nächte sowie feste Sandalen und eine Filzmütze, um die ein Tuch gewickelt war. Es war die Gewandung eines Mannes, der es gewohnt war zu reisen. Konrad fand auch eine zweite Männerbekleidung, legte diese aber beiseite und suchte sich nach dem Vorbild der für ihn zurechtgelegten Frauentracht noch eine weitere zusammen. Jetzt musste er die Kleidung nur noch in Fadl Ibn al Nafzis Haus schmuggeln. Kurzerhand steckte er alles in einen leeren Korb und stellte die restlichen Weinkrüge darauf. Er wollte das Haus schon verlassen, als ihm der Saft einfiel, mit dem man seine Haut dunkler färben konnte. Es dauerte einen Augenblick, bis er sich daran erinnerte, wo dieser sich befinden sollte. Dann fand er ihn auf Anhieb, steckte ihn zu den anderen Sachen und verließ vor Anspannung zitternd das Haus. Auf dem Rückweg dachte er bedauernd, dass er sich nicht von Eleasar hatte verabschieden können. Aber er verstand, dass der Mann jeden Verdacht vermeiden wollte, sein Mitwisser oder gar Helfer zu sein.

15.

In Fadls Haus war die Zecherei unterdessen in vollem Gange. Die Männer begrüßten Konrad lärmend und forderten ihn auf, ihnen nachzuschenken. Ermo saß bei ihnen, als gehöre er seit Urzeiten dazu. Jetzt aber stand er auf und drängte Konrad, als dieser die übrigen Weinkrüge in den Keller tragen wollte, gegen die Wand.

»Wie viel Geld hast du dem Juden abgeluchst?« Dabei tastete er nach Konrads Gürtel. Dieser schob die Hand energisch zurück.

»Ich habe dem Arzt alles gegeben und dafür Wein bekommen! Du kannst ihn ja morgen fragen.«

Ermo sah Konrad an, als zweifle er an dessen Verstand, und ließ ihn mit einer verächtlichen Geste los. »Du hast wohl nicht begriffen, dass das hier die beste Gelegenheit für uns ist! Diese Heiden saufen so, dass sie vor morgen nicht erwachen werden. Bis dahin aber sind wir längst über alle Berge. Geh jetzt und sorge dafür, dass den Kerlen der Wein nicht ausgeht. Vergiss aber auch die Weiber nicht. Ich habe nämlich keine Lust, dass die Sklavinnen Alarm schlagen, wenn sie entdecken, dass wir verschwunden sind.«

Daran hatte Konrad noch gar nicht gedacht. Fadl Ibn al Nafzis Sklavinnen konnten ihn und die beiden Frauen zwar nicht aufhalten, aber verraten. Daher mussten auch sie ausgeschaltet werden.

»Ich bringe den Weibern einen Krug«, versprach er Ermo. Dieser nickte zufrieden. »Tu das. Und sieh zu, dass alle trinken!«

Mehr konnte Ermo nicht sagen, denn Zarif rief erneut nach Wein. Konrad packte einen Krug und schenkte dem Verwalter ein. Ermo setzte sich wieder zu den Knechten und tat so, als halte er kräftig mit. Konrad aber sah, wie er den Wein heimlich in die Ecke des Sofas fließen ließ, auf dem er saß. Als die Flüssigkeit schließlich auf den Boden tropfte und sich vor dem Sofa ausbreitete, lachten alle schallend.

Nur Zarif maß Ermo mit einem ärgerlichen Blick. »Wie es aussieht, verträgst du den Wein nicht, Franke, da du ihn nicht bei dir behalten kannst. Du wirst nachher hier alles aufwischen und das Sofa reinigen! Und jetzt verschwinde und schlag dein restliches Wasser woanders ab.«

Im ersten Augenblick wollte Ermo auffahren. Doch im nächsten Moment begriff er, dass der Befehl des Verwalters ihn davon befreite, weiter mittrinken zu müssen, und zog scheinbar schuldbewusst ab.

Konrad verließ ebenfalls die Zecher, nahm aber einen Weinkrug mit, den er zu den Sklavinnen bringen wollte. Er durchquerte dabei die Räume, die Fadl Ibn al Nafzi bewohnte, wenn er in Córdoba weilte, und klopfte schließlich gegen die schmucklose Tür, die den Harem abtrennte.

Einige Augenblicke lang tat sich nichts, dann hörte er, wie innen der Riegel zurückgeschoben wurde. Eine der Sklavinnen öffnete die Tür einen Spalt und steckte den Kopf heraus. Als sie Konrad sah, wurde ihre Miene abweisend.

»Du hast hier nichts verloren!«

»Verzeih, aber Zarif schickt mich. Er und seine Freunde feiern ein Fest und wollen nicht, dass ihr darben müsst.«

»Was hast du in deinem Krug?«, fragte die Frau immer noch verkniffen.

»Den Saft aus den Beeren des Paradieses. Trinkt ihn, dann werden eure Herzen leicht, und all euer Kummer vergeht.« Da er nur wenige Worte Maurisch beherrschte, verwendete Konrad die Sprache der christlichen Spanier. Zum Glück verstand die Sklavin ihn und nahm ihm den Krug ab. Als sie ihn verabschiedete, klang sie weitaus freundlicher.

Konrad hörte, wie sie den Riegel vorschob, und hoffte, dass er die Türe später nicht würde aufbrechen müssen. Das Türblatt war so massiv, dass der Lärm, den er machen musste, selbst Tote aufwecken würde. Als er in den Raum zurückkehrte, in dem die Männer zechten, lagen schon die Ersten am Boden und schnarchten. Tahir, der feiste Eunuch, hockte auf einem Kissen und schwankte, versuchte aber dennoch, den Becher zum Mund zu führen. Auch Zarif war bereits arg betrunken und verschüttete mehr als die Hälfte seines Bechers, während er trank.

»Der Mistbock ist auch gleich so weit!« Wie aus dem Nichts tauchte Ermo neben Konrad auf. Er hatte die Zeit genützt, sich im Haus bessere Kleidung zu besorgen, um nicht als Sklave erkannt zu werden. An seiner linken Hüfte hing ein Krummschwert, und im Gürtel stak ein Dolch. Mehr als Kleidung und Waffen schien er jedoch nicht gefunden zu haben, denn er trat jetzt zu den Schläfern und durchsuchte ihre Gürtel und Schärpen. Er brachte etliche Münzen zum Vorschein und steckte sie in seinen Gürtel. Zuletzt trat er neben Tahir, der zwar noch lallte, aber nicht mehr begriff, was um ihn herum geschah. Auch ihm nahm Ermo das Geld ab und ging dann zum Verwalter. Zarif trug als Einziger einen richtigen Geldbeutel am Gürtel. Ermo trennte diesen mit einem raschen Schnitt ab und wog ihn in der Hand.

»Ich glaube, damit komme ich durch das Land und über die Grenze.« Er besann sich kurz und warf dann Konrad die Handvoll Münzen zu, die er den anderen Betrunkenen aus den Gürtelfalten gezogen hatte.

»Hier! Ich will ja nicht so sein. Wenn du klug bist, verschwindest du jetzt ebenfalls. Allerdings sollten wir nicht zusammen fliehen. Die Mauren werden genau das annehmen und daher einem einzelnen Reiter weniger Aufmerksamkeit schenken als einem Paar.« Für Augenblicke tanzte Ermos Klinge vor Zarifs Kehle, dann zog er den Dolch zurück und steckte ihn wieder ein.

»Der Kerl ist es nicht wert, dass ich mir seinetwegen Blutrache auf den Hals lade. Und jetzt leb wohl, Konrad vom Birkenhof! Ich wünsche dir Glück. Vielleicht sehen wir uns in der Heimat wieder. Zwar werde ich dich dann genauso wenig leiden mögen wie jetzt, aber vielleicht können wir dort vernünftig miteinander umgehen.« Ermo winkte Konrad noch kurz zu und verschwand dann in Richtung Stall.

Konrad beobachtete, wie der andere zwei Stuten ins Freie führte und sattelte. Danach stieg er auf eines der Tiere und lenkte es, die andere Stute am Zügel führend, zum Tor. Das öffnete er vom Sattel aus und ritt die Gasse hinab, ohne sich noch einmal umzuschauen.

Für Augenblicke war Konrad wie gelähmt. Dann aber rannte er, so schnell er konnte, zum Tor und schloss es wieder. Während er ins Haus zurückhastete, gingen ihm Ermos letzte Worte über eine glückliche Heimkehr für sie beide durch den Sinn. Seltsamerweise schienen sie ernst gemeint gewesen zu sein.

Auch ich wünsche uns beiden eine glückliche Heimkehr, dachte er und machte sich ans Werk.

16

Maite stellte bei der Begrüßung besorgt fest, dass Ermengilda viel zu unruhig war. Man konnte ihr schon an der Nasenspitze ansehen, dass etwas nicht stimmte. Die Blicke der Asturierin schweiften unruhig umher, und sie stieß immer wieder unzusammenhängende Wortfetzen aus. Dabei bebte sie am ganzen Leib.

»Reiß dich zusammen!«, herrschte Maite die Freundin an, nachdem die Sklavin, die sie bedienen sollte, den Raum verlassen hatte, um Sorbet zu bereiten.

»Ich habe Angst! Beim Heiland, was ist, wenn man uns entdeckt und wieder einfängt? Ich will lieber mit meinem ungeborenen Kind sterben, als erneut in einen Harem gesteckt zu werden.«

»Dir ist es im Harem des Emirs nicht schlechter ergangen als manch einer Ehefrau! Ich hingegen ...« Maite beendete den

Satz nicht, doch ihre Miene verriet, dass sie Fadl Ibn al Nafzi nicht weniger hasste als Okin.

»Ich hoffe, Konrad macht alles richtig. Ich mag es gar nicht, auf andere angewiesen zu sein!« Maite legte die Finger um den Dolchgriff und schwor sich, eher von eigener Hand zu sterben, als dem Berber noch einmal zu Willen zu sein.

Sie vertrieb diesen Gedanken mit einem gekünstelten Lachen, fasste Ermengilda am Arm und zog sie auf das Sofa. Ihr Versuch, ein Gespräch zu beginnen, scheiterte jedoch, da ihre Freundin vor Angst kein Wort herausbrachte und sie sich selbst dabei ertappte, bei jedem Geräusch im Haus zusammenzuzucken.

Nach einer Weile brachte die Sklavin Sorbet und fragte, ob die Herrin noch weitere Befehle für sie habe.

Maite winkte ab. »Wir kommen schon zurecht. Du kannst gehen!«

Die Sklavin lief so schnell davon, als hätte sie Angst, dass Maite es sich anders überlegte, und ließ die beiden Freundinnen allein. Für einige Augenblicke herrschte Schweigen, dann rang Ermengilda mit einer verzweifelten Geste die Hände. »Wie lange wird Konrad brauchen?«

»Bis die Kerle besoffen sind! Hoffentlich denkt er auch an die Weibsbilder, die hier umherschwirren. Wenn er einfach nur versucht, die Tür zum Harem aufzubrechen, fangen die an zu schreien.« Maite ärgerte sich über sich selbst, weil ihr jetzt erst die Probleme bewusst wurden, an die Konrad sicher nicht gedacht hatte. Nicht zum ersten Mal wünschte sie sich, die Sache selbst in die Hände nehmen zu können. Sie traute sich zu, in jeder Situation eine Lösung zu finden, selbst wenn dieser eingebildete Franke schon längst gescheitert war. Schließlich hielt sie das Warten nicht mehr aus und stand auf.

»Was hast du vor?«, fragte Ermengilda, als Maite zur Tür ging.

»Ich will nach den Mägden schauen. Vielleicht können wir sie überlisten und irgendwo einsperren.«

»Was ist, wenn es uns nicht gelingt und sie fragen, weshalb wir deine Gemächer verlassen haben?«

»Dann sagen wir einfach, wir wollen in den Garten gehen. Wichtig ist nur, dass wir den Riegel an der Haremstür öffnen können.« Maite atmete kurz durch, um sich selbst Mut zu machen, und trat dann in den Vorraum. Dort war alles ruhig. Als sie weiterging und die Kammer erreichte, in der die Sklavinnen hausten, hörte sie diese kichern und lachen. Angespannt öffnete sie die Tür und sah die Frauen auf Kissen sitzen. Ein großer Becher, den sie aus einem Krug nachfüllten, machte die Runde.

Mit einem zufriedenen Lächeln auf den Lippen schloss Maite die Tür wieder. »Manchmal ist Konrad doch zu etwas zu gebrauchen«, raunte sie Ermengilda ins Ohr.

Dann lief sie auf Zehenspitzen zur Verbindungstür, die den Harem von Fadls privaten Gemächern abtrennte, und öffnete sie lautlos. Nur einen Lidschlag später stand sie in den Räumen des Hausherrn. Da Abdul, der Vorbesitzer des Hauses, nur selten in Córdoba geweilt hatte, waren die Zimmer nur spärlich eingerichtet. Maite und Ermengilda entdeckten nicht mehr als ein Bett, zwei Truhen und einen Diwan mit einem kleinen Tischchen davor.

Zu ihrer Überraschung stand eine der Truhen offen. Jemand hatte sich bei den darin liegenden Gewändern bedient. Der Anblick brachte Maite auf eine Idee.

»Warte einen Augenblick«, sagte sie zu Ermengilda und huschte rasch in den Harem zurück. In aller Eile durchsuchte sie die Kammern und entdeckte schließlich eine Truhe, die in einem dunklen Winkel stand. Sie machte diese auf und hätte am liebsten gejubelt. Zwar hielt sich keines von Abduls Weibern mehr im Haus auf, aber dennoch gab es hier noch Kleider von ihnen.

Ermengilda war ihr gefolgt und vertauschte auf ihren Befehl hin ihr prachtvolles Gewand aus blauer Seide mit einer weitaus schlichteren Tracht, die aus Hemd, Kaftan und Übermantel bestand, und wickelte auch Kopftuch und Schleier um den Kopf, ohne die eine Frau, die keine Sklavin war, nicht auf die Straße gehen durfte.

Maite kleidete sich ähnlich und nickte Ermengilda auffordernd zu. »Es ist still geworden im Haus. Ich glaube, wir können es wagen, nach unten zu gehen.«

Ihre Freundin nickte, obwohl sie sich alles andere als mutig fühlte. »Hast du nichts Besseres als diesen Zierdolch?«

Maite wog die Waffe in der Hand. »Der dürfte reichen!«

Als sie wieder in die Räume des Hausherrn kamen, sah Ermengilda sich dennoch nach etwas Brauchbarerem um und entdeckte in der zweiten Truhe mehrere Schwerter und Dolche, die in feine Decken gehüllt waren. Auch diese Kiste war durchwühlt worden. Zuoberst lag ein Beuteschwert mit gerader Klinge, das Fadl Ibn al Nafzi aus dem Roncesvalles mitgebracht hatte.

»Die ist für Konrad!«, sagte Ermengilda und wollte die Waffe an sich nehmen.

»Bist du närrisch geworden?«, fuhr Maite sie an. »Wir müssen über Hunderte von Meilen durch maurisches Land reisen, und da willst du ihm ein Frankenschwert umhängen? Auffälliger geht es wohl wirklich nicht.«

»Ich fürchte, du hast recht«, antwortete Ermengilda kleinlaut und griff nach einem prächtigen Krummsäbel, dessen Scheide und Knauf mit Edelsteinen geschmückt waren.

»Das ist doch keine Waffe, die zum Kampf taugt!«, spottete Maite.

Sie ließ Ermengilda jedoch ihren Willen. Vorsichtig stiegen sie die Treppe nach unten. Schon von weitem scholl ihnen lautes Schnarchen entgegen, und als sie in den Raum traten, in dem

Fadls Diener gefeiert hatten, schliefen diese so fest, dass nicht einmal ein Donnerschlag sie hätte aufwecken können. Nur Konrad stand noch auf den Beinen, aber er schien im Augenblick nicht recht zu wissen, wie es weitergehen sollte.

Als er die beiden verschleierten Frauen auf sich zukommen sah, nahm er an, es handle sich um zwei von Fadls Sklavinnen, und glaubte schon alles verloren. Da lüftete Maite ihren Schleier und stieß einen glucksenden Laut aus. »Du hast auch schon einmal klüger ausgesehen!«

»Maite? Und Ermengilda?« Als die Asturierin ebenfalls den Schleier hob, stürzte Konrad auf sie zu und schloss sie in die Arme. »Ich bin so glücklich, dich wiederzusehen!«

Früher hatte er Ermengilda nur aus der Ferne bewundern dürfen, und als er nun ihren warmen Leib in seinen Armen spürte, packte ihn ein fast unstillbares Verlangen nach ihr. Es war jedoch weder der richtige Ort noch die Zeit, sich seiner Leidenschaft hinzugeben, daher ließ er sie schnell wieder los.

»Ich bin froh, dass ihr den Harem verlassen konntet. Wenn ich die Tür hätte aufbrechen müssen, wäre der Lärm bis zu den Nachbarn gedrungen.«

»Rede nicht so viel, sondern sorg dafür, dass wir verschwinden können!«, fuhr Maite ihn an. Es ärgerte sie, dass Konrad nur Augen für Ermengilda hatte und sie völlig missachtete.

»Ich habe jüdische Tracht besorgt. In der können wir am unauffälligsten reisen. Wartet in dem Raum da drüben! Ich hole die Sachen, damit wir uns umziehen können.« Mit diesen Worten verschwand Konrad und betrat kurz darauf mit einem Korb in der Hand das genannte Zimmer.

Als er sie herausziehen wollte, legte Maite ihm die Hand auf den Arm. »Lass das! Geh und such dir einen Kittel, wie ihn die anderen Knechte hier tragen. Oder willst du, dass jemand, der zufällig sieht, wie wir das Haus verlassen, gleich angeben kann, in welcher Kleidung wir quer durch Spanien fliehen wollen?«

»Du hast natürlich recht!« Konrad senkte beschämt den Kopf und schlich davon, um seinen Sklavenkittel gegen ein Hemd und einen Mantel zu vertauschen.

»Du brauchst auch eine Kopfbedeckung«, rief Maite ihm nach und schlich noch einmal zu dem Raum hinüber, in dem Fadls Männer gezecht hatten. Dort lagen die Betrunkenen in wildem Durcheinander am Boden. Keiner von ihnen war in der Lage, auch nur ein Auge zu öffnen. Die Leute würden ihre Flucht nicht einmal wahrnehmen, geschweige denn, sie verhindern können.

»Konrad hat seine Sache besser gemacht, als ich erwartet habe«, lobte Maite den Franken, als sie wieder zu Ermengilda zurückkehrte. Dann sah sie, dass ihre Freundin sich mit einer Hand den Mund zuhielt und mit der anderen die Schwertscheide umklammerte, als gäbe sie ihr Halt.

»Das Ding hilft dir nicht! Nimm einem der Männer da drüben den Dolch ab, damit du nicht wehrlos bist«, riet Maite ihr.

Ermengilda nickte, blieb aber stocksteif stehen.

Maite seufzte, lief noch einmal hinüber und wählte den recht schmucklosen Dolch, der im Gürtel des Verwalters steckte.

»Der müsste gehen. Eine wertvollere Waffe könnte auffallen.« Sie reichte Ermengilda den Dolch und nahm ihr den juwelenbesetzten Säbel ab, den die Asturierin immer noch umklammerte. Besorgt musterte sie das Ding. Der Säbel stellte wahrlich keine Waffe für einen einfachen Reisenden dar.

»Wo Konrad nur bleibt? Er weiß doch, dass wir rasch handeln müssen.« Kaum hatte Maite die Worte hervorgestoßen, tauchte der junge Mann auf.

»Sollen wir die Sklavinnen und die Männer fesseln, damit sie unser Verschwinden nicht so rasch melden können?«

Maite schüttelte den Kopf. »Die kommen nicht so schnell zu sich, und wenn einer erwacht, wird er nur an seinen schmerzenden Kopf denken. Findet er sich jedoch in Fesseln wieder, weiß er, dass etwas Schlimmes passiert ist, und wird alles tun, um andere auf sich aufmerksam zu machen.«

»Du hast recht!« Konrad griff nach dem geschmückten Schwert, das sie ihm hinhielt, und wollte es an der Hüfte befestigen.

Doch Maite tippte sich an die Stirn. »Hast du noch alle fünf Sinne beisammen? Wenn jemand diese Waffe bei einem einfach gekleideten Mann sieht, wird er denken, sie sei gestohlen, und die Stadtwachen rufen.«

Konrad zog ein Gesicht, als hätte sie ihn eben geohrfeigt. Er wollte das Haus nicht ohne Waffe verlassen, außerdem reizte es ihn, dieses prachtvolle Schwert als Beute mitzunehmen. Es war mehr wert als der gesamte Besitz seines Vaters, und der galt bereits als einer der größten in seinem Heimatgau.

Ermengilda spürte seinen Zwiespalt, schüttelte sich, als müsse sie ihre Angst abstreifen, und nahm einen der Überwürfe vom Haken, mit denen die Knechte bei schlechterem Wetter nach draußen zu gehen pflegten. »Vielleicht solltest du das Schwert darin einwickeln.«

Konrad befolgte den Rat und ignorierte Maites bitterbösen Blick. »So, jetzt können wir gehen«, sagte er, als er sich das längliche Bündel unter den Arm geklemmt hatte.

Maite hielt ihn zurück. »In dieser Zeit geht kein Mann ohne eine Waffe auf Reisen. Geh hinüber und hole dir einen Dolch.«

Sie deutete durch die Tür auf einen der schlafenden Wächter, der einen langen, gebogenen Dolch in einer ledernen Scheide trug. »Nimm den da! Mit der Waffe wirst du gewiss nicht auffallen.«

Konrad sah sich vorsichtig um, schlich dann zu dem Mann und nahm ihm die Waffe ab. Aufatmend steckte er sie in seinen Gürtel und kehrte zu den Frauen zurück. »Seid ihr so weit?«

Maite nickte. »Ja. Aber wir sollten das Anwesen nicht alle gemeinsam verlassen. Das könnte auffallen. Mir erscheint es besser, wir teilen uns und treffen uns vor dem Stadttor wieder. Wie soll es eigentlich weitergehen?«

»Wir nehmen ein Boot und fahren damit ein Stück den Fluss hinab. Danach werden wir weitersehen«, antwortete Konrad, ohne Eleasar und dessen Anweisungen zu erwähnen. Selten war er einem Menschen dankbarer gewesen, und er nahm sich vor, sich, sollte die Flucht scheitern, eher zu Tode schinden zu lassen, als den Namen des Arztes preiszugeben.

»Hast du schon ein Boot, oder müssen wir eines stehlen?«, unterbrach Maite seinen Gedankengang.

»Das Boot, das wir nehmen können, soll von blauer Farbe sein, doch drei seiner Planken wurden vor einiger Zeit ersetzt und sind rot.«

»Das müssten wir finden können. Ich gehe voraus und trage den Korb mit der Kleidung. Ihr beide folgt mir im Abstand von etwa dreißig oder vierzig Schritten.« Maite hoffte, dass Ermengilda genug Mut zusammenbrachte, ein Stück hinter Konrad herzugehen, damit man sie nicht als Paar wahrnahm. Zum Glück würden Kopftuch und Schleier das vor Angst verzerrte Gesicht ihrer Freundin verbergen. Sie nickte Ermengilda und Konrad noch einmal aufmunternd zu, packte mit der Rechten den Korb mit den jüdischen Kleidern und zog sich mit der linken Hand den Schleier vors Gesicht.

»Wenn du mir das Tor öffnen könntest, wäre ich dir sehr verbunden«, sagte sie spöttisch zu Konrad. Dieser eilte voraus, zog den Riegel zurück und hielt ihr die Tür auf.

Maite war bei weitem nicht so gelassen, wie sie vorgab. Ihr Herz pochte wie ein Schmiedehammer, und schon nach wenigen Schritten wurde sie von Panik geschüttelt. In der Aufregung hatte sie nicht daran gedacht, dass weder sie noch Ermengilda oder Konrad die Stadt kannten. Keiner von ihnen wusste, wo sich das nächstgelegene Tor befand, und einen Passanten danach zu fragen, wagte sie nicht. Daher ließ sie sich im Strom der Menschen treiben, bis sie eine breitere Straße erreichte. Dort entdeckte sie ein Anwesen mit einer mehrfach geflickten Ziegelmauer, an dem sie bei ihrer Ankunft in Córdoba vorbeigekommen war. Nur erinnerte sie sich nicht mehr, ob sie es rechts oder links vom Karren gesehen hatte. Wenn sie jetzt die verkehrte Richtung einschlug, würden sie unweigerlich zum Palast des Emirs kommen, und dann bestand die Gefahr, dass dessen Wachen auf sie aufmerksam wurden.

Auf gut Glück wandte Maite sich nach links. Als sie sich kurz darauf umdrehte, entdeckte sie keine zehn Schritt hinter sich Konrad und ganz in seiner Nähe Ermengilda, die beide den Anschein zu vermeiden suchten, als gehörten sie zusammen. Maite atmete ein wenig auf, doch sie wurde die Beklemmung nicht los, die sich ihr wie ein Ring um die Brust gelegt hatte. Es wurde spät, und wenn sie nicht bald ein offenes Stadttor fand, würden sie in Córdoba eingesperrt sein.

Als sie mehrere Soldaten des Emirs die Straße heruntermarschieren sah, bog sie in eine schmalere Gasse ein und vergewisserte sich erst nach einer Weile, dass ihre Gefährten ihr noch immer folgten. Diesmal hatte sie Glück, denn schon bald sah sie einen mächtigen Turm vor sich, in den ein Tor eingelassen war. Mit dem Mut der Verzweiflung trat sie darauf zu und musste die Lippen zusammenpressen, um nicht laut aufzuatmen. Die Wachen schenkten ihr nur einen beiläufigen Blick und ließen sie ungehindert passieren.

Sie war nicht die einzige Frau, die nach draußen strebte. Um sie herum verließen ganze Rudel von Bäuerinnen mit Tragekörben die Stadt. Dazwischen strömten Bauern, die ebenfalls vom Markt kamen und einfache Karren schoben, und besser gekleidete Knechte höherer Herren hinaus. Auch waren Reisende zu Pferd unterwegs, die vor dem Abend noch ein paar Meilen zurücklegen wollten.

Vor dem Tor musste Maite sich zwingen weiterzugehen, anstatt sofort auf ihre Freunde zu warten. Erst ein ganzes Stück weiter draußen drehte sie sich um und sah, wie Ermengilda eben ungehindert an den Wachen vorbeischritt.

Jetzt kam es nur noch darauf an, dass Konrad den Wachen nicht auffiel. Maite graute vor dem Gedanken, die Krieger würden ihn festnehmen; so dass sie mit Ermengilda allein den langen Weg in die Heimat würde antreten müssen. Ohne die Begleitung eines Mannes und ohne Geld würde es eine weitaus beschwerlichere und gefährlichere Reise werden.

Daher durchfuhr sie ein Schreck, als einer der Wächter Konrad mit quer gehaltenem Speerschaft anhielt. Was er zu ihm sagte, konnte sie auf die Entfernung nicht hören.

Auch Konrad erschrak, zwang sich aber zu einem Lächeln und hielt dem Mann das längliche Bündel mit dem Juwelenschwert hin. »Mein Herr weilt mit Gästen in seinem Landhaus, und da kam die Frage auf, wer von ihnen das schönste Schwert besitzt. Aus diesem Grund hat mein Herr mich geschickt, diese Waffe zu holen. Ich habe sie in einen Mantel gehüllt, um keine Diebe darauf aufmerksam zu machen. Wenn du sie sehen willst?«

Der Torwächter winkte ab. »Lass sie in der Decke. Wer ist übrigens dein Herr?«

Zuerst wollte Konrad Fadl Ibn al Nafzi nennen, sagte sich dann aber, dass dessen Abwesenheit von Córdoba bekannt sein dürfte, und benutzte daher den Namen eines Mannes, den die Knechte in Fadls Haus erwähnt hatten und der zu den Vertrauten des Emirs zählen sollte.

Der Name machte sichtlich Eindruck, denn der Wächter zog den Speer zurück und ließ ihn gehen.

17

Ein Stück außerhalb der Stadt trafen sich die drei. Da Ermengilda ihren Schleier nur noch nachlässig vor das Gesicht gezogen hatte, konnte Maite ihr die Erleichterung ansehen. Sie wies die Freundin aber sofort zurecht.

»Verhüll dein Gesicht! Oder willst du, dass deine Schönheit und dein blondes Haar jemandem auffallen?« Dann drehte sie sich zu Konrad um. »Wo ist das Boot?«

Konrad blickte sich um und zeigte dann nach Süden zum Fluss. »Dort müssten wir es finden.«

Da der Wadi al Kebir nicht direkt an dem Stadttor vorbeifloss, das sie passiert hatten, mussten sie noch ein Stück an der Hauptstraße entlanggehen und dann eine Abzweigung in die gewünschte Richtung nehmen. Schließlich trafen sie auf das flache Ufer des Flusses und folgten diesem bis zu der Stelle, an der die Boote lagen. Es waren so viele, dass Konrad entsetzt aufstöhnte.

»Beim Heiland im Himmel! Bis wir das richtige gefunden haben, ist unsere Flucht bereits entdeckt.«

»Pass auf, was du da sagst«, fauchte Maite ihn an und wies auf eine Gruppe von Menschen, die ihnen entgegenkam. »Der Mann, der dir dieses Boot genannt hat, war gewiss kein Narr. Wenn die Beschreibung stimmt, werden wir es rasch finden.«

»Wir sollten uns aufteilen, dann wird es schneller gehen«, schlug Ermengilda vor.

Maite schüttelte den Kopf. »Das würde auffallen.«

»Wir sollten einfach irgendein Boot nehmen«, schlug Konrad vor und wollte auf das nächstliegende zugehen.

»Willst du einen wütenden Besitzer auf den Fersen haben? Selbst wenn er seinen Verlust nur den Wachen meldet und diese anschließend von unserer Flucht erfahren, ist alles klar, wohin wir uns gewandt haben.«

Konrad zog den Kopf ein wie ein gescholtener Junge, während Ermengilda zu Maite aufschloss und diese tadelnd ansah. »Warum bist du so garstig zu Konrad? Er will doch nur das Beste für uns.«

»Dann soll er seinen Kopf benützen!« Maite wandte sich ärgerlich ab und lief das Ufer entlang. Weiter unten hatte sie ein Boot entdeckt, das ein wenig abseits der anderen auf dem Fluss dümpelte. Ein morsches Seil hielt es an einem halbverfaulten Pfosten fest. Viel besser als Seil und Pfosten sah auch das Boot nicht aus. Es war vor vielen Jahren einmal blau gestrichen worden, doch inzwischen war die Farbe verblasst, und drei schadhafte Planken waren durch andere von roter Farbe ersetzt worden. Im Boot stand das Wasser mehr als handhoch, und es machte auf Maite nicht den Eindruck, als würde es auch nur einen kurzen Ausflug auf dem Fluss überstehen, geschweige denn eine längere Fahrt.

»Dort ist das Boot. Wir werden es ausschöpfen müssen«, sagte sie enttäuscht.

»Aber erst während der Fahrt. Jetzt sollten wir zusehen, dass wir so rasch wie möglich verschwinden.« Konrad fasste das Seil und zog das Boot näher auf das Ufer zu, damit sie einsteigen konnten.

»Hat das Ding überhaupt Riemen?«, wollte Maite wissen. Ihr war aufgefallen, dass sie in den anderen Booten keine gesehen hatte. Anscheinend hatten die Besitzer diese mit nach Hause genommen, um zu verhindern, dass jemand ihren Kahn ohne Erlaubnis benützen konnte. Als sie neben den alten Kahn trat und hineinsah, entdeckte sie in dem modrigen Wasser zwei noch recht gute Riemen, die mit Steinen beschwert waren, damit sie von draußen nicht bemerkt werden konnten, sowie eine alte Holzschüssel.

»Die ist wohl zum Schöpfen gedacht. Dein Helfer ist ein kluger Mann! So rasch dürfte man dieses morsche Ding nicht vermissen, und wenn doch, wird jeder annehmen, der Strick wäre gerissen.«

Maites Worte hielten Konrad davon ab, das Seil einfach durchzuschneiden. Er blickte sich rasch um, ob jemand ihn beobachtete, und teilte die morschen Fasern mit einem heftigen Ruck, damit es so aussah, als habe der Kahn sich von selbst gelöst. Danach hielt er das Boot fest, bis die beiden Frauen eingestiegen waren, stieß es vom Ufer ab und sprang hinein.

Maite war bereits dabei, mit der Holzschüssel das ins Boot eingedrungene Wasser zu schöpfen. Mit dem Kinn wies sie auf die Riemen. »Du wirst rudern müssen, Konrad, und eine von uns muss sich ins Heck setzen und dir sagen, wohin du steuern sollst.«

»Mach du das, Maite. Ich schöpfe lieber.« Da Ermengilda noch nie ein Boot benutzt hatte, fürchtete sie, das Falsche zu tun und damit die Flucht zu vereiteln.

Maite hatte ebenfalls noch nie ein Boot geführt. Da sie auf der Reise Flüsse überquert und dabei Leute mit Kähnen beobachtet hatte, fühlte sie sich der Aufgabe jedoch gewachsen. Sie reichte Ermengilda das Schöpfgerät und forderte Konrad auf, sich in die Riemen zu legen.

»Wir müssen zusehen, dass wir aus der Nähe der Stadt kommen. Mögen der Heiland und die Heilige Jungfrau uns beistehen!« Sie schlug das Kreuz und sah sich sogleich erschrocken um. Wenn jemand sich daran erinnerte, eine Christin auf dem Fluss gesehen zu haben, konnte er die richtigen Schlüsse ziehen und sie mit Fadl Ibn al Nafzis geflohener Sklavin in Verbindung bringen.

Zu ihrem Glück befand sich das Boot bereits in der Mitte des Flusses, und die anderen Boote waren zu weit weg, als dass die Insassen ihre Geste hätten erkennen können. Erleichtert erteilte Maite Konrad die Anweisung, etwas mehr nach links zu steuern, und gab sich dann ganz dem berauschenden Gefühl hin, Córdoba und damit auch Fadl Ibn al Nafzis Harem entronnen zu sein.

18.

Die Fahrt auf dem im Herbst flachen, aber tückischen Strom forderte die ganze Aufmerksamkeit der Flüchtlinge. Immer wieder mussten sie Untiefen und Kiesbänken ausweichen. Manchmal kamen sie dabei so nahe ans Ufer, dass sie sich unter den über das Wasser ragenden Zweigen ducken mussten. Nicht immer gelang es Maite, Konrad rechtzeitig zu warnen, und so schlug ihm ein Zweig hart ins Gesicht. Er stieß einen ärgerlichen Ruf aus und verriss dabei die Riemen. Dabei lief das Boot auf eine Kiesbank auf und drohte zu kippen.

»Rasch! Beuge dich nach rechts«, rief Maite Ermengilda zu und versuchte verzweifelt, das Boot im Gleichgewicht zu halten. Da schob Konrad das Boot mit einem der Riemen von der Sandbank hinab, bis es wieder im freien Wasser schwamm.

»Danke«, sagte Maite erleichtert.

Konrad beachtete sie jedoch nicht, sondern brachte das Boot mit einem Ruder wieder auf Kurs. Mit der anderen Hand griff er sich an die Stirn. Als er sie zurückzog, klebte Blut an den Fingern.

»Beim Heiland! Du bist verletzt«, rief Ermengilda panikerfüllt aus.

»Nichts Schlimmes!«, antwortete Konrad und biss die Zähne zusammen. Bislang war er nur zu Hause mit einem kleinen Boot auf dem Fischteich herumgefahren, und für sein Gefühl stellte er sich äußerst ungeschickt an. Ohne Maites Hilfe wäre er keine hundert Schritt weit gekommen.

Doch auch so war es hart genug. Schon bald spürte er, dass ihm die Arme erlahmten. Seine Verletzungen mochten durch

Eleasars Pflege verheilt sein, doch seine frühere Kraft hatte er noch nicht zurückgewonnen. Dabei war es wichtig, dass sie rasch vorwärtskamen. Kurz drehte er sich zu Ermengilda um, die am Bug des Bootes saß und noch immer schöpfte. Wie es aussah, drang das Wasser fast ebenso schnell in den Rumpf, wie sie es entfernen konnte.

»Du bist so tapfer!«, lobte er sie und freute sich, weil sie errötete.

»Pass auf, direkt vor uns ragt ein Felsen aus dem Wasser! Deine Zunge kannst du auch später mit Honig schmieren.« Maite kochte vor Wut. Überall um sie herum lauerte Gefahr, doch Konrad schien nur an Ermengilda zu denken. Erst als er sich besann und wieder ihren Anweisungen folgte, atmete sie auf.

Einige Zeit später gerieten sie in ruhigeres Wasser und konnten sich mit der Strömung treiben lassen. Für eine Weile musste Konrad nur noch gelegentlich die Riemen einsetzen.

»Dieses Bootfahren strengt mehr an, als einen ganzen Tag das Schwert zu schwingen!«, sagte er aufseufzend.

Maite kicherte spöttisch. »Du würdest dich wundern, wie schnell dir in deinem Zustand das Schwert aus der Hand fallen würde. Der Marsch, zu dem Fadl dich gezwungen hat, hat alle Kraft aus dir herausgebrannt, und nun bist du so schlapp wie ein feuchter Lappen.«

»Keine Sorge! Meine Kraft wird wiederkehren«, antwortete Konrad und musste wieder an den Riemen zerren, weil der Fluss sich in eine schmale Rinne ergoss, die zudem mit Felsen gespickt war.

»Wie weit müssen wir mit dem Boot fahren?«, wollte Maite wissen.

»Bis zu einem Dorf, dessen Moschee auf einem Felsen steht, der in den Fluss hineinragt. Mehr weiß ich nicht«, erklärte Konrad.

»Es wird bereits dunkel und langsam zu gefährlich, auf dem

Wasser zu bleiben. Also sollten wir uns eine Stelle suchen, an der wir übernachten können – zum Beispiel einen kleinen Wald oder eine verlassene Hütte.«

Maite hielt sofort Ausschau, ob sich dergleichen in der Nähe befand, stieß dann aber einen überraschten Ruf aus. »Wie es aussieht, erreichen wir gleich das Dorf, von dem du gesprochen hast!«

Trotz der unruhigen Fahrt des Bootes drehte Konrad sich um. »Das muss es sein! Eine zweite Moschee dieser Art dürfte es in dieser Gegend nicht geben.«

Auch Ermengilda blickte nach vorne. Auf einem großen Felsen, der weit in den Fluss hineinragte, erhob sich ein würfelförmiger Bau mit einer flachen Kuppel und einem einzeln stehenden, schlanken Turm.

»Steuer hier ans Ufer, schnell!«, befahl Maite.

Konrad gehorchte instinktiv, sah sie dann aber verwundert an. »Aber dann müssen wir noch ein ganzes Stück zu Fuß laufen!«

»So weit ist es auch nicht mehr. Außerdem wirst du allein ins Dorf gehen. Ermengilda und ich werden bis zu jenem Waldstück dort vorne laufen und auf dich warten. Dort können wir uns ungesehen umziehen.«

»Aber mein Gewährsmann dürfte einen Juden erwarten«, wandte Konrad ein.

»Weshalb sollte ein Jude nicht solche Gewänder tragen wie du? Außerdem kann der Mann, sollte er befragt werden, hinterher nicht die Kleidung beschreiben, in der du weiterreisen wirst.«

Das überzeugte Konrad. Er steuerte das Boot ans Ufer, sprang hinaus und zog es so weit aufs Trockene, dass die beiden Frauen aussteigen konnten, ohne nasse Füße zu bekommen. Dann griff er noch einmal hinein und zog das eingewickelte Prachtschwert heraus.

Maite nahm es ihm kopfschüttelnd ab. »Das lässt du besser bei uns. Es ist zu auffällig, und wir wollen nicht, dass sich jemand aus dem Dorf daran erinnert.«

Langsam empfand Konrad es als lästig, dass Maite immer das letzte Wort haben musste, aber er musste sich eingestehen, dass er und Ermengilda es ohne ihre Hilfe nicht bis hierher geschafft hätten. Mit einer Mischung aus gekränktem Stolz und Dankbarkeit verließ er die beiden Frauen und schritt auf das Dorf zu. Als Waffe besaß er nur noch den Dolch, und das verunsicherte ihn. Er wusste jedoch selbst, dass er als harmloser Reisender auftreten und unauffällig bleiben musste. Kampfesmut und Waffengewandtheit würden ihm dabei nur wenig nützen.

Da Ermengilda Anstalten machte, Konrad zu folgen, hielt Maite sie verärgert auf. »Bist du verrückt geworden? Es darf uns keiner sehen! Komm mit! Wir verstecken uns im Wald und warten dort auf Konrad. Ich hoffe nur, er bleibt nicht zu lange aus.«

»Das hoffe ich auch«, flüsterte Ermengilda und faltete die Hände, um für eine unversehrte Rückkehr des jungen Franken zu beten.

ZEHNTER TEIL

Die Heimkehr

I.

Nach einem kurzen Fußmarsch erreichte Konrad das Dorf und fand auf Anhieb das von Eleasar beschriebene Haus. Es handelte sich um eine Hütte, die sowohl als Stall wie auch als Wohnhaus diente. Er klopfte an die Tür und musste eine Weile warten, bis ein mit einem schmuddeligen Hemd bekleidetes Kerlchen herausschaute und ihn aus wässrigen Augen anblinzelte.

»Was willst du?«, fragte der Mann nicht eben freundlich.

»Äh … Schalom! Bist du der Jude Simeon Ben Jakob?«, fragte Konrad und zog, als der andere nickte, Eleasars Schreiben unter seinem Hemd hervor.

Der Mann nahm es entgegen und las es mit gerunzelter Stirn. »Da steht, ich soll dir zwei Esel geben!« Er klang so entsetzt, als fordere Konrad von ihm alles, was er besaß, einschließlich seines Weibes und seiner Kinder.

»Ja genau, zwei Esel!« Konrad bezweifelte, dass er die Tiere bekommen würde, und fragte sich, was sich Eleasar dabei gedacht haben mochte, ihn zu diesem Kerl zu schicken.

»Was zahlst du?«

Die Frage des kleinen, dürren Mannes überraschte Konrad, und er versuchte sich zu erinnern, was Eleasar zu ihm gesagt hatte. Hatte der Arzt ihm nicht erklärt, er werde sich um das Bezahlen kümmern und die entsprechende Summe von dem Erlös des Schmuckes zurückbehalten? Danach sah es jetzt nicht aus.

Verzweifelt rang er die Hände. »Ich habe nicht viel Geld, denn es liegt eine lange Reise vor mir, auf der ich mein Essen und mein Nachtlager bezahlen muss.«

»Was kannst du zahlen?«

Simeons Stimme klang zwar nicht freundlicher, aber dennoch schöpfte Konrad Hoffnung. Daher holte er seinen Geldbeutel aus dem Gürtel und zählte ein paar Münzen in die hohle Hand.

»Hier, mehr kann ich nicht entbehren!«

»Gib mir das Doppelte, dann erhältst du alles.«

»Das kann ich nicht!« Im letzten Augenblick erinnerte Konrad sich daran, dass Eleasar jedes Mal um den Preis des Weines gefeilscht hatte. Daher brauchte er diese Forderung ebenfalls nicht als unveränderlich anzusehen. Rasch legte er eine weitere Münze auf seine Hand.

»Die gebe ich dir noch zu. Wenn es dir zu wenig ist, muss ich halt zu Fuß gehen.«

Simeon Ben Jakob schien zu überlegen. Schließlich nickte er. »Also gut! Ich will dich nicht berauben.« In seinen Augen blitzte Spott, denn in dem Brief hatte gestanden, dass Eleasar Ben David ihm für die beiden Esel das Geld erlassen würde, das er diesem für die Behandlung seiner Frau schuldete. Daher stellten Konrads Münzen für ihn ein hübsches Zubrot dar.

Da er nicht annahm, dass er einen Juden vor sich hatte, bat er ihn nicht ins Haus, sondern führte ihn um die Hütte herum zur Stalltür. Dort bedeutete er Konrad zu warten und verschwand in dem primitiv aus Brettern zusammengenagelten Bau. Das armselige Bauwerk schien die Mittellosigkeit des Besitzers förmlich hinauszuschreien. Doch ebenso wie seine Kleidung, die kaum mehr als aus Fetzen bestand, war es eine Maske, die Simeon Ben Jakob sich zugelegt hatte, um die Steuereinnehmer des Emirs zu täuschen.

Auch Konrad gegenüber tat er so, als ständen er, sein Weib und seine Kinder kurz vor dem Verhungern, und er jammerte so, dass der junge Franke ihm noch eine Münze dazulegte.

»Hier nimm! Ich will nicht, dass du zu Schaden kommst!«

»Hab Dank! Adonai möge dich segnen!« Simeon Ben Jakob amüsierte sich über die Biederkeit des jungen Mannes und schob das Geld ein. Dann suchte er unter dem halben Dutzend Esel in seinem Stall die beiden ältesten aus, band jedem einen Strick an das Halfter und reichte die Enden Konrad.

»Hier hast du meine besten Tiere! Behandle sie gut. Sie haben mir stets treu gedient. Wenn du noch einen Augenblick warten willst, bringe ich dir ein paar Vorräte für die Reise.« Damit verschwand er und ließ Konrad mit widerstrebenden Gefühlen allein.

Der junge Mann wusste nicht, ob er sich freuen sollte, zwei Reittiere zu besitzen, oder ärgern, weil er so alte, abgearbeitete Geschöpfe bekommen hatte. Da er nicht glaubte, dass der Jude zurückkommen würde, wollte er nach einer Weile aufbrechen. Doch kaum trat er mit den beiden Eseln hinter dem Haus hervor, kam Simeon Ben Jakob mit einem großen Beutel in der Hand zur Tür heraus.

»Hier, das ist für dich. Reise mit Adonais Segen!« Damit drückte er Konrad den Beutel in die Arme und verschwand wieder im Haus.

Der Franke starrte ihm nach und schüttelte den Kopf. Der Beutel war schwer und würde Ermengilda, Maite und ihn mehrere Tage lang mit Nahrung versorgen.

»Danke! Möge Gott es dir vergelten«, sagte er in Richtung Tür, setzte sich auf den kräftigeren der beiden Esel und trieb diesen die Straße entlang. Die Tiere schlugen zwar nur ein gemächliches Tempo ein, zeigten aber keinerlei Mucken. Während sie ihre Ohren wie Flügel hin und her bewegten, um die Fliegen zu vertreiben, prusteten sie übermütig und schienen sich zu freuen, dass es wieder auf die Straße ging.

Konrads Laune stieg wieder, und während er in Gedanken ein wenig über sich selbst und sein Reittier spottete, dachte er daran, dass er zum ersten Mal seit Roncesvalles wieder sein eigener Herr war.

Das Wäldchen, in dem er sich mit Ermengilda und Maite treffen wollte, lag weiter entfernt, als er es sich vorgestellt hatte.

Die Sonne versank schon hinter dem Horizont, und ihn packte die Angst, er würde die Frauen in der hereinbrechenden Dunkelheit verfehlen.

»Ich hätte sie mitnehmen müssen, gleichgültig, was Maite gesagt hat!«, sagte er zu sich selbst und hielt unter den ersten Bäumen angestrengt Ausschau. Da schälte sich nicht weit vor ihm eine düstere Gestalt aus dem Gebüsch.

Er griff zum Dolch, erkannte dann aber Maite. »Da bist du ja! Ich habe mir schon Sorgen um euch gemacht!«

»Wir uns auch um dich! Du bist lange ausgeblieben. Wenigstens hast du die Esel bekommen. Hast du auch an etwas zu essen gedacht? Ermengilda und ich haben seit dem Morgen nichts mehr zu uns genommen.«

Konrad zeigte auf den Beutel und fragte sie, wo Ermengilda sei.

»Wir haben ein gutes Versteck gefunden, eine kleine Schlucht, in der eine Quelle entspringt, die selbst um diese Jahreszeit noch Wasser spendet. Komm mit!« Maite nahm einen der Esel am Zügel und führte ihn in das Dunkel des Waldes hinein. Konrad, der ihr mit dem anderen Tier folgte, war in Gedanken schon bei Ermengilda und freute sich, sie gleich wiederzusehen.

Als sie das Versteck erreichten, begann die Dämmerung der Nacht zu weichen, aber auf dem letzten Stück wies ihnen ein kleiner Lichtpunkt den Weg. Maite war es gelungen, mit etwas Zunder aus einem Baumschwamm und zwei Holzstücken ein Feuer zu entzünden. Die Flamme brannte niedrig, um keine ungebetenen Gäste anzulocken, spendete aber genug Helligkeit, dass Konrad in ihrem Licht die Lebensmittel auspacken konnte, die er von Simeon Ben Jakob erhalten hatte.

Ermengilda starrte einen Augenblick hungrig auf das Fladenbrot, den Käse und die Oliven und griff dann eifrig zu. Unterdessen brachte Maite die Esel zu einer Stelle, an der sie ein wenig Gras fressen konnten, und band sie dort fest. Als sie zurückkam, setzte sie sich zu den anderen und begann ebenfalls zu essen. Schließlich aber hob sie den Kopf und sah Konrad durchdringend an.

»Ich hoffe, du hast keinen Fehler gemacht, der unsere Feinde auf uns aufmerksam machen könnte!« Sie wusste selbst nicht, weshalb sie ihn so barsch anfuhr. Es mochte an den Blicken liegen, mit denen er Ermengilda verschlang.

Die Asturierin tat aber auch das Ihre, seine Aufmerksamkeit zu fesseln, indem sie ihm ein schmelzendes bewunderndes Lächeln schenkte. Offensichtlich sah sie in ihm ihren Helden, der sie nun zum dritten Mal vor einem schrecklichen Schicksal bewahrt hatte. Maite war Konrad ebenfalls dankbar, weil er sie vor dem Bären gerettet hatte, aber das hatte sie in der Schlucht von Roncesvalles gutgemacht. Nun hatte sie mindestens ebenso viel wie Konrad zu der erfolgreichen Flucht beigetragen, doch die beiden taten so, als wäre sie nicht vorhanden, und bezogen sie auch nicht in ihr Gespräch ein. Daher stand sie auf, sobald sie sich satt gegessen hatte.

»Ich schaue noch einmal nach den Eseln«, sagte sie und ging, ohne sich noch einmal zu den beiden umzudrehen. In ihrer Wut achtete sie zunächst nicht auf die Richtung, die sie einschlug, und musste daher suchen, bis sie die Tiere wiederfand. Da die beiden Esel noch an dem trockenen Gras auf der kleinen Lichtung rupften, setzte Maite sich in die Nähe, verschränkte die Arme vor den Knien und starrte vor sich hin.

Sie war zwar frei, doch ihre Zukunft erschien ihr so düster, als führe ihr Weg unweigerlich ins Verderben. Okins Intrigen hatten sie ihrem Stamm so sehr entfremdet, dass sie wahrscheinlich auch dann keine Unterstützung bekam, wenn sie ihn des Mordes an ihrem Vater anklagte. Sie schüttelte diesen Gedanken ab und versuchte, sich mit Näherliegendem zu beschäftigen. Das aber brachte sie wieder zu ihren Begleitern, und sie fragte sich, was die beiden wohl machten.

2.

Ermengilda und Konrad bemerkten durchaus, dass Maite grußlos davongegangen war, und saßen nun eine Weile stumm nebeneinander. Dann atmete der junge Mann tief durch und schüttelte den Kopf.

»Was hast du?«, fragte Ermengilda leise.

»Ach nichts! Ich …« Konrad brach ab. Er konnte ihr doch nicht sagen, dass er sich mit jeder Faser seines Herzens danach sehnte, sie endlich in den Armen zu halten.

»Doch, du hast etwas! Ich sehe es dir an.«

Konrads Gesicht wurde zu einer verzweifelten Maske. »Ich kann es dir nicht sagen!«

»Doch, das kannst du! Du musst mir alles sagen.« Ermengilda rückte näher an ihn heran und legte ihre Hand auf seinen Arm.

Sein Atem ging schneller, und ehe er begriff, was er tat, zog er sie an sich. »Ich habe mich seit dem Tag, an dem ich dich das erste Mal gesehen habe, danach gesehnt, dich in meinen Armen halten zu können. Allein dieser Gedanke hat mir die Kraft verliehen, den harten Marsch nach Córdoba zu überstehen. Jetzt, da ich endlich frei bin, überwältigt mich dieses Gefühl so sehr, dass ich dir am liebsten auf der Stelle beiwohnen würde.«

Konrad hatte Ermengilda nicht drängen wollen, doch seine Sehnsucht nach ihr war einfach zu groß.

Die junge Frau sah ihn nachdenklich an und berührte mit ihrer freien Linken ihren Leib. Auch wenn es noch etwas früh war, glaubte sie zu spüren, wie das Leben in ihr wuchs, und dankte Gott dem Herrn, dass der Samen ihres fränkischen Ehemanns dafür verantwortlich war. Zwar hatte sie Abd ar-Rahman weniger verabscheut als Eward, doch es beruhigte ihr Gewissen, dass der Vater ihres Kindes ein Christ war und kein Heide. Beiden Männern hatte sie sich aus Pflicht hingegeben, ohne etwas dabei zu empfinden. Nun aber spürte sie zu ihrer eigenen Überraschung das Verlangen, mit Konrad das zu tun, was sich eigentlich nur zwischen Eheleuten abspielen sollte. Doch sie wollte vor Gott keine Sünde begehen.

Dann aber wurde ihr klar, wie dringend sie einen neuen Gemahl benötigte, und dafür war Konrad besser geeignet als jeder andere. Immerhin hatte er ihr das Leben gerettet, und wenn Abd ar-Rahman zu ihr gekommen war, hatte sie sich vorgestellt, in Konrads Armen zu liegen. In erster Linie aber musste sie an ihr Kleines denken. Auch wenn es nicht von Konrad stammte, würde sie ihn, wenn sie ihn in sich aufnahm, zum symbolischen Vater des Kindes machen.

Mit einem Lächeln, das ihre Unsicherheit verriet, aber auch Hoffnung ausdrückte, stand sie auf und schlüpfte aus ihren Kleidern. Ihre Haut glänzte im Licht des kleinen Feuers wie Elfenbein, und ihre Haare schimmerten wie Gold. Selbst der dünne Flaum, der an jener Stelle wuchs, die von den Sklavinnen im Palast so schmerzhaft von jedem Wuchs befreit worden war, leuchtete wie goldene Funken.

Konrad spürte, wie sein Glied wuchs und so hart wurde, dass es schmerzte. Er zog hastig Mantel und Hemd aus, besaß aber noch genug Voraussicht, seine Kleidung wie eine Decke auf der Erde auszubreiten, damit Ermengilda sich darauflegen konnte. Dann beugte er sich über sie und glitt zwischen ihre Schenkel.

»Habe Mitleid mit mir und nimm mich wie ein Eheweib und nicht wie eine Beute!«, flüsterte Ermengilda erschrocken über seine Leidenschaft.

Mühsam zwang Konrad sich zur Vernunft und drang vorsichtig in sie ein. Trotzdem tat es ihr zunächst weh. Sie stieß einen wimmernden Laut aus, schlang ihre Beine um ihn und hielt ihn fest an sich gepresst, so dass er sich nicht bewegen konnte. Dann spürte sie, wie der Schmerz wich und anderen, vorher nicht gekannten Gefühlen Platz machte. Ihr Leib wurde weich und nachgiebig, und ohne es selbst zu merken, löste sie ihre Beinklammer und bäumte sich Konrad entgegen. Dieser bewegte sich langsam und sacht vor und zurück. Damit entfachte er die kleinen Funken der Lust, die Ermengilda bei dem Emir empfunden hatte, zu einem hell lodernden Feuer, welches sie schier zu verzehren schien.

Inzwischen war Maite unbemerkt von den beiden zurückgekehrt. Als sie lautes Stöhnen vernahm, blieb sie stehen und starrte einen Augenblick in das Halbdunkel, bis sie das engumschlungene Paar entdeckte. Da Ermengilda Laute ausstieß, als empfände sie Schmerzen, nahm sie an, Konrad würde ihr Gewalt antun, und griff zum Dolch. Doch als sie näher kam, schrie Ermengilda in höchster Ekstase auf.

»Du kannst ruhig noch ein wenig fester zustoßen. Ja, so ist es richtig! Oh, wie herrlich …«

Die Hand mit dem Dolch sank nieder, und Maite wich mit einem Gefühl des Ekels zurück. Dennoch vermochte sie ihre Blicke nicht von dem Schauspiel zu lösen. Da ihre einzige Erfahrung mit einem Mann aus dem Ringkampf mit Fadl Ibn al Nafzi und der anschließenden Vergewaltigung bestand, konnte sie nicht begreifen, dass eine Frau sich einem Mann anders als mit Widerwillen hingeben konnte. Ermengilda schien jedoch unersättlich zu sein, denn als Konrad erschöpft innehielt, flehte sie ihn an, sie noch einmal zu nehmen.

Der Franke brauchte eine Weile, bis er dazu wieder in der Lage war. Die nachfolgende Vereinigung der beiden war nicht so wild und heftig wie die erste, sondern sanft und harmonisch.

Das Ganze blieb nicht ohne Wirkung auf Maite. Ein Ziehen machte sich in ihrem Unterleib breit, und sie spürte die Sehnsucht, selbst einmal so sanft geliebt zu werden. Sofort kämpfte sie gegen dieses Gefühl an, und als Konrad diesmal zum Ende gekommen war, packte sie ihren Mantel, wickelte sich ein und legte sich so, dass sie dem Paar den Rücken zukehrte. In dieser Nacht fühlte sie die Einsamkeit, die sie seit dem Tod ihres Vaters nie mehr verlassen hatte, doppelt so stark von ihr Besitz ergreifen.

3.

Am nächsten Morgen sprach keiner über das, was in der Nacht geschehen war. Ermengilda schenkte Konrad zwar ein schmelzendes Lächeln, dachte aber mehr an ihr ungeborenes Kind als daran, noch einmal das Lager mit ihm zu teilen. Konrad hatte Ermengilda im Traum die ganze Nacht hindurch geliebt und erbebte noch unter dem Widerhall der dabei erlebten Lust. Sein Drang, sich als Mann zu beweisen, war jedoch fürs Erste gestillt, und er wollte warten, bis Ermengilda erneut für ihn bereit war.

Maite richtete derweil ihre Gedanken auf den nächsten Schritt und breitete die Gewänder auf dem Boden aus, die Konrad aus Eleasars Haus mitgenommen hatte. Es handelte sich um die derbe Tracht eines reisenden Juden mit langem Hemd, Kaftan, Mantel und einer Mütze. Daneben gab es ein weites Hemd von blauer Farbe, ein besticktes Mieder, ein Überkleid mit kurzer, ebenfalls bestickter Schürze sowie ein Käppchen mit Schleier. Diese Kleidung war einer wohlhabenden Jüdin angemessen. Maite gefiel diese Gewandung, und sie hätte sie gerne getragen, zumal die zweite Frauentracht nur aus einem langen, bräunlichen Hemd und einem ärmellosen, kittelartigen Überkleid bestand, wie eine Dienerin sie auf Reisen tragen mochte.

Leider passte die bessere Kleidung ihr nicht, und sie musste sich mit dem einfachen Gewand begnügen. Während sie die Sachen sortierte, fiel ihr auch die Flasche mit dem Färbemittel in die Hände.

»Was ist das?«, fragte sie Konrad.

Dieser sah sie grinsend an. »In dieser Flasche ist ein Saft, mit dem einer von uns Haut und Haare färben kann, so dass er wie ein Mohr aussieht.«

»Hoffentlich nicht für immer«, spottete Maite und wollte die Flasche beiseitelegen. Dann aber wog sie sie nachdenklich in der Hand. »Das werde wohl ich machen müssen. Du kannst als Jude nicht gleichzeitig als Mohr auftreten, und Ermengilda nähme man diese Verwandlung nicht ab, weil die hellen Augen sie verraten würden.« Maite öffnete den Verschluss der Flasche und ließ etwas von der Flüssigkeit in ihre zur Schale geformte linke Hand fließen. Das Elixier sah aus wie Tinte und war geruchlos. Als sie vorsichtig ein wenig davon auf ihrem Arm verstrich, zeigte die Haut an der Stelle einen mattschwarzen Schimmer, der tatsächlich der Hautfarbe eines Mohren glich.

»Du wirst mir helfen müssen!«, sagte sie zu Ermengilda und berührte mit den von der Tinktur feuchten Fingern deren Haare. Sofort erlosch an dieser Stelle der goldene Glanz.

»Wir sollten deine Haare ebenfalls färben. Eine Mohrin und eine Jüdin mit schwarzen Haaren wird kein Maure für die beiden Frauen halten, die dem Emir und dessen Blutsäufer Fadl entkommen sind.« Maite freute sich darauf, das Haar ihrer Freundin umzufärben, so dass Ermengilda eine Weile schlicht und unauffällig umherlaufen musste. Dann aber dachte sie daran, wie sie selbst als Mohrin aussehen würde, und schüttelte sich.

Sie wandte sich an Konrad. »Kümmerst du dich um die Esel und tränkst sie? Lass sie noch ein wenig fressen, denn sie haben einen langen Weg vor sich!«

Er nickte, schlüpfte in seine jüdische Tracht und ging dann zu den beiden Grautieren.

»Jetzt frisch ans Werk!«, forderte Maite ihre Freundin auf und zog sich bis auf die Haut aus. Dann begann sie, sich Busen und Leib mit der Tinktur einzureiben.

»Was machst du da?«, rief Ermengilda erschrocken. Sie hatte gedacht, Maite werde sich damit begnügen, das Gesicht, die Arme und die Füße zu färben.

Maite lachte leise auf. »Wenn ich als schwarze Dienerin gelten soll, darf kein Fleckchen heller Haut zu sehen sein. Was meinst du, was die Leute sagen würden, wenn ich mich irgendwo erleichterte und ihnen dabei einen weißen Hintern zeige?«

Ermengilda musste lachen. Sie trennte einen Stofffetzen von ihrem alten Gewand ab, tränkte ihn mit dem Mittel und begann, den Rücken und den genannten Körperteil ihrer Freundin einzufärben.

Da kam Konrad zurück und starrte die nackte Frau, die weiß und schwarz gefleckt dastand, verblüfft an. Als Maite ihn entdeckte, fauchte sie wie eine Katze, der jemand auf den Schwanz gestiegen war.

»Mach, dass du verschwindest! Oder hat dir deine Mutter nicht beigebracht, dass du keine fremden Frauen anstarren sollst, besonders, wenn sie unbekleidet sind?«

Konrad wandte sich ab, weniger jedoch wegen Maites Schelten, sondern weil ihr Anblick nicht ohne Wirkung auf ihn geblieben war. Trotz ihrer gescheckten Haut hatte ihn das Verlangen gepackt. Bisher hatte er sie für unansehnlich gehalten, zumindest im Vergleich zu Ermengilda, aber als er sie noch einmal heimlich betrachtete, fand er sie sogar recht reizvoll, obwohl die schwarze Farbe nun beinahe ihren gesamten Körper bedeckte.

»Ich sattle die Esel«, sagte er und verließ die beiden Frauen, um mit sich selbst ins Reine zu kommen. Viel zu tun hatte er nicht, denn außer dem Strick als Zügel und einer um den Bauch geschlungenen Schnur, mit der er den Packen mit dem Essen und das eingewickelte Schwert festbinden konnte, war nichts an Sattel- und Zaumzeug vorhanden.

Kurz darauf waren auch die beiden Frauen fertig. Konrad schluckte, als er Maite als Mohrin sah. Hätte er sie nicht bereits gekannt, wäre ihm nie der Verdacht gekommen, ihre Haut wäre in Wahrheit weiß. Der Anblick von Ermengildas Haar machte ihn ein wenig traurig. Der goldene Glanz war einem matten Schwarz gewichen, und er war froh um die Kappe und den Schleier, mit denen sie ihre Locken nun verbarg.

Ein Problem galt es jedoch noch zu lösen. Da sie einen Esel zu wenig besaßen, würde einer von ihnen zu Fuß gehen müssen. Eleasar, der Jude, hatte geglaubt, Konrad würde neben Maite seinen Landsmann Ermo mitnehmen und diesen als Mohren ausgeben. Einen solchen aber ließ man zu Fuß gehen und die Tiere führen.

Konrad hob Ermengilda auf den kräftigeren Esel und forderte Maite auf, sich auf den anderen zu setzen.

»Glaubst du nicht, dass es seltsam aussieht, wenn der Herr zu Fuß geht und die Magd reitet?«, fragte Maite spöttisch.

»Aber ich kann dich doch nicht die ganze Strecke laufen lassen!« Für die Dauer mehrerer Herzschläge überlegte Konrad, ob es nicht besser gewesen wäre, wenn er sich schwarz hätte anmalen lassen. Doch nur mit ihm als schwarzen Knecht hätten die beiden Frauen nicht reisen können.

»Du reitest, und ich laufe! Es geht wirklich nicht anders«, beharrte Maite.

Konrad nickte grimmig und stieg auf den zweiten Esel.

Maite fasste nach dem Strick von Ermengildas Reittier und führte es aus dem Wald heraus. Konrad stieß seinem Esel die

Fersen in die Weichen und brachte ihn dazu, seinem Gefährten im Zuckeltrab zu folgen.

»Was habt ihr mit den Gewändern gemacht, die wir zurücklassen mussten?«, fragte er, als er Maite und Ermengilda eingeholt hatte.

»Was wir nicht brauchen konnten, hat Maite mit Hilfe eines Stockes vergraben«, antwortete Ermengilda und hielt sich dabei krampfhaft an der dünnen Mähne des Esels fest. Im Sattel fühlte sie sich sicher, und sie hätte die Strecke bis zur Grenze auf einem feurigen Renner in weniger als drei Wochen zurückgelegt. Aber sie war noch nie auf dem blanken Rücken eines Esels geritten und daher froh, dass Maite das Tier am Zügel führte.

Als sie sich zu Konrad umwandte, musste sie lächeln. Auch er wirkte nicht gerade wie ein stolzer Reiter.

4.

Es zeigte sich rasch, dass Ermengilda und Konrad sich nicht zu orientieren vermochten und nur sagen konnten, dass sie nach Norden ziehen mussten, um bekannte Gebiete zu erreichen. Anders als sie hatte Maite auf der Reise nach Córdoba achtgegeben und sich die Namen und den Anblick der Städte auf ihrem Weg eingeprägt. Daher waren die beiden anderen von ihr abhängig. Die Situation gefiel ihr, denn es machte sie zur eigentlichen Anführerin der kleinen Gruppe.

Für die Reisenden aber, auf die sie unterwegs trafen, war sie nicht einmal eine Person, sondern nur eine schwarze Sklavin, die ihren Herrn und ihre Herrin begleitete. Die beiden alten Esel und das geringe Gepäck trugen ein Übriges dazu bei, dass sie etliche Tage unbehelligt über die Landstraßen ziehen konnten. Juden, die auf eine solche Art reisten, standen nicht in dem

Ruf, großzügig mit Geld ausgestattet zu sein, und wurden zumeist gar nicht wahrgenommen.

Zunächst folgten die drei dem Lauf des Guadiato flussaufwärts, um das Gebirge zu überqueren. Dabei gerieten sie allerdings so weit nach Nordwesten, dass selbst Maite oft unsicher war, wie sie am nächsten Tag weiterziehen sollten. Das gebirgige Land mit seinen scharf eingeschnittenen Tälern bot nur wenige Wege, die in die gewünschte Richtung führten, und oft genug hörten sie von Einheimischen, dass diese irgendwo in abgelegenen Bergtälern enden würden.

Da Maite als Einzige das Maurische flüssig sprechen konnte, fühlten sich ihre Begleiter hilflos, denn in dieser Gegend verständigten sich selbst die Christen in dieser Sprache. Wenn sie ausnahmsweise auf jemanden trafen, der das Romanisch des Nordens verstand, so verwendete derjenige einen so fremdartigen Dialekt, dass sie seinen Worten kaum zu folgen vermochten.

Aus Angst, zu weit nach Westen zu geraten, wählte Maite einen Weg, der sie im Zickzack durch die Berge führte, und tatsächlich erreichten sie nach zehn Tagen die Heer- und Handelsstraße, die von Córdoba aus in die Heimat führte. Hier war es jedoch mit dem ruhigen Dahinziehen vorbei. Bislang waren sie nur selten anderen Reisenden begegnet, nun aber trafen sie ständig auf Menschen, die gleich ihnen nach Norden strebten oder von dort kamen.

Als sie glaubten, immer wieder neugierige Blicke auf sich zu spüren, zogen die angeblichen Juden und ihre Mohrensklavin die Köpfe ein, denn sie fürchteten, rasch entlarvt zu werden. Mit der Zeit aber begriffen sie, dass sie im Strom der Reisenden aufgingen wie Fische in einem Schwarm. Mauren und Christen kümmerten sich nicht um sie, und wenn sie auf Juden trafen, wechselte Konrad mit ihnen die von Eleasar gelernten Grußformeln, hielt sich aber sonst von ihnen fern.

Damit sein Verhalten keinen Verdacht erregte, gab Maite sich umso mitteilungsfreudiger und erzählte allen, die es hören wollten, dass ihr Herr ein Fremder sei, der mit Erlaubnis des Emirs Geschäfte in al Andalus getätigt habe und nun wieder in seine Heimat zurückkehren wolle. Mit einem Funken Bosheit machte sie Ermengilda zur Witwe seines Bruders, die zu heiraten er verpflichtet gewesen wäre, und jammerte, weil sie aus dem herrlichen Córdoba in die fernen, dunklen und kalten Wälder Germaniens verschleppt wurde.

»Dort ist es so kalt, dass der Schnee, den wir hier im Winter auf den Bergen sehen, das ganze Jahr über liegen bleibt. Dort blühen keine Feigen, und es gibt auch keine Granatapfelbäume. Selbst Korn wächst dort nicht!« Auch an diesem Morgen redete sie mit Händen und Füßen auf mehrere Reisende ein, die gleich ihnen in der Herberge übernachtet hatten. Während die beiden Frauen ihr aufmerksam zuhörten, sattelten ihre männlichen Begleiter ihre Esel und ein Maultier.

»Kommt jetzt! Wir müssen weiter«, raunzte einer von ihnen die Frauen an und versetzte ihnen mehrere Schläge mit der flachen Hand.

»Leb wohl und viel Glück in der Fremde!«, rief eine Frau Maite noch zu, dann eilten sie und ihre Gefährtin zu den wartenden Eseln und stiegen mit Mühe auf deren Rücken. Die Gruppe verschwand durch das Tor der Umfriedung, und Maite atmete erst einmal auf.

»So viel wie in den letzten Tagen habe ich noch nie gelogen«, sagte sie lachend und half Konrad, ihre beiden Esel zu tränken.

»Hast du nicht Angst, dass du dir einmal widersprichst, wenn du so viel redest?«

Maite schüttelte den Kopf. »Nein, ich kann das, was ich erzähle, ganz gut im Gedächtnis behalten. Selbst wenn ich heute mit jemandem spreche und dann wieder in drei Wochen, wird er von mir das Gleiche hören.«

»Noch drei Wochen? So lange haben wir doch auf der Reise hierher nicht gebraucht!« Ermengilda fühlte ihre Schwangerschaft nun stärker und sehnte sich nach einem Ort, an dem sie ausruhen und sich auf das ungeborene Leben freuen konnte.

»Wir reisen weniger als halb so schnell wie damals. Immerhin muss ich zu Fuß gehen, während wir dort auf Pferderücken sitzen konnten.«

»Du meinst, in einem stickigen Karren. Außerdem musste Konrad damals auch laufen und wurde dabei noch schrecklich gequält!« Ermengilda klang so, als nähme sie es ihrer Freundin übel, dass diese weniger rasch vorankam als Konrad oder jene Maultiere, die Fadl Ibn al Nafzi vor den Wagen hatte spannen lassen.

Maite ging nicht darauf ein, sondern zerrte den Esel von der Tränke weg und forderte Ermengilda auf, sich daraufzusetzen. Diese tat sich damit zwar leichter als die Frauen der anderen Reisegruppe, haderte aber immer noch mit der Dauer ihrer Reise.

»Konrad soll dir auch einen Esel kaufen. Dann kommen wir schneller nach Hause!«

»Nenne ihn nicht bei diesem Namen, du Närrin! Selbst im Schlaf muss er für dich Issachar Ben Juda sein«, wies Maite sie zurecht.

»Er soll dir einen Esel kaufen. So dauert es zu lange.« Nun quengelte Ermengilda wie ein kleines Kind und wischte sich die Tränen aus dem Gesicht.

Konrad stand den beiden Frauen hilflos gegenüber. »Ich weiß nicht, ob mein Geld dafür reicht. Wir haben noch einen sehr weiten Weg vor uns und müssen unterwegs Essen und Platz in den Herbergen bezahlen. Wahrscheinlich werden wir noch in den Winter geraten, und dafür brauchen wir wärmere Kleidung.«

»Ich will aber, dass Maite einen Esel bekommt!« Ermengildas

Augen flammten zornig auf, und sie stieß dabei mit dem Fuß so heftig gegen die Flanke ihres Reittiers, dass dieses empört aufkreischte und sie abzuwerfen drohte.

Maite griff rasch genug zu, um ein Unglück zu verhindern. »Jetzt reiß dich zusammen!«, herrschte sie die Freundin an. »Hier kann Konrad ohnehin keinen Esel kaufen, da der Wirt ihm das Fell über die Ohren ziehen würde. Wir müssten es unterwegs bei einem Bauern tun, aber auch nur dann, wenn wir es uns leisten können.«

Als Ermengilda noch immer nicht Ruhe geben wollte, hob Maite drohend die Hand. »Wenn ich dich nur mit ein paar Ohrfeigen zum Schweigen bringen kann, dann tue ich es!«

Nach dieser Drohung hielt Ermengilda den Mund. Dafür aber weinte sie und steigerte sich zuletzt in ein Schluchzen hinein, das Konrad durch Mark und Bein ging.

Er eilte an ihre Seite und ergriff ihre Hand. »Was ist mit dir?«

»Nichts, was dich im Augenblick bedrücken sollte«, warf Maite bissig ein. »Steig auf, damit wir weiterkommen. Du hast gehört, dass unsere Begleiterin am liebsten schon morgen zu Hause wäre.«

»So außer sich wie jetzt war sie noch nie!«

Da Konrad sich nicht beruhigen wollte, wandte Maite sich zu ihm um und sah ihn mit spöttischer Miene an. »Wenn du es genau wissen willst: Unsere Freundin ist schwanger, und da sind Frauen nun einmal seltsam.«

»Was ist sie?«

Konrads verdattertes Gesicht reizte Maite zum Lachen. »Sie bekommt ein Kind! Hast du das jetzt verstanden?«

»Aber wieso …«, stotterte Konrad.

»Sie war immerhin mehrere Wochen mit Eward verheiratet, und der musste, wie du weißt, auf Befehl des Königs seine Pflichten als Ehemann erfüllen.«

»Das ist gemein von dir!« Ermengilda schniefte, wischte sich dann über die tränennassen Augen und sah Konrad flehentlich an.

»Ich wollte es dir sagen, aber dieses Schandmaul musste mir ja zuvorkommen.«

»Ewards Kind?« In Konrads Stimme schwang Enttäuschung mit. Obwohl seine Liebesnacht mit Ermengilda noch nicht lange zurücklag, hätte er am liebsten gehört, er selbst habe sie geschwängert.

»Es ist mir lieber, als wenn der Emir mir das Kind gemacht hätte. Aber verstehst du jetzt, warum ich unbedingt fliehen musste? Mein Kind soll in Freiheit geboren werden und so aufwachsen, wie es seinem Stand angemessen ist.«

Ermengildas Verzweiflung blieb auf Konrad nicht ohne Wirkung. Er wollte ihr versichern, dass es ihm nichts ausmachte, doch da hatte Maite bereits den Strick ihres Esels gepackt und zerrte das Tier zum Tor hinaus. Rasch stieg auch er auf sein Reittier und folgte den beiden Frauen. Auf der Straße lenkte er seinen Esel neben den Ermengildas und berührte sie mit der rechten Hand.

»Mein Leben und mein Schwert gehören dir!«

»Dafür danke ich dir aus ganzem Herzen!« Die junge Frau lächelte sanft und sagte sich, wie glücklich sie sich schätzen durfte, dass Konrad sie zum Weib nehmen wollte. Auch wenn ihr Herz nicht viel schneller schlug, wenn sie an ihn dachte, so hatte es ihr doch gefallen, sich mit ihm zu paaren. Außerdem war er freundlich zu ihr und würde sie auf jeden Fall besser behandeln als Eward.

Da sie sich danach sehnte, wieder das Lager mit ihm zu teilen, hätte sie Konrad am liebsten gebeten, mit ihr den nächsten Priester aufzusuchen, damit dieser ihnen den Trausegen spenden konnte. Sie gab diesen Gedanken jedoch nach einem Blick auf seine Tracht wieder auf. Sie waren beide als Juden verkleidet, und daher war es ihnen unmöglich, eine christliche Kirche zu betreten. Der Priester hätte sie mit einem Stock davongejagt. So blieb ihr nichts anderes übrig, als die Heilige Jungfrau zu bitten, ihr die sündhaften Gedanken zu verzeihen. Zugleich flehte sie den Heiland an, sie so rasch wie möglich in die Heimat zu führen.

5.

Noch war es Herbst und das Reisen erträglicher als in der heißen Zeit. Aber der kühle Wind, der immer heftiger über das bergige Land fegte, war ein Vorbote des Winters, der die Gipfel in leuchtendes Weiß hüllen würde.

Nach einem prüfenden Blick in seinen Geldbeutel hatte Konrad darauf verzichtet, einen Esel für Maite zu kaufen. Die Münzen in seinem Beutel schwanden schneller, als sie es sich leisten konnten, und da er um Ermengildas willen weder bei der Nahrung noch bei der Unterkunft sparen durfte, rechnete er besorgt den Tag aus, an dem das Geld zur Neige gehen würde.

Zu seiner Erleichterung nahm Ermengilda die weitere Reise so ruhig hin, als hätte sie ihren verzweifelten Ausbruch bereits wieder vergessen. Dennoch spannte die Zahl der Tage, die verstrichen, auch ihn auf die Folter, und er beneidete Ermo, der den Weg mit zwei schnellen Stuten gewiss in weniger als einem halben Monat zurückgelegt und längst fränkischen Boden erreicht hatte.

Während er in Gedanken versunken auf seinem Esel saß, wurde es um sie herum auf einmal laut. Maurische Reiter sprengten heran und umringten sie und eine Gruppe christlicher Reisender, die gerade im Begriff gewesen waren, sie zu überholen.

In dem Glauben, entdeckt und eingeholt worden zu sein, griff Konrad zu dem Bündel mit dem Juwelenschwert, so ungeeignet diese Waffe für den Kampf auch sein mochte.

»Tu nichts Unbedachtes!«, zischte Maite warnend und deutete auf die Christen, in die ein noch größerer Schrecken gefahren zu sein schien als in sie selbst. Nun begriff Konrad, dass die Aufmerksamkeit der Mauren nicht ihnen galt, und betete im Geiste zum Heiland, auf dass er ihnen auch jetzt beistand. Unterdessen hielt Maite Ermengildas Esel am kurzen Zügel und versuchte, sowohl das Tier wie auch ihre Freundin zu beruhigen. Ermengildas Augen glichen hellen Teichen, aus denen bereits das Wasser rann, und ihre Lippen flüsterten ein christliches Gebet.

Maite kniff sie in den Schenkel, um sie zur Besinnung zu bringen, und musterte die Mauren, die sie aufgehalten hatten, unter hängenden Augenlidern. Es mochten um die dreißig gut bewaffnete Reiter sein. Unterwegs hatte sie von anderen Reisenden erfahren, dass auch die Mauren in sich gespalten waren und es Gruppen gab, die sich bis aufs Blut bekämpften. Selbst Abd ar-Rahman als mächtigstem Fürsten gelang es nicht, im ganzen Land Ordnung zu schaffen, aber bisher waren sie unbehelligt vorangekommen.

Einer der Mauren drängte einen der Christen, der einige Schritte weitergelaufen war, mit Hilfe seines Pferdes zurück und fuchtelte dabei mit seinem Schwert. »Hiergeblieben, du Hund, und her mit deinem Geld!«

Der Mann warf sich zu Boden und hob die Hände über den Kopf.

»Sei gnädig, edler Herr. Ich bin arm und besitze nur die paar Münzen, die ich brauche, um in meine Heimat zurückzukehren. Wenn du sie mir raubst, muss ich verhungern!«

Der Maure versetzte ihm einen Schlag mit der flachen Klinge. »Woher kommst du, und wo willst du hin?«

»Ich … ich stamme aus … aus Aranda. Das liegt am Duero, musst du wissen.«

»Ich weiß selbst, was ich wissen muss, du Hund!« Ein weiterer Hieb mit der flachen Klinge folgte und ließ den Mann vor Schmerz aufkreischen.

Dann wandte der Maure sich an die anderen Reiter. »Diese Christenhunde wollen nach Norden fliehen. Damit sind sie unserem Schwert verfallen!«

»Nein, Herr, das wollen wir nicht«, schrie der Anführer der Gruppe in höchster Not. »Wir sind harmlose Reisende auf dem Weg in die Heimat. Nichts liegt uns ferner, als zu jenen barbarischen Visigoten zu fliehen, die sich in den Bergen Kantabriens und Asturiens versteckt halten. Was wäre das auch für ein Leben dort, wo wir doch hier unter der weisen Herrschaft des großen Abd ar-Rahman glücklich und zufrieden sind?«

Ein Reiter schlitzte unterdessen einen der Packen auf, den die Gruppe auf ihre Esel geladen hatte. Kleider, Töpfe und sogar eine Puppe aus Holz und Stoff fielen heraus.

»Ihr wollt aus dem Norden stammen? Da habt ihr wohl euren ganzen Hausrat mit auf die Reise genommen?«, höhnte der Maure. Die ängstlichen Gesichter der Überfallenen sagten genug. Er musterte die sechs Männer und vier Frauen, die mit drei kleinen Kindern unterwegs waren, und nickte seinen Leuten zu.

»Nehmt sie gefangen. Wenn euch eines der Weiber gefällt, könnt ihr es haben.«

Diesen Worten folgten Entsetzensschreie aus etlichen Kehlen. Einer der Männer versuchte, den Mauren, der auf eine der Frauen zuritt, aus dem Sattel zu zerren, sank aber unter den Peitschenhieben der Krieger zusammen. Der Maure schwang sich vom Pferd, ergriff die Frau und schleifte sie zur Seite. Zunächst stammelte die Frau wirre Gebete, doch als er sie zu

Boden warf, ihr die Kleider vom Leib riss und sich auf sie stürzte, schrie sie, als stecke sie am Spieß.

Konrad blieb zunächst noch ruhig, doch als sich einer der Mauren Ermengilda näherte, entblößte er die Zähne wie ein angriffslustiger Hund. Bevor er jedoch etwas sagen oder tun konnte, schritt Maite ein.

»Wie ihr sehen könnt, sind wir Juden und gehören nicht zu diesen Leuten, sondern reisen allein.«

Der Maure ließ sich von diesen Worten nicht beeindrucken. »Ich will das Gesicht des Weibes sehen!«, sagte er und streckte die Hand nach dem Kopftuch aus, das Ermengilda so hielt, dass nur ihre angstgeweiteten Augen zu erkennen waren.

Maite stellte sich ihm furchtlos in den Weg. »Sie ist hässlich wie die Sünde und zudem schwanger. Bei dem dicken Bauch würdest du wenig Vergnügen finden, und bevor du an mich denkst: Ich habe geblutet und bin derzeit unrein.« Das Letzte war ihr gerade noch eingefallen, um den Kerl auch von sich abzuschrecken.

»Fass mich nicht an!« Der Maure fuhr zurück und hieb ihr die Reitpeitsche über den Rücken. Maite keuchte vor Schmerz, lachte ihn aber trotzdem aus.

»Jetzt kannst du deine Peitsche wegwerfen, denn sie ist ebenfalls unrein geworden!«

Beinahe hätte der Maure erneut zugeschlagen, ließ dann aber die Peitsche sinken und starrte darauf, als überlege er wirklich, ob er sie behalten oder besser wegwerfen sollte. Er entschied sich dafür, die Peitsche mit ein paar kräftigen Hieben zu reinigen, die er einem der gefangenen Christen versetzte, dann packte er willkürlich eine der anderen Frauen und zerrte sie mit sich. Seine Gefährten fesselten unterdessen die Männer und banden sie mit Stricken aneinander, die sie ihnen um die Hälse wickelten. Auch die beiden Weiber, die der Schändung entgingen, wurden auf diese Weise gefesselt.

Es tat Konrad und seinen beiden Begleiterinnen in der Seele weh, dies mit anzusehen. Den Christen helfen zu wollen, wäre jedoch ein aussichtsloses Unterfangen gewesen und hätte sie selbst in größte Schwierigkeiten gebracht. Doch auch so waren sie der Willkür der maurischen Reiter ausgeliefert. Deren Anführer lenkte seine Stute zu Konrad und setzte ihm das Schwert an die Brust.

»Juden haben Geld. Gib her, was du hast, dann lassen wir dich und deine beiden Weiber laufen.«

»Wir besitzen nur unser Reisegeld, und darauf können wir nicht verzichten!« Maite übernahm die Antwort, und sie fühlte sich bei weitem nicht so mutig, wie ihre Worte glauben machen sollten.

»Wir können euch auch die Kehlen durchschneiden und das Geld dann mitnehmen«, erklärte der Maure gelassen.

»Der Emir würde euch dafür schwer bestrafen. Wir reisen nämlich unter seinem Schutz. Hier, sieh!« Im letzten Augenblick war Maite die Kamelhaut eingefallen, die Konrad von Eleasar Ben David erhalten hatte. Sie zerrte die Rolle aus dem Bündel, das Konrad auf seinen Esel gebunden hatte, und hielt sie dem Mauren hin.

Dieser zwang sein Pferd ein paar Schritte rückwärts und fuhr sie an. »Bleib mir vom Leib, du unreine Hure.« Trotz seiner harschen Worte starrte er auf die Kamelhaut und versuchte, die Schriftzeichen darauf zu erkennen. Der Text selbst nötigte ihm wenig Achtung ab, doch im Verein mit dem ins Leder geschnittenen Siegel des Emirs und dessen ersten Beraters wurde das Schreiben in Maites Händen zu einer scharfen Waffe.

»Du bist Sklavenhändler?«, fragte er Konrad mit erwachendem Interesse.

Da Konrad die maurische Sprache nicht verstand, meldete sich wieder Maite zu Wort. »So ist es, edler Krieger. Mein

Herr ist Sklavenhändler und hat eben dem Emir zwei blonde Jungfrauen aus dem Frankenland überbracht, jede von ihnen so schön wie der volle Mond am Himmel und so strahlend wie die Sonne zur Mittagszeit.«

Der Maure wies auf das kleine Häuflein Christen, deren Weg nach Norden hier ein abruptes Ende gefunden hatte. »Kaufst du uns diese Leute hier ab?«

»Verzeih, mein Herr spricht deine Sprache nicht. Ich muss es ihm übersetzen.« Maite wandte sich an Konrad und gab ihm die Frage des Mauren weiter. Dieser hätte die Gefangenen gerne freigekauft. So viel Geld jedoch, um die Mauren zufriedenzustellen, besaß er nicht, selbst wenn sie ihre beiden Esel mit drangegeben hätten.

»Was sollen wir tun?«, fragte Konrad und bedauerte es, nicht dreißig oder vierzig handfeste Panzerreiter aus König Karls Heer bei sich zu haben.

»Wir können die armen Leute doch nicht den Heiden überlassen«, setzte Ermengilda hinzu. Zum Glück sprach sie leise genug, so dass die Mauren es nicht hören konnten.

Maite biss sich auf die Lippen und schüttelte dann den Kopf. »Wir können diese Leute nicht mitnehmen, denn wir befinden uns auf der Heimreise, und dieser Hund, der über die Franken herrscht, würde meinen Herrn schwer bestrafen lassen, brächte er Christenschweine als Sklaven mit.«

Einer der Mauren lenkte sein Pferd neben das seines Anführers. »Am besten überlassen wir diese Ungläubigen dem Händler Said. Er bezahlt gut!«

Bei der Nennung dieses Namens zuckten Maite und ihre beiden Begleiter zusammen. Said hatte Fadl Ibn al Nafzi geholfen, sie nach Córdoba zu bringen, und würde zumindest Konrad erkennen, wenn er ihn wiedersah. Maite hoffte, dass sie diesem Mann während ihrer Flucht nicht begegnen würden, war aber geistesgegenwärtig genug, eifrig zu nicken.

»Tut das! Said ist ein ehrenwerter Mann. Mein Herr hat auch ihm schon Sklaven und schöne Frauen verschafft.« Im Geiste drehte sie sowohl dem Händler wie auch den Mauren, die sie überfallen hatten, den Hals um. Da Wünsche jedoch nicht ausreichten, um sie tot von den Pferden fallen zu lassen, konnten sie nicht mehr tun, als zuzusehen, wie die Mauren ihre Gefangenen antrieben und langsam mit ihnen nach Süden entschwanden. Erst allmählich begriffen die drei, wie nahe sie selbst am Abgrund gestanden hatten, und bekreuzigten sich.

Maite blickte sich sofort um, ob jemand die für Juden eigenartige Geste gesehen haben könnte, und stellte zu ihrer Erleichterung fest, dass sie mutterseelenallein auf der Straße standen. Die Reisenden vor ihnen waren während der erzwungenen Pause ein ganzes Stück weitergekommen, und jene, die ihnen gefolgt waren, hatten sich aus Angst vor den Reitern nicht näher herangewagt.

»Haben wir denn wirklich nichts für diese armen Leute tun können?«, fragte Ermengilda mit bebender Stimme.

»Nicht das Geringste. Hätten die Mauren den Verdacht geschöpft, wir könnten ebenfalls Christen sein, hätten sie uns ohne Gnade mitgeschleppt. Das Schicksal, das dich in diesem Fall erwartet hätte, würde dir deine Zeit in Abd ar-Rahmans Harem wie das Paradies erscheinen lassen.«

Maite wischte sich mit einer energischen Handbewegung über die Augen, aus denen sich einige Tränen gestohlen hatten, und schritt weiter nach Norden, in jene Richtung, in der, wie sie hoffte, die Freiheit auf sie wartete. Ermengildas Esel folgte ihr gehorsam, während Konrad noch einige Augenblicke verharrte und sich dabei schüttelte. Schließlich versetzte er seinem Reittier einen leichten Schlag und holte die beiden Frauen rasch wieder ein.

»Kannst du mir sagen, weshalb diese maurischen Hunde die armen Leute gefangen und mitgenommen haben?« Die Frage galt eigentlich Maite, doch es war Ermengilda, die ihm Antwort gab.

»Wahrscheinlich wollten diese Menschen nach Asturien fliehen. Dies geschieht immer wieder. Einige der maurischen Herren behandeln die Christen in ihrem Machtbereich wie Tiere und nehmen ihnen die schönsten Jungfrauen ab, um sie in ihre Harems zu stecken. Daher wagen etliche von ihnen die Flucht, auch wenn die Gefahren, denen sie sich damit aussetzen, sehr groß sind, wie wir eben miterleben mussten. Doch für die Freiheit, unter ihresgleichen leben und beten zu können, nehmen sie alles in Kauf.«

»Mögen Gott und unser Heiland Jesus Christus sich dieser Leute erbarmen, und unser ebenfalls, weil wir nicht in der Lage waren, ihnen zu helfen«, sagte Konrad und sprach noch ein Gebet für die armen Menschen, die die Freiheit gesucht und bitterste Sklaverei gefunden hatten. Dann richtete auch er den Blick gen Norden.

6.

Der Zwischenfall mit den christlichen Flüchtlingen lastete noch lange wie ein Alp auf den Gemütern der drei. Die durch ihre Schwangerschaft empfindsam gewordene Ermengilda weinte den ganzen restlichen Tag hindurch und vermochte sich auch am Abend nicht zu beruhigen. Zum Glück stieß sie nur unverständliche Töne aus, sonst hätte Maite sie zurechtweisen oder gar mit Schlägen zum Schweigen bringen müssen.

Dabei war ihr selbst so elend zumute, dass sie sich am liebsten in eine dunkle Ecke verkrochen hätte. Doch sie hielt die eigenen Tränen mühsam zurück. »Was sind wir nur für Schwächlinge«, sagte sie, als sie sich dem Dorf näherten, in dem sie übernachten wollten. »Diese Leute gingen uns doch gar nichts an. Wir hätten ihnen sogar böse sein sollen, weil sie uns ebenfalls in Gefahr gebracht haben!«

Ermengilda hob den Kopf und sah sie mit tränenblinden Augen an. »Du bist herzlos! Weißt du das?«

»Ich bin lieber herzlos als eine Sklavin der Mauren, die von jedem Schwachkopf, der sich ihr Herr nennt, auf das Bett gezerrt und benutzt werden kann!«

»Verzeih mir! Ich weiß doch, dass du es gut meinst.« Ermengildas Stimmung wechselte von einem Augenblick zum anderen, und nun strich sie Maite sanft über die Wange.

Maite lächelte, obwohl ihr nicht danach zumute war. »Ich bin dir doch gar nicht böse, meine Liebe. Unser Weg ist noch lang, und da dürfen wir uns von dem Gedanken an diese Unglückseligen nicht bedrücken lassen.«

Die Worte der Waskonin schienen Ermengildas Stimmung ein wenig aufzuhellen. Doch ehe diese antworten konnte, warnte Konrad die beiden Frauen. »Still! Wir sind gleich da.« Gleich darauf begrüßte er einen Mann, der am Eingang der Herberge stand, mit einem freundlichen »Schalom!«.

Der andere antwortete mit einer Verwünschung, die Maite nicht übersetzen mochte. Ohne sich weiter um den Knecht zu kümmern, traten sie durch das Tor der Umfriedung und sahen ein niedriges Gebäude vor sich, durch dessen offene Fenster der Geruch nach zu lange verwendetem Olivenöl drang.

Ermengilda würgte es. »Hier kann ich nicht bleiben«, flüsterte sie.

Konrad sah Maite fragend an, doch die schüttelte den Kopf.

»Es würde auffallen, wenn wir wieder gehen. Suchen wir uns einen Platz, an dem der Wind günstiger weht als hier, so dass wir diesen Gestank nicht so stark in die Nasen bekommen. Für Ermengilda sollten wir uns allerdings Essen geben lassen, das nicht in Olivenöl gebraten worden ist.«

»Ein guter Gedanke!« Konrad steckte seinen Zeigefinger in den Mund, befeuchtete ihn mit Speichel und hielt ihn dann in die Luft, um herauszufinden, aus welcher Richtung der Wind blies. Er freute sich, dass ihm die als Junge erlernte Fertigkeit jetzt nutzte. Als er seine Schritte zu einem Teil des umfriedeten Hofes führte, der der Küche gegenüberlag, nahm die Geruchsbelästigung so weit ab, dass Ermengilda sie zu ertragen vermochte.

Ein Knecht kam heran, sah sie hochmütig an und zeigte auf die Esel. »Dort vorne findet ihr Futter und Wasser für die Tiere. Versorgen müsst ihr sie selbst!« Damit ging er wieder, um sich anderen Gästen zuzuwenden, vor denen er nun dienerte, als hinge sein Seelenheil davon ab. Es handelte sich um mehrere Mauren in prächtigen Kleidern mit langen, gebogenen Schwertern. Obwohl sie protzig auftraten, hielt Maite sie mehr für Händler als für Krieger. In den Augen dieser Männer waren Christen dazu da, ihnen zu dienen, und Juden nur Gewürm, das man nicht beachtete. Sie forderten den besten Platz im Hof, und so mussten Maite und ihre Freunde den ihren wieder räumen. Sie durften auch nicht mit den Eseln zur Tränke gehen, da die Pferde der Mauren Vorrang besaßen.

Maite schenkte den hochnäsigen Mauren keine Beachtung, sondern schlich in die Küche und kehrte kurz darauf mit drei Tonschüsseln zurück, die aufgequollenen Weizen und Hammelfleischstücke enthielten. Obwohl Ermengilda beim Anblick dieser einfachen Mahlzeit erklärte, sie könne keinen Bissen davon über die Lippen bringen, schaufelte sie den warmen Brei so schnell in sich hinein, dass ihre Schüssel bereits leer war, als Maite und Konrad gerade die Hälfte geschafft hatten. »Ein Schluck Wein wäre mir jetzt willkommen«, sagte sie, nachdem sie zaghaft aufgestoßen hatte.

Maite stellte ihre Schüssel beiseite und trat noch einmal ins Haus. Als sie zurückkehrte, hielt sie drei Becher in den Händen. Obwohl diese bis zum Rand gefüllt waren, gelang es ihr, keinen Tropfen zu verschütten.

»Hier ist unser Sorbet!« Sie zwinkerte Ermengilda und Konrad dabei verschwörerisch zu. Erst als sie wieder saß und selbst einen Schluck von dem leicht säuerlichen, aber schmackhaften Wein getrunken hatte, deutete sie mit dem Kopf in Richtung der Mauren.

»Der Wirt hält diese Kerle für ganz große Herren und hat Angst vor ihnen. Daher wagt er es nicht, Wein zu verkaufen, solange sie hier sind. Seine Frau aber wollte sich das Geschäft nicht entgehen lassen und hat mich daher aufgefordert, so zu tun, als wäre es Fruchtsaft.«

»Gegen ein gutes Sorbet hätte ich auch nichts einzuwenden.« Ermengilda erinnerte sich mit einem entsagungsvollen Seufzen an die ausgezeichneten Fruchtsaftmischungen mit zerstoßenem Eis, die ihr im Palast des Emirs von Córdoba serviert worden waren. Doch der Verzicht auf solche Leckereien war ein geringer Preis für die errungene Freiheit, und so nippte sie dankbar an ihrem Becher.

Der Himmel begann sich von Osten her dunkler zu färben, und schon bald tauchten die ersten Sterne als kleine, glitzernde Punkte am Himmel auf. Maite und Ermengilda kuschelten sich eng aneinander, um sich gegenseitig zu wärmen, und schliefen bald ein.

Da Konrad keinen Schlaf fand, setzte er sich mit dem Rücken gegen die Umfassungsmauer und sah zu den Sternen auf. Viele davon kannte er aus seiner Heimat, doch einige waren ihm fremd und zeigten, wie weit er sich von seiner Familie auf dem Birkenhof entfernt hatte. Seltsamerweise fühlte er kein Heimweh. Ihm gefiel dieses Land mit seiner warmen Sonne und den betörenden Düften, und eine Weile gab er sich der Vorstellung hin, König Karl wäre es gelungen, Saragossa einzunehmen und den Norden Spaniens zu erobern. Vielleicht hätte der König ihm dann ein Stück Land verliehen, auf dem er wie ein edler Herr hätte leben können. Ermengilda würde es sicher besser gefallen, die Gemahlin eines Edelings zu sein, als das Weib eines besseren Freibauern zu werden.

7.

Am nächsten Morgen reisten die Mauren als Erste ab. Maite und ihre Begleiter weinten ihnen keine Träne nach, denn die Kerle hatten sich benommen, als wären sie hier die Herren und der Wirt nur ihr Knecht. Da sie bevorzugt bedient worden waren, konnten die anderen Reisenden erst nach ihnen das Frühstück einnehmen und ihre Tiere tränken.

Während Maite bezahlte, weil sie besser zu feilschen verstand als Konrad, führte dieser die Esel zum Wasser und ließ sie saufen. Ermengilda stand bereits am Tor der Umfriedung, froh, diese Herberge bald verlassen zu können. Noch während sie ungeduldig zu Konrad hinüberblickte, hörte sie weiter vorne im Dorf einen zornigen Schrei und den Ruf: »Haltet den Dieb!«

Fast gleichzeitig schoss ein dürres Kerlchen zwischen den Häusern heraus. Es hatte einen Laib flachen Brotes und ein Stück Käse unter den Arm geklemmt und versuchte, einem kräftigen Mann und einer keifenden Frau zu entkommen.

Zunächst sah es so aus, als könne der Junge seinen Verfolgern entwischen, doch da trat einer der Reisenden, der eben die Herberge verließ, ihm in den Weg und brachte ihn zu Fall. Bevor das Bürschchen sich wieder aufraffen konnte, war das Paar über ihm.

»Du elender Dieb! Jetzt erhältst du deine Strafe. Der Richter wird dir die Hand abhacken lassen«, schrie der vierschrötige Mann, während er mit aller Kraft auf den Jungen einschlug.

Derjenige, der den Jungen zu Fall gebracht hatte, ließ sich von einem Herbergsknecht einen Strick reichen und band dem Kleinen Arme und Beine zusammen. Danach betrachtete er ihn und stupste den Bestohlenen an.

»An deiner Stelle würde ich nicht darauf dringen, den Burschen zu verstümmeln. Lass ihn kastrieren und danach als Eunuchen verkaufen, dann hast du mehr davon.«

»Ihm gehört die Hand abgehauen«, giftete die Frau, die jetzt ihr Brot und ihren Käse, die der Junge fallen gelassen hatte, wieder an sich raffte. »Sieh dir das an! Alles voller Staub! Selbst wenn ich den Käse wasche, kann ich ihn kaum mehr essen. Und das Brot erst! Das darf ich den Schweinen vorwerfen.«

Der Junge hatte sich bis jetzt still verhalten, doch als nun auch noch die Frau auf ihn einprügelte und mit den Füßen nach ihm trat, schrie er auf.

»Habt Gnade! Ich habe doch nichts von Wert gestohlen. Ich hatte doch nur Hunger!«, jammerte er.

Ermengilda riss es hoch, und sie eilte auf den Jungen zu. »Just!« Es war tatsächlich der Junge, der bis Roncesvalles als Konrads zweiter Knecht gegolten hatte. Entsetzt presste sie die Hände auf den Mund, um sich nicht zu verraten. Dann aber wandte sie sich um und rannte mit wehenden Kleidern zur Herberge zurück und packte Konrad, der eben nach ihr Ausschau hielt, am Arm.

»Sie haben den kleinen Just gefangen! Sie wollen ihm die Hand abschlagen und ihn dann als Sklaven verkaufen.«

»Was sagst du da? Aber der Junge ist doch in Roncesvalles ums Leben gekommen!«, antwortete Konrad verdattert.

»Es ist Just! Ganz bestimmt. Schnell, hilf ihm! Sonst bringen sie ihn noch um!« Ermengilda packte ihn und wollte ihn hinter sich herziehen. Unterdessen war Maite herangekommen und hatte ihre letzten Worte gehört.

»Was sagst du? Wo hast du Just gesehen?«

Ermengilda nickte und zeigte nach draußen. Dort hatte das bestohlene Paar von dem Jungen abgelassen. Dafür zerrten andere ihn auf die Beine, und die Menge, die sich um ihn versammelt hatte, besprach ungeniert den Preis, den er als Sklave einbringen würde.

Obwohl Just statt des gewohnten knielangen Kittels ein langes, bis zu den Knöcheln reichendes Hemd trug und eine Kappe aufgesetzt hatte, erkannten Maite und Konrad ihn sofort. Der Junge war übel zugerichtet, und in seinen Augen stand nackte Angst.

»Was sollen wir tun?«, flüsterte Maite.

»Er war bestimmt auf der Suche nach uns! Wir müssen ihn retten!« Ermengildas Stimme klang schrill, und sie sah aus, als würde sie umgehend in Tränen ausbrechen.

»Wie sollen wir ihn befreien? Dafür bräuchte ich mindestens ein Dutzend handfester Franken!« Konrad überlegte kurz und gab dann Maite einen Schubs. »Sag dem Vierschrötigen, dass ich den Jungen kaufen will, und frage ihn, was er für ihn verlangt.«

Zuerst wollte Maite auffahren und sagen, dass sie viel zu wenig Geld für die lange Reise besaßen. Dann aber dachte sie an die wenigen glücklichen Stunden bei den Franken, die sie den interessanten Gesprächen mit Just verdankte, und nickte verbissen.

»He du da!«, sprach sie den bestohlenen Mann an. »Mein Herr überlegt, dieses jämmerliche Bündel zu kaufen und aufzupäppeln. Vielleicht wird doch noch ein brauchbarer Sklave daraus.«

Während der Mann eine abwehrende Miene machte, ruckte die Frau herum und musterte Maite und Konrad. Beim Anblick der jüdischen Tracht verzog sie angewidert das Gesicht, aber ihre Augen leuchteten begehrlich auf.

»Das ist ein feines Bürschchen, das, wenn es richtig angelernt ist, ein guter Sklave sein wird. Er ist auch noch jung genug, um ihm die Eier und das andere Stück wegschneiden zu können. Als Eunuch würde er einen sehr guten Preis erbringen.«

»Dafür müsste er die Operation erst einmal überleben«, antwortete Maite mit einem bedenklichen Kopfschütteln. »Außerdem, wenn ich ihn jetzt aus der Nähe betrachte, bin ich im Zweifel, ob mein Herr ihn wirklich kaufen sollte. Ihr habt ihn ja zum Krüppel geschlagen.«

Da die Frau im Geist bereits die Münzen zählte, die sie als Gegenwert für das bisschen Brot und das Stück Käse bekommen konnte, ließ sie nicht locker. »Der Junge ist sicher einige Dinare wert, auch wenn dein Herr ihn nicht zwischen den Beinen scharf rasieren lässt.«

»Nicht einmal einen Dinar!«, protestierte Maite.

Damit hatte das Feilschen begonnen. Konrad sah mit offenem Mund zu, wie die Worte nur so hin- und herflogen. Die Bestohlene war raffgierig und hätte sich den Käse und das Brot gerne tausendfach bezahlen lassen, doch Maite kämpfte mit aller Verzweiflung um jeden Dirhem, denn sie wusste, dass sie die Münzen dringend benötigten, um über die Grenze zu kommen.

Schließlich einigten sich die beiden, und Konrad musste der Frau und deren Ehemann den halben Inhalt seines Geldbeutels in die Hand zählen. Einige Anwesende bestanden darauf, als Zeugen bezahlt zu werden, und so schmolzen die Münzen noch schneller dahin. Bevor auch noch die Schergen des Richters kommen und etwas fordern konnten, hob Konrad den Jungen auf seinen Esel und schritt davon. Maite folgte mit Ermengildas Reittier und betrachtete dabei den Jungen. Just hatte seine Käufer offensichtlich noch nicht erkannt, denn er lag regungslos auf dem Esel.

»Der arme Junge. Sie haben ihn wirklich schlecht behandelt!«

Ermengilda seufzte und hätte sich am liebsten sofort um Justs Verletzungen gekümmert.

Maite schüttelte den Kopf. »Sollte es dem hiesigen Richter einfallen, seinen Anteil zu fordern, müssten wir den Rest unseres Weges ebenfalls betteln und stehlen. Um das zu verhindern, sollten wir die nächsten Meilen so rasch wie möglich hinter uns bringen.«

»Aber was ist, wenn Just in der Zwischenzeit stirbt?«, wandte Ermengilda ein.

»Keine Sorge! Der Junge ist zäh. Außerdem waren das sicher nicht die ersten Prügel, die er in seinem Leben bekommen hat.« Konrad sagte dies nur, um Ermengilda zu beruhigen, denn er war nicht weniger besorgt als sie. Just schien bewusstlos zu sein, doch dann bemerkte er, wie dessen Augenlider flatterten und der Junge seine Begleiter aus schmalen Schlitzen musterte.

»Die paar Hiebe haben unser Kerlchen nicht umgebracht. Der ist sogar putzmunter!«

Nun zuckte Just zusammen, riss die Augen auf und starrte Konrad fassungslos an. »Ihr seid doch tot! Nein, Ihr seid ein anderer, der Euch ähnlich sieht.«

»Ich bin nicht tot!«, antwortete Konrad. »Man hat mich im Kampf betäubt und dann als Sklaven mitgeschleppt, weil Fadl Ibn al Nafzi den Tod seines Bruders Abdul an mir rächen wollte.«

»Und ich bin in den Harem dieses unsäglichen Emirs gesteckt worden. Aber Konrad ist es gelungen, mich zu befreien«, berichtete Ermengilda mit strahlenden Augen.

Maite zog die Mundwinkel herab, weil die Freundin ihre Leistung völlig missachtete und die Rettung nur Konrad zuschrieb. Im nächsten Augenblick schnappte sie jedoch ebenso nach Luft wie Ermengilda.

Justs Gesichtsausdruck hellte sich auf, und er rief: »Da wird

Herr Philibert sich aber freuen. Er hat mich nämlich geschickt, um Euch zu suchen, Herrin.«

»Philibert lebt!« Ermengilda jubelte innerlich auf, fühlte sich im nächsten Augenblick jedoch einer Ohnmacht nahe.

Sie dankte dem Heiland und allen Heiligen für Philiberts Rettung, aber sie wusste nicht, wie sie ihm jemals wieder unter die Augen treten konnte. Sie liebte ihn weit mehr als Konrad, doch sie hatte mit diesem das Lager geteilt und sich streng genommen damit ehelich mit ihm verbunden. Da sie fest überzeugt gewesen war, Philibert sei tot, hatte sie Konrad als den besten Ehemann für sich angesehen. Doch wenn sie ihn offiziell heiratete, musste sie sich ihre Liebe zu Philibert aus dem Herzen reißen, und das glaubte sie nicht ertragen zu können. Andererseits hatte Konrad ihr mehrmals das Leben gerettet und sie befreit. Aus diesem Grund war sie ihm verpflichtet und durfte ihn nicht enttäuschen.

Da Konrad in Augenblick nicht auf Ermengilda achtete, entgingen ihm ihre Gewissensqualen. Maite bemerkte sie jedoch und lächelte boshaft. Geschah es ihrer Freundin doch recht, sich nun in Zweifeln zu winden. Warum hatte sie es nicht abwarten können, sich mit Konrad zu paaren? Dann aber tat Ermengilda ihr leid. Es musste schwer für sie sein, zwischen zwei Männern zu stehen, die sie beide liebten und es auch wert waren, ihre Hand zu erhalten. Da Ermengilda jedoch nur einen von ihnen zum Manne nehmen konnte, würde der andere leer ausgehen. Mit einem Mal wünschte sie sich, es würde Konrad sein.

Just hatte sich inzwischen gefasst und berichtete von dem Massaker in Roncesvalles. »Ich habe mich in einem Dachsloch verkrochen und bin erst wieder herausgekommen, als alles vorbei war, und Philibert hat sich tot gestellt. Das hat Maite ihm geraten. Schade, dass sie nicht bei euch ist.«

»Aber ich bin doch hier«, sagte Maite.

Just kniff die Augenlider zusammen und starrte sie an. »Du bist doch eine Mohrin!«

»Nur eine angemalte«, fiel Maite ihm lachend ins Wort.

»Sprechen tust du ja wie Maite, aber du siehst nicht so aus. Aber wenn man sich diese hässliche schwarze Farbe wegdenkt, könntest du es tatsächlich sein.«

»Ich bin es!«, fuhr Maite auf.

Just ging nicht darauf ein, sondern sah Konrad grinsend an. »Ihr könntet mir die Fesseln abnehmen. Oder wollt Ihr mich wirklich als Sklaven verkaufen?«

»Das sollten wir tun, denn wir haben fast unser ganzes Geld für dich ausgegeben«, schimpfte Maite.

Konrad nickte bedrückt. »Es hat uns etliches gekostet, dich freizubekommen, und wenn wir nicht verhungern wollen, werden wir bald auf deine besonderen Talente zurückgreifen müssen. Allerdings darfst du dich kein zweites Mal erwischen lassen. Das Geld, dich erneut auszulösen, haben wir nämlich nicht mehr.«

»Ich lasse mich sonst nicht erwischen. Heute war es ein dummer Zufall. Diese fette Kuh ist in dem Augenblick in die Küche gekommen, in dem ich durch die offene Tür hinausgeschlüpft bin, und hat sofort zu schreien begonnen. Wäre sie nur einen Hauch später gekommen, wäre ich bereits über alle Berge gewesen.«

»Und dann hätten wir dich nicht getroffen!«

Maites Einwand ließ den Jungen kurz verstummen, bis er wieder über das ganze Gesicht grinste. »Es ist ja alles gutgegangen. Da soll noch einmal einer sagen, es gäbe keine Vorsehung. Vorsicht, du stichst mir in die Hand!« Das galt Maite, die ihren Dolch gezogen hatte und seine Fesseln durchschnitt.

Während sie den Dolch wegsteckte, wies sie Richtung Norden. »Wir müssen weiter! Es holen schon wieder Reisende auf, und ein zweites Mal will ich nicht in die gleiche Situation geraten wie gestern.«

»Wieso? Was ist gestern geschehen?«, fragte Just.

Den drei war jedoch nicht zum Reden zumute. Ihnen taten die Flüchtlinge leid, die von den Mauren gefangen genommen worden waren, und sie schämten sich ein wenig, weil sie heilfroh waren, diesem Schicksal entronnen zu sein.

Ermengilda wechselte schließlich das Thema, indem sie Just bat, zu berichten, wie es Philibert ergangen sei. »Er war doch schwer verletzt. Wie konntet ihr entkommen?«

»Nicht alle Waskonen sind so blutrünstig wie das Gesindel, das uns überfallen hat. Ein paar Hirten haben uns bei sich aufgenommen und Philiberts Wunden ebenso gut versorgt wie der beste Arzt!«

Während Just erzählte, war Maite froh, ihre Haut geschwärzt zu haben, denn sonst hätten die drei anderen die Schamesröte gesehen, die ihr bei den Worten des Jungen in die Wangen stieg. Im Grunde gehörte auch sie zu dem blutrünstigen Gesindel, von dem der Junge sprach, und sie wusste nicht, wie Konrad, aber auch Ermengilda und Philibert sich auf Dauer zu ihr stellen würden. Es tat weh, sich vorzustellen, die drei und der kleine Just könnten sie als Feindin ansehen und ihr den Rücken kehren. Das, so sagte sie sich, hatte sie gewiss nicht verdient.

8.

Justs Verletzungen waren weniger schwer, als die anderen zunächst befürchtet hatten. Er hatte ein paar Prellungen und jede Menge blauer Flecken davongetragen, konnte aber schon am nächsten Tag wieder auf eigenen Beinen stehen. Er bestand nun darauf, Konrads Esel am Zügel zu führen. So war es ihm möglich, die durch Maites Flucht aus Pamplona unterbrochenen Gespräche wieder aufzunehmen.

Er hatte viel zu erzählen, denn er befand sich bereits seit mehreren Wochen im maurischen Machtbereich und hatte sich mühsam Richtung Süden vorgearbeitet. Zwar hatte man ihn mehrmals in die Irre geschickt, doch war es ihm immer wieder gelungen, Fadl Ibn al Nafzis Spur aufzunehmen. Von ihm und seinen Leuten, so hatte er gehofft, würde er erfahren, was mit Ermengilda geschehen war. Als er den Berber und seinen Trupp entdeckt hatte, folgte er ihnen ein Stück nach Norden.

Viel, so berichtete er Maite, hatte er dabei nicht erfahren. »Weißt du, die Mauren reden nicht über ihre Weiber oder die anderer Männer, wie es die Leute daheim tun. In Fadls Begleitung befanden sich jedoch ein alter Waskone und ein paar von dessen Stammesgenossen. Der Alte war zwar ebenfalls recht maulfaul. Aber die anderen Waskonen haben darüber geredet, dass er dich in Córdoba zurückgelassen hätte. Die meisten von den Kerlen hatten Angst vor Fadl und dessen Grausamkeit, und einige – darunter auch ein gewisser Danel, der wohl zu deinem Stamm gehört – bereuen bereits, dass sie sich von den Mauren haben überreden lassen, die Truppe von Markgraf Roland zu überfallen. Jetzt zittern sie vor König Karls Rache. Die Hinrichtung von Suleiman dem Araber und das Schleifen der Mauern von Pamplona haben ihnen gezeigt, wie gemein der Franke zuschlagen kann.«

Sonst hatte Maite den Jungen stets berichtigt, wenn er den Namen Pamplona anstelle des bei ihrem Volk gebräuchlichen Iruñea gebraucht hatte. An diesem Tag ließ sie es ihm jedoch durchgehen, denn sie beschäftigte sich mit anderen Überlegungen. Auch wenn Just nicht jammerte, wie schlecht es ihm ergangen sei, war ihr bewusst, welche Strapazen er durchgemacht und wie viel Angst er ausgestanden hatte. Seine

Worte verrieten aber auch den Willen, den Auftrag, den Philibert ihm erteilt hatte, unter allen Umständen zu erfüllen. Wäre er den Leuten entkommen, die er aus Not bestohlen hatte, wäre er in einigen Wochen in Córdoba aufgetaucht und hätte dort versucht, Informationen über Ermengilda zu erlangen.

Maite war froh, dass sie ihn vorher gefunden hatten, denn in der Hauptstadt der Mauren wäre er durch seine Fragen aufgefallen und bald als Spion festgenommen worden. Die Strafe, die die Richter des Emirs über solche verhängte, war ähnlich furchtbar wie Suleiman Ibn Jakthan al Arabi el Kelbis Bestrafung durch König Karl.

»Du bist doch den Weg bis hierher gegangen. Wie lange, glaubst du, brauchen wir noch, um die Grenze zu erreichen?«, fragte sie, als Just ausnahmsweise für ein paar Augenblicke den Mund hielt.

Der Junge kniff ein Auge zu und überlegte. »Keine Ahnung! Wir brauchen so lange, wie es eben dauert. Mach dir keine Sorge um das Geld. Ich beschaffe schon Nahrung, und schlafen können wir in alten Hütten oder in Bauernhäusern. Das ist viel billiger als die Herbergen. Außerdem läuft Konrad so weniger Gefahr, auf echte Juden zu treffen, denen er doch etwas komisch vorkommen würde. Passt er übrigens beim Pinkeln auf, damit keiner ihm zusieht?«

»Wieso?« Maite starrte den Jungen verdutzt an.

»Na, es heißt doch, dass den Juden vorne etwas weggeschnitten worden sein soll. Da wäre es fatal, wenn einer entdeckt, dass Konrad an der Stelle noch vollständig ist.« Just grinste, denn es machte ihm Spaß, mit seinem Wissen zu prahlen.

Als Konrad kurz darauf befahl, anzuhalten, und abstieg, um sich am Straßenrand zu erleichtern, stupste Just Maite an. »Wer sagt es ihm jetzt? Du oder ich?«

»Ich glaube, es ist besser, du tust es.« Maite wunderte sich selbst, wieso sie darauf verzichtete, Konrad mit ein paar spöttischen Worten auf einen Fehler hinzuweisen. Doch bei dem Gedanken an den Körperteil, um den es nun ging, sah sie wieder die Szene vor sich, in der Konrad und Ermengilda sich so schamlos gepaart hatten, und fühlte erneut Ekel in sich aufsteigen.

»Mach ich!« Just bekam nichts von ihren Empfindungen mit, sondern eilte zu Konrad, stellte sich neben ihn und ließ ebenfalls sein Wasser rinnen. Dabei sprach er ihn auf die Sitte der Juden an, die männlichen Mitglieder ihres Volkes zu beschneiden.

Konrad zuckte zusammen und sah sich hastig um. Ermengilda bemerkte es und wandte sich an Maite. »Was haben die beiden?«

»Just sagt Konrad gerade, dass er aufpassen muss, wenn er sein Stöcklein hervorholt. Echten Juden fehlt da nämlich etwas, das er noch hat.«

Als Ermengilda es hörte, musste sie kichern. Gleichzeitig rutschte auch sie vom Esel herab und sah sich suchend um.

»Was ist los?«, fragte Maite.

»Ich muss auch Wasser lassen.«

»Schon wieder?« Maite stöhnte, denn Ermengilda hatte erst vor kurzer Zeit ein kleines Wäldchen, das ihr Schutz vor zudringlichen Blicken geboten hatte, dazu benützt, sich zu erleichtern. Hier an dieser Stelle gab es jedoch kein Gebüsch, hinter dem sie Deckung suchen konnte.

Da aber Ermengildas Blase zwickte, blieb dieser nichts anderes übrig, als ihre Kleidung zu raffen und sich am Wegesrand hinzuhocken.

»Wenn das so weitergeht, kommt dein Kind noch, bevor wir die Pyrenäen in der Ferne sehen!« Maite schüttelte sich, denn in ihren Augen kamen sie wie Schnecken voran. Dazu schmolz ihr Geld wie Schnee im Frühjahr, und sie benötigten dringend wärmere Überwürfe. In den Bergen würde es bald bitterkalt werden.

Trotz Maites Befürchtungen kamen sie mit Just zusammen rascher voran als zuvor, denn der Junge kannte die Gegend, die er zu Fuß erkundet hatte, besser als sie. Unterwegs trafen sie noch zweimal auf maurische Patrouillen. Deren Anführer ließen sich jedoch von dem auf Kamelhaut geschriebenen Schutzbrief mit dem Siegel des Emirs beeindrucken und gaben ihnen den Weg frei.

Schließlich lag auch Saragossa seitlich hinter ihnen, und in der Ferne konnten Ermengilda und Maite von einer Anhöhe aus die Berge ihrer Heimat sehen. Doch gerade, als sie glaubten, das Schlimmste überstanden zu haben, hörten sie in der Nähe lautes Geschrei und das Klirren von Waffen.

Während sie in die Richtung blickten, aus der der Lärm zu ihnen drang, hob Maite die Hand. »Da sollten wir uns besser nicht einmischen. In dieser Gegend finden immer wieder Scharmützel zwischen asturischen Reitern und maurischen Streifscharen statt. Machen wir, dass wir von hier fortkommen. Wenn die Falschen uns entdecken, geht es uns an den Kragen, denn nach dem Schutzbrief des Emirs fragt hier niemand mehr!«

Sie wollte weitergehen, doch Konrad sprang von seinem Esel und hielt sie auf. »Wir sollten wenigstens nachsehen, wer sich da schlägt. Bleiben Ermengildas Landsleute siegreich, können wir uns ihnen anschließen.«

»Es kann sich aber genauso gut um verfeindete Araber- und Berberstämme handeln. Denen sollten wir besser aus dem Weg gehen!«

»Aber dafür müssen wir wissen, in welche Richtung sie reiten.« Konrad wies die anderen an, in Deckung zu gehen, und schlich auf die Kampfgeräusche zu.

9

Philibert von Roisel war am selben Tag aufgebrochen, an dem er wieder auf einem Pferd zu sitzen vermochte. Der Arzt, den König Karl ihm geschickt hatte, war strikt gegen sein Vorhaben gewesen, weil der junge Krieger seiner Ansicht nach zu schwach sei, einen so langen und gefährlichen Ritt durchzustehen. Doch Philiberts Wille, Ermengilda so rasch wie möglich zu finden und zu befreien, war stärker gewesen als jede Vernunft. Zwar hatte König Karl mehrere Reiter bei ihm gelassen, die mit ihm nach Spanien reisen sollten, doch als es so weit war, hatte Philibert deren Begleitung vehement abgelehnt. Allein, so sagte er sich, kam er unauffälliger durch das Land.

Der Schrecken über das, was in der Schlucht von Roncesvalles geschehen war, brachte ihn jedoch dazu, diesen Weg zu meiden und das Gebirge weiter östlich auf einem abgelegenen, nur von Waskonen benützten Weg zu überqueren.

Der Hirte, der ihn versorgt hatte, brachte ihn über Ochagavia und Liédena bis an den Rio Aragón. Dort zeigte er auf den Fluss, der sich durch das gebirgige Land schlängelte. »Wenn du dem Wasser folgst, kommst du zu der Straße, die von Iruñea nach Süden führt. Du kannst sie nicht verfehlen. Ich rate dir aber, dich als Renegaten auszugeben, der sich mit dem König der Franken zerstritten hat und bereit ist, Muslim zu werden.«

Philibert nickte. Diesen Rat hatte der Mann ihm bereits vor ihrem Aufbruch erteilt. Aus diesem Grund hatte er sich einen der weiten, weißen Umhänge besorgen lassen, wie ihn die Mauren trugen. Dieser war nun zu einer Rolle zusammengedreht und hinter seinen Sattel geschnallt. Trotz der Warnung des Hirten trug er einen fränkischen Schuppenpanzer, und das Schwert an seiner Hüfte war die Waffe, die König Karl ihm zurückgelassen hatte. Auch davon hatte der Mann ihm dringend abgeraten und ihm angeboten, die gerade Waffe bei einem seiner Stammesverwandten gegen ein erbeutetes maurisches Krummschwert einzutauschen.

»Ich hoffe, du hast nicht alles wieder vergessen, was ich dir über die Mauren erzählt habe«, fuhr der Hirte fort, als er keine Antwort bekam.

Diesmal schüttelte Philibert den Kopf. »Nein, das habe ich nicht! Ich danke dir, dass du mir geholfen hast, und werde es dir vergelten, sobald ich zurück bin.«

Der Waskone winkte lächelnd ab. »Dafür müssen dir alle Heiligen beistehen, die es gibt, und noch einige mehr. Die Mauren machen wenig Federlesens mit Fremden, die ihnen nicht passen. Also sei vorsichtig und bemühe dich, nirgends anzuecken. Diese Menschen sind sehr empfindlich, was ihre Ehre, und noch mehr, was ihre Weiber betrifft. Ein Fremder, der sich als zu neugierig erweist, findet sich leicht im Kerker wieder und wartet darauf, geköpft oder kastriert zu werden. Vor allem Letzteres machen sie gerne. Dann stecken sie den armen Kerl als Verschnittenen zu der Frau, der sein Interesse gegolten hat. Er kann sie dann zwar so oft nackt sehen, wie er will, aber mangels gewisser Teile, die du und ich noch besitzen, bleibt ihm nichts anderes übrig, als sein Schicksal zu bejammern.«

Das war eine bemerkenswert lange Rede für den ansonsten so wortkargen Hirten, fand Philibert und war gerührt, dass der andere sich so um ihn sorgte. Er klopfte ihm auf die Schulter und lächelte beinahe übermütig. »Ich habe dir gut zugehört, mein Lieber, und weiß mich zu hüten.«

»Ich hoffe für dich, dass dem so ist. Aber jetzt lebe wohl. Meine Schafe warten auf mich!« Der Waskone streckte Philibert die Hand entgegen. Dieser ergriff sie und drückte sie fest.

»Ich sage nicht Lebewohl, sondern auf Wiedersehen. Ich bin dir für deine Hilfe noch etliches schuldig und will nicht vor unseren Heiland treten, ohne diese Verpflichtung aufgelöst zu haben!«

»Viel Glück!« Mit diesen Worten drehte der Hirte sich um und stieg wieder bergan. Philibert sah ihm einige Augenblicke lang nach, dann zog er das Pferd herum, welches König Karl ihm ebenso überlassen hatte wie den Panzer und die Waffen, und trabte am Ufer des Flusses entlang. Noch befand er sich in dem Landstrich, den die Waskonen Nafarroa nannten, doch schon bald würde er das Niemandsland zwischen den christlichen Völkern Nordspaniens und dem Reich der Mauren erreichen, und dann würde es sich entscheiden, ob er Manns genug war, Ermengilda zu befreien. Er hoffte, möglichst bald auf Just zu stoßen und von diesem Neues über die Frau zu erfahren, die er mit jeder Faser seines Herzens liebte.

Philibert war sich im Klaren darüber, dass Ermengilda sich nicht sträuben durfte, wenn ein Maure körperliche Dienste von ihr verlangte. Das galt insbesondere dann, wenn es der Emir selbst war, der nach ihr verlangt hatte. Er schob diesen Gedanken ebenso von sich wie die Befürchtung, er könnte sie schwanger antreffen. Auch dann würde er sie als seine Ehefrau so in Ehren halten, als habe ein treusorgender Vater sie ihm als Jungfrau ins Brautbett gelegt.

Der Hengst, den Philibert ritt, stammte aus des Königs eigener Zucht und war kräftig und ausdauernd. Da Karl wusste, dass er tief ins Maurengebiet hineinreiten wollte, erwartete der König einen genauen Bericht über diese Reise. Philibert war bereit, sich sorgfältig umzusehen, doch in erster Linie galt sein Bestreben Ermengildas Freiheit.

Zu Beginn kam er gut voran und traf nur gelegentlich auf Ansammlungen kleiner Hütten aus aufgeschichteten Steinen und festen Dächern, die den Schneemengen trotzen konnten, die hier im Winter fallen mochten. Mauern aus aufgerichteten Steinen oder feste Holzzäune verliehen den Dörfern Schutz gegen überraschende Angriffe. Philibert hatte gehört, dass die Mauren immer wieder Vorstöße unternahmen, um die Bevöl-

kerung einzuschüchtern und zu versklaven. Einen einzelnen
Reiter wie ihn sahen die Dörfler jedoch nicht als Gefahr an,
und wenn er am Abend vor der Einfriedung eines Dorfes sein
Pferd verhielt und um Obdach bat, wurde es ihm anstandslos
gewährt. Die Menschen in diesen Gebieten hielten die Gastfreundschaft hoch und warnten ihn, wenn sie Gefahren kannten, die ihn auf seinem weiteren Weg erwarten würden.

Im Süden wurde das Land flacher, und dort lebten nur noch
wenige Waskonen. Nun handelte es sich bei den Dorfbewoh-
nern zumeist um Hispanier, die vor den Mauren geflohen waren und sich im Grenzland niedergelassen hatten. Sie waren
misstrauischer als ihre einheimischen Nachbarn und wiesen
Philibert von der Schwelle, wenn er um Obdach bat. Daher
musste er nun öfter die Nächte im Freien verbringen. Zum
Glück verkauften die Bewohner ihm wenigstens Lebensmittel,
so dass er seine Vorräte ergänzen konnte. Wenn er das entvöl-
kerte Niemandsland zwischen dem christlichen Norden und
dem Maurenreich durchqueren wollte, war er auf das angewiesen, was sich in seinen Satteltaschen befand.

Nachdem er einige Tage lang nur auf unfreundliche Hispanier gestoßen war, geriet er in das Grenzgebiet zwischen den
christlichen Stämmen des Nordens und den Mauren und
fand diesen Landstrich auf mehr als einen Tagesritt verheert
vor. Es gab kein einziges bewohntes Dorf oder Gehöft, sondern nur niedergebrannte Häuser und verwilderte Felder und
Gärten. Diesen Gürtel des Todes hatte Philibert bereits mit
Karls Heer überwunden, doch damals war er ihm nicht so
bewusst geworden wie auf diesem einsamen Ritt. Zu seiner
Erleichterung war er bisher auf keine der maurischen Streifscharen gestoßen und hoffte, bereits am nächsten Tag den
Ebro erreichen und überqueren zu können. Da hörte er in der
Ferne ein Pferd wiehern.

Sofort lenkte er seinen Hengst hinter die Ruine einer Kirche, die seinen Weg säumte, sprang ab und hielt das Tier an den Nüstern fest, um es daran zu hindern, seinem Artgenossen Antwort zu geben.

Als die Reitergruppe näher kam, zählte Philibert sieben Reiter, sechs davon waren maurische Krieger in Kettenhemden, spitzen Helmen und weiten, weißen Umhängen. Zu seiner Verwunderung ritt ihr Anführer ein Pferd, das ihm bekannt vorkam. Es dauerte einen Augenblick, bis Philibert erfasste, dass es eine der beiden Stuten war, die Konrad in den Bergen erbeutet hatte. Das erinnerte ihn an seinen Freund und dessen frühen Tod in der Schlucht von Roncesvalles. Er langte mit der Rechten zum Schwertgriff, ließ diesen aber rasch wieder los.

»Irgendwann einmal werde ich dich rächen, mein Freund. Aber du musst verstehen, dass mir Ermengilda wichtiger ist«, flüsterte er, während er die Mauren beobachtete. Nun stellte er fest, dass der letzte Reiter ein Gefangener war. Der Umhang des Mannes hing ihm zerfetzt um die Schultern; das Gesicht war von Blutergüssen und Schürfwunden gezeichnet, und er schien den linken Arm gebrochen zu haben, ohne dass dieser eingerichtet und geschient worden wäre.

Noch während Philibert den Gefangenen musterte, wurde sein Hengst unruhig. Eine der maurischen Stuten musste rossig sein, und da half es auch nichts, dass er seine Finger in die Nüstern seines Reittiers krallte. Der Hengst riss den Kopf los, streckte den Hals und stieß ein liebestolles Wiehern aus.

Die Mauren zügelten ihre Pferde, und auf einen Wink des Anführers hin wandten sich zwei Reiter der Kirchenruine zu.

»Verdammter Gaul!«, fluchte Philibert, während er sich wieder in den Sattel schwang. Bereit, jeden Augenblick zum Schwert zu greifen, hob er den Arm und streckte den Mauren die unbewaffnete Rechte entgegen.

»Friede!«

Die beiden Krieger verhielten ihre Pferde und musterten ihn misstrauisch. »Wer bist du, und was hast du hier zu suchen?«, fragte einer.

»Ich bin ein Bote auf dem Weg zum großmächtigen Emir Abd ar-Rahman.« Eine bessere Ausrede fiel Philibert auf die Schnelle nicht ein.

Unterdessen war auch der Anführer der Mauren herangekommen und hatte das Schwert gezogen. »Was will dieser Giaur?« Da er Arabisch sprach, konnte Philibert seine Worte ebenso wenig verstehen wie die Antwort, die ihm einer der beiden Mauren gab.

»Friede! Ich bin ein Bote auf dem Weg zu Abd ar-Rahman«, wiederholte Philibert und hoffte, dass der Name des Emirs die Gemüter der Mauren beschwichtigen würde.

»Ein Bote! Wohl eher ein Spion, der sich heimlich in unser Land schleicht, um es auszukundschaften!«, antwortete der maurische Anführer höhnisch.

»Nein, Herr! Ihr irrt Euch. Das bin ich gewiss nicht!« Philibert schwitzte unter seiner Rüstung, obwohl es alles andere als warm war.

»Hast du ein Schreiben für den Emir, dem Allah tausend Jahre verleihen möge? Und wer hat dich geschickt?« Der Maure starrte ihn immer noch abwehrend an, doch Philibert hoffte, ihn von seinen guten Absichten überzeugen zu können.

Da hob der Gefangene den Kopf und starrte ihn aus blutunterlaufenen Augen an. »Philibert von Roisel. Ihr habt das Gemetzel von Roncesvalles also auch überlebt!«

Jetzt erst erkannte Philibert ihn und fluchte. »Ermo? Dich hat wohl die Hölle ausgespuckt!«

»Du bist also ein Franke! Du lügst, wenn du behauptest, als friedlicher Bote zu kommen. Zwischen meinem erhabenen Herrn Abd ar-Rahman und diesem fränkischen Christenhund Karl werden keine Botschaften ausgetauscht, es sei denn, mit blanker Klinge.« Der Anführer der Mauren hob das Schwert und gab seinen Männern einen Wink, sich zu verteilen. Sie waren dem Franken sechsfach überlegen und verfügten zudem über Bögen.

»Ergib dich, Franke, und ich werde dein Leben schonen.« *... und dich zu meinem Sklaven machen,* sagte sein Blick.

Philibert zog mit einer raschen Bewegung blank und lenkte seinen Hengst so, dass er die Ruine der Kirche im Rücken wusste.

»Wer bist du, dass du Philibert von Roisel aufzufordern wagst, sich zu ergeben, als wäre er ein schwaches Weib oder ein Maure?«

Der Maure funkelte ihn höhnisch an. »Mein Name wird an den Küsten des Maghreb und in den Oasen Ifrikijas ebenso gefürchtet wie in al Andalus und den Bergkönigreichen Hispaniens, denn ich bin Fadl Ibn al Nafzi, der Mann, der den Hochmut des Markgrafen Roland im Tal von Roncesvalles zerschmettert hat. Ich bin der Schwertarm des Emirs von Córdoba.«

»Nun denn, du gefürchteter Schwertarm des Emirs, erweise mir die Ehre, die Klinge mit dir zu kreuzen. Siegst du, werde ich dein Gefangener sein, siege hingegen ich, werden du und deine Männer mich unbehelligt weiterziehen lassen.« Philibert hoffte, damit den Stolz des Mauren zu kitzeln.

Doch Fadl Ibn al Nafzi war nicht in den Diensten des Emirs aufgestiegen, indem er wie ein Bulle jede Herausforderung zu einem Zweikampf angenommen hatte. Er musterte Philibert und versuchte ihn einzuschätzen. Ein Franke, der sich in diesen Zeiten allein ins Maurenland wagte, war entweder verrückt oder besonders mutig. Fadl betrachtete auch das lange, gerade Schwert seines Feindes. Sein Bruder war durch eine solche Waffe gefallen, und diese Erinnerung ließ jene rote Wut wieder in ihm auflodern, die er bei der Nachricht empfunden hatte. Auch der Umstand, dass sich der Schuldige in seiner Gewalt befand, hatte nichts an seinen Gefühlen für die Franken geändert. Er hasste dieses Volk und würde jeden töten, der in die Reichweite seiner Klinge kam. Das schrie er dem Krieger vor ihm ins Gesicht und ritt an.

Die leichte Stute prallte an Philiberts schwerem Hengst ab wie ein Regentropfen von einem Blatt. Einmal berührten sich die Klingen mit einem schrillen Ton, dann befand Fadl sich wieder außerhalb der Reichweite des langen Schwertes. So kurz der Angriff auch gewesen war, so hatte er dem Mauren doch gezeigt, dass der Franke im Kampf mit seinesgleichen erfahren war. Das gab den Ausschlag. Was nützte es ihm, wenn er den Franken bezwang, sich dabei aber eine Wunde zuzog? Er konnte es sich auf keinen Fall leisten, von einer Verletzung aufs Lager geworfen zu werden, denn er musste so rasch wie möglich nach Córdoba zurückkehren.

Der Gefangene, den er mit sich führte, war vom Kommandanten eines der Grenzkastelle aufgegriffen worden. Dieser hatte den Mann gefoltert, um zu erfahren, woher er kam. Da der Kerl zugegeben hatte, Fadls Sklave zu sein, hatte der Kommandant ihn durch einen Boten benachrichtigt. Fadl war daraufhin mit wenigen Gefährten zum Kastell geritten und hatte dort festgestellt, dass es sich bei dem Gefangenen um den Franken Ermo handelte. Obwohl dieser beim Verhör behauptet hatte, allein geflohen zu sein, fragte Fadl sich, ob der Mörder seines Bruders nicht auch versuchen könnte zu fliehen. Nicht zuletzt deshalb wollte er so rasch wie möglich nach Córdoba reiten und konnte keine Verletzung riskieren.

Aus diesem Grund brachte er seine Stute dazu, rückwärtszugehen, und blaffte seine Leute an: »Nehmt die Bögen und schießt diesen Hund zusammen!«

Philibert verstand ihn zwar nicht, sah aber, wie die anderen Mauren die Bögen auszogen, und schrie seinen Zorn über so viel Feigheit hinaus. Gleichzeitig trieb er dem Hengst die Sporen in die Weichen. Das schwere Tier raste mit einem empörten Wiehern los und rammte Fadls Stute. Das zierliche Tier wurde durch den Aufprall von den Beinen gerissen und stürzte. Damit aber rettete es Fadl Ibn al Nafzi das Leben, denn Philiberts Klinge fegte über dessen Scheitel hinweg.

Dem Mauren gelang es gerade noch, seine Füße aus den Steigbügeln zu ziehen und abzuspringen, bevor die Stute auf den Boden schlug. Einer seiner Begleiter hatte weniger Glück, denn Philiberts Schwert spaltete ihm den Schädel.

Nun spannten die anderen Mauren ihre Bögen, und die ersten Pfeile sirrten von der Sehne. Einen konnte Philibert noch mit seinem Schwert abwehren, doch zwei andere durchschlugen sein Panzerhemd und drangen tief in seinen noch unversehrten Oberschenkel und in seine linke Schulter ein.

Trotzdem griff Philibert erneut an. Es gelang ihm, einen Mauren zu verwunden, aber dann wurde sein Hengst von mehreren Pfeilen getroffen. Das Tier bäumte sich auf und warf ihn ab.

Philibert stürzte schwer auf den Boden und verlor für einen Augenblick das Bewusstsein. Als er sich wieder aufraffte, wusste er, dass er sterben würde. Die maurischen Bogenschützen zielten aus respektvollem Abstand auf ihn, und er fragte sich, ob er das Einschlagen der Pfeile noch spüren würde, bevor er starb. Gleichzeitig bat er Ermengilda um Verzeihung, weil er bei dem Versuch, sie zu befreien, bereits so früh versagt hatte.

10.

Konrad erkannte Philibert sofort und biss die Zähne zusammen, um nicht vor Überraschung aufzuschreien. Sein Freund stand sechs Mauren gegenüber. Auch wenn er mit dem Mut eines Löwen kämpfte, würde er unterliegen. Ohne sich zu besinnen, machte Konrad kehrt, rannte zu den Eseln zurück und zerrte das Juwelenschwert aus dem Bündel.

»Was ist los?«, fragte Maite verwirrt.

»Philibert! Er ist in Gefahr!«, stieß Konrad atemlos aus und hastete in Richtung des Kampflärms.

Maite wandte sich an Ermengilda und Just. »Ihr beide versteckt euch mit den Eseln. Ich sehe nach, welcher Wahnsinn Konrad gepackt hat.«

Die letzten Worte rief sie schon im Rennen. Unterwegs holte sie den Stoffstreifen unter ihrem Kleid hervor, den sie in Ermangelung anderen Materials als Schleuder verwendete, und legte einen Stein in die Schlinge.

Just wechselte einen kurzen Blick mit Ermengilda, die steif vom Esel stieg, und drückte ihr beide Stricke in die Hand. »Ich glaube, dort hinten ist ein gutes Versteck für dich und die Esel. Ich folge den beiden und passe auf, dass sie keinen Unsinn machen.«

»Tu das!« Ermengilda lächelte, obwohl sie vor Sorge und Angst beinahe verging, und führte die Tiere beiseite, während Just hinter Konrad und Maite herrannte und unterwegs in weiser Voraussicht einige Steine auflas, die er notfalls werfen konnte.

Konrad erreichte den Kampfplatz in dem Moment, als die maurischen Schützen die Bögen spannten, um Philibert endgültig den Garaus zu machen. Er stürmte auf die Mauren zu und hatte das Glück, dass diese nur auf seinen Freund achteten.

Das Juwelenschwert pfiff durch die Luft, traf einen der Angreifer und hieb ihm den Kopf von den Schultern.

Als die Mauren begriffen, dass ein neuer Feind über sie gekommen war, wichen sie zurück und zielten mit den Pfeilen auf ihn. Auch Fadl Ibn al Nafzi ergriff seinen Bogen.

»Stirb zuerst, du Hund!« Durch die jüdische Tracht getäuscht, erkannte er Konrad nicht. Dieser wusste jedoch sofort, wer ihm gegenüberstand, und stürmte wie ein Auerochse auf den Berber zu. Seine abrupte Bewegung überraschte die Bogenschützen, und ihre Pfeile gingen fehl. Bevor sie ein weiteres Mal schießen konnten, klatschte der Stein aus Maites Schleuder mit aller Wucht gegen den Kopf eines der Schützen. Der zweite wurde durch Justs Steinwurf behindert und traf daneben.

Unterdessen drang Konrad mit wilden Schwerthieben auf Fadl ein und drängte ihn immer weiter zurück. »Es ist dein Ende, du widerwärtiges Schwein!«, schrie er und riss die Waffe zum entscheidenden Schlag hoch.

Der letzte Bogenschütze wagte nicht zu schießen aus Angst, seinen Anführer zu treffen. Der von Philibert verletzte Maure rammte Konrad jedoch mit der Schulter. Dieser stürzte und verlor bei dem Aufprall sein Schwert. Bevor er wieder danach greifen konnte, war Fadl Ibn al Nafzi über ihm und holte aus. Maite sah Fadls Klinge im Sonnenlicht aufblitzen und wusste, dass der nächste Augenblick Konrads letzter sein würde. Doch als sie einen Stein in ihre Schleuder legen wollte, rutschte er ihr aus den feuchten Händen. Zeit, ihn wieder aufzuheben, hatte sie nicht. Mit einem schrillen Kreischen ließ sie die nutzlose Schlinge fallen, zog den Dolch und war mit zwei Sätzen hinter Fadl. Dieser sah noch einen Schatten auf sich zukommen. Bevor er sich jedoch umwenden konnte, fuhr Maites Klinge ihm in die Kehle. Im Fallen spritzte sein Blut über ihre Hände und nässte ihr Gewand.

Als sie Fadl Ibn al Nafzi starr zu ihren Füßen liegen sah, würgte es Maite. Der Dolch rutschte ihr aus den Fingern, und sie starrte entsetzt auf ihre Hände, von denen das warme Blut des Toten tropfte. Wie oft hatte sie sich während der langen Stunden in Gefangenschaft vorgestellt, Fadl Ibn al Nafzi und ihren Onkel mit eigener Hand zu töten. Jetzt lag der Mann, der sie eingesperrt und missbraucht hatte, wie ein erlegtes Wild vor ihr. Doch die Befriedigung, die sie erwartet hatte, blieb aus.

Während Maite steif dastand, kam Konrad wieder auf die Beine. Er fand jedoch keinen Gegner mehr vor. Der letzte Maure hatte die Flucht ergriffen, und der Verletzte wurde eben von Philibert niedergemacht.

»Das war wirklich Hilfe in höchster Not. Wie kann ich Euch das vergelten, mein Freund«, begann er. Dann erkannte er Konrad und sog keuchend die Luft ein. »Narrt mich der Wahnsinn, oder stehen die Toten wieder auf, um den Lebenden zu helfen?«

»Dass du ein Narr bist, will ich nicht bezweifeln. Allerdings verwahre ich mich dagegen, als Toter angesehen zu werden. Im Augenblick bin ich wahrscheinlich sogar lebendiger als du!« Konrad wies auf Philiberts Panzerhemd, das sich immer stärker rot färbte, und forderte seinen Freund auf, das schwere Ding abzulegen.

»Wenn ich es könnte, würde ich es gerne tun. Du wirst mir helfen müssen.« Philibert war außer sich vor Erstaunen und Freude, den Freund vor sich zu sehen, den er seit Roncesvalles tot geglaubt hatte.

Konrad rief Just herbei, um mit ihm zusammen das Panzerhemd so auszuziehen, dass Philiberts Wunden nicht noch weiter aufrissen.

»Maite wird sich deiner Wunden annehmen. Sie hat bemerkenswert geschickte Hände«, erklärte er dabei.

Philibert starrte ihn verwirrt an. »Maite! Wie kommt die zu dir? Ich habe sie zuletzt auf der Seite unserer Feinde gesehen.«

»Das ist eine andere Geschichte, die ich dir vielleicht irgendwann einmal erzählen werde. Jetzt aber sollten wir rasch handeln. Der geflohene Maure dürfte uns bald eine Streifschar auf den Hals hetzen.«

Konrad brach die Schäfte der beiden Pfeile ab, die Philibert getroffen hatten, und zog ihm das Panzerhemd über den Kopf. Dies ging nicht ohne Ächzen und Stöhnen ab, und hinterher stand der Verletzte kurz vor einer Ohnmacht.

»Maite, hier sind deine flinken Finger erforderlich«, rief Konrad der jungen Frau zu, die noch immer starr vor Fadl Ibn al Nafzis Leiche stand.

Dafür eilte Ermengilda herbei. Nachdem die Kampfgeräusche erloschen waren, hatte sie sich näher geschlichen und zu ihrer Erleichterung die Freunde als Sieger vorgefunden.

Jetzt umfasste sie Philibert mit beiden Armen und weinte und lachte zugleich. »Welche Freude, dich zu sehen. Ich war so traurig, weil ich dich tot glaubte. Als dann Just berichtete, du würdest leben, fühlte ich mich so glücklich wie noch nie. Aber du bist schon wieder verwundet.«

»Wenn er nicht bald richtig behandelt wird, stirbt er«, stellte Konrad grimmig fest, »auch wenn er mehr Leben zu haben scheint als eine Katze!«

Ermengildas Begeisterung für Philibert wirkte auf ihn wie eine Ohrfeige. Eifersucht schüttelte ihn, und er fragte sich, wie er so dumm hatte sein können, das eigene Leben zu riskieren, um den anderen zu retten. Anstatt sich um Philibert zu kümmern, hätte Ermengilda ihm dankbar sein und ihn umarmen müssen.

Verärgert kehrte er den beiden den Rücken und rief den Jungen zu sich. »Just, komm! Wir beide sehen uns die toten Mauren an. Vielleicht können wir etwas Beute machen. Maite soll derweil Ermengilda helfen, Philibert zu verbinden. Wenn sie fertig sind, können wir aufbrechen.«

Just sauste los, während Maite sich langsam schüttelte und dann den Mantel eines der Toten aufhob, um sich die Hände zu säubern. Aber als sie zu Philibert und Ermengilda trat, um der Freundin zu helfen, das Blut des jungen Franken zu stillen, waren ihre Hände immer noch verschmiert, und ihr Gesicht wirkte trotz der dunklen Färbung grün.

»Es tut mir so leid, Philibert. Jetzt bist du schon wieder verwundet worden, und das meinetwegen!« Ermengilda vermochte ihre Tränen nicht zurückzuhalten, wischte diese aber sofort mit dem Ärmel ab und verband Philiberts Verletzungen, so gut sie es vermochte.

»Ich hätte gerne die Pfeilspitzen herausgeholt, doch das würde uns zu viel Zeit kosten und wäre auch zu gefährlich für dich, weil die Wunden dann noch größer wären. Du könntest auf dem Ritt verbluten. Wir müssen bald einen sicheren Ort finden, an dem ich dich richtig verarzten kann, und dann wirst du einige Wochen ruhen müssen.«

»Im Gegensatz zu König Karl war der Feldzug nach Spanien für mich ein Erfolg, denn ich habe dich kennengelernt. Dafür sind die Verwundungen, die ich hinnehmen musste, ein geringer Preis.« Trotz seiner Schmerzen gelang Philibert ein Lächeln.

Konrad kehrte eben mit den eingefangenen Pferden zurück.

»Seid ihr endlich fertig? Oder glaubt ihr, die Mauren lassen uns so einfach davonkommen?«, fragte er verärgert.

Philibert begriff, dass Konrad vor Eifersucht kochte, wusste aber, dass er auf ihn angewiesen war. Außerdem verdankte er ihm sein Leben. Daher bemühte er sich, verbindlich zu sein.

»Du wirst mir in den Sattel helfen müssen. Und dann sollten wir überlegen, wohin wir uns wenden können. Ermengilda sagt zu Recht, dass wir einen sicheren Ort benötigen.«

»Wenn ich einen solchen Ort wüsste, würde ich euch hinbringen. Aber ich weiß nicht einmal, ob Aquitanien noch sicher für uns ist.«

»Doch, das ist es. König Karl hat den Edelingen dort sehr rasch klargemacht, dass er immer noch der Herr im Lande ist und dies auch zu bleiben gedenkt.«

Ermengilda schüttelte den Kopf. »Der Weg über die Pyrenäen ist für Philibert viel zu beschwerlich. Die Strapazen würde er nicht überleben. Ich schlage vor, wir reiten zur Burg meines Vaters. Dort werden wir in Sicherheit sein.«

»Ganz gewiss – wenn uns dort ein ähnlich freundlicher Empfang bereitet wird wie letztens!«, warf Konrad bissig ein.

Philibert stimmte der jungen Frau jedoch zu. »Ermengilda hat recht. Bei ihrem Vater werden wir Unterschlupf finden. Bedenke doch, der Winter ist bereits nahe, und in dieser Zeit will ich wirklich nicht durch das Gebirge reiten.«

»Dann ist es beschlossen!«, sagte Ermengilda und atmete auf. Sie sehnte sich nach den Plätzen ihrer Kindheit, nach ihren Eltern und ihrer kleinen Schwester.

Konrad zuckte nach kurzer Überlegung mit den Achseln. »Von mir aus können wir zur Roderichsburg reiten. Ich hoffe nur, dass die Herrin mir freundlicher gesinnt sein wird als beim letzten Mal!« Er half Philibert auf dessen Hengst, der zum Glück nur leicht verwundet und von Just bereits versorgt worden war. Dann setzte er Ermengilda auf eine der erbeuteten Stuten und stieg selbst auf das Tier, das Fadl geritten hatte.

Zu seiner Freude war es die Stute, die er von Fadls Bruder Abdul erbeutet hatte und die in der Schlacht von Roncesvalles verletzt worden war. Inzwischen war das Tier völlig wiederhergestellt und schien sich zu freuen, ihn wiederzusehen, denn es prustete übermütig, als er ihm einen aufmunternden Klaps auf die Flanke gab.

Maite musste von Just sanft angestoßen werden, damit auch sie auf ein Pferd stieg. Er schwang sich nun selbst in den Sattel und bemerkte jetzt erst den Gefangenen, dessen Reittier während der Auseinandersetzung in den Schatten der Kirchenruine gelaufen war.

»Was machen wir mit dem hier?«, rief der Junge Konrad zu.

Dieser streifte Ermo mit einem uninteressierten Blick, ohne ihn zu erkennen, und zuckte mit den Schultern. »Wir können ihn schlecht hierlassen. Nimm den Zügel seines Gauls und führe ihn. Wenn wir später Muße finden, können wir uns um den Mann kümmern.«

Mit diesen Worten trieb er seine Stute an, so dass diese in einen flotten Trab fiel. Die anderen Tiere folgten, und Ermengilda bemerkte, dass Philiberts Gesicht sich schmerzhaft verzog, und wollte schon gegen die Eile protestieren. Dann aber dachte sie an die Mauren, die mit Sicherheit keine Gnade kennen würden, wenn sie ihrer habhaft werden konnten, und begnügte sich damit, dem Verletzten Mut zuzusprechen.

Maite erinnerte sich an die beiden Esel, die ihnen treue Dienste geleistet hatten, trieb ihr Tier neben Ermengildas Stute und fragte die Freundin, wo sie die Grautiere versteckt habe.

»Was willst du mit den beiden Viechern?«, fragte Konrad, als wäre der bisherige Verlauf der Flucht bereits seinen Gedanken entfallen.

»Sie auf alle Fälle nicht den Mauren als Beute überlassen. Das haben sie nämlich nicht verdient«, schimpfte Maite und lenkte ihre Stute auf das Versteck zu. Kurz darauf hatte sie die Esel gefunden, löste vom Sattel aus die Knoten, mit denen Ermengilda die Tiere an einen vertrockneten Baumstamm gebunden hatte, und trieb sie an.

»Los, ihr zwei! Macht, dass ihr wegkommt. Sonst nehmen böse Leute euch mit!« Mehr konnte sie für die braven Tiere nicht tun, doch als sie sich umdrehte, sah sie, dass die beiden Esel versuchten, ihnen zu folgen.

Der Ritt wurde hart, aber alle wussten, dass sie keine Wahl hatten. Ermengilda ertappte sich bei dem Gedanken, dass sie eher bereit war, ihr ungeborenes Kind durch die Strapazen zu verlieren, als noch einmal in Sklaverei zu geraten und mit ansehen zu müssen, wie Philibert und Konrad zu Tode gemartert würden. Tatsächlich schwankte sie wie ein Rohr im Wind, welchem der beiden Männer sie nun ihre Gunst schenken sollte. Ihre Gefühle kreisten um Philibert, doch eigentlich hatte Konrad ihre Hand mehr verdient. Sie sah nicht nur das, was er für sie getan hatte, sondern rechnete es ihm noch höher an, dass er einen überlegenen Feind angegriffen hatte, um Philibert zu retten.

Maite hing unterdessen weitaus trüberen Gedanken nach. Immer wieder starrte sie auf ihre Hände und wünschte sich, sie gründlich waschen zu können, um die Spuren von Fadl Ibn al Nafzis Blut loszuwerden. Sie hatte den Mann nicht aus Rache getötet, sondern um Konrad zu retten. Dennoch wurde ihr beim Anblick ihrer besudelten Hände schlecht.

Als Ermengilda sich einmal zu Maite umdrehte und deren starres Gesicht sah, erinnerte sie sich daran, dass ihr eigener Vater den ihrer Freundin erschlagen hatte, und zügelte ihre Stute, bis Maite zu ihr aufgeschlossen hatte.

Diese blickte sie fragend an. »Wie ist es? Schadet dir dieser Ritt?«

Ermengilda schüttelte den Kopf. »Nein, ich halte schon durch. Ich mache mir jedoch Sorgen. Mir ist klar, wie sehr du meinen Vater hasst, aber ich liebe ihn, und ich will nicht, dass du versuchst, ihn zu töten.«

»Ich will Roderich nicht töten!« Maites Stimme klang schrill, denn sie hatte viele Jahre ihres Lebens nichts anderes erhofft, als genau dies tun zu können.

Ihr Ausruf ließ Ermengilda aufatmen. »Du bist also bereit, Blutgeld anzunehmen, wenn mein Vater es dir anbietet? Ich werde dafür sorgen, dass er es tut. Wenn ich könnte, würde ich das, was damals passiert ist, ungeschehen machen. Meine Liebe, mir tut das Ganze so leid!«

Sie streckte Maite die linke Hand hin. Diese ergriff sie nach kurzem Zögern. Ermengilda nahm wahr, dass die Hand der

Waskonin eiskalt war und zitterte, und sie spürte, dass ihre Freundin, die ihr stets so fest und unerschütterlich erschienen war, jemanden brauchte, dem sie sich anvertrauen konnte.

Aufmunternd lächelte sie ihr zu. »Wenn wir weiter so schnell reiten, werden wir die Burg meines Vaters in drei Tagen erreichen. Dort können wir über alles sprechen, was dich bedrückt.«

»Danke!« Mehr sagte Maite nicht. Sie fühlte sich jedoch etwas getröstet. Eine gewisse Bitterkeit blieb trotzdem, denn sie spürte, dass sie nicht mehr in der Lage sein würde, ihre Rache an Okin zu vollenden. Da sie jedoch nicht in seiner Nähe leben und weiterhin mit ansehen wollte, welchen Nutzen er aus dem damaligen Verrat zog, konnte sie nicht in ihre Heimat zurückkehren. Zudem erschien es ihr wie ein Hohn des Schicksals, dass sie, die als Kind aus Roderichs Burg geflohen war, nun an diesem Ort Zuflucht suchen musste. Bleiben aber konnte sie dort nicht. Bei den Franken würde sie jedoch ebenfalls keine neue Heimat finden. Dort gab es nur so sture Ochsen wie Konrad oder Narren wie Philibert, die beide Ermengilda anhimmelten, sie selbst aber nur beachteten, wenn sie ihrer Hilfe bedurften.

II.

Ermengilda sah bereits die heimatlichen Berge vor sich, als Just auf eine Staubwolke aufmerksam wurde, die ihnen von Süden her folgte.

»He, seht mal!«

Auf diesen Ruf hin wandte Konrad sich im Sattel um. Was er sah, gefiel ihm wenig. »Die Mauren! So, wie der Staub hochwirbelt, handelt es sich um verdammt viele. Außerdem reiten sie schnell.«

»Also reiten wir noch schneller!« Ermengilda trieb ihre Stute an und schoss so rasch davon, dass die anderen ihr kaum folgen konnten. In diesem Land war sie aufgewachsen und kannte jeden Weg und Steg. Trotzdem wurde es ein Wettrennen auf des Messers Schneide. Die Mauren begriffen schnell, dass die Verfolgten ihnen zu entkommen drohten, und peitschten ihre Pferde. Das Donnern der Hufe klang Maite und ihren Freunden bereits in den Ohren, als sich vor ihnen ein schmaler Hohlweg öffnete und den Blick auf ein sanftes Tal freigab. Jenseits des Tales erhob sich der Bergsporn, auf dem sich die wuchtige Burg des Grenzgrafen erhob.

»Wir schaffen es!«, schrie Ermengilda, um die anderen anzuspornen. Doch es klang wie ein Hilferuf, da nur Konrad und sie selbst in der Lage waren, ein ähnlich scharfes Tempo einzuschlagen wie die Mauren. Philibert hing halb bewusstlos im Sattel, Just wurde bei jedem Galoppsprung der Stute wie ein Ball hochgeschleudert und musste zudem noch die Stute führen, auf der Ermo saß. Auch Maite tat sich schwer. Zwar hatte sie früher bereits auf Pferden gesessen und sich für eine passable Reiterin gehalten. Mit Ermengilda aber, die wie mit ihrem Reittier verwachsen schien, konnte sie nicht mithalten.

»Lass den Zügel des anderen Gauls los«, rief sie Just zu, als dieser immer weiter zurückblieb. Da er nicht darauf einging, zügelte sie ihre Stute, wartete, bis er zu ihr aufgeschlossen hatte, und schnappte sich den Zügel von Ermos Pferd.

»Jetzt aber rasch, sonst erwischen uns die Mauren noch im Schatten der Burg!« Sie hieb der Stute die Fersen in die Weichen und stöhnte im nächsten Augenblick auf, als ihre wundgerittene Kehrseite heftig auf das Sattelleder klatschte.

Die ersten maurischen Pfeile flogen bereits an Maite vorbei, als Ermengilda einen lauten Schrei ausstieß und wild zur Burg hochwinkte.

Ein Hornstoß ertönte, dann ein zweiter, und gleich darauf

öffneten sich die Burgtore. Heraus trabte ein Reiter, der in einem schimmernden Kettenhemd und mit einem gewaltigen Schlachtschwert an der Seite groß und wuchtig wirkte. Ihm folgten einige Krieger zu Pferd und ein größerer Trupp zu Fuß.

Ermengilda warf ihren Umhang ab, damit Graf Roderich sie erkennen konnte. Als ihr Vater nicht darauf reagierte, wunderte sie sich zuerst, erinnerte sich dann aber, dass sie ihre Haare dunkel gefärbt hatte, und begann zu rufen.

»Ich bin es, Ermengilda! Achte nicht auf meine Haare, sondern auf meine Stimme. Vorwärts, Visigote, rette deine Tochter!«

Roderich warf den Kopf hoch, dann glitt sein Schwert mit einem schabenden Laut aus der Scheide. In dem Augenblick nahmen seine Reiter und die Fußkrieger rechts und links von ihm Aufstellung. Speere wurden gesenkt und Schwerter gezogen. Dann setzten die Asturier sich in Bewegung, hielten aber eine Gasse für Ermengilda und ihre Begleiter frei.

Der Anführer der Mauren sah, dass Roderich und seine Männer sich kampfbereit machten, und hob die Hand. Seine Reiter zügelten die Pferde und senkten trotz etlicher Verwünschungen ihre Bögen. Ihr Hauptmann trabte noch einige Schritte und verhielt dann ebenfalls seine Stute.

»Ihr Krieger Asturiens! Wir sind nicht gekommen, um gegen euch zu kämpfen. Wir verfolgen diese Leute. Überlasst sie uns, und wir werden in Frieden abziehen«, rief er Roderich zu.

Der Grenzgraf hatte unterdessen die Flüchtlinge erreicht und musterte seine Tochter mit einem scharfen Blick. Obwohl ihn die Haare verwirrten, erkannte er ihr Gesicht sofort.

»Ermengilda! Bei unserem Heiland, was ist geschehen?«

»Das sind Sachen, die wir besser in unserer Burg bei einem Becher Wein besprechen sollten. Versprichst du meinen Begleitern Asyl?«

Es war seine Tochter, doch ihre Stimme klang selbstsicherer und fordernder als früher. Roderich schämte sich mit einem Mal, weil er nichts unternommen hatte, um sie vor dem Harem des Emirs zu bewahren. Sie noch einmal den Mauren auszuliefern, wäre unverzeihlich.

»Du und deine Begleiter, ihr steht unter meinem Schutz!« Er bedeutete seinen Kriegern, ebenfalls stehen zu bleiben, und ritt ein paar Schritte vor.

»Du verlangst Unmögliches, Jussuf Ibn al Qasi. Dies ist meine Tochter, und wer sie wie ein wildes Tier jagt, ist mein Feind!« Er hatte den Anführer der Mauren erkannt und war froh, seinen alten Bekannten Jussuf vor sich zu haben, und nicht einen der anderen maurischen Feldherren. Hätte Fadl Ibn al Nafzi die Mauren befehligt, wäre es mit Sicherheit zum Kampf gekommen. So aber hoffte Roderich, mit dem Freund verhandeln zu können.

Jussuf Ibn al Qasi musterte die lange Reihe der Asturier. Sie waren seinen Männern an Zahl überlegen und würden unter den Mauern der eigenen Burg besonders erbittert streiten. Mit einer resignierenden Geste wandte er sich an seine Männer.

»Hier das Schwert zu ziehen würde uns nur unnötige Verluste einbringen. Ich werde mit dem Grenzgrafen verhandeln.«

»Wir wollen Rache für Fadl Ibn al Nafzi!«, rief einer der Männer zornig.

»Wenn du kämpfen willst, dann tu es. Ich und meine Krieger halten uns raus!« Jussuf Ibn al Qasis Stimme klang scharf. Er mochte die Berber nicht, die in das Land kamen, das seine Familie seit vielen Jahren beherrschte, und Forderungen stellten, die zu erfüllen er weniger denn je bereit war. Im Grunde seines Herzens war er den Leuten, die er verfolgt hatte, sogar dankbar, denn sie hatten ihn von Fadl Ibn al Nafzi befreit, dessen Pläne auch für ihn hätten gefährlich werden können.

Ungerührt sah er zu, wie Fadls Gefolgsleute weiterritten, während seine Männer sich um ihn versammelten. Als den Berbern klarwurde, dass sie allein gegen die Übermacht der Asturier standen, zügelten auch sie die Pferde. Die Blicke, mit denen sie ihn bedachten, verrieten Verachtung und kaum unterdrückte Wut.

Jussuf achtete nicht darauf, sondern ritt auf Roderich zu und hob grüßend die Hand. »Lass uns wie vernünftige Männer miteinander reden, Roderich. Wenn wir beide die Schwerter kreuzen, werden sich nur andere freuen!« … *bei dir wäre es Eneko von Pamplona, der noch immer hofft, die Waskonen unter seine Herrschaft zu bringen, und bei mir der Emir und seine Berber, denen wir Banu Qasim ein Dorn im Auge sind*, fuhr er in Gedanken fort. Zufrieden sah er, dass Roderich zustimmend nickte.

»Wir werden miteinander reden, Jussuf. Fordere jedoch nicht, dass ich dir meine Tochter übergeben soll!«

»Ich werde mir anhören, was du zu sagen hast, und danach entscheiden!« Jussuf Ibn al Qasi setzte seine Stute in Bewegung und ritt auf die Asturier zu.

Roderich reichte ihm vom Sattel aus die Hand. »Sei mir willkommen. Bei deinen Männern hoffe ich jedoch, dass sie Ruhe geben. Sollten sie zu plündern beginnen, müssen die Schwerter sprechen.«

»Meine Männer werden es gewiss nicht tun, und was die Berber betrifft, kannst du sie in dem Fall wie Diebe behandeln. Für sie werde ich keinen Finger rühren!«

Roderich begriff, dass es seinem Gast sogar lieb wäre, wenn sie die Berber erschlagen würden. Da diese Krieger jedoch im Dienst des Emirs standen, befahl er seinen Leuten, die Waffen nur im Notfall zu ziehen. In diesen Zeiten war es zu gefährlich, sich Abd ar-Rahmans Feindschaft zuzuziehen, ansonsten geriete er zwischen Hammer und Amboss. Er war überzeugt, dass die Franken zurückkehren würden. Die Vernichtung des letzten Heeresteils unter Roland von Cenomanien hatte ihnen zwar einen harten Schlag versetzt, gleichzeitig aber auch ihre Rachsucht geweckt. Wenn sie zurückkehrten, war das ganz im Sinne des Emirs. Abd ar-Rahman wollte die christlichen Herrschaften Nordspaniens und die Franken gegeneinanderhetzen, um daraus den größtmöglichen Vorteil für sich zu ziehen. Daher galt es, die richtigen Entscheidungen zu treffen, um nicht von dem Sturm erfasst zu werden, den er am Horizont aufziehen sah.

»Folgt mir!« Es galt seiner Tochter und deren Begleitern ebenso wie Jussuf. Während seine Männer als eine lebende Warnung für die anderen Mauren kampfbereit vor der Burg verharrten, ritt Roderich durch das Tor, stieg im Burghof schwerfällig aus dem Sattel und streckte die Arme aus, um Ermengilda vom Pferd zu helfen.

Jussuf, der leichtfüßig von seiner Stute geglitten war, deutete eine Verbeugung in Richtung der jungen Frau an. »Du hast großen Mut und Tapferkeit bewiesen. Deine Söhne werden gewiss einmal große Krieger werden!«

Ermengilda sah ihn mit stolzem Blick an. »Mein Sohn wird ein großer Krieger werden!« Sie straffte dabei ihre Kleidung, so dass jeder die leichte Wölbung ihres Leibes sehen konnte.

»Du bist schwanger?« Jussuf Ibn al Qasi sah weitere Verwicklungen vor sich und warf Roderich einen hilfesuchenden Blick zu. »Du musst mit deiner Tochter sprechen! Der Emir wird es nicht dulden, dass ein Kind von ihm in der Fremde als Christ aufwächst.«

Über Ermengildas Gesicht huschte ein Lächeln. »Ja, ich bin schwanger, aber von meinem gefallenen Gemahl. Mein Kind wird in weniger als sieben Monaten nach dem Tag, an dem ich in den Harem des Emirs gebracht worden bin, zur Welt kommen!«

»Also ist es das Kind eines Franken.« Jussuf klang erleichtert.

Gleichzeitig aber nahm er sich vor, Ermengildas Niederkunft überwachen zu lassen, um herauszufinden, ob sie wirklich kein Kind des Emirs zur Welt brachte. Abd ar-Rahman würde für eine diesbezügliche Nachricht dankbar sein.

»Ich will, dass mein Kind in Freiheit geboren wird und den Platz einnehmen kann, der ihm seiner Abkunft nach gebührt.« Ermengildas Hinweis auf die Verwandtschaft Ewards zu König Karl verfehlte nicht seinen Zweck.

Jussuf wusste, auch der Herrscher der Franken durfte es nicht zulassen, dass ein Kind seiner Sippe im fremden Land in einem fremden Glauben erzogen würde, und deutete erneut eine Verbeugung an.

»Ich werde es dem Emir berichten, und er wird es verstehen. Mag er auch bedauern, dass die Rose von Asturien nicht mehr in seinem eigenen Garten blüht, so findet er dort genug Blumen, die ihn trösten werden. Doch was Fadl Ibn al Nafzi und dessen Männer betrifft, die von deinen Begleitern erschlagen worden sind ...«

»Fadl ist tot?«, unterbrach Roderich den Mauren.

»... und seine Männer fordern Rache!«, erklärte Jussuf.

Roderich winkte lachend ab. »Dies hier ist Grenzland. Das eine Mal erschlagen eure Leute einige der unseren, das andere wir einige der euren. Führen wir deshalb das Wort Rache im Mund? Nein, Freund Jussuf. Diese Leute stehen unter meinem Schutz, denn sie haben meine Tochter zu mir zurückgebracht. Doch nun komm! Ich will nicht auf dem Hof mit dir reden, sondern in meiner Halle bei einem Becher Wein. Du trinkst doch mit, oder soll ich dir aus der Viehtränke Wasser holen lassen?«

»Herr Philibert benötigt dringend einen Wundarzt, und meine Freundin und ich brauchen ein Bad«, erklärte Ermengilda kategorisch. Maite stimmte ihr eifrig zu, denn sie war der schwarzen Farbe auf ihrer Haut überdrüssig geworden und wünschte sich nichts mehr, als ihr mit Seife, Lappen und notfalls auch einer Bürste zu Leibe zu rücken. Allerdings sah Philibert auch so aus, als könne er einen kräftigen Schluck Wein brauchen. Die Nachricht, dass seine Angebetete ein Kind trug, war doch etwas unvermittelt gekommen. Da er damit jedoch hatte rechnen können, lächelte er Ermengilda zu. Sagen konnte er jedoch nichts mehr, da zwei Knechte herankamen und ihn in das Hauptgebäude trugen.

12.

Oft hatte Maite sich in der Vergangenheit gewünscht, Alma, den Drachen, wiederzusehen und ihr die Prügel, die sie als Kind von ihr erhalten hatte, heimzuzahlen. Doch als sie jetzt vor der gealterten Frau stand, die sie und Ermengilda aus trüb gewordenen Augen anstarrte, erstarb ihr Wunsch, die Wirtschafterin für jene Schläge büßen zu lassen.

Sie ließ sich von den Mägden gleichmütig aus der Kleidung helfen und stieg in den Bottich, aus dem wohlig warm der Dampf aufstieg. »Ich brauche Seife, und zwar sehr viel Seife«, befahl sie und lächelte dann Ermengilda zu.

»Wir haben es geschafft! Es gab viele Situationen während unserer Reise, in denen ich Zweifel hegte. Doch Gott der Herr hat uns wohl geführt.«

»Für eine … äh, Maurin sprichst du unsere Sprache sehr gut«, stellte Alma neugierig fest.

»Ich bin keine Maurin und auch keine Mohrin, sondern eine Waskonin. Ich habe mich nur schwarz angemalt, um unsere Feinde zu täuschen«, antwortete Maite mit einem Auflachen, denn im Nachhinein gefiel ihr dieser Streich.

Ermengilda gluckste. »Das ist Maite von Askaiz, Alma. Du müsstest sie kennen!«

»Dieses böse Stück, das dich so lange gefangen gehalten hat?«
Alma klang entsetzt und gleichzeitig so rachsüchtig, dass Ermengilda hell auflachte.

»Maite ist meine Freundin, Alma, und meine Retterin. Ich verdanke ihr mein Leben und meine Freiheit. Das solltest du nie vergessen. Und sperre sie nicht wieder in einen Ziegenstall. Sie hat inzwischen gelernt, aus ganz anderen Gefängnissen auszubrechen.«

Das dumme Gesicht, das Alma bei diesen Worten zog, reizte Maite zu einem amüsierten Kichern.

Alma kniff die Lippen zusammen und sah nun wie ein arg missgestimmter Drache aus. Da Ermengilda jedoch mit ihrer Freundin allein sprechen wollte, blickte sie die Beschließerin auffordernd an. »Wärst du so lieb, dich um unsere Begleiter und vor allem Herrn Philibert zu kümmern? Er ist schwer verletzt, musst du wissen.«

Bei den letzten Worten schwankte ihre Stimme ein wenig, und Alma begriff, dass der junge Mann nicht ohne Eindruck auf ihre Herrin geblieben war. Allein das war schon ein Grund für sie, ihn sich näher anzusehen.

»Nun, wenn euch diese faulen Dinger hier reichen, werde ich gehen.« Alma wies dabei auf die beiden kichernden Mägde, die über Maites dunkle Haut und Ermengildas gefärbte Haare tuschelten.

»Ich glaube, die brauchen wir auch nicht. Sie sollen in der Halle mithelfen. Es sind schließlich Gäste gekommen!«

Bei Ermengildas Worten verstummte das muntere Geplapper der Mägde. Es war nicht gerade nach ihrem Sinn, in der Halle schwere Krüge zu schleppen und das Essen aus der Küche holen zu müssen. Viel lieber wären sie hiergeblieben, um ihre Herrin über deren Abenteuer auszufragen. Unter dem strengen Blick des Drachen wagten sie jedoch keinen Widerspruch und schlichen mit hängenden Köpfen davon.

»Wer wäscht dir jetzt die Haare, mein Herzchen?«, fragte Alma besorgt.

»Maite, so wie ich die ihren wasche«, antwortete Ermengilda leichthin.

Almas Gesicht zog sich noch mehr in die Länge. Jetzt wollte ihre Herrin auch noch Magddienste an diesem ungezogenen Balg leisten, der das Leben in einem Ziegenstall in den Bergen dem Aufenthalt hier in der bequemen Burg vorgezogen hatte. Sie verschluckte die Bemerkung, die ihr auf der Zunge lag, und verließ schnaubend den Raum.

»Hoffentlich kommt sie so schnell nicht wieder«, sagte Ermengilda, als die Tür hinter der Beschließerin ins Schloss gefallen war. »Ich will nämlich mit dir reden. Du musst mir unbedingt raten, was ich tun soll, denn ich habe Angst, eine falsche Entscheidung zu treffen.«

»Geht es um die beiden Böcke, die hinter dir herwittern?«

Obwohl es von Maite boshaft gemeint war, lachte Ermengilda über den Ausdruck. »Sie benehmen sich wirklich ein wenig wie eifersüchtige Böcke. Fast könnte man glauben, sie warten nur, um ihre Köpfe gegeneinanderstoßen zu können. Aber mir ist es ernst mit meiner Bitte. Einen von beiden muss ich heiraten, und zwar rasch! Sonst beschließt der König der Franken als Verwandter meines toten Ehemanns eine neue Ehe für mich, oder mein Vater sucht für mich einen anderen Mann aus. Welchen von ihnen soll ich nehmen? Philibert oder Konrad?«

»Auf diese Frage gebe ich dir keine Antwort. Geht es dann schief, bin hinterher ich schuld. Nein danke!« Maite wandte sich ab und begann, sich erneut von oben bis unten mit Bürste und Seife abzuschrubben.

»Es scheint zu wirken. Das Wasser wird ganz schwarz«, erklärte sie nach einer Weile erleichtert.

Ermengilda drehte sich so, dass sie sich mit den Unterarmen am Rand des Bottichs abstützen konnte. »Also, zu welchem würdest du mir raten? Das Schlimme ist, dass ich einen zurückweisen muss, und das hat eigentlich keiner von ihnen verdient.«

»Dann heirate doch beide!«

»Wäre es möglich, würde ich es tun. Aber das geht nun einmal nicht. Also, wen würdest du nehmen?«

»Keinen von beiden«, antwortete Maite mit schief gezogenem Mund. »Der eine ist ein Schwätzer und der andere ein Stoffel.«

»Aber irgendwelche Vorzüge muss doch jeder von ihnen haben!«, bohrte Ermengilda weiter.

»Ich habe bis jetzt noch keine bemerkt!« Maite hatte es kaum gesagt, da kreischte sie auf, weil ihre Freundin sie mit beiden Händen bespritzte. Es tat weh, denn Ermengilda hatte ebenso wie sie reichlich Seife verwendet, die nun in den Augen brannte.

»Bist du übergeschnappt? Jetzt werde ich mindestens drei Tage lang mit roten Augen herumlaufen!«

»Es tut mir leid! Das wollte ich nicht. Warte, ich kümmere mich um deine Haare. Du musst dafür nur in meine Wanne steigen. Hier ist es angenehm warm, und da will ich mich nicht in die Kälte stellen.«

»Hast du nicht Angst, dass ich ins Wasser abfärbe und du selbst schwarz wirst?«, fragte Maite.

Ermengilda schüttelte den Kopf. »Du bist schon ganz schön hell geworden. Ich glaube, nach zwei weiteren Bädern siehst du wieder so aus wie früher. Doch jetzt komm. Du musst dann auch meine Haare machen, bevor das Wasser kalt wird.«

Seufzend gehorchte Maite, genoss es dann aber, sich gegen ihre Freundin zu lehnen, während diese ihr die Haare entwirrte und wusch. Ermengilda erwies sich jedoch auch hier als Plagegeist, denn sie beharrte darauf zu erfahren, welcher der beiden jungen Männer Maite besser gefiel.

Da sie nicht aufgab, entschloss Maite sich zu einer Antwort. »Dein Herz sehnt sich nach Philibert, nicht wahr? Sonst würdest du nach all dem, was Konrad für dich getan hat, nicht zwischen ihnen schwanken.«

Ermengilda nickte verschämt. »Ich weiß, ich bin undankbar, aber ich kann meinem Herzen nicht befehlen. Konrad wird es jedoch schmerzen, wenn ich seinen Freund ihm vorziehe.«

»Zumal du dich von ihm hast besteigen lassen«, warf Maite bissig ein.

»Das macht es ja noch schlimmer! Ich wollte Philibert nicht betrügen, aber Konrad hatte ein Recht auf meine Dankbarkeit.«

»Musstest du es ihm auf eine so intime Weise danken? Ein Beutel Gold aus der Hand deines Vaters hätte wohl auch gereicht.«

»Das verstehst du nicht, weil dein Herz kalt ist wie der Fels eurer Berge im Winter. Verzeih, ich wollte dich nicht beleidigen.« Ermengilda hörte auf, Maites Haar zu waschen, und klammerte sich weinend an ihre Freundin.

Maite fühlte ihre Verzweiflung und kam sich auf einmal schlecht vor, weil sie Ermengilda in ihrer Not auch noch verspottet hatte. Doch welchen Rat sollte sie ihr geben? Eine Heirat war nun einmal eine Sache, die kühl durchdacht werden sollte. Der einzige Vorteil, den sie bei den beiden Männern sah, war, dass sie Ermengilda wenigstens zu Anfang gut behandeln würden.

»Du solltest dich fragen, wer für dein Kind der bessere Vater sein wird«, sagte sie nachdenklich.

Ihre Freundin nickte sofort. »Daran habe ich noch gar nicht gedacht.«

Ermengilda überlegte und rief sich noch einmal die Gesichter der beiden Männer ins Gedächtnis, als sie von ihrer Schwangerschaft erfahren hatten. Philibert hatte dabei gelächelt, während Konrad eine gewisse Enttäuschung anzumerken gewesen war. Dies gab für sie den Ausschlag.

»Ich werde Philibert wählen, sosehr mir das Herz auch wegen Konrad schmerzt. Versprich mir, dass du dich um ihn kümmern wirst, wenn die Entscheidung gefallen ist. Du musst ihn beruhigen und trösten. Ich will nicht, dass er mich als leichtfertiges, treuloses Weib ansieht.«

Im ersten Augenblick war Maite über diese Bitte empört, und sie wollte ihrer Freundin gehörig die Meinung sagen. Doch Ermengildas verzweifelt flehendem Blick vermochte sie sich nicht zu entziehen.

»Also gut. Ich werde mit Konrad sprechen.« Sie schnaubte fast so laut wie vorhin Alma der Drache und forderte Ermengilda auf, sich so hinzusetzen, dass sie ihr die Haare waschen und kämmen konnte.

13.

Konrad war sich nicht sicher, ob Doña Urraxa in ihm den fränkischen Anführer erkannte, den sie vor etlichen Wochen mit beleidigenden Worten am Tor abgefertigt hatte. An diesem Tag war sie jedenfalls wie ausgewechselt und umsorgte Philibert und ihn wie eine Mutter. Sie hatte allen ein Bad bereiten und ihnen Kleider geben lassen, derer sich auch Edelleute nicht schämen mussten. So feine Sachen hatte Konrad noch nie getragen, und er beobachtete lächelnd, dass Just sich aus Angst, sein Gewand zu beschmutzen oder gar zu beschädigen, kaum mehr zu rühren wagte.

Einzig Philibert lag noch bis auf ein lässig über den Unterleib geworfenes Tuch nackt auf dem Bett und sah zu, wie die Hausherrin mit Hilfe ihrer Beschließerin seine Verbände abnahm. Angesichts der aufgeschwollenen und rot entzündeten Wunden entrang sich Doña Urraxa ein besorgter Seufzer.

»Ihr werdet einige Wochen auf dem Wundlager verbringen

müssen, Herr Philibert von Roisel, wenn Ihr Euch überhaupt wieder davon erhebt. Eure Schulterwunde bereitet mir dabei weniger Sorgen als Euer Oberschenkel. Wenn dort der Wundbrand ausbricht, kostet es Euch das Leben. Wärt Ihr weiter unten, zum Beispiel an der Wade, verletzt worden, könnte man Euch das Bein abnehmen. So aber ist es unmöglich.«

Konrad verspürte für einen Augenblick den Wunsch, Philibert würde seinen Verletzungen erliegen, schämte sich aber noch im selben Moment dafür und bat den Heiland inständig, seinen Freund gesunden zu lassen. Auf eine solche Weise wollte er Ermengilda wahrlich nicht gewinnen.

Konrads Gewissenspein blieb unbemerkt, da alle auf Doña Urraxa starrten. Diese nahm ein scharfes Messer zur Hand und öffnete die Wunden, um die Pfeilschäfte und nach Möglichkeit auch die Spitzen herauszuholen.

Obwohl Philibert trotz des betäubenden Saftes, den sie ihm eingeflößt hatte, vor Schmerzen ächzte, wurde ihm klar, von wem Ermengilda ihre sanften Hände geerbt hatte. Schon nach kurzer Zeit hatte Doña Urraxa die Pfeilreste entfernt und die Wunden ausgewaschen. Sie überließ es jedoch Alma, Arzneien aufzutragen und die Verbände anzulegen, weil weitere Verpflichtungen in der Halle auf sie warteten. Für sie galt es, Jussuf Ibn al Qasi bei Laune zu halten, der als Freund und heimlicher Verbündeter wertvoll war.

Alma ging nicht ganz so zartfühlend mit dem Patienten um, doch die übrigen Bewohner der Roderichsburg hätten sich über ihre Rücksichtnahme gewundert. Trotzdem atmete Philibert auf, als sie endlich fertig war und sich freundlich von ihm verabschiedete. Nachdem er sich mit einem weiteren Schluck Wein gekräftigt hatte, hielt er Konrad, der seinen erschöpften Freund verlassen wollte, zurück. »Erinnerst du dich noch daran, wie oft wir zusammengesessen sind und Eward beneidet haben, weil er das besaß, was wir beide uns von ganzem Herzen wünschten?«

Konrad nickte wortlos, schenkte sich selbst einen Becher Wein ein und hörte zu.

»Nun werden für einen von uns die Träume in Erfüllung gehen. Aber ich will nicht, dass unsere Freundschaft darüber zerbricht. Schwöre mir, dass wir Freunde bleiben werden, ganz gleich, für wen Ermengilda sich entscheiden mag.«

Vom ersten Gefühl getrieben, wollte Konrad sagen, dass er sowohl Philibert wie auch Ermengilda in seinem ganzen Leben nicht mehr sehen wolle, wenn die junge Frau den anderen wählte. Dann überlegte er, ob er seinem Freund sagen sollte, dass er Ermengilda bereits besessen hatte. Doch das würde für Philibert genauso wenig zählen wie die Tatsache, dass sie dem Emir der Mauren hatte zu Diensten sein müssen. Ihm aber bot diese eine Liebesnacht in dem Wäldchen an den Ufern des Guadalquivir einen Vorteil, der für Ermengilda den Ausschlag geben konnte. Daher willigte er ein.

»Wir bleiben Freunde!«

»Versprochen?«

»Versprochen!« Konrad reichte Philibert die Hand. Dieser ergriff sie mit Tränen in den Augen. »Unser Heiland im Himmel ist mein Zeuge, dass ich Ermengilda keinem mehr gönnen würde als dir. Bei Gott, fast wünschte ich, sie würde dich nehmen. Damit könnte ich all das abtragen, was ich dir schulde. Aber ich liebe sie zu sehr.«

»Was würdest du tun, wenn Ermengilda mich wählt?«, fragte Konrad nachdenklich.

»Ich würde, sobald ich wieder reiten kann, mein Pferd satteln, das Schwert in die Hand nehmen und nach Süden reiten und dort so viele Mauren töten, wie ich nur kann, bevor es mich erwischt.«

Das Schlimme an Philiberts Worten war, dass sie so entsetzlich ernst klangen. Konrad traute es ihm zu, so zu handeln, während er selbst nicht so weit gehen würde, eines Weibes wegen sein Leben wegzuwerfen.

Die beiden wussten nicht, dass sie belauscht worden waren. Ermengilda und Maite hatten ihr Bad beendet und sich angezogen. Kaum waren sie in lange Hemden und Übergewänder geschlüpft, ergriffen sie die Stolen, die ihnen als Kopftücher dienten, und eilten zu der Kammer, in der ihre Begleiter untergebracht waren. Sie kamen gerade rechtzeitig, um Philiberts Worte zu vernehmen.

Ermengilda fasste nach Maites Händen und presste sie gegen ihre Brust. »Verstehst du jetzt, warum ich ihn heiraten muss?«

Das Wort »muss« fand Maite übertrieben, und sie sagte sich, dass es Konrad nur recht geschah, wenn Ermengilda sich für Philibert entschied. Hatte er doch ihre Freundin während ihrer Flucht bereits als sein Eigentum betrachtet.

»Ich muss vorher mit Konrad reden. Lenke du derweil Philibert ab.« Ermengilda zog Maite mit in die Kammer und schubste sie zu der Bettstatt, auf der der Verletzte lag. Sie selbst wandte sich an Konrad.

»Wollen wir nicht ein wenig hinausgehen?«

»Gerne!« Konrads Augen leuchteten auf. Wie es aussah, hatte das, was bei Córdoba zwischen ihnen geschehen war, doch Bestand. Er folgte Ermengilda bis zu einem Altan, der in den Hof hineinragte, und lehnte sich dort mit dem Rücken gegen eine der hölzernen Säulen, die das Dach trugen.

Ermengilda setzte ein paarmal zum Sprechen an, brach aber immer wieder ab und blickte zuletzt ängstlich zu Boden. »Das, was ich dir zu sagen habe, fällt mir nicht leicht. Wenn es Philibert nicht gäbe, würde ich dich mit Freuden zum Manne nehmen und glücklich mit dir werden. Doch so kann ich es nicht.«

»Das war knapp und deutlich!« Konrad biss die Lippen zusammen, um nicht mehr zu sagen und dabei laut zu werden. Diese Frau hatte sich ihm hingegeben, wie nur ein Eheweib sich ihrem angetrauten Mann hingeben sollte, und wollte nun den anderen heiraten.

»Du darfst mir nicht böse sein, Konrad. Doch ich kann nicht gegen mein Herz entscheiden. Ich liebe euch beide, aber Philibert ein winziges Stück mehr als dich.«

»Schon gut! Ich habe es nicht anders erwartet. Und jetzt habe ich Sehnsucht nach einem großen Becher Wein.« Konrad wollte sich abwenden, doch Ermengilda hielt ihn mit beiden Händen fest.

»So darfst du nicht von mir scheiden. Ich liebe dich, wie ich einen Bruder lieben würde. Auch wenn du jetzt zu Recht enttäuscht und zornig bist, so bitte ich dich doch um einen Gefallen.«

»Soll ich dir und Philibert vielleicht das Brautbett aufdecken?«, fragte Konrad bissig.

Ermengilda schüttelte den Kopf. »Es hat nichts mit mir zu tun. Es geht um Maite. Ich bitte dich, kümmere dich um sie. Da ihr Onkel sie verraten und gegen alles Recht an die Mauren verkauft hat, ist sie heimatlos und hat keinen Ort, an dem sie sich niederlassen kann.«

Konrad glaubte, sich verhört zu haben. Wollte Ermengilda ihn, der eben einen Edelstein verloren hatte, etwa mit einem Batzen Lehm abfinden? Am liebsten hätte er sie ausgelacht und das getan, was Philibert vorgehabt hatte, nämlich sein Pferd satteln, nach Süden reiten und dort so viele Mauren wie möglich erschlagen.

Ermengilda spürte seinen Zorn und seine Verzweiflung und klammerte sich an ihn. »Bitte! Ich flehe dich an, tu es für mich. Ohne Maites Findigkeit wäre ich noch immer eine Sklavin im Harem des Emirs und damit Philibert und dir gleichermaßen entzogen!«

»Vielleicht wäre es besser so!«

Konrads Worte ließen Ermengilda erbleichen. Sofort hob er beschwichtigend die Hände. »Verzeih mir, ich habe es nicht so gemeint. Dafür bin ich viel zu glücklich, dich wieder in Freiheit zu sehen.«

»Das verdanke ich nur dir und Maite. Verstehst du jetzt, warum ich sie gut versorgt sehen will? Geh sanft mit ihr um. Das eine Mal, das sie Fadl Ibn al Nafzi zu Willen sein musste, war eine Qual für sie. Ich habe gesehen, wie sie hinterher ausgesehen hat. Sie war am ganzen Körper grün und blau geschlagen.«

»Deshalb hat sie ihm also die Kehle durchgeschnitten!«

»Nein, du Narr! Sie tat es, um dir das Leben zu retten. Oder hast du vergessen, dass sein Schwert dich im nächsten Augenblick durchbohrt hätte?« Ermengilda verlor allmählich die Geduld. Irgendwie hatte Maite recht, dachte sie. In gewissen Dingen war Konrad wirklich ein hirnloser Ochse.

»Fadl war ein Tier«, sagte Konrad mit leiser Stimme.

Ermengilda nickte. »Er war selbst in den Augen der anderen Mauren zu blutgierig, und sie haben ihn als Schlächter gefürchtet. Doch nun komm! Sonst glauben die anderen noch, wir hätten sonst was getan.« Sie lachte ein wenig, um ihre Anspannung loszuwerden, und führte Konrad in die Kammer zurück.

Dort fanden sie die beiden anderen schweigend vor. Maite hatte Philiberts Verbände kontrolliert, sie für gut befunden und ihm noch einmal mit Mohnsaft versetzten Wein eingeschenkt. Jetzt saß sie in einer dunklen Ecke und starrte vor sich hin.

Ermengilda musste ihre Freundin erst anstoßen, damit diese auf sie aufmerksam wurde. »Ich habe es Konrad gesagt. Nun ist er völlig verzweifelt. Wenn du ihn nicht beruhigen kannst, wird er die Burg noch heute verlassen, und wir werden ihn niemals wiedersehen«, raunte sie ihr ins Ohr.

Maite nickte und stand auf. Ohne Konrad anzusehen, ging sie an ihm vorbei, packte dabei seine rechte Hand und zog ihn mit sich. »Komm mit! Ermengilda will, dass ich bei dir bleibe und auf dich aufpasse!«

»Vor allem habe ich Durst, und du könntest mir einschenken!« Konrad stieß einen Laut aus, der ebenso ein Knurren wie ein grimmiges Lachen sein konnte, und folgte ihr.

Philibert, der mit seinen Schmerzen und dem Schlaf kämpfte, sah den beiden erstaunt nach und versuchte, sich aufzurichten. »Was ist denn los? Ihr seid alle so seltsam.«

»Ich habe Konrad gesagt, dass ich ihn nicht heiraten werde, und Maite gebeten, die nächsten Stunden bei ihm zu bleiben, damit er keinen Unsinn macht. Wer weiß, vielleicht wird sogar etwas daraus.« Um Ermengildas Lippen spielte ein versonnenes Lächeln. Sie war glücklich und wollte, dass auch ihre Freunde ihr Glück fanden.

Philibert stöhnte auf, weil er sich falsch bewegt hatte, grinste aber trotz seines schmerzverzerrten Gesichts. »Konrad und Maite? Das wäre ein starkes Stück! Aber warum nicht? Er ist ein Kerl, der von Zeit zu Zeit einen Nasenstüber braucht, und Maite genau die Frau, um ihm diesen zu verpassen.«

»Und was brauchst du?«, fragte Ermengilda lächelnd.

»Erst einmal einen Kuss von dir und dann einen weiteren Becher Wein, damit meine Zunge geschmiert wird. Es gibt ja so viel zu sagen!«

Da Philibert Anstalten machte, trotz seiner fiebrig glänzenden Augen und der Wirkung des Mohnsafts aufzustehen, beugte Ermengilda sich über ihn und berührte mit ihren Lippen seinen Mund.

Als sie sich wieder erhob, zwinkerte Philibert ihr zu und murmelte schon halb im Schlaf: »Das ist eine starke Medizin. Davon könnte ich noch mehr gebrauchen.«

Diesen Wunsch erfüllte Ermengilda ihm gern, doch bei all ihrer Glückseligkeit dachte sie ein wenig ängstlich an Maite und Konrad und fragte sich, ob es diesen beiden gelingen konnte, sich zusammenzuraufen.

14.

Um ungestört mit Konrad reden zu können, hatte Maite ihn zu der Kammer geführt, die ihr neben Ermengildas Zimmer zugeteilt worden war. Sie war nicht besonders groß und enthielt außer einem Bett, das breit genug war für zwei Menschen, nur eine alte Truhe, die auch als Tisch diente, und zwei dreibeinige Hocker. Da diese ihnen zu hart und zu unbequem waren, setzten sie sich nebeneinander auf die Bettkante.

Konrad brach das Schweigen. »Wolltest du mir nicht Wein einschenken?«

»Aber nur, wenn du mir versprichst, dich nicht zu betrinken. Ich will nicht, dass du im Rausch lärmst und deine Wut hinausbrüllst.«

»Warum sollte ich zornig sein?«, fragte Konrad in einem Tonfall, der genau dieses Gefühl verriet.

»Wegen Ermengilda! Sie hat dir doch gesagt, dass sie sich für Philibert entschieden hat. In meinen Augen ist das eine seltsame Wahl, denn du hast deinen Wert als Krieger oft genug bewiesen, während dein Freund sich fast nach jedem Scharmützel im Wundbett wiederfindet.«

Diese Worte stärkten Konrads angeschlagenes Selbstbewusstsein ungemein. »Du hältst mich also für besser als Philibert? Ich finde Ermengildas Wahl auch seltsam, denn bis er wieder in der Lage ist, seinen Mann zu stehen, dürfte ihr Bauch so angewachsen sein, dass er nur noch wenig Freude daran finden wird, mit ihr das Lager zu teilen.«

»Das war gemein!«, rief Maite, obwohl sie selbst über diese

Vorstellung lachen musste. »Da die beiden sich lieben, wird auch das ihr Glück nicht stören.«

Nach Konrads Meinung hatten sie genug über Ermengilda und Philibert geredet. »Ermengilda sagte, dein Oheim hätte dich betrogen. Willst du mir sagen, was geschehen ist?«

Maite nickte nach kurzem Zögern, legte die Arme um den Brustkorb, als friere sie, und begann stockend zu berichten.

Konrad blickte erstaunt auf, als sie erzählte, dass Graf Roderich, in dessen Burg sie sich befanden, ihren Vater getötet hatte. Als er sie unterbrechen wollte, sah sie ihn mit einem traurigen Lächeln an. »Ich habe Ermengilda versprochen, keine Rache an ihrem Vater zu üben. Sie ist meine beste Freundin geworden, und ich will sie nicht betrüben.«

»Verstehe! Ich werde auf jeden Fall dafür sorgen, dass er dir das Blutgeld zahlt, das dem Tod eines großen Anführers angemessen ist«, antwortete Konrad. »Bitte sprich weiter!«

Obwohl es ihr schwerfiel, weder ihrem Zorn mit Flüchen Luft zu machen noch in Tränen auszubrechen, berichtete sie von den Intrigen, mit denen ihr Onkel sie beiseitegeschoben hatte, um selbst Herr des Stammes zu werden. Sie erzählte so anschaulich, dass Konrad Maite als kleines Kind mit blutig geschlagenem Rücken durch die Wildnis irren zu sehen glaubte, und er fühlte die Einsamkeit ihrer Jugend mit ihr.

All das, was für ihn selbstverständlich gewesen war, die Liebe der Mutter, das aufmunternde Schulterklopfen des Vaters und die kindlichen Streitereien mit seinem Bruder, hatte Maite niemals erlebt.

Sie berichtete auch von der Flucht der waskonischen Geiseln aus Pamplona, dem Überfall bei Roncesvalles sowie ihrer Gefangenschaft bei den Mauren. Nur das, was zwischen Fadl Ibn al Nafzi und ihr geschehen war, verschwieg sie. Der schmerzliche Ausdruck in ihrem Gesicht verriet Konrad jedoch genug, und er bedauerte es, dass er Fadl nicht mit eigener Hand hatte töten können.

Als Maite schließlich schwieg, war es draußen bereits dunkel geworden. Sie zündete eine Öllampe mit dem Kienspan an, den eine Magd zu diesem Zweck vor der Tür in eine Halterung gesteckt hatte, und stellte sie auf die Truhe.

Dabei betrachtete Konrad ihre von Licht umflackerte Gestalt und bewunderte ihre fließenden Bewegungen. Sie war gut eine Handbreit kleiner als Ermengilda und draller gebaut, hatte aber eine ungemein reizvolle Figur. Auch ihr Gesicht erschien ihm nun, da sie die schwarze Farbe entfernt hatte, weitaus hübscher, als es ihm bisher vorgekommen war.

»Möchtest du etwas essen?«, fragte sie, verwirrt durch sein Schweigen und seinen prüfenden Blick.

»Nein, ich habe keinen Hunger.«

»Ist er dir vergangen, weil Ermengilda jetzt einen anderen Mann als dich auf ihr Lager lassen wird? Dabei dachte ich, euch Männern wäre gleich, wer unter euch liegt. Oder sehnst du dich so sehr nach dem Augenblick zurück, an dem ihr euch damals gepaart habt?«, fragte Maite bitter.

Konrad starrte sie erschrocken an. »Du weißt davon?«

»Als ich ans Feuer zurückgekehrt bin, war ja nicht zu übersehen, womit ihr beschäftigt gewesen seid. Aber ihr hattet nur Augen für euch.« Maite machte eine wegwerfende Handbewegung und schenkte sich selbst etwas Wein ein.

Konrad hielt ihr seinen Becher hin. »Ich glaube, ich brauche noch einen Schluck. Was in jener Stunde zwischen Ermengilda und mir geschehen ist, war nur ein Traum, der heute ein Ende gefunden hat.« Er trank und sah Maite mit glitzernden Augen an. »Eines würde mich interessieren.«

»Was?«

»Ob deine Brüste fester sind als Ermengildas!«

Maite zischte empört, doch er ließ sich nicht davon abhalten, ihren Busen durch die verschiedenen Stoffschichten ihrer Kleidung hindurch zu befingern.

»Er fühlt sich tatsächlich fester an«, erklärte er.

Obwohl Maite ihm am liebsten eine Ohrfeige versetzt hätte, gefiel ihr, was er gesagt hatte. Immerhin gab er ihr damit das Gefühl, nicht in allem hinter ihrer schönen Freundin zurückzustehen. Auch löste die Berührung Gefühle in ihr aus, die sich bis zu einem fast schmerzhaften Ziehen in ihrem Unterleib erstreckten.

Nach ihren Erfahrungen mit Fadl Ibn al Nafzi hätte Maite nicht gedacht, jemals das Verlangen nach einem Mann zu verspüren. Nun aber rückte sie unbewusst näher an Konrad heran und lehnte sich gegen seine Schulter. In dem Moment wurde ihr klar, dass das, was sie damals im Wald für Ekel gehalten hatte, im Grunde nur brennende Eifersucht gewesen war. Sie mochte diesen stoffeligen Franken, der so lange der falschen Frau nachgelaufen war und sie dabei vollkommen übersehen hatte. Eigentlich war dies eine Strafe wert, doch da Konrad alle Hoffnungen verloren hatte, Ermengilda zu der Seinen zu machen, wollte sie ihn nicht abweisen.

Sie ließ es zu, dass seine tastenden Hände allmählich kühner wurden und seine Finger sich schließlich durch den Halsausschnitt ihres Gewandes und ihres Hemdes auf die blanke Haut ihres Busens vorarbeiteten und sachte an ihren Brustwarzen zupften.

»Sei vorsichtig mit mir, wenn du es tust«, hörte sie sich selbst sagen und schämte sich nicht einmal dafür. Stattdessen hob sie die Arme, damit er ihr das Kleid über den Kopf ziehen konnte.

Gemäß Ermengildas Wunsch bedrängte Konrad Maite nicht, sondern brachte sie durch spielerische Zärtlichkeiten so weit, dass sie sich von selbst auf den Rücken legte und willig die Beine für ihn öffnete.

Sie nackt vor sich zu sehen und nicht auf der Stelle über sie herzufallen, kostete ihn nicht weniger Selbstbeherrschung als damals bei Ermengilda. Daher bat er sie, ihm beim Auskleiden zu helfen, und genoss die Berührung durch ihre kühlen Hände. Er setzte sein Spiel fort, indem er ihren Körper überall küsste und streichelte, bis ihre Augen weit wurden und ihr Atem stoßweise kam. Dann erst glitt er über sie und drang vorsichtig in sie ein. Maite keuchte zuerst erschrocken auf, gab sich dann aber ganz ihrer erwachenden Leidenschaft hin und ertappte sich zuletzt sogar dabei, wie sie Konrad aufforderte, nicht ganz so vorsichtig und zögerlich zu sein.

15.

Jussuf Ibn al Qasi blieb nur einen Tag in Roderichs Burg und verließ sie in besserer Laune, als er sie betreten hatte. Für beide galt es, Eneko und dessen Bestrebungen, sich zum Herrn Nafarroas und weiterer Teile des Nordens zu machen, genau zu überwachen und ihn durch ein gemeinsames Bündnis daran zu hindern, zu übermütig zu werden.

Seinen Begleitern, die unter freiem Himmel hatten nächtigen müssen, erklärte er, dass Graf Roderich nicht bereit sei, die Flüchtlinge zu übergeben. Da er wusste, dass Fadl Ibn al Nafzis Anhänger auf eigene Faust versuchen würden, ihren Anführer zu rächen, hatte er Roderich versprochen, ihn zu warnen, wenn er von einem geplanten Angriff auf dessen Herrschaftsbereich erfuhr. Das war auch in seinem Interesse. Denn wenn noch mehr von Fadls und Abduls ehemaligen Anhängern ihr Leben ließen, stärkte dies seine eigene Position.

Roderich war mit den Vereinbarungen, die er und Jussuf getroffen hatten, nicht weniger zufrieden. König Silos zögerliche

Haltung während des fränkischen Feldzugs gegen Saragossa sowie die Verweigerung jeglicher Unterstützung war von jenen Edelleuten schlecht aufgenommen worden, die von der Rückgewinnung der an die Mauren verlorenen Gebiete träumten. Immer noch herrschte Unruhe in Asturien, die durch die Mauren kräftig geschürt wurde. Diese unterstützten den zu ihnen geflüchteten Bastardsohn König Alfonsos, der nicht zuletzt wegen dieser Abhängigkeit von ihnen als Mauregato – das Maurenkätzchen – verspottet wurde.

Dies waren Gründe genug, sich Freunde zu sichern, die ihm halfen, in dieser Zeit zu bestehen, und zu den wichtigsten zählte Jussuf Ibn al Qasi. Roderich war nicht traurig darüber, dass seine Tochter aus dem Harem des Emirs geflohen war. Als Witwe konnte er sie erneut verheiraten und sich einen Schwiegersohn verschaffen, der ihm als Verbündeter zur Seite stand. Daher wäre ihm ein einflussreicherer Bräutigam als Philibert von Roisel lieb gewesen. Doch Roderich tröstete sich damit, dass ihr erstgeborenes Kind der fränkischen Königssippe entstammte und er damit auf eine Verwandtschaft mit König Karl pochen konnte.

Ermengilda drang darauf, ihre Hochzeit mit Philibert so rasch und so unauffällig wie möglich zu feiern. Daher versammelten sich ihre Eltern, die übrigen Gäste und die hochrangigen Gefolgsleute ihres Vaters nicht lange nach der Abreise der Mauren im Burgsaal. Vor all diesen Zeugen versprachen Philibert und Ermengilda sich die Treue, und der Kaplan segnete sie. Dann brachten die Asturier und die wenigen Gäste ihre Glückwünsche an.

Eine längere Zeremonie hätte Philibert in seinem elenden Zustand nicht durchgestanden. Zwar hatten Doña Urraxas und Almas Arzneien gut angeschlagen, aber er würde noch längere Zeit das Lager hüten müssen. Seiner Braut machte dies jedoch nichts aus. Sie wirkte so glücklich, dass selbst

Konrads Unmut verflog und er sowohl ihr wie auch Philibert aus ehrlichem Herzen Glück wünschte. Als er wieder zurücktrat, um Maite Platz zu machen, sah Ermengilda die beiden lächelnd an.

»Wäre jetzt nicht der Augenblick für euch gekommen, ebenfalls den Bund der Ehe einzugehen?«

»Ich soll Konrad heiraten?« Maite wollte empört auffahren, erinnerte sich dann aber an die vergangene Nacht und wurde blutrot im Gesicht.

Konrad fasste nach ihrer Hand und hielt sie fest. »Ich finde, wir sollten es tun. Du hättest damit wieder eine Heimat und ich ein Weib, bei dem ich mich auf die Nächte freuen kann!«

Ermengilda prustete los. Wie es aussah, hatte ihre Freundin Konrad ausführlich getröstet, und darüber freute sie sich. Die beiden waren zwar Querköpfe, würden aber immer zusammenstehen, und das war das Wichtigste.

»Also abgemacht! Ihr schließt den Bund der Ehe. Pater, sprecht bitte auch den Segen für unsere Freunde!«

Trotz ihrer Beklommenheit nickte Maite, konnte aber einen leisen Seufzer nicht unterdrücken. Nachdem sie und Konrad dieselben zeremoniellen Worte gesprochen hatten wie das andere Paar, ließen die Anwesenden sie hochleben. Doña Urraxa schloss Maite in die Arme und küsste sie. Dann tat sie das Gleiche mit Konrad.

Noch während dieser fest gegen den stattlichen Busen der Burgherrin gedrückt wurde und das Gefühl hatte, zu ersticken, wandte Graf Roderich sich an Maite.

»Meine Tochter hat mir erzählt, dass sie dir ihre Freiheit verdankt. Du hast sie zwar selbst gefangen gehalten, aber dennoch gut behandelt und sie schließlich ihrem fränkischen Ehemann übergeben. Daher will ich dir nichts nachtragen, zumal das Blut deines Vaters zwischen uns steht. Iker war ein kühner Mann und geschickt darin, meine Schafe wegzutreiben. Meine

Männer und ich haben ihn nie erwischt. Daher war ich erleichtert, als dein Onkel mir verraten hat, wann und wo Iker seinen nächsten Raubzug plante. Damals hatte ich gehofft, euren Stamm meiner Grafschaft eingliedern und so meinen Herrschaftsbereich weiter nach Osten vergrößern zu können. Doch Eneko Aritza hat das Gebiet an sich gerissen, und allein war ich zu schwach, um ihm die Stirn bieten zu können. Rückblickend wäre es für mich besser gewesen, mich mit deinem Vater gegen Eneko zu verbünden und dessen Aufstieg zu verhindern. Aber diese Erkenntnis kam leider zu spät.«

Roderich krampfte seine Hände in den Gürtel, als müsse er die nächsten Worte aus sich herauszwingen. »Ich bin willens, das Blut deines Vaters mit Geld oder Vieh auszulösen. Ermengilda sagte zu mir, du wärest dazu bereit.«

Maites Blick streifte Ermengilda und Konrad. Als die beiden ihr aufmunternd zunickten, atmete sie tief durch. »Es sei so, wie du sagst, Grenzgraf. Du zahlst den Blutpreis in Gold, und es gibt keine Rache mehr zwischen uns.«

»So soll es sein!« Roderich streckte ihr die Hand hin.

Maite ergriff sie und verglich im Stillen den stark gealterten Mann, dem die Sorgen Furchen ins Gesicht gegraben hatten, mit jenem stolzen Anführer, der damals in ihrem Dorf erschienen war. Mit ihrem Vater hatte er einen lästigen, aber letztlich ungefährlichen Nachbarn beseitigt, und dann war ihm in Eneko ein weitaus mächtigerer Gegner erwachsen. Als sie mit Enekos Sohn gegen die Franken gezogen war, hatte sie erfahren, dass der Herr von Iruñea plante, die Grenzen seines Machtbereichs nach Westen zu verschieben und dabei die Waskonenstämme, die bereits die asturische Oberhoheit anerkannt hatten, unter seine Herrschaft zu bringen. Dabei würde auch ihr Stamm, der zwischen Nafarroa und Asturien siedelte, eine Rolle spielen. Das aber war jetzt nicht mehr ihre Sache. Da sie keine Möglichkeit sah, sich an Okin zu rächen und ihre

Stellung im Stamm wieder einzunehmen, war ihr die Rückkehr in das Land ihrer Kindheit versperrt. Der Gedanke tat weh, doch sie würde es überstehen. Schließlich hatte sie sich freiwillig mit Konrad verbunden, und ihre neue Heimat würde an jenem Ort sein, an den er sie bringen würde.

Unterdessen hatte Doña Urraxa Konrad freigegeben. Dies nützte Philibert aus. Er fasste Konrad am Arm und sah auffordernd zu ihm hoch.

»Ihr solltet bald aufbrechen, damit ihr noch vor dem Winter über die Pyrenäen kommt. In Aquitanien wird euch das Reisen leichter fallen, und ihr könnt bis zum Frühjahr beim König sein. Berichtet ihm, dass ich wund hier liege, aber kommen werde, sobald mein Zustand es zulässt. Er wird sich für eure Erlebnisse im Maurenland interessieren und auch für alle Nachrichten, die ihr ihm aus diesem Land mitbringen könnt.«

Konrad wechselte einen kurzen Blick mit Maite. »Philibert will, dass wir zum König reiten – zu Karl meine ich, nicht zu Silo von Asturien. Wann, denkst du, können wir aufbrechen?«

»Schon morgen! Dein Schwert und meine Schleuder werden uns freie Bahn schaffen, falls sich uns jemand in den Weg stellen will.«

Ermengilda sah ihre Freundin erschrocken an. Für einige Augenblicke glitzerten Tränen in ihren Augen. Dann aber dachte sie daran, dass sie Philibert ganz für sich haben würde, und freute sich darauf.

Aus diesem Grund schenkte sie Konrad und Maite ein zwar wehmütiges, aber auch aufmunterndes Lächeln. »Reitet mit Gottes Segen! Auch wenn uns später viele Meilen trennen sollten, werden wir in unseren Herzen doch immer Freunde bleiben.«

16.

Der Abschied zwei Tage später war herzlich, aber auch kurz, um Philibert nicht zu überfordern. Maite und Konrad mussten auch nicht allein reiten, denn Just hatte sich entschlossen, bei ihnen zu bleiben, und Ermo flehte sie ebenfalls an, ihn mitzunehmen.

»Weißt du, Konrad«, sagte er. »Mir steht dieses Spanien bis zum Hals! Ich möchte wieder meine Familie sehen und über meine heimatlichen Fluren schreiten.«

»Du bist verletzt und solltest warten, bis dein gebrochener Arm zusammengewachsen ist.« Konrad fühlte wenig Neigung, diesen unangenehmen Menschen mitzunehmen, mochte er auch hundertmal aus dem Nachbardorf stammen.

Ermo aber ließ nicht locker, denn er hatte Angst, allein zurückzubleiben. Philibert von Roisel sah nicht so aus, als würde er ihn als Reisegefährten akzeptieren. Auch besaß er keinen einzigen Silberdenar, und ohne Geld vermochte er den Weg in die Heimat niemals zurückzulegen. Wenn er nicht als einfacher Knecht in Asturien bleiben wollte, musste er Konrad dazu bewegen, ihn mitzunehmen. Daher bettelte er so lange, bis dieser unwillig nachgab.

»Also gut. Aber mach mir hinterher keine Vorwürfe, wenn dein Arm nicht richtig zusammenwächst.« Mit diesen Worten ließ Konrad den Mann stehen und gesellte sich zu den zwanzig Reitern, die Graf Roderich ihnen mitgab. Der grauhaarig gewordene Ramiro führte sie an. Einst hatte er die kleine Maite zur Roderichsburg gebracht, und nun geleitete er sie von dort in das Land, in dem sie eine neue Heimat finden wollte.

Im Burghof hielt Ermengilda ihre Freundin weinend in den Armen und war so erschüttert, dass sie kein Wort herausbrachte. Ihre Mutter befreite Maite schließlich und führte Ermengilda zum Wohntrakt zurück. »Du musst dich um deinen

Mann kümmern«, sagte Urraxa tadelnd. Dennoch wandte sie sich an der Tür ebenfalls noch einmal um, und beide winkten Maite und Konrad zum Abschied.

Die beiden winkten zurück, wechselten noch ein paar herzliche Worte mit Roderich und lenkten ihre Stuten dann zum Burgtor hinaus. Sie ritten die besten der erbeuteten Tiere, und diesmal, sagte Konrad sich, musste es mit dem Teufel zugehen, wenn er die Pferde nicht nach Hause bringen und zur Zucht verwenden konnte. Als Erstes wollte er jedoch König Karl aufsuchen und ihm berichten, was er in Spanien gesehen, gehört und erlebt hatte. Wenn Karl es ihm erlaubte, würde er dann auf den Birkenhof zurückkehren und diesen mit Vater und Bruder zusammen bewirtschaften. Es tat ihm leid, dass er nicht mehr Beute mitbringen konnte als die vier Stuten, die Maite, Just, Ermo und er ritten, und das Juwelenschwert, das er am liebsten behalten und als Erbstück an seine Nachkommen weitergeben würde. Reichtümer, die sich in Land oder Tiere ummünzen ließen, hatte er keine gewonnen.

Vielleicht, so hoffte er, kam er noch früh genug, um mit König Karl gegen die Sachsen zu streiten und dabei Beute zu machen. Dieses ständig unruhige, verräterische Volk im Nordosten musste für die Toten von Roncesvalles bitter büßen. Hätten die Sachsen nicht die Verträge mit dem König gebrochen und sich gegen dessen Herrschaft erhoben, wäre Karl nicht gezwungen gewesen, Spanien in fast beschämender Eile zu verlassen. Normalerweise wäre das Hauptheer mit dem König in Reichweite seiner Nachhut gezogen, und dann hätten die Waskonen es niemals gewagt, Rolands Truppe anzugreifen.

Je näher sie den Pyrenäen kamen, desto grimmiger wurde Konrads Miene. Sein Arm sehnte sich danach, Sachsenschädel zu spalten, und er rief sich alles ins Gedächtnis, was sein Vater und Rado ihm über diese Leute erzählt hatten.

Auch Maite hing trüben Gedanken nach. Sie ritten nahe an ihrer Heimat vorbei, und sie musste ihren Blick abwenden, um nicht mit sich selbst zu hadern. Jetzt wird Okin endgültig triumphieren, dachte sie und fühlte sich schuldig, das Vermächtnis ihres Vaters und ihrer edlen Ahnen verraten zu haben.

Der Einzige, dem keine Erinnerungen das Leben schwermachten, war Just. Da ihm jedoch nur Ermo und die asturischen Begleiter als Gesprächspartner blieben, langweilte er sich. Dennoch stand sein Mund erst still, als sie durch die Schlucht von Roncesvalles ritten. An der Stelle, wo sein Freund Rado gefallen war, sprach er alle Gebete für ihn, die er kannte.

Auch Konrad suchte vor den quälenden Erinnerungen sein Heil im Gebet für die Seelen der hier gefallenen Freunde und Kameraden, und sogar Ermo, den es bei der Erinnerung an das Gemetzel schüttelte, das er gefesselt und hilflos hatte mit ansehen müssen, war noch nie so fromm gewesen wie in diesen Stunden. Von der Schlacht selbst gab es keine Spuren mehr. Was die Sieger nicht hatten brauchen können, war von den hier lebenden Waskonen geholt worden, die den Erzählungen der Asturier zufolge gezwungen gewesen waren, die Toten in Massengräbern zu begraben, um den auch für sie wichtigen Handelsweg wieder nutzen zu können. Ein Stück weiter vorne stand eine kleine, frisch aus Holz gezimmerte Kapelle, und über deren Tür hing ein Brett mit einer eingebrannten Inschrift.

Konrad ritt hin und versuchte die Schrift zu entziffern, doch Maite musste ihm dabei helfen. »Hier liegen Roland, Markgraf von Cenomanien, und mit ihm viele hundert tapfere fränkische Krieger begraben, die durch die Hinterlist der Mauren ihr Ende gefunden haben. Unsere Schwerter werden ihren Tod rächen!«

»Das werden sie!« Konrad wandte sich ab und trieb sein Pferd an. Es drängte ihn, diesen Ort des Grauens zu verlassen.

Der weitere Ritt durch das Gebirge verlief ohne Zwischenfälle, und auch jenseits der Pyrenäen gab es weder Überfälle noch Scharmützel. Die von König Karl eingesetzten Grafen und auch die anderen hohen Herren in Aquitanien hießen die Reisenden willkommen.

Die freundliche Aufnahme und die gute Versorgung durch ihre Gastgeber halfen Maite und Konrad, gut voranzukommen. Kurierreiter wurden ihnen vorausgeschickt, um dem König ihre Ankunft zu melden.

Während der vielen Meilen, die sie durch Aquitanien und Burgund ritten, hatten beide mit Ängsten zu kämpfen. Maite fürchtete Konrads Familie mehr als den König. Was würden seine Mutter und sein Vater zu ihr, einer Fremden, sagen, zumal sie auch noch einem Volk angehörte, das die Franken verraten und eines ihrer Heere vernichtet hatte? Konrad versuchte, ihr diese Furcht zu nehmen, während ihn selbst Zweifel quälten, wie der König sie empfangen würde. Immerhin waren viele von Karls Getreuen bei Roncesvalles gefallen, und böse Zungen konnten ihm sein Überleben als Feigheit auslegen.

In Ponthion erhielten sie die Nachricht, der König erwarte sie in Paderborn. Der Winter war bereits eingezogen, doch darauf nahm der Befehl des Königs wie gewöhnlich keine Rücksicht. Die Boten, welche Konrad zu Karl geleiten sollten, sorgten dafür, dass er und seine Begleitung Pelze und warme Kleidung erhielten und die Gruppe ihre Reise ungesäumt fortsetzen konnte.

Weihnachten war längst vorüber, als ihre Pferde durch Matsch und Schnee stapfend die fränkische Festung im Sachsenland erreichten. Konrad sah die von einem Palisadenwall umgebene Siedlung vor sich liegen und musste daran denken, dass das spanische Abenteuer vor ein paar Jahren hier in Paderborn seinen Ausgang genommen hatte. Damals war Suleiman der Araber hier erschienen, um von König Karl Hilfe gegen den Emir von Córdoba zu erbitten. Der König hatte ihn angehört und sich für den Krieg entschieden. Damals mochten wohl auch Roland von Cenomanien, Anselm von Worringen, Eginhard von Metz, der brave Bruder Turpinius und viele andere freudig die Becher gehoben haben.

Die Wachen am Tor beäugten die Ankömmlinge so misstrauisch, als befürchteten sie, verkleidete sächsische Rebellen vor sich zu sehen. Konrad ritt mit einem gewissen Unbehagen auf die Männer zu und zügelte seine Stute. »Gottes Gruß! Ich bin Konrad, Sohn des Arnulf vom Birkenhof, und komme mit Nachrichten für den König.«

»Und die Frau?«, klang es nicht sehr freundlich zurück.

»… ist mein Eheweib, das mich auf dieser Reise begleitet.«

Den Wachen, die nun auch die in dicke Felle und Pelze gehüllten Begleiter erkannten, genügte diese Auskunft, sie öffneten das Tor und ließen die Gruppe passieren. Wie aus dem Nichts erschienen mehrere Knechte, die ihnen die Zügel abnahmen und die Pferde zum Stall führten. Gleichzeitig trat ein Mönch auf Konrad und Maite zu. »Kommt mit mir! Der König will euch sehen!«

Er führte die Gruppe durch die matschigen Straßen des Ortes zu einer großen Halle, die Karl sich als Wohnsitz hatte erbauen lassen. Just war der Einzige der Gruppe, der die Stadt und die Festung mit wachen Augen musterte, denn die anderen hingen ihren sorgenvollen Gedanken nach.

Ermo hatte sich inzwischen daran erinnert, dass er gefesselt und zur Aburteilung bestimmt den Rückmarsch aus Spanien hatte antreten müssen. Während dieser Reise war er ungewohnt zurückhaltend gewesen und hatte alles getan, um sich Konrad und den anderen als Helfer angenehm zu machen. Nun glaubte er eine eisige Hand an der Kehle zu spüren, deren Druck stärker wurde, als man ihnen nicht einmal Zeit ließ, ihre vom Ritt steifen Körper mit einem warmen Bad aufzuwärmen.

Als sie die Halle betraten, sahen sie das Gefolge des Königs beim Mahl zusammensitzen. Es ging recht fröhlich zu, und die Schankmaiden kamen kaum nach, die Humpen zu füllen.

Konrad dachte erleichtert, dass die Stimmung auf einen gut angelaufenen Feldzug gegen die Sachsen hindeutete. Der König war nicht in der Halle, doch ehe er nach ihm fragen konnte, forderte der Mönch ihn auf, weiterzugehen.

Karl empfing sie in einer kleinen Stube, in deren Mitte ein Kohlebecken angenehme Wärme verströmte. Außer einer hölzernen Bank und einem Klapptisch gab es keine Möbel und als Wandschmuck nur ein silbernes Kreuz. Während der König einen Diener anwies, warmen Würzwein zu servieren, betrachtete er seine Gäste und schüttelte mehrfach den Kopf. Er sagte jedoch nichts, bis ein Tonkrug mit der dampfenden und aromatisch riechenden Flüssigkeit auf dem Tisch stand und der Diener sich zurückgezogen hatte.

Dann trat er auf Konrad zu und umarmte ihn. »Es freut mich, dich gesund und munter vor mir zu sehen, Konrad vom Birkenhof.«

»Ich wäre lieber tot und in Spaniens Erde begraben, wenn Saragossa dafür unser geworden wäre und es keine Niederlage in der Schlucht von Roncesvalles gegeben hätte«, antwortete Konrad mit Tränen in den Augen.

Karl klopfte ihm auf die Schulter. »Du bist einer der wenigen, denen ich solche Worte unbesehen glaube. Doch unser Herr im Himmel hat anders entschieden. Aber jetzt sprich: Wie ist es dir gelungen, diesem Gemetzel zu entkommen?«

Konrad wusste nicht, ob der König seinem Mut misstraute oder einfach nur neugierig war. »Ich wurde während des Kampfes bewusstlos geschlagen, und als ich aufwachte, war ich ein Sklave Fadl Ibn al Nafzis. Der Berber wollte mich für den Tod seines Bruders zur Verantwortung ziehen ...«

»Den Tod dieses Abduls, den du zweimal übertölpelt hattest?«, unterbrach Karl ihn. »Ich verstehe! Er wollte seine Rache und dir nicht die Gnade eines schnellen Todes gönnen. Glücklicherweise bist du ihm entkommen.«

»Fadl ist tot!«

»Ein Unruhestifter weniger. Sehr gut! Aber jetzt setzt euch und trinkt vom Würzwein, solange er warm ist. Hier kann man ihn brauchen, denn in Sachsen ist es um einiges kälter als in Spanien.«

»Dafür aber im Sommer auch nicht so heiß«, sagte Konrad, der sich langsam entspannte.

Während Ermo und Just stehen mussten, brachten Knechte für Konrad und Maite Schemel. Der König selbst schenkte ihnen die Becher voll und stellte dann seine Fragen.

»Der Emir von Córdoba hat meinen gescheiterten Kriegszug also ausgenützt, um seine Macht im Maurenland zu festigen«, sagte er nach einer Weile. »Nun, das war zu erwarten. Wir dürfen nur nicht zulassen, dass er einen noch größeren Vorteil aus dieser Tatsache zieht.«

»Das hieße einen neuen Kriegszug nach Spanien führen, mit unsicheren Verbündeten und der Gefahr, uns die Waskonen endgültig zum Feind zu machen«, wandte Konrad ein.

Karl schüttelte lächelnd den Kopf. »Ich werde einen Fehler, den ich gemacht habe, nicht wiederholen. Solange die Mauren die Feldschlacht meiden und sich nur in ihren befestigten Städten verteidigen, ist ein größerer Kriegszug sinnlos. Wir werden daher erst einmal unsere Grenzen sichern. Der erste Schritt hierfür wurde bereits getan. Der Gascogner Lupus hat sich mir wieder unterworfen. Damit ist Aquitanien fest in unserer Hand.«

Konrad lag auf der Zunge, zu fragen, ob man einem Verräter trauen könne, doch er unterließ es wohlweislich. Lupus wusste, dass Karl ihn im Auge behielt, und würde vorsichtig sein. Ihm selbst blieb nur, den König zu bewundern, der seine persönlichen Rachegefühle verdrängte und dem Gascogner verzieh, um ihn in weiteren Schlachten an seiner Seite und nicht in den Reihen seiner Feinde zu wissen.

Karl nickte versonnen, als habe er mit Konrads Auskünften gerechnet. »Von eurer Flucht würde ich gerne mehr erfahren und auch, wie es Philibert von Roisel geht. Der arme Kerl hat aber auch ein Pech, in jedem Kampf verwundet zu werden.«

»Er selbst sieht sich nicht als Pechvogel, denn es ist ihm gelungen, die Dame Ermengilda für sich zu gewinnen. Das ist, wie Ihr zugeben müsst, ein stolzer Preis.«

»Für einen einfachen Edeling gewiss!« Kurz aufflackernder Zorn färbte die Stimme des Königs, als verarge er es seinem Gefolgsmann, dass er ohne seine Erlaubnis die Witwe seines Halbbruders geehelicht hatte. Als Konrad und Maite ihm jedoch berichteten, was sie in Spanien alles erlebt hatten, verflog der Unmut des Königs, und er lachte einige Male schallend auf.

Zuletzt schlug er Konrad fröhlich grinsend auf die Schulter. »Ich wusste schon damals, als ich dir im Wald mit heruntergelassenen Hosen begegnet bin und den toten Keiler zu deinen Füßen sah, dass du ein Kerl bist, der das Herz am rechten Fleck hat. Aber auch dein Weib ist mir nicht unbekannt. Mit euch beiden habe ich etwas Besonderes vor. Doch jetzt kommt mit! Das Essen wartet schon lange auf mich, und ich habe Hunger.« Damit fasste Karl die beiden um die Schulter und führte sie hinüber in die Halle.

17.

Konrads Hoffnung, sich in den Kämpfen gegen die Sachsen auszeichnen zu können, erfüllte sich nicht, denn der König schickte ihn und seine Begleiter einfach weg. Er solle zum Birkenhof reiten, sagte Karl, und dort auf neue Anweisungen warten. Während Konrad sich von Zweifeln gequält fragte, ob er die Gunst des Königs verloren hatte, verließ Ermo frohgemut den Königshof. Karl hatte seine Zeit als Sklave der Mauren als ausreichende Strafe für seine Vergehen erachtet und ihm sogar den Rang als Anführer seines Dorfes belassen.

Der Weg von Paderborn in den Hassgau war nicht weit, verglichen mit der langen Reise von Spanien ins Sachsenland, und schon bald sah Konrad die Höhenzüge der Heimat vor sich. Er war nur zwei Jahre fort gewesen, und doch kam ihm die Landschaft seltsam fremd vor. Hatte sein Vater ebenso empfunden?, fragte er sich. Wenn ja, hatte er es sich nie anmerken lassen.

Die Eichen und Buchen des Waldes zeigten bereits ihr erstes helles Grün, und er vernahm den Gesang der Vögel genauso durchdringend wie in jedem Frühjahr. Dennoch erschien es ihm wie ein ferner Traum, dass er hier einst mit anderen Dorfjungen umhergestreift war und Franke und Sachse gespielt hatte.

Mit forschendem Blick musterte er Maite, um herauszufinden, was sie angesichts des für sie fremdartigen Landes empfinden mochte. Gleichzeitig fragte er sich beunruhigt, was seine Eltern zu dieser unverhofften Schwiegertochter sagen würden. Er wollte sie nicht aus ihrer Heimat weggeführt haben, um in Zukunft in Streit mit Vater und Mutter leben zu müssen. Bei diesem Gedanken nahm sein Gesicht einen entschlossenen Ausdruck an. Er würde nicht dulden, dass Maite geschmäht wurde. Sie war genau die Frau, die er brauchte, und er konnte sich nicht vorstellen, mit einer anderen ähnlich glücklich geworden zu sein. Sein Freund Philibert mochte zwar die Schönere der beiden Freundinnen für sich gewonnen haben, doch für diesen würde Ermengilda niemals die Gefährtin werden können, die Maite für ihn war.

Konrad streckte die Hand aus und fasste nach ihrer Rechten. »Es wird alles gut!«, sagte er.

Maite sah ihn an und begriff, dass er ihr die Furcht vor der Zukunft nehmen wollte. Seit sie sich Konrads Heimat näherten, hatte sie sich gefragt, ob seine Familie sie willkommen heißen oder als unerwünschten Eindringling ansehen würde. Daher erleichterte es sie, dass Konrad bereit war, zu ihr zu stehen. Er war ein guter Mann, dachte sie, und sie fragte sich, wie sie ihn früher für einen Ochsen hatte halten können. Natürlich war er nicht so wortgewandt wie Philibert von Roisel und auch nicht von edler Herkunft, aber er würde immer ein treuer Kamerad bleiben, und was die gemeinsamen Nächte betraf, konnte sie sehr zufrieden sein.

»Ja, es wird alles gut«, wiederholte sie seine Worte und lächelte ihn an.

Unterdessen wurde Ermo unruhig. »Dort vorne gabelt sich der Weg, Junge. Du wirst nun nach links reiten und ich noch ein Stück geradeaus. Ich freue mich, nach Hause zu kommen. Aber du musst mich spätestens morgen besuchen, sonst komme ich zum Birkenhof und hole dich. Und danke für alles!« Damit gab er seinem Pferd die Sporen und galoppierte davon.

Konrad sah ihm kopfschüttelnd nach und fragte sich, warum er mit diesem Mann so nachsichtig verfahren war. Nicht nur, dass er ihn unterwegs wie einen Reisegefährten und nicht wie einen Knecht oder Sklaven behandelt hatte – er hatte ihm sogar die Stute belassen, auf die Ermo als Gefangener von Fadl gesetzt worden war.

Maite stieß ihren in Gedanken versunkenen Ehemann vom Sattel aus an. »Dort sind Leute!«

Konrad drehte den Kopf nach vorne. An der Stelle, an der der Weg zum Dorf abzweigte, standen mehrere Männer und sahen ihnen entgegen. Erst im Näherkommen erkannte er Lando und Ecke unter ihnen, die sich kurz vor seinem Aufbruch geweigert hatten, mit ihm nach Spanien zu ziehen, und sich seinem Vater stattdessen als abhängige Bauern unterstellt hatten. Er dachte an die Übrigen, die mit ihm gezogen waren. Rado, der Beste unter ihnen, war tot, und zwei weitere waren während des langen Feldzugs an Krankheiten gestorben. Der Rest focht nun unter Graf Hassos Befehl gegen die Sachsen.

Er ritt auf die Männer zu und hielt kurz vor ihnen sein Pferd an. An ihren fragenden Mienen merkte er, dass sie ihn nicht erkannten. Stattdessen zogen sie ihre Mützen und verbeugten sich vor ihm.

»Ihr wollt wohl zu unserem Herrn Arnulf, edler Herr«, sagte einer.

»Mach die Augen auf, Lando! Ich bin es, Konrad. Und jetzt macht Platz! Ich will meine Eltern begrüßen.« Konrad ritt an den Bauern vorbei, die ihnen verblüfft nachstarrten und dabei vor allem Maite im Auge behielten, die an seiner Seite blieb und dabei spielerisch nach einigen der jungen Blätter haschte, die auf den Bäumen am Wegrand wuchsen. Sie rieb sie und sog den Geruch nach Eichen und Buchen tief in die Lungen. In ihrer Heimat roch das frische Laub der Bäume ähnlich. Also war dieses Land nicht mehr ganz so fremd für sie.

Schon bald erreichten sie das Dorf. Es kam Konrad kleiner vor als früher, obwohl ein paar neue Hütten erbaut worden waren. Auch das Haus seines Vaters, das ihm einst so riesig erschienen war, wirkte im Vergleich zu Karls Halle in Paderborn oder Graf Roderichs Burg wie eine Bauernkate.

Konrad schämte sich für diese Empfindungen, hatte sie aber vergessen, als das Tor des Gehöfts geöffnet wurde und er seinen Vater erblickte, der auf seinen Stock gestützt aus dem Haus humpelte. Hinter ihm schlüpfte die Mutter heraus. Während ihr Mann noch überlegte, wer denn dieser unerwartete Gast sein könnte, breitete sie die Arme aus und eilte Konrad entgegen.

»Konrad, Junge!« Sie zog ihren Sohn aus dem Sattel und presste ihn an sich.

Arnulf vom Birkenhof kam näher und musterte Konrad ungläubig. »Du bist es tatsächlich! Beim Heiland, welche Freude.« Er wollte ihn ebenfalls umarmen, stolperte dabei und wäre gestürzt, wenn sein Sohn ihn nicht aufgefangen hätte.

Unterdessen war auch Lothar aufgetaucht. Er rieb sich über die Stirn und versuchte in dem jungen Mann mit dem energischen Gesicht seinen älteren Bruder zu erkennen. Doch auch Konrad konnte kaum glauben, dass er Lothar vor sich hatte. Sein Bruder war in den zwei Jahren ein ganzes Stück in die Höhe geschossen und inzwischen sogar größer als er.

»Da bist du ja wieder«, sagte Lothar schließlich. »War es schön in Spanien? Hast du mir auch etwas mitgebracht?«

Konrad umarmte ihn und klopfte ihm lachend auf die Schulter. »Was sagst du zu diesen drei Stuten? Eine davon kannst du haben!«

»Stuten? Pah! Ein Krieger reitet auf einem Hengst«, wehrte Lothar ab.

Sein Vater aber erkannte den Wert der Tiere. »Das sind doch Maurenpferde, die schneller laufen sollen als der Wind!«

»Ja, das sind sie!«

Die Mutter merkte, dass das Gespräch zur Pferdezucht abzuschweifen drohte, und fasste Konrad an der Hand. »Komm herein! Du wirst gewiss Hunger haben.« Dann erst bemerkte sie Maite und blieb stehen. »Du hast dir anscheinend nicht nur Stuten von dem Feldzug mitgebracht!«

»Das ist Maite, mein Weib!« Konrads Tonfall warnte seine Familie davor, sich abfällig über seine Frau zu äußern.

Das hatte Hemma auch nicht vor. Sie umarmte ihre Schwiegertochter nach kurzer Musterung und führte sie ins Haus. Die Männer ließ sie unbeachtet auf dem Hof stehen. Ihr Ehemann sah ihr nach und schüttelte den Kopf.

»Weiber! Aber komm! Wir bekommen auch ohne die beiden etwas zu essen. Ich lasse auch ein Fass Met anstechen. Heute habe ich Durst und Lust, von fremden Ländern und Heldentaten zu hören.«

Auf dem Weg ins Haus stieß Lothar seinen Bruder an. »Ist es nicht schön, wieder daheim zu sein?«

18.

Während Maite sich rasch einlebte und ihre Schwiegermutter mit einigen Käserezepten überraschte, fühlte Konrad sich so fremd im eigenen Elternhaus, wie er sich dies nie hätte vorstellen können. Zwar arbeitete er kräftig mit, doch im Grunde war er überflüssig, denn Lothar war während seiner Abwesenheit mehr und mehr in seine Fußstapfen getreten, und nun wollte der Jüngere jene Aufgaben übernehmen, die Konrad früher erledigt hatte, und sie stritten sich, statt wie einst gewohnt zusammenzuarbeiten. Als Älterer hätte Konrad sich durchsetzen müssen, doch ihm fehlte der Wille dazu.

Arnulf vom Birkenhof sah die Entwicklung zwischen seinen Söhnen mit Bedauern, aber er griff nicht ein. Daher war es Maite, die eines Abends, als Konrad und sie am Waldrand saßen, das aussprach, was ihren Mann quälte.

»Du wartest auf den Befehl des Königs, nicht wahr? Er sagte, er werde dir eine Botschaft schicken. Doch nun sind wir mehr als einen Monat hier, und es ist noch immer nichts geschehen.«

Konrad hob einige vom Vorjahr übriggebliebene Eicheln auf und warf sie ziellos ins Gras. »Wahrscheinlich hast du recht. Seit Karl diese Worte fallengelassen hat, erfüllt mich eine Unruhe, die es mir unmöglich macht, mich wieder in mein früheres Leben einzufinden.«

»Dann will ich hoffen, dass der Befehl des Königs bald kommt, auch wenn es mich traurig macht, wenn du fortgehen musst. Was glaubst du, wohin er dich schicken wird?«

»Ich hoffe, zu den Sachsen! Die haben bei mir noch einige Prügel gut!« Konrad ballte die Faust und drohte damit nach Norden.

»Warum müsst ihr Männer immer nur an Krieg denken«, sagte Maite traurig.

Konrad legte den Arm um sie und zog sie an sich. »Wenn der König ruft, geht es fast immer in den Krieg. Doch noch mehr als darauf, ihm zu folgen und Ruhm zu erwerben, freut man sich auf die Heimkehr.« Ein Kuss besiegelte seine Worte, und für Augenblicke waren König und Krieg vergessen.

Selbst als sich hastige Schritte näherten, sahen die beiden nicht auf. Sie wurden sich erst bewusst, dass sich jemand näherte, als Just außer Atem vor ihnen stehen blieb.

»Kommt schnell ins Haus!«, rief der Junge. »Ein Bote des Königs ist gekommen, und er will mit euch beiden sprechen.«

»Mit uns beiden?« Maite und Konrad sahen sich verwundert an, standen dann hastig auf und liefen Hand in Hand ins Dorf zurück. Just rannte neben ihnen her und schlüpfte zusammen mit ihnen ins Haus, um nichts zu verpassen.

Der Bote saß auf dem Stuhl des Vaters, in der Hand einen vollen Becher und vor sich ein gewaltiges Stück geräucherten Schinkens, während die gesamte Sippe einschließlich des Gesindes um ihn herum versammelt war.

»Da seid ihr ja endlich!«, rief Arnulf erleichtert, als sein Sohn und seine Schwiegertochter eintraten.

Konrad spürte die Spannung im Raum so stark, dass sich ihm die Haare auf den Armen aufrichteten. Mit einer angedeuteten Verbeugung wandte er sich an den Fremden. »Gott zum Gruße! Du bringst Neuigkeiten für mich?«

»Du bist Konrad vom Birkenhof?« Der Bote klang überrascht, denn er hatte nach allem, was er von diesem Mann gehört hatte, einen älteren und vor allen Dingen hünenhaften Krieger erwartet.

Er besann sich jedoch sofort wieder auf sein Amt und überreichte Konrad eine Schriftrolle. »Mit den besten Empfehlungen Seiner Majestät, des Königs. Er sagte, er will dich dorthin schicken, wo du ihm am meisten Nutzen bringst!«

Verblüfft nahm Konrad das Schreiben entgegen und erbrach das Siegel. Doch er vermochte kaum ein Wort zu entziffern. Auch Maite war nicht in der Lage, ihm diesen Text zu deuten, und Justs Künste versagten ebenfalls, denn das Schreiben war in Latein verfasst.

»Ich fürchte, wir müssen den Priester holen.« Konrad war es zuwider, das zugeben zu müssen.

Der Bote lachte hell auf. »Lasst den guten Mann, wo er ist, denn ich vermag dir die Botschaft des Königs ebenso zu deuten. Er erteilt dir den Befehl, innerhalb einer Woche aufzubrechen und nach Spanien zu ziehen.«

»Spanien?«, platzte es aus Konrad heraus. »Aber ich wollte doch mit den Sachsen kämpfen!«

»Mit den Sachsen, sagt der König, werden wir auch ohne dich fertig. Doch an dem Ort, an den er dich und deine Gemahlin schickt, seid ihr für ihn mehr wert als das Aufgebot aus einem Dutzend Gauen.« Der Bote schien sich selbst über diese Worte zu wundern, doch er erhob sich und forderte Konrad auf, mit ihm anzustoßen.

»Der König sagt, du hättest dich mehrfach als Anführer einer kleinen Schar bewährt, und er vertraut darauf, dass du deine Krieger auch weiterhin klug führen wirst.«

»Aber ich habe keine Krieger!«, stellte Konrad bestürzt richtig.

Maite gab ihm einen Stups. »Trink erst mal!«

Für sie war klar, dass Karl sie nicht allein nach Spanien ziehen lassen würde. Spanien! Allein der Name ließ ihr Blut rascher durch die Adern strömen. Sie würde ihre Heimat wiedersehen! Nur die betrübten Gesichter der übrigen Familienmitglieder verhinderten, dass sie ihrer Freude laut Ausdruck gab. Konrads Mutter Hemma weinte hemmungslos, sein Vater kaute heftig auf den Lippen herum, als müsse auch er sich der Tränen erwehren, während Lothar die Hand seines Bruders fasste, als wolle er ihn festhalten.

»Eure Begleitmannschaft wartet in Ingelheim auf euch, und unterwegs werden sich euch weitere Krieger anschließen. Der König hofft, dass du mit der dir zugeteilten Truppe auskommen wirst«, fuhr der Bote fort und tat dabei so, als bemerke er die Fassungslosigkeit der Menschen um ihn herum nicht.

Schließlich atmete Konrad tief ein und reichte ihm die Hand. »Ich danke dir! Melde dem König, dass ich alles tun werde, was in meiner Macht steht, um seinen Willen durchzusetzen. Doch jetzt lass uns trinken und essen. Morgen früh wird mein Vater dir dein Botengeld reichen, damit du so bald wie möglich zum König zurückkehren kannst.«

»Spanien? Muss es wirklich so weit sein?« Hemma sah ihren Ältesten verzweifelt an und klammerte sich dann an ihn, als wolle sie ihn nie mehr loslassen.

»Hör auf zu jammern, Weib! Es ist besser, ihn lebendig in Spanien zu wissen als tot – wie wir es lange Monde geglaubt haben.« Arnulf sah trotz seiner barschen Worte alles andere als glücklich aus. Dabei sagte ihm der Verstand, dass diese Lösung die beste war. Auf Dauer wäre es nicht gutgegangen, wenn Konrad und Lothar beide auf dem Hof gelebt und gearbeitet hätten. Der Jüngere hatte sich trotz aller Trauer um den vermeintlich toten Bruder schon zu lange als Erbe gesehen, um eine Zurücksetzung ohne Groll hinnehmen zu können.

Im Augenblick aber hätte Lothar seinen Bruder am liebsten überredet, zu Hause zu bleiben, denn er war mindestens ebenso niedergeschlagen wie die Mutter.

Konrad wurde das Jammern schließlich zu viel, und er versetzte dem Bruder einen heftigen Stoß. »Ihr tut ja direkt so, als wäre ich in dem Augenblick tot, an dem ich die Grenze unseres Dorfes überschreite. Wünscht mir lieber Glück für unsere Reise und betet zum Heiland, auf dass er uns ein Wiedersehen beschere.«

»Das ist ein Wort! Darauf wollen wir trinken«, rief sein Vater und hob den Becher. Doch er fragte sich im Stillen, ob er sich freuen musste, weil König Karl seinen Sohn mit einem so ehrenvollen Auftrag betraut hatte, oder ob er seinen Kummer, Konrad so bald wieder zu verlieren, in Met ertränken sollte.

19.

Danel, der Wächter von Askaiz, erhob sich von der Steinplatte, auf der er gesessen hatte, und starrte angestrengt in die Ferne. Vor kurzem hatte er eine Reiterschar entdeckt, die westwärts geritten und wieder hinter den Höhenzügen verschwunden war. Wäre ihr Ziel Askaiz gewesen, hätte sie sich schon in Sichtweite befinden müssen. Auch wenn die Reiter die andere Abzweigung genommen hätten, müssten sie längst ein Stück der Straße erreicht haben, das er von seinem Platz aus einsehen konnte. Nun wurde er unruhig und fragte sich, ob er Alarm schlagen oder noch ein wenig warten sollte. Die Fremden konnten ja auch eine Rast eingelegt haben oder ihre Pferde an einem Bach tränken.

Gerade als er sich wieder setzen wollte, hörte er Hufgetrappel. Sofort packte Danel seinen Speer fester und spitzte die Lippen zu einem warnenden Pfiff. Als er jedoch den Weg hinabblickte, beruhigte er sich, denn es handelte sich nur um eine einzelne Frau.

Da Danel mit einer einsamen Reisenden jederzeit fertig zu

werden glaubte, unterblieb sein Pfiff. Er wunderte sich nur, dass die Fremde in dieser Zeit allein zu reiten wagte. Für streifende Mauren war jede christliche Frau eine lohnende Beute, und wenn sie nur dazu taugte, Sklavendienste zu verrichten.

Kurz darauf war die Reiterin nahe genug heran, so dass er ihr Gesicht erkennen konnte. Nun riss es ihn von seinem Sitz.

»Maite!«

Ihr traute er zu, allein durch die Berge zu reiten. Grinsend fragte er sich, was Okin zu ihrer erneuten Rückkehr sagen würde. Er vergönnte ihm den Ärger, denn Maites Onkel spielte sich immer mehr so auf, als sei er ein großer Herr und alle anderen im Stamm seine Knechte. Da jedoch die Macht Enekos von Iruñea hinter ihm stand, wagte es niemand, sich ihm zu widersetzen. Selbst Amets von Guizora, der Okin mehr als ein Jahrzehnt den Rang als Stammesanführer streitig gemacht hatte, gehorchte ihm mit knirschenden Zähnen.

»Schläfst du, Danel, oder ist das Land so friedlich, dass du mit offenen Augen träumen kannst?« Maites Frage brachte Danel darauf, dass er sie eine Weile wortlos angestarrt hatte. Sie hielt die ausgezeichnete maurische Stute, auf der sie ritt, direkt unterhalb seines Aussichtsfelsens an und blickte spöttisch zu ihm hinauf.

»Hallo, Maite! Hat es dir in Córdoba nicht gefallen? Wie ich gehört habe, sollst du sehr schnell Witwe geworden sein. Jetzt suchst du wohl wieder Zuflucht in Askaiz.« Danel kletterte zu ihr herab, stützte sich gemütlich auf seinen Speer und war einem weiteren Gespräch nicht abgeneigt. Doch während er auf ihre Antwort wartete, zog Maite blitzschnell das Schwert, das sie hinten am Sattel hängen hatte, und setzte ihm die Spitze an die Kehle.

»Ich würde dir raten, ganz still zu sein. Öffnest du den Mund, um zu schreien, stoße ich dich nieder!«

Das klang so ernst, dass Danel ihr glaubte. Vorsichtig ließ er seinen Speer fallen und hob die Hände.

»So ist es brav!« Maite lächelte und bedeutete ihm, ein Stück beiseitezutreten. Dann hob sie die linke Hand. Obwohl sie dabei die Zügel kurz losließ, blieb die Stute wie ein Standbild stehen.

Danel fielen einige Möglichkeiten ein, wie er sich zur Wehr setzen könnte. Aber jede davon hatte einen entscheidenden Nachteil: Vor ihm stand Maite von Askaiz, und mit der war nicht zu spaßen. Er hörte, dass sich weitere Pferde näherten, und wunderte sich nicht, den Reitertrupp zu sehen, auf den er vorhin aufmerksam geworden war. Ich hätte das Dorf doch warnen sollen, fuhr es ihm durch den Kopf, während er die Reiter mit einer Mischung aus Angst und Wut musterte. Ein paar von ihnen kannte er. Es waren Gascogner, die mit ihm und den anderen zusammen Rolands Schar vernichtet hatten. Zu seiner Überraschung ritten sie nun Sattel an Sattel mit Franken. Deren Anführer war ebenfalls kein Fremder, sondern der Mann, der Unais Stamm um seine Vorräte gebracht hatte. Das letzte Mal hatte Danel ihn als Fadl Ibn al Nafzis Sklaven gesehen. Anscheinend hatten Maite und er sich nach dessen Tod zusammengetan und waren gemeinsam geflohen.

»Wie du siehst, ist alles gutgegangen, Konrad!« Aus Maites Worten sprach der Stolz über die geglückte Überrumplung des Wächters.

Danel wurde vor Wut und Scham hochrot, während der Franke sich kurz zu der jungen Frau hinüberbeugte und sie auf die Wange küsste. Dann winkte Konrad seinen Männern, ihm zu folgen. Es waren mehr als dreißig Reiter, jedoch nicht alles Krieger. Es gehörte ein Geistlicher zu der Gruppe sowie ein Junge, der einen großrahmigen Hengst ritt, welcher eines Stammesführers würdig gewesen wäre, obwohl seine Beine nicht tiefer reichten als dessen Bauch.

Der Junge grinste Danel an und forderte ihn auf mitzukommen. Zur Überraschung des Wächters sprach er die waskonische Sprache beinahe akzentfrei.

Just amüsierte sich über die Verwirrung des Waskonen, war aber froh, dass dieser anstandslos gehorchte.

Danel hob seinen Spieß auf und schlug dann einen strammen Laufschritt ein, um mit den Pferden mithalten zu können. Auch wirkte er weniger erschrocken als überrascht, und er blickte immer wieder zu Maite hoch, die zusammen mit Konrad an der Spitze ritt.

Der Weg machte eine letzte Biegung, und dann lag Askaiz vor ihnen. Es war fast wie damals bei Graf Roderich. Die Reiterschar tauchte so überraschend vor dem Dorf auf, dass den Bewohnern keine Zeit blieb, das Gattertor in der Umfriedung zu schließen. Während die Männer wie aufgescheuchte Hühner umherrannten, rafften die Weiber ihre Kinder an sich und verschwanden in den Häusern. Die Reiter hielten auf dem Dorfplatz an, zogen die Schwerter und bildeten einen Kreis.

Wären die Dorfbewohner rechtzeitig gewarnt worden, hätten sie die Reiter hindern können, Askaiz zu betreten. Auch wäre ein entschlossener Anführer auch jetzt noch in der Lage gewesen, seine Leute zu sammeln und gegen die Franken zu führen. Doch als einer seiner Getreuen Okin aus seinem Haus holte, wirkte dieser völlig verwirrt. Entgeistert starrte er die fränkischen Reiter an, die in ihren Schuppenpanzern und den geschwungenen Helmen bedrohlicher wirkten als einst Graf Roderichs Mannen, und wunderte sich ebenfalls über die Anwesenheit eines knappen Dutzend Gascogner in deren Reihen.

Dann sah er Maite vor sich, die mit eisiger Miene auf ihn zuritt.

»Aber das ist unmöglich!«, schrie er auf.

»Wie du siehst, Oheim, bin ich auch diesmal zurückgekehrt. Es hat dir nichts gebracht, mich an Fadl Ibn al Nafzi zu verkaufen wie ein Stück Vieh!« Maite sprach so laut, dass alle im Dorf es hören konnten. Ihre Stimme vibrierte dabei vor Hass, und für einen Moment sah es so aus, als würde sie ihr Schwert hochreißen und ihren Onkel niederschlagen. Sie bezwang sich jedoch und richtete ihre Worte an die Menschen ihres Stammes.

»Dieser Mann«, Maite richtete die Schwertspitze auf Okin, »hat mich nach Córdoba gelockt und mich dort Fadl Ibn al Nafzi, den selbst die Mauren einen Schlächter nennen, in die Hände gespielt. Waskonen, welche Strafe gebührt einem Mann, der eine freie Stammesschwester an die Mauren verkauft?«

»Das ist doch Unsinn!«, brüllte Okin, bevor jemand antworten konnte. Doch als er sich umsah, wirkten die Gesichter der meisten Stammesmitglieder nachdenklich, und in einigen Augen las er Verachtung.

»Stimmt das, Maite?«, fragte Danel, der genau wusste, dass Okin ihn zur Verantwortung ziehen würde, weil er das Dorf nicht gewarnt hatte.

»Wenn euch mein Wort nicht genügt, so fragt diesen Franken hier an meiner Seite. Erinnert ihr euch nicht? Er wurde ebenso wie ich nach dem Gemetzel von Roncesvalles nach Süden gebracht.«

Einige nickten, und Danel zeigte auf Konrad. »Dies ist der fränkische Anführer, der Abdul den Berber getötet hat!«

»Ja, so ist es. Wir sind gemeinsam der Sklaverei entflohen. Wenn ihr noch eine weitere Zeugin hören wollt, so reitet zu Graf Roderich. Dessen Tochter Ermengilda ist zusammen mit uns aus der Hölle zurückgekehrt.«

»Unsinn!«, wiederholte Okin, der blass geworden war.

»Nun, Waskonen, was gebührt so einem Mann?«

»Die Verbannung oder der Tod!« Danel hatte sich entschieden, sich auf Maites Seite zu schlagen. Er tat es nicht nur aus

Angst vor Okins Zorn, sondern auch aus einem Gefühl der Gerechtigkeit heraus. Maites Onkel hatte ihnen allen weisgemacht, seine Nichte wäre aus freiem Willen in Córdoba geblieben, um einen engen Vertrauten des Emirs zu heiraten und dort als geachtete Herrin zu leben. Nun zu erfahren, dass Okin sie an den berüchtigten Berber Fadl ausgeliefert hatte, empörte die Bewohner von Askaiz.

Okin spürte, dass seine Anhänger von ihm abfielen, und bevor er etwas zu seiner Verteidigung sagen konnte, schleuderte Maite ihm weitere Anklagen entgegen.

»Es war nicht das erste Mal, dass du mich loswerden wolltest! Dein Vorschlag war es, mich als Geisel den Franken auszuliefern. Du hattest wohl gehofft, sie würden mich töten oder wenigstens in ein Kloster sperren, weil ich die Braut eines ihrer Anführer gefangen gehalten hatte. Allerdings waren die Franken nicht so grausam, wie du es erhofft hast. Sie ließen mich am Leben, und ich konnte ihnen zusammen mit dem jungen Eneko und den anderen Geiseln in Iruñea entkommen.«

Maite legte eine kurze Pause ein, damit ihre Rede ihre Wirkung entfalten konnte, und sprach dann mit bebender Stimme weiter.

»Erinnerst du dich noch an den Tag, an dem mein Vater wie ein erlegter Bär hierhergebracht wurde, Okin? Denkst du manchmal noch daran, wie du ihn und ein Dutzend unserer tapfersten Männer an die Asturier verraten hast? Du hast mit dem Grenzgrafen Roderich ein Abkommen geschlossen, ihm unseren Stamm zu unterstellen, wenn er dich zu dessen Anführer macht. Doch auch diese Vereinbarung hast du nicht gehalten, sondern dich mit Eneko von Iruñea zusammengetan, weil der dir mehr Macht und mehr Reichtum versprochen hatte.

Erinnerst du dich auch, wie du mich in die Arme Roderichs gestoßen und ihm unnötigerweise gesagt hast, wer ich bin?

Schon da hattest du mich loswerden wollen, aber damals wie heute bin ich zurückgekehrt. Diesmal bin ich erschienen, um Gericht über dich zu halten, du Verräter! Du hast den Mann deiner Schwester, deinen Anführer, dem du die Treue geschworen hast, Feinden ausgeliefert und mich, deine Nichte, zum Tod oder einem Leben fern der Heimat verurteilen wollen. Doch all deine Lügen und Schlichen haben dir nichts genützt! Du bist am Ende!

Ich übernehme nun die Herrschaft über den Stamm und werde sie zu gegebener Zeit an meinen Sohn weitergeben. Du aber hast den Tod verdient! Da in unseren Adern durch meine Mutter das gleiche Blut fließt, verzichte ich darauf, dich hinrichten zu lassen. Stattdessen verbanne ich dich, Okin, für immer aus den Dörfern, die zu Askaiz gehören, und dem gesamten Gebiet unseres Stammes. Nimm dein Weib und deinen Sohn mit und so viel von deinem Besitz, wie du auf ein Pferd laden kannst. Komme mir nie mehr unter die Augen!

Euch anderen aber sage ich, dass ich den Stamm König Karl unterstellt habe und euch in seinem Namen führen werde. Wenn ihr glaubt, das sei der falsche Weg, so vernehmt, dass sich der Grenzgraf Roderich von Asturien abgewandt hat und ebenfalls König Karl als seinen Herrn anerkennt.«

Maites Worte schlugen wie ein Blitz ein. Ihre Leute kannten Roderich, der sich stolz den letzten Visigoten nannte, und wussten, wie tief seine Abneigung gegen die Franken gewesen war. Nun wurde ihnen klar, dass König Karl nicht bereit war, sich mit seinem gescheiterten Feldzug nach Spanien abzufinden. Die Macht des Franken reichte bereits jetzt wieder über die Pyrenäen, und sein Einfluss war so stark, dass Graf Roderich auf Karls Seite umgeschwenkt war.

Danel interessierte sich weniger für die große Politik als für Maites letzten Vorwurf gegen ihren Onkel. »Stimmt das mit Okins Verrat?«, fragte er mit bebender Stimme.

Maite nickte. »Es stimmt! Graf Roderich hat diese Tat mit einem Eid bestätigt und mir Blutgeld für meinen Vater gezahlt und auch für alle, die mit Iker gefallen sind.« Auf die Idee, Roderichs Gold mit den anderen zu teilen, war Maite unterwegs gekommen. Sie brauchte Anhänger im Stamm, und da war es gut, sich großzügig zu zeigen.

Danel kaute an ihren letzten Worten. Er hatte ebenfalls zu jenen gezählt, die mit Iker auf Raubzug gegangen waren, doch ihn hatten die Asturier am Leben gelassen, weil sie ihn gebraucht hatten, um den Wächter von Askaiz abzulenken. Das war sein Bruder gewesen, der später von einem Bewunderer und Anhänger Maites auf Okins Seite umgeschwenkt war. Aber das hatte Asier nichts als den Tod durch eine Frankenklinge eingetragen.

Danel fuhr sich mit dem Handgelenk über die Augen und trat mit geballten Fäusten auf Okin zu. »All die Jahre habe ich mich gefragt, weshalb die Asturier ausgerechnet mich am Leben gelassen haben, während Iker und die anderen sterben mussten. Jetzt weiß ich es! Du hast ihnen verraten, dass mein Bruder an jenem Tag Wache halten würde. Beim Heiland, Asier hätte mich sterben lassen und lieber das Dorf warnen sollen!«

»Du kannst das, was damals passiert ist, nicht ungeschehen machen, Danel«, versuchte Maite ihn zu trösten.

»Das kann ich nicht. Aber ich kann den bestrafen, der die Schuld daran trägt!«, antwortete er und hob seinen Spieß.

Seine Miene verriet Okin, dass seine Nichte gnädiger mit ihm verfahren wollte als der junge Krieger, und er spürte Todesfurcht. »Das sind alles Verleumdungen!«, schrie er mit sich überschlagender Stimme. »Ich kann euch erklären, wie es wirklich gewesen ist.«

»Wir sind deine Lügen leid!«, giftete eine der Frauen, deren Sohn mit Iker zusammen gefallen war.

Der Kreis um Okin schloss sich enger. Dieser sah die Wut in den Augen der anderen und wandte sich an jene Männer, die er als seine Leibwache erwählt hatte.

»Tut doch etwas!«

Statt einer Antwort zog deren Anführer sein Schwert eine Handspanne weit aus der Scheide, stieß es wieder zurück und schüttelte den Kopf. Da begriff Okin, dass niemand mehr einen Finger für ihn rühren würde.

»Ehrloses Gesindel!« Mit einer verächtlichen Geste kehrte er den anderen den Rücken zu und sah Maite an. »Du wolltest mich verbannen! Stehst du noch dazu?«

»Dazu bin ich bereit!« Maite ließ sich auch durch das Murren einiger Stammesmitglieder nicht beirren. Die Krieger in ihrer Begleitung drängten die Leute mit ihren Pferden zurück und schufen Raum für Okin. Dieser sah seine Nichte auf einmal nur wenige Schritte vor sich, bemerkte ihr selbstzufriedenes Lächeln und spürte nichts als Hass. Wenn er im Dorf eines fremden Stammes Zuflucht suchte, würde er dort nur ein Bettler sein, der sich glücklich schätzen musste, wenn ihm der Häuptling eine Hufe Land überließ, auf der er seine Gerste säen konnte.

Seine Nichte aber würde all das erhalten, was er sich zeit seines Lebens gewünscht hatte: Macht, Ansehen und das Anrecht, selbst vor einen König wie Karl zu treten.

In Okins Ohren gellte es mit einem Mal, und er spürte den harten Schlag seines Herzens im Kopf widerhallen. Nein!, schrie alles in ihm. Das würde er nicht zulassen. Ikers Balg sollte ihm nicht all das nehmen, wofür er sein Leben lang gekämpft hatte. Er spürte, wie sein linker Arm heiß wurde, als stünde er in Flammen, und mit einem Mal tanzten Schatten vor seinen Augen. Auch schienen seine Beine unter ihm nachzugeben. Wollte das Schicksal ihn zu alledem noch verhöhnen, indem es ihn in die Knie brechen ließ und dem Spott aller

Waskonen preisgab? Das durfte nicht sein. Er musste verhindern, dass Ikers Balg über ihn triumphierte!

Er sammelte seine letzten Kräfte, trat hinter Maite und riss sein Schwert heraus.

»Du wirst niemals über unseren Stamm herrschen!«, schrie er und holte zum Schlag aus.

Danel hatte Maites Oheim nicht aus den Augen gelassen. Ehe Okin zuschlagen konnte, stieß er ihm seinen Speer in den Leib. Gleichzeitig fuhr Konrads Schwert herab und trennte Maites Oheim den Kopf vom Rumpf.

Der Tote schlug wie ein Sack Korn auf den Boden, sein Kopf aber rollte ein Stück weiter und blieb vor den Füßen seiner wie erstarrt dastehenden Frau liegen.

»So hätte es nicht enden müssen«, sagte Maite beim Anblick des Toten scheinbar gelassen. Aber ihr grau gewordenes Gesicht verriet, dass sie begriff, wie knapp sie dem Tod entronnen war.

Mit einem erleichterten Lächeln sah sie Konrad und Danel an. »Danke! Beinahe hätte mein Onkel mich getötet.«

»Ist das dein Mann?«, fragte Danel und beäugte Konrad neugierig.

»Ja!«

»Ein tapferer Krieger! Ich habe ihn in Roncesvalles kämpfen sehen.« In Danels Stimme schwang Anerkennung mit und auch die Bereitschaft, sich einem solchen Anführer zu unterstellen.

Andere Krieger, die Konrad in Roncesvalles erlebt und gesehen hatten, wie er von dem Mauren als Sklave weggeführt worden war, bekundeten ebenfalls ihre Hochachtung. Dabei drängten sie sich so nahe an ihn heran, dass die übrigen Franken nervös wurden.

Konrad befahl seinen Leuten mit einer Handbewegung, die Schwerter wegzustecken, und reichte seine Waffe Just. »Reinige die Klinge vom Blut dieses Verräters. Maite wollte ihn wegen der Verwandtschaft am Leben lassen. Doch der Mann hat den Tod gesucht.«

»Er hat als Hund gelebt und ist als solcher gestorben«, sagte Danel und versetzte Okins Leichnam einen Tritt.

Andere wollten es ihm nachmachen, doch Maite hob die Hand. »Halt! Er war der Bruder meiner Mutter. Begrabt ihn, wie es sich gehört. Für morgen will ich die Ältesten des Stammes in mein Haus einladen, damit mein Mann und ich uns mit ihnen beraten können.«

Bei diesen Worten atmeten die Dörfler auf. Damit hatte Maite ihnen bewiesen, dass ihre Meinung auch in Zukunft etwas galt. Drei Männer packten Okins Rumpf und schleiften ihn nach draußen. Ein Junge klemmte sich den Kopf unter den Arm und folgte ihnen ebenso wie der Priester, den Maite und Konrad mitgebracht hatten.

Okins Frau Estinne machte zuerst Anstalten, der Gruppe zu folgen, kehrte dann aber um und blieb mit versteinertem Gesicht vor Maite stehen. »Ich will mit meinem Sohn zu meinen Verwandten nach Nafarroa gehen!«

»Ich halte euch nicht auf!« Maite fühlte wenig Mitleid mit ihrer angeheirateten Tante. Sie wusste nicht, ob diese in Okins Verrat eingeweiht gewesen war, aber die Frau mit ihrem übersteigerten Ehrgeiz war in jedem Fall mitschuldig an seinen schlimmen Taten gewesen. Ihr selbst hatte die Tante keinerlei Liebe entgegengebracht, sondern sie je nach Laune als Hindernis oder als Mittel zum Zweck für den Aufstieg des eigenen Sohnes angesehen.

Daran erinnerten sich nun auch die anderen Dörfler. Sie kamen auf Maite zu und ergriffen ihre Hand oder wenigstens ihr Kleid, um sie willkommen zu heißen.

Eine der alten Frauen, deren Sohn damals mit Maites Vater zusammen umgekommen war, weinte ungehemmt. »Jetzt kann mein Junge endlich beruhigt vor seinen himmlischen Richter treten. Sein Tod ist gesühnt.«

Einer der Stammesältesten legte der Frau die Hand um die Schultern. »Nun werden auch die alten Gesetze wieder erfüllt. Ikers Blut wird unseren Stamm weiterführen!«

»Ich hoffe, dass ich in weniger als sieben Monaten einen Sohn zur Welt bringen werde«, erklärte Maite mit einem versonnenen Lächeln.

Konrad riss es herum. »Was sagst du da?«

»Sieht aus, als würdest du Vater!« Danel grinste breit, stieß Konrad an und meinte, dass diese Nachricht wohl einen Schluck Wein wert wäre.

»Wenn es welchen zu kaufen gibt, soll es daran nicht scheitern!« Konrad hatte es kaum gesagt, als die anderen zu lachen begannen.

»In Okins Keller liegt genug Wein, um die Bewohner von fünf Dörfern betrunken zu machen. Wir sollten ihn trinken, bevor die Männer aus Guizora und den anderen Orten kommen und mithalten wollen.« Der Sprecher lachte wie befreit auf. Der Schatten, der seit Ikers Tod auf dem Stamm gelastet hatte, war endlich verflogen.

Währenddessen musterte Danel Konrads Begleiter mit prüfendem Blick. »Wenn einer von denen Lust hat, hier zu bleiben und eines unserer Mädchen zu heiraten, haben wir nichts dagegen. Nicht wenige von uns sind in der Schlucht von Roncesvalles umgekommen.«

»Sie werden bleiben – und wie ich an ihren Blicken sehe, scheinen eure Mädchen ihnen zu gefallen.« Konrad war erleichtert, dass bis auf einen Augenblick des Schreckens alles gut verlaufen war. Er sah Maite an, die mit Tränen in den Augen über das Dorf blickte, und fühlte, dass sie glücklich war, wieder zu Hause zu sein und ihr erstes Kind hier zur Welt bringen zu können.

»Glücklich?«, fragte er sie.

Maite nickte und wischte sich über die Augen. »Ich bin glücklich und hoffe, du bist es auch.«

»Warum sollte ich es nicht sein? Du bist bei mir! Über das Kind müssen wir aber noch sprechen.«

»Wird es ein Junge, werden wir ihn Iker nennen nach meinem Vater, wird es ein Mädchen, so soll es den Namen meiner Mutter tragen!«

Konrad sah für den Augenblick so verdattert drein, dass die Umstehenden zu feixen begannen.

»So ist sie, unsere Maite von Askaiz. Daran wirst du dich gewöhnen müssen!«

»Ach, das hat er schon längst«, rief Maite übermütig.

Konrad schwankte, ob er sie dafür am Abend übers Knie legen oder doch besser küssen sollte. Aber er wurde nicht zum ersten Mal von ihr überrumpelt, denn sie stieg ab und küsste ihn vor allen.

Historischer Hintergrund

Am Ende der Völkerwanderung war das alte Europa mit seiner Zentralmacht Rom untergegangen, und auf dem Boden des alten Imperiums entstanden neue Reiche. Etliche davon hielten sich nur kurze Zeit wie die Wandalen in Nordafrika und die Ostgoten in Italien. Andere Völker wie die Angeln, Sachsen und Jüten in England, die Visigoten in Spanien und die Franken jedoch vermochten Reiche zu errichten, die länger überdauerten.

Anfang des achten Jahrhunderts ging auch das Visigotenreich durch den Angriff der Araber unter Tariq ben Ziyad unter. Innere Zwistigkeiten hatten das Land so zerrüttet, dass sich Teile der Visigoten mit den Arabern gegen ihren König verbündeten und später selbst den Islam annahmen.

Das Reich der Franken war zu der Zeit durch verschiedene Erbteilungen in mehrere Teilreiche zerfallen, die nur noch symbolisch unter der Oberhoheit der Könige aus der Sippe der Merowinger standen. Im Süden und Südwesten des heutigen Frankreich waren dies Aquitanien und Burgund sowie im Norden Frankreichs das romanisierte Teilreich Neustrien, während sich östlich davon mit Austrasien der germanisch besiedelte Teil des Frankenreichs erstreckte. Karl Martell, dem Hausmeier Austrasiens, gelang es schließlich, sein Teilreich mit Neustrien und Burgund wiederzuvereinigen. 732 besiegte Karl Martell im Verbund mit Herzog Eudes von Aquitanien die ins Land eindringenden Araber und sicherte sich damit auch seinen Einfluss im Süden Galliens.

Karl Martells Sohn Pippin setzte schließlich den letzten Merowingerkönig Childerich III. ab und erhob sich selbst zum König. Außerdem gliederte er Aquitanien wieder zur Gänze in das Fränkische Reich ein.

Pippins Sohn König Karl führte die Eroberungspolitik seines Vaters und seines Großvaters fort und unterwarf die ersten Stammesgruppen der Sachsen. Gleichzeitig zwang er den Herzog der Bayern zur Gefolgschaftstreue und eroberte schließlich das Langobardenreich in Italien.

Nachdem Karl einen Aufstand bereits unterworfener Sachsengruppen niedergeschlagen und einige weitere sächsische Gebiete erobert hatte, erschien der Araberfürst Suleiman in Paderborn. In unseren Quellen wird Suleiman entweder als Statthalter von Barcelona oder als der von Saragossa bezeichnet. Da er nicht zu der mächtigen Sippe der Banu Qasim um Saragossa gehörte, erscheint uns Ersteres wahrscheinlicher. Im Großreich der Araber hatte um 750 die Sippe der Abbasiden die seit 661 regierenden Omaijadendynastie gestürzt. Nur Spanien verblieb unter der Herrschaft des Omaijaden Abd ar-Rahman. Nachdem dieser mehrere Angriffe abbasidischer Heere abgewehrt hatte, suchten die Parteigänger des neuen Kalifen das Bündnis mit dem Frankenreich.

Karl, der Erweiterung seines Reiches nie abgeneigt, sammelte seine Heere und brach nach Spanien auf. Seine Hoffnungen auf einen raschen Sieg zerstoben jedoch bald, denn weder unterstützten ihn die unabhängigen christlichen Gebiete in Nordspanien so, wie er es erwartet hatte, noch wurden ihm, wie von Suleiman versprochen, die Tore der großen Städte geöffnet.

Außerdem erhoben sich in dieser Zeit erneut die Sachsen und bedrohten die Nordostgrenze des Reiches. Angesichts dieser Gefahr und der Aussichtslosigkeit, die Mauren zu einer Entscheidungsschlacht zu zwingen, gab Karl seine spanischen Pläne auf und führte das Heer wieder zurück in die Heimat. Dabei wurde seine Nachhut unter Roland, dem Markgrafen von Cenomanien, in der Schlucht von Roncesvalles durch ein Aufgebot der Waskonen und aufständischen Gascogner angegriffen und vollkommen aufgerieben.

Karl gelang es, die Situation unter Kontrolle zu halten, während er gleichzeitig seine Feldzüge gegen die Sachsen führte und Stammesgruppe um Stammesgruppe unterwarf. Es waren die härtesten Kriege seiner gesamten Herrschaft, und sie wurden von beiden Seiten mit äußerster Brutalität geführt. Es sollte trotzdem noch viele Jahre dauern, bis die Sachsen endgültig unterworfen waren.

Karl ließ Spanien während der ganzen Zeit nicht mehr aus dem Blick. Da ein großer Kriegszug wenig Erfolg versprach, setzte er auf viele kleine Schritte. Die Franken drangen an verschiedenen Stellen in die Pyrenäen ein und gründeten dort Stützpunkte, von denen aus sie die im Umland lebenden Bewohner ihrer Herrschaft unterwarfen. Auf diese Weise entstanden die Grafschaften Kataloniens sowie das spätere Königreich Aragon. Auch die Waskonen im Westteil der Pyrenäen gerieten für kurze Zeit unter fränkische Oberhoheit. Als jedoch nach Karls Tod dessen Sohn Ludwig als König der Franken nachfolgte, gab es an den Rändern des Reiches Auflösungserscheinungen. Eneko Aritza (spanisch Iñigo Arista), Sohn des Ximun Aritza, gelang es im beginnenden neunten Jahrhundert, seine Macht in Nafarroa (spanisch Navarra) auszubauen, bis das Reich einige Generationen später zum Königreich erhoben wurde.

Weiter im Westen hatten sich in den Bergen Kantabriens und Asturiens einige Visigotengruppen gegen die Mauren behauptet und errichteten dort ein neues Reich, das unter dem energischen König Alfonso I. und dessen Sohn Fruela größere Gebiete von den unter sich zerstrittenen Mauren zurückgewann. Während der Herrschaft der schwachen Könige Aurelio, Silo und Mauregato gingen die Erwerbungen Alfonsos und Fruelas jedoch wieder verloren, und das Königreich Asturien war gezwungen, den Mauren Tribut zu zahlen. Erst unter König Vermudo und später unter Alfonso II. setzte die Reconquista wieder ein.

Personen

Asturier

Alma: genannt der Drache, Wirtschafterin auf der Burg des Grenzgrafen Roderich

Ebla: Leibmagd Ermengildas

Ermengilda: junge Asturierin, Tochter des Grafen Roderich und Doña Urraxas, Nichte König Silos von Asturien

Mauregato: im Roman Agila genannt, Sohn König Alfonsos und Halbbruder König Fruelas, Schwager König Silos

Ramiro: Gefolgsmann Graf Roderichs

Roderich/Rodrigo: Ermengildas Vater, Graf der Grenzmark

Silo: König von Asturien

Urraxa: Roderichs Gemahlin, Mutter Ermengildas, Halbschwester König Silos

Die Franken

Anselm von Worringen: Gefolgsmann König Karls

Arnulf: Konrads Vater, Besitzer des Birkenhofs und Oberhaupt seines Dorfes

Ecke: Bauer in Arnulfs Dorf

Eginhard von Metz: Gefolgsmann König Karls

Ermo: Oberhaupt eines Dorfes in Arnulfs Nachbarschaft

Eward: jugendlicher Halbbruder König Karls

Gospert: Gesandter König Karls bei Silo von Asturien

Hasso: Gaugraf des Landstrichs, in dem Arnulfs und Ermos Dörfer liegen

Heiner: Schmied in Arnulfs Dorf

Hemma: Arnulfs Ehefrau und Konrads Mutter

Hildiger: Ewards Schwertbruder

Just: Landstreicherjunge

Karl: König der Franken

Konrad: junger fränkischer Krieger, Sohn Arnulfs und Hemmas vom Birkenhof

Lando: Bauer in Arnulfs Dorf

Lothar: jüngerer Sohn Arnulfs und Hemmas vom Birkenhof

Medard: Bauer in Arnulfs Dorf

Philibert von Roisel: junger fränkischer Krieger

Rado: Freibauer aus Arnulfs Dorf

Roland: Markgraf von Cenomanien

Turpinius: Mönch

Die Mauren

Abd ar-Rahman: Emir von Córdoba

Abdul: genannt der Berber, Schwertarm des Emirs Abd ar-Rahman

Fadl Ibn al Nafzi: Bruder Abdul des Berbers

Jussuf Ibn al Qasi: Wali von Saragossa

Said: maurischer Händler und Spion

Suleiman Ibn Jakthan al Arabi el Kelbi: Wali von Barcelona

Tahir: Eunuch Fadl Ibn al Nafzis

Zarif: Verwalter Fadl Ibn al Nafzis

Die Waskonen

Amets: Anführer von Guizora

Asier: junger Krieger aus Askaiz

Danel: Asiers Bruder

Eneko Aritza: Stammeshäuptling in Nafarroa und Herr von Iruñea

Eneko: Eneko Aritzas ältester Sohn

Estinne: Okins Frau

Iker: Maites Vater, Anführer von Askaiz und Häuptling seines Stammes

Lukan: Okins und Estinnes Sohn

Maite von Askaiz: Tochter Ikers und Okins Nichte

Okin: Ikers Schwager und Maites Onkel

Unai: junger Waskone aus Iekora

Zigor: Vertrauter Eneko Aritzas

Weitere Personen

Amos: junger schwarzhäutiger Gehilfe des Arztes Eleasar

Eleasar Ben David: jüdischer Arzt in Córdoba

Lupus II.: Herzog der Gascogne

Meister Simon: jüdischer Wundarzt in Pamplona

Simeon Ben Jakob: Bauer bei Córdoba

Tarter: junger Gascogner

Waifar: Gascogner

Glossar

Abbasiden
arabische Kalifendynastie, die die Sippe der Omaijaden
besiegt und die Herrschaft über die islamischen Länder mit
Ausnahme Spaniens ergriffen hat

Araba
waskonische Landschaft, spanisch Alava

Aquitanien
Herzogtum im Südwesten des Frankenreichs

Asturien
christliches Königreich in Nordspanien

Austrasien
östlicher, germanisch geprägter Teil des Fränkischen Reiches

Banu Qasim
mächtige maurische Sippe visigotischer Abstammung in
Nordspanien

Cenomanien
Name der Markgrafschaft Rolands (Bretonische Mark)

Dschehenna
arabisch »Hölle«

Denar
kleine Silbermünze im Frankenreich, zwölf Denare ergaben
einen Solidus (Schilling)

Dinar
arabische Goldmünze zu zehn Dirhem; Namensähnlichkeit
zum fränkischen Denar durch gemeinsame römisch-oströmi-
sche Vorbilder

Dirhem
arabische Silbermünze

Al Andalus
arabische Bezeichnung für Spanien

Emir
arabischer Herrschertitel, entspricht einem Fürsten

Galicien
spanische Landschaft, damals Teil des Königreichs Asturien

Gascogne
Land nördlich der Pyrenäen, südlicher Teil des Herzogtums
Aquitanien

Gascogner
mit den Waskonen verwandter Stamm, der den südlichen
Teil Aquitaniens besiedelt hat und dort die Oberschicht
stellt; stärker romanisiert als die Waskonen

Giaur
arabisch »Ungläubiger«

Gipuzkoa
waskonische Landschaft

Ifrikija
arabische Bezeichnung für Afrika

Iruñea
auch Iruña, waskonische Bezeichnung für die Stadt Pamplona

Kantabrien
spanische Landschaft, damals Teil des Königreichs Asturien

Maghreb
arabische Bezeichnung für Nordafrika

Nafarroa
waskonische Landschaft, spanisch: Navarra

Neustrien
westlicher, romanisch geprägter Teil des Fränkischen Reiches

Omaijaden
arabische Kalifendynastie, durch die Abbasiden gestürzt

Pravia
damalige Hauptstadt Asturiens

Visigoten
germanischer Stamm, im Volksmund Westgoten genannt, beherrschte Spanien von 507 bis 711

Wali
arabischer Statthalter

Waskonen
Volk in den westlichen Pyrenäen und den umgebenden Landstrichen; Vorfahren der Basken

Iny Lorentz

Die Wanderhure

Konstanz im Jahre 1410: Als Graf Ruppert um die Hand der schönen Bürgerstochter Marie anhält, kann ihr Vater sein Glück kaum fassen. Er ahnt nicht, dass es dem adligen Bewerber nur um das Vermögen seiner künftigen Frau geht und dass er dafür vor keinem Verbrechen zurückschreckt. Marie und ihr Vater werden Opfer einer gemeinen Intrige, die das Mädchen zur Stadt hinaustreibt. Um zu überleben, muss sie ihren Körper verkaufen. Aber Marie gibt nicht auf …

Die Kastellanin

Marie lebt zufrieden mit ihrem Ehemann Michel Adler. Ihr Glück scheint vollkommen, als sie ein Kind von ihm erwartet. Doch dann muss Michel im Auftrag seines Pfalzgrafen in den Kampf gegen aufständische Hussiten ziehen. Nach einem grausamen Gemetzel verschwindet er spurlos. Marie, die nun ganz allein auf sich gestellt ist, sieht sich täglich neuen Demütigungen und Beleidigungen ausgesetzt. Schließlich bleibt ihr nur ein Ausweg: Sie muss von ihrer Burg fliehen. Marie hat die Hoffnung nicht aufgegeben, dass Michel noch leben könnte, und schließt sich als Marketenderin einem neuen Heerzug an. Wird sie den geliebten Mann jemals wiederfinden?

Das Vermächtnis der Wanderhure

Als Hulda erfährt, dass ihre Todfeindin Marie wieder schwanger ist, schmiedet sie einen perfiden Plan: Marie soll entführt und für tot erklärt werden. Die Rechnung scheint aufzugehen: Michel, Maries Mann, trauert tief um seine geliebte Frau. Hulda bedrängt ihn, sich wieder zu verheiraten. Marie ist inzwischen als Sklavin verkauft und verschleppt worden. Als es ihr unter Einsatz ihres Lebens endlich gelingt, den Weg in die Heimat zu finden, muss sie feststellen, dass ihr geliebter Michel eine neue Frau gefunden hat …

Eine Frau kämpft in der grausamen Welt des Mittelalters um ihr Glück. Die erfolgreiche Trilogie von Bestsellerautorin Iny Lorentz!

Iny Lorentz

Die Tochter der Wanderhure

Roman

Mehr als zwölf Jahre sind vergangen, seit Marie ihre letzten Abenteuer bestehen musste. Trudi, die älteste Tochter von Marie und Michel, ist der ganze Stolz ihrer Eltern und träumt von der großen Liebe. Doch auf der Hochzeit von Trudis Freundin geschieht das Entsetzliche: Michel wird ermordet! Marie und Trudi verdächtigen sofort den Söldnerführer Peter von Eichenloh, mit dem Trudi heftig aneinandergeraten ist. Diesem gelingt es jedoch, sich von der Tat reinzuwaschen. Maries Lage wird nach dem Tod ihres geliebten Mannes immer schwieriger, denn niemand traut ihr zu, Kibitzstein erhalten zu können, und diejenigen, die sie bisher für Freunde hielt, erweisen sich nun als habgierige Neider. Allein König Friedrich könnte noch helfen, und so macht sich Trudi heimlich auf den Weg, um seine Unterstützung zu erbitten – ausgerechnet mit Hilfe des Mannes, den sie für den Mörder ihres Vaters hält …

»Mittelalter erwacht zum Leben.«
Bild am Sonntag

KNAUR TASCHENBUCH VERLAG

Und jetzt…?

Viele weitere Informationen rund um
Iny Lorentz, ihre Geschichten und ihre Schwäche für
Propellerflugzeuge finden Sie im Internet unter

www.iny-lorentz.de

Kostenlose Leseproben · Hintergrundbericht
Steckbrief · Autorentelefon · Interviews
Weblog · Veranstaltungen · Bücher…